KB166161

한국주역대전 3

송괘·사괘·비괘·소축괘·리괘·태괘

이 저서는 2012년 대한민국 교육부와 한국학중앙연구원(한국학진흥사업단)의 한국학분야 토대연구지원사업의 지원을 받아 수행된 연구임(AKS-2012-EAZ-2101)

한국주역대전

한국주역대전 편찬실

송괘 · 사괘 · 비괘 · 소축괘 · 리괘 · 태괘

學古房

한국주역대전을 펴내며

2012년 9월 첫 작업을 시작한 '『한국주역대전』편찬·표점·번역·주해·해제'라는 방대한 사업이 이제 출판의 결실을 보게 되었다. 지난 수 십 년간 유교경학과 한국학의 급속한 성장에도 불구하고 한국역학은 여전히 불모의 상태를 벗어나기 어려웠다. 개별 연구들이 적지 않게 축적되어 왔고, 이에 고무되어 한국역학사를 공동으로라도 엮어보자는 호기로운 시도가 없었던 것은 아니지만, 그것이 아직 시기상조라는 자각과 함께 무산되곤 하였다. 한국역학 원전자료는 한국경학자료 가운데 단연 방대한 양을 자랑한다. 반면 전문연구자는 턱없이 부족하다. 사정이 이러하니 한국역학이 우뚝 서기까지는 아직 갈 길이 멀기만 하다. 이러한 정황 속에서 『한국주역대전』의 출간은 매우 기쁜 일이 아닐 수 없다.

이번에 출간되는 『한국주역대전』은 한국학자의 역학관련 자료 가운데 주요한 것을 가려 뽑아 『주역전의대전』 체제에 맞추어 집해(集解)형식으로 편찬한 것이다. 『주역전의대전』은 중국은 물론 조선시대 역학사상 형성에 무엇보다 영향력이 큰 문헌이라 할 수 있다. 이번 『한국주역대전』은 먼저 『주역전의대전』을 소주까지 모두 번역하여, 주역에 대한 중국학자들의 이해와 한국학자들의 해석을 비교해 볼 수 있도록 하였다. 편찬 체재는 경문－정전－본의－중국대전－한국대전으로 구성하였다. 편찬과 표점, 그리고 번역을 동반한 『한국주역대전』을 통해 한국학자들의 『주역전의대전』에 대한 깊은 이해 및 새로운 해석의 지평을 볼 수 있을 것이다. 또한 한국학자들의 저작을 시대별로 배열하였으므로 그 흐름을 일목요연하게 파악할 수 있을 것이다.

이번 『한국주역대전』을 편찬하면서 연구기간은 짧고 작업은 방대하여 아쉬운 점이 한 둘이 아니었다. 제한된 연구기간으로 인해 연구 범위를 제한할 수밖에 없었으며, 따라서 작자 미상의 자료, 연대 미상의 자료, 『주역전의대전』과 유사하여 별다른 특징을 볼 수 없는 자료는 편찬 범위에 포함시키지 않았다. 또한 다산의 『주역사전』처럼 중요한 자료일지라도 별도로 번역되어 시중에 유통되고 있는 책은 자료에 포함시키지 않았다. 특히 상수학 관련 자료들에 대한 번역은 앞으로 더 정치한 번역이 필요할 것이라고 생각되며, 그에 대한 별도의 연구도 필요할 것이다. 그럼에도 불구하고 이번 『한국주역대전』의 출간은 한국역학연구의 획기적인 토대를 제공하여, 많은 후속연구를 가능하게 하리라는 기대로 그 아쉬움을 상쇄하고자 한다.

이와 같이 방대한 토대사업은 실상 국가적 지원이 아니고서는 실행되기 어렵다. 이 사업의 지원을 결정해 주신 한국학중앙연구원과 한국학진흥사업단에 감사드린다. 그리고 제한된 연구기간의 압박 속에 과도한 업무를 사명감으로 감당해 준 연구진들의 노고에 고마운 마음을 전한다.

오늘날과 같은 출판시장의 현실에서 『한국주역대전』과 같은 방대한 분량의 책을 간행해 줄 출판사를 찾는다는 것은 결코 쉽지 않은 일이다. 모든 어려움에도 불구하고 조금의 망설임도 없이 흔쾌하게 이 책의 출판을 결정해 주신 도서출판 학고방의 하운근 사장님께 깊은 감사를 드린다.

2017년 1월
한국주역대전편찬 연구책임자
성균관대학교 유학대학 교수/한국주자학회 · 율곡학회 회장
최 영 진

목차

6

송괘
訟卦

中國大全

傳

訟序卦, 飮食必有訟, 故受之以訟. 人之所需者飮食, 旣有所須, 爭訟所由起也, 訟所以次需也. 爲卦乾上坎下. 以二象言之, 天陽上行, 水性就下, 其行相違, 所以成訟也. 以二體言之, 上剛下險, 剛險相接, 能无訟乎. 又人內險阻而外剛强, 所以訟也.

송괘(訟卦)는 「서괘전」에서 "음식에는 반드시 송사가 있기 때문에 송괘로 받았다"라고 하였다. 사람이 필요한 것은 음식이고, 이미 필요한 것이 생기면 다투고 송사함이 이로 인해 일어나니, 송괘가 수괘 다음에 온 것이다. 괘의 모양이 건 위에 있고 감이 아래에 있다. 두 괘의 상으로 말하면, 양인 하늘은 위로 가고 물의 성질은 아래로 가서, 행함이 서로 어긋나니, 송사를 하게 되는 까닭이다. 두 괘의 몸체로써 말하면, 위는 굳세고 아래는 험해서 굳센 것과 험한 것이 서로 접해 있으니, 송사가 없을 수 있겠는가? 또 사람으로 말하면 안은 험해서 막히고 바깥은 굳세고 강하니, 이 때문에 송사를 하는 것이다.

小註

建安丘氏曰, 訟字從言從公, 言出於公則爲訟, 不公則爲誣爲詐, 非訟也.
건안구씨가 말하였다: 송(訟)자는 언(言)부수에 공(公)자를 합한 것이다. 말이 공평한 것으로부터 나오면 송(訟)이 되며, 공평하지 못하면 무(誣)가 되고 사(詐)가 되니, 송(訟)이 아니다.

○ 雲峯胡氏曰, 屯蒙之後繼以需訟. 需由於屯, 世不屯无需. 訟由於蒙, 人不蒙无訟.
운봉호씨가 말하였다: 준괘와 몽괘의 뒤에 수괘와 송괘로써 연결하였다. 수괘는 준괘로부터 기인하니, 세상에서 곤란하지 않으면 기다릴 필요가 없다. 송괘는 몽괘로부터 기인하니, 사람이 몽매하지 않으면 송사할 이유가 없다.

訟, 有孚窒惕, 中吉, 終凶.

정전 송(訟)은 믿음이 있으나 막혀서 두려우니, 중도를 지키면 길하고, 끝까지 하면 흉하다.

訟, 有孚窒, 惕中吉, 終凶.

본의 송(訟)은 믿음이 있으나 막히니, 두려워하여 중도를 지키면 길하고, 끝까지 하면 흉하다.

‖中國大全‖

傳

訟之道, 必有其孚實. 中无其實, 乃是誣妄, 凶之道也. 卦之中實, 爲有孚之象. 訟者, 與人爭辯而待決於人. 雖有孚, 亦須窒塞未通, 不窒則已明无訟矣. 事旣未辯, 吉凶未可必也, 故有畏惕. 中吉, 得中則吉也. 終凶, 終極其事則凶也.

송사를 하는 도는 반드시 믿음과 진실이 있어야 한다. 속에 진실이 없으면 속이고 망령된 것이니, 흉한 도리이다. 괘의 가운데 효가 이어져 있으니, '믿음이 있는' 상이다. '송사'라는 것은 다른 사람과 다투고 변론하여 남에게 판결을 기다리는 것이다. 비록 믿음이 있더라도 또한 막혀서 통하지 않는 것이며, 막히지 않았다면 이미 분명하여송사가 없을 것이다. 일이 분변되지 못해서, 길하고 흉함을 반드시 기필할 수 없기 때문에 두려움이 있는 것이다. "중도를 지키면 길하다"라 함은, 중도를 얻으면 길하다는 것이고, "끝까지 하면 흉하다"라는 것은, 송사를 끝까지 하면 흉하다는 것이다.

小註

厚齋馮氏曰, 有孚而窒焉, 故訟. 訟而未明則惕.

후재풍씨가 말하였다: 믿음이 있으나 막혔기 때문에 송사를 한다. 송사를 하나 시비가밝혀지지 않으면 두렵다.

○ 潛齋胡氏曰, 曲直未明, 故窒. 勝負未明, 故惕, 中吉, 虞芮之相遜是也. 終凶, 雍子納賂而蔽罪邢侯是也.

잠재호씨가 말하였다: 시비가 명확하지 않기 때문에 막히고, 승부가 분명하지 않기 때문에 두렵다. “중도를 지킴이 길하다”는 것은 우(虞)나라 사람과 예(芮)나라 사람이 서로 양보한 것이 이것이다. “끝까지 하면 흉하다”는 것은 옹자(雍子)가 뇌물을 바쳐서 그 죄를 형후(邢侯)에게 덮어씌운 것이 이것이다.

韓國大全

조호익(曺好益) 『역상설(易象說)』

訟, 終凶.
송(訟)은 끝까지 하면 흉하다.

傳註, 雍子納賂而蔽罪邢侯, 是也.
『정전』에 대한 잠재호씨(潛齋胡氏)의 주석(註釋)에서, “옹자(雍子)가 뇌물을 바쳐서 형후(邢侯)에게 죄를 뒤집어씌운 것이 이것이다”라 하였다.

按, 雍子與邢侯, 爭鄐田, 韓宣子, 使叔魚聽之. 罪在雍子, 雍子納其女於叔魚, 叔魚蔽罪邢侯, 邢侯殺雍子叔魚於朝. 叔向曰, 施生戮死, 可也. 己惡而掠美爲昏, 貪以敗官爲墨, 殺人不已爲賊.
내가 살펴보았다: 옹자가 형후와 축(鄐) 땅을 가지고 다투자, 한선자(韓宣子)가 숙어(叔魚)에게 그에 대해 판결하게 하였다. 죄가 옹자에게 있는데, 옹자가 그의 딸을 숙어에게 바치자, 숙어가 형후에게 죄를 뒤집어씌우니, 형후가 옹자와 숙어를 조정에서 죽였다. 숙향(叔向)이 이에 대해 말하기를, “살아 있는 자에 대해서는 사형을 시행하고, 죽은 자에 대해서는 시신을 공개하는 것이 옳습니다. 자신이 나쁜 짓을 하고서도 아름다운 이름을 억지로 취하는 것은 혼(昏)이고, 재물을 탐내어 관직을 손상시키는 것은 묵(墨)이고, 사람을 죽이고서도 꺼리지 않는 것은 적(賊)입니다”라 하였다.[1]

---

1) 『좌전 · 소공십사년』의 내용이다.

이익(李瀷) 『역경질서(易經疾書)』

有孚, 篤實也. 需, 有孚則光亨, 訟, 有孚則窒惕. 對勘而吉也, 繼云, 中吉終凶, 則其始
之亦窒惕矣. 窒不通也. 惕多懼也. 訟者, 待決於人, 豈能皆如己志, 是窒也. 訟而屈則
有罪, 是惕也. 然剛而得中, 故或理勝而中吉, 因以成之, 其終必凶, 訟而篤實, 無終吉
之道也.

믿음이 있다는 것은 돈독하고 충실한 것이다. 수괘(需卦)에서 믿음이 있는 것은 빛나고 형
통하다고 했고, 송괘에서 믿음이 있는 것은 막히고 두렵다고 했다. 대조해서 보면 길한데,
이어서 알맞음을 얻으면 길하고 끝까지 하면 흉하다고 했으니, 그 처음 또한 막혀서 두려운
것이다. 막힘은 통하지 못함이고 두려움은 많이 위태로움이다. 소송은 다른 이의 판결을
기다리는 일이니, 어찌 자기의 뜻대로만 되겠는가! 이것이 막힘이다. 소송에서 패배하면 죄
가 있게 되니, 이것이 두려움이다. 그러나 굳세면서 중도를 얻었기 때문에 도리가 우세하고
중도에 맞아 길할지라도, 이것을 근거로 끝까지 이루려 하면 그 끝이 반드시 흉할 것이니,
송사를 하면서 돈독하고 충실하게 해서 끝내 길하게 되는 도리는 없다.

유정원(柳正源) 『역해참고(易解參攷)』

林氏曰, 需訟皆有坎, 故有孚同. 坎, 在上而進不陷, 故需曰光亨. 在下而剛見掩, 故訟
曰窒惕.

임씨가 말하였다: 수괘(需卦䷄)와 송괘(訟卦䷅)에는 모두 감괘(☵)가 들어있기 때문에 '믿
음이 있음'은 동일하다. 감괘(☵)가 위에 있으면 나감에 빠지지 않기 때문에 수괘(需卦)에서
는 빛나고 형통하다고 하였고, 아래에 있으면 굳셈이 막힘을 당하기 때문에 송괘에서는 막
혀서 두렵다고 하였다.

○ 梁山來氏曰, 有孚者, 誠實而不詐僞也. 窒者, 窒塞而能含忍也. 惕者, 戒懼而畏刑
罰也. 中者, 中和而不狠愎也. 人有此四者, 必不與人爭訟, 所以吉.

양산래씨가 말하였다: 믿음이 있다는 것은 성실하여 거짓과 속임이 없는 것이다. 막힌다는
것은 막혔지만 참을 수 있는 것이다. 두렵다는 것은 경계하고 두려워함이니, 형벌을 두려워
하는 것이다. 중도에 맞다는 것은 알맞은 조화를 지켜 싸우지 않는 것이다. 사람이 이 네
가지를 지니고 있으면, 남과 쟁송하지 않아 길하다.

○ 案, 初與四應, 而九二窒之, 二與五應, 而六三窒之, 三與上應, 而四五窒之. 上下之
情不通, 彼此之意相隔, 此訟所以起也.

내가 살펴보았다: 초효와 사효가 호응하는데 구이가 가로막고, 이효와 오효가 호응하는데 육삼이 가로막고, 삼효와 상효가 호응하는데 사효와 오효가 가로막는다. 위와 아래의 실정이 통하지 않고 저쪽과 이쪽의 뜻이 서로 막혀 있으니, 이 때문에 송사가 일어난다.

박윤원(朴胤源) 『경의(經義)・역경차략(易經箚略)・역계차의(易繫箚疑)』

訟, 有孚, 窒惕, 中吉, 終凶, 彖曰, 剛來而得中也. 朱子, 以剛來爲自遯來, 來易, 以爲自需之上卦來. 一是主卦變, 一是主卦綜, 說各以其意看, 爲可.

송괘(訟卦䷅) 괘사는 "믿음이 있으나 막히니, 두려워하여 알맞음을 얻으면 길(吉)하고 끝까지 함은 흉하다"고 하고,「단전」은 "굳셈이 와서 가운데를 얻었다"고 하였다. 주자는 굳셈이 왔다는 것을 돈괘(遯卦䷠)에서 온 것이라 하였고, 래지덕은 수괘(需卦䷄)의 상괘[☵]에서 온 것이라 하였다. 한 분은 괘변을 주로 한 것이고 한 분은 괘종(卦綜)[2]을 주로 한 것이니, 해설을 각각 그 뜻에 따라 보면 된다.

강엄(康儼) 『주역(周易)』

本義, 且於卦變, 自遯而來, 云云.

『본의』에서 말하였다:또 괘변에 있어서는 돈괘(遯卦䷠)로부터 왔으니, 운운.

按, 易中言卦變, 始於此, 而卦辭及象傳, 凡言剛柔往來之義者. 本義皆以卦變斷之, 其法, 取二爻相比者爲變, 未有間一爻取變者. 以是求之, 无不肳合經旨., 蓋不易之法也. 獨渙卦象傳曰, 渙亨剛來而不窮, 柔得位乎外而上同. 本義云, 本自漸卦九來居二而得中, 六往居三得九之位而上同於四, 朱子又以六三之渙做得位, 謂有些不穩, 而胡雲峯亦曰, 朱子雖有是疑, 而不及改正. 蓋渙卦卦變, 獨與象傳之旨, 不甚襯切, 朱子若改定本義, 則此等處, 恐亦必在所改矣. 或曰, 朱子若改定, 則當取兩卦變云, 自漸卦九來居二而得中, 自未濟六來居四, 得陰之位, 而上同於五, 此說是否.

내가 살펴보았다:『주역』에서 괘변을 말한 것이 이곳에서부터 시작되었고, 괘사와「단전」에서는 굳셈과 유순함이 가고 옴의 의미를 일반적으로 말하였다. 『본의』에서는 다 괘변으로 판단하였으니, 그 방법은 서로 이웃하는 두 효를 취하여 변하게 하였고, 한 효라도 간격이 있는 경우는 없다. 이것을 가지고 추구해보면, 경문의 취지와 밝게 부합되지 않음이 없으니, 바꿀 수 없는 법칙이다. 유독 환괘(渙卦䷺)의「단전」에 말한 "환(渙)이 형통함은 굳센 양이

---

2) 괘종(卦綜): 래지덕은 종(綜)을 거꾸로 본 괘를 지칭하는 개념으로 쓴다.

와서 다하지 않고 부드러움이 밖에서 자리를 얻어 위와 함께 하기 때문이다"에 대해 『본의』에서는 "본래 점괘(漸卦☲)로부터 왔으니, 구(九)가 와서 이효 자리에 있어 가운데를 얻고 육(六)이 가서 삼효자리에 있어 양인 구의 자리를 얻어 위로 사효와 함께 한다"고 하였다. 주자는 또 육삼이 자리를 얻었다고 한 것에 대해 조금 편치 못한 점이 있다고 했고, 호운봉 또한 말하기를 "주자가 비록 이런 의혹을 가지고 있었지만 바르게 고치지는 않았다"하였다. 환괘의 괘변은 유독 「단전」의 취지와 더불어 절실히 가깝지 않으니, 주자가 만약 『본의』를 개정했더라면 이와 같은 곳은 아마도 반드시 고칠 부분이다. 어떤 이가 말하길 "주자가 만약에 개정한다면 마땅히 두 가지 괘변을 취하여 말하길 '점괘(漸卦☲)의 구(九)가 와서 두 번째 자리에 있어서 알맞음을 얻고, 미제괘(未濟卦☲)로부터 육(六)이 와서 네 번째 자리에 머물러 음의 자리에 있어서 위로 오효와 같이 한다'고 할 것"이라 했는데, 과연 그럴까?

이지연(李止淵) 『주역차의(周易箚疑)』

中吉, 指二五, 終凶, 指上九. 卦有坎, 坎爲中實之象, 故曰有孚, 與需之有孚无異. 然而需則孚者在前, 而在內之三陽, 信而向之, 此則我有孚信, 而爲人所信, 故亨. 訟則孚者在下, 而在上之三陽, 所行相違, 无由知之, 則我自以爲有信, 而欲人之信從, 其可不窒塞乎. 凡以信感人之道, 我雖不言, 而人自信從然後, 情可通, 事可成. 若矜已之信, 而必欲人之信我, 則欲見信而反不見信, 安得免窒而不通乎.

중도에 맞아서 길함은 이효와 오효를 가리키고, 끝까지 가서 흉함은 상구를 가리킨다. 괘에 감괘(☵)가 있는데, 감괘는 가운데가 충실한 상이기 때문에 믿음이 있다고 하였으니, 수괘(需卦☲)의 믿음 있음과 다르지 않다. 그렇지만 수괘(需卦☲)의 경우는 믿음이 앞에 있어 안에 있는 세 양이 그것을 믿고 향해 가지만, 이 경우는 나에게 믿음이 있어 남이 믿어주는 것이기 때문에 형통하다. 송괘의 경우는 믿음은 아래에 있지만 위에 있는 세 양의 움직임이 서로 어겨서 알 도리가 없으니, 이 경우는 스스로 자기에게 믿음이 있다고 생각하고 남이 나를 믿고 따라주길 바라니 막히지 않을 수 있겠는가? 믿음으로 사람을 감화시키는 도리는 내가 비록 말하지 않더라도 남이 스스로 믿고 따른 후에야 실정을 통하고 사업을 이룰 수 있다. 만약 자기의 믿음을 내세워 반드시 남이 나를 믿어주길 바란다면, 믿음을 얻으려다 도리어 믿음을 얻지 못하게 되니, 어찌 막혀서 통하지 못함을 피할 수 있겠는가?

김기례(金箕澧) 「역요선의강목(易要選義綱目)」

訟, 爭也. 陽升水陷, 二體相違而訟. 飮食之道, 必致爭辨故訟.

송(訟)은 다툼이다. 양은 올라가고 물은 빠져서 두 몸체가 서로 어겨 다툰다. 마시고 먹기 위한 길은 반드시 다투고 분별함을 불러들이기 때문에 송사를 한다.

有孚.

믿음이 있음.

坎中實故曰有孚, 實故訟.

감괘의 가운데가 충실하기 때문에 믿음이 있다고 하였고, 꽉 차있기 때문에 송사를 한다.

窒惕.

막혀서 두려워함.

二爲訟主, 五爲聽訟, 而二五竝剛无應, 故窒, 窒則訟難期勝, 故惕. 坎爲加憂, 故曰惕.

이효는 송사의 주인이고, 오효는 송사를 듣는 자로 이효와 오효가 모두 굳세고 응함이 없기 때문에 막히고, 막히면 송사에서 이기기를 기대하기 어렵기 때문에 두렵다. 감괘는 '근심을 더함'이 되기 때문에 '두려움'이라고 하였다.

中吉終凶.

알맞으면 길하고 끝까지 하면 흉하다.

二居下卦之中, 訟由窒惕, 而有始无終, 故得中吉. 上居剛之極, 而終極訟事, 故曰終凶.

이효가 하괘의 가운데 있어서 송사를 함에 막히고 두려움으로 말미암아 시작은 했지만 끝까지는 하지 않기 때문에 알맞음을 얻어 길하다. 상효는 굳셈의 끝에 있어서 송사를 끝까지 밀어붙이기 때문에 "끝까지 하면 흉하다"고 하였다.

이진상(李震相) 『역학관규(易學管窺)』

卦體, 訟需之反也. 陰自上降而達于下, 體亦如屯蒙之陽例, 特陽則自下達上耳. 此卦先互離之中女, 更互巽之長女, 陰在陽中而逆行者也.

괘의 몸체가 송괘(訟卦☰)는 수괘(需卦☰)가 뒤집힌 괘이다. 음이 위에서부터 내려와 아래에 도달하여 몸체 또한 준괘(屯卦☰)와 몽괘(蒙卦☰)의 양의 예와 같으니, 다만 양은 아래에서부터 위로 도달할 따름이다. 이 괘에서 먼저의 호괘[內互卦]인 리괘(☲)의 둘째 딸과 다음 호괘[外互卦]인 손괘(☴)의 맏딸은 음이 양 가운데 있어 거슬러 움직이는 자이다.

利見大人, 不利涉大川.

대인을 보는 것이 이롭고, 큰 내를 건너는 것이 이롭지 않다.

‖中國大全‖

傳

訟者, 求辯其曲直也. 故利見於大人. 大人則能以其剛明中正決所訟也. 訟非和平之事, 當擇安地而處, 不可陷於危險, 故不利涉大川也.

송사라는 것은 잘못되고 잘된 것의 판별을 얻고자 하는 것이다. 그러므로 대인을 봄이 이롭다고 말하였다. 대인은 굳세고 현명하고 중정(中正)으로써 송사하는 바를 관결할 수 있다. 송사는 평화스러운 일이 아니니, 마땅히 안전한 곳을 가려서 거처해야 하고 위험한 데 빠져서는 안 된다. 그러므로 "큰 내를 건너는 것이 이롭지 않다"고 한 것이다.

本義

訟, 爭辯也. 上乾下坎, 乾剛坎險. 上剛以制其下, 下險以伺其上. 又爲內險而外健, 又爲己險而彼健. 皆訟之道也. 九二中實, 上无應與, 又爲加憂. 且於卦變自遯而來, 爲剛來居二而當下卦之中, 有有孚而見窒, 能懼而得中之象. 上九過剛居訟之極, 有終極其訟之象. 九五剛健中正以居尊位, 有大人之象. 以剛乘險以實履陷, 有不利涉大川之象. 故戒占者必有爭辯之事, 而隨其所處爲吉凶也.

송사는 다투고 변론하는 것이다. 위에는 건이 있고 아래는 감이 있으니, 건은 굳세고 감은 험하다. 위는 굳셈으로서 아래를 제재하고 아래는 험한 것으로서 위를 엿본다. 또 안은 험하고 바깥은 굳건하며, 자기는 험하고 상대는 굳건하니, 모두 송사하는 일이다. 구이는 가운데 자리에 있으면서 이어져 있으나 위로 호응이 없어 근심을 더한다. 또 괘변에 의하면 돈괘(遯卦䷠)로부터 왔다. 굳센 양이 와서 이효 자리에 거처하여 하괘의 가운데 자리에 당면하니, 믿음이 있으나 막힌 것을 보고 두려워하며 중도를 지키는 상이 있다. 상구는 지나치게 강한 것으로 송괘의 끝에 있으니, 송사를 끝까지 하는 상이 있다. 구오는 강건하고 중정함으로서 존귀한 자리에 거처해서 '대인'의 상이 있다. 굳셈으로서 험한 것을 타고, 이어져 있는 것으로서 빠지는 데를 밟으니, "큰 내를 건너는 것이 이롭지 않은" 상이 있다. 그러므로 점치는 사람이 반드시 다투고 변론하는 일이 있을 것이나, 그 처신하는 것에 따라서 길하거나 흉하게 될 것이라고 경계한 것이다.

小註

朱子曰, 訟, 攻責也. 如今訟人, 攻責其短而訟之. 自訟, 則反之於身亦如此.
주자가 말하였다: 송(訟)은 공격하여 따져 밝히는 것이다. 예컨대 다른 사람과 송사한다면 그 사람의 단점을 공격하여 따져 밝혀서 송사하는 것이다. 스스로 송사하는 것은 곧 자신에게서 반성하는 것을 또한 이와 같이 하는 것이다.

○ 盤澗董氏曰, 九二中實爲有孚. 坎險爲窒. 坎爲加憂爲惕. 九二居下卦之中, 故曰有信而見窒能懼而得中也. 終凶, 蓋取上九終極於訟之象. 利見大人, 蓋取九五剛健中正居尊之象. 不利涉大川, 又取以剛乘險以實履陷之象, 此取義不一也. 然亦有不必如此取者. 此特其一例也. 先生嘗曰, 卦辭如此, 辭極齊整. 蓋所取諸爻義, 皆與爻中本辭協. 亦有雖取爻義, 而與爻本辭不同者, 此爲不齊整處是也.
반간동씨가 말하였다: 구이는 가운데 자리이면서 실하니, 믿음이 있다. 구덩이의 험함은 막힘이 되고, 구덩이는 근심을 더하여 두려움이 된다. 구이는 하괘의 가운데에 있다. 그러므로 믿음이 있지만 막힘을 보고, 능히 두려워하여 중도를 얻는다고 하였다. "끝까지 하면 흉하다"라 함은 대체로 상구가 끝내 송사를 하는 상을 취한 것이다. "대인을 보면 이롭다"라 함은 대체로 구오가 강건하고 중정으로서 존귀한 자리에 있는 상을 취한 것이다. "큰 내를 건너는 것이 이롭지 않다"라 함은 또 굳셈으로서 험한 것을 타고 실로서 험한 것을 밟는 상을 취한 것이니, 이것은 취한 뜻이 같지 않기 때문이다. 그러나 또한 반드시 이와 같이 취하지 않은 것이 있을 것이다. 이것은 다만 그 한 예일 뿐이다. 선생이 일찍이 "괘사는 이와 같이 말이 매우 가지런히 정돈되어 있다. 대체로 효의 의미에서 취한 것이 모두 효 중의 효사와 일치한다. 또한 비록 효의 의미를 취하였다고 하더라도 효사와 서로 다른 것이 있으니, 이것이 가지런히 정돈되지 않은 곳이다"라고 말하였다.

○ 雲峯胡氏曰, 需訟二卦, 皆以坎之中實爲主. 特需之坎在上, 爲光爲亨. 訟之坎在下, 爲窒爲惕, 窒惕者光亨之反也. 本義謂涉川尤貴於能待, 就需待之義說利涉. 以剛乘險以實履陷, 就爭訟之危說不利涉, 其義精矣. 大抵能安其分, 則爲需以相待, 不能安其分, 則爲訟以相持. 故需卦辭有吉无凶, 有利无不利. 於訟則曰如是而吉, 如是而凶, 如是而利, 如是而不利. 別白言之, 所謂隨其所處爲吉凶者也.

운봉호씨가 말하였다: 수괘와 송괘는 모두 감괘의 '실한 가운데 자리'가 주인이다. 다만 수괘의 감(坎)이 위에 있기 때문에, 빛남이 되고 형통함이 된다. 송괘의 감(坎)이 아래에 있기 때문에, 막힘이 되고 두려움이 되니, 막히고 두려운 것은 "크게 형통하다"는 것의 반대이다. 『본의』는 "내를 건너는 자는 기다릴 줄 아는 것을 더욱 귀하게 여긴다"라고 하였으니, 기다린다는 의미에 입각하여 내를 건너는 것이 이롭다는 말을 설명하였다. "굳셈으로서 험함을 타고 실로서 험한 것을 밟는다"라 함은 송사의 위험함에 입각하여 내를 건너는 것이 이롭지 않다는 말을 설명하였으니, 그 의미가 정밀하다. 대체로 자신의 본분을 편안히 지킬 수 있다면 기다림으로써 서로 대하고, 자신의 본분을 편안히 지킬 수 없다면, 송사함으로써 서로 대항한다. 그러므로 수괘의 괘사에 길함은 있고 흉함은 없으며, 이로움은 있고 이롭지 않음은 없다. 송괘에서는 "이와 같이 하면 길하다"·"이와 같이 하면 흉하다"는 말과 "이와 같이 하면 이롭다"·"이와 같이 하면 이롭지 않다"는 말이 있다. 이를 명백하게 분별해서 말하면, 이른바 대처하는 바에 따라 길이 되기도 하고 흉이 되기도 한다는 것이다.

▐ 韓國大全 ▐

조호익(曺好益) 『역상설(易象說)』

不利涉大川.[3]
큰 내를 건너는 것이 이롭지 않다.

本義, 又爲加憂.
『본의』에서 말하였다: 또 근심을 더함이 된다.

按, 說卦小註, 陽陷陰中, 爲加憂. 愚以爲, 陽爲陰所逼, 則爲可憂, 至於見陷, 故爲加憂也.
내가 살펴보았다: 「설괘전」의 소주(小註)에 "양(陽)이 음(陰) 가운데 빠져 있으므로 근심을

---

[3] 경학자료집성DB에서는 송괘 「단전」에 해당하는 것으로 분류했으나, 여기에 인용된 『본의』의 구절이 괘사에 대한 것이므로, 이 자리로 옮겨 바로잡는다.

더함이 된다"고 하였다. 내가 생각해 보건대, 양이 음에게 핍박을 받으면 근심할 만한 것이 되는데, 빠짐을 당하는 데에 이르렀으므로 근심을 더함이 되는 것이다.

김만영(金萬英)「역상소결(易象小訣)」[4]

九五, 爲乾卦人位, 故曰大人, 坎在下, 故曰大川.

구오는 건괘(☰)의 사람자리이기 때문에 대인이라고 하였고, 감괘(☵)가 아래에 있기 때문에 '큰 내'라고 하였다.

유정원(柳正源)『역해참고(易解參攷)』

不利涉大川.

큰 내를 건너는 것이 이롭지 않다.

朱子曰, 不利涉大川, 是上面四畫, 陽載起壓了這船重.

주자가 말하였다: 큰 내를 건너는 것이 이롭지 않다는 것은 위의 사획에서 양획이 배를 무겁게 누르게 된다.

○ 方塘徐氏曰, 訟自初至五, 互爲舟楫, 風行水上, 本利涉也. 下四畫, 互未濟, 故有不利涉大川象.

방당서씨가 말하였다: 송괘의 초효에서 오효까지의 호체가 배와 노가 되는데 바람이 물위에 불어 본래는 건너는 것이 이롭다. 아래 사획의 호괘가 미제괘이기 때문에 큰 내를 건너는 것이 이롭지 않은 상이 있다.

○ 梁山來氏曰, 中爻巽木下坎水, 可濟大川. 値三剛在上, 陽實陰虛, 遇巽風, 舟重遇風, 則舟危矣. 舟危豈不入淵. 故象辭曰入淵, 不利涉之象也.

양산래씨가 말하였다: 가운데 효로 손괘(☴)의 나무가 있고 아래 괘는 감괘의 물이어서 큰 내를 건널 수 있다. 세 개의 강한 효가 위에 있어 양은 충실하고 음은 비어있어 손괘(☴)의 바람을 만나고 무거운 배가 바람을 만나면 배가 위태롭다. 배가 이미 위태로운데 어찌 못에 빠지지 않겠는가? 그렇기 때문에 「단전」에서 못에 들어감으로 말했으니, 큰 내를 건너는 것이 이롭지 않은 상이다.

---

4) 경학자료집성DB에서는 송괘「단전」에 해당하는 것으로 분류했으나, 괘상을 총괄해서 논한 것이므로, 이 자리로 옮겨 바로잡는다.

김상악(金相岳) 『산천역설(山天易說)』

訟之卦變, 九二, 自三而來, 居坎之中, 故有孚而見窒, 能懼而中吉也. 上九, 過剛處訟
之極, 故終極其訟而凶也. 大人, 五也, 大川, 坎也. 訟必有辨明, 故利見大人. 訟不可
乘險, 故不利涉大川.

송괘(訟卦䷅)의 괘변은 구이가 돈괘(遯卦䷠) 세 번째 자리에서 와서 감괘(☵)의 가운데 있
기 때문에 믿음이 있지만 막힘을 당했고, 두려워하지만 중도에 맞게 하여 길할 수 있다.
상구는 지나치게 굳센 것이 송괘의 끝에 있기 때문에 송사를 끝까지 해서 흉하다. 대인은
오효이고 큰 내는 감괘이다. 송사에는 반드시 밝은 분별이 있어야 하기 때문에 대인을 보는
것이 이롭다는 것이다. 송사는 험함을 타서는 안 되기 때문에 큰 내를 건너는 것이 이롭지
않다고 하였다.

○ 孚者, 二之中實也, 窒者, 陽之陷也. 不孚則不能訟, 不窒則不至訟. 惕者, 坎之憂
也, 有孚而窒, 故不能无惕也. 天與水違行, 以實履陷, 不利涉之象. 蓋需訟二卦, 以坎
中實爲主, 故皆取孚象. 而需之坎在乾上, 則陰陽交而相須, 故爲光爲亨爲利涉. 訟之
坎在乾下, 則陰陽不交而相爭, 故爲窒爲惕爲不利涉.

믿음은 이효인 가운데가 실함이고, 막힘은 양이 빠짐이다. 믿음이 없으면 송사를 할 수 없고
막히지 않으면 송사에 이르지 않는다. 두려움은 감괘의 근심이니 믿음이 있지만 막혔기 때
문에 두려움이 없을 수 없다. 하늘과 물이 어긋나게 움직여 실함으로서 빠질 곳을 밟고 있으
니, 건너는 것이 이롭지 않은 상이다. 수괘(需卦䷄)와 송괘(訟卦䷅)는 감괘(☵)의 가운데가 실한
것을 주됨으로 삼았기 때문에 모두 믿음의 상을 취하였다. 수괘(需卦䷄)에서 감괘(☵)가
건괘(☰)의 위에 있는 것은 음과 양이 사귀면서 서로를 기다리는 상이기 때문에 빛이 나고
형통하여 건너는 것이 이로운 것이다. 송괘(䷅)에서 감괘(☵)가 건괘(☰)의 아래에 있는 것
은 음과 양이 사귀지 못해 서로 다투기 때문에 막히고 두려워하여 건너는 것이 이롭지 않은
것이다.

서유신(徐有臣) 『역의의언(易義擬言)』

訟其起於飮食乎, 坎象也. 有孚, 坎中實也. 三剛塞前, 坎水不通, 故曰窒也. 旣見窒塞,
宜有憂惕, 故曰惕也. 窒惕, 所以爲致訟, 亦所以爲止訟也. 得中爲吉, 有終爲凶, 見大
人利者, 中吉也, 涉大川不利者, 終凶也.

송사는 마시고 먹는 데서부터 생기는 것이니, 감괘의 상이다. 믿음이 있음은 감괘의 가운데
가 실한 것이다. 세 개의 굳셈이 앞을 막아 감괘의 물이 유통하지 못하지 때문에 막힌다고

하였다. 이미 막힘을 보아서 당연히 근심과 두려움이 있기 때문에 두려움이라 하였다. 막힘과 두려움은 송사를 부르는 이유이자 송사를 그만두는 이유이다. 중도를 얻으면 길하고 끝을 두면 흉하니, 대인을 봄이 이로운 것은 중도에 맞아 길함이고 큰 내를 건너는 것이 불리한 것은 끝까지 해서 흉함이다.

김귀주(金龜柱) 『주역차록(周易箚錄)』

訟, 有孚窒惕, 云云.

송사에 믿음이 있으나 막혀 두려워함, 운운.

○ 按, 訟有孚窒惕中吉, 指九二一爻而言. 凡有孚者, 必有亨之道, 而此則在訟之時, 內懷猜險, 故爲窒之象. 居陰柔之位, 而畏彼之剛而得勢, 故爲惕之象. 然能處下之中, 而不克訟, 故有吉之道焉.

내가 살펴보았다: "송사에 믿음이 있으나 막혀 두려워하니 알맞으면 길하다"는 것은 구이를 가리켜 말함이다. 믿음이 있는 자는 반드시 형통한 도리가 있으나, 여기에서는 송사의 때로 안으로 시기와 험난함을 품고 있기 때문에 막히는 상이 된다. 음의 유순한 자리에 있어서 저쪽이 굳세면서 세력 얻음을 두려워하기 때문에 두려워하는 상이 된다. 그렇지만 하괘의 가운데 거처해서 송사를 하지 않기 때문에 길한 도리가 있다.

本義, 訟, 爭辯也, 云云.

『본의』에서 말하였다: 송사는 쟁변, 운운.

小註, 雲峯胡氏曰, 需訟, 云云.

소주에서 운봉호씨가 말하였다: 수괘(需卦䷄)와 송괘(訟卦䷅)는, 운운.

○ 按, 需之有孚, 在需之時, 待時而進, 故有光亨之道. 訟之有孚, 在訟之時, 險而欲爭, 爭則有懼, 故爲窒惕之象. 豈專是在上在下之故耶. 以剛遇險, 則有相時而濟之象, 故曰利涉. 以剛乘險, 則有已履於險之象, 故曰不利涉. 恐不必夾帶爭訟之意, 胡說多未精.

내가 살펴보았다: 수괘(需卦䷄)에 믿음이 있다는 말은 기다릴 때에는 때를 기다려 나아가기 때문에 빛나고 형통한 도리가 있다는 것이다. 송괘에 믿음이 있다는 말은 송사할 때에는 험하게 다투고자 하니, 다투면 두려움이 생기기 때문에 막혀 두려워하는 상이 된다는 것이다. 어찌 이것[믿음이 위에 있고 아래에 있다는 이유뿐이겠는가? 굳셈을 지니고 험함을 만나면 때를 도와 구제하는 상이 있기 때문에 "건너는 것이 이롭다"고 하였고, 굳셈을 지니고 험함을 타면 이미 험함을 밟은 상이기 때문에 "건너는 것이 이롭지 않다"고 한 것이다. 반드시 쟁송의 의미만 협소하게 끼고 있을 필요는 없을 듯하니, 호씨의 설은 정밀하지 않음이 많다.

윤행임(尹行恁) 『신호수필(薪湖隨筆)·역(易)』

訟, 利見大人, 卽使無訟也. 虞芮, 觀感而退, 則訟不期無而自無矣.

송괘(訟卦☰☵)에서 대인을 봄이 이로움은 송사를 없게 하기 위함이다. 우나라와 예나라가 문왕을 뵙고 감화되어 물러났으니, 송사는 없음을 기약하지 않고도 저절로 없어진다.

박문건(朴文健) 『주역연의(周易衍義)』

孚上而不遇, 故窒塞而惕懼也. 得中而始吉, 然見陷而終凶也. 中故爲二陰之利見, 陷故爲濟涉之不利也.

위에 대한 믿음이 있지만 만나지 못하기 때문에 막혀서 두려워한다. 알맞음을 얻어 처음에 길하지만 빠짐을 당해 끝에는 흉하다. 알맞음을 얻었기 때문에 두 음이 만나보는 것이 이롭고, 빠졌기 때문에 건너가는 것이 이롭지 않다.

김기례(金箕澧) 「역요선의강목(易要選義綱目)」

利見大人.

대인을 보는 것이 이롭다.

大人指五. 五以剛中聽訟, 則凡訟必待剛明而決, 故曰利見.

대인은 오효를 가리킨다. 오효는 굳셈으로 가운데 있어서 송사를 들어, 송사에서 반드시 굳세고 밝음을 기다려 결판하기 때문에 보는 것이 이롭다고 하였다.

不利涉大川.

큰 내를 건너는 것이 이롭지 않다.

指剛在險上, 履險則陷, 謂訟不安處則恐入險.

굳셈으로 험함의 위에 있고 험함을 밟아 빠지는 것을 가리키니, 송사를 해서 편안히 거처하지 못하고 험함에 들어갈까 두려워함을 말한다.

윤종섭(尹鍾燮) 「경(經)·역(易)」

訟象, 利見大人, 主五而言. 凡言利見大人, 主二與五. 如蹇萃五, 以剛健中正爲大人, 而下之所利見也. 如升之二剛健中正, 亦爲大人而上之所利見也.

송괘의 단사에 대인을 보는 것이 이롭다는 것은 오효를 위주로 해서 말한 것이다. 대부분 대인을 보는 것이 이롭다고 말 한 경우는 이효나 오효를 위주로 한 것이다. 건괘(蹇卦☵☶)과 취괘(萃卦䷬)의 오효의 경우는 강건하고 중정함으로 대인이 되어 아랫사람이 보는 것이 이롭다. 승괘(升卦䷭)의 구이의 경우는 강건하고 중정하니, 역시 대인이 되어 윗사람이 보는 것이 이롭다.

심대윤(沈大允) 『주역상의점법(周易象義占法)』

訟必以誠實, 故曰有孚, 坎爲孚. 窒塞而不通然後有訟. 訟必有畏怯, 故曰窒惕. 窒, 塞穴也. 坤一變爲艮, 艮爲窒, 又變爲坎, 坎之對離爲惕. 訟者彼此翻覆, 故取變對也. 中吉, 得中則吉, 九二得中也. 終凶, 以乾剛也. 訟者不得已也, 不可終也. 乾坎爲大人, 謂九五也. 訟不可行其危險以求濟, 故曰不利涉大川. 巽舟在上剛之下, 有沉沒象.

송사는 반드시 성실함으로써 하기 때문에 믿음이 있다고 하였으니, 감괘(☵)가 믿음이 된다. 막혀서 통하지 못한 뒤에 송사가 있다. 송사를 하면 반드시 두려움과 겁이 생기기 때문에 막혀서 두렵다고 하였다. '질(窒)'은 구멍이 막힌 것이다. 곤괘(☷)가 한 번 변하면 간괘(☶)가 되는데 간괘는 막힘이고, 또 변하면 감괘가 되는데 감괘와 음양이 반대인 리괘(☲)는 두려움이 된다. 송사는 이쪽과 저쪽이 번복하므로 음양이 반대로 변함에서 취하였다. 알맞으면 길하다는 것은 알맞음을 얻으면 길하다는 것이니 구이가 알맞음을 얻었다. 끝까지 하면 흉하다는 것은 건괘의 굳셈으로써 함이다. 송사란 어쩔 수 없이 하는 것으로 끝까지 해서는 안 된다. 건괘(☰)와 감괘(☵)가 대인이 되니, 구오를 말한다. 송사에서 위험을 겪으며 건너가길 구해서는 안 되기 때문에, "큰 내를 건너는 것이 이롭지 않다"고 하였다. 손괘(☴)의 배가 굳센 상괘의 아래에 있으니, 침몰하는 상이다.

오치기(吳致箕) 「주역경전증해(周易經傳增解)」

訟者, 爭辨也, 取義, 程傳, 已備矣. 坎得乾陽, 其性始同, 而終乃天高居上, 水流就下, 其行相違, 爲成訟之象也. 九二, 爲成訟之主, 而訟者无實, 則乃誣罔, 故言有孚. 直而未伸, 則窒. 辯而未明, 則惕5). 得中則吉終極則凶, 皆爲訟之義也. 九五, 爲治訟之主, 而曲直之辯, 所由係焉, 故言利見大人. 爭訟, 乃險道, 而匪可以濟大事, 故言不利涉大川.

송사는 다투며 변론함이니, 뜻을 취함은 『정전』에 이미 갖추어져 있다. 감괘(☵)가 건괘(☰)의 양을 얻어 처음에는 그 성질이 같았지만, 끝내 하늘은 높이 위에 있고 물을 흘러 아래로 가서 그 움직임이 서로 어긋나니, 송사를 이루는 상이다. 구이는 송괘를 이루는 주인인데 송사하는 자가 실질이 없으면 거짓으로 속이기 때문에 믿음이 있음을 말하였다. 정직이 통

---

5) 惕: 경학자료집성DB에 '揚'으로 되어 있으나 경학자료집성 영인본을 참조하여 '惕'으로 바로잡았다.

하지 않으면 막히고, 변론이 명확하지 못하면 두렵다. 알맞음을 얻으면 길하고 끝까지 가면 흉함은 모두 송사의 뜻이다. 구오는 송사의 주인으로 옳고 그름의 판별이 달려있기 때문에 "대인을 봄이 이롭다"고 하였다. 다투며 송사하는 것은 험한 길로 큰 일을 해낼 수는 없기 때문에 "큰 내를 건너는 것이 이롭지 않다"고 하였다.

○ 有孚取象, 已見需卦. 二五敵應, 爲窒之象, 而窒謂塞也, 坎爲加憂, 而惕謂憂也. 中吉, 指九二而言, 終凶, 指上九而言. 大人, 指九五也. 坎爲水, 互巽爲風爲木, 有涉川之象, 而險在下, 健在上, 有可危之象, 故不利也. 相違不相親, 故不言亨, 坎失位, 而二五不應, 故不言貞.

믿음이 있는 상을 취함은 수괘(需卦䷄)에서 이미 보았다. 이효와 오효는 적대적으로 응하여 막히는 상인데, 막힘은 폐색을 말한다. 감괘는 근심을 더함이 되니, 두려움은 근심을 말한다. '알맞으면 길함'은 구이를 가리켜 말하고, '끝까지 하면 흉함'은 상구를 가리켜 말한다. 대인은 구오를 가리킨다. 감괘(☵)는 물이 되고 호괘인 손괘(☴)는 바람이 되고 나무가 되어 내를 건너는 상이 있지만, 험함이 아래에 있고 굳건함이 위에 있어 위태로울 수 있는 상이 있기 때문에 이롭지 않다. 서로 어겨서 친하지 않기 때문에 형통함을 말하지 않았고, 감괘가 자리를 잃고 이효와 오효가 상응하지 않기 때문에 바름을 말하지 않았다.

象曰, 訟, 上剛下險, 險而健, 訟.

「단전」에서 말하였다. 송괘(訟卦)는 위는 강하고 아래는 험하니, 험하고 굳건한 것이 송사이다.

中國大全

傳

訟之爲卦, 上剛下險, 險而又健也. 又爲險健相接, 內險外健, 皆所以爲訟也. 若健而不險, 不生訟也. 險而不健, 不能訟也, 險而又健, 是以訟也.

송괘는 위는 굳세고 아래는 험하니, 험하고 또 굳건한 것이다. 또한 험한 것과 굳건한 것이 서로 연결되어 있고, 안은 험하고 바깥은 굳건하니, 모두 송사를 하게 되는 이유이다. 만약 굳건하여도 험하지 않으면 송사가 생기지 않고, 험해도 굳건하지 않으면 송사를 할 수 없다. 험하고도 굳건하기 때문에 송사하는 것이다.

本義

以卦德釋卦名義.

괘의 덕으로 괘의 이름을 풀이하였다.

小註

嵩山晁氏曰, 上以剛陵下, 下不險, 則未必訟. 下以險陷上, 上不剛, 則未必訟. 外健而內不險, 未必生訟. 內險而外不健, 未必能訟.

숭산조씨가 말하였다: 윗사람이 굳셈으로써 아랫사람을 범하고, 아랫사람이 괴로워하지 않는다면, 반드시 송사를 하는 것은 아닐 것이며, 아랫사람이 험함으로써 윗사람을 공격하고, 윗사람이 굳세지 않다면, 반드시 송사를 하는 것은 아닐 것이다. 밖은 건실하고 안은 험하지

않다면, 반드시 송사가 일어나는 것은 아닐 것이며, 안은 험하고 밖이 건실하지 않다면 반드시 송사를 할 수 있는 것은 아닐 것이다.

○ 雲峯胡氏曰, 上下以分言, 本不當訟. 上剛以勢陵下也, 下險其情始不可測矣. 以一人言, 內險而外健. 以二人言, 己險而彼健也.
운봉호씨가 말하였다: 위아래는 본분으로써 말하는 것이니, 본래 송사를 하여서는 안 된다. 윗사람이 강하여 세력으로써 아랫사람을 범한 것이고, 아랫사람이 그 감정을 험하게 하여 처음에는 예측할 수 없었던 것이다. 한 사람으로써 말한다면, 안이 험하고 밖이 굳건한 것이다. 두 사람으로써 말한다면, 자신이 험하고 남이 굳건한 것이다.

▌韓國大全▌

이익(李瀷) 『역경질서(易經疾書)』

李光地曰, 象傳稱卦德, 皆先內而後外, 其文義各不同. 其曰而者, 兩卦竝重, 訟小畜大有是也. 其曰以者, 重在上一字, 同人重在文明, 豫重在順. 其或以下一字爲重者, 又變其文法, 如復卦動而以順行之類, 是也.
이광지가 말하였다: 『단전』에서 괘의 덕을 말할 때는 모두 내괘를 먼저하고 외괘를 뒤에 하는데, 문맥의 의미가 각각 다르다. '이(而)'라고 한 경우는 두 괘가 모두 중요하니, 송괘(訟卦䷅)와 소축괘(小畜卦䷈)과 대유괘(大有卦䷍)가 그렇다. '이(以)'라고 한 경우는 중요함이 위의 글자에 있으니, 동인괘(同人卦䷌)는 '문명(文明)함'이 중요하고 예괘(豫卦䷏)는 '순응함[順]'이 중요하다. 때로는 중요함이 '이(以)'의 아래 글자에 있는 경우도 있는데, 그 문법에도 변화가 있으니, 예를 들어 복괘(復卦䷗)의 "움직여 순서대로 간다[動而以順行]"는 경우가 그렇다.

유정원(柳正源) 『역해참고(易解參攷)』[6]

上剛 [至] 健訟.

---

6) 경학자료집성DB에는 송괘 괘사에 해당하는 것으로 분류했으나 내용에 따라 이 자리로 옮겨 바로잡았다.

위는 굳세고 … 굳건함이 송이다.

案, 訟與需相反. 內之剛明, 見險而待者, 需也, 內之陰險, 敵剛而爭者, 訟也.
내가 살펴보았다: 송괘(訟卦)는 수괘(需卦)와 서로 반대이다. 안으로 굳세고 밝아 험함을 보고 기다리는 것이 수괘(需卦)이고, 안으로 음험하여 굳셈과 맞서 다투는 것이 송괘(訟卦)이다.

김상악(金相岳)『산천역설(山天易說)』

以卦德釋卦名義. 上以剛制其下, 下以險制其上. 又內險則能生訟, 外健則能成訟, 皆所以訟也.
괘의 덕으로 괘 이름을 풀었다. 위에서는 굳셈으로 아래를 제어하려고, 아래에서는 험함으로 위를 제어하려 한다. 또 안은 험하면 송사를 일으킬 수 있고, 밖이 굳건하면 송사를 이룰 수 있으니, 이것이 모두 송(訟)이 되는 까닭이다.

서유신(徐有臣)『역의의언(易義擬言)』

以二人, 則此剛彼險. 以一人, 則旣剛且險也. 以二人, 則彼險此健, 以一人, 則旣險且健也. 象文, 蓋欲互看也.
두 사람을 가지고 말하면 이쪽은 굳세고 저쪽은 험하며, 한 사람으로 말하면 이미 굳세고 또 험하다. 두 사람을 가지고 말하면 저쪽은 험하고 이쪽은 굳건하며, 한사람으로 말하면 이미 험하고 또 굳건하다. 「단전」의 글은 섞어서 보아야 한다.

김기례(金箕澧)「역요선의강목(易要選義綱目)」

險而健, 訟.
험하며 굳건함이 송이다.

以一人言, 則內險外健, 以二人言, 則彼險此健, 皆訟所以起.
한 사람으로 말하면 안은 험하고 밖은 굳건함이고, 두 사람으로 말하면 저쪽은 험하고 이쪽은 굳건함이 모두 송이 일어나는 까닭이다.

○ 指內外二體.

내외의 두 몸체를 가리킨다.

박문건(朴文健) 『주역연의(周易衍義)』

險而不止故爲訟, 此以卦德釋卦名.

험한데 그치지 않으니 송이다. 이것은 괘의 덕으로 괘의 이름을 풀이한 것이다.

〈問, 訟, 上剛下險, 險而健, 訟. 曰, 訟之爲卦也, 上剛而下險也, 情險而不止故健, 所以爲訟爭也.

물었다: "송은 위는 굳세고 아래는 험하여, 험하고 굳건함이 송이다"라는 것은 무슨 뜻입니까?

답하였다: 송괘는 위는 굳세고 아래는 험하여 실정이 험하여 그치지 않기 때문에 굳건하니, 이것이 쟁송하는 까닭입니다.〉

訟, 有孚窒惕, 中吉, 剛來而得中也.

"송(訟)은 믿음이 있으나 막혀서 두려우니, 중도에 맞으면 길함"은 굳센 양이 와서 중도를 얻었기 때문이다.

‖ 中國大全 ‖

傳

訟之道固如是, 又據卦才而言. 九二以剛自外來而成訟, 則二乃訟之主也. 以剛處中, 中實之象, 故爲有孚. 處訟之時, 雖有孚信, 亦必艱阻窒塞而有惕懼, 不窒則不成訟矣. 又居險陷之中, 亦爲窒塞惕懼之義. 二以陽剛自外來而得中, 爲以剛來訟而不過之義, 是以吉也. 卦有更取成卦之由爲義者, 此是也. 卦義不取成卦之由, 則更不言所變之爻也. 據卦辭, 二乃善也. 而爻中不見其善, 蓋卦辭取其有孚得中而言, 乃善也. 爻則以自下訟上爲義, 所取不同也.

송사하는 도가 진실로 이와 같은 것이니, 또 괘의 재질에 의거해 말한 것이다. 구이가 굳셈으로서 바깥으로부터 와서 송괘를 이루었으니, 구이가 송괘의 주인이다. 굳셈으로서 가운데 자리에 처했으니, 가운데 자리가 이어져 있는 상이므로 '믿음이 있게' 된다. 송사하는 때에는, 비록 믿음이 있더라도 또한 어렵고 막혀서 두려움이 있을 것이니, 막히지 않으면 송사를 하지 않을 것이다. 또 험하고 빠지는 가운데 있으니, 역시 막히고 두렵다는 의미가 된다. 구이가 굳센 양으로서 밖으로부터 와 중도를 얻었으니, 굳셈으로서 왔기 때문에 송사를 해도 지나치지 않는다는 의미가 되므로 길하다. 괘에 다시 괘가 이루어진 까닭을 취해서 뜻을 삼은 경우가 있으니, 송괘가 이런 것이다. 괘의 뜻에 괘가 이루어진 까닭을 취하지 않았으면, 다시 변한 효를 말하지 않는다. 괘사에 의거하면 이효는 착한 것인데, 효사에서는 착함을 볼 수 없다. 괘사는 "믿음이 있으면 중도에 맞다"를 취해서 말했으니, 이것이 바로 착한 것이며, 효사는 아랫사람이 윗사람과 송사하는 것으로 뜻을 삼았으니, 취한 것이 같지 않다.

‖韓國大全‖

홍여하(洪汝河) 「책제(策題):문역(問易)·독서차기(讀書箚記)-주역(周易)」

乾三陽, 坎一陽, 象傳每主一陽而言. 需之五, 以剛中正, 進位乎天位, 訟之二, 以需觀之, 則剛來而得中也.

건괘(☰)는 세 양이고 감괘(☵)는 하나의 양인데, 「단전」에서는 매번 하나의 양을 위주로 말한다. 수괘(需卦䷄)의 오효는 굳셈으로 중정하니, 나아가 하늘의 자리에 있고, 송괘의 이효를 수괘(需卦䷄)를 가지고 보면 굳센 양이 와서 중도를 얻음이다.

유정원(柳正源) 『역해참고(易解參攷)』

剛來而得中.

굳센 양이 와서 중도를 얻었다.

朱子曰, 上體是剛, 下體是柔, 一剛下而變柔, 則爲剛來, 今, 訟之上體, 是純剛, 安得謂之剛來耶. 訟卦, 本是遯卦變來. 遯之六二, 爲訟之六三, 其九三, 卻下而爲九二, 乃爲訟卦.

주자가 말하였다: 상체는 굳세고 하체는 유순함에 하나의 굳센 양이 내려와 유순함으로 변할 때 '굳센 양이 옴'이라고 하는데, 지금은 송괘의 상체가 순전한 굳셈인데, 어찌 '굳센 양이 옴'이라고 할 수 있겠는가? 송괘는 본래 돈괘(遯卦䷠)에서 변해온 것이다. 돈괘의 육이가 송괘의 육삼이 되고, 돈괘의 구삼은 내려와서 구이가 되니 송괘가 되었다.

○ 節齋蔡氏曰, 剛來得中, 乾自外來, 交坤而爲坎也.

절재채씨가 말하였다: 굳센 양이 와서 중도를 얻음은 건괘(☰)가 밖으로부터 와서 곤괘(☷)와 사귀어 감괘(☵)가 되는 것이다.

○ 雙湖胡氏曰, 夫子, 於象傳中, 論卦變, 始此. 蔡氏所釋卦變, 與本義, 不同, 然, 變例无適不可通焉.

쌍호호씨가 말하였다: 공자가 「단전」에서 괘변을 논한 것이 여기에서 시작된다. 채씨가 괘변을 해석한 것이 『본의』와 같지 않지만, 괘변의 사례는 통하지 않는 데가 없다.

○ 梁山來氏曰, 需訟相綜, 需上卦之坎來, 居訟之下卦, 九二得中也.

양산래씨가 말하였다: 수괘(需卦☵)와 송괘는 서로 거꾸로 된 괘로, 수괘의 상괘인 감괘(☵)가 와서 송괘의 아래 괘가 되어 구이가 중도를 얻었다.

서유신(徐有臣) 『역의의언(易義擬言)』

需變爲訟, 坎下來而乾爲外卦, 窒惕之象也. 九二, 得中, 有孚中吉之象也. 彖文, 蓋欲活看也.

수괘(需卦☵)가 변해서 송괘(訟卦☰)가 되니, 감괘(☵)는 아래로 오고 건괘(☰)는 외괘가 되어 막히고 두려운 상이다. 구이가 중도를 얻은 것은 믿음이 있고 중도를 지켜 길한 상이다. 「단전」의 글은 활용해서 보아야 한다.

김기례(金箕澧) 「역요선의강목(易要選義綱目)」

剛來而得中.

굳센 양이 와서 중도를 얻는다.

卦變, 自遯來, 遯之九三來, 居二而爲訟主, 故曰剛來得中.

괘변은 돈괘(遯卦☶)로부터 왔으니, 돈괘의 구삼이 와서 두 번째 자리에 머물며 송사의 주인이 되었기 때문에 굳센 양이 와서 중도를 얻었다고 하였다.

○ 易中, 卦變往來, 自此始.

『주역』 가운데 괘변의 왕래는 이곳으로부터 시작된다.

이진상(李震相) 『역학관규(易學管窺)』

彖, 有孚, 坎中實象, 而二陰包之, 陽反見窒, 所以惕也. 坎之伏陷, 窒也, 加憂, 惕也. 中吉, 二之得中者, 亨也. 終凶, 上之過剛者, 折也. 利見大人, 乾象, 而卦中互離, 亦有是象. 不利涉大川者, 三陽積實, 違舟虛之義, 中互巽風, 水又違行故也.

단사의 "믿음이 있음"은 감괘(☵)의 가운데가 실한 상으로, 두 음은 싸고 양은 도리어 막히니 두렵다. 감괘의 엎드려 빠짐은 막힘이고 근심을 더함은 두려움이고, 중도를 지켜 길함이란 이효의 중도를 얻음으로 형통함이다. 끝이 흉함은 맨 위의 지나치게 굳건하여 꺾인 것이다. 대인을 보는 것이 이로움은 건괘(☰)의 상인데, 괘의 호괘가 리괘(☲)이니, 또한 이러한 상이 있다. 큰 내를 건너는 것이 이롭지 못함은 세 양이 충실히 쌓여져 빈 배의 뜻을 어기고, 가운데 호괘인 손괘(☴)는 바람이며 물이 또 어겨서 흐르는 까닭이다.

○ 傳, 剛來而得中. 來氏曰, 需訟相綜, 需上卦之坎, 來居訟之下卦, 九二得中.
「단전」의 굳센 양이 와서 중도를 얻음에 대해 래씨가 말하였다: 수괘(需卦䷄)와 송괘(訟卦䷅)는 서로 거꾸로 된 괘로, 수괘(需卦䷄)의 상괘인 감괘가 와서 송괘(訟卦䷅)의 아래 괘에 있는 구이가 중도를 얻었다.

愚按, 本卦上下相變, 同是卦變之正例. 而訟則上體純剛, 不得爲剛來. 若謂自遯來, 則遯之所以必來於訟, 未有的然之指. 節齋師事朱子, 而獨不取他卦變. 乃謂乾自外來, 爻坤卽成坎. 苟非本卦, 則當曰, 剛自外來而得中, 來氏說恐近之. 然亦當曰, 需九五下來變否爲訟.
내가 살펴보았다: 본래 괘의 상괘와 하괘가 서로 변하는 것이 동일한 괘변의 바른 사례이다. 송괘(訟卦䷅)의 경우는 위 몸체가 순전히 굳센 효로서 굳셈이 오는 것이 될 수가 없다. 만약 돈괘(遯卦䷠)로부터 온 것이라고 한다면 돈괘가 송괘로 온 연유를 분명히 가리킬 수 없다. 절재(節齋)가 주자를 스승으로 섬겼지만, 유독 괘변만은 취하지 않았다. 그리고 이르길, "건괘(☰)는 밖으로부터 왔으며 효는 곤괘(☷)가 나아가 감괘(☵)를 이룸이다"라고 하였다. 진실로 본래의 괘가 아니라면 마땅히 "굳센 양이 밖으로부터 와서 중도를 얻음"이라 해야 하니, 래씨의 설이 가까운 듯하다. 그렇지만 이것 또한 마땅히 "수괘(需卦䷄)의 구오가 아래로 와서 비괘(否卦䷋)로 변하여 송괘(訟卦䷅)가 된다"고 해야 한다.

최세학(崔世鶴) 주역단전괘변설(周易彖傳卦變說)」

訟, 否之一體變也. 二一爻爲主, 故, 象以剛來得中言之. 泰二, 來居於下體之中也.
송괘(訟卦䷅)는 비괘(否卦䷋)의 한 몸체가 변한 것이다. 구이 한 효가 주인 효가 되기 때문에 「단전」에서 굳센 양이 와서 중도를 얻음으로 말했다. 태괘(泰卦䷊)의 이효는 와서 아래 몸체의 가운데를 얻은 것이다.

이병헌(李炳憲) 『역경금문고통론(易經今文考通論)』

需, 一轉而爲訟, 故, 象曰, 剛來而得中. 六十四卦, 次第甚正, 未有在後之卦, 來而成變者. 卦變之說, 至今未定, 由不知卦有次第, 兩卦成一對之義也. 虞曰, 孚謂二, 窒塞止也, 惕懼也, 二得中, 故中吉. 程傳曰, 終極其事則凶也. 荀曰, 二與四, 利見於五, 五,以中正之道, 解其訟. 坎在下爲淵.

수괘(需卦䷄)가 한 번 구르면 송괘(訟卦䷅)가 되기 때문에, 「단전」에서 굳센 양이 와서 중
도를 얻음이라고 하였다. 육십사괘는 차례가 매우 발라서 뒤에 있는 괘가 와서 변해 이루어
진 경우는 없다. 괘변의 설명이 지금까지 정해지지 않음은 괘에 차례가 있어 두 괘가 하나의
상대를 이루는 뜻을 알지 못했기 때문이다. 우번은 이르길, "믿음은 이효이고 막힘은 막혀
그침이고 두려움은 위태롭게 여김이고 이효가 가운데에 있으므로 중도를 지켜 길하다"고
하였다. 『정전』에서는 "송사를 끝까지 다하면 흉하다"고 하였다. 순상은 "이효와 사효는 오
효를 보는 것이 이로우니, 오효가 중정한 방법으로 송사를 해결하며 감괘 아래에 있어 못이
된다"라고 하였다.

終凶, 訟不可成也.

"끝까지 함은 흉함"은 송사를 끝까지 다 해서는 안 되기 때문이다.

‖中國大全‖

傳

訟非善事, 不得已也. 安可終極其事. 極意於其事, 則凶矣. 故曰不可成也. 成, 謂窮盡其事也.

송사는 좋은 일이 아니고, 마지못해 하는 것이다. 어떻게 송사를 끝까지 하겠는가? 송사에 끝까지 마음을 쓰면 흉하다. 그러므로 "이룰 수 없다"고 한 것이다. '이룬다는 것'은 송사를 끝까지 다함을 말한다.

‖韓國大全‖

서유신(徐有臣) 『역의의언(易義擬言)』

上九, 訟終成而凶也.

상구는 송의 끝을 이루어 흉하다.

김기례(金箕澧) 「역요선의강목(易要選義綱目)」

訟不可成.

송사를 끝까지 다 해서는 안 되기 때문이다.

指上九訟極之災.

상구 송사의 끝에 이른 재앙을 가리킨다.

利見大人, 尙中正也.

"대인을 보는 것이 이로움"은 중정함을 숭상한다는 말이다.

‖中國大全‖

傳

訟者, 求辯其是非也. 辯之當, 乃中正也, 故利見大人. 以所尙者中正也. 聽者非其人, 則或不得其中正也. 中正大人, 九五是也.

송사는 옳고 그름이 분별되기를 구하는 것이다. 분별함을 마땅히 하는 것이 중정(中正)이므로, 대인을 봄이 이로움은 숭상하는 것이 중정이기 때문이다. 송사를 듣는 사람이 대인이 아니면 혹 중정을 얻지 못할 것이다. 중정한 대인은 구오를 말한 것이다.

小註

楊氏曰, 虞芮爭田之訟, 必欲見文王, 故其訟之理決. 鼠牙雀角之誠僞, 必欲見召伯, 故其訟之理明, 爲聽訟之大人者, 不尙中正可乎.

양씨가 말하였다: 우(虞)나라와 예(芮)나라가 영토를 다투는 송사를 함에 반드시 문왕(文王)을 알현하고자 하였기 때문에, 그 송사의 이치가 판결되었다. 쥐의 어금니와 참새의 뿔[鼠牙雀角]에 대한 진위도 반드시 소백(召伯)을 만나 보고자 하였기 때문에, 그 송사의 이치가 밝혀졌으니, 송사를 듣는 대인이 된 자가 중정을 숭상하지 않는다면 되겠는가?[7]

---

7) 『大學衍義補』 卷106: 楊萬里曰: 虞芮爭田之訟, 必欲見文王, 故其訟之理決, 鼠牙雀角之誠僞, 必欲見召伯, 故其訟之理明. 爲聽訟之大人, 不尙中正可乎.

‖韓國大全‖

서유신(徐有臣) 『역의의언(易義擬言)』

九五, 大人聽訟之主也. 見大人之中正, 可無訟也.

구오는 대인으로 송사를 판결하는 주인이다. 중정한 대인을 만나보아야 송사를 이루지 않을 수 있다.

김기례(金箕澧) 「역요선의강목(易要選義綱目)」

尙中正.

중정함을 숭상한다.

指九五聽訟者, 中正而後得明辨.

구오인 송사를 듣는 자를 가리키니, 중정한 후에 명확하게 분별할 수 있다.

不利涉大川, 入于淵也.

"큰 내를 건너는 것이 이롭지 않음"은 못 속에 빠지기 때문이다.

┃中國大全┃

傳

與人訟者, 必處其身於安平之地. 若蹈危險, 則陷其身矣. 乃入于深淵也. 卦中有中正險陷之象.

남과 송사하는 사람은 반드시 자기의 몸을 평안한 곳에 두어야 한다. 만약 위험한 곳을 밟으면 그 몸이 빠질 것이다. 이것이 바로 '깊은 못으로 들어가는 것'이다. 괘 가운데에 중정하고도 험하고 빠지는 상이 있다.

本義

以卦變卦體卦象, 釋卦辭.

괘변·괘체·괘상으로 괘사를 풀이하였다.

小註

朱子曰, 訟卦變, 自遯而來, 爲剛來居二. 此是卦變中二爻變者. 蓋四陽二陰自遯來者十四卦, 訟卽初變之卦, 剛來居二, 柔進居三, 故曰剛來而得中.

주자가 말하였다: 송괘의 괘변은 돈괘로부터 오니, 굳센 양이 와서 이효에 있는 것이다. 이것은 괘변 중의 이효가 변한 것이다. 네 개의 양과 두 개의 음이 돈괘로부터 온 것이 모두 열 네 괘이다. 송괘는 초효가 변한 괘이니, 굳센 양이 와서 이효에 있으며, 부드러운 음이 나아가서 삼효에 있으니, 이 때문에 "굳센 양이 와서 중도를 얻었다"라고 말하는 것이다.

○ 進齋徐氏曰, 天下唯剛者訟, 柔者不訟. 以險而遇健, 所以訟也. 二以剛中則爲有孚, 但二五剛敵而不相應. 上下猶有窒塞之情. 必因其窒塞, 而懷吾怵惕憂懼之心, 不過於訟, 則爲吉. 以其剛來而得中也. 訟卦下體本艮, 今九自三來居於下卦之中而成訟, 故得訟之中吉. 終極而成則凶, 故又以不可成戒之.

진재서씨가 말하였다: 천하에서 오직 굳센 사람이 송사를 하며, 부드러운 사람은 송사를 하지 않는다. 험함으로서 굳건함을 만났기 때문에 송사를 하는 것이다. 이효는 굳셈으로서 중도를 얻었기 때문에 믿음이 있지만, 이효와 오효는 굳센 적이어서 서로 호응하지 않고, 오히려 위아래가 몹시 싫어하거나 꺼리는 뜻이 있다. 반드시 싫어하거나 꺼리는 것으로 인하여 내가 두려워하고 근심하는 마음을 품어서 송사를 지나치게 하지 않는다면 즉 길함이 된다. 이는 그것이 굳센 양으로서 와서 중도를 얻었기 때문이다. 송괘의 하체는 본래 간(艮)괘이니, 지금 양구(陽九)가 삼효로부터 와 하괘의 가운데 있어서 송사를 하기 때문에, 송괘의 '중도를 지켜 길함'을 얻었다. 끝까지 극단적으로 하여 송사를 이루면 흉하기 때문에 또 "송사를 이룰 수 없다"는 말로 경계하였다.

○ 建安丘氏曰, 剛來而得中, 此卦變也. 易中言卦變始於此. 剛自上而反下爲來, 柔自下而升上爲往爲進. 凡卦中言剛柔上下之往來者, 多三陰三陽之卦, 謂內外兩體之變也. 如噬嗑賁之類是也. 有四陽二陰四陰二陽之卦, 亦言剛來柔進者, 謂上下一爻之變也. 如訟晉之類是也. 聖人之言卦變於此, 見其兩端焉.

건안구씨가 말하였다: 굳센 양이 와서 중도를 얻는 것은 괘변이다. 『주역』에서 괘변을 말한 것은 여기에서부터 시작되었다. 굳센 양이 위에서 반대로 아래로 오기 때문에 '오다[來]'라 하였고, 부드러운 음이 아래에서 위로 올라가기 때문에 '가다[往]·진(進)]'라 하였다. 대체로 괘에서 굳센 양과 부드러운 음이 위아래로 왕래(往來)한다고 말하는 것은 주로 세 개의 음과 세 개의 양이 있는 괘이니, 내·외 양체의 변(變)이라고 한다. 서합괘(噬嗑卦)와 비괘(賁卦)와 같은 부류가 이것이다. 네 개의 양과 두 개의 음·네 개의 음과 두 개의 양이 있는 괘도 굳센 양이 오고 부드러운 음이 나아간다고 말하니, 위아래의 한 효가 변한 것을 말하는 것이다. 송괘와 진괘와 같은 부류가 이것이다. 성인이 여기에서 괘변을 말하였으니, 그 양단을 볼 수 있다.

‖韓國大全‖

홍여하(洪汝河) 「책제(策題):문역(問易)・독서차기(讀書箚記)-주역(周易)」

象傳, 本義, 以卦變, 卦體, 卦象, 釋卦辭.

「단전」의 『본의』에서 말하였다: 괘변・괘체・괘상으로 괘사를 풀이하였다.

卦變, 謂剛來得中. 卦體, 謂訟不可成, 及尙中正. 卦象, 謂入于淵.

괘변은 “굳센 양이 와서 중도를 얻음”을 말하고, 괘체는 “송사는 이루어서는 안 됨”과 “숭상함이 중정”을 말하고, 괘상은 “못에 들어감”을 말한다.

김상악(金相岳) 『산천역설(山天易說)』

訟有孚窒惕中吉, 剛來而得中也, 終凶, 訟不可成也, 利見大人, 尙中正也, 不利涉大川, 入于淵也.

“송사에 믿음이 있으나 막히니 두려워하여 중도를 지키면 길함”은 굳센 양이 와서 중도를 얻은 것이고, “끝까지 하면 흉(凶)함”은 송사(訟事)를 끝까지 이루어서는 안 되기 때문이며, “대인(大人)을 보는 것이 이로움”은 중정(中正)을 숭상함이고, “큰 내를 건너는 것이 이롭지 않음”은 못으로 들어감이다.

以卦變卦體卦象, 釋卦辭. 剛謂二也, 剛來而得中, 爲不過於訟之義也. 成, 謂窮盡其事也. 尙, 好尙之也. 淵, 險陷之地也.

괘변・괘체・괘상으로 괘사를 풀이하였다. ‘굳센 양은 이효를 말한다. 굳센 양이 와서 중도를 얻음은 송사를 지나치게 하지 않는다는 의미이다. ‘이룸’은 송사를 끝까지 함을 말한다. ‘숭상’은 좋아하여 숭상함이다. ‘연못’은 험하고 빠지는 곳이다.

○ 大人, 卽乾九五之大人也, 淵, 卽九四之淵也. 躍淵而起, 則向于天矣. 蹈險而陷, 則入于淵也. 所以淵天, 有上下之別也. 易之道, 有辭變象占四者, 而辭與占, 則著明而易見, 象與變, 則精微而難究. 先儒所謂反對卦綜之說, 有不可信者, 而程子謂皆從乾坤來, 朱子, 以一爻上下爲變, 二說亦不同. 然, 啓蒙卦變圖, 有合於繫辭者. 蓋六十四卦, 互相變易, 而象爻所言者, 爲三十一, 自訟至小畜泰否同人大有謙隨蠱噬嗑賁无妄大畜咸恒晉睽蹇解升井鼎漸 歸妹旅渙節中孚小過旣濟未濟是爾. 有一爻變者, 有兩爻變者, 而從坎離來者多, 或以互體如泰否之類可見也. 蓋離性上而麗, 坎性下而通也. 所以水火爲天地之用也.

'대인'은 곧 건괘(乾卦䷀) 구오의 대인이고 '연못'은 구사의 연못이다. 연못에서 도약해서 일어나면 하늘을 향한다. 험함을 밟아서 빠짐은 곧 연못에 들어감이다. 연못과 하늘로 위아래의 구별을 둔 것이다. 『주역』의 도에는 말씀과 변화와 형상과 점법이 있는데, 말씀과 점법은 명확하고 드러나서 알아보기 쉽고, 형상과 변화는 정밀하고 은미해서 궁구하기 어렵다. 선배 학자들이 말한 반대로 괘를 착종한다는 설명에는 믿지 못할 부분이 있으며, 정자는 모두 건과 곤으로부터 변해왔다고 말했고, 주자는 한 효의 위아래가 변한 것으로 여겼으니, 두 설명 또한 같지 않다. 그렇지만 『역학계몽』의 「괘변도」에 괘효사와 부합되는 부분이 있다. 육십사괘는 서로 변해 바꾸어질 수 있지만, 괘효사에서 말한 부분은 31군데이니, 송괘에서부터 소축·태(泰)·비(否)·동인·대유·겸·수(隨)·고·서합·비(賁)·무망·대축·함·항·진(晉)규·건(蹇)·해·승·정(井)·정(鼎)·점·귀매·려·환·절·중부·소과·기제·미제괘가 그것이다. 한 효가 변한 경우도 있고 두 효가 변한 경우도 있는데, 감괘(坎卦䷜)와 리괘(離卦䷝)로부터 변해온 경우가 많고, 혹은 호체를 쓰니 비괘(否卦䷋)와 태괘(泰卦䷊)의 경우에서 볼 수 있다. 대개 리괘(☲)의 성질은 올라가 걸리고 물의 성질은 내려가 통하니, 물과 불이 하늘과 땅의 쓰임이 된다.

서유신(徐有臣) 『역의의언(易義擬言)』

上九, 健極終訟, 如陷深淵也. 乾有川象, 是重淵也.
상구는 굳건함의 지극함으로 송사를 마치니, 깊은 못에 들어감과 같다. 건괘(☰)에 내[川]의 형상이 있으니 바로 깊은 못이다.

김귀주(金龜柱) 『주역차록(周易箚錄)』

按, 象傳, 於此, 獨以卦變言者, 必有意義, 而今不可考. 抑遯之下體, 本是艮, 艮者止也, 故雖變爲坎, 而猶帶着止底意思, 所以爲不克訟之象. 夫子之意, 或有取於此歟. 然, 他卦言卦變者, 未必皆帶本卦意思, 則亦未敢信其必然也.
내가 살펴보았다: 「단전」은 여기에서 유독 괘변을 가지고 말한 것은 반드시 의미가 있겠지만, 지금 상고해볼 수가 없다. 혹시 돈괘(遯卦䷠)의 아래 몸체가 본래 간괘(☶)인데 간괘는 그침이 되기 때문에 변하여 비록 감괘(☵)가 되더라도 오히려 머물러 그쳐있는 뜻이기에 능히 송사를 하지 못하는 상이 됨은 아닐까? 공자의 뜻은 아마도 여기에서 취한 것 같다. 그렇지만 괘에서 괘변을 말한 것이 반드시 본래 괘의 의미와 묶여있는 것은 아니니, 반드시

그렇다고는 확신할 수 없다.

本義, 以卦變, 云云.
『본의』에서 말하였다: 괘변·괘체·괘상으로, 운운.

小註建安丘氏曰, 剛來, 云云.
소주(小註)에서 건안구씨가 말하였다: 굳센 양이 와서, 운운.

○ 按, 賁卦, 本義以自損來者, 自旣濟來者, 兩言之, 此固爲兩體之變. 而噬嗑, 則本義, 只言自益來者, 恐但爲外體之變, 今混稱兩體變者, 可疑.
내가 살펴보았다: 비괘(賁卦䷕)는 『본의』에서 손괘(損卦䷨)로부터 왔다거나 기제괘(旣濟卦䷾)로부터 왔다고 하여 둘로 말했으니, 이 경우는 진실로 두 몸체가 변함이 된다. 서합괘(噬嗑卦䷔)에서는 『본의』에서 단지 익괘(益卦䷩)로부터 왔다고 하였으니, 아마도 외체의 변화만 되는데, 지금 '두 몸체의 변함'이라고 섞어 일컬은 것은 의심스럽다.

박문건(朴文健) 『주역연의(周易衍義)』

訟, 有孚, 窒惕, 中吉, 剛來而得中也. 終凶, 訟不可成也. 利見大人, 尙中正也, 不利涉大川, 入于淵也.
"송사에 믿음이 있으나 막히니 두려워하여 중도를 지키면 길함"은 굳센 양이 와서 중도를 얻은 것이고, 마침내 흉(凶)함은 송사(訟事)를 끝까지 이루어서는 안 됨이고, 대인(大人)을 보는 것이 이로움은 숭상함이 중정(中正)함이고, 큰 내를 건너는 것이 이롭지 않음은 못으로 들어감이다.

剛來, 自五而來二也, 不成, 見陷而致屈也. 淵, 水之所聚, 言陷入之深也. 此, 以卦變卦體卦象釋卦辭.
굳센 양이 오는 것은 오효에서 이효로 오는 것이고, 이루지 못함은 빠짐을 당해 굽힘이다. 못은 물이 모인 곳으로 빠져 들어감이 심함을 말한 것이다. 이것은 괘변·괘체·괘상으로 괘사를 풀이한 것이다.

〈問, 剛來而得中. 曰, 剛自外來而得中, 故能信於上, 而行乎中也. 問, 訟不可成. 曰, 九二以中正 而見陷, 故致屈於非理之二陰, 而未免乎終凶也. 問, 尙中正入于淵. 曰, 處中, 故尙中正, 見溺, 故入于淵, 淵者坎象也.
물었다: "굳센 양이 와서 중도를 얻었다"는 것은 무슨 뜻입니까?
답하였다: 굳센 양이 밖으로부터 와서 중도를 얻었기 때문에 위에서 신임하고 가운데로 행하는 것입니다.

물었다: "송사는 이룰 수 없다"는 무슨 뜻입니까?

답하였다: 구이는 중정을 가지고 빠짐을 당하기 때문에 이치에 맞지 않는 두 음에 굽혀 마침내 흉함을 면할 수 없습니다.

물었다: "중정을 숭상함은 못에 들어감"이란 무슨 뜻입니까?

답하였다: 가운데 있기 때문에 중정을 숭상함이고, 빠질 것을 보기 때문에 못에 들어감이니, 못은 감괘(☵)의 상입니다.)

〈○ 問, 或曰訟不可成, 二屈於五也, 何如. 曰, 此, 用公之爻義也. 若二五相訟, 則文主必不取有孚之義也.

물었다: 어떤 이가 송사를 이룰 수 없음은 이효가 오효에게 굽힘이라고 말하는데, 어째서입니까?

답하였다: 이것은 공정함을 쓴다는 효의 의미입니다. 만약 이효와 오효가 서로 송사를 한다면 문왕이 필시 믿음을 둔다는 뜻을 취하지 않았을 것입니다.)

이지연(李止淵) 『주역차의(周易箚疑)』

重乾之牛, 在上, 故云大人也. 需, 則險在前而三陽在內, 爲需而向前之象, 故云利涉. 訟, 則險在下而三陽在上, 爲陷而入險之象, 故云不利.

거듭된 건괘(☰)의 반[☰]이 위에 있기 때문에 대인이라고 하였다. 수괘(需卦䷄)는 험함이 앞에 있고 세 양이 안에 있으니, 기다리며 앞을 향하는 상이 되기 때문에 건너는 것이 이롭다고 하였다. 송괘는 험함이 아래에 있고 세 양이 위에 있으니 빠져서 험함에 들어가는 상이 되기 때문에 이롭지 못하다고 하였다.

이항로(李恒老) 「주역전의동이석의(周易傳義同異釋義)」

傳, 二以陽剛, 自外來而得中.

『정전』에서 말하였다: 구이가 굳센 양으로 밖으로부터 와서 중도를 얻었다.

本義, 卦變, 自遯而來, 爲剛來居二.

『본의』에서 말하였다: 괘변에 있어서 돈괘(遯卦)로부터 왔으니, 굳센 양이 와서 구이에 머물다.

按, 卦變見總目

내가 살펴보았다: 괘변은 「총목」에 보인다.

김기례(金箕澧) 「역요선의강목(易要選義綱目)」

入于淵.

못에 들어간다.

坎陷, 故指訟者自陷.

감괘(☵)의 빠짐이기 때문에 송사하는 자가 스스로 빠짐을 가리킨다.

심대윤(沈大允) 『주역상의점법(周易象義占法)』

九二, 自乾來而得坤之中也. 乾坎爲淵, 淵不測也.

구이는 건괘(☰)에서 와서 곤괘(☷)의 가운데를 얻었다. 건괘와 감괘는 못이 되니, 못은 헤아릴 수 없다.

오치기(吳致箕) 「주역경전증해(周易經傳增解)」

此以卦體卦德釋卦名義, 以卦體卦象釋卦辭也. 剛來而得中, 以卦反言, 需卦上體之坎剛, 來于本卦下體, 而剛乃得中也.

이것은 괘체와 괘덕으로 괘의 이름을 풀이하고, 괘체와 괘상으로 괘의 말을 풀이한 것이다. 굳센 양이 와서 중도를 얻음은 반대괘로 말한 것이니, 수괘(需卦䷄)의 상체인 감괘(☵)의 굳센 양이 본괘의 하체로 온 것이 굳센 양이 이에 중도를 얻음이다.

夫子釋象, 或取卦反之體, 以明未足之義, 而若不取卦反, 而足以發明, 則不言也. 此卦, 坎剛在需之九五而得貞吉者, 以其居尊而得正中也. 及其下來爲訟之九二, 而有窒惕者, 以其險在內, 雖得中而失正也. 此所以取卦反之體而明卦義也. 入于淵, 言險在內可危也. 餘見象解.

공자가 단사를 해석함에 혹 반대괘의 의미를 취하여 충분하지 않았던 의미를 밝혔으니, 만약에 반대괘를 취하지 않고 밝힌 경우에는 언급하지 않았다. 이 괘는, 감괘(坎卦)의 굳센 양이 수괘(需卦)의 구오에 있어 바르고 길함을 얻음은 높은 자리에 거하여 중정을 얻었기 때문이다. 그것이 아래로 내려와 송괘(訟卦)의 구이가 되어 막히고 두려운 것은 험함이 안에 있어 비록 중도를 얻었지만 바름을 잃었기 때문이다. 이것이 반대괘를 취해서 괘의 의미를 밝히는 이유이다. 못에 들어감은 험함이 안에 있어 위태로울 수 있음이다. 나머지는 「단전」의 풀이에 있다.

象曰, 天與水違行, 訟. 君子以, 作事謀始.

「상전」에서 말하였다: 하늘과 물이 어긋나게 행함이 송(訟)이다. 군자가 그것을 본받아 일을 할 때에 시작을 잘 계획한다.

中國大全

傳

天上水下, 相違而行, 二體違戾, 訟之由也. 若上下相順, 訟何由興, 君子觀象, 知人情有爭訟之道, 故凡所作事, 必謀其始. 絶訟端於事之始, 則訟无由生矣. 謀始之義廣矣, 若愼交結明契券之類是也.

하늘은 위에 있고 물은 아래에 있어 서로 어긋나게 행하여 두 몸체가 어긋나니, 송사가 생기는 까닭이다. 만약 위아래가 서로 순조로우면 송사가 어떻게 일어나겠는가? 군자가 상을 관찰하여, 사람의 정에 다투고 송사하는 길이 있음을 아는 까닭에, 일을 할 때에 반드시 그 시작을 잘 계획한다. 일의 시작에 송사의 단서를 끊어버리면 송사가 생겨날 수 없다. 시작을 계획하는 뜻이 넓으니, 사귐을 신중하게 하고 계약을 명확하게 하는 종류가 이런 것이다.

本義

天上水下, 其行相違, 作事謀始, 訟端絶矣.

하늘은 위에 있고 물은 아래에 있어 그 행함이 서로 어긋나니, 일을 할 때에 처음을 잘 계획하면 송사의 단서가 끊어질 것이다.

小註

龜山楊氏曰, 天左旋而水東注, 違行也. 作事至於違行而後謀之, 則无及矣.

구산양씨가 말하였다: 하늘은 왼쪽으로 돌고 물은 동쪽으로 흐르니, 서로 어긋나게 운행하는 것이다. 일을 할 때에 어긋나게 행하는 것에 이른 이후에 계획하고자 한다면, 손 쓸 수 없다.

○ 雲峯胡氏曰, 凡事有始有中有終, 訟中吉終凶. 然能謀於其始, 則訟端旣絶, 中與終不必言矣.
운봉호씨가 말하였다: 모든 일에는 처음·중간·끝이 있으니, 송사는 중간에 마치는 것이 길하고 끝까지 함은 흉하다. 그러나 시작할 때에 잘 계획할 수 있다면 송사의 단서를 이미 차단할 수 있으니, 중간과 끝은 말할 필요도 없다.

○ 平菴項氏曰, 乾陽生於坎水, 坎水生於天一, 乾坎本同氣而生者也. 一動之後相背而行, 遂有天淵之隔. 由是觀之, 天下之事, 不可以細微而不謹也, 不可以親暱而不敬也. 禍難之端, 夫豈在大. 曹劉共飯, 地分於匕箸之間. 蘇史滅宗, 忿起於笑談之頃. 謀始之誨, 豈不深切著明乎.
평암항씨가 말하였다: 굳센 양은 감수(坎水)에서 생겨나고, 감수는 천일(天一)에서 생겨나니, 건괘와 감괘는 본래 같은 기운으로인하여 생겨난 것이다. 한 번 움직인 뒤에 서로 등지고 나아가니, 마침내 하늘과 못 만큼의 차이가 있게 되었다. 이로써 본다면 천하의 일은하찮은 것이라 여겨 삼가지 않아서는 안 되고, 가까운 사이라 여겨 공경하지 않아서는 안 된다. 재앙과 환난의 단서가 어찌 큰일에 있겠는가? 조조(曹操)와 유비(劉備)가 같이 밥을 먹음에 천하가 숟가락 놓는 사이에서 갈라졌고, 소봉길(蘇逢吉)과 사홍조(史弘肇)가 나라를 망하게 한 일은 웃고 이야기할 때에 분심이 일어나서였으니, 시작을 잘 계획하는 가르침이 어찌 매우 절실하며 명백하지 않은가?[8]

○ 丹陽都氏曰, 天爲三才之始, 水爲五行之始. 君子法之, 作事謀始.
단양도씨가 말하였다: 하늘[天]은 삼재(三才)의 시작이며, 물[水]은 오행의 처음이다. 군자가 그것을 본받아, 일을 할 때에 시작을 잘 계획한다.

---

8) 『大學衍義補』卷首: 項安世曰, 乾陽生於坎水, 坎水生於天一, 乾坎本同氣而生者也, 一動之後相背而行, 遂有天淵之隔. 由是觀之, 天下之事不可以細微而不謹也, 不可以親昵而不敬也, 禍亂之端, 夫豈在大. 曹劉共飯, 地分於匕箸之間, 蘇史滅宗, 忿起於笑談之頃. 謀始之誨, 豈不深切著明乎.

▌韓國大全▌

김도(金濤) 「주역천설(周易淺說)」

愚按, 本義下諸儒所釋凡四條, 而皆合於大象之旨矣. 蓋作事謀始者, 乃哲人之爲也, 若非明哲之君子, 則何以見幾而謹始乎. 子曰, 聽訟吾猶人也, 必也使无訟乎, 此非至論乎. 必使人无訟, 豈非道明德立而人自畏服之致也. 是以, 君子欲民无訟, 則必先致其知, 而明其明德然後, 自然畏服民之心志, 故, 絶訟端於事之始, 謀始之義, 廣矣大矣. 後之學者, 可不法之哉.

내가 살펴보았다: 『본의』의 주석에 나오는 여러 학자들의 네 가지 조목에 대한 해석은 「대상전」의 취지와 모두 부합한다. 일을 할 때 처음을 도모함은 지혜로운 자의 행위이다. 만약 밝은 지혜를 지닌 군자가 아니라면, 어떻게 기미를 보고 시작을 삼갈 수 있겠는가? 공자가 말하기를, "내가 송사를 판단함이 다른 사람처럼 할 수 있지만 반드시 송사가 없는 세상을 만들어야 하겠구나!"라 했는데, 이것이 지당한 주장이 아닌가? 반드시 송사가 없게 한다는 것은 어찌 도가 밝고 덕이 정립되어 백성이 저절로 두려워하여 감복됨이 아닌가? 그러므로 군자는 백성들이 송사가 없음을 원한다면 반드시 먼저 그 앎을 이루고 밝은 덕을 밝게 해야만 자연스럽게 백성들이 마음과 뜻을 두렵게 느껴 따르게 될 것이다. 그렇기 때문에 일의 처음에 송사의 실마리를 없애니, 처음을 도모하는 뜻이 넓고도 크다. 뒤에 배우는 자가 본받지 않을 수 있으랴!

심조(沈潮) 「역상차론(易象箚論)」

反兌附於坎, 口舌喧耳之象. 事謀始三字, 皆從口者, 亦反兌也.

태괘(☱)가 뒤집혀 감괘(☵)에 붙어있어 구설이 귀에 시끄럽게 들리는 상이다. 일과 도모함과 처음의 세 글자는 모두 입을 따른 것이니, 역시 뒤집힌 태괘이다.

유정원(柳正源) 『역해참고(易解參攷)』[9]

正義, 天道西轉, 水流東注, 是天與水相違而行, 象人彼此, 兩相乖戾, 故致訟也. 不云水與天違行者, 凡訟之所起, 必剛健在先, 故云天與水違行.

---

9) 경학자료집성DB에는 송괘 괘사에 해당하는 것으로 분류했으나 내용에 따라 이 자리로 옮겨 바로잡는다.

『주역정의』에서 말하였다: 천도는 서쪽으로 돌아가고 물은 동쪽으로 흘러가니, 이렇게 하늘과 물이 서로 어긋나게 움직이는 것으로 사람이 이쪽과 저쪽이 서로 틀어져 송사를 이룸을 상징하였다. 물과 하늘이 어긋나게 행함이라고 말하지 않음은 송사가 일어남은 반드시 굳세고 강건한 자가 먼저 움직이기 때문이니, 그렇기 때문에 하늘과 물이 어긋나게 행한다고 하였다.

김상악(金相岳) 『산천역설(山天易說)』

天西轉, 水東注, 其行相違, 猶火澤之相睽. 作事謀始, 則訟端絶矣. 子曰, 聽訟吾猶人也, 必也使无訟乎, 使无訟, 乃謀始之義也. 作事者, 坎也, 謀始者, 乾也. 卦言中吉終凶者, 事在已訟之後, 象言謀始者, 事在未訟之前, 苟能謀始, 則中與終, 不必言矣.

하늘은 서쪽으로 돌아가고 물은 동쪽으로 흘러가 그 움직임이 서로 위배됨이 불과 못이 서로 어긋나는 것과 같다. 일을 할 때 처음을 도모하면 송사의 실마리가 단절된다. 공자가, "내가 송사를 판단함이 다른 사람처럼 할 수 있지만 반드시 송사가 없는 세상을 만들어야 하겠구나!"라 했는데, 송사를 없게 함은 바로 처음을 도모하는 뜻이다. 일을 하는 것은 감괘(☵)이고 처음을 도모하는 것은 건괘(☰)이다. 괘사에 중도를 지키면 길하고 끝까지 하면 흉함은 이미 송사가 일어난 뒤의 일이고, 「상전」에서 말한 처음을 도모함은 송사가 생기기 전의 일이니, 정말로 처음을 도모할 수 있다면 '중도'니 '끝'이니 하는 것은 말할 필요도 없다.

○ 水生於天, 而曰天與水違行, 火生於地, 而曰天與火同人, 炎上而潤下也. 故, 水火, 交則爲既濟, 不交則爲未濟.

물은 하늘에서 생기지만 하늘과 물이 어긋나게 운행한다고 했고, 불이 땅에서 생기지만 하늘과 불은 사람과 함께 한다고 한 것은 불은 위로 타오르고 물은 아래로 흐르기 때문이다. 그러므로 물과 불이 사귀면 기제(䷾)가 되고 사귀지 못하면 미제(䷿)가 된다.

박윤원(朴胤源) 『경의(經義)·역경차략(易經箚略)·역계차의(易繫箚疑)』

凡事, 莫不謀始, 豈特訟爲然. 且以無訟之道論之, 程傳所云, 愼交結, 明契劵, 猶屬粗底, 無訟之道, 在於新民, 而象只言謀始, 不言新民何歟.

모든 일은 처음에 도모하지 않음이 없으니, 어찌 송사에만 그렇겠는가? 또 송사가 없게 하는 도리로 논의한다면, 『정전』에서 말한 "사귐을 삼가고 계약을 명확히 함"은 조잡한 것이다. 송사가 없게 하는 도는 백성을 새롭게 함에 있으니, 「상전」에서는 처음을 도모함만 말하고 백성을 새롭게 함에 대해서는 말하지 않은 것은 어째서인가?

서유신(徐有臣) 『역의의언(易義擬言)』

凝而上升者爲天[10], 瀜而下趨者爲水, 天左旋而行健, 水東流而行險, 故曰違行也. 訟者, 彼此言行相違, 左之謂也. 故曰, 天與水違行, 訟也. 作事, 象水之順流, 謀始, 象天之大始也.

엉겨서 위에 있는 것이 하늘이고 깊이 아래로 흐르는 것은 물이다. 하늘은 왼쪽으로 돌아 굳건히 운행하고 물은 동쪽으로 흘러 험하게 운행하기 때문에 어긋나게 운행한다고 하였다. 송사는 이쪽과 저쪽의 말과 행동이 서로 위배되어 어긋난다는 말이다. 그렇기 때문에 하늘과 물이 어긋나게 운행함이 송사라고 하였다. 일을 함은 물이 순탄하게 흘러가는 상이고 처음을 도모함은 하늘이 크게 시작하는 상이다.

김귀주(金龜柱) 『주역차록(周易箚錄)』

本義, 天上水下, 云云.

『본의』에서 말하였다: 하늘은 위에 물은 아래에, 운운.

小註, 雲峯胡氏, 凡事, 云云.

소주(小註)에서 운봉호씨 말하였다: 모든 일에, 운운.

○ 按, 此以謀始之始, 對中吉終凶而言, 恐不倫.

내가 살펴보았다: 이 구절은 처음을 도모한다고 할 때의 처음으로, 중도를 지키면 길하고 끝은 흉함에 대비해서 말한 것으로 아마도 의미가 같지 않을 것이다.

丹陽都氏曰, 天爲, 云云.

단양 도씨가 말하였다: 하늘은 되고, 운운.

○ 按, 此以三才之始, 五行之始, 爲謀始之義, 恐涉附會.

내가 살펴보았다: 이 구절은 삼재의 처음과 오행의 처음으로, 처음을 도모함의 뜻을 삼았는데, 아마도 지나치게 억지로 갖다 붙인 것 같다.

박문건(朴文健) 『주역연의(周易衍義)』

〈問, 卦象之義. 曰, 本義, 已備矣.

물었다: 괘상의 의미가 무엇입니까?

답하였다: 『본의』에 이미 다 갖추어져 있습니다.〉

---

10) 天: 경학자료집성DB에 '大'로 되어 있으나 경학자료집성 영인본을 참조하여 '天'으로 바로잡았다.

이지연(李止淵)『주역차의(周易箚疑)』

宜及其未違之時而謀之, 使不至相違也.

마땅히 아직 어기지 않았을 때 도모해서 서로 어긋나지 않게 해야 한다.

이항로(李恒老)「주역전의동이석의(周易傳義同異釋義)」

按, 傳義備矣. 蓋水生於天, 其始一也, 違行, 故致訟. 若謀之於不違之前, 則傾不甚, 易而復, 安有訟乎. 孔子之使无訟, 論其極, 則亦不外此.

내가 살펴보았다:『정전』과『본의』에 갖추어져 있다. 물은 하늘에서 생기니 그 처음엔 동일하지만, 어긋나게 운행하기 때문에 송사를 부른다. 만약 어기기 전에 도모를 한다면 기울어짐이 심하지 않아 쉽게 회복되니, 어찌 송사가 있겠는가? 공자의 송사를 없게 한다는 것도 그 지극함을 논하면 여기에서 벗어나지 않는다.

又按, 訟本訴公爭理之名. 此卦以九五爲聽訟之主, 九五君也, 故以爵命黜陟, 言其得失, 如三百戶, 食舊德, 錫鞶帶之屬, 是也.

또 살펴보았다: 송사는 본래 공정함을 하소연하며 논리를 다툰다는 명칭이다. 이 괘는 구오가 송사를 판단하는 주인이다. 구오는 임금이기 때문에 벼슬을 주고 명을 내리며 올리고 내림에 그 얻음과 잃음을 말하였으니, 삼백 가구나 옛 덕을 향유함이나 허리띠를 주는 것과 같은 종류가 이것이다.

김기례(金箕澧)「역요선의강목(易要選義綱目)」

天一生水, 其本一也, 而終至陽升而水取降, 相違而訟, 則作事之始, 不可不審其終.

하늘이 하나의 수(數)로 물을 내니, 그 근본은 동일한데도 끝내 양은 올라가고 물은 내려와서 서로 어긋나서 송사를 하니, 일을 처음 할 때에는 그 마침을 고려하지 않을 수 없다.

심대윤(沈大允)『주역상의점법(周易象義占法)』

天爲氣之始, 水爲形之始, 坎本自乾入于坤而其行一違, 終至于天淵之隔. 凡爭訟之端, 常起于至微至細, 所謂差以毫釐, 忒以千里者也. 作事謀始, 所以絕其端也. 對震爲作, 巽爲事, 坎爲謀.

하늘은 기운의 시작이고 물은 형체의 시작이다. 감괘(☵)는 본래 건괘(☰)에서부터 시작해서 곤괘(☷)로 들어가 그 행함이 한 번 어겨, 마침내 하늘과 연못의 현격함에 도달한다. 다투어 송사하는 실마리는 늘 아주 작고 가는 것에서 발생하니, 이른바 "터럭만한 차이가 천리로 어그러진다"는 것이다. 일을 할 때 처음을 도모함은 그 실마리를 단절하기 위함이다. 반대괘의 진괘(☳)는 지음이 되고, 손괘(☴)는 일이 되고, 감괘(☵)는 도모함이 된다.

오치기(吳致箕) 「주역경전증해(周易經傳增解)」

天水, 本是一氣, 而天高在上, 水流居下, 相與違戾, 訟之象也. 君子觀其象, 知人情始合而終違, 爲爭訟之端, 故作事必謀其始, 以絶後來之弊也.

하늘과 물은 본래 동일한 기운인데 하늘은 높이 위에 있으며 물은 흘러 아래에 있어 서로 어그러졌으니, 송사의 상이다. 군자는 그 상을 살펴 사람의 정이 처음에는 화합하다가 마침내는 어긋나 송사의 실마리가 됨을 알기 때문에, 반드시 일을 함에 처음을 도모하여 뒤에 생기는 폐단을 끊는다.

이진상(李震相) 『역학관규(易學管窺)』

乾之貞, 足以幹事. 坎之象又爲習事, 而乾資萬物之始, 水爲五行之始. 作乾象, 謀坎象.

건괘(☰)의 바르고 굳음으로 일을 주간한다. 감괘(坎)의 상으로 일을 익힘이 되고, 건괘는 만물이 의뢰하여 시작함이고, 물은 오행의 시작이다. 지음은 건괘(☰)의 상이고, 도모는 감괘(☵)의 상이다.

이정규(李正奎) 「독역기(讀易記)」

蓋天下之爭端, 無不由於謀始之不謹, 非惟訟也. 天下事物之後弊末害, 亦莫不由於謀始之不善也. 作事謀始之訓, 雖似近而易知, 貫之上下巨細, 无物可尙矣.

천하에서 다툼의 발단은 처음을 도모함에 신중하지 못함을 말미암지 않음이 없으니, 송사만 그런 것이 아니다. 천하 사물의 뒷부분의 폐단과 끝부분의 폐해 역시 처음을 도모함에 잘하지 못함을 말미암지 않음이 없다. 일을 함에 처음을 도모하라는 가르침이 비록 가깝고 쉽게 알 수 있는 것 같지만, 위나 아래, 크고 작음을 관통해서 더할 일이 없다.

이용구(李容九) 「역주해선(易註解選)」

象, 項平菴曰, 曹劉共飯, 地分於匕筯之間, 蘇史討秦, 忿起於笑談之頃.

「상전」에 대해 항평암이 말하였다: 조조(曹操)와 유비(劉備)가 같이 밥을 먹음에 천하가 숟가락 놓는 사이에서 갈라졌고, 소봉길(蘇逢吉)과 사홍문(史弘文)이 나라를 망하게 한 일은 웃고 이야기할 때에 분심이 일어나서였다.

이병헌(李炳憲) 『역경금문고통론(易經今文考通論)』

程傳曰, 天陽在上, 水性就下, 其行相違.
『정전』에서 말하였다: 하늘의 양은 위에 있고 물의 성질은 아래로 흘러 그 운행함이 서로 어긋난다.

虞曰, 坎爲謀, 乾知大始,
우씨가 말하였다: 감괘는 도모함이고 건괘는 큰 시작을 주장함이다.

按, 訟不可成, 訟不可長, 爲作事謀始之義.
내가 살펴보았다: 송사는 이루어선 안 되고 송사는 오래 해서는 안 된다는 것이 일을 함에 처음을 도모하라는 의미이다.

初六, 不永所事, 小有言, 終吉.

정전 초육은 일을 오래 하지 않으면, 말이 조금 있으나 마침내 길하다.
본의 초육은 일을 오래 하지 않으니, 말이 조금 있으나 마침내 길하다.

‖中國大全‖

傳

六, 以柔弱居下, 不能終極其訟者也. 故於訟之初, 因六之才, 爲之戒曰, 若不長永其事, 則雖小有言, 終得吉也. 蓋訟非可長之事, 以陰柔之才, 而訟於下, 難以吉矣, 以上有應援而能不永其事. 故雖小有言, 終得吉也. 有言, 災之小者也, 不永其事而不至於凶, 乃訟之吉也.

육은 유약함으로 아래에 있어서 송사를 끝까지 할 수 없다. 그러므로 송괘의 초효에서 음[六]의 재질을 인하여 경계하여 말하기를, "만약 그 일을 오래 하지 않으면 비록 말이 조금 있으나 마침내 길함을 얻게 된다"라고 했으니, 아마도 송사는 오래 할 만한 일이 아니고, 음의 부드러운 재질로 아래에서 송사를 하면 길하기 어려운데다 위에서 호응하는 도움이 있어서 그 일을 오래 하지 않을 수 있는 것이다. 그러므로 비록 말이 조금 있지만 마침내 길할 것이다. "말이 있다"는 것은 재앙이 작은 것이니, 그 일을 오래 하지 않아서 흉에 이르지 않으며, 이에 송사를 하더라도 길한 것이다.

小註

蘭氏廷瑞曰, 六爻, 唯初與三, 陰柔而不爭, 故不言訟.
난정서가 말하였다: 여섯 효에서 오직 초효와 삼효만 음이면서 부드러워 다투지 않는다. 그러므로 송사라고 말하지 않았다.

○ 臨川吳氏曰, 柔弱居下, 不能終訟. 故曰不永所事, 雖有言語之傷, 而終則吉也, 與終凶之終, 不同.
임천오씨가 말하였다: 부드럽고 약한 음이 아래에 있어서 송사를 끝까지 하지 못한다. 그러

므로 "일을 오래 하지 않으면 비록 말로 인한 손상은 있더라도 마침은 길하다" 하였으니, '종흉[終凶: 끝까지 하면 흉하다]'의 종(終)과는 다르다.

本義

陰柔居下, 不能終訟, 故其象占如此.

유약한 음이 아래에 있어서 송사를 끝까지 할 수 없기 때문에, 그 상과 점이 이와 같다.

小註

朱子曰, 此爻是陰柔之人, 也不會十分與人訟. 那人也無十分傷犯底事, 但只略去訟, 才辯得明便止, 所以曰終吉.

주자가 말하였다: 이 효는 음이면서 부드러운 사람이니, 남과 결코 송사를 할 수 없다. 그런 사람은 또 결코 남을 해치는 일이 없고 다만 송사를 간략히 하여 밝게 분별만 되면 곧 그치니, 이 때문에 마침내 길하다고 한 것이다.

○ 臨川吳氏曰, 不永所事, 此邵子所謂意象也.

임천오씨가 말하였다: "일을 오래 하지 않는다"는 이것은 소자(邵子)가 말한 뜻[意]과 생상(生象)이다.

○ 雲峰胡氏曰, 不曰不永訟, 而曰不永所事, 事之初, 猶冀其不成訟也. 小有言, 與需不同, 需有言, 近坎也, 人不能不小有言也. 此之小有言, 坎也, 我不得已而小有言也. 又曰終凶者, 上九在訟爲終, 在人爲不終, 終吉者, 初六, 在訟爲不終, 在人爲有終.

운봉호씨가 말하였다: "송사를 오래 하지 않는다"라고 말하지 않고, "일을 오래 하지 않는다"라고 한 것은, 일의 처음에는 오히려 그 송사가 성립되지 않기를 바라는 것이다. "말이 조금 있다"는 것은 수괘(需卦䷄)와는 다르니, 수괘에서 "말이 있다"는 것은 감괘(坎卦☵)와 가까워 남들이 부득불 말이 조금 있다는 것이고, 여기[訟卦]에서 "말이 조금 있다"는 것은 감괘 때문이니, "내가 부득이 하여 말이 조금 있다"는 것이다. 또 "마침내 흉하다"라고 한 것은 상구가 송괘에서는 끝이 되지만, 사람에게는 끝나지 않음이 되고, "마침내 길하다"는 것은 초육이 송괘에서는 끝이 아니지만 사람에게는 끝이 있는 것이다.

○ 誠齋楊氏曰, 六以才弱而位下, 才弱者, 有憸忿而无逐心. 故雖訟而不永, 位下者, 敢於微愬, 而不敢於大訟. 故雖有言而小, 不永則易收, 小言則易釋, 所以終吉.

성재양씨가 말하였다: 음효는 재질이 약하면서 지위가 낮으니, 재질이 약한 사람은 부끄럽고 분함이 있어도 이루려는 마음이 없다. 그러므로 비록 송사를 하더라도 오래 하지 않는다. 지위가 낮은 사람은 자질구레한 하소연은 과감히 하면서 큰 송사에는 과감하지 못하다. 그러므로 말이 있더라도 적고, 오래 하지 않으니 거두기 쉽고, 말이 적으면 풀기 쉬워서 마침내 길한 것이다.

‖韓國大全‖

송시열(宋時烈)『역설(易說)』

初六不永所事者, 變其初者也. 初爻變則爲兌, 兌爲言, 故曰小有言也. 終吉者, 上有剛明之人辨決其訟, 訟豈長久耶. 且言訟之事不可長久, 言速改其事可也. 若不永所事者, 爻辭顯亦變動意, 下多類此. 朱子云揲蓍而可分老少, 老變而少不變云云, 如此爻無乃老陰否. 下放此.

초육의 ‘일을 오래 하지 않음’은 초효가 변한 것이다. 초효가 변하면 태괘가 되고 태괘는 말이 되기 때문에 “말이 조금 있다”고 하였다. “마침내 길하다”는 것은 위에 굳세고 밝은 사람이 송사를 판결하니, 송사가 어찌 오래가겠는가? 또 송사는 길게 해서는 안 됨을 말하였고 빨리 고치는 것이 좋음을 말하였다. ‘일을 오래 하지 않음’과 같은 것이 효사에 나타나면 변동의 뜻인데 뒤에 이런 종류가 많다. 주자가 “설시에서 노소를 구분할 수 있는데 노양·노음은 변하고 소양·소음은 변하지 않는다”라고 운운하였는데, 이와 같이 효에 노음이 없겠는가! 뒤에도 이와 같다.

김만영(金萬英)「역상소결(易象小訣)」

初六, 小有言.

초육의 ‘말이 조금 있음’.

需之六二訟之初六皆曰小有言. 其取象小有言之義未詳. 或曰, 需之在互爲兌, 訟之初六變則亦爲兌, 兌爲少女爲口, 故有小言之象, 理或似通.

수괘의 육이와 송괘의 초육에 모두 “말이 조금 있다”고 하였다. “말이 조금 있다”고 상을 취한 뜻은 자세하지 않다. 어떤 이가 말하길, "수괘에는 호괘로 태괘가 있고 송괘의 초육이 변하면 태괘가 되는데, 태괘는 소녀도 되고 입도 되기 때문에 말이 조금 있는 상이 있다"고 하였는데, 이치가 그럴 듯하다.

심조(沈潮) 「역상차론(易象箚論)」

初六, 不永所事, 小有言.

초육, "일을 오래 하지 않으면 말이 조금 있다".

不永所事, 陰之短也. 永字從水者, 坎也. 小有言, 反兌之口也.

'일을 오래 하지 않으면'은 음의 짧음이다. 영(永)자는 수(水)에 속하니 감괘이다. '말이 조금 있음'은 태괘의 입이 뒤집어진 것이다.

유정원(柳正源) 『역해참고(易解參攷)』

正義, 永長也, 不可長久爲鬪訟之事, 以訟不可終也. 初六應乎九四, 剛陽先來非理犯己, 初六陰柔見犯, 乃訟是不獲已而訟也. 故小有言, 以處訟之始不爲訟先, 故終吉.

『주역정의』에서 말하였다: 영(永)은 긴 것이니, 싸우며 송사하는 것을 장구하게 하지 않음은 송사는 끝까지 할 수 없기 때문이다. 초육은 구사와 호응하는데, 굳센 양이 와서 이치에 맞지 않게 자기를 범함에 초육의 유약한 음이 범함을 당하는 것이니, 이는 어쩔 수 없이 송사를 하는 것이다. 그러므로 "말이 조금 있다"고 하였는데, 송사의 처음에 있어서 먼저 송사를 하지 않기 때문에 마침내 길하다.

○ 梁山來氏曰, 變兌爲口舌, 言之象也. 應爻乾爲言, 亦言之象也. 居初故曰小.

양산래씨가 말하였다: 변한 태괘가 구설이 되어 말의 상이다. 응하는 효가 건괘로 말이 되니, 역시 말의 상이다. 초효에 있기 때문에 '조금'이라고 하였다.

本義小註, 臨川說意象. 觀物外篇, "易有意象. 立意皆所以明象. 有言象, 不擬物而直言以明事, 有象象, 擬一物以明意, 有數象, 七日八日三年十年之類, 是也." "有意必有言, 有言必有象, 有象必有數."

『본의』의 소주에서 임천오씨가 말한 뜻[意]과 상[象]. 『관물외편』에 "역에는 뜻과 상이 있다. 뜻을 세우는 것은 모두 상을 밝히려는 것이다. 말의 상이 있으니 사물을 견주지 않고 곧바로 일을 밝히며, 상의 상이 있으니 한 사물에 견주어 뜻을 밝히며, 수의 상이 있으니 7일, 8일,

3년, 10년의 종류가 그것이다"라고 하였고, 또 "뜻이 있으면 말이 있고, 말이 있으면 상이 있고, 상이 있으면 수가 있다"고 하였다.

김상악(金相岳)『산천역설(山天易說)』

當訟之時, 居坎之初, 比二應四而不交, 不交則訟, 而居互巽之外, 不永所事. 故雖小有言得終吉. 終非終凶之終也.

송사의 때를 당해 감괘의 초효에 거하여 이효와 가깝고 사효와 호응하나 사귀지 않으니, 사귀지 않으면 송사를 하지만 호괘인 손괘의 밖에 거처해서 송사를 길게 하지 않는다. 그러므로 말이 조금 있지만 마침내 길하다. 마침은 "마침내 흉하다"는 마침이 아니다.

○ 永者巽之長也. 爻曰不永, 傳曰不可長. 初居互體之外也, 訟之未成爲事. 初爲四所訟, 而在下者旣用柔, 則在上者无所用剛也. 言者乾之象. 天水違行, 雖小有言, 作事謀始, 故其訟不長也. 蓋陰陽有淑慝, 爭訟有曲直. 故諸爻之以陰居陽者, 陰事之出於正, 而其理直, 故初與三皆吉. 以陽居陰者, 陽事之出於不正, 而其理不直, 故二與四皆曰不克訟.

'영(永)'은 손괘(☴)의[11] '오래'이다. 효사에는 '오래 하지 않음'이라 하고 「단전」에서는 "오래 해서는 안 된다"라고 하였다. 초효가 호체의 밖에 거하니, 송사가 일로 이루지 않는다. 초효는 사효가 송사하는 대상이지만 아래에 있는 자가 이미 부드러움을 쓴다면 위에 있는 자는 굳셈을 쓸 곳이 없다. '언(言)'은 하늘의 상이다. 하늘과 물이 어겨서 행하니, 비록 말은 조금 있지만 일을 지음에 처음을 도모하기 때문에, 그 송사가 오래가지 않는다. 음양에는 맑고 사특함이 있고, 쟁송에는 굽고 곧음이 있다. 그러므로 모든 효에서 음이 양의 자리에 거처한 것은 음적인 일이 바름에서 나와 그 도리가 곧다. 그러므로 초효와 삼효는 모두 길하다. 양이 음의 자리에 거처한 것은 양적인 일이 바르지 못함에서 나와 그 도리가 곧지 못하다. 그러므로 이효와 사효에서 모두 송사를 이기지 못한다고 하였다.

김규오(金奎五)「독역기의(讀易記疑)」

訟初六, 小有言.
송괘 초육의 "말이 조금 있다".

傳謂災之小者.
『정전』에서 말하였다: '재앙의 작은 것'.

---

11) 송괘(訟卦䷅)의 3·4·5효로 이루어진 호괘가 손괘(☴)이다.

竊疑, 此與需之九二同. 然需則眞是災也, 此則略辯卽明之意. 象所謂其辯明可見, 而小註朱子說亦如是. 疑與需不同, 抑雖卽辯而不免與人相詰, 則亦可謂之災耶.

아마도 이것은 수괘의 구이와 동일한 것 같다. 그렇지만 수괘는 정말로 재앙이고, 이것은 간략히 분별하여 밝히는 뜻이다. 「상전」에 말한 "그 분별함이 분명하다"는 것에서 알 수 있고, 소주의 주자의 설명 또한 이와 같다. 수괘와 다른 것인가, 아니면 비록 분별하더라도 남과 서로 힐난하면 역시 재앙이라고 하는 것인가?

박윤원(朴胤源)『경의(經義)・역경차략(易經箚略)・역계차의(易繫箚疑)』

小有言終吉, 與需之九二相同, 需訟相綜故歟.

"말이 조금 있지만 마침내 길하다"는 것이 수괘와 같은 것은 수괘와 송괘가 서로 종괘이기 때문인가!

김귀주(金龜柱)『주역차록(周易箚錄)』

本義, 陰柔居下, 云云.

『본의』에서 말하였다: 부드러운 음으로 아래에 거처한다, 운운.

小註雲峰胡氏曰, 不曰, 云云.

소주의 운봉호씨가 말하였다: 말하지 않았다, 운운.

按, 在訟之時, 居坎之體, 則雖不永事而自不免小災耳, 不必言我之小有言也. 在人爲不終云云. 亦恐支衍.

내가 살펴보았다: 송사의 때에 감괘의 몸체에 거하면 비록 송사를 길게 하지 않아도 스스로 작은 재앙을 면할 수 없을 뿐이지, 내가 말이 조금 있다는 것을 말할 필요는 없다. 사람에게는 끝이 없는 것이라고 운운한 것도 지엽적인 군더더기이다.

서유신(徐有臣)『역의의언(易義擬言)』

不永者, 暫而止也. 所事者, 訟之事也. 在坎之初, 窒而不流, 不永所事之象也. 訟止而言亦止, 故小有言也. 九五中正明決, 故終吉也.

'오래 하지 않음'은 잠시 그침이다. 일하는 바는 송사의 일이다. 감괘의 처음에 있어 막혀 흐르지 못해 송사를 오래 하지 못하는 상이다. 송사가 그치면 말도 그친다. 그러므로 말이 조금 있다. 구오는 중정함으로 분명히 결단하므로 마침내 길하다.

박문건(朴文健) 『주역연의(周易衍義)』

知其非理. 故有不永之象, 所事謂訟也, 言九四之言也

송사하는 것이 이치가 아님을 알기 때문에 오래 하지 않는 상이 있다. '일'은 송사를 말하고, '말'은 구사의 말이다.

김기례(金箕澧) 「역요선의강목(易要選義綱目)」

坎多眚則不能无言. 但弱陰不終訟事故言小, 四以正應居上而援, 則訟旣不長. 又借便明辨, 故終吉.

감괘(坎卦☵)는 재앙이 많으니, 말이 없을 수 없다. 다만 약한 음이 송사를 끝까지 하지 않으므로 말이 적고, 사효가 정응(正應)으로 위에 있으면서 도와주어 송사는 이미 길어지지 않는다. 또 밝게 분별할 수 있기 때문에 마침내 길하다.

○ 需坎在外, 故言自外至, 此坎在內, 故言自我出, 皆理也.

수괘(需卦䷄)의 감괘(坎卦☵)는 외괘에 있기 때문에 밖에서 왔다고 하였고, 여기의 감괘(坎卦☵)는 내괘에 있기 때문에 나로부터 나왔다고 말하였으니, 모두 이치에 맞다.

심대윤(沈大允) 『주역상의점법(周易象義占法)』

訟之爻位, 居剛得訟者也, 居柔不得訟者也.

송괘의 효는 자리가 굳센 곳에 있으면 송사할 수 있고 유약한 곳에 있으면 송사할 수 없다.

訟之履䷅, 訟而不違於禮. 初六以柔居剛, 柔而得訟, 上有九四之應, 故曰不永所事. 坎爲求變, 兌爲不永, 巽爲事, 言得四之助而不久其訟也. 爲二所隔. 故曰有言. 兌爲口舌, 對艮爲言. 四居离體, 明辨而應之. 故曰終吉.

송괘가 리괘(履卦䷅)로 바뀌었으니, 송사 하더라도 예를 어기지 않는다. 초육이 유순함으로 굳센 자리에 있어, 유약한데도 송사하며 위에 구사의 호응이 있기 때문에 일을 오래 하지 않는다. 감괘(坎卦☵)는 변화를 구함이고, 태괘(兌卦☱)는 오래 하지 않음이고, 손괘(巽卦☴)는 일이니, 사효의 도움을 받으면 송사를 길게 하지 않는다는 말이다. 이효에 막혀서 말이 있다. 태괘(兌卦☱)는 입과 혀이고, 음양이 반대인 간괘(艮卦☶)는 말[言]이다. 사효가 리괘(離卦☲)의 몸체에 있어 밝게 분별하면서 호응하기 때문에 "마침내 길하다"라 하였다.

오치기(吳致箕) 「주역경전증해(周易經傳增解)」

初六, 陰柔不正, 居剛而處險, 卽爲訟者, 而以其質柔在下. 故不能永長其所事. 然上應九四之陽剛, 可以相援. 故小有曲直之可言. 始雖未伸, 而終賴應援之助, 以明其辯而得吉也.

초육은 부드러운 음이 제자리에 있지 않고 굳센 자리에 있으면서 험함에 처했으니, 곧 송사하는 자이다. 그런데 유약한 재질로 아래에 있기 때문에 일을 오래 할 수 없다. 그러나 위에서 구사라는 굳센 양이 호응하여 서로 도울 수 있기 때문에 옳고 그름을 따지는 말을 조금 할 수 있다. 처음에는 억울함을 말하지 못하다가 마침내 응원하는 도움에 힘입어 그 분별을 밝혀서 길하게 된다.

○ 事謂訟事也. 變兌爲口, 言之象也.
일은 송사를 말한다. 변화한 태괘(兌卦☱)가 입이니, 말하는 상이다.

이진상(李震相) 『역학관규(易學管窺)』

來氏曰, 變兌爲口舌, 言之象. 應爻乾爲言, 亦言之象也. 居初, 故曰小有言.
래지덕(來知德)이 말하였다: 태괘(兌卦☱)로 변하면 입과 혀가 되니 말하는 상이다. 응하는 효 건괘(乾卦☰)는 말[言]이니, 역시 말하는 상이다. 초효에 있기 때문에 "말이 조금 있다"라 하였다.

愚按, 人之犯己, 己不能無言, 而小有言, 則不成訟矣. 陰居陽位, 陽居陰位, 皆以小言, 需訟是也. 其辨明, 主九四而言, 互離象也.
내가 살펴보았다: 남이 나를 범하니 내가 말이 없을 수 없으나 말이 조금 있다면 송사는 이루어지지 않는다. 음이 양의 자리에 있고 양이 음의 자리에 있는 것은 모두 '조금[小]'이라 말하니, 수괘(☵☰)와[12] 송괘(訟卦☰☵)가 여기에 해당된다. "그 분별함이 분명하다"는 것은 구사를 위주로 하여 말하였으니, 호괘가 리괘(離卦☲)의 상이다.

박문호(朴文鎬) 「경설(經說)·주역(周易)」

訟不可長, 傳及矣, 以上專主初六而言, 其下則竝指諸爻而言. 故著又字.
"송사를 길게 하지 못한다."는 말은 『상전』에서 언급했으니, 이 위는 오로지 초육을 위주로 하여 말하였고, 그 아래는 여러 효를 아울러 가리켜 말하였다. 그러므로 '우(又)'자를 붙였다.

---

12) 『周易·需卦』: 于沙, 小有言, 終吉.

象曰, 不永所事, 訟不可長也.

『상전』에서 말하였다: “일을 오래 하지 않음”은 송사는 오래 해서는 안 되는 것이다.

‖中國大全‖

傳

六, 以柔弱而訟於下, 其義固不可長永也. 永其訟, 則不勝而禍難及矣. 又於訟之初, 卽戒訟非可長之事也.

음[六]의 유약함으로 아래에서 송사 하니, 그 뜻이 본래 오래 할 수 없다. 그 송사를 오래 한다면 이기지도 못하고 어려움이 닥치게 될 것이다. 또 송괘의 초효에서 바로 송사는 오래 할 일이 아님을 경계한 것이다.

雖小有言, 其辯明也.

비록 "말이 조금 있으나" 그 분별함이 분명하다.

‖中國大全‖

傳

柔弱居下, 才不能訟, 雖不永所事, 旣訟矣, 必有小災. 故小有言也. 旣不永其事, 又上有剛陽之正應, 辯理之明, 故終得其吉也. 不然, 其能免乎. 在訟之義, 同位而相應, 相與者也, 故初於四, 爲獲其辯明. 同位而不相得, 相訟者也, 故二與五, 爲對敵也.

유약한 음이 아래에 있어서 재질이 송사를 할 수 없으니, 비록 일을 오래 하지 못하지만, 이미 송사를 하면 반드시 작은 재앙은 있다. 그러므로 말이 조금 있다. 이미 그 일을 오래 하지 않고, 또 위에 굳센 양의 정응이 있으니, 분별하고 다스림이 분명하다. 그러므로 마침내 길함을 얻는다. 그렇지 않다면 어찌 면할 수 있겠는가? 송괘의 의미에 있어서는 자리가 같으면서 서로 응하면 서로 돕는 자이다. 그러므로 초효가 사효에 대해서 밝게 분별해 줌을 얻게 되고, 자리가 같으나 서로를 얻지 못하면 서로 다투는 자이다. 그러므로 이효와 오효는 대적하게 되는 것이다.

‖韓國大全‖

김상악(金相岳)『산천역설(山天易說)』

訟不可長, 卽不可成之義也. 四互巽體, 故曰訟不可長也. 二互離體, 故曰其辯明也.

"송사는 오래 해서는 안 된다"는 것은 곧 이룰 수 없다는 뜻이다. 사효는 호괘인 손괘의 몸체이다. 그러므로 "송사는 오래 해서는 안 된다"고 하였다. 이효는 호괘로 이괘의 몸체이다. 그러므로 "그 분별함이 분명하다"고 하였다.

서유신(徐有臣) 『역의의언(易義擬言)』

天水違行爲訟象. 違行故其辨別可明矣. 辨別明則訟可已也.

하늘과 물이 어긋나서 향한다. 어긋나 행하므로 그 분별이 분명할 수 있다. 분별이 분명하면 송사를 그칠 수 있다.

오치기(吳致箕) 「주역경전증해(周易經傳增解)」

訟之不長, 陰柔在下也. 辯而得明, 剛應在上也, 明, 取互離.

송사를 오래 하지 않음은 유순한 음이 아래에 있기 때문이다. 분별해서 밝혀짐은 굳센 호응이 위에 있기 때문이다. '밝음'은 호괘인 리괘(離卦☲)에서 취했다.

박문건(朴文健) 『주역연의(周易衍義)』

釋訟而相孚其辯之明也.

송사에 서로 믿음이 있고 그 분별이 명확함을 해석하였다.

〈問, 長義. 曰, 此與小過九四象, 終不可長之長同義, 皆釋永字之義也, 與上訟不可成之義, 不同也.

물었다: '오래[長]'는 무슨 뜻입니까?

답하였다: 이것은 소과괘(小過卦☳☶)의 구사 효『상전』에서 "끝내 오래 할 수 없기 때문이다"라고 할 때의 "오래 하다"와 같은 의미이니, 모두 "오래 하다[永]"는 의미로 풀이한 것입니다. 위에서 "송사는 이루어서는 안 되기 때문이다"와는 다릅니다.〉

이병헌(李炳憲) 『역경금문고통론(易經今文考通論)』

虞曰, 永長. 初爲訟始, 故不永所事.

우번(虞翻)이 말하였다: '영(永)'은 '오래[長]'이다. 초효는 송사의 시작이기 때문에 일을 오래 하지 않는다. 13)

程傳曰, 同位而相應, 故初於四, 爲獲其辯明.

『정전』에 말하였다: 자리가 같고 서로 응하기 때문에 초효가 사효에게서 밝게 분별해 줌을 얻는다.

---

13) 『周易·訟卦』: 初六, 不永所事, 小有言, 終吉. 구절의 주석. 虞翻曰, 永長也. 坤爲事, 初失位, 而爲訟始, 故不永所事也.

九二, 不克訟, 歸而逋, 其邑人, 三百戶, 无眚

정전 구이는 송사를 하지 못하여 물러나 피하여, 그 읍의 사람이 삼백호이면 허물이 없다.

본의 구이는 송사를 하지 못하여 돌아가 숨으니, 그 읍의 사람이 삼백호이면 재앙이 없다.

‖中國大全‖

傳

二五, 相應之地, 而兩剛不相與, 相訟者也. 九二, 自外來, 以剛處險, 爲訟之主, 乃與五爲敵, 五以中正, 處君位, 其可敵乎. 是爲訟而義不克也. 若能知其義之不可, 退歸而逋避, 以寡約自處, 則得无過眚也. 必逋者, 避爲敵之地也. 三百戶, 邑之至小者. 若處强大, 是猶競也, 能无眚乎? 眚, 過也. 處不當也, 與知惡而爲, 有分也.

이효와 오효는 서로 대응하는 자리인데 두 굳센 양이 서로 친하게 지내지 못해서 서로 다투는 것이다. 구이는 밖에서 와서 굳센 양이 험함에 처하여 송괘(訟卦)의 주인이 되어 곧 구오와 대적하지만, 오효는 중정으로서 임금의 자리에 있으니 어찌 대적할 수 있겠는가? 이것은 송사를 하더라도 의리상 이기지 못한다는 것이다. 만약 의리상 옳지 않다는 것을 알고서 물러나 숨어서 작고 낮은 곳에 있게 되면 허물이 없다. 반드시 피한다는 것은 적이 되는 상황을 피하는 것이다. 삼백호는 읍 가운데 매우 작은 것이다. 만약 강하고 큰 곳에 있게 되면 이것은 오히려 다투는 것이니, 허물이 없을 수 있겠는가? 생(眚)은 허물이다. 대처가 적당하지 못한 것이니, 악인 줄 알면서 하는 것과는 구분이 있다.

本義

九二, 陽剛爲險之主, 本欲訟者也. 然以剛居柔, 得下之中, 而上應九五, 陽剛居尊, 勢不可敵. 故其象占如此. 邑人三百戶, 邑之小者, 言自處卑約, 以免災患. 占者如是, 則无眚矣.

구이는 굳센 양이 험함의 주인이 되어 본래 송사하려는 자이다. 그러나 굳센 양이 유약한 자리에 있고 아래 괘의 가운데를 얻어서 위로는 구오에 대응하니, 굳센 양이 높은 자리에 있으면 힘이 대적할 수 없다. 그러므로 그 상과 점이 이와 같다. '읍의 사람이 삼백호'라 함은 읍이 작은 것이니, 스스로 낮고 적게 처신해서 재앙과 근심을 면할 수 있다는 말이다. 점치는 사람이 이와 같이 한다면 재앙이 없게 된다.

小註

朱子曰, 九二正應, 在五. 五亦陽, 故爲窒塞之象. 不克訟, 歸而逋, 其邑人, 三百戶, 无眚, 何故不言二百戶, 以其有定數也. 今解者, 卻要牽强, 故只得說小邑. 某嘗以爲易有象數者, 以此. 聖人之象, 便依樣子, 今不可考, 王弼說, 得意忘象, 是要忘了這象, 伊川, 又說假象, 是只要假借此象. 今看得不解恁地全無那象, 只是不可知, 只得且從理上說

주자가 말하였다: 구이의 정응은 오효이다. 오효도 양이기 때문에 막히는 상이다. "송사를 하지 못하고 돌아가 피하여서 그 읍의 사람이 삼백호이면 허물이 없다"라 하니 무엇 때문에 이백 호라고 하지 않았는가? 정해진 수가 있어서이다. 지금 해석하는 사람이 억지로 끌어다 붙이려하므로 단지 작은 읍을 설명하였다. 내가 일찍이 『주역』에 상(象)과 수(數)가 있다고 한 것은 이 때문이다. 성인의 「상전」은 곧 모양에 의지한 것인데 지금 고찰할 수 없고, 왕필(王弼)이 "뜻을 얻었으면 상은 잊어라"라고 말한 것은 이 상을 잊게 하려는 것이고, 이천(伊川)이 또 "상을 빌렸다"라고 한 것은 단지 이 상을 빌리려고 한 것이다. 지금은 전혀 그런 상이 없어서 이해할 수 없으니, 단지 이치를 따라 설명한 것이다.

○ 節齋蔡氏曰, 克, 能也. 位柔故不克. 逋, 逃也, 隱兩柔之中, 有逋象. 邑, 內地, 退處卑小. 故无眚.

절재채씨가 말하였다: 이김[克]은 잘함이다. 자리가 유약하기 때문에 잘하지 못한다. 숨음[逋]은 도망하는 것이다. 두 유약함 가운데에 숨는 상이 있다. 읍은 땅의 오지(奧地)이니, 물러간 곳이 낮고 작다. 그러므로 허물이 없다.

○ 雲峰胡氏曰, 九二九四, 皆以剛居柔. 故皆不克訟, 但九四, 居健體之初, 非能用其健者, 九二, 爲險體之主, 則本欲用其險者, 本義謂"其本欲訟", 蓋誅其心而言之也. 但以九五勢不可敵. 故從而退避省約. 然則二之不克訟, 非不能也, 勢不可也. 故僅可以无眚焉爾.

운봉호씨가 말하였다: 구이와 구사는 모두 굳센 양이 유약한 자리에 있다. 그러므로 모두 송사를 하지 못하는데, 다만 구사는 건괘(乾卦☰) 몸체의 처음에 있어서 그 굳건함[健]을

쓰지 못하는 자이다. 구이는 감괘(坎卦≡≡) 몸체의 주인이 되어 본래 그 험함을 쓰려고 하는 사람이니 「본의」에서 "본래 송사를 하고자 한다"라고 한 것은 그 송사하려는 마음을 꾸짖어서 말했다. 다만 구오는 힘이 대적할 수 없다. 그러므로 작은 곳으로 물러나 피한다. 그렇게 되면 이효가 송사하지 못하는 것은 못하는 것이 아니라 힘이 할 수 없는 것이다. 그러므로 겨우 허물이 없을 수 있을 뿐이다.

○ 進齋徐氏曰, 退處卑小, 示屈服之意也. 苟猶據大邑, 雖曰退聽, 跡尙可疑, 如都城百雉, 足以偶國, 臧武仲據防請後, 豈理也哉
진재서씨가 말하였다: 물러난 곳이 낮고 작은 것은 굴복한다는 뜻을 보여주는 것이다. 만약 큰 읍에 의탁한다면 비록 물러나서 순종한다 하더라도 행적이 오히려 의심할 만하니, 예컨대 도성(都城)의 크기가 일백 치(雉)[14]이면 나라와 짝하기에 충분하니, 장무중이 방(防) 땅을 차지하고 후계자를 세워 달라고 요구한 것이[15] 어찌 이치에 맞겠는가?

○ 雙湖胡氏曰, 六爻, 自五君位外上不足言, 初三四吉, 二僅无眚者, 以犯分於先, 不克而後逋竄, 非本无訟上之心也, 易於君臣之分, 其嚴矣哉!
쌍호호씨가 말하였다 : 여섯 효에서 오효 임금의 자리부터 바깥의 상효는 말할 것이 못되고 초효・삼효・사효는 길하고, 이효는 겨우 허물이 없는 것은 먼저는 분수를 침범하였다가 할 수 없게 된 뒤에 피하여 숨는 것이고, 본래 윗사람과 송사하려는 마음이 없는 것이 아니다. 『주역』은 임금과 신하의 구분이 엄하다.

┃韓國大全┃

조호익(曺好益) 『역상설(易象說)』

下卦本坤, 九二自外來爲訟之主. 歸而逋者, 變而爲陰之象. 邑, 取本體坤土象, 又二變, 則爲坤.

---

14) 치(雉): 척도(尺度)의 하나로, 높이 1장, 길이 3장의 명칭이다. 성(城) 위에 낮게 쌓은 담으로 몸을 숨기고 적을 치는 곳을 치첩(雉堞)이라 한다.
15) 『論語・憲問』: 臧武仲, 以防求爲後於魯, 雖曰不要君, 吾不信也.

하괘는 본래 곤괘(坤卦☷)인데 구이가 밖에서 와서 송괘(訟卦䷅)의 주인이 되었다. "돌아가 숨는다"는 것은 변하여 음이 된 상이다. 읍은 본래의 몸체 곤괘(坤卦☷)인 땅의 상을 취한 것이고, 또 이효가 변하면 곤괘(坤卦☷)가 된다.

朱子曰, 易中無坤而言地者, 往往只取坎中爻變, 變則爲坤矣. 三百者, 坤三畫偶. 自少陰成者, 三畫皆八, 八八六十四, 自老陰成者, 三畫皆六, 六六三十六. 合三爻恰成三百之數, 坎中畫奇, 自少陽成者, 其數七, 七七四十九, 剩成十三之數, 自老陽成者, 其數九, 九九八十一, 剩成四十五之數. 合五十七, 是陽爲剛大之象. 又坎險變爲坤順, 故无過眚. 眚, 雙湖曰, 目疾也, 坎爲疾, 互離爲目有目疾之象. 二變, 則離坎皆失, 故曰无眚.

주자가 말하였다: 『주역』에서 곤괘(坤卦☷)가 없는데 '땅'이라 말하는 것은 가끔 감괘(坎卦☵)의 가운데 효의 변화를 취한 것일 뿐이니, 변화하면 곤괘(坤卦☷)가 되는 것이다. '삼백'은 곤괘(坤卦☷)의 세 획이 우수(偶數)이니, 소음(少陰)으로부터 이루어진 것은 세 획이 모두 팔이어서 팔 곱하기 팔은 육십사이고, 노음(老陰)으로부터 이루어 진 것은 세 획이 모두 육이어서 육 곱하기 육은 삼십육이다. 세 효를 합하면 꼭 삼백의 수를 이룬다. 감괘(坎卦☵)의 가운데 획은 기수(奇數)이니 소양으로부터 이루어진 것은 그 수가 칠이어서 칠 곱하기 칠은 사십구이니 나머지가 십삼이라는 수를 이루고, 노양으로부터 이루어진 것은 그 수가 구이어서 구 곱하기 구는 팔십일이니 나머지가 사십오의 수를 이룬다. 합한 수 오십칠[16]은 양이 강하고 커지는 상이다. 또 감괘(坎卦☵)의 험함이 변하여 곤괘(坤卦☷)의 순함이 되기 때문에 허물이나 재앙이 없다. 생(眚)을 쌍호호씨는 '눈병'이라 하였다. 감괘(坎卦☵)는 질병이고 호괘(互卦)인 리괘(離卦☲)는 눈에 눈병이 있는 상이고, 이효(二爻)가 변하면 리괘(離卦)와 감괘(坎卦☵)를 모두 잃어버리기 때문에 "허물이 없다"라 하였다.

송시열(宋時烈) 『역설(易說)』

此爻若與九五訟, 則必不克也. 坎爲隱伏逋竄之象, 故曰歸而逋. 上乾錯爲坤, 則坤爲邑爲闔戶之象. 互離爲三數, 故曰其邑人三百戶. 坎本多眚[17]而帰逋, 故曰無眚. 言雖不克訟, 而帰逋其與爲敵者, 爲三百戶之小邑, 則我可以無過眚也. 小象言, 自下二爻與上五爻爲訟, 必掇拾禍患也. 蓋戒其訟之意.

이 효가 만약 구오와 송사하면 반드시 이기지 못한다. 감괘(坎卦☵)는 숨고 달아나는 상이

---

16) 오십칠: 소양으로부터 이루어진 수의 나머지 십삼과 노양으로부터 이루어진 수의 나머지 사십오를 합하면 오십팔이 되니, 원문의 오십칠은 아마도 계산의 착오인 듯하다.

17) 眚: 경학자료집성DB와 영인본에 모두 '生目'으로 되어있으나, 문맥을 살펴 재앙을 의미하는 '眚'으로 바로잡았다.

기 때문에 "돌아가 숨는다"라 했다. 상괘인 건괘(乾卦☰)가 음양이 바뀌어 곤괘(坤卦☷)가 되면 곤은 읍이 되고 문을 닫는 상이 된다. 음양이 반대인 괘 리괘(離卦☲)가 삼이라는 수가 되므로 '그 읍의 사람이 삼백 호'라 하였다. 감괘(坎卦☵)는 본래 재앙이 많아서 돌아가 피하기 때문에 "재앙이 없다"라 하였다. 비록 송사를 이길 수 없으나 돌아가 함께 대적할 자를 피한 것이 삼백호의 작은 읍이 된다면 우리는 재앙이 없을 수 있다고 했다. 「소상전」에서 "아래에서 이효가 위의 오효와 송사를 하니, 반드시 재앙과 근심을 주워 담듯이 한다"라 했으니, 송사를 경계하는 의미이다.

김만영(金萬英) 「역상소결(易象小訣)」

九二,[18] 邑人三百戶, 邑人三百, 未詳取義.

구이의 "읍의 사람이 삼백호이니"에서 '읍의 사람 삼백'은 어디에서 뜻을 취했는지 자세하지 않다.

심조(沈潮) 「역상차론(易象箚論)」

九二, 歸而逋, 邑人三百戶.

구이는 돌아가 숨으니, 그 읍의 사람이 삼백 호이다.

逋, 坎爲隱伏也. 人, 二爲人位也. 三, 互離數也, 又陽數也. 戶, 陽爻爲戶也, 邑之象. 此爻以陽爲主於下之中, 而統上下両陰之象.

'숨는대[逋]'는 것은 감괘(坎卦☵)가 숨고 엎드리는 것이다. '사람'은 이효(二爻)가 사람의 자리이기 때문이다. 삼은 음양이 반대인 괘 리괘(離卦☲)의 수이고 또 양수이다. 집[戶]은 양효가 집[戶]이니 읍의 상이다. 이 효는 양으로써 하괘의 가운데서 주인이 되어 위아래 두 음을 통솔하는 상이다.

유정원(柳正源) 『역해참고(易解參攷)』

東鄉氏助曰, 坎爲隱伏逋逃之象.

동향조(東鄉助)가 말하였다: 감괘(坎卦☵)는 숨고 달아나는 상이다.

○ 白雲蘭氏曰, 二爲大夫之位. 古者, 大夫之食三百八十八人之祿, 三百戶, 其舉全數乎.

---

18) 九二: 경학자료집성DB와 영인본에 모두 '六二'로 되어있으나, 문맥을 살펴 '九二'로 바로잡았다.

백운난씨(白雲蘭氏)가 말하였다: 이효는 대부의 자리이다. 옛날에 대부는 삼백팔십팔 명의 녹(祿)을 먹었으니, 삼백 호는 아마도 큰 수만 말한 것 같다.

○ 厚齋馮氏曰, 易有累卦以起義者, 乾坤後, 凡六坎而訟其四也, 九二其坎主乎. 凡一坎, 坤之策二則四十有八, 乾之策一則三十有六, 合[19]三爻之策總八十四, 四坎之策, 爲三百三十六. 二爲訟之主, 而其策, 則乾則三十六之數也. 歸而逋之, 則餘策三百戶之象.

후재풍씨厚齋馮氏)가 말하였다:『주역』에는 괘를 이어서 뜻을 일으킨 것이 있으니, 건괘(乾卦䷀)와 곤괘(坤卦䷁)의 뒤에 감괘(坎卦☵)가 모두 여섯인데, 송괘(訟卦䷅)가 네 번째이고 구이가 감괘(坎卦☵)의 주인이다. 보통 하나의 감괘(坎卦☵)에 곤책(坤策)이 둘이니 사십팔 책이고, 건책(乾策)이 하나이니 삼십육 책인데, 세 효의 책을 합하니 모두 팔십사 책이다. 네 감괘(坎卦☵)의 책이 삼백삼십육이 되니, 이효는 송괘(訟卦䷅)의 주인이고 책은 건(乾) 삼십육의 수이다. '돌아가 숨음'은 남은 책이 '삼백 호'의 상이다.[20]

○ 案, 朱子曰三百戶, 必有此象, 今不可攷, 厚齋說自是別義.

내가 살펴보았다: 주자가 '삼백 호'라고 말한 것은 반드시 이 상이 있을 것이나, 지금 상고할 수 없고 후재(厚齋)의 말은 이것과는 별개의 뜻이다.

김상악(金相岳) 『산천역설(山天易說)』

二以陽居坎之中爲訟之主, 而三則相交而不陷, 初則不永其所事, 惟二五險健相接, 而自下訟上, 勢不敵也. 故爲不克訟而歸逋, 自處以三百戶之象, 能卑約以處之, 故无過眚也.

이효는 양이 감괘(坎卦☵)의 가운데 있는 것으로 송사의 주인이다. 삼효는 서로 사귀어서 빠져들지 않고, 초효는 일하기를 오래 하지 않음이고, 오직 이효와 오효의 험함과 군건함이 서로 이어져서 아래에서 위와 송사를 하니 대적할 수 없는 힘이다. 그러므로 송사 하지 못하고 돌아가 숨어서 스스로 삼백 호쯤 되는 곳에 있는 상이고, 겸손하게 처신할 수 있기 때문에 허물이나 재앙이 없다.

---

19) 合: 경학자료집성DB와 영인본에 모두 '今'으로 되어 있으나, 문맥을 살펴 '合'으로 바로잡았다.
20) 『周易會通・訟卦』: 九二不克訟, 歸而逋, 其邑人三百戶, 无眚. 구절의 주, 馮氏椅曰, 易有累卦以起義者, 乾坤後凡六坎, 而訟其四也, 九二其坎主乎. 凡一坎, 坤之策二, 則四十有八, 乾之策一, 則三十有六, 今三爻之策, 總八十四. 四坎之策, 爲三百三十六, 二爲訟之主, 而其策則乾則三十六之數也. 歸而逋之, 則餘策三百戶之象.

○ 克者, 勝也, 又能也. 坎陽之始動者, 不能敵乾陽之已成者, 又天與水, 雖違行, 水生
於金, 故二四皆曰不克訟. 歸者, 自上而來也. 逋者, 坎之隱伏也. 卦變自遯而來, 居二
陰之間, 故曰歸而逋. 邑, 坤象, 乾與坤對, 乾之君有坤邑國. 故易中言邑, 多在乾體之
卦也. 戶者, 陽奇也. 陽爻四, 而一爻衍七十五, 則四爻之數, 合爲三百也. 三百戶小國,
下大夫之制也. 若其所據之邑, 過於三百, 則難免於災患也. 故曰, 大都耦國, 亂之本
也. 變爻爲否, 否泰反類. 泰上六曰, 自邑告命, 否大象曰, 儉德避亂, 故本爻之象如此.
眚者過也, 坎之多眚, 變則无眚, 又凡言災眚者, 五行之相克也. 本卦則金水同卦, 故无
眚也. 訟與明夷爲對. 明夷卦辭與六二, 皆以文王言之, 而訟則乾君在上, 不相敵而歸
避, 處寡約而无眚, 有憂患戒懼之意也. 參互九卦, 其意可見. 東坡曰, 二逋則其邑人之
三百戶无眚矣, 此以无眚屬邑人言.

'극(克)'은 '승리'이고 또 '잘함'이다. 처음 움직이는 양(陽)이 감괘(坎卦☵)이니, 건괘(乾卦
☰)의 이미 성공한 양을 대적할 수 없고, 또 '하늘과 물'은 비록 어긋나게 행하나 수(水)는
금(金)에서 나오기 때문에 이효와 사효에서 모두 "송사를 이기지 못한다"라 했다. '돌아감
[歸]'이란 위에서 오는 것이다. '숨음[逋]'이란 감괘(坎卦☵)가 숨는 것이다. 괘의 변화가 돈
괘(遯卦☶)에서 와서 두 음의 사이에 있기 때문에 "돌아가 숨는다"라고 했다. 읍(邑)은 땅의
상이니 건괘(乾卦☰)와 곤괘(坤卦☷)가 상대하여 건괘(乾卦☰)의 임금이 땅의 읍과 나라
를 소유한다. 그러므로『주역』가운데서 '읍(邑)'을 말한 곳은 대부분 건괘(乾卦☰)의 몸체
가 되는 괘이다. "호(戶)"는 양효(陽爻)인 홀수[奇數]이다. 양효가 넷이니, 한 효가 칠십오로
퍼지면 네 효의 수가 합하여 삼백이 된다. 삼백 호는 작은 나라이니, 하대부가 다스린다.
만약 차지한 읍이 삼백보다 지나치면 재앙과 우환을 피하기 어렵다. 그러므로 "큰 도시는
나라와 맞먹으니 변란의 원인이다"[21]라고 하였다. 효가 변하면 비괘(否卦☰☷)가 되는데, 비
괘와 태괘(泰卦☷☰)는 반대 괘 종류이다. 태괘의 상육(上六)에 "읍에서 명(命)을 고(告)한
다"[22]라 하고, 비괘(否卦☰☷)「대상전」에는 "검소한 덕으로 어려움을 피한다"[23]라 했기 때문
에 본래 효의 상이 이와 같다. 생(眚)이란 허물이다. 감괘(坎卦☵)의 많은 허물이 변하면
허물이 없게 된다. 또 '재앙[災眚]'이라고 말하는 것은 오행의 상극이다. 본괘(本卦)는 금
(金)과 수(水)가 합쳐진 괘이기 때문에 재앙이 없다. 송괘(訟卦☰☵)와 명이(明夷卦☷☲)는 반
대가 된다. 명이괘의 괘사와 육이는 모두 문왕을 말하였는데, 송괘는 건괘(乾卦☰)의 임금
이 위에 있어 대적하지 못해 돌아가 피하여 적고 약소한 곳에 있으면 재앙이 없으니, 우환을

---

21)『洪範·羽翼』: 大都耦国, 乱之本也.

22)『周易·泰卦』: 상육(上六)은 성이 무너져 해자에 들어가니 군사를 쓰지 말라. 읍에서 명을 고하니 바르더라
도 부끄럽다.[上六, 城復于隍, 勿用師. 自邑告命, 貞, 吝.]

23)『周易·大象』: 천지가 섞이지 않는 것이 비괘이니 군자가 본받아 덕을 검소하게 하여 어려움을 피하니,
복록이 영화롭지 못하다.[天地不交, 否. 君子, 以, 儉德辟難, 不可榮以祿.]

경계하고 두려워하는 뜻이 있다.아홉 괘를 참고해 보면 그 의미를 알 수 있다. 동파가 "이효가 숨으면, 그 읍(邑)의 사람 삼백 호가 재앙이 없을 것이다"라 하였으니, 이것은 재앙 없는 것이 읍의 사람에게 해당하는 것으로 말한 것이다.

박윤원(朴胤源) 『경의(經義)·역경차략(易經箚略)·역계차의(易繫箚疑)』

九二, 不克訟, 歸而逋.

구이는 송사를 하지 못하여 돌아가 숨는다.

○ 邑人三百戶, 朱子以爲全無那象不可知, 而來易所解, 亦似强覓. 其說曰, 坎錯離, 離居三, 三是三百之象. 三固可以離之居三言, 而烏有百之象耶. 愚謂離是日也, 日之數, 一年三百六十四, 除六十四, 爲三百, 取其大數也. 坎變則坤, 坤闔有戶之象, 誠如來說. 以此推之, 坎變則坤, 是地之有邑之象.

'읍의 사람 삼백 호'에 대하여 주자는 소주에서 전혀 그런 상이 없어 알 수 없는 것으로 여겼다. 래지덕(來知德)의 『주역집주』에서 해석한 것도 역시 억지로 찾은 것 같으니, 그는 "감괘(坎卦☵)의 음양이 바뀐 괘는 리괘(離卦☲)이고, 리는 세 번째 괘이니 삼이 삼백의 상이다"[24]라 했다. 삼은 진실로 리괘(離卦☲)가 세 번째 괘인 것으로 말할 수 있지만, 어디에 일백이라는 상이 있는가? 나는 리괘(離卦☲)를 해[日]라고 생각한다. 해의 수가 일 년 삼백육십사에서 육십사를 제하면 삼백이니, 그 큰 수를 취한 것이다. 감괘(坎卦☵)가 변하면 곤괘(坤卦☷)이고, 곤괘에는 닫힌 문[戶]의 상을 간직하고 있으니,[25] 진실로 래지덕의 설과 같아진다. 이로써 미루어보면 감괘(坎卦☵)가 변하면 곤괘(坤卦☷)가 되니, 땅에 읍이 있는 상이다.

서유신(徐有臣) 『역의의언(易義擬言)』

九二之訟, 始爭, 其逋也, 不克訟, 互巽不果也. 歸還之也, 而爾也. 逋, 亡人也, 爾之人逋來於我, 是爲訟端. 旣止訟而還歸之, 我邑之三百戶自如也. 无眚, 无所失也. 乾之中畫, 來于坤而爲坎矣. 還之則依舊, 是坤三畫也. 邑坤象. 三百戶三畫之象. 闔戶謂之坤, 闢戶謂之乾也.

구이의 송사는 처음에는 다투다가 숨어 있을 때는 송사를 하지 못하니, 호괘인 손괘(巽卦☴)가 단호하지 못하기 때문이다. '돌아감'은 되돌아감이고, '이(而)'는 '너[爾]'이며, 숨은 것

---

24) 『周易·訟卦』: 坎錯離, 離居三, 三百之象也.

25) 『周易·繫辭傳』: 闔戶謂之坤.

은 도망자이다. 너의 사람이 나에게 숨어오니, 이것이 송사의 단서이다. 이미 송사를 그치고 되돌아오니, 우리 읍 사람의 삼백 호는 그대로이다. "재앙이 없다"는 말은 잃는 것이 없는 것이다. 건괘(乾卦☰)의 가운데 획이 곤괘(坤卦☷)에 와서 감괘(坎卦☵)가 되었다. 되돌리면 예전 그대로이니, 이는 곤괘(坤卦☷)의 세 획이다. 읍은 곤의 상(象)이다. 삼백 호는 세 획의 상(象)이다. 문을 닫는 것은 곤이라 하고, 문을 여는 것을 건이라 한다.[26]

김귀주(金龜柱) 『주역차록(周易箚錄)』

九二, 不克訟, 云云
구이는 송사하지 못하여, 운운.

○ 按, 坎爲隱伏, 故有歸逋之象.
내가 살펴보았다: 감괘(坎卦☵)는 숨고 엎드리기 때문에 돌아가 피하는 상이 있다.

박제가(朴齊家) 『주역(周易)』

案, 傳本義, 皆以歸而逋爲句. 其義乃曰, 三百戶, 邑之至小者, 自處卑約云云, 終涉牽强. 蓋二若自逋, 則不當上有歸字. 旣歸而又逋, 事慢語疊. 又其邑以下, 不成文理, 恐當以逋屬之下文. 言逋之也. 夫邑人者黨與也, 逋之者竄之匿之也, 猶曰解散黨與也. 其曰三百戶者, 謂初與三, 竝己爲三也. 初之不永事, 則始與之同訟者也. 三之食舊德, 則亦在解遣之中, 而歸依本分者也. 其必曰三百戶, 則五爲君, 以千乘之國當之, 四爲百乘之卿位, 二以一命之士, 上下號召, 大約有此數. 經義恐以出兵車之戶當之耳. 比九五邑人不誡, 本義亦曰私屬, 象傳曰, 歸逋竄者, 言歸而逋竄之也. 若二之自逋, 則曰歸曰逋曰竄, 一人而有三層節拍, 無是理矣. 曰患至掇也, 傳曰拾掇, 本義曰自取. 蓋曰自摘也, 猶自摘其附麗之物也.

내가 살펴보았다: 『정전』과 『본의』에 모두 '귀이포(歸而逋)'에서 구두를 떼었고, 『본의』에서는 곧 "삼백 호는 읍이 지극히 작은 것이니 스스로 겸손하게 처신해서 … 운운"이라 한 것은 끝내 억지로 끌어다 붙인 것이다. 이효가 만약 스스로 숨었다면 앞에 '돌아간다[歸]'는 말이 있는 것은 합당하지 않다. 이미 돌아갔는데 또 숨는다는 것은 일이 거칠고 말이 중첩된다. 또 그 '읍' 아래로는 말이 되지 않으니, '숨는다'는 말을 아래의 말과 연결시켜야 할 것 같다. 그것들을 숨긴다는 말이다. 저 읍의 사람은 같은 편의 무리이고, '숨는다'는 것은 달아

---

26) 『周易·繫辭傳』: 是故闔戶謂之坤, 闢戶謂之乾.

나고 도피하는 것이니, 같은 편의 무리들이 해산하는 것과 같다. 거기에서 '삼백호'라고 말한 것은 초효와 삼효가 자신과 아울러 삼이 된다는 말이다. 초효에 "일을 오래 하지 못한다"는 것은 처음에는 그와 더불어 같이 송사하는 것이다. 삼효가 "옛 덕을 먹는다"는 것은 역시 풀어놓은 가운데 있는데도 본분에 귀의하는 자이다. 굳이 삼백 호라고 말한 것은 오효가 임금으로 천승(千乘)의 국가에 해당되고, 사효는 백승(百乘)의 경(卿)의 자리이며, 이효는 처음 벼슬하는 선비로 위아래에서 부르는 것이니, 대략 이렇게 헤아릴 수 있다. 경문의 뜻은 아마도 전차를 출동할 수 있는 집의 수로 해당시킨 것일 뿐이다. 비괘(比卦䷇)의 구오에 "읍의 사람들이 경계하지 않는다"[27]라 하였고, 『본의』에서는 또 '하인[私屬]'[28]이라 하였으니, 『상전』에서 "돌아가 피하여 숨는다"라 말한 것은 돌아가서 달아난다는 말이다. 만약 이 효가 스스로 달아난다면 '돌아간다'·'달아난다'·'숨는다'라고 말하는 것은 한 사람인데 세 역할로 말한 것이니, 이런 이치는 없다. "근심이 이르는 것이 주워 담는 듯하다"라고 말한 것은 『정전』에서 '줍는다'라 하였고, 『본의』에서는 "스스로 취함이다"라 하였다. 대체로 스스로 딴다는 것이니, 달려있는 물건을 스스로 따는 것과 같다.

윤행임(尹行恁) 『신호수필(薪湖隨筆)·역(易)』

邑人三百戶, 程朱皆以小邑釋之, 而此等處, 終涉疑晦, 不可强解.
읍 사람 삼백 호를 정자와 주자는 모두 '작은 읍'으로 해석했으나, 이런 곳은 끝내 의심스럽고 모르겠으니, 억지로 해석해서는 안 된다.

박문건(朴文健) 『주역연의(周易衍義)』

屈於九五, 故有不克之象. 歸而逋, 言歸邑而逋竄也. 三百戶, 邑之小者也.
구오에 굴복하기 때문에 하지 못하는 상이 있다. "돌아가 숨는다"는 말은 읍에 돌아가서 숨는다는 말이다. 삼백 호는 작은 읍이다.
〈問, 其邑人三百戶无眚. 三, 取升進之數, 自四至五也. 百, 取進退之數, 自二一轉而復至於五也. 三百戶, 邑之小者也. 自知理屈而勢弱, 故歸邑而逋竄. 是以其邑竝无災眚也. 若或犯分而陵上, 則禍患不止於一人也.
물었다: "그 읍의 사람이 삼백 호이니, 허물이 없다"는 무슨 뜻입니까?
답하였다: 3은 승진하는 수를 취했으니, 사효로부터 오효에 이르는 것입니다. 일백은 나아가

---

27) 『周易·比卦䷇』: 九五, 顯比, 王用三驅, 失前禽, 邑人不誡, 吉.
28) 『周易·比卦䷇』: 九五 『本義』.

고 물러나는 수를 취했으니, 이효로부터 한 바퀴 돌아서 다시 오효에 이르는 것입니다. 삼백
호는 작은 읍입니다. 스스로 이치로는 굴복해야 하고 세력으로는 약함을 알기 때문에 읍에
돌아가서 숨습니다. 그래서 그 읍이 함께 재앙이 없는 것입니다. 만약 혹시라도 분수를 모르
고 윗사람을 능멸하면, 재앙과 근심이 한 사람에게 그치지 않습니다.)

김기례(金箕澧) 「역요선의강목(易要選義綱目)」

九二, 不克訟, 歸而逋.

구이는 송사하지 못하여 돌아가 숨음이다.

二五, 以正應之地, 兩剛不相應則窒. 二居下而位柔, 五居尊而剛明. 訟不可敵, 則自
退, 故卦辭曰中吉

이효와 오효는 정응하는 입장으로 두 굳셈이 서로 응하지 않으니 막힌다. 이효는 아래 있어
지위가 약하고, 오효는 높은 데 있어 굳세고 밝다. 송사는 대적할 수 없으면 스스로 물러나
기 때문에 괘사에서 "중도(中道)를 지키면 길하다"[29]라고 했다.

其邑人三百戶, 无眚

그 읍의 사람이 삼백호이면 허물이 없다.

朱子曰, 坤二畫變, 則爲坎, 蓋內卦是坤坎, 則坤爲邑, 故曰邑. 坤數八坎數六, 八八爲
六十四六六爲三十六, 合爲一百, 又倍二爻數, 故曰三百. 蓋逋處二陰中, 自卑自寡, 則
无過.

주자가 말하였다: 곤괘(坤卦☷)의 두 획이 변하면 감괘(坎卦☵)가 되니, 내괘가 곤괘(坤卦
☷)나 감괘(坎卦☵)면 곤(坤)이 읍이기 때문에 읍이라 한다. 곤괘의 수는 팔이고 감괘의
수는 육이니, 팔에 팔을 곱한 수 육십사와 육에 육을 곱한 수 삼십육을 합하여 일백이 되고,
또 두 효를 배로 한 수이기 때문에 '삼백'이라 했다. 피한 곳이 두 음의 가운데이니, 스스로
낮추고 스스로 적게 하면 허물이 없다.

심대윤(沈大允) 『주역상의점법(周易象義占法)』

訟之否☲, 不交也. 九二居柔, 不得訟, 上无應援, 情意不交. 初三近二而從應于四. 二
訟之而不克, 故曰不克訟. 以其得中, 故自知不克, 卽歸而置初三, 而逋竄藏匿也, 故曰
逋. 其邑人三百戶, 艮巽爲入居, 曰歸, 坎對离爲隱匿, 曰逋. 艮爲邑, 坤爲衆, 曰邑人.

---

29) 『周易 · 訟卦』 卦辭.

巽爲三, 四居巽體, 而爲四所奪, 故從四以言也. 坎爲一, 一者, 單數也. 坤爲十, 單數乘十爲百. 艮爲戶. 能自服如此, 未有意外之禍, 故曰无眚. 眚, 无心之災也.

송괘가 비괘(否卦䷋)로 바뀌었으니, 사귀지 못한다. 구이가 유약하게 있어 송사하지 못하고 위로 응원이 없어 감정과 의지가 교감하지 못한다. 초효와 삼효는 이효에 가까운데 사효를 따라가 호응한다. 이효는 송사 하지만 이기지 못하기 때문에 "송사하지 못한다"라 하였다. 알맞음을 얻었기 때문에 이기지 못함을 알고, 돌아가 초효와 삼효에게 버려두고 숨기 때문에 "숨는다"라고 했다. "그 읍의 사람이 삼백 호이다"라는 말은 간괘(艮卦☶)와 손괘(巽卦☴)는 들어가 있는 것이니 '돌아간다[歸]'라 하였고, 감괘(坎卦☵)와 효가 반대인 리괘(離卦☲)는 숨김이니 "숨는다[逋]"라 하였다. 간괘(艮卦☶)는 읍(邑)이고 곤괘(坤卦☷)는 무리[衆]이니 '읍의 사람'이라 하였다. 손괘(巽卦☴)가 삼효인데 사효가 손괘의 몸체에 있어 사효에게 빼앗기기 때문에 사효를 따라 말했다. 감괘(坎卦☵)는 일이고, 일은 단수(單數)이다, 곤괘(坤卦☷)는 십이니 단수만큼 십을 한 번 곱한 것이 백이다. 간괘(艮卦☶)는 집이다. 이와 같이 스스로 굴복할 수 있으면 뜻밖의 재앙은 없기 때문에 "재앙이 없다"라 했다. '재앙'을 뜻하는 생(眚)은 의도하지 않은 재앙이다.

오치기(吳致箕) 「주역경전증해(周易經傳增解)」

九二, 剛失其正而居險, 本欲訟者也. 上與九五之剛正相訟, 而以其居柔得中, 故自知九五勢不敢敵, 理不可克, 乃歸而逋竄, 得免禍患. 以至所訟, 私邑之人三百戶, 亦皆无眚, 卽象而占可知矣.

구이는 굳센 양이 바름을 잃고 험함에 있으니, 본래 송사하려는 자이다. 위로 구오의 굳센 양과 바로 서로 송사하지만, 유순한 자리에 있으면서 알맞음을 얻었기 때문에 구오의 기세를 감히 대적할 수 없고, 이치상 이길 수 없음을 알고 바로 돌아가서 숨으니, 재앙과 근심을 면할 수 있다. 송사하게 되더라도 개인이 다스리는 땅의 사람 삼백 호는 역시 모두 재앙이 없으니, 상(象)을 가지고 점(占)을 알 수 있다.

○ 克勝也. 歸者返也. 坎爲萬物之所歸, 故他卦凡言歸者, 皆有坎體也. 坎爲隱伏逋之象, 變坤爲邑, 而人取人位也. 坎少陽位居三, 故言三. 坎體二陰皆不動, 故各取少陰三十二策, 九二爲動爻, 故取老陽三十六策, 而合爲百也. 一扇爲戶, 而取於奇爻. 眚, 言外至之災, 而坎爲多眚也.

'극(克)'은 '승리한다'는 것이다. '귀(歸)'는 '되돌아간다'는 것이다. 감괘(坎卦☵)는 만물이 돌아가는 곳이기 때문에 다른 괘에서 "돌아간다"라고 말하는 것은 모두 감괘(坎卦☵)의 몸체가 있기 때문이다. 감괘는 숨고 피하는 상이고, 곤괘(坤卦☷)로 변한 것이 읍이니, 사람이 사람의 자리를 취함이다. 감괘(坎卦☵)가 소양이고 자리가 세 번째 자리에 있어 삼이라 했다. 감괘(坎卦☵)의 몸체에 두 음이 모두 움직이지 않았기 때문에 각각 소음 삼십이 책을 취하고, 구이는 움직이는 효이기 때문에 노양 삼십육 책을 취하니, 합하여 일백이다. 문짝이 하나인 것을 '호(戶)'라 하니, 홀수에서 취하였다. 재앙[眚]은 밖으로 이른 재난을 말하니, 감괘는 재앙이 많은 것이다.

이진상(李震相)『역학관규(易學管窺)』

陽陷陰中, 上無正應, 兩剛相接, 上健而下險, 此所以不克訟. 乾爲言爲公, 坎爲盜爲伏, 卽其象也. 九二變坤, 而人位上爲互艮, 故稱邑人, 互離故稱三. 三百戶, 擧大數也. 坎爲多眚而通, 故无眚. 象言竄, 坎爲穴爲隱.〈來氏曰, 易有累卦而起義者. 乾坤後凡六坎, 而訟其四也, 九二其坎主乎. 凡一坎, 坤策二則四十有八, 乾策一則三十有六, 合三爻之策, 揔八十四. 四坎之策, 爲三百三十六, 二爲訟之主, 而其策, 則乾三十六之數也. 歸而逋, 則餘策三百戶之象.〉

양이 음 가운데 빠져서 위로 정응(正應)이 없고, 두 굳셈이 서로 만나서 위는 굳건하고 아래는 험하니, 이것이 송사를 이기지 못하는 근거이다. 건괘(乾卦☰)는 말[言]이고 공(公)이며, 감괘(坎卦☵)는 도적이고 엎드림이니 바로 상(象)이다. 구이가 변하면 곤괘(坤卦☷)이고 사람 자리인 위는 호괘가 간괘(艮卦☶)이기 때문에 '고을사람'이라 했고, 호괘가 리괘(離卦☲)이기 때문에 3이라 했다. '삼백 호'는 큰 수를 말한 것이다. 감괘(坎卦☵)는 재앙이 많은 데도 통하기 때문에 재앙이 없다.『상전』에서는 '숨는다[竄]'라고 말했으니 감괘(坎卦☵)는 굴이고 숨기 때문이다.〈래씨가 말하였다:『주역』에는 괘를 묶어서 뜻을 일으키는 경우가 있다. 건괘(乾卦☰)와 곤괘(坤卦☷) 뒤에 감괘(坎卦☵)가 모두 여섯인데, 송괘(訟卦䷅)가 네 번째이니, 구이가 감괘(坎卦☵)의 주인일 것이다. 하나의 감괘(坎卦☵)에 곤책(坤策)이 둘이니 사십팔이고 건책(乾策)이 하나이니 삼십육 책인데, 세 효의 책을 합하니 모두 팔십사 책이다. 네 감괘(坎卦☵)의 책이 삼백삼십육이니, 이효는 송괘(訟卦䷅)의 주인이고 책은 건괘(乾卦☰) 삼십육의 수이다. '돌아가 숨음'은 남은 책이 '삼백 호'인 상이다.〉[30]

박문호(朴文鎬)「경설(經說)·주역(周易)」

此卦言不克訟者, 凡二, 而克字, 皆爲能義, 非勝義也, 程傳可考. 諺釋作勝義, 恐誤.

---

30) 이진상은 래지덕(來知德)의 말이라 했는데, 주역대전에는 내용이 없고,『주역회통(周易會通)·송괘(訟卦)』구이효(九二爻)의 주석에 "馮氏椅曰, 易有累卦以起義者, 乾坤後凡六坎, 而訟其四也"라는 내용이 보인다.

이 괘에서 "송사를 할 수 없다[不克訟]"라고 말한 것이 모두 두 번인데, 이길 극(克)자는 모두 '능하다[能]'는 뜻이지 '이긴다[勝]'는 뜻이 아님을 『정전』에서 살펴볼 수 있다. 『언해본』에 '이기려는 뜻[勝義]'이라고 풀이한 것은 잘못인 듯하다.

이정규(李正奎) 「독역기(讀易記)」

九二, 不惟聽訟而得其平, 故爲元吉. 以陽剛之德, 中正之道, 又居尊位. 則雖有好訟者, 感德畏義之地, 不敢爲訟. 是亦使无訟者也, 故爲諸爻之最吉.

구이는 송사를 들었을 뿐만 아니라 공평함을 얻기 때문에 크게 길한 것이다. 굳센 양의 덕과 중정한 도로 또 높은 자리에 있다. 그렇다면 송사하기 좋아하는 자라도 덕에 감동하고 의리를 두려워하는 곳이어서 감히 송사하지 못한다. 이것도 송사하지 않게 하는 것이기 때문에 여러 효에서 가장 길한 것이다.

象曰, 不克訟, 歸逋竄也.

「상전」에서 말하였다: "송사를 하지 못함"은 돌아가 피하여 숨는 것이다.

‖中國大全‖

傳

義旣不敵, 故不能訟, 歸而逋竄, 避去其所也.

의리상 이미 대적하지 못하기 때문에 송사하지 못하고 물러나서 피하고 숨으니, 그 자리를 피해서 떠나는 것이다.

‖韓國大全‖

유정원(柳正源) 『역해참고(易解參攷)』

案, 竄字, 所以釋不克訟歸逋之義, 逋字當句.

내가 살펴보았다: 숨는대竄'는 말은 송사를 이기지 못해 돌아가 숨는다는 뜻을 해석한 것이니, '달아난다'는 뜻의 포(逋)자에서 구두(句讀)를 떼야 한다.

서유신(徐有臣) 『역의의언(易義擬言)』

自下訟上, 患至掇也.

아래에서 위와 송사하니, 근심이 이르는 것이 주워 담는듯하다.

竄亦逋也. 逋竄疊辭, 愈明也. 下謂二上謂五也. 患之掇, 猶孼之作也. 二能知此義, 故歸其逋竄, 而止訟也.

'숨는다[竄]'는 말도 '피한다[逋]'는 말이다. "피하여 숨는다"는 말은 중첩된 말이니 더욱 명료하다. '아래'는 이효를 말하고 '위'는 오효를 말한다. "근심을 주워 담는다"는 말은 재앙을 만드는 것과 같다. 이효는 이 의미를 알 수 있기 때문에 피하여 숨을 곳으로 돌아가 송사를 멈추는 것이다.

自下訟上, 患至掇也.

정전 아래에서 위와 송사하는 것은 근심이 이르는 것이 주워 담는 듯하다.
본의 아래에서 위와 송사하는 것은 근심이 이르는 것을 스스로 취한 것이다.

‖中國大全‖

傳

自下而訟其上, 義乖勢屈, 禍患之至, 猶拾掇而取之, 言易得也.

아래에서 그 위와 송사하는 것은 의리에 어긋나고 기세가 모자라서 어려움이 이르는 것이 주워 담는 것과 같으니, 얻기가 쉬움을 말한 것이다.

本義

掇, 自取也

줍는[掇] 것은 스스로 취하는 것이다.

小註

平庵項氏曰, 上兩句, 皆是爻辭, 下兩句方是象傳, 如需之上六象傳句法.

평암항씨가 말하였다: 위의 두 구절은 모두 효사(爻辭)이고 아래의 두 구절은 바로 『상전』이니, 수괘(需卦䷄)의 상육에서 『상전』의 구성 방식과 같다.

‖韓國大全‖

김상악(金相岳) 『산천역설(山天易說)』

掇, 王肅云, 若手拾掇物然也.

'취한다[掇]'에 대해 왕숙(王肅)[31]은 "손으로 물건을 줍듯이 하는 것이다"[32]라 하였다.

○ 竄字從穴從鼠, 陽之陷於坎中, 如鼠之伏於穴也. 坎居子, 子之神爲鼠也.

숨는다는 뜻의 찬(竄)자는 혈(穴) 부수에 서(鼠)자를 합친 것이다. 양이 감괘(坎卦☵)의 가운데에 빠졌으니, 쥐가 구멍에 엎드린 것과 같다. 감괘(坎卦☵)는 자(子)방향에 있으니, 자방(子方)의 신(神)은 쥐이다.

김기례(金箕灃) 「역요선의강목(易要選義綱目)」

自下訟上, 患掇至, 若不逋處而訟上, 則患如拾至.

"아래에서 위와 송사하니 근심이 이르는 것이 주워 담는 듯하다"라는 말은 만약 피하지 않고 위와 송사하면 근심이 주워 담는 듯이 이른다는 말이다.

박문건(朴文健) 『주역연의(周易衍義)』

上謂九五也. 掇, 拾也, 言患必至於連掇也.

'위'는 구오를 말한다. '취한다[掇]'는 것은 '줍는다[拾]'는 것이니, 근심이 반드시 연달아 취하듯이 일어난다는 말이다.

〈問, 此象句法. 曰, 此象與歸妹六五象, 同句法也.

물었다: 여기 「상전」의 구성 방식은 어떻습니까?

답하였다: 여기 「상전」은 귀매(歸妹䷵) 육오의 「상전」[33]과 구성 방식이 같습니다.〉

---

31) 왕숙(王肅): 삼국 시대 위(魏) 나라의 동해(東海) 사람으로 가씨(賈氏)와 마융(馬融)의 학에 능하였고, 정씨(鄭氏)를 좋아하지 않았다. 『상서(尙書)』·『시경』·『논어』·『삼례』·『춘추좌전』 등을 해석하였다.

32) 『周易正義·訟卦』: 구이효의 '환지철(患至掇)'구절에 대한 소(疏)에 왕숙은 "마치 손으로 물건을 줍듯이 하는 것이다.[王肅云, 若手拾掇物然.]"라 했다.

33) 『周易·歸妹卦』: 象曰, 帝乙歸妹. 不如其娣之袂良也. 其位在中, 以貴行也.

심대윤(沈大允) 『주역상의점법(周易象義占法)』

掇, 摘去之也, 言置初三而不爭也.

'취한다'는 것은 따서 버린다는 것이니, 초효·삼효에게 버려두고 다투지 않는다는 말이다.

오치기(吳致箕) 「주역경전증해(周易經傳增解)」

歸逋而止訟, 故能旡災眚, 若自下訟上, 則禍患之至, 如掇拾之易得也.

돌아가 피하여 송사를 멈추기 때문에 재앙이 없을 수 있다. 만약 아래에서 위와 송사를 하면 재앙과 근심이 이르는 것이 주워 담는 것처럼 쉽게 얻는다.

이병헌(李炳憲) 『역경금문고통론(易經今文考通論)』

虞曰, 乾位剛在上, 坎濡失正, 故不克也.

우번이 말하였다: 건괘(乾卦☰)의 자리는 굳셈이 위에 있고 감괘(坎卦☵)는 젖어 있어 바름을 잃기 때문에 이기지 못한다.

鄭曰, 三百戶, 小國下大夫采地. 惄憂也. 妖祥曰眚. 〈下四字舊注.〉

정현이 말하였다: 삼백 호는 작은 나라 하대부(下大夫)에게 봉해 준 땅이다. 철(惄)자는 근심함이다. 재난의 조짐을 재앙[妖祥曰眚]이라 한다. 〈아래 네 글자는 옛 주석이다.〉

按, 不訟, 則不失其大夫之位也.

내가 살펴보았다: 송사하지 않으니, 대부의 지위를 잃지 않는다.

六三, 食舊德, 貞厲, 終吉.

육삼은 옛 덕을 녹봉으로 받아서 곧게 하면 위태로우나 마침내 길하다.

‖中國大全‖

傳

三雖居剛而應上. 然質本陰柔處險, 而介二剛之間, 危懼, 非爲訟者也. 祿者, 稱德而受, 食舊德, 謂處其素分. 貞, 謂堅固自守. 厲終吉, 謂雖處危地, 能知危懼, 則終必獲吉也. 守素分而无求, 則不訟矣. 處危, 謂在險而承乘皆剛, 與居訟之時也.

삼효가 비록 굳센 자리에 있고 상구와 대응하고 있지만, 재질이 본래 유약한 음으로 험함에 있으면서 두 굳센 양 사이에 끼어 있으니, 위태롭고 두려워서 송사를 하는 자가 아니다. 녹봉은 덕에 맞추어서 받는 것이니, "옛 덕을 녹봉으로 받는다"는 것은 본래의 분수에 있는 것이다. '곧게 하다[貞]'는 견고하게 자기를 지키는 것이다. "위태로우나 마침내 길하다"는 것은 험한 처지에 있더라도 위태롭게 여기고 두려워할 줄 알면 마침내는 반드시 길함을 얻게 된다는 것이다. 본래의 분수를 지키면서 원하는 것이 없으면 송사하지 않을 것이다. "험한 처지에 있다"는 것은 험함에 있으면서 위로 받들고 아래로 올라타고 있는 것이 모두 강한 양이니, 송사하는 시기에 있다는 말이다.

小註

進齋徐氏曰, 聖人於初三, 兩柔爻, 皆係之以終吉之辭, 所以勉人之无訟也. 苟知柔而不喜訟者終吉, 則知剛而好訟者終凶矣.

진재서씨가 말하였다: 성인이 초효와 삼효에 대해 두 유순한 효는 모두 "마침내 길하다"라고 효사를 달았으니, 사람들이 송사가 없도록 힘쓰게 하려는 것이다. 진실로 유순하여 송사를 즐기지 않는 사람이 마침내 길하다는 것을 알면, 강하여 송사하기 좋아하는 사람이 마침내 흉하다는 것을 알 것이다.

‖韓國大全‖

조호익(曹好益) 『역상설(易象說)』

六三, 食舊德.

육삼은 옛 덕을 녹봉으로 받는다.

三本坤體, 九自外來, 剛而爲敵, 三依舊陰柔, 故云食舊德. 〈朱子語, 在蹇卦.〉

삼효은 본래 곤괘(坤卦☷)의 몸체이니, 구(九)가 밖에서 오면 굳세면서 적이 되는데, 삼효는 예전 그대로 유순한 음이기 때문에 "옛 덕을 먹는다"라고 하였다. 〈주자의 말인데, 건괘(蹇卦☶)에 있다.〉

송시열(宋時烈) 『역설(易說)』

坎爲酒食象. 從上綜看則爲兌, 亦爲食, 故食也. 舊德者, 本有之德也, 本陽位合陰爻居之, 舊德, 是陽位之意耶. 訟之三本需之六四也, 如井困之相綜, 井之初曰舊井之云耶. 然則舊德是需四血穴之意耶. 蓋六三依舊德則厲, 從上之陽剛則吉. 舊德是陰柔之德, 若女子固守其貞, 但以安靜爲道. 則二與四, 皆昵比而侮之, 是固危厲之道也. 陰之道始雖無成, 而終則與剛陽之應, 相合其志, 此所以爲從上吉也. 如云女當以陰柔之本心爲可食, 而若固守, 則有危, 畢境將有吉慶耳.

감괘(坎卦☵)는 술과 밥의 상이다. 위에서 거꾸로 보면 태괘(兌卦☱)이고 역시 밥이기 때문에 녹봉으로 받는 것이다. '옛 덕'은 본래 있었던 덕이니, 본래 양의 자리가 음효와 합해서 있으니, 옛 덕은 양(陽)의 자리라는 의미인가? 송괘(訟卦䷅)의 삼효가 본래 수괘(需卦䷄)의 육사[34]인 것은 정괘(井卦䷯)와 곤괘(困卦䷮)가 서로 거꾸로 되어 있는 것처럼 정괘(井卦䷯)의 초효에 말한 '옛 우물'[35]을 말하는가? 그렇다면 '옛 덕'은 수괘(需卦䷄) 사효의 '피와 구멍'을 뜻하는가? 육삼이 옛 덕에 의지하면 두렵지만 위의 굳센 양을 따르면 길하다. 옛 덕은 유순한 음의 덕이어서 여자가 그 정절을 굳게 지키는 것과 같으니, 다만 안정(安靜)을 도(道)로 해야 할 뿐이다. 그렇다면 이효와 사효가 모두 곁눈질하면서 비교하고 업신여기는 것은 위태롭고 두렵게 되는 길이다. 음의 도가 처음에는 비록 이룸이 없으나, 마침내 굳센

---

34) 『周易·需卦』: 六四, 需于血, 出自穴.

35) 『周易·井卦』: 初六, 井泥不食, 舊井, 无禽.

양의 호응과 함께 그 뜻을 서로 합하니, 이것이 윗사람을 따라 길하게 되는 까닭이다. 여자가 마땅히 부드러운 음의 본심으로 먹을 만하다고 여겨 굳게 지킨다면, 위태하지만 마지막에 가서는 길한 경사가 있을 뿐이라고 말하는 것과 같다.

이익(李瀷) 『역경질서(易經疾書)』

食舊德, 謂食舊恩. 知足保祿, 而絶爭訟歸逋之患也. 若復出而從事, 冀有以益之, 亦無成.

"옛 덕을 녹봉으로 받는다"는 것은 옛 은혜를 누린다는 말이다. 녹봉을 보존하는 것에 만족할 줄 알아 쟁송 때문에 돌아가 피하게 되는 근심을 끊는다. 다시 출사하여 종사한다면 이익이 있기를 원해도 이룸은 없다.

유정원(柳正源) 『역해참고(易解參攷)』

正義, 六三, 以陰柔順從上九, 不爲上九侵奪, 保全己之所有, 故食其舊日之德祿位.

『주역정의』에서 말하였다: 육삼은 부드러운 음으로 상구에 순종하니, 그에게 침탈을 당하지 않아 자기가 가진 것을 보전하기 때문에, 옛날의 덕인 녹봉과 지위를 누릴 수 있다.

박윤원(朴胤源) 『경의(經義)·역경차략(易經箚略)·역계차의(易繫箚疑)』

六三, 食舊德.

육삼 옛 덕을 녹봉으로 받는다.

○ 坎有飲食之象, 故此言食歟.

감괘(坎卦☵)에는 음식의 상(象)이 있기 때문에, 여기에서 "녹봉으로 받는다"라고 했을 것이다.

김기례(金箕澧) 「역요선의강목(易要選義綱目)」

三, 爲大夫位, 故曰食, 言享舊祿而守分. 不以爭爲事, 則自貞, 故雖危終吉, 蓋三以陰才不能訟, 故曰貞. 應上九極訟者, 故曰厲. 雖應剛, 而自守自貞, 故終吉.

삼효는 대부(大夫)의 자리이기 때문에 "녹봉으로 받는다"라 하였으니, 예전의 녹봉을 누리면서 분수를 지킨다는 말이다. 다툼을 일삼지 않으면 저절로 곧게 되기 때문에 비록 위태로우나 마침내 길하니, 삼효는 음의 재질로 송사할 수 없기 때문에 "곧게 한다"라 하였다. 상구가 송사를 끝까지 하는 것과 호응하기 때문에 "위태롭다"라고 했다. 비록 굳셈과 호응할지라도 스스로 지키고 스스로 곧게 하기 때문에 마침내 길하다.

이진상(李震相) 『역학관규(易學管窺)』

食坎象, 舊德坤也. 坤中爻動成坎, 或從王事无成, 坤六三之辭也. 故因以舊德實之, 陽志趨上, 應上九, 故不言訟.

"녹봉으로 받는다"는 식(食)자는 감괘(坎卦☵)의 상(象)이다. '옛 덕'은 곤괘(坤卦☷)이다. 곤괘(坤卦☷)의 가운데 효가 움직여서 감괘(坎卦☵)를 이루었다. "혹 왕의 일에 종사하더라도 이룸이 없다"는 말은 곤괘 육삼의 효사(爻辭)이다. 그러므로 '옛 덕'을 통해서 보충했다. 양의 뜻은 위로 달려가 상구와 상응하기 때문에 송사(訟事)를 말하지 않았다.

或從王事, 无成.

정전 혹 왕의 일에 종사하더라도 이룸이 없다.
본의 혹 왕의 일에 종사하면 이룸이 없다.

‖中國大全‖

傳

柔從剛者也, 下從上者也. 三不爲訟, 而從上九所爲, 故曰或從王事无成, 謂從上而成不在己也. 訟者, 剛健之事, 故初則不永, 三則從上, 皆非能訟者也. 二爻, 皆以陰柔, 不終而得吉, 四亦以不克而渝, 得吉, 訟, 以能止爲善也.

유약함은 굳셈을 따르는 것이고, 아래는 위를 따르는 것이다. 삼효는 송사하지 않고 상구가 하는 것을 따른다. 그러므로 "혹 왕의 일에 종사하더라도 이룸이 없다"라고 했으니, 위를 따르지만 이룸이 자기에게 있지 않음을 말한다. 송사는 강건한 일이기 때문에, 초효는 오래 하지 못하고 삼효는 위를 따르니, 모두 송사할 수 있는 자들이 아니다. 두 효는 모두 유순한 음효로서 끝까지 하지 않아 길함을 얻고, 사효도 잘하지 못해 바꾸어서 길함을 얻었으니, 송사는 멈출 수 있는 것을 최선으로 여긴다.

小註

平庵項氏曰, 坤六三, 雖无成而有終, 但不敢爲倡而已. 訟六三止云无成, 則始終皆无矣.

평암항씨가 말하였다: 곤괘(坤卦䷁)의 육삼에서 비록 이룸은 없어도 끝마침은 있으니, 단지 큰소리치지 못하고 송사를 그만둔다. 송괘(訟卦䷅)의 육삼에서 단지 "성공이 없다"라고 말하였으니, 시작과 끝이 모두 없는 것이다.

○ 進齋徐氏曰, 王事卽訟事, 无成卽象之訟不可成也.

진재서씨가 말하였다: 왕의 일은 곧 송사이고, 이룸이 없다는 것은 곧 「단전」의 "송사를 끝까지 이루어서는 안 된다"는 것이다.

本義

食, 猶食邑之食, 言所享也. 六三, 陰柔, 非能訟者, 故守舊居正, 則雖危而終吉. 然或出而從上之事, 則亦必无成功, 占者守常而不出, 則善也.

식(食)자는 식읍(食邑)의 식(食)자와 같으니, 향유한다는 말이다. 육삼은 유약한 음으로서 송사할 수 있는 자가 아니기 때문에, 옛 덕을 지키고 바르게 있으면 위태롭더라도 마침내 길하다. 그러나 때로 나서서 윗사람의 일에 종사하면 또한 반드시 이룸이 없을 것이니, 점을 치는 사람이 떳떳함을 지키고 나아가지 않으면 좋다.

小註

雲峰胡氏曰, 食舊德, 與位乎天德語同. 位必稱德而居, 故寧德過其位, 毋位過其德, 食必稱德而食, 故寧德浮于食, 毋食浮于德. 食猶食邑之食, 九二邑人三百戶, 食之最約者也. 二剛險, 本欲訟者, 能退處於分之小, 僅可无眚. 三陰柔, 本不能訟者, 能安守其分之常, 雖厲猶吉. 謂之貞者, 守常則爲貞, 不守常非貞也. 曰貞, 曰或從王事无成, 與坤六三爻辭同, 此獨不曰有終者, 三下卦之終也. 在坤之三而或出, 始雖无成, 而後猶可以有終, 在訟之三而或出, 但見其无成而已, 訟固非可終者. 本義曰, 占者守常而不出則善矣, 蓋守常而或出, 則非眞能守者矣, 深戒之也.

운봉호씨가 말하였다: 옛 덕을 녹봉으로 받는다는 것과 "하늘의 덕에 자리 한다"[36]는 것은 같은 말이다. 자리는 반드시 덕에 걸맞게 앉히기 때문에 차라리 덕이 그 자리를 초과할지언정 자리가 덕을 초과하지 말아야 하고, 녹봉으로 받는 것은 반드시 덕에 걸맞게 해서 받아야 하기 때문에 차라리 덕이 녹봉으로 받는 것보다 넘칠지언정 녹봉으로 받는 것이 덕보다 넘치지 말아야 한다. "녹봉으로 받는다"는 의미의 식(食)자는 식읍(食邑)의 식(食)자와 같다. 구이에서 읍의 사람 300호는 녹봉으로 받는 것이 아주 빈약한 것이다. 이효의 굳셈은 험해서 본래 송사하려는 사람이지만, 물러나서 분수의 작은 것에 머물러 있을 수 있으면 겨우 허물이 없을 수 있다. 삼효의 음은 유약하여 본래 송사할 수 없는 사람이니, 편안히 그 분수의 떳떳함을 지킬 수 있으면, 위태로울지라도 오히려 길하다. "곧게 하다"라 말한 것은 떳떳함을 지키면 곧게 되고, 떳떳함을 지키지 못하면 곧지 않다는 것이다. '곧다'고 하고, "혹 왕의 일에 종사하면 이룸이 없다"라고 말한 것은 곤괘(坤卦䷁) 육삼의 효사와 같은데, 여기에서만 "끝맺음이 있다"라 말하지 않은 것은 삼효가 아래 괘의 끝이기 때문이다. 곤괘(坤卦䷁)의 삼효에서는 간혹 나가면 처음에는 이룸이 없지만 이후에 오히려 끝맺음이 있고, 송괘

---

36) 『周易 · 乾卦』: 飛龍在天, 乃位乎天德.

(訟卦䷅)에서는 간혹 나가면 단지 이룸이 없음을 볼 뿐이니, 송사는 본래 끝까지 하는 것이 아니다. 『본의』에서 "점치는 사람이 떳떳함을 지키고 나아가지 않으면 좋다"라 하였으니, 떳떳함을 지키다가 간혹 나아가는 것은 참으로 지킬 수 있는 사람이 아니기 때문이니 깊이 경계한 것이다.

▍韓國大全▍

유정원(柳正源) 『역해참고(易解參攷)』

括蒼龔氏曰, 王指五而言. 三以陰居陽與五非應, 故曰或從.

괄창공씨가 말하였다: 왕은 오효를 가리켜서 말하였다. 삼효는 음이 양의 자리에 있고 오효와 상응이 아니기 때문에 "혹 종사한다"라 했다.

○ 問, 本義謂必无成功, 似與象辭從上吉也之義, 不協. 又與坤六三文言, 亦不協. 竊意本義是直作占辭解如此, 未知是否. 朱子曰, 易中經傳不同, 如此處多.

물었다: 『본의』에서 반드시 "이룸이 없다"라 한 것은 『상전』의 "윗사람을 따르면 길하다"라는 말의 뜻과 맞지 않습니다. 또 곤괘(坤卦䷁) 육삼 「문언전」의 말과도 역시 맞지 않습니다. 가만히 생각해보니 『본의』는 바로 점의 말을 이와 같이 해석한 듯한데, 옳은지 여부는 잘 모르겠습니다.

주자가 말하였다: 『주역』에서 경문과 전(傳)이 같지 않아 이와 같은 곳이 많습니다.

○ 平庵項氏曰, 三之舊德坤也. 坤中爻動成坎, 初六六三, 皆舊德也. 曰貞曰或從王事无成, 皆六三之舊辭, 故聖人引以實其義.

평암항씨가 말하였다: 삼효의 '옛 덕'은 곤괘(坤卦䷁)이다. 곤의 가운데 효가 움직여서 감괘(坎卦☵)가 되니, 초육과 육삼은 모두 '옛 덕'이다. "곧게 하다"라 말하고 "혹 왕의 일에 종사하더라도 이룸은 없다"라 말한 것은 모두 육삼의 '옛'이라는 말이다. 그러므로 성인이 인용하여 그 의미를 채웠다.

○ 案, 食舊德者, 謂守其本分陰柔之德也. 飮食必有訟, 而德與祿稱, 守分飮食, 則有

何訟乎. 以其守舊得正, 故或出而從王之事, 而其守素分自如也, 成功與否有所不計也
내가 살펴보았다: "옛 덕을 녹봉으로 받는다"는 것은 본분인 부드러운 음의 덕을 지키는 것을 말한다. 먹고 마시는 것에는 반드시 송사가 있으니, 덕이 녹에 걸맞고 분수를 지켜서 먹고 마시면, 무슨 송사가 있겠는가? 옛것을 지킴에 바름을 얻었기 때문에 혹 나가서 왕의 일을 종사하더라도 그대로 본래의 분수를 지키니, 공을 세우고 말고는 따지지 않는다.

김상악(金相岳) 『산천역설(山天易說)』

食猶言守也. 當訟之時, 居坎之終, 與承應不交, 又卦變而與二, 上下失其正位, 不能无訟. 惟守其舊德而貞, 則雖危而終吉. 或從王事, 從大人之尙中正也. 无成, 謂訟不可成也.
"녹봉으로 받는다"는 말은 '유지한다'는 말과 같다. 송사할 때에 감괘(坎卦☵)의 끝에 있어 받들어 상응하는 것과 사귀지 못하고, 또 괘가 변하여서 이효와 위아래로 바른 자리를 잃게 되어 송사할 수 없다. 오직 옛 덧을 유지하여 곧게 하면 위태롭지만 마침내 길하다. "혹 왕의 일에 종사한다[或從王事]"는 것은 대인이 중정(中正)을 숭상하는 것을 따른다는 것이다. "이룸이 없다[无成]"는 말은 송사는 이룰 수 없다는 말이다.

○ 食坎象, 德陰之德也. 二本三之舊, 而變而不正, 故曰食舊德而貞也. 厲者, 據其已變而言, 終吉, 原其未變而言也. 或從王事无成與坤六三同, 而不曰有終, 訟非可終者也. 然終吉乃有終也. 或曰, 食卽飮食之食也, 飮食必有訟. 六三能食舊德而貞. 則食必稱德, 故雖危厲終能得吉也.
'식(食)'자는 감괘(坎卦☵)의 상(象)이고, 덕(德)은 음의 덕이다. 이효는 본래 삼효의 옛것인데 변하여 바르지 않기 때문에 "옛 덕을 녹봉으로 받아 곧게 한다"라 말했다. '위태롭다[厲]'는 것은 이미 변한 것을 근거로 말하였고, '마침내 길하다[終吉]'는 것은 변하지 않은 것을 근거로 말하였다. "혹 왕의 일에 종사하더라도 이룸이 없다"라는 말은 곤괘의 육삼과 같은데도 "끝은 있다"[37]라 말하지 않는 것은 송사는 끝까지 할 만한 것이 아니기 때문이다. 그러나 마침내 길하니, 곧 끝이 있는 것이다.
어떤 이가 말하였다: '식(食)'자는 먹고 마신다고 할 때의 먹는다는 말이니, 먹고 마시는 데에는 반드시 송사가 있다. 육삼은 옛 덕을 녹봉으로 받으면서 곧게 할 수 있다. 그렇다면 먹는 것이 반드시 덕에 걸맞기 때문에 위태로울지라도 마침내 길할 수 있다.

---

37) 『周易·坤卦』: 六三, 含章可貞, 或從王事, 无成, 有終.

강엄(康儼) 『주역(周易)』

六三, 食舊 [止] 无成.
육삼은 옛 덕을 녹봉으로 받으니 … 이룸이 없다.

本義, 或出而從 [止] 成功.
『본의』에서 말하였다: 때로 나서서 따르면 … 이룸이 없다.

按, 六三之從王事, 而无成功, 何也, 蓋六三陰柔, 固非能訟者, 故守舊居正則吉. 然設使從上之事, 才本陰柔, 故亦不足以成功也.
내가 살펴보았다: 육삼의 "왕의 일에 종사하면 이룸이 없다"는 무슨 말인가? 육삼은 음이고 유순하여 본래 송사할 수 있는 자가 아니기 때문에, 옛 것을 지키고 바르게 있으면 길하다. 그러나 설사 윗사람의 일에 종사하더라도 재질이 본래 유순한 음이기 때문에 역시 공을 이루기에는 부족하다.

김규오(金奎五) 「독역기의(讀易記疑)」

義守常不出則善, 象義隨人則吉. 竊疑, 隨人而出, 亦出也, 上下文似相礙. 恐不如傳說, 而朱子不從, 可疑.
효사의 『본의』에서는 "떳떳함을 지키고 나가지 않으면 선(善)하다"라 하고, 「상전」의 『본의』에서는 "남을 따르면 길하다"라 하였다. 내가 의심해 보건대, 남을 따라 나간다면 그것도 나가는 것이니, 위아래의 글이 서로 장애가 되는 것 같다. 『정전』의 설명만 못한데도 주자가 따르지 않았으니, 의심할만하다.

서유신(徐有臣) 『역의의언(易義擬言)』

飮食之爭, 故以食爲象也. 德得也, 舊得者, 非訟而得之者也. 應於上九爲貞也. 居於兩剛之間, 雖可懼厲, 我不與競彼, 自無訟故吉也. 六三柔順, 非爲訟者, 故有是象也. 或從王事, 恐是坤六三之錯簡也
먹고 마시는 것을 다투기 때문에 먹는 것으로 상을 삼았다. 덕(德)은 '얻음[得]'이다. 옛날에 얻은 것은 쟁송하여서 얻은 것이 아니니, 상구와 상응하여 곧게 해야 하는 것이다. 두 굳셈의 사이에 있어서 비록 위태롭지만, 내가 저와 다투지 않아 저절로 송사가 없기 때문에 길하다. 육삼은 유순하여 송사하지 않는 자이기 때문에 이런 상이 있다. "혹 왕의 일을 종사한다"는 말은 아마도 곤괘(坤卦䷁)의 육삼이 잘못 섞인 것 같다.[38]

김귀주(金龜柱) 『주역차록(周易箚錄)』

六三, 食舊德, 云云.

육삼은 옛 덕을 먹으니, 운운.

○ 按, 六三雖在訟時, 然性體陰柔, 而居險之終, 旣無猜險欲爭之心, 外値三隅, 而不失其承事之義, 又爲三陽之所蔭覆, 有循常守舊保其祿[39]食之象, 非如九二之始欲訟上, 知不可敵, 而後方歸逋三百也. 但所居者乃是剛位, 而進退皆剛, 終始危厲之地, 故又不得不貞固自持也. 其應於上九, 爲或從王事之象, 而無奈上九過剛終訟, 非已陰柔之力, 所可救解, 故竟無所成耳.

내가 살펴보았다: 육삼이 비록 송사하는 때에 있을지라도 본성이 부드러운 음이고 험함의 끝에 있어서 이미 험함을 의심하여 다투려는 마음이 없고, 밖으로 세 모퉁이를 만나도 받들어 섬기려는 뜻을 잃지 않으며, 또 세 양이 덮고 가려주어 떳떳함을 따르고 옛것을 지켜서 그 복록과 식읍을 보존하는 상이니, 구이가 처음에 위와 송사하려고 시작하였다가 대적할 수 없음을 안 뒤에야 돌아가 삼백 호 되는 곳으로 피한 것과는 다르다. 다만 있는 곳이 곧 굳센 자리이고, 나아가고 물러남에 모두 굳셈이 있어 처음부터 끝까지 위태로운 처지이기 때문에 또 곧게 하고 굳게 함을 스스로 유지하지 않을 수 없다. 그가 상구와 상응하여 혹 왕의 일에 종사하는 상이 되지만, 유감스럽게도 상구가 지나치게 굳세어 송사를 끝까지 하면, 이미 자신의 유순한 힘으로 구제하여 해결할 수 있는 것이 아니기 때문에, 끝내 이룸이 없게 될 뿐이다.

本義, 食猶食邑, 云云.

『본의』에서 말하였다: '식(食)자'는 식읍의 식자와 같으니, 운운.

小註, 雲峰胡氏曰, 食舊云云.

소주에서 운봉호씨가 말하였다: 옛 덕을 녹봉으로 받는다는 것과, 운운.

○ 按, 食舊德與位乎天德語同云云, 恐支支而不切. 此爻辭雖若與坤六三爻辭相似, 然旣不能如彼之含章可貞, 得坤道之善者, 則安能有終乎. 非以訟非可終而無終也. 若以訟, 非可終而無終, 則是乃好底事, 非不足底事, 其於本義之意, 豈不左乎.

내가 살펴보았다: "'옛 덕을 녹봉으로 받는다'는 것과 '하늘의 덕에 자리한다'[40]라는 것은 같은 말이다, 운운"은 너무 지엽적이어서 절실하지 않은 듯하다. 여기의 효사가 비록 곤괘(坤

---

38) 『周易・坤卦』: 六三, 或從王事.

39) 祿: 경학자료집성DB에 '禄'으로 되어 있으나, 경학자료집성 영인본을 참조하여 '祿'으로 바로잡았다.

40) 『周易・乾卦』: 飛龍在天, 乃位乎天德.

卦䷅) 육삼의 효사와 서로 비슷한 것 같지만, 이미 아름다움을 머금어 곧을 수 있는 저것이 곤도(坤道)의 선(善)을 얻을 수 있는 것과 같이 할 수 없다면, 어찌 끝맺음이 있을 수 있겠는가? 송사는 마칠 수 없어서 마침이 없는 것이 아니다. 만약 송사가 마칠 수 없어서 마침이 없다면, 이것이 좋은 일이고 부족한 일이 아니니, 그것이 『본의』의 뜻에 어찌 보탬이 되지 않겠는가!

박문건(朴文健) 『주역연의(周易衍義)』

柔而處素, 故有食德之象. 舊德, 平昔之德也.
유순하고 본래대로 처신하기 때문에 덕을 녹봉으로 받는 상이 있다. 옛 덕은 지난날의 덕이다.

〈問, 食舊德. 曰, 六三, 柔而處下, 故无爭訟之志. 所食之物, 皆出於德, 而不出於訟者也, 所以有食德之象也. 問, 貞厲終吉. 曰, 用柔貞, 則始雖危厲, 終必相信而吉也.
물었다: "옛 덕을 녹봉으로 받는다"는 무슨 뜻입니까?
답하였다: 육삼은 유순하고 아랫자리에 있기 때문에 쟁송하려는 뜻이 없습니다. 녹봉으로 받는 것들이 모두 덕에서 나오고 송사에서 나온 것이 아니기 때문에, 덕을 녹봉으로 받는 상이 있습니다.
물었다: "곧게 하면 위태로우나 마침내 길하다"는 무슨 말입니까?
답하였다: 유순함을 사용하여 곧게 하면 처음에는 위태롭지만 마침내 반드시 서로 믿어서 길합니다.〉

〈○ 問, 无成. 曰, 始而相疑, 故无成也. 曰, 止云无成, 而不云有終, 何. 曰, 蒙上終吉之文也.
물었다: "이룸이 없다"는 무슨 말입니까?
답하였다: 시작하는데 서로 의심하기 때문에 이룸이 없다는 것입니다.
물었다: "이룸이 없다"라고만 말하고 "끝이 있다"라고 말하지 않은 것은 무엇 때문입니까?
답하였다: 위의 "마침내 길하다"라는 말로 대체한 것입니다.〉

김기례(金箕澧) 「역요선의강목(易要選義綱目)」

與坤三同義, 而不曰有終者, 坤道, 猶可待上命而成功, 訟則不宜有終也.
곤괘 육삼과 같은 뜻이나 "끝이 있다"고 말하지 않은 것은 곤괘의 도(道)는 오히려 위의 명을 기다려 일을 이룰 수 있지만, 송괘는 끝맺음이 있기에는 마땅하지 않기 때문이다.

○ 但陽位, 故陰雖欲自守, 不无或出之理.

단지 양의 자리이기 때문에 음이 비록 스스로 지키고자 할지라도 혹 나아가는 이치가 없을 수 없다.

윤종섭(尹鍾燮)「경(經)·역(易)」

訟三, 或從王事, 與坤三同辭. 三是漸近於五, 有從王事之象. 而坎自先天坤變, 故同. 而此旣變來, 不言有終.

송괘 삼효에서 "혹 왕의 일에 종사하는" 것은 곤괘 삼효와 같은 말이다. 삼효는 점차 오효에 가까워져서 왕의 일에 종사하는 상이 있다. 그런데 감괘(坎卦☵)가 선천의 곤괘(坤卦☷)에서 변했기 때문에 같지만, 이것이 이미 변해버려 "마침이 있다"라고 말하지 않았다.

坤在後天方位, 爲立秋之候. 陰生於午, 而凝於坤申, 歷兌而至於乾, 則爲冬之候, 冰堅爲寒. 坤之初爻, 乃陰長, 言其漸而戒之, 在人是人心惟危之時. 乾之潛龍, 道心惟微. 聖人於陰陽之初萌, 有扶養存戒之義.

곤은「후천방위도」에서 입춘의 절기이니, 음이 오(午)에서 생겨 곤(坤)과 신(申)에서 엉기고, 태(兌)를 지나 건(乾)에 이르면 겨울의 절기가 되어 얼음이 두꺼워 추워진다. 곤괘의 초효는 음이 자라나 점점 나아가는 것을 경계해야 함을 말하였으니, 사람에게서는 인심(人心)이 오직 위태롭다는 때이다. 건괘(乾卦☰)의 잠룡은 도심(道心)이 오직 은미하다는 것이다. 성인은 음양이 처음 싹틀 때에 부양하고 경계를 보존하는 뜻을 두었다.

심대윤(沈大允)『주역상의점법(周易象義占法)』

訟之姤☰, 遇而不進也. 蓋訟而復其舊而止也. 六三居剛得訟, 應於上九, 故曰食舊德貞. 三居坎體, 故曰食. 上九陽德, 而居无位之地, 故曰舊德. 訟而復其舊, 故曰貞. 恃上而爭訟危道而正, 故終吉也. 復其舊, 故取艮德, 坤之變自艮而坎也. 三以柔承四五, 順其命而不敢自成, 故曰或從王事, 无成. 王五也. 四居巽體爲事. 蓋訟而順上之命, 不敢違也. 坎离爲成.

송괘가 구괘(姤卦☰)로 바뀌었으니, 만났는데도 나아가지 못한다. 송사를 하지만 옛 것을 회복하고 멈추는 것이다. 육삼은 굳센 자리에 있어 송사할 수 있고, 상구가 호응하기 때문에 "옛 덕을 녹봉으로 받으니 곧게 한다"라고 했다. 삼효가 감괘의 몸체에 있기 때문에 "녹봉으로 받는다"라고 했다. 상구는 양의 덕이지만 지위가 없는 자리에 있기 때문에 '옛 덕'이라고 했다. 송사를 하지만 옛 것을 회복하기 때문에 "곧게 한다"라고 했다. 위를 믿고 쟁송하니 위험한 길이지만, 바르기 때문에 마침내 길하다. 옛 것을 회복하기 때문에 간괘(艮卦☶)의 덕을 취했으니, 곤괘(坤卦☷)의 변화가 간괘(艮卦☶)에서 감괘(坎卦☵)로 되었기 때문이다. 삼효가 유순함으로 사효와 오효를 받들어 명에 순종하여 감히 스스로 이루지 않기 때문에 "혹 왕의 일에 종사하더라도 이룸이 없다"라고 했다. 왕은 오효이고, 사효가 손괘(巽卦☴)의 몸체에 있는 것이 일이니, 송사를 하지만 위의 명을 순종하여 감히 어기지 않는다. 감괘(坎卦☵)와 리괘(離卦☲)는 '이룸'이다.

오치기(吳致箕) 「주역경전증해(周易經傳增解)」

六三, 不中不正, 居剛而處險, 亦欲訟者也. 然質旣陰柔, 不至過剛, 而介二剛之間, 亦多危懼. 故戒言若能食其舊德, 不變其柔, 固守而惕厲, 則可以終得其吉. 且或從王而有訟辯之事, 亦旡敢以必成爲志, 則吉之道也.

육삼은 가운데도 아니고 제자리도 아니며, 굳센 자리에 있고 험함에 있으니, 역시 송사하려는 자이다. 그러나 재질이 이미 유순한 음이어서 지나치게 굳센 데는 이르지 않았으나, 두 굳셈의 사이에 끼어 있으니, 역시 위태로움이 많다. 그러므로 만약 옛 덕을 녹봉으로 받을 수 있어 유순함을 바꾸지 않고 굳게 지키면서 두려워한다면, 마침내 길함을 얻을 수 있다고 경계하여 말하였다. 또 혹 왕을 따라서 송사로 분변할 일이 있더라도 감히 반드시 이루려는 것을 뜻으로 하지 않으니, 길하게 되는 방법이다.

○ 古者, 稱其德而受祿食. 故食舊德猶言守本分也. 六三陰柔, 故言守此柔德, 而勿爲爭訟也. 食取於坎, 已見需五. 充實有得之謂德, 而亦坎象也. 從王旡成之象, 與坤三略同.

옛날에는 그 덕에 걸맞게 녹봉을 받았기 때문에 "옛 덕을 녹봉으로 받는다"는 것은 본분을 지킨다고 말하는 것과 같다. 육삼은 음이면서 유순하기 때문에 이 부드러운 덕을 지키고 쟁송하지 말라는 말이다. 먹을 것을 감괘(坎卦☵)에서 취하는 것은 이미 수괘(需卦䷄) 오효[41]에 있다. 충실하여 얻는 것이 있는 것을 덕(德)이라 하니, 역시 감괘의 상이다. 왕을 따라 이룸이 없는 상이니, 곤괘(坤卦☷)의 삼효와 대략 같다.

---

41) 『周易 · 需卦』: 九五, 需于酒食, 貞, 吉.

象曰, 食舊德, 從上吉也.

정전 「상전」에서 말하였다: "옛 덕을 녹봉으로 받으니" 윗사람을 따르더라도 길하다.
본의 「상전」에서 말하였다: "옛 덕을 녹봉으로 받음"은 윗사람을 따르면 길하다는 것이다.

‖中國大全‖

傳

守其素分, 雖從上之所爲, 非由己也, 故无成, 而終得其吉也.

본래의 분수를 지키니 윗사람이 하는 것을 따르더라도 자신에게 연유된 것이 아니기 때문에 이룸은 없으나 마침내 길함을 얻는다.

本義

從上吉, 謂隨人則吉. 明自主事, 則无成功也.

"윗사람을 따르면 길하다"는 것은 남을 따르면 길하다는 말이다. 스스로 일을 주관하면 이룸이 없을 것임을 밝힌 것이다.

‖韓國大全‖

조호익(曺好益) 『역상설(易象說)』

本義, 隨人云云, 謂隨人則雖無成功, 而不失素分, 故吉. 自主事, 則已失素分, 而但見無成功而已.

『본의』에서 "남을 따르면[隨人], 운운"은 남을 따르면 비록 공(功)을 이루지는 못하지만 평소의 본분을 잃지는 않으므로 길하다는 말이다. 스스로 일을 주관하면 이미 평소의 본분을 잃게 되어 공을 이루지 못하게 될 뿐이다.

○ 隨人, 則不失素分, 猶爲吉也. 自主事, 則決定無功而凶也
남을 따르면 평소의 본분을 잃지 않아 오히려 길하다. 스스로 일을 주관하면 공이 없는 것을 결정하여 흉하다.

김상악(金相岳)『산천역설(山天易說)』

上謂五也. 爻曰從王, 象曰從上, 得順上无成之義也.
'윗사람'은 오효를 말한다. 「효사」에서는 "왕의 일에 종사한다"라 하고, 「상전」에서는 "윗사람을 따른다"라 했으니, 윗사람에게 순종하여도 성공은 없다는 뜻이다.

김귀주(金龜柱)『주역차록(周易箚錄)』[42]

本義, 從上吉, 云云.
『본의』에서 말하였다: "윗사람을 따르면 길하다"는 것은, 운운.

○ 按, 以爻辭觀之, 非但自主事則無成功, 雖從上之事, 亦無成功也. 象傳所云從上吉, 只擧或從王事四字而爲說耳, 本義之意, 恐亦當依此活看.
내가 살펴보았다: 효사(爻辭)로 보면, 스스로 일을 주관하면 성공이 없을 뿐만 아니라, 위의 일에 종사하더라도 이룸이 없는 것이다. 「상전」에서 "윗사람을 따르면 길하다"라 말한 것은 단지 "혹 왕의 일에 종사한대或從王事]"는 말을 들어서 설명한 것일 뿐이니, 『본의』의 뜻은 아마도 이것에 따라 융통성 있게 봐야 할 것이다.

박제가(朴齊家)『주역(周易)』

九三象傳, 從上吉也.
구삼의 『상전』에서 말하였다: 윗사람을 따르면 길하다.

---

42) 경학자료집성DB에는 송괘(訟卦) 육삼효사에 해당하는 것으로 분류했으나 내용에 따라 이 자리로 옮겨 바로잡았다.

傳, 從上之所爲, 非由己也,

『정전』에서 말하였다: 윗사람이 하는 것을 따르더라도 자신에게 연유된 것이 아니다.

本義, 謂隨人則吉.

『본의』에서 말하였다: 남을 따르면 길하다는 말이다.

案, 從上, 謂從四之後, 卽命也.

내가 살펴보았다: "윗사람을 따른다"는 것은 사효의 뒤를 따른다는 말이니, 곧 명(命)이다.

서유신(徐有臣) 『역의의언(易義擬言)』[43]

從上九也.

상구를 따르는 것이다.

박문건(朴文健) 『주역연의(周易衍義)』

上, 謂上九也.

'윗사람'은 상구를 말한다.

〈問, 從上吉. 曰, 六三非訟上者也, 故曰從上吉, 此勉進之辭也.

물었다: "윗사람을 따르면 길하다"는 무슨 뜻입니까?

답하였다: 육삼은 윗사람과 송사하지 않는 자이기 때문에 "윗사람을 따르면 길하다는 것이 다"라 했으니, 이는 힘써서 나아가라는 말입니다.〉

이지연(李止淵) 『주역차의(周易箚疑)』

六三, 柔弱, 故自退, 而位不正, 故戒之以貞.

육삼은 유약하기 때문에 스스로 물러나고, 자리가 바르지 않기 때문에 "곧게 한다"는 것으로 경계하였다.

從上之上, 非上九之正應也. 上有復卽命之九四, 元吉之九五也.[44]

"윗사람을 따른다"에서 '위'는 정응인 상구가 아니다. 위에는 돌아와 명에 나아가는 구사와 크게 길한 구오가 있다.

---

43) 경학자료집성DB에는 송괘(訟卦) 육삼효사에 해당하는 것으로 분류했으나 내용에 따라 이 자리로 옮겨 바로 잡는다.

44) 경학자료집성에는 『주역·송괘』 육사에 실려 있으나 원문을 참고하여 바로잡았다.

오치기(吳致箕) 「주역경전증해(周易經傳增解)」

食舊德而守分, 從上事而无成, 皆吉之道也.

옛 덕을 녹봉으로 받아 분수를 지키고, 윗사람의 일에 종사하더라도 이룸이 없다는 것이 모두 길하게 되는 길이다.

이병헌(李炳憲) 『역경금문고통론(易經今文考通論)』

孟曰, 易爻位, 三爲三公, 二爲卿大夫. 曰食舊德, 謂食父祿也.

맹희(孟喜)가 말하였다: 『주역』의 효(爻)의 자리에서 삼효는 삼공(三公)이고, 이효는 경대부이다. "옛 덕을 녹봉으로 받는다"는 것은 아버지의 녹봉을 받는 것을 말한다.

虞曰, 乾爲舊德, 乾爲王.

우번(虞翻)이 말하였다: 건괘(乾卦☰)은 옛 덕이고, 건괘는 왕이다.

按, 如孟義, 則乾又爲父. 無成不敢成也.

내가 살펴보았다: 맹희의 뜻과 같다면 건괘(乾卦☰)은 또 아버지이다. 이룸이 없는 것은 감히 이루지 않는 것이다.

九四, 不克訟, 復卽命, 渝, 安貞, 吉.

정전 구사는 송사할 수 없으니, 돌아와 명에 나아가 마음을 바꾸어서 편안하고 곧게 하면 길하다.

본의 구사는 송사를 할 수 없으니, 돌아와 명에 나아가 마음을 바꾸어서 곧음을 편안히 여기면 길하다.

中國大全

傳

四, 以陽剛而居健體, 不得中正, 本爲訟者也. 承五履三而應初. 五君也, 義不克訟, 三居下而柔, 不與之訟, 初正應而順從, 非與訟者也. 四雖剛健欲訟, 无與對敵, 其訟, 无由而興. 故不克訟也. 又居柔以應柔, 亦爲能止之義. 旣義不克訟, 若能克其剛忿欲訟之心, 復卽就於命, 革其心平其氣, 變而爲安貞則吉矣. 命謂正理. 失正理, 爲方命, 故以卽命爲復也. 方, 不順也, 書云, 方命圮族, 孟子曰, 方命虐民. 夫剛健而不中正, 則躁動, 故不安, 處非中正, 故不貞, 不安貞, 所以好訟也. 若義不克訟而不訟, 反就正理, 變其不安貞, 爲安貞, 則吉矣.

사효는 굳센 양으로 굳건한 몸체에 있으면서 중정(中正)을 얻지 못해 본래 송사하려는 자이다. 그런데 오효를 받들고 삼효를 밟고서 초효와 대응하고 있다. 오효는 임금이니 의리상 송사할 수 없고, 삼효는 아래에 있고 유순하니 그와 송사하지 못하며, 초효가 바르게 상응하여 순종하니 그와 송사하지 못한다. 사효가 강건해서 송사하려고 하더라도 대적할 곳이 없으니 송사가 일어나지 못한다. 그러므로 "송사를 할 수 없다"라 하였다. 또 유순한 자리에 있으면서 유순함과 상응하고 있는 것도 송사를 그칠 수 있다는 뜻이다. 이미 의리상 송사를 이길 수 없으니, 만약 사효가 굳세게 분노하여 송사하려는 마음을 극복할 수 있어서 돌아와서 명에 나아가 그 마음을 바꾸고 그 기운을 편안하게 하여 편안하고 곧게 한다면 길할 것이다. 명은 바른 이치를 말한다. 바른 이치를 상실하는 것은 명을 어기는 것이기 때문에, 명에 나아가는 것을 '돌아가는 것[復]'으로 여겼다. 어기는 것[方]은 순종하지 않는 것이니, 『서전(書傳)』에서는 "왕명을 어기고 종족을 해친다[方命圮族]"[45]라고 하였고, 『맹자』에서는 "왕명을 어기고 백성을 학대했다"라고 하였다. 강건하면서 중정하지 않으면 조급하게 움직이기 때문에 편안하지 않고, 중정하지 않은 곳에 있기 때문에 편안히 곧게 하지 못하니, 송사를 좋아하

---

45) 『書傳·虞書·堯典』: 咈哉, 方命圮族. 岳曰, 异哉, 試可乃已.

는 까닭이다. 만약 의리상 송사하지 않을 수 있어 송사하지 않고 돌아와 바른 이치에 따라 그 편안하고 곧지 않은 것을 바꾸어 편안하고 곧게 하면 길한 것이다.

小註

東萊呂氏曰, 以九居四, 是剛强之人. 處不中正之地, 本好訟者也. 然所承者五, 五至尊, 而不敢與之訟. 所履者三, 三至柔, 而不至於生訟, 所應者初, 初旣相應, 亦非與之爲訟者也. 左右前後, 皆无可者, 雖有好訟之心, 略不得騁. 則其心必自還而歸善. 故曰復卽命. 命, 正理也. 好訟之心, 旣无所施, 則必復就於正理, 渝變而爲善也. 譬如水之泛溢, 欲擊東岸, 而其岸堅, 而不可動, 欲擊西岸, 而其岸又堅, 而不可動, 則必循循歸于故道矣. 心之所之, 只有善惡兩件, 於惡旣不得騁, 不之於善, 將何之乎?

동래여씨가 말하였다: 구(九)가 네 번째 자리에 있으니, 굳세고 강한 사람이다. 중정하지 못한 자리에 있으니, 본래 송사하기 좋아하는 자이다. 그러나 받들고 있는 것이 오효이니, 오효는 지존이어서 감히 그와 송사하지 못한다. 밟고 있는 것은 삼효이니, 삼효는 지극히 유약하여 송사하는 데까지 이르지 않는다. 호응하는 것은 초효이니, 초효는 이미 상응하여 또한 그와 송사할 수 있는 것이 아니다. 전후좌우로 모두 할 수 없는 자들이니, 송사를 좋아하는 마음이 있어도 계략을 펼치지 못한다. 그렇다면 반드시 스스로 되돌려서 선으로 돌아오기 때문에 "돌아가 명에 나아간다"라고 했다. 명은 바른 이치이다. 송사를 좋아하는 마음을 이미 시행하지 않았으면, 반드시 다시 바른 이치에 돌아가 나아가 마음을 바꾸어 선하게 된다. 비유하자면 물이 넘쳐서 동쪽 언덕을 무너뜨리려 하다가 그 언덕이 견고하여 움직일 수가 없고, 서쪽 언덕을 무너뜨리려 하다가 그 언덕도 견고하여 움직일 수 없으니, 반드시 순순히 옛 물길을 따라 돌아가는 것과 같다. 마음이 가는 곳은 오직 선과 악 두 갈래에 있을 뿐이니, 악을 이미 펼쳐지지 못한다면 선으로 가지 않고 어디로 가겠는가?

本義

卽, 就也, 命, 正理也. 渝, 變也. 九四剛而不中, 故有訟象. 以其居柔, 故又爲不克, 而復就正理, 渝變其心, 安處於正之象. 占者如是則吉也.

'나아가는 것[卽]'은 따르는 것[就]이고, '명[命]'은 바른 이치이며, '바꾸는 것[渝]'은 변경하는 것이다. 구사가 굳세지만 가운데 있지 않기 때문에 다툼의 상이 있다. 그것이 유약한 자리에 있기 때문에 또 할 수 없어서 돌아와 바른 이치에 나아가 그 마음을 바꾸어서 바른 곳에 편안히 있는 상이다. 점치는 사람이 이와 같이 하면 길할 것이다.

小註

括蒼龔氏曰, 二與五訟, 四與初訟, 其與爲敵者, 强弱不同. 而皆曰不克者, 蓋二以下訟上, 其不克者勢也, 四以上訟下, 其不克者理也. 二見勢之不可敵, 故歸而逋竄, 四知理之不可渝, 故復而卽命. 二四皆剛居柔. 故能如此.

괄창공씨가 말하였다: 이효가 오효와 송사하고 사효가 초효와 송사하면, 함께 대적하는 것이 강약이 같지 않다. 그런데 모두 "할 수 없다"라고 말하는 것은 이효 이하가 위와 송사하여 이기지 못하는 것은 기세 때문이고, 사효 이상이 아래와 송사하여 이기지 못하는 것은 이치 때문이다. 이효는 기세가 대적할 수 없음을 알기 때문에 돌아가서 숨고, 사효는 이치가 변할 수 없음을 알기 때문에 돌아가서 명에 나아갔다. 이효와 사효는 모두 굳셈이 유약한 자리에 있기 때문에 이와 같이 할 수 있다.

○ 雲峯胡氏曰, 命, 有指理言者, 有指氣言者. 否九四, 曰有命, 指氣言也, 此曰卽命, 指理言也, 皆上乾, 故皆曰命. 四之不克訟, 與二不同. 九二坎體, 其心本險, 九四乾體, 其心能安乎天理之正. 然曰歸曰渝, 皆知反者. 九二識時勢, 能反而安其分之小, 九四明義理, 能變而安於命之正, 聖人不貴无過, 而貴改過, 又如此.

운봉호씨가 말하였다: '명'에는 리(理)를 가리켜 말하는 경우가 있고 기(氣)를 가리켜 말하는 경우가 있다. 비괘(否卦䷋)의 구사 효에서 "천명이 있다"[46]라 한 것은 기를 가리켜 말한 것이고, 여기䷅에서 "천명에 나아가 따른다"라고 말한 것은 이치를 가리켜 말한 것이니, 모두 위가 건괘(乾卦☰)이기 때문에 모두 '천명'이라 하였다. 사효가 송사할 수 없는 것은 이효와 다르다. 구이는 감괘(坎卦☵)의 몸체여서 그 마음이 본래 험하고, 구사는 건괘(乾卦☰)의 몸체여서 마음이 천리의 바름에 편안할 수 있다. 그러나 '돌아간다', '바꾼다'라고 말했으니, 모두 돌아갈 줄 아는 자들이다. 구이는 때의 기세를 알아서 돌아가 작은 분수에 편안할 수 있고, 구사는 의리에 밝아서 마음을 바꾸어 올바른 천명에 편안할 수 있다. 성인이 허물이 없는 것을 귀히 여기지 않고 허물을 고치는 것을 귀하게 여기는 것이 또한 이와 같다.

---

46) 『周易‧否卦』: 九四, 有命, 无咎, 疇離祉.

▌韓國大全▌

권근(權近) 『주역천견록(周易淺見錄)』

命者, 人所受之正理. 九四以陽居陰, 而在乾体之下, 處爲訟之時, 是違理妄進, 而欲與上訟者也. 然居柔在下, 豈能勝剛健中正而在上者乎. 我曲彼直, 義旣不勝. 若能止其妄進欲訟之心, 復卽就於正理, 渝變其過, 而安於正, 則吉矣. 蓋有失而後有復, 旣復則無失, 故曰不失也.

'명'은 사람이 받은 바른 이치이다. 구사는 양으로 음의 자리에 있고 건괘(乾卦☰) 몸체의 아랫자리에 있어 송사하는 시기에 있으니, 이것은 이치를 어기고 함부로 나아가 윗사람과 다투려는 자이다. 그러나 유약한 자리에 있고 아랫자리에 있으니, 어찌 강건하고 중정하면서 위에 있는 자를 이길 수 있겠는가? 나는 굽고 저것은 곧아 의리상 이미 이길 수가 없다. 만일 함부로 나가 송사하려는 마음을 멈추고, 돌아가 바른 이치에 나아가 그 허물을 고치고 바른 것에 편안할 수 있다면 길하다. 잘못이 있은 다음에 되돌리는 것이 있으니, 이미 되돌렸다면 잘못이 없으므로 "잘못이 없는 것이다"라고 하였다.

송시열(宋時烈) 『역설(易說)』

渝之義, 與初之不永同. 此爻當變看, 亦不克訟於九五, 復則命於九五之君, 渝變其志而安貞則吉. 又此爻變, 則爲巽, 巽順安貞, 亦不失道. 二之不克, 沮於勢位, 四之不克, 屈於理義.

마음을 바꾼다는 의미는 초효의 "오래 하지 않는다"는 것과 같다. 이 효는 바꾼다는 뜻으로 보아야 하니, 또한 구오와 송사를 이기지 못하여 돌아왔다면 구오인 임금에게 명령을 받아 그 뜻을 바꿔 편안하고 곧게 한다면 길할 것이다. 또 이 효가 변하면 손괘(巽卦☴)가 되니, 공손히 순종하며 편안하고 곧게 하면 또한 도를 잃지 않을 것이다. 이효가 송사하지 못하는 것은 세력과 지위에 막힌 것이고, 사효가 송사하지 않는 것은 이치와 의리에 굴복한 것이다.

이익(李瀷) 『역경질서(易經疾書)』

復者, 始不能無訟也. 卽命, 從上命也. 渝者, 指始訟旋復而言.

'돌아온다[復]'는 것은 처음에는 송사가 없을 수 없는 것이다. "명에 나아간다[卽命]"는 것은 위의 명령에 따르는 것이다. '마음을 바꾼다[渝]'는 것은 처음에는 송사하다가 되돌려서 돌아오는 것을 가리켜서 말한 것이다.

유정원(柳正源) 『역해참고(易解參攷)』

正義, 九四旣非理, 陵犯於初, 初能分辨道理, 故九四訟不勝也.

『주역정의』에서 말하였다: 구사는 이미 이치가 아니어서 초효에게 무리하게 침범하지만, 초효는 도리를 분별할 수 있기 때문에 구사는 송사에서 이기지 못한다.

○ 問, 訟, 九四, 不克〈句〉 復卽命〈句〉 渝〈句〉 安貞〈句〉. 朱子曰, 厲自是句, 終吉又是一句. 易辭只是元排此幾句在此. 伊川作變其不安貞爲安貞, 作一句讀, 恐不甚自然.

물었다: 송괘(訟卦䷅)에서 구사는 할 수 없으니〈구절〉 돌아가 명에 나아가〈구절〉 마음을 바꾸어서〈구절〉 곧음을 편안히 여긴다〈구절〉는 말은 무슨 의미입니까?

주자가 말하였다: '위태로우니[厲]'가 한 구절이고 "마침내 길하다[終吉]"가 또 한 구절이다. 『주역』의 말은 여기에서 원래 이 몇 구절을 통하게 하는 것일 뿐이다. 이천(伊川)이 "편안하고 곧지 못한 것을 바꾸어 편안하고 곧게 한다"고 하여 하나의 구절로 한 것은 매우 자연스럽지 못한 듯하다.

○ 案, 以剛居柔, 處理之正也, 欲訟而能止, 得理之正也. 克止其欲訟之心, 變革其剛忿之氣, 亦理之正也. 旣復而就正理, 則何往而不吉乎.

내가 살펴보았다: 굳셈으로 유순한 자리에 있고 이치의 바름에 있어서 송사하고 싶지만 그칠 수 있으니, 이치의 바름을 얻는다. 송사하고 싶은 마음을 멈추고 굳센 분노의 기운을 바꿀 수 있는 것도 이치의 바름이다. 이미 돌아와서 바른 이치에 나아간다면, 어디로 간들 길하지 않겠는가?

김상악(金相岳) 『산천역설(山天易說)』

以九居四, 初之應居坎而陷之, 三之比互離而麗之, 皆可爲訟, 然四之居柔. 有變其爭訟之志, 而乾互巽體, 故有不克訟, 復卽命之象, 能復就正理. 渝變其心, 安處於正, 吉之道也.

구(九)가 네 번째 자리에 있으면서 초효의 호응이 감괘(坎卦☵)에 있어 궁지에 몰렸고, 삼효가 호괘인 리괘(離卦☲)와 이웃하고 있어 걸려들었으니, 모두 송사 할 수 있는 것이다. 그러나 사효가 부드러운 자리에 있어 쟁송하려는 뜻을 바꿀 수 있고, 건괘(乾卦☰)는 호괘인 손괘(巽卦☴)의 몸체이기 때문에 송사를 이기지 못하고 돌아가 명에 나가는 상이 있으니, 돌아가 바른 이치에 나아갈 수 있다. 그 마음을 바꾸고 바름에 편안히 있으면 길한 도(道)이다.

○ 巽爲不果不克訟之象. 二之不克, 識時勢也, 四之不克, 明義理也. 命, 天命也. 巽之命, 居乾之下, 故曰復卽命. 復則不妄, 故无妄象傳, 亦言天命, 所以乾道變化, 各正性命. 渝安貞吉, 以卦變言, 與同人之四, 曰不克攻困而反則相似. 蓋復卽命者, 內而變其忿爭之心也. 渝安貞者, 外而去其忿爭之事也. 雖不能作事於謀始之先, 亦能改圖于有訟之後, 與終極其事者有間, 故不失其吉也.

손괘(巽卦☴)는 단호하지 못하여 송사를 하지 못하는 상이다. 이효가 하지 못하는 것은 당시의 형세를 알기 때문이고, 사효가 이기지 못하는 것은 의리에 밝기 때문이다. 명은 천명이다. 손괘(巽卦☴)의 명은 건괘(乾卦☰)의 아래 있기 때문에 "돌아와서 명에 나아간다"라고 했다. 돌아가면 함부로 하지 않기 때문에 무망괘(无妄卦䷘)「단전」에서도 천명을 말하였으니,[47] 하늘의 도가 변화하여 각각 성(性)과 명(命)을 바르게 하는 까닭이다. "마음을 바꾸어서 곧음을 편안히 여기면 길하다"는 말은 괘의 변화로 말하였으니, 동인괘(䷌)의 사효에서 "공격하지 못하니, 곤란하여 법칙으로 돌아오기 때문이다"[48]라는 말과 서로 비슷하다. "돌아와 명에 나아간다"는 것은 내면적으로 성내고 다투려는 마음을 바꾸는 것이다. "마음을 바꾸어서 곧음을 편안히 여기는" 것은 외면적으로 성내고 다투는 일을 제거하는 것이다. 비록 시작을 도모하기에 앞서 일을 잘하지 못할지라도 송사한 뒤에 고칠 수 있으면, 일을 끝까지 하는 것과는 차이가 있기 때문에 길함을 잃지 않을 것이다.

김규오(金奎五) 「독역기의(讀易記疑)」

九二九四, 不克訟同, 歸而逋復卽命渝, 亦同, 但逋有懼避之意, 渝有變改之意, 无眚與吉又不同, 蓋二有抗五之嫌, 四有親上之意, 而下又有應故也.

구이와 구사의 "송사를 할 수 없다"는 것은 같고, "돌아가 숨는다"는 것과 "돌아와 명에 나아가 마음을 바꾼다"는 것도 같다. 다만 '숨는다[逋]'에는 두려워서 피하는 뜻이 있고, '바꾼다[渝]'에는 변경하여 고치는 뜻이 있으며, '허물이 없다'와 '길하다'는 같지 않다. 이효에는 오효에게 대항하는 혐의가 있고, 사효에는 위와 친하려는 뜻이 있으면서 아래로 또 호응하기 때문이다.

박윤원(朴胤源) 『경의(經義)·역경차략(易經箚略)·역계차의(易繫箚疑)』

九四, 復卽命.

---

47) 『周易·无妄卦』: 天之命也. … 天命不祐, 行矣哉.
48) 『周易·同人卦』: 九四, 弗克攻. 象曰, 困而反則也.

구사는 돌아와 명에 나아간다.

○ 訟必由於剛, 故柔而後可止. 愚嘗見近日外方之俗, 武斷鄕曲, 則必非理好訟, 使此
輩觀此象, 則可以知戒哉.
송사는 반드시 굳셈에서 연유하기 때문에 부드러운 뒤에야 그칠 수 있다. 내가 일찍이 근래
지방의 풍속을 보니, 향리에서 세도를 부려 반드시 이치에 닿지도 않는 일로 송사하기를
좋아하는데, 이 무리들에게 이 상을 보여주면 경계함을 알 수 있을 것이다.

서유신(徐有臣) 『역의의언(易義擬言)』

九四, 剛健而不中爲訟者也. 互巽不果, 故不克訟也, 過而能改者也. 復而就其命分, 渝
而安其正應, 故吉也. 乾體互巽, 天命象也.
구사는 강건한데 가운데 자리에 있지 않아 송사하는 자이다. 호괘인 손괘(巽卦☴)가 과단성
이 없기 때문에 송사를 할 수 없다. 잘못하지만 고칠 수 있는 자이니, 돌아와서 그 명과
분수에 나아가고 마음을 바꾸어 바른 호응에 편안하기 때문에 길하다. 건괘(乾卦☰) 몸체에
호괘가 손괘(巽卦☴)이니, 천명(天命)의 상(象)이다.

김귀주(金龜柱) 『주역차록(周易箚錄)』

九四, 不克訟, 云云.
구사는 송사를 할 수 없으니, 운운
○ 按, 九四近於君位, 而以剛居柔, 有革心改面順承君命之象, 故曰復卽命. 程傳, 以
方命對言者, 恐亦此意. 蓋順承君命, 亦便是就正理, 命字當如是濶看.
내가 살펴보았다: 구사는 임금의 자리에 가깝지만 굳셈으로 부드러운 자리에 있어 마음을
바꾸고 체면을 고쳐 임금의 명령을 받드는 상이 있기 때문에 "돌아와 명에 나아간다"라고
했다. 『정전』에서 "명을 거역한다[方命]"는 말과 상대하여 말한 것은 아마도 역시 이런 뜻일
것이다. 임금의 명령을 순순히 받드는 것도 바로 이 바른 이치에 나아가는 것이니, 명(命)이
라는 글자는 이처럼 융통성 있게 봐야 한다.

本義, 卽就也, 云云.
『본의』에서 말하였다. '나아가는 것[卽]'은 따르는 것[就]이고, 운운.
小註, 括蒼龔氏曰, 二與, 云云.
소주에서 괄창공씨가 말하였다: 이효가 오효와, 운운.

○ 按, 知理之不可渝云云, 恐不詞, 渝字上更着不字, 則亦可通.

내가 살펴보았다: "이치가 변할 수 없음을 알기 때문에 운운"은 말이 통하지 않는 듯하니, '변하다[渝]'는 말 앞에 아니라는 뜻의 '불(不)'자를 덧붙이면 통할 것이다.[49]

박제가(朴齊家) 『주역(周易)』

傳, 命謂正理, 失正理爲方命, 卽命爲復.

『정전』에서 말하였다: 명은 바른 이치를 말한다. 바른 이치를 상실하는 것은 명을 어기는 것이기 때문에 명에 나아가는 것을 '돌아가는 것[復]'으로 여겼다.

案, 命上之所命也, 上謂五也. 括蒼龔氏曰, 二與五訟, 四與初訟. 程傳曰, 初正應而順從, 非與訟者. 義極明. 龔說非是. 蓋二與四同, 功交乎坎而助二, 二不克訟, 則四亦不克. 然後乃復就五. 卽命猶言從上. 變其初心, 故曰渝. 渝則都無事, 故曰安貞吉.

내가 살펴보았다: 명은 윗사람이 명한 것이고, 윗사람은 오효를 이른다. 괄창공씨는 "이효가 오효와 송사하고 사효가 초효와 송사한다"고 말했는데, 『정전』에서 "초효는 정응이어서 순종하니 함께 송사 하는 자가 아니다"라고 말했으니, 의미가 아주 분명하다. 괄창공씨의 주장은 옳지 않다. 이효와 사효는 하는 일이 같아서[50] 일이 감(☵)에서 사귀어 이효를 도우니, 이효가 송사하지 못하면 사효도 하지 못한다. 그런 뒤에야 돌아와 오효에게 나아간다. "명에 나아간다"는 것은 "위를 따른다"라고 말하는 것과 같다. 처음의 마음을 바꾸었기 때문에 "마음을 바꾸어서[渝]"라 했고, 마음을 바꾸면 아무 탈이 없기 때문에 "곧음을 편안히 여기면 길하다"라고 했다.

박문건(朴文健) 『주역연의(周易衍義)』

變其舊習, 故有卽命之象. 復言來復其所處也.

낡은 습관을 바꾸기 때문에 명에 나아가는 상이 있다. '돌아와'는 자신이 있어야 할 곳으로 돌아오는 것을 말한다.

〈問, 復義. 曰, 復反也. 與小畜初九復自道之復義同也.

---

[49] 서유신은 "이효는 기세가 대적할 수 없음을 알기 때문에 돌아가서 숨고, 사효는 이치가 변할 수 없음을 알기 때문에 돌아가서 명에 나아갔다二見勢之不可敵, 故歸而逋竄, 四知理之不可渝"라는 괄창공씨의 말을 "이효는 기세로 대적할 수 없음을 알기 때문에 돌아가서 숨고, 사효는 이치로 변할 수 없음을 알기 때문에 돌아가서 명에 나아갔다"로 다소 오해한 것 같다. 이럴 경우 "이효는 내가 기세상으로 대적할 수 없음을 알기 때문에 돌아가서 숨고, 사효는 내가 이치상으로 변하지 않아서는 안 됨을 알기 때문에 돌아가서 명에 나아갔다二見勢之不可敵, 故歸而逋竄, 四知理之不可不渝"로 해야 하기 때문이다.

[50] 『周易·繫辭傳』: 二與四同功而異位.

물었다: "돌아온다"는 무슨 뜻입니까?

답하였다: 되돌아오는 것입니다. 소축괘(小畜卦䷈)의 초구에 "돌아옴이 도(道)로부터 한다"[51]고 할 때의 '돌아옴'과 같은 뜻입니다.)

〈○ 問, 不克訟, 復卽命, 渝安貞吉. 曰, 九四與初, 相訟而不克, 故退還而就天理, 變其舊習者也. 若安其剛貞, 則所守益固而致吉也.

물었다: "송사를 할 수 없으니 돌아와 명에 나아가 마음을 바꾸어서 곧음을 편안하게 여기면 길하다"라는 말은 무슨 뜻입니까

답하였다: 구사와 초효는 서로 송사하지만 이길 수 없기 때문에 물러나 돌아와서 천리(天理)에 나아가서 낡은 습관을 바꾸는 자입니다. 만약 굳세고 곧음을 편안히 여기면 지키는 것이 더욱 견고해져서 길하게 될 것입니다.)

이지연(李止淵) 『주역차의(周易箚疑)』

從上之上, 非上九之正應也. 上有復卽命之九四, 元吉之九五也.

"윗사람을 따른다"는 윗사람은 상구의 정응이 아니다. 위에는 돌아가 명에 나아가는 구사와 크게 길한 구오가 있다.

김기례(金箕澧) 「역요선의강목(易要選義綱目)」

才剛則不能旡訟者, 然承五尊, 履三陰, 應初弱, 則皆非敵己[52]. 又居陰位, 知不克訟, 反身正理, 自變則吉.

재질이 굳세면 송사하지 않을 수 없는 자이지만, 오효인 존귀함을 받들고 삼효인 음을 밟고 있으면서 약한 초효와 상응하니, 모두 자기의 적수가 아니다. 또 음의 자리에 있으니, 송사를 할 수 없음을 알고 자신을 반성하고 이치를 바르게 하여 스스로 바꾸면 길하다.

서유신(徐有臣) 『역의의언(易義擬言)』

復卽命, 渝, 安貞, 不失也.

돌아와 명에 나아가서 마음을 바꾸어서 곧음을 편하게 여기는 것은 잘못이 없는 것이다.

---

51) 『周易·小畜』: 初九, 復自道.

52) 己: 경학자료집성DB와 영인본에 "'己'로 되어 있으나, 문맥을 살펴 '己'로 바로잡았다.

復則不失也. 訟所以爭得失也, 不失足矣, 何必訟乎.

돌아오면 잘못이 없는 것이다. 송사는 잘잘못을 다투는 것이어서 잘못이 없으면 충분하니, 어찌 꼭 송사를 하겠는가?

심대윤(沈大允)『주역상의점법(周易象義占法)』

訟之渙䷺, 發散也. 爭訟之心渙散也. 九四居柔不得訟, 居于二陽之下, 自知不敵, 故不克訟, 反而守其初三之從應, 故曰復卽命. 乾爲復, 巽离艮爲行, 而麗於位曰卽, 艮爲爵命, 變其爭訟之心, 而安貞則吉也. 巽之對震爲渝, 艮爲安. 乾之對坤爲貞

송괘가 환괘(渙卦䷺)로 바뀌었으니, 발산(發散)하는 것이다. 쟁송하려는 마음이 사라진 것이다. 구사는 부드러운 자리에 있어 송사하지 못하고 두 양의 아래에 있어서 스스로 맞서지 못함을 알기 때문에 송사를 할 수 없고, 돌아가서 초효와 삼효가 따르며 상응하는 것을 지키기 때문에 "돌아와 명에 나아간다"라고 했다. 건괘(乾卦☰)는 '돌아옴'이고, 손괘(巽卦☴)·리괘(離卦☲)·간괘(艮卦☶)는 '감[行]'이며, 자리[位]에 걸림[麗]이니, '나아감[卽]'이라 하였고, 간괘(艮卦☶)는 관작의 명이니 쟁송하는 마음을 바꾸어 곧음을 편안히 여기면 길하다. 손괘(巽卦☴)와 음양이 반대인 괘 진괘(震卦☳)는 '마음을 바꿈'이고, 간괘(艮卦☶)는 '편안함'이다. 건괘(乾卦☰)와 음양이 반대인 곤괘(坤卦☷)는 '곧음'이다.

오치기(吳致箕)「주역경전증해(周易經傳增解)」

九四剛不得正, 亦欲訟者, 然以剛居柔, 其義不克, 而上承九五, 故戒言若能復其道而就于命, 渝其爭辯之心, 而安處正道, 則乃可以得吉也.

구사의 굳셈이 제자리를 얻지 못한 것도 송사하려는 것이지만 굳셈이 부드러운 자리에 있어 의리상 이기지 못하고 위로 구오를 받들기 때문에, "도를 회복하여 명에 나아가고 논쟁하여 분별하려는 마음을 바꾸어서 올바른 도리에 편안히 있을 수 있다면 곧 길함을 얻을 수 있다"라고 경계하여 말했다.

○ 復謂反于正道也. 乾本在上, 故自下反于上曰復, 而取象於卦反也. 卽者就也. 爻變互艮有卽之象. 命謂九五中正之命, 而取於變巽. 渝謂變也.

'돌아온다'는 것은 바른 도로 되돌아옴을 이른다. 하늘은 본래 위에 있기 때문에 아래에서 위로 되돌아오는 것을 '돌아온다'라고 하였는데, 괘에서 상을 취한 것이 되돌아오는 것이다. '나아간다[卽]'는 것은 따른다는 것이다. 효가 바뀌면 호괘인 간괘(艮卦☶)에 나아가는 상이 있다. 명(命)은 중정한 구오의 명을 이르니 손괘(巽卦☴)로 변한 것에서 취하였다. '마음을 바꾼다'는 것은 '변경한다'는 것을 이른다.

이진상(李震相) 『역학관규(易學管窺)』

四與九二, 皆以陽居陰, 故竝言不克訟. 命乾象, 渝坎象, 九四近坎故渝, 以其渝於坎, 故曰安貞. 陰志趨下.

사효와 구이는 모두 양으로써 음의 자리에 있기 때문에 모두 "송사를 할 수 없다"라고 했다. 명(命)은 건괘(乾卦☰)의 상이고, '마음을 바꿈'은 감괘(坎卦☵)의 상이다. 구사는 감괘(坎卦☵)에 가깝기 때문에 마음을 바꾸었다. 감괘에서 마음을 바꾸었기 때문에 "곧음을 편안히 여기면"이라고 했다. 음의 뜻은 아래로 향한다.

象曰, 復卽命渝安貞, 不失也.

정전 「상전」에서 말하였다: "돌아와 명에 나아가 마음을 바꾸어서 편안하고 곧게 하면 길함"은 잘못이 없는 것이다.

본의 「상전」에서 말하였다: "돌아와 명에 나아가 마음을 바꾸어서 곧음을 편안히 여기면 길함"은 잘못이 없는 것이다.

‖中國大全‖

傳

能如是, 則爲无失矣, 所以吉也.

이와 같이 할 수 있으면 잘못이 없기 때문에 길하다.

小註

建安丘氏曰, 二沮於勢, 四屈於理. 此二之美, 所以止於无眚, 而四之貞吉, 所以爲不失也.

건안구씨가 말하였다: 이효는 기세에서 막히고, 사효는 이치에서 굴복한다. 여기의 이효가 아름다운 것은 허물이 없을 수 있는 곳에 멈출 수 있기 때문이고, 사효가 곧아서 길한 것은 잘못이 없기 때문이다.

‖韓國大全‖

김상악(金相岳) 『산천역설(山天易說)』

不失, 謂不失其正理也.

'잘못이 없는 것'은 바른 이치를 잃지 않음을 이른다.

○ 小畜九二, 以牽復爲象, 故曰亦不自失也.
소축괘(小畜卦☴☰)의 구이는 '이끌어 회복하는 것'[53]으로 상을 삼았기 때문에 또한 "스스로 잃지 않기 때문이다"[54]라 하였다.

박문건(朴文健) 『주역연의(周易衍義)』

不失, 言不失其爲上之道也.
"잘못이 없는 것이다"는 윗사람을 돕는 도리를 잃지 않는다는 말이다.

심대윤(沈大允) 『주역상의점법(周易象義占法)』

言不失其有也.
그가 소유한 것을 잃지 않는다는 말이다.

오치기(吳致箕) 「주역경전증해(周易經傳增解)」

變其爭訟之心, 而安處正道, 則得其吉而不失也. 〈失則凶, 不失則吉〉.
쟁송하려는 마음을 바꾸어서 바른 도리에 편안히 있으면 길함을 얻고 잘못이 없는 것이다. 〈잘못하면 흉(凶)하고, 잘못하지 않으면 길(吉)하다.〉

이병헌(李炳憲) 『역경금문고통론(易經今文考通論)』

王曰, 初辯明.
왕필이 말하였다: 초효가 변호하는 것이 분명하다.[55]

虞曰, 失位, 故不克訟. 渝, 變也.
우번은 말하였다: 자리를 잃었기 때문에 송사를 할 수 없다. "마음을 바꾼다"는 것은 변경한

---

53) 『周易·小畜』: 구이는 이끌어 회복하니 길하다.[九二, 牽復, 吉.]
54) 『周易·小畜』: 「상전(象傳)」에 말하였다. 이끌어 회복함은 가운데에 있으니, 또한 스스로 잃지 않기 때문이다.[象曰, 牽復, 在中, 亦不自失也.]
55) 『周易注疏·訟卦』: 九四, 不克訟, 注, 初辯明也.

다는 것이다.56)

姚曰, 復卽命渝者, 變而知命也.
요신(姚信)이 말하였다: "돌아와 명에 나아가 마음을 바꾼다"는 것은 바꾸어서 명을 안다는 것이다.

按, 復就九五之命.
내가 살펴보았다: 돌아가 구오의 명에 나아가는 것이다.

---

56) 『周易集解·訟卦』: 九四, 不克訟, 復卽命, 渝, 安貞吉. 구절의 주, 虞翻曰, 失位, 故不克訟. 渝, 變也.

九五, 訟, 元吉.

구오는 송사에 크게 길하다.

║中國大全║

傳

以中正居尊位, 治訟者也. 治訟, 得其中正, 所以元吉也. 元吉, 大吉而盡善也. 吉大而不盡善者, 有矣.

중정(中正)으로 높은 자리에 있으니, 송사를 다스리는 사람이다. 송사를 다스림에 중정을 얻었으니, 크게 길한 까닭이다. 크게 길함은 크게 길하여 선을 지극하게 한 것이다. 길함이 크지만 선을 지극하게 하지 못하는 경우가 있다.

本義

陽剛中正, 以居尊位, 聽訟而得其平者也. 占者遇之, 訟而有理, 必獲伸矣.

양의 굳셈이 중정하여 높은 자리에 있으면서 송사를 다스려 공평함을 얻은 자이다. 점을 치는 사람이 이 괘를 만나면 송사를 해도 이치가 있어서 반드시 억울함을 펼 수 있다.

小註

瀘川毛氏曰, 使小民无爭, 安用有司, 使諸侯无爭, 委裘可也. 然則天下不能无爭者, 勢也, 所以利見大人者, 利其主之也. 又曰, 九五乃聽訟之主, 刑獄之官, 皆足以當之, 不必專謂人君. 然人君於訟之大者, 如刑獄, 亦豈得不聽. 考之王制周官, 蓋可見矣. 所謂罔攸兼于庶獄, 獄事之小, 不必聽者也. 又曰, 朱子謂筮者遇之, 訟而有理必獲伸矣, 如此乃无滯礙. 蓋訟者遇此爻, 則爲利見大人之中正, 曲直必定, 乃所謂元吉也.

노천모씨가 말하였다: 서민들을 다투지 않게 한다면 어찌 유사를 쓰겠으며, 제후들을 다투지 않게 한다면 선왕의 옷이라도 괜찮다.[57] 그렇다면 천하가 다투지 않을 수 없는 것은 기세 때문이니, "대인을 보는 것이 이롭다"는 것은 그가 주관하는 것이 이롭기 때문이다.

또 말하였다: 구오는 바로 송사를 다스리는 임금과 형벌과 감옥을 다스리는 관리에게 모두 해당될 수 있으니, 굳이 임금이라고만 말할 필요는 없다. 그러나 임금이 형옥과 같은 큰 송사에 있어서 어찌 다스리지 않을 수 있었겠는가? 『예기』의 「왕제편」과 「주관편」을 상세히 고찰해보면 대개 알 수 있다. 이른바 "백성의 옥사를 겸함이 없었다"[58]라고 한 것은 작은 옥사(獄事)를 굳이 다스릴 필요가 없었다는 것이다.

또 말하였다: 주자가 "점을 치는 사람이 이 괘를 만나면 송사를 해도 이치가 있어서 반드시 억울함을 펼 수 있다"라고 하였으니, 이와 같이 하여야 막힘이 없는 것이다. 대체로 송사하는 사람이 이 효를 만나면, 대인의 중정함을 봄이 이로워서 옳고 그른 것이 반드시 정해지니, 이른바 "크게 길하다"는 것이다.

○ 雙湖胡氏曰, 九五聽訟之主, 訟元吉, 亦爲占者. 人有正直之事, 遇此聽訟之人, 自有元吉之道. 쌍호호씨가 말하였다: 구오는 송사를 다스리는 주인이니, "송사에 크게 길하다"는 것도 점치는 자를 위한 것이다. 사람이 바로잡아야 할 일이 있어 이렇게 송사를 다스리는 사람을 만나면 저절로 크게 길하게 되는 방도가 있다는 것이다.

○ 雲峰胡氏曰, 九五剛健中正, 聽訟必得其平, 然古人, 不貴聽訟, 而貴无訟. 初不永訟, 三不訟, 四二不克訟. 在下皆无訟, 此九五, 所以於訟爲元吉也.
운봉호씨가 말하였다: 구오는 강건하고 중정하여 송사를 다스림에 반드시 공평하게 할 수 있지만, 옛 사람들은 송사를 다스리는 것을 귀하게 여기지 않고 송사 없는 것을 귀하게 여겼다. 초효는 송사를 오래 하지 않고, 삼효는 송사하지 않으며, 사효와 이효는 송사를 할 수 없다. 아래에서 모두 송사하지 않으니, 여기의 구오가 송사에서 크게 길한 까닭이다.

---

57) 『漢書, 賈誼傳』: 유복자를 세우고 임금이 입던 옷에 조회하게 하더라도 천하가 어지럽지 않다.[植遺腹, 朝委裘, 而天下不亂.]
58) 『書經·立政』: 문왕은 여러 말과 여러 옥사와 여러 삼가야 할 것을 겸함이 없었다.[文王罔攸兼于庶言庶獄庶愼]

▌韓國大全▐

송시열(宋時烈) 『역설(易說)』

剛中故吉. 此爲訟之主, 決訟者也. 元吉者, 大吉也. 小象以位言也. 以中正之道處君位, 誰敢與之訟乎. 且以中正之道決其訟, 此所以爲元[59]吉也.

굳셈이 가운데 있기 때문에 길하다. 오효는 송사의 주인이어서 송사를 결정짓는 자이다. 대길(大吉)은 "크게 길하다"는 것이다. 「소상전」에서는 자리로 말하였다. 중정(中正)한 도로 임금의 자리에 있으니, 누가 감히 그와 송사하겠는가? 게다가 중정한 도를 가지고 송사를 가리니, 이것이 크게 길한 까닭이다.

석지형(石之珩) 『오위귀감(五位龜鑑)』

臣謹按, 訟之九五曰, 訟元吉, 夫治訟特有司事耳, 所以稱元吉, 何也. 夫訟非但起於爭利, 朝廷之上, 朋黨之爭, 无非訟也. 人君能以中正息其爭, 則吉孰大焉. 所謂中正者, 不過以至公辨邪正審錯舍而已. 若不問其邪正, 直欲打破其朋類, 則是竝與君子之朋而禁之也. 君子不朋, 罔與共國, 伏願殿下深思焉.

신이 삼가 살펴보았습니다: 송괘(訟卦䷅) 구오에 "송사에 크게 길하다"라 하니, 송사를 다스리는 일은 단지 유사의 일일 뿐인데, "크게 길하다"라 하는 것은 무슨 까닭이겠습니까? 송사는 이익을 다투는 데에서 일어날 뿐만 아니라, 조정에서 붕당의 다툼이 송사 아닌 것이 없습니다. 임금께서 중정(中正)으로 그 다툼을 종식시킬 수 있다면, 어떤 길함이 이보다 크겠습니까? 이른바 중정(中正)은 지극히 공평함으로 간사함과 올바름을 분변하고, 간직할지 버릴지를 살피는 것에 불과할 뿐입니다. 만약 간사한지 정직한지를 묻지 않고 곧장 그 무리들을 타파해 버리고자 한다면, 군자의 무리도 함께 금하는 것입니다. 군자를 벗하지 않으면 더불어 나라를 함께할 수 없습니다. 엎드려 바라옵건대 전하께서는 깊이 생각하시옵소서!

이현석(李玄錫) 「역의규반(易義窺斑)」

人君聽訟之要, 莫先於辨朝臣之曲直. 苟能明辨乎朝臣等曲直之訟, 則措之天下, 必也使無訟矣. 漢有甘陵南北之譏, 而遂致窓寺搆黨人之禍, 唐有牛李之傾軋, 宋有閩蜀朔

洛之名目, 此皆訟也. 若使其時位九五者, 聽不偏而斷合理, 以盡中正之道, 則可協於
此爻元吉之義, 而俱莫能焉, 可勝歎哉.

임금이 송사를 다스리는 데 중요한 것은 조정의 관리들의 옳고 그름을 분별하는 것보다 우
선할 것이 없다. 만약 조정 관리들의 옳고 그른 송사를 밝게 분변할 수 있다면, 그것을 천하
에 적용하여 반드시 송사가 없게 하도록 할 것이다. 한대(漢代)에 감릉(甘陵)[60]의 사람이
남북으로 서로 비난하다가 마침내 환관과 내시가 당인(黨人)의 화를 불러오게 했고, 당대
(唐代)에는 우승유와 이종민이 서로 배척한 일[61]이 있었으며, 송대(宋代)에는 민당(閩
黨)·촉당(蜀黨)·삭당(朔黨)·낙당(洛黨)을 표방했으니,[62] 이는 모두 송사이다. 가령 그
때에 구오의 지위에 있는 자가 치우치지 않게 다스리고 이치에 맞게 결단하여 중정(中正)의
도를 다하였다면, 이 효의 "크게 길하다"는 뜻에 부합할 수 있었을 것인데, 모두들 그렇게
할 수 없었으니, 크게 한탄해야 한다.

이현익(李顯益) 「주역설(周易說)」

九五, 是聽訟者, 而傳義及諸說, 以此爲九二之敵, 以九二之不克訟, 爲不能敵九五. 訟
豈有與聽訟者相訟之事哉. 此皆疑也. 然此亦易之一例, 主九二而言, 則九五爲與九二
相訟之人. 主九五而言, 則九五爲聽訟之人, 不必泥也.

구오는 송사를 다스리는 자인데, 『정전』·『본의』 및 여러 학설에서는 이것을 구이와 대적
하는 것으로 여겨 송사할 수 없는 구이가 구오를 대적할 수 없는 것으로 보았다. 송사에
어찌 송사를 다스리는 자와 서로 송사하는 일이 있겠는가? 이런 것들이 모두 의심스럽다.
그러나 이런 것들도 『주역』의 한 사례이니, 구이의 입장에서 말하면 구오는 구이와 서로
송사하는 사람이고, 구오의 입장에서 말하면 구오는 송사를 다스리는 사람이니, 굳이 구애
될 필요는 없다.

유정원(柳正源) 『역해참고(易解參攷)』

朱子曰, 此爻, 便似乾九三坤六二爻, 有占无象.

---

60) 감릉(甘陵): 후한(後漢) 환제(桓帝) 때 감릉 출신의 주복(周福)과 방식(房植)이 각각 남부(南部)와 북부(北部)
로 나뉘어 상대방을 공격하였는데, 이것이 사대부가 당파를 세운 최초의 일로 전해진다(『後漢書·黨錮傳序』).
61) 당(唐)나라 때의 우승유(牛僧孺)와 이종민(李宗閔) 및 이덕유(李德裕) 등을 말하는 것인데, 이들은 정부의
요직에 있으면서 각기 자기의 당파를 수립하고, 사사로운 원한으로 서로 공격하고 배제하여 국경을 어지럽게
하였다. 이것을 '우리지당(牛李之黨)'이라고도 한다.
62) 송(宋) 나라 철종(哲宗) 원우(元祐) 연간에 소식(蘇軾)의 촉당(蜀黨)과 유안세(劉安世)의 삭당(朔黨)과
정이(程頤)의 낙당(洛黨)이 서로들 치열하게 공방전을 벌였던 일이 있다.

주자가 말하였다: 이 효는 건괘(乾卦☰) 구삼과 곤괘(坤卦☷) 육이의 효와 비슷하여 점(占)은 있고 상(象)은 없다.

蓋爻便是象, 訟元吉, 便是占.
효는 곧 상이고, "송사에 크게 길하다"는 말은 점이다.

김상악(金相岳) 『산천역설(山天易說)』

九五居乾之中, 无比應之私, 故獄訟所歸, 各得其平, 大善之吉也.
구오는 건괘(乾卦☰)의 가운데 가까이서 호응하는 사사로움이 없기 때문에 송사의 귀결이 각기 그 공평함을 얻어 크게 선하게 되는 길함이다.

○ 陰陽相與則訟, 初四相應, 而四訟之, 三上相應, 而上訟之. 大象之違行, 雜卦之不親, 是也. 惟九五无應於下, 爲大人之尙中正者. 故象傳與彖傳同辭.
음과 양이 서로 함께하면 송사하니, 초효와 사효는 서로 호응하지만 사효가 송사하고, 삼효와 상구가 서로 호응하지만 상구가 송사한다. 『대상전』의 '어긋나게 행함'[63]과 『잡괘전』의 "친하지 않음이다"[64]라는 말이 여기에 해당한다. 오직 구오는 아래에서 호응이 없으니, 대인이 중정을 숭상하는 것이다. 그러므로 「상전」과 「단전」의 말이 같다.

박윤원(朴胤源) 『경의(經義)·역경차략(易經箚略)·역계차의(易繫箚疑)』

九五, 卽象傳所謂利見之大人. 訟元吉, 如文王之使虞芮讓田是也.
구오는 곧 『단전』에서 말한 만나봄이 이로운 대인이다. "송사에 크게 길하다"는 말은 이를테면 문왕이 우나라와 예나라가 서로 밭을 사양하게 한 것[65]이 여기에 해당한다.

서유신(徐有臣) 『역의의언(易義擬言)』

剛健中正, 其德可以使無訟, 故元吉. 訟之吉, 莫善於無訟也.

---

63) 『周易·訟卦』: 「상전」에서 말하였다. 하늘과 물이 어긋나게 행함이 송(訟)이다.[象曰, 天與水違行, 訟.]
64) 『周易·雜卦傳』: 송은 친하지 않음이다.[訟, 不親也.]
65) 『사기(史記)·주기(周紀)』: 주(周) 나라 때 우(虞)와 예(芮) 두 나라 임금이 토지의 경계를 가지고 서로 다투다가 결정을 짓지 못하여, 문왕(文王)에게 찾아가 질정을 받기로 하고 주나라 경내(境內)에 들어갔다. 그런데 그 곳에는 밭을 가는 자들이 서로 밭두둑을 사양하고, 길가는 자들은 서로 길을 양보하며, 조정에는 사대부들이 서로 예양(禮讓)을 하였다. 그것을 본 두 임금은 크게 깨닫고 토지를 서로 사양하여 끝내 그 토지를 묵히고 말았다.

강건하고 중정하여 그 덕이 송사를 없게 할 수 있기 때문에 크게 길하다. 송사의 길함은 송사가 없는 것 보다 좋은 것은 없다.

김귀주(金龜柱) 『주역차록(周易箚錄)』

本義, 陽剛中正以居, 云云.

『본의』에서 말하였다: 양의 굳셈이 중정하여 높은 자리에 있으면서, 운운.

○ 按, 訟而有理四字, 有深意, 蓋明訟而無理, 則雖見大人, 不獲伸也.

내가 살펴보았다: "송사를 해도 이치가 있어서"라는 말에는 깊은 뜻이 있으니, 송사를 하면서 이치가 없다면 대인을 보아도 억울함을 풀 수 없음을 밝혔다.

本義, 中則聽不偏, 云云,

小註, 東萊呂氏曰, 訟元吉, 云云.

『본의』에서 말하였다: 가운데 있으면 다스리는 것이 치우치지 않고, 운운.

「소주」에서 동래여씨가 말하였다: 송사에 크게 길하다, 운운

○ 按, 聽訟千百事各有異, 何可不件件尋得一箇道理耶. 但其所以尋得者, 必以中正耳. 呂說蓋出於厭煩就簡, 而不知其爲語病.

내가 살펴보았다: 수많은 송사를 다스림에 일이 각각 다르나, 어찌 일일이 하나의 도리를 찾지 않아서야 되겠는가? 다만 찾는 것을 반드시 중정(中正)으로 해야 할 뿐이다. 동래여씨의 주장은 번거로움을 싫어하고 간략함을 취한 것에서 나와 그것이 말의 병폐가 된다는 것을 알지 못하였다.

박문건(朴文健) 『주역연의(周易衍義)』

伸於九二, 故有元吉之象. 隨九二之訟而相應者也.

구이에게 억울함을 풀기 때문에 크게 길한 상이 있다. 구이의 송사에 따라 상응한 것이다.

이지연(李止淵) 『주역차의(周易箚疑)』

訟者, 辨別曲直也. 天下无兩是而雙非者, 此直則彼曲, 此是則彼非. 其曲而非者之好訟, 謂之險而健, 可也. 苟有直而是者恝冤, 安可指爲險而健乎. 卦中諸爻, 皆以柔弱者爲吉. 然則訟之道, 勿論曲直是非, 但以柔弱自退爲主, 則天下之爲柔而有冤者, 將无可伸之日乎. 細翫卦中諸爻, 則因其所成之體所居之位, 而其是非曲直自不可掩. 以卦體言之, 則以下訟上不正之事也, 初與三則不中不正, 九二則中而不正, 四與六則正而不中, 獨九五一爻居中得正. 訟之爲道, 於中正二字, 闕一不可. 訟於人者, 以中正然後吉, 決人之訟者, 以中正然後可也. 然則柔與不柔不足論也.

송사는 옳고 그름을 변별하는 것이다. 세상에 둘 다 옳으면서 둘 다 그른 것은 없으니, 이쪽이 곧으면 저쪽이 굽었고, 이쪽이 옳으면 저쪽은 그르다. 굽고 그른 사람이 송사를 좋아하는 것을 "위험하고 탐욕스럽대險而健]"고 하는 것은 괜찮으나, 곧고 옳은 사람이 억울함을 하소연하는 것을 어찌 위험하고 탐욕스럽다고 지목할 수 있겠는가? 괘 가운데 여러 효는 모두 유약한 것을 길함으로 여긴다. 그렇다면 송사의 도(道)를 옳고 그름과 바르고 곧음을 논하지 않고 단지 유약하여 스스로 물러났는지를 가지고 근본을 삼을 경우, 세상에 유약해서 억울한 자는 그것을 풀 수 있는 날이 없을 것이다. 괘 가운데 여러 효를 자세히 살펴보면 이루어진 괘의 몸체와 있는 자리에 따라 옳고 그름과 곧고 굽음을 스스로 가릴 수 없다. 괘의 몸체로 말하면 아랫사람으로서 윗사람에게 송사하는 것은 바르지 못한 일이고, 초효와 삼효는 가운데 자리도 아니고 바르지도 않으며, 구이는 가운데 자리이나 바르지 않고, 사효와 상효는 바르지만 가운데 자리가 아니며, 구오 한 효만이 가운데 자리에 있고 바름을 얻었다. 송사의 도는 '알맞음과 바름[中正]' 두 말에서 하나라도 없어서는 안 된다. 남과 송사하는 자는 '알맞음과 바름[中正]'으로써 한 뒤에 길하고, 남의 송사를 결단하는 자도 '알맞음과 바름[中正]'으로써 한 뒤에야 할 수 있다. 그렇다면 유약하고 유약하지 않고는 논할 것이 못 된다.

김기례(金箕澧) 「역요선의강목(易要選義綱目)」

剛明而聽訟, 訟无起由. 使初不永訟, 二四不克訟, 三爲无訟, 皆賴其中正, 何不大吉.

굳세고 밝으면서 송사를 다스리니, 송사가 일어날 까닭이 없다. 초효에게 송사를 오래 하지 못하게 하고, 이효와 사효에게 송사를 할 수 없게 하며, 삼효에게 송사가 없게 하는 것이 모두 중정(中正)에 힘입은 것이니, 어찌 크게 길하지 않겠는가?

심대윤(沈大允) 『주역상의점법(周易象義占法)』

訟之未濟䷿, 訟而伸理而已, 不終訟也. 才剛位當而得中, 故人莫與之敵矣. 凡言元吉者, 不用力而自得也.

송괘가 미제괘(未濟卦䷿)로 바뀌었으니, 송사하지만 억울함을 풀어 다스릴 뿐이고 송사를 끝까지 하지 않는다. 재질이 굳세고 자리가 합당하여 중을 얻었기 때문에 사람들이 그에게 맞서지 않는다. 보통 "크게 길하다"라고 말하는 것은 힘쓰지 않고 저절로 얻는 것이기 때문이다.

오치기(吳致箕) 「주역경전증해(周易經傳增解)」

九五, 剛健中正而居尊, 爲治訟之主者也. 聽訟, 公平无所偏邪, 故凡訟辯者遇之, 則大善而吉也.

구오는 강건하고 중정(中正)하며 높은 자리에 있어 송사를 다스리는 주체이다. 송사를 다스림이 공평하고 치우치거나 간사함이 없기 때문에 송사에서 변론하는 자가 그를 만나면 크게 선(善)하면서 길하다.

○ 此爻, 卽象所言利見大人者也. 五爲治訟之主, 而二應於五, 四比於五, 故此三爻特言訟也.

이 효는 곧 「단전」에서 "대인을 봄이 이롭다"라 말한 것이다. 오효는 송사를 다스리는 주체이고, 이효는 오효에 호응하며, 사효는 오효와 나란히 있기 때문에 이 세 효에서 특별히 '송사'라고 말했다.

이진상(李震相) 『역학관규(易學管窺)』

五爲聽訟之主, 故但取訟象. 乾爲言爲公.

오효는 송사를 다스리는 주인이기 때문에 단지 송사하는 상(象)을 취하였다. 건괘(乾卦☰)는 말[言]이고 공평함이다.

박문호(朴文鎬) 「경설(經說)·주역(周易)」

若只云大吉, 則無元義而不足於盡善. 蓋元者善之長也, 故元能兼大, 而大不足以兼元也.

만약 "크게 길하다[大吉]"라고만 말하면 '원(元)'의 뜻이 없어져서 극진한 선(善)에는 부족하다. 원(元)은 선(善) 가운데서도 최고이기 때문에 원(元)은 큼[大]을 겸할 수 있으나, 큼[大]은 원(元)을 겸하기에 부족하다.

이용구(李容九) 「역주해선(易註解選)」

張中溪[66]曰, 獄訟之歸舜, 虞芮之質文, 九五有之.

장중계가 말하였다: 옥사를 송사하는 자들이 순에게 가고, 우(虞)나라와 예(芮)나라의 왕들이 문왕에게 물음은 구오가 순과 문왕에게 있었기 때문이다.

---

[66] 中溪: 경학자료집성DB와 영인본에 모두 '仲溪'로 되어 있으나, 다른 주석을 참고하여 '中溪'로 바로잡았다.

象曰, 訟元吉, 以中正也.

상전에서 말하였다: "송사에 크게 길함"은 중정하기 때문이다.

┃中國大全┃

傳

中正之道, 何施而不元吉.

중정한 도는 어디에 시행되더라도 크게 길하지 않겠는가?

本義

中則聽不偏, 正則斷合理.

알맞으면 다스리는 것이 편벽되지 않고, 바르면 이치에 맞게 결단한다.

小註

東萊呂氏曰, 訟元吉以中正也, 九五聽訟者也. 訴訟之繁, 多至千百, 聽訟者, 欲其盡善而咸吉, 苟件件尋一道理以應之, 則亦不勝其勞矣, 殊不知聽訟. 所以能盡善而咸吉者, 本无多術, 只是一箇中正, 待之而已.

동래여씨가 말하였다: "송사에 크게 길한 것은 중정하기 때문이다"는 말은 구오가 송사를 다스리는 자이기 때문이다. 소송은 많게는 수천, 수백에 이를 정도로 번거로운데, 송사를 다스리는 자가 최선을 다하여 모두 길하게 하고 싶어 낱낱이 한결같은 도리로 살펴서 응하게 되면 그 노고를 감당하지 못할 것이니, 전혀 송사를 다스릴 줄 모르는 것이다. 최선을 다하여 모두 길하게 할 수 있는 것은 본래 많은 방법이 없고, 단지 중정함으로 처리하는 것일 뿐이다.

○ 中溪張氏曰, 九五出而聽天下之訟, 惟中則無偏聽之病, 惟正則無私繫之失. 擧天下之事, 是非曲直, 一以中正之道, 裁之訟其決矣, 此所以大吉. 象曰尙中正, 象曰以中正, 則知人君之聽訟, 當以中正爲主也, 獄訟之歸舜, 虞芮之質文, 九五有之.

중계장씨가 말하였다: 구오가 나아가서 천하의 송사를 다스림에 알맞게 할 뿐이니 편벽되게 다스리는 병통이 없고, 바르게 할 뿐이니 사사로이 얽히는 실수가 없다. 온 천하의 일에 옳고 그름과 잘못하고 잘함을 한결같이 중정한 도리로써 송사를 재량하여 결단하니, 이것이 크게 길하게 되는 까닭이다. 「단전」에서 "중정을 숭상한다"라 하였고, 「상전」에서 "중정하기 때문이다"라 하였으니, 임금이 송사를 다스리는 것은 중정을 위주로 해야 하는 것이니, 옥사를 송사하는 자들이 순에게 가고,[67] 우(虞)나라와 예(芮)나라의 왕들이 문왕에게 물음[68]은 구오가 순임금과 문왕에게 있었기 때문이다.

‖韓國大全‖

김상악(金相岳) 『산천역설(山天易說)』

本義, 中則聽不偏, 正則斷合理.

『본의』에서 말하였다: 알맞으면 다스리는 것이 편벽되지 않고, 바르면 이치에 맞게 결단한다.

○ 訟之元吉在上乾. 故曰以中正也. 大壯貞吉在下乾. 故曰以中也. 又需訟二卦, 皆以剛居五, 故需曰貞吉, 訟曰元吉, 而皆以中正釋之. 程傳凡言中正者, 得中與正也, 訟與需是也. 言正中者, 處正得中也, 比與隨是也. 蓋卦之靜者, 以能動爲貴, 則先正而後中, 爻之動者, 以得中爲貴, 則先中而後正也.

송사가 크게 길함은 상괘인 건괘(乾卦☰)에 있다. 그러므로 "중정(中正)하기 때문이다"라 하였다. 대장괘(大壯卦☳)에서 '곧아서 길함[貞吉]'[69]은 하괘인 건괘(乾卦☰)에 있다. 그러므로 "중도[中]로 했기 때문이다"라 하였다. 또 수괘(需卦☵)와 송괘(訟卦☰) 두 괘는 모두

---

67) 『孟子·萬章章句上』: 옥사를 송사하는 자들이 요의 아들에게 가지 않고 순에게 갔다.[訟獄者, 不之堯之子, 而之舜.]
68) 『詩經·大牙』: 「면(緜)」편에 보이는 고사로 우예의 두 임금이 전지(田地) 문제의 송사를 가지고 문왕(文王)에게 판결을 받고자 주나라에 간 것을 이른다.
69) 『周易·大壯卦』: '구이는 곧아서 길함'은 중도로 했기 때문이다.[象曰, 九二貞吉, 以中也.]

군셈이 오효의 자리에 있기 때문에 수괘에서는 "바르고 길하다[貞吉]"[70]라 하였고 송괘에서는 "크게 길하다"라고 했으니, 모두 중정(中正)으로 해석한 것이다. 『정전』에서 "대체로 중정(中正)이라고 말하는 것은 가운데 자리와 바른 자리를 얻은 것이니 송괘(訟卦☰)와 수괘(需卦☰)가 이것이다. 정중(正中)이라고 하는 것은 바른 자리에 있고 가운데 자리를 얻은 것이니, 비괘(比卦☷)와 수괘(☵)가 이것이다"[71]라 하였다. 괘가 고요한 것은 움직일 수 있는 것을 귀한 것으로 여겼으니, 바름을 먼저하고 알맞음을 뒤로 하였으며, 효(爻)가 움직이는 것은 알맞음을 얻음을 귀한 것으로 여겼으니 알맞음을 먼저하고 바름을 뒤로 하였다.

서유신(徐有臣) 『역의의언(易義擬言)』

利見大人, 尙中正也.

대인을 보는 것이 이로움은 중정을 숭상하기 때문이다.

오치기(吳致箕) 「주역경전증해(周易經傳增解)」

中則不偏, 正則无邪, 所以爲訟之元吉也.

알맞으면 치우치지 않고, 바르면 사특함이 없으니, 송사를 다스림이 크게 길하게 되는 이유이다.

---

70) 『周易·需卦』: 구오는 술과 음식으로 기다리니 바르고 길하다.[九五, 需于酒食, 貞吉.]
71) 『周易·比卦』: 象曰, 顯比之吉, 位正中也. 구절의 『정전』, 凡言正中者, 其處正得中也, 比與隨是也, 言中正者, 得中與正也, 訟與需是也.

上九, 或錫之鞶帶, 終朝三褫之.

상구는 혹 관복의 띠를 하사받더라도 아침이 끝날 때까지 세 번 빼앗긴다.

‖中國大全‖

傳

九, 以陽居上, 剛健之極, 又處訟之終, 極其訟者也. 人之肆其剛强, 窮極於訟, 取禍喪身, 固其理也. 設或使之善訟能勝, 窮極不已, 至於受服命之賞, 是亦與人仇爭所獲, 其能安保之乎? 故終一朝而三見褫奪也.

구가 양으로써 위에 있으니 강건함의 궁극이고, 또 송괘의 마지막에 있으니 송사를 끝까지 한 것이다. 사람이 굳세고 강건함을 마음대로 휘둘러서 송사를 끝까지 하면, 화를 취하고 몸을 상하게 되는 것이 진실로 그 이치이다. 가령 그 사람이 송사를 잘하여 이길 수 있고, 끝까지 하여 그치지 않았다면, 관복의 상을 받는 데 이르더라도, 이 또한 남과 원수가 되고 다투어서 얻는 것이니, 어찌 안전하게 보존될 수 있겠는가. 그러므로 하루아침이 끝날 때까지 세 번 빼앗긴다.

本義

鞶帶, 命服之飾, 褫, 奪也. 以剛居訟極, 終訟而能勝之, 故有錫命受服之象. 然以訟得之, 豈能安久, 故又有終朝三褫之象. 其占爲終訟, 无理而或取勝, 然其所得, 終必失之, 聖人爲戒之意深矣.

관복의 띠는 임금이 명으로 내려주는 복식이다. 빼앗긴다는 것은 없어지는 것이다. 굳셈이 송괘의 궁극에 있어 송사를 끝까지 하여 이길 수 있기 때문에 명으로 관복을 하사받는 상이 있다. 그러나 송사로 얻은 것이니, 어찌 편안히 오래도록 가질 수 있겠는가? 그러므로 아침이 끝날 때까지 세 번 빼앗기는 상이 있다. 그 점이 송사를 끝까지 하고 무리하게 해서 혹시 이길지라도 그 얻은 것을 마침내 반드시 잃게 된다는 것이니, 성인의 경계하는 뜻이 깊다.

小註

南軒張氏曰, 以六三對上九, 剛柔不敵矣. 故六三但食舊德, 而上九錫之鞶帶焉.
남헌장씨가 말하였다: 육삼으로 상구와 대적하는 것은 굳셈과 유순함이 적이 되지 않는 것이다. 그러므로 육삼은 다만 옛 덕을 녹봉으로 받을 뿐이고, 상구는 관복의 띠를 하사받는다.

○ 兼山郭氏曰, 鞶帶, 大帶也. 男子鞶帶, 婦人帶絞, 蓋爵命之服, 非以賞訟.
겸산곽씨가 말하였다: 관복의 띠는 큰 띠이다. 남자는 가죽 띠[鞶帶]를 매고 부인은 삼배 띠[絞帶]를 매니, 벼슬을 내리는 옷이지 송사에서 상(賞)으로 주는 것이 아니다.

○ 雲峯胡氏曰, 或, 設若也, 非必之辭. 上九過於剛, 設若訟勝而得鞶帶, 終朝且三褫之. 況鞶帶命服, 以錫有德, 非以賞訟也, 豈有必得之理. 甚言訟之不可終也.
운봉호씨가 말하였다: '혹시'는 가정이니 반드시 그렇다는 말이 아니다. 상구는 굳셈을 지나쳐서 가령 송사에 이겨 관복의 띠를 얻게 되더라도 아침이 끝날 때까지 세 번 빼앗긴다. 하물며 관복의 띠라는 명을 내리는 옷은 덕이 있어 주고 송사에서 상으로 주는 것이 아니니, 어찌 반드시 얻는 이치가 있겠는가? 송사는 끝까지 해서는 안 됨을 심하게 말한 것이다.

○ 平庵項氏曰, 上九以剛居柔, 可以不克訟矣. 而在訟之終, 居高用剛, 不勝不已, 此終訟之凶人也.
평암항씨가 말하였다: 상구는 굳셈으로 유순한 자리에 있어 송사를 이길 수 없다. 그러나 송괘의 끝에 높이 있으면서 굳셈을 사용하여 이기지 못해도 그치지 않으니, 이는 송사를 끝까지 하는 흉한 사람이다.

○ 厚齋馮氏曰, 初六上九, 不能无訟明矣, 而初不言訟, 杜其始也, 上不言訟, 惡其終也.
후재풍씨가 말하였다 : 초육과 상구는 송사가 없을 수 없는 것이 분명한데, 초효에서 송사를 말하지 않은 것은 그 시작을 막은 것이고, 상효에서 송사를 말하지 않은 것은 끝까지 하는 것을 싫어하기 때문이다.

‖韓國大全‖

권근(權近) 『주역천견록(周易淺見錄)』

上九居訟之終, 故言訟終凶之義. 以爲設或窮極其訟而有獲, 亦不能保有, 而卽見褫奪, 爲戒深矣. 吳氏以褫爲與摭同, 扡挩之意, 言矜喜之深, 終一朝而三加諸身. 蓋疑一朝之間, 未便有三得而三失, 故爲此說, 以狀小人輕淺驕矜, 而有識者可恥之甚. 然不見有中吉終凶戒之之義. 又況小人□得无恥, 豈以是而知戒乎? 故必言禍患隨至, 然後可以爲戒矣. 終朝三褫, 甚言其失之速也. 象曰, 以訟受服, 亦不足敬也, 亦者, 因上之辭, 言終朝之間, 雖未便至於三褫, 亦不足以爲貴也.

상구는 송괘의 끝에 있기 때문에 송사가 마침내 흉하다는 의미로 말했다. 설혹 그 송사를 끝까지 해서 얻는 것이 있더라도 보존할 수 없어 바로 빼앗긴다고 여겼으니 깊이 경계한 것이다. 오씨는 '치(褫)'자를 '체(摭)'자와 같은 의미로 보았으니, 끌어당긴다는 의미는 매우 자랑스럽고 기뻐서 아침이 끝날 때까지 세 번씩 몸에 걸친다는 말이다. 하루아침에 세 번 얻고 세 번 잃을 수는 없다고 의심하였기 때문에, 이렇게 말하여 소인들은 경솔하고 천박하여 교만하게 우쭐대지만 식자들은 매우 부끄럽게 여길 만한 일이라는 것을 형용하였다. 그런데 중간에는 길하지만 끝내는 흉하다는 경계의 의미가 나타나지 않는다. 게다가 소인들은 반드시 얻고자 하고[72] 수치스럽게 여기는 것이 없으니, 어찌 이것을 통해 경계할 줄 알겠는가? 그러므로 재앙과 환난이 즉시 이른다고 굳이 말한 뒤에야 경계하도록 할 수 있다. 아침이 끝날 때까지 "세 번 빼앗긴다"는 것은 빠르게 잃게 된다는 사실을 심하게 말한 것이다. 「상전」에 "송사로 옷을 받는 것은 역시 공경하기에는 부족하다"라 하였는데, 여기서 '역시'는 위에서 한 말 때문에 아침이 끝날 때까지 세 번 뺏기는 지경에까지는 가지 않더라도 귀하다고 하기에는 부족하다고 말한 것이다.

조호익(曺好益) 『역상설(易象說)』

鞶帶, 上九在乾體外有皮象, 乾奇爲衣, 上九在外有束帶象.

관복의 띠는 상구가 건괘(乾卦☰) 괘의 밖에 가죽의 상이 있는 것이다. 건의 기(奇)는 옷이고, 상구가 밖에서 띠를 묶는 상이 있다.

---

72) '□得'을 문맥에 맞추어 "반드시 얻고자 한다"로 처리했다.

송시열(宋時烈) 『역설(易說)』

乾爲衣爲甲. 來云爲帶, 此錫之繫帶之象. 上九雖克訟而受服, 旣與三爻爲應, 互離爲朝日象, 離數爲三, 而坎爲寇盜, 每欲奪之, 所以凶也.

건괘(乾卦☰)는 저고리이고 갑옷이다. 래지덕은 '띠'라고 했으니, 여기서는 관복의 띠를 하사하는 상이다. 상구가 송사에 이겨 옷을 받더라도 이미 삼효와 호응하고, 호괘인 리괘(離卦☲)가 아침 해의 상이며, 리괘(離卦)의 수는 3인데, 감괘(坎卦☵)는 도둑이어서 매번 빼앗고자 하니 흉한 이유이다.

심조(沈潮) 「역상차론(易象箚論)」

錫字從金者, 乾爲金也. 帶陽爻象, 終朝上卦之終也. 三天數也, 又乾畫三也. 襛從衣者, 乾爲衣也. 從虎者, 乾之剛健也.

'석(錫)'자가 금(金)을 따르는 것은 건괘가 금이 되기 때문이다. '띠'는 양효의 상이고 '아침이 끝남'은 상괘의 마침이다. '삼(三)'은 천수이고 건괘의 획도 셋이다. '빼앗김'이 의(衣)를 따름은 건괘가 옷이 됨이다. 호(虎)를 따른 것은 건괘의 강건함이다.

유정원(柳正源) 『역해참고(易解參攷)』

童溪王氏曰, 鞶帶不純乎剛, 亦不純乎柔, 而爲中體之飾, 六三之象也. 三本從上, 上以其間於二剛, 疑其有上下之交也, 而終訟之.

동계왕씨가 말하였다: 관복의 띠는 굳셈에 순수하지 않고 유순함에 순수하지 않아서 몸 가운데를 장식하니 육삼의 상이다. 육삼은 원래 위를 따르는데, 상효가 육삼이 두 굳센 양의 사이에 있는 것을 가지고 위아래로 사귄다는 의심을 하여 끝까지 송사한다.

○ 厚齋馮氏曰, 三居下位之終, 終朝之象, 自三至上歷三爻, 三襛之象.

후재풍씨가 말하였다: 삼효는 아랫자리의 끝에 있어 아침이 끝나는 상이고, 삼효에서부터 상효까지 세 효를 지나니 세 번 옷을 벗는 상이다.[73]

○ 雙湖胡氏曰, 三上正[74]在應體, 不當言或. 豈帶在三, 錫之者五耶. 汎[75]命服之飾,

---

73) 『厚齋易學·訟卦』: 三居下卦之終, 終朝之象, 自三至上歷三, 爻三襛之象也.
74) 正: 경학자료집성DB와 영인본에 '政'으로 되어 있으나, 『주역회통(周易會通)』 「송괘」에 있는 쌍호호씨의 말에 참조하여 '正'으로 바로잡았다.
75) 汎: 경학자료집성DB와 영인본에 '況'으로 되어 있으나, 『주역회통(周易會通)』 「송괘」에 있는 쌍호호씨의 말에 참조하여 '汎'으로 바로잡았다.

非五不能錫也.

쌍호호씨가 말하였다: 삼효와 상효는 바로 상응하는 몸체에 있으니 '간혹'이라고 말해서는
안 된다. 어찌 띠가 삼효에 있는데 하사하는 자가 오효인가? 명으로 내려주는 옷의 장식은
오효가 아니면 하사할 수 없기 때문이다.[76]

○ 案, 此不可. 但以訟之一事言之, 天下事莫不皆然, 以小言之, 則掠人貨財者, 終爲大
盜之積, 以大言之, 則秦隋之或合或遂者, 不旋踵而分且亡焉, 此亦終朝三褫之理也.
내가 살펴보았다: 이것은 옳지 않다. 다만 송사라는 한 가지 일로 말을 하면 천하의 일 중에
모두 그렇지 않은 것이 없으니, 작은 것으로 말하면 남의 재물을 노략질하는 자가 끝내는
큰 도둑이 되는 것이고, 큰 것으로 말하면 진(秦)나라와 수(隋)나라가 연합하기도 하고 나라
를 세우기도 한 것이 이어지지 못하고 분산되고 망했으니, 이 또한 아침이 끝날 때까지 세
번 빼앗기는 이치이다.

김상악(金相岳) 『산천역설(山天易說)』

鞶帶, 命服之飾也. 上九, 居乾之終, 與坎上之六爲應而不交, 亦爲訟矣. 必終極其訟而
勝之, 然理之不直, 得將復失. 而三互巽離, 故始雖有錫命受服之象, 不終一朝而見三
褫也.
관복의 띠는 벼슬아치가 입는 정복의 장식이다. 상구가 건괘(乾卦☰)의 끝에 있어 감괘(坎
卦☵)의 육삼과 상응하는데도 사귀지 않으니 이것도 송사가 된다. 반드시 송사를 끝까지
해서 이기지만 사리가 바르지 않아 얻은 것을 다시 잃을 것이다. 그런데 삼효는 호괘가 손괘
이고 리괘이기 때문에 처음에는 명을 내려 관복을 하사하는 상이 있을지라도 하루아침도
끝나지 않아 세 번 빼앗긴다.

○ 鞶字從革, 離象也. 帶, 所以束衣者, 乾爲衣, 爲圜帶之象. 錫者, 賜也. 或, 設或也.
巽之命, 又爲進退不果, 故曰或錫之. 離爲日, 而上居終, 終朝之象. 褫者, 奪也. 三, 至
上歷三位也, 天違於水, 則三褫鞶帶, 在訟之乾. 水合於地則三錫寵命, 在師之坎. 又上
變爲困, 困二五同德爲應. 故二曰朱紱方來, 來者褫之反也. 又與旣濟六四, 曰繻有衣
袽終日戒相似, 而實相反. 旣濟則戒其服飾之盛, 訟則言其得失之報也. 反卦對晉, 晉
之錫馬, 訟之錫服, 分在象爻, 而終朝三褫. 晝日三接, 俱不盡一日, 所以明黜陟之速,
而示懲勸之意也. 不言其凶者, 以剛居柔也, 所以卦辭曰終凶而六爻无凶.

---

76) 『周易會通 · 訟卦』: 上九, 或錫之鞶帶, 終朝三褫之. 구절의 주, 雙湖先生曰, 鞶帶指六三言. … 然三上
正在應體, 不當言或, 豈帶在三, 錫之者五邪. 汎命服之飾, 非五不能錫也. …

'반(鞶)'자는 혁(革)을 부수로 썼으니, 리괘(離卦☲)의 상이다. 띠는 옷을 묶는 것이고, 건괘(乾卦☰)는 저고리이니, 띠를 두르는 상이다. '석(錫)'은 '내려받는다'는 것이다. '혹(或)'자는 '가령 …하더라도'이다. 손괘(巽卦☴)의 명령은 진퇴가 과감하게 하지 못한 것이다. 그러므로 "혹 하사받더라도"라 했다. 리괘(離卦☲)는 해이고 상효(上爻)가 끝에 있으니, 아침이 끝나는 상이다. '체(褫)'는 '빼앗긴다'는 것이다. '세 번'은 위로 세 자리를 거쳐 이르는 것이다. 하늘이 물과 어기면 관복의 띠를 세 번 빼앗기니, 송괘(訟卦☰)의 건괘(☰)이고, 물(☵)이 땅(☷)과 화합하면 총애하는 명령을 세 번 주니, 사괘(師卦☷)의 감괘(坎卦☵)이다. 또 상효가 변하면 곤괘(困卦☱)가 되니, 곤괘의 이효와 오효는 같은 덕으로 상응하기 때문에 이효에서 "붉은 인끈을 찬 이가 올 것이다"[77]라고 했으니, 오는 것은 빼앗기는 것과 반대이다. 또 기제괘(既濟卦☲)의 육사에서 "젖음에 옷과 헌옷을 장만해 두고 종일 경계한다"[78]라 한 것과 서로 비슷하나, 사실은 서로 반대이다. 기제괘는 의복과 장식의 성대함을 경계하였고, 송괘는 득실(得失)의 보답을 말하였다. '송괘(訟卦☰)를 거꾸로 한 괘☴'에 음양을 반대로 하면 진괘(晉卦☲)이니, 진괘의 '말을 하사하는 것'[79]과 송괘의 '옷을 하사하는 것'이 「단사」와 「효사」에 나뉘어 있으나, "아침이 끝날 때까지 세 번 빼앗기는 것"과 "하루에 세 번 접견하는 것"[80]이 모두 하루를 다하지 않으니, 속히 물리치고 올리는 것을 밝히고, 징계하고 권장하는 뜻을 보인 것이다. 흉을 말하지 않은 것은 굳셈이 유순한 자리에 있기 때문이니, 괘사에서는 "끝까지 하면 흉하다"라 하였으나 육효에 흉함이 없는 까닭이다.

박윤원(朴胤源) 『경의(經義)・역경차략(易經箚略)・역계차의(易繫箚疑)』

上九, 或錫之鞶帶.

상구는 혹 관복의 띠를 하사받더라도.

○ 乾爲衣, 故有鞶帶之象.

건괘(乾卦☰)가 옷이기 때문에 관복의 띠라는 상이 있다.

서유신(徐有臣) 『역의의언(易義擬言)』

上九, 終訟者也. 或錫之者, 或奪之也. 鞶帶之錫, 得於三褫之餘, 蓋健訟而終得者也.

77) 『周易・困卦』: 困于酒食,朱紱方來.
78) 『周易・既濟卦』: 六四, 繻, 有衣袽, 終日戒.
79) 『周易・晉卦』: 晉, 康侯, 用錫馬蕃庶, 晝日三接.
80) 『周易・晉卦』: 晉, 康侯, 用錫馬蕃庶, 晝日三接.

六三互巽, 錫命象也. 巽爲進退, 故或錫或奪也. 互離爲牛革, 三爲腰, 故爲鞶帶也. 離爲日, 終朝也. 歷三爻而至, 爲三褫而得之也.

상구는 송사를 끝까지 하는 자이다. 혹 하사받기도 한다는 것은 혹 빼앗기기도 한다는 것이다. 관복의 띠를 하사받는 것은 세 번 빼앗긴 끝에 얻은 것이니, 송사를 굳건히 해서 마침내 얻은 것이다. 육삼의 호괘인 손괘(巽卦☴)는 명령을 받는 상이다. 바람(☴)은 나아가기도 하고 물러나기도 하기 때문에 하사받기도 하고 빼앗기기도 한다. 호괘인 리괘(離卦☲)는 소가죽이고 삼(3)은 허리이기 때문에 관복을 두르는 가죽 띠이다. 리괘(離卦☲)은 해이니 아침나절까지이다. 세 효를 지나서 이르니 세 번 빼앗기고서 얻는 것이다.

김귀주(金龜柱)『주역차록(周易箚錄)』

上九, 或錫之鞶帶, 云云.

상구는 혹 관복의 띠를 하사받더라도, 운운.

○ 按, 此卦上體乾. 乾爲衣, 故取服飾之象. 又上九隣於九五, 故以錫命言之, 在外卦之三, 故以三褫言之歟.

내가 살펴보았다: 송괘의 위의 몸체는 건이다. 건은 저고리이기 때문에 옷에 대한 장식의 상을 취하였다. 또 상구가 구오에 이웃하고 있기 때문에 명령을 하사받는 것으로 말했고, 외괘의 삼효이기 때문에 세 번 빼앗기는 것으로 말했다.

本義, 鞶帶命服, 云云

『본의』에서 말하였다: 관복의 띠는 임금이 명으로 운운.

小註, 平菴項氏曰, 上九, 云云.

소주에서 평암항씨가 말하였다: 상구는, 운운.

○ 按, 在訟之訟, 下訟字, 恐是極字之誤.

내가 살펴보았다: 송괘의 송사에서 아래의 송(訟)자는 아마도 극(極)자를 잘못 쓴 것 같다.[81]

厚齋馮氏曰, 初六, 云云.

후재풍씨가 말하였다: 초육과, 운운

○ 按, 此說似有意義. 然凡爻辭, 或擧卦名, 或不擧卦名, 未必皆有所由, 恐不可一向如此說.

---

81) 『중국대전』 소주에서 확인할 수 있는 것으로 "송괘의 끝에 높이 있으면서[在訟之終, 居高用剛]"라는 말에서 '송괘의 끝[在訟之終]'이라는 말에서 끝[終]이 김기주가 본 책에서는 송(訟)으로 되어 있었던 듯하다.

내가 살펴보았다: 이 설명은 의의가 있는 듯하다. 그렇지만 보통 효사에서 괘의 이름을 거론하기도 하고 거론하지 않기도 하는 것에 반드시 모두 연유가 있지는 않으니, 아마도 한결같이 이렇게 설명해서는 안 될 것 같다.

傳, 窮極訟事, 云云.
『정전』에서 말하였다: 송사를 끝까지 하여, 운운.
小註, 建安丘氏曰, 以六爻, 云云.
소주에서 건안구씨가 말하였다: 여섯 효로, 운운.
○ 按, 理不可以不訟, 下不字疑衍.
내가 살펴보았다: "리불가이불송(理不可以不訟)"에서 아래의 '불(不)'자는 잘못 들어간 글자인 것 같다.

윤행임(尹行恁) 『신호수필(薪湖隨筆)·역(易)』

鞶帶三褫, 朋黨之人, 尤所深警處. 如牛李進退之時, 可謂大訟, 或得鞶帶, 一時以爲榮, 而及其褫也, 初不如不錫. 大學不云乎, 言悖而出者, 亦悖而入.
관복의 띠를 세 번 빼앗기는 것은 당파(黨派)를 짓는 사람들이 더욱 깊이 경계해야 할 것이다. 예컨대 우승유(牛僧孺)와 이종민(李宗閔)이 나아오고 물러가던 때[82]는 큰 다툼이라 할 수 있으니, 혹 관복의 띠를 얻어 한 때는 영화로 여기나 그것을 빼앗기게 됨에 애초에 하사받지 않았던 것만 못하다. 『대학』의 전 10장에서 "말이 이치에 어긋나게 나간 것은 또한 이치에 어긋나게 들어온다"라고 말하지 않았던가!

박문건(朴文健) 『주역연의(周易衍義)』

剛而取勝, 故有或錫之象. 或者, 不知其何人之辭也. 鞶帶, 卿士之通服也.
굳세어 승리를 취하기 때문에 혹 하사받는 상이 있다. 혹(或)은 그가 어떤 사람인지 모른다는 말이다. 관복에 띠를 두르는 것은 경사(卿士)[83]들의 통상적인 복장이다.
〈問, 鞶帶之取義. 曰, 冠帶在上者也, 故於上取之也.
물었다: '관복의 띠'라는 뜻은 어디에서 취했습니까?
답하였다: 관복의 띠는 위에 있는 것이기 때문에 위에서 취했습니다.〉

---

82) 당(唐)나라 목종(穆宗)에서 무종(武宗) 때까지 우승유(牛僧孺)·이종민(李宗閔)과 이길보(李吉甫)·이덕유(李德裕)가 서로 붕당을 결성하여 약 40년간 헐뜯고 배격하며 정권을 다투었다.
83) 경사(卿士): 삼정승 이외의 모든 벼슬아치를 말한다.

〈問, 三褫之義. 曰, 三者, 取上體之數也. 奪而不得, 則又進而奪之, 故至於三褫也.

물었다: "세 번 빼앗긴다"는 것은 무슨 뜻입니까?

답하였다: 세 번은 상괘 몸체의 수(數)를 취한 것입니다. 빼앗겨서 얻지 못하니, 또 나아가지만 그것을 빼앗기기 때문에 세 번 빼앗기는 데 이릅니다.〉

○ 〈問, 或錫之鞶帶, 終朝三褫之.

曰, 上九健訟者也. 是以敗六三之善, 而得伸其所訟. 故受此服命之賞, 然一朝之內, 必三次褫奪其所錫之帶也. 三褫之禍, 亦自外而至者也.〉

〈물었다: "혹 관복의 띠를 하사하더라도 아침이 끝날 때까지 세 번 빼앗긴다"는 말은 무슨 뜻입니까?

답하였다: 상구는 굳건히 송사하는 자입니다. 이 때문에 선한 육삼을 패소시켜 송사를 펼칠 수 있었습니다. 그러므로 이렇게 관복을 명하는 상을 받지만 하루아침 동안에 반드시 세 차례나 하사한 띠를 빼앗기게 됩니다. 세 번 빼앗기는 화도 밖에서 이르는 것입니다.〉

이지연(李止淵) 『주역차의(周易箚疑)』

終朝者, 上卦之終也. 貨悖而入者, 亦悖而出, 趙孟之所貴, 趙孟能賤之.

아침이 끝날 때까지는 상괘의 끝이기 때문이다. 옳지 않은 방법으로 들어온 재화는 또한 옳지 않은 방법으로 나가고 마니,[84] 조맹이 귀하게 한 사람은 조맹이 천하게 할 수 있다.[85]

김기례(金箕澧) 「역요선의강목(易要選義綱目)」

或亦疑辭. 訟何必錫鞶, 藉今或有是事, 以訟受官, 何可久也. 上爲卦終, 故曰終朝, 乾三陽, 故曰三褫, 與需之三人[86]同.

혹(或)자도 의심스럽다는 말이다. 송사에서 어째서 굳이 띠를 하사받는가? 지금 혹 어떤 일이 있는 것을 빙자하여 송사로 관복을 받았으니, 어떻게 오래 가겠는가? 상효는 괘의 끝이기 때문에 '아침이 끝날 때까지'라 했고, 건은 양효가 셋이기 때문에 "세 번 빼앗긴다"라고 했으니, 수괘(需卦䷄)의 '세 사람'[87]과 같다.

---

84) 『大學』: 貨悖而入者, 亦悖而出.

85) 『孟子·告子』: 趙孟之所貴, 趙孟能賤之.

86) 三人: 경학자료집성DB와 영인본에 모두 '一人'으로 되어 있으나, 「수괘(需卦)」에 '三人'으로 되어 있어 바로잡았다.

87) 『周易·需卦』: 上六, 入于穴, 有不速之客三人來, 敬之, 終吉.

○ 需曰利涉, 訟曰不利涉, 蓋訟需之反對也. 需剛在下, 而待時以進, 險剛在上, 而履險陵下, 此所以利不利也. 凡君子行事, 不可不卞於待與爭之理.

수괘(需卦䷄)에서는 "건너는 것이 이롭다"라 하고 송괘(訟卦䷅)에서는 "건너는 것이 이롭지 않다"라 했으니, 송괘와 수괘는 반대이기 때문이다. 기다리는 굳셈이 아래 있어 때를 기다려 나아가고, 험한 굳셈이 위에 있어 험함을 행하여 아래를 능멸하니, 이것이 이롭고 이롭지 않은 까닭이다. 군자가 일을 진행함에 기다림과 다투는 이치에 대해 분별하지 않을 수 없다.

贊曰, 上升下陷, 二體相違. 上剛下險, 健訟○[88]機. 中正當位, 訟獄攸歸. 使无訟乎, 道其庶幾.

찬미하였다: 상괘는 올라가고 하괘는 빠지니 두 몸체가 서로 어긋난다. 상괘는 굳건하고 하괘는 험하니 굳건하게 송사하는 기틀이다. 중정한 것이 자리에 합당하니 송사와 옥사가 돌아가는 곳이다. 송사가 없게 한다면 도가 그것에 거의 가까울 것이다.

서유신(徐有臣) 『역의의언(易義擬言)』

以訟受服, 亦不足敬也.
송사로 옷을 받으니, 역시 공경하기에 부족하다.

鞶帶爲命服, 故曰受服. 命服可敬, 而以訟得之不足敬也.
관복의 띠는 관복이기 때문에 "옷을 받는다"라 하였다. 관복은 공경할 만하지만 송사를 해서 얻었다면 공경할 것이 못 된다.

허전(許傳) 「역고(易考)」

上九, 剛健而居高, 終訟而凶者也. 下應於三, 受鞶帶之賂, 呂刑所謂獄貨也. 蓋非理所獲. 故三見褫奪也.
상구는 강건하고 높은 자리에 있으니, 송사를 끝까지 하여 흉한 자이다. 아래로 삼효에 상응하여 관복의 띠를 뇌물로 받았으니, 「여형(呂刑)」[89]에서 말한 '옥의 송사로 생기는 재물[獄貨]'이다. 이치 아닌 것으로 얻었기 때문에 세 번 빼앗긴다.

---

88) 경학자료집성DB와 영인본에 모두 한 글자가 비어있어 '○'으로 표기하였다.

89) 여형(呂刑):『서경・주서』의 한 편명이다. 주(周)나라 목왕(穆王)이 여후(呂侯)로 사구(司寇)를 삼고 순(舜)의 속형법(贖刑法)에 따라 형을 가볍게 하기 위하여 만든 형법이다.

심대윤(沈大允) 『주역상의점법(周易象義占法)』

訟之困☱☵, 不通也. 上九居柔, 不得訟. 而居訟之極剛, 而不止訟, 理不通, 而得失无實. 反復不決, 爲四五所承, 而有三之應, 故曰或錫之鞶帶. 兌爲錫, 巽爲鞶帶, 亦爲五四所隔而所得无實. 故曰終朝三褫之. 如師傅爲君, 臣所奉以臨天下, 而无實得也, 兌爲革, 乾之對坤爲終. 巽离, 日在東南爲朝. 巽爲三兌爲褫. 褫脫也. 上九之或勝或負, 有師卦之義. 訟之下三爻應訟者也, 上三爻起訟者也. 初理勝者也, 二理屈而服者也. 三得上助而不奪其舊者也, 四欲訟而止者也. 五訟而伸理者也, 上九訟而或得或失者也.

송괘가 곤괘(☱☵)로 바뀌었으니, 통하지 못한다. 상구가 유약한 자리에 있어 송사할 수 없다. 그런데 송괘의 극히 굳셈에 있어 송사를 그치지 못하니, 이치가 통하지 못하여 이기고 짐에 실속이 없다. 반복하여 결정짓지 못하는 것은 사효와 오효가 받들고 있는데, 삼효의 호응이 있기 때문에 "혹 관복의 띠를 하사받는다"라 했다. 태괘(兌卦☱)는 내려 주는 것이고 손괘(巽卦☴)는 관복의 띠인데, 역시 사효와 오효에 막혀서 얻는 것에 실속이 없기 때문에 "아침이 끝날 때까지 세 번 빼앗긴다"라 했다. 마치 스승이 임금이 되고 신하들이 받들어 천하를 군림하는 것 같지만 실제로 소득이 없다. 태괘(兌卦☱)는 가죽이고 건괘(乾卦☰)의 음양이 반대인 곤괘(坤卦☷)은 끝이다. 손괘(巽卦☴)·리괘(離卦☲)는 해가 동남쪽에 있으니 아침이다. 손괘(巽卦☴)는 3이고 태괘(兌卦☱)는 빼앗기는 것이다. 빼앗기는 것은 벗는 것이다. 상구가 이기기도 하고 지기도 하니 사괘(師卦☷☵)의 의미가 있다. 송괘 하괘의 세 효는 송사에 응하는 자이고, 상괘의 세 효는 송사를 일으키는 자이다. 초효는 이치로 이기는 자이고 이효는 이치가 굽어 물러나는 자이다. 삼효는 위의 도움을 얻어 옛것을 빼앗기지 않는 자이고, 사효는 송사를 하려다가 그치는 자이다. 오효는 송사를 해서 이치를 펴는 자이고, 상구는 송사를 해서 이기기도 하고 지기도 하는 자이다.

이진상(李震相) 『역학관규(易學管窺)』

王氏曰, 鞶帶, 不純乎剛, 不純乎柔, 爲中體之飾, 六三之象也. 三本從上, 上以其間於二剛, 疑其有上下之交也, 而終訟之.

동계왕씨가 말하였다: 동계왕씨가 말하였다: 관복의 띠는 굳셈에 순수하지 않고 유순함에 순수하지 않아서 몸 가운데를 장식하니 육삼의 상이다. 육삼은 원래 위를 따르는데, 상효는 육삼이 두 굳센 양의 사이에 있는 것을 위아래와 사귄다고 의심하여 끝까지 송사한다.

愚按, 訟互離體, 而離爲腹爲革, 鞶帶之象. 三亦離位也. 鞶帶宜男之祥, 故以與所應之三. 而三亦不中不正, 不免見疑. 上九雄猜終訟, 旣錫而還受, 非上九自受命服也. 訟豈有受服之理乎. 三在內卦之終而離體, 故曰終朝.

내가 살펴보았다: 송괘의 호괘는 리괘(離卦☲)의 몸체이고 리괘(離卦☲)는 배이고 가죽이니 관복의 띠의 상이다. 삼효도 리괘(離卦☲)자리이다. 관복의 띠는 남자의 경사인 것이 당연하기 때문에 호응하는 삼효에게 준다. 그런데 삼효도 제자리가 아니고 바르지 못하여 의심 받는 것을 면하지 못한다. 상구는 의심이 많아 송사를 끝까지 하여 이미 주었다가 환수한 것이지, 상구 자신이 관복을 받은 것이 아니다. 송사에 어찌 옷을 받는 이치가 있겠는가? 삼효는 내괘의 끝에 있으면서 리괘(離卦☲)의 몸체이기 때문에 '아침이 끝날 때까지'라 하였다.

○ 象亦不足敬　離之中虛敬之象, 而上九失其體貌以訟而褫服亦不足敬也. 言不爲六三之所敬也.
「상전」에 "역시 공경하기에 부족하다"는 것은 리괘(離卦☲)의 가운데 빈 것은 공경하는 상이나 상구가 송사로 체모를 잃었고 옷을 빼앗는 것도 역시 공경하기에 부족하다. 육삼에게 공경 받지 못함을 말하였다.

오치기(吳致箕) 「주역경전증해(周易經傳增解)」

上九, 剛失其正, 而居訟之終, 卽極于訟者也. 始以剛而爭辯, 或得鞶帶之錫, 然以訟受服, 卽无理而取勝. 不正之極, 故乃至終朝而三褫. 雖不言占, 其吝可知矣.
상구는 굳셈이 그 바름을 잃었고 송괘의 끝에 있어 곧 송사를 끝까지 하는 자이다. 처음에는 굳세게 쟁변하여 혹 관복의 띠를 하사받지만 송사로 옷을 받았으니, 곧 이치가 아닌데도 승리한 것이다. 바르지 못한 것의 종극이기 때문에 바로 아침이 끝날 때까지 세 번 빼앗기게 된다. 점을 말하지 않았으나 그 궁색함을 알 수 있다.

○ 或者, 未定之辭. 君賜曰錫, 而鞶帶命服之飾也. 乾爲衣爲圜, 圜于衣上者帶, 而在天位, 故言君賜之服. 終朝, 言其速, 三褫, 言其頻, 而終取卦之終, 朝取於對體, 互震應體, 互離爲朝日之象. 三, 取乾之三畫也. 褫者, 奪衣也, 又脫也, 取於變兌. 訟不過於土地人民爵祿衣食, 故二言邑人, 三言食舊德, 上言鞶帶也.
'혹(或)'은 확정하지 않았다는 말이다. 임금이 내려주는 것을 '하사받는대[錫]'라 하고 관복에 두르는 가죽 띠는 관복의 장식이다. 건괘(乾卦☰)는 저고리이고 두른다는 것이다. 저고리 위에 두르는 것이 띠이고 하늘자리에 있기 때문에 임금이 내려준 옷이라는 말이다. '아침이 끝날 때까지'는 그것이 신속하다는 말이고, '세 번 빼앗는다'는 그것이 빈번하다는 말이다. '끝날 때까지[終]'는 괘의 끝을 취했고, '아침[朝]'은 상대하는 몸체에서 취하였으니, 호괘인 진괘(震卦☳)는 몸체에 상응하고 호괘인 리괘(離卦☲)는 아침 해의 상이다. 삼은 건의 세 획에서 취하였다. '빼앗긴다'는 것은 옷을 빼앗긴다는 것이고 또 벗는다는 것이니, 변한 태괘

(兌卦☱)에서 취하였다. 송사는 토지·사람·벼슬·녹봉·의식에 관한 것에 지나지 않기 때문에 이효에서는 '읍의 사람'을, 삼효에서는 '옛 덕을 녹봉으로 받는 것'을, 상효에서는 '관복의 띠'를 말했다.

이진상(李震相) 『역학관규(易學管窺)』

上九, 鞶帶.
상구는 관복의 띠.

上與三交, 而三在二陽之間, 疑其有上下之交. 上又過剛性本雄猜, 故乍交乍爭, 自作訟端. 蓋鞶帶, 男子之象. 以與所應之三, 如高禖之帶弓韣, 固其勢也, 乃反爭訟以禠之, 旣錫而還受, 禮貌虧損, 豈足敬乎. 上九凶人, 恐無以訟受賞至及命服之理, 自三至上歷三爻, 故曰三禠, 而居兩體之終, 故曰終朝.

상효와 삼효가 사귀지만 삼효가 두 양의 사이에 있어 위아래로 사귄다고 의심을 받는다. 또 상구는 굳셈이 지나치고 성품이 본래 의심이 많기 때문에 잠깐 사귀다가 갑자기 다투어 스스로 송사의 단서를 만든다. 대개 관복의 띠는 남자의 상이다. 그렇게 호응하는 삼효와 함께 하여 고매신(高禖神)[90]이 활과 활집을 차고 있는 것과 같은 것이 진실로 그 기세인데, 이에 도리어 쟁송으로 빼앗긴다. 이미 받았다가 환수되어 예와 체모가 손상되었는데, 어찌 공경할 만하겠는가? 상구는 흉한 사람이니 아마도 송사로 받는 상이 관복까지 될 리는 없을 듯하다. 삼효로부터 상효까지 세 효를 거쳐야 하기 때문에 "세 번 빼앗긴다"라 했고, 두 몸체의 끝에 있기 때문에 "아침이 끝날 때까지"라 했다.

박문호(朴文鎬) 「경설(經說)·주역(周易)」

其占爲之爲字, 釋於失之下, 蓋曰占在象中矣.
"그 점이 … 된다는 것이니"에서 '… 된다[爲]'는 말은 '잃게'라는 아래까지 풀이한 것이니, 점이 상 가운데 있다는 것이다.

其占爲終訟, 无理而或取勝, 然其所得, 終必失之
그 점이 송사를 끝까지 하고 무리하게 해서 혹시 이길지라도 그 얻은 것을 마침내 반드시 잃게 된다는 것이니, 성인의 경계하는 뜻이 깊다.

---

90) 고매(高禖): 『예기·월령』 중춘지월에 나오는 것으로 고대에 제비가 오는 봄날 천자가 아들을 얻고자 제사 지내는 신이다.

象曰, 以訟受服, 亦不足敬也.

「상전」에서 말하였다: 송사로 옷을 받는 것은 또한 공경하기에는 부족하다.

‖中國大全‖

傳

窮極訟事, 設使受服命之寵, 亦且不足敬而可賤惡, 況又禍患隨至乎.

송사를 끝까지 하여 가령 관복의 띠를 내려주는 총애를 받더라도 공경하기에 부족하여 천대하고 미워하는데, 하물며 화와 근심이 따라서 다가옴에랴!

小註

盤澗董氏曰, 觀訟一卦之體, 只是訟不可成. 初只不永所事, 九二不克訟, 六三守舊居正, 非能訟者. 九四不克訟, 而能復就正理, 渝變心志, 安處於正, 九五聽訟元吉, 上九雖有鞶帶之錫, 而不免終朝之三褫, 首尾皆是不可訟之意, 故象曰終凶訟不可成. 此卽本義所指卦體者是也.

반간동씨 말하였다: 송괘(訟卦䷅) 한 괘의 몸체를 보니, 송사가 이루어질 수 없는 것이다. 초효는 단지 일을 오래 하지 않고, 구이는 송사를 할 수 없으며, 육삼은 옛 덕을 녹봉으로 받아 바름을 지키니, 송사할 수 있는 자가 아니다. 구사는 송사를 할 수 없어 돌아가서 바른 이치에 나아가 마음을 바꾸어 바른 것에 편안히 있고, 구오는 송사를 다스려 크게 길하며, 상구는 비록 관복의 띠를 하사받으나 하루아침에 세 번 체직됨을 면하지 못한다. 처음과 끝이 모두 송사할 수 없는 뜻이기 때문에 「단전」에서 "'끝까지 함은 흉하다'라 함은 송사를 끝까지 해서는 안 되기 때문이다'라 하였으니, 이것이 바로 『본의』에서 지적한 '괘의 몸체'라는 것이다.

○ 建安丘氏曰, 以六爻言之, 則上乾三爻, 與下坎三爻訟也. 九五居尊, 爲聽訟之主. 故訟元吉, 餘五爻, 則皆訟者也. 然天下之人, 惟剛者訟, 柔者不訟. 初與三柔也. 故初不永所事而終吉, 三食舊德而終吉. 二四上, 剛也. 二與五對, 揆勢不敵而不訟, 四與初對, 顧理不可以不訟, 亦以其居柔, 故二无眚, 而四安貞也. 獨上九, 處卦之窮, 下與三對, 柔不能抗. 故有錫鞶帶之辭焉. 然一日三褫, 辱亦甚矣, 訟之勝者, 何足敬乎?

건안구씨가 말하였다: 여섯 효로 말하면 위의 건괘(乾卦☰) 세 효가 아래의 감괘(坎卦☵) 세 효와 송사한다. 구오는 높은 자리에 있어서 송사를 다스리는 주인이기 때문에 송사에 크게 길하고, 나머지 다섯 효는 모두 송사하는 자이다. 그러나 천하의 사람들 중에는 오직 강한 사람만이 송사하고 유약한 사람은 송사하지 못한다. 초효와 삼효는 유약하다. 그러므로 초효는 일을 오래 하지 않아서 마침내 길하고, 삼효는 옛 덕을 녹봉으로 받아서 마침내 길하다. 이효·사효·상효는 굳세다. 이효는 오효와 대적하여 형세상 맞설 수 없음을 살펴서 송사 하지 않고, 사효는 초효와 맞서서 이치상 불가함을 살피고 송사하지 않으니, 역시 유약한 데 있기 때문에 이효는 허물이 없고, 사효는 곧음을 편안히 여긴다. 상구만 괘의 끝에 있어서 아래로 삼효와 상대하니, 유약함이 버틸 수 없기 때문에 관복을 내려주라는 말이 있다. 그러나 하루에 세 번 빼앗기면 치욕 또한 심하니, 송사에서 이긴 것을 어찌 공경할 만하겠는가?

║韓國大全║

김상악(金相岳) 『산천역설(山天易說)』

亦字對或字而言. 以訟受服, 終必失之, 亦何足敬也.

'또한[亦]'이라는 말은 혹(或)이라는 말에 상대해서 말하였다. 송사로 옷을 받아 마침내 반드시 잃게 되니, 또한 어찌 공경할 만하겠는가?

오치기(吳致箕) 「주역경전증해(周易經傳增解)」

訟而受服, 已爲羞吝. 況其裭奪乎. 非可爲貴, 故不足敬也.

송사하여 옷을 받았으니, 이미 부끄러운 것이다. 그런데 하물며 빼앗기기까지 함에랴! 귀하게 여길 것이 아니기 때문에 공경하기에 부족하다.

이진상(李震相) 『역학관규(易學管窺)』

象, 亦不足敬.

「상전」에서 말하였다: 또한 공경하기에는 부족하다.

離之中虛敬之象, 而上九失其體貌, 以訟而褫服. 亦不足敬也. 言不爲六三之所敬也.
리괘(☲)의 가운데가 비어 공경하는 상이고 상구가 체면을 잃고 송사로 의복을 빼앗는다.
공경하기에는 부족하다는 것은 육삼에게 공경받지 못함이다.

박문건(朴文健) 『주역연의(周易衍義)』

不足敬, 故必至三褫也云. 亦者, 發語辭也
공경하기에 부족하기 때문에 반드시 세 번 빼앗긴다고 말했다. '또한[亦]'은 발어사이다.

이병헌(李炳憲) 『역경금문고통론(易經今文考通論)』

虞曰, 錫, 王之錫命.
우번이 말하였다: '하사받는다'는 것은 왕이 명으로 내려준다는 것이다.

鄭曰, 鞶, 囊也, 鞶帶, 珮鞶之帶.
정씨가 말하였다: '띠'는 주머니이고, 관복의 띠는 노리개처럼 두르는 띠이다.

荀曰, 上爲宗廟, 故曰鞶帶 命服之飾也.
순씨가 말하였다: 위는 종묘이기 때문에 "관복의 띠"라고 했으니, 벼슬아치가 입는 정복의
장식이다.

姚曰, 剛爻爲朝, 褫, 五奪上與三也.
요씨가 말하였다: 굳센 효는 아침이고, 빼앗긴다는 것은 오효가 상효와 삼효를 빼앗는 것이다.

按, 屯蒙以二陽四陰爲一對, 故需訟以二陰四陽爲一對. 策各一百九十有二, 合三百八
十有四.
내가 살펴보았다: 준괘(屯卦☵)와 몽괘(蒙卦☶)는 두 양과 네 음으로 하나의 짝이 되었기
때문에 수괘(需卦☵)와 송괘(訟卦☰)는 두 음과 네 양으로 하나의 짝이 되었다. 책수가 제
각기 192이니, 합이 384이다.

7

사괘
師卦 ䷆

▐中國大全▌

師序卦, 訟必有衆起, 故受之以師. 師之興由有爭也, 所以次訟也. 爲卦坤上坎下, 以二體言之, 地中有水, 爲衆聚之象. 以二卦之義言之, 內險外順, 險道而以順, 行師之義也. 以爻言之, 一陽而爲衆陰之主, 統衆之象也. 比以一陽爲衆陰之主而在上, 君之象也. 師以一陽爲衆陰之主而在下, 將帥之象也.

사괘(師卦)는 「서괘전」에서 "송사(訟事)는 반드시 무리로 일어나므로 사괘로 받았다"라고 하였다. 군대가 일어나는 것이 다툼이 있는데서 연유하니, 이 때문에 송괘의 다음이 된다. 사괘는 곤괘가 위이고 감괘가 아래이니, 두 몸체로 말하면 땅 속에 물이 있는 것이 무리가 모이는 상이 된다. 두 괘의 의미로 말하면 안은 험하고 밖은 순응하여, 험한 도(道)이지만 순응함으로써 하니 군대를 움직이는 뜻이다. 효로써 말하면 한 양으로서 여러 음효의 주인이 되니, 무리를 통솔하는 상이다. 비괘(比卦)는 한 양으로서 여러 음효의 주인이 되고 위에 있으니, 임금의 상이다. 사괘는 한 양으로서 여러 음효의 주인이 되지만 아래에 있으니, 장수의 상이다.

龜山楊氏曰, 自昔先王之制民居, 則爲比閭族黨州鄕. 故比則衆在內, 一陽在上爲之主, 君象也. 伍兩卒旅軍師之制, 則衆在外, 一陽在下爲主, 將帥象也.

구산양씨가 말하였다: 옛날부터 선왕이 백성의 거주지를 제정하였으니, 비(比), 려(閭), 족(族), 당(黨), 주(州), 향(鄕)이다. 그러므로 비괘(比卦)는 무리가 안에 있고 한 양이 위에 있어 그 주인이 되므로 임금의 상이다. 오(伍), 량(兩), 졸(卒), 려(旅), 군(軍), 사(師)의 제도는 무리가 밖에 있고 한 양이 아래에 있어 주인이 되니, 장수의 상이다.

○ 雲峰胡氏曰, 乾坤而後屯蒙需訟師比, 皆有坎險之一體, 興師動衆, 尤其最險者也.

운봉호씨가 말하였다: 건괘와 곤괘 이후에 준괘(屯卦), 몽괘(蒙卦), 수괘(需卦), 송괘(訟卦), 사괘(師卦), 비괘(比卦)는 모두 험한 감괘의 몸체가 있는데, 군대를 일으키고 무리를 움직이는 것은 더욱이 가장 험한 것이다.

師，貞，丈人，吉无咎.

정전 사(師)는 바르게 함이니, 장인(丈人)이라야 길하고 허물이 없다.
본의 사(師)는 바르게 하고 장인(丈人)이라야 길하고 허물이 없다.

中國大全

傳

師之道以正爲本. 興師動衆，以毒天下而不以正，民弗從也，强驅之耳. 故師以貞爲主，其動雖正也，帥之者必丈人，則吉而无咎也. 蓋有吉而有咎者，有无咎而不吉者，吉且无咎乃盡善也. 丈人者尊嚴之稱，帥師總衆，非衆所尊信畏服，則安能得人心之從. 故司馬穰苴擢自微賤，授之以衆，乃以衆心未服，請莊賈爲將也. 所謂丈人不必素居崇貴，但其才謀德業，衆所畏服，則是也. 如穰苴旣誅莊賈，則衆心畏服，乃丈人矣. 又如淮陰侯起於微賤，遂爲大將，蓋其謀爲，有以使人尊畏也.

군대의 도는 바른 것을 근본으로 한다. 군대를 일으키고 무리를 움직이는 것이 천하에 해독을 끼치는 것인데 바름으로 하지 않으면 백성이 따르지 않으니, 억지로 몰 뿐이다. 그러므로 군대는 곧은 것[貞]을 위주로 하니, 그 움직임이 비록 바르더라도 거느리는 자가 반드시 장인(丈人)이라야 길하고 허물이 없다. 대개 길하지만 허물이 있는 경우가 있고, 허물은 없지만 길하지 않은 경우도 있으니, 길하고 또 허물이 없어야 이에 선을 다하게 된다. '장인'은 존엄함을 가리키는 것이다. 군대를 거느리고 무리를 통솔하는 것이 사람들이 높이고 믿으며 두려워서 복종하는 바가 아니면 어떻게 사람들이 따르는 마음을 얻을 수 있겠는가? 그러므로 사마양저(司馬穰苴)는 미천한 신분에서 발탁되어 군사들을 맡겨 주자, 이에 군사들의 마음이 복종하지 않았기에 장고(莊賈)를 청하여 장수로 삼았다. 이른바 '장인'은 반드시 평소에 높고 귀한 자리에 있는 자일 필요는 없고, 다만 그 재주와 지모(智謀), 덕업(德業)이 사람들이 두려워하고 복종하는 것이면 된다. 사마양저가 이미 장고를 베어 죽이자 군사들의 마음이 두려워하여 복종하였으니, 바로 장인인 것이다. 또 예컨대 회음후(淮陰侯) 한신(韓信)이 미천한 신분에서 입신(立身)하여 마침내 대장이 된 것과 같으니, 그 지모와 행동이 사람들이 높이고 두려워하게 함이 있었다.

本義

師兵衆也. 下坎上坤, 坎險坤順, 坎水坤地. 古者寓兵於農, 伏至險於大順, 藏不
測於至靜之中. 又卦惟九二一陽, 居下卦之中, 爲將之象, 上下五陰, 順而從之,
爲衆之象. 九二以剛居下而用事, 六五以柔居上而任之, 爲人君命將出師之象.
故其卦之名曰師. 丈人長老之稱. 用師之道, 利於得正, 而任老成之人, 乃得吉
而无咎, 戒占者, 亦必如是也.

사(師)는 병사의 무리이다. 아래는 감괘이고 위는 곤괘이니, 감괘는 험하고 곤괘는 순하며, 감괘는
물이고 곤괘는 땅이다. 옛날에 병사를 전답에 의지하여 살게 하였으니, 지극히 험한 것을 크게 순한
데에 숨겨두고, 측량할 수 없는 것을 지극히 고요한 가운데에 감춰둔 것이다. 또 사괘가 구이의 한
양만이 하괘의 가운데에 있어 장수의 상이 되며, 위아래의 다섯 음이 순응하고 따르니 무리의 상이
된다. 구이는 굳센 양으로 아래에 있으면서 일을 하며 육오는 부드러운 음으로 위에 있으면서 구이에
게 맡기니, 임금이 장수에게 명하여 군대를 출동시키는 상이 된다. 그러므로 이 괘의 이름을 '사괘
(師卦)'라고 하였다. 장인은 장로(長老)의 호칭이다. 군대를 쓰는 도는 바름을 얻는 것이 이롭고,
노성한 사람에게 맡겨야 길하고 허물이 없음을 얻으니, 점치는 자가 또한 반드시 이와 같이 하라고
경계하였다.

小註

朱子曰, 吉无咎, 謂如一件事自家做出來好, 方得无罪咎. 若做得不好, 雖是好事也則
有咎. 无咎吉, 謂如一件事元是合做底, 自家做出來又好. 如所謂戰則克, 祭則受福, 戰
而臨事懼好謀成, 祭而恭敬齋肅, 便是无咎, 克與受福便是吉. 如行師之道, 既已正了,
又用丈人率之, 如此則是都做得是, 便是吉了, 還有甚咎.

주자가 말하였다: "길하여 허물이 없다"고 하는 것은 한 가지 일 자체가 잘 되어 잘못됨이
없는 것과 같음을 말한다. 하는 일이 잘 되지 못하면 비록 좋은 일일지라도 허물이 있게
된다. "허물이 없어 길하다"고 하는 것은 한가지 일 자체가 원래 사리에 부합 하는 것이고
되어가는 것도 좋은 것과 같음을 말한다. 가령 싸우면 이기고 제사지내면 복을 받는 것에
대해 말하면 싸우는데 있어서는 일에 임하여 조심하고 두려워하며 계획을 잘 세워 성취하
며, 제사지내는 데 있어서는 공경하고 엄숙하게 하는 것이 바로 '허물이 없다[无咎]'는 것이
고, '이긴다'는 것과 '복을 받는다'는 것이 바로 '길하다'는 것이다. 군대를 행하는 방법이 이
미 바르고 또 장인으로 거느리게 하였으니, 이와 같다면 하는 일이 모두 옳아서 길하게 되
니, 다시 무슨 허물이 있겠는가?

○ 師, 彖辭亦是說得齊整.

사괘 단사에서도 정연하게 말하였다.

○ 東萊呂氏曰, 丈人者, 老成持重諳練之人. 如趙充國之比是也. 二以一陽爲卦之主, 猶將帥也. 二雖剛中, 必待五之應, 猶將帥雖賢, 必待君爲之應, 然後能成功也. 苟五不應, 師變爲坎矣. 將帥臨敵, 而上无君之應, 豈非天下之至險乎.

동래여씨가 말하였다: '장인(丈人)'은 노성하여 삼가며 일에 정통한 사람이다. 조충국(趙充國)과 같은 이를 이에 견줄 수 있을 것이다.[1] 이효는 한 양으로 괘의 주인이 되니, 장수와 같다. 이효가 비록 굳세고 알맞지만 반드시 오효의 호응을 기다려야 하니, 장수가 비록 어질지만 반드시 임금이 장수의 호응이 됨을 기다린 뒤에 공을 이룰 수 있는 것과 같다. 진실로 오효가 호응하지 않으면 사괘는 바뀌어 감괘(坎卦)가 된다. 장수가 적을 맞았는데 위로 임금의 호응이 없다면, 어찌 천하에 지극히 험한 것이 아니겠는가?

○ 隆山李氏曰, 師止言貞而不及元亨利者, 凡兵出似非一元生育之事, 故不言元, 不以亨利誨天下者, 懼其貪功困生靈也. 要之師之爲用, 惟守一貞足矣. 又曰, 師以殺伐爲事, 死生存亡繫焉, 豈无悔咎. 唯以丈人行之, 則吉而咎可无矣.

융산이씨가 말하였다: 사괘에서 '정(貞)'만 말하고 원(元)과 형(亨)과 리(利)를 언급하지 않은 것은 군사의 출동이란 한 본원[元]의 생육(生育)하는 일이 아닌 듯하므로 원(元)을 말하지 않은 것이며, 형(亨)과 리(利)로써 천하 사람들을 가르치지 않은 것은 군사의 출동이 공을 탐하여 백성을 곤궁케 할까 두려워한 때문이다. 요컨대, 군대의 쓰임은 한결같이 정(貞)만 지키면 충분하다.

또 말하였다: 군대는 죽이고 들이치는 것을 일로 하니, 죽고 살며 보존하고 망함이 달린 것인데, 어떻게 후회와 허물이 없겠는가? 오직 장인으로 행하게 하면 길하여서 허물이 없을 것이다.

---

1) 조충국(趙充國, B.C.137~B.C.52): 전한(前漢) 선제(宣帝:BC 74~49) 때, 서북 변방의 강족(羌族)과의 싸움에서 한나라 군대는 크게 패하였다. 이때 후장군(後將軍) 조충국(趙充國)은 칠십이 넘은 고령임에도, 스스로 지휘를 자원하고, 실정을 파악하기 위해 직접 현지로 가서 실정을 살펴본 후 둔전병(屯田兵)을 파견할 것을 건의하여 강족의 침입을 억제하였다. 조충국은 젊은 시절 무제(武帝:BC 141~87) 때 이사장군(貳師將軍) 이광리(李廣利)의 휘하 장수로 흉노 토벌에 출전했다가 포위되자 불과 100여 명의 군사로 혈전(血戰) 끝에 포위망을 뚫고 전군을 구출한 인물이다.

‖韓國大全‖

권근(權近) 『주역천견록(周易淺見錄)』

丈人, 老成之稱, 指九二也. 九二陽剛, 宜稱大人, 變大言丈, 行師之道, 尤貴於老成也. 如太公八十而鷹揚, 方叔元老而克壯, 是也. 王氏吳氏, 皆改爲大人, 蓋意行師非老者所堪也. 然大人有德位之通稱, 丈人兼乎齒者也. 聖人作易, 爲慮後世, 後世有德者, 未必在位, 在位者, 未必有德, 壯之時, 戒之在鬪行矣. 尤聖人之所愼, 將欲以老成者主之. 故稱之人老者, 雖未必有德, 必不至用壯而過於殘暴也, 聖人之仁於後世至矣. 漢之趙充國, 唐之郭子儀, 其庶幾乎.

장인(丈人)은 노성한 이의 호칭이니, 구이를 가리킨다. 구이의 굳센 양은 마땅히 ‘대인’이라고 일컬어야 하는데, 대(大)를 장(丈)으로 바꿔 말한 것은 군대를 행하는 도는 노성한 이를 더욱 귀하게 여기기 때문이다. 태공(太公)은 나이가 팔십이었는데도 위엄을 드날렸고, 방숙(方叔)은 원로인데도 씩씩할 수 있었던 것이 이것이다. 왕씨와 오씨는 모두 대인으로 고쳤는데, 군대를 행하는 것이 늙은이가 견딜 수 있는 것이 아니라고 생각했기 때문이다. 그러나 대인에는 덕과 지위를 통틀어 일컬음이 있고, 장인(丈人)은 나이까지 겸한 자이다. 성인이 역을 지은 것은 후세를 염려해서인데, 후세에 덕이 있는 자가 반드시 지위가 있었던 것도 아니며, 지위가 있는 자도 반드시 덕이 있었던 것은 아니어서, 장성한 때에 경계함이 싸움을 행하는 데에 있었다.[2] 더욱이 성인이 신중했던 것은 노성한 자가 주관하게 하려 한 것이다. 그러므로 사람이 늙었다고 일컫는 경우 비록 덕이 반드시 있는 것은 아닐지라도 씩씩하여 지나치게 잔인하고 사나운데 이르지는 않기 때문이니, 성인이 후세를 사랑함이 지극하다. 한나라의 조충국(趙充國)과 당나라의 곽자의(郭子儀)[3]가 여기에 가깝다.

홍여하(洪汝河) 「책제(策題):문역(問易)・독서차기(讀書箚記)-주역(周易)」

師, 彖辭, 本義, 藏不測於至靜之中.

---

2) 『論語・季氏』: 孔子曰, 君子有三戒, 少之時, 血氣未定, 戒之在色, 及其壯也, 血氣方剛, 戒之在鬪, 及其老也, 血氣旣衰, 戒之在得.

3) 곽자의(郭子儀, 697~781): 당나라 하남성 사람으로 분양왕(汾陽王)에 봉해져서 곽분양(郭汾陽)이라고도 한다. 무예로 천거되어 천덕군사겸구원태수(天德軍使兼九原太守)가 되었다. 현종(玄宗) 때 삭방절도사(朔方節度使)가 되어 안사의 난과 번진 반란의 평정에 막대한 공을 세워 현종 이하 4대 황제에 걸쳐 국가의 동량으로 인정받으면서 천하에 권세를 떨친 인물이다. 시호는 충무(忠武)다. 부귀공명과 다복(多福)을 누렸다고 하여, 팔자 좋은 사람을 ‘곽분양 팔자’라고 한다.

사괘 단사의 『본의』에서 말하였다: 헤아리지 못할 것을 지극히 고요한 가운데에 감춘다.

不測爲坎水, 至靜爲坤地

'헤아리지 못할 것'은 감괘인 물이 되고, '지극히 고요한 것'은 곤괘인 땅이 된다.

유정원(柳正源) 『역해참고(易解參攷)』

師, 貞 [至] 无咎

사(師)는 바르게 함이니 … 허물이 없다.

漢上朱氏曰, 歸藏, 小畜曰其丈人, 丈人之言, 三代有之.

한상주씨가 말하였다: 『귀장역』 소축괘(小畜卦)에서 '그 장인'이라고 하였는데, '장인'이란 말이 삼대에 있었다.

○ 沙隨程氏曰, 子夏作大[4]人吉, 謂征伐自天子出也. 兵凶器也, 唯王者用正, 故吉[5]无咎.

사수정씨가 말하였다: 『자하역전』에는 "대인이라야 길하다"라고 썼으니, 정벌이 천자로부터 나옴을 이른다. 병사는 흉기이니, 오직 왕도를 행하는 자만이 바름을 쓰기 때문에 길하고 허물이 없다.

○ 厚齋馮氏曰, 一經无作丈人者, 丈字必誤. 古者行師, 唯有大德之人, 至公无我, 然後可正天下. 大訛爲丈, 祗見其曲也.

후재풍씨가 말하였다: 어떤 경에도 장인(丈人)이라고 쓴 것이 없으니, 장(丈)이란 글자는 반드시 잘못일 것이다. 옛날 군대를 움직이는 것은 큰 덕이 있는 사람이라야 지극히 공적 (公的)이어서 사사로운 자아가 없으니, 그런 뒤에 천하를 바르게 할 수 있다. 대(大)가 장 (丈)으로 잘못 되었는데, 다만 그 잘못된 것만 본 것이다.

○ 息齋余氏曰, 鄭司農云, 貞問也, 師貞丈人, 問於丈人.

식재여씨가 말하였다: 정사농(鄭司農)[6]은 "정(貞)은 묻는 것이니, '사정장인(師貞丈人)'에

---

4) 大: 경학자료집성 DB와 영인본에는 '丈'으로 되어 있으나, 『자하역전』을 참조하여 '大'로 바로잡았다.

5) 吉: 경학자료집성 DB와 영인본에는 '吉'로 되어 있으나, 『자하역전』 원문에는 '吉'자가 없다.

6) 정사농(鄭司農), 127~200): 동한 말기 사람 정현(鄭玄)으로 경학(經學)의 대성자이다. 자는 강성(康成)이고, 제오원선(第五元先)을 스승으로 『경씨역(京氏易)』과 『공양춘추(公羊春秋)』에 정통했다. 그리고 장공조 (張恭祖)에게 『주례』와 『좌씨춘추』, 『고문상서』를 배웠고, 당시 명유(名儒)인 마융(馬融)에게 사사하여, 『주역』과 『상서』, 『춘추(春秋)』 등의 고전을 배운 뒤 40살이 넘어서 귀향했다. 『후한서·정현전』에 의하면,

서의 '정(貞)'은 장인에게 묻는 것이다"라고 하였다.

김상악(金相岳) 『산천역설(山天易說)』

師之爲卦, 六五爲任將之主, 九二爲統衆之帥, 而用師之道, 必以正爲主. 故五之柔中居尊, 爲師之貞, 二之剛中在下, 爲丈人之吉无咎.

사괘는 육오가 장수를 임명하는 주인이고 구이는 군대를 통솔하는 장수인데, 군대를 쓰는 도는 반드시 바른 것을 주로 하기 때문에 오효의 부드럽고 알맞으며 높은 자리에 있는 것은 군대가 곧게 되는 까닭이고, 이효의 굳세고 알맞으며 아래에 있는 것은 장인이 길하고 허물이 없는 까닭이 된다.

○ 師之道, 君宜柔, 將宜剛. 故師貞屬六五, 吉无咎屬九二. 用師與處困之道, 不可无貞, 故皆曰貞吉无咎, 而有大人丈人之別.

군대의 도는 임금은 부드러워야 하지만 장수는 굳세어야 한다. 그러므로 "군대가 곧다"라는 것은 육오에 속하고 "길하고 허물이 없다"라는 것은 구이에 속한다. 군대를 쓰는 것과 곤란함에 대처하는 방법에 곧음이 없을 수 없으므로 모두 "곧으면 길하고 허물이 없다"라고 하였지만, 대인과 장인의 구별이 있다.

박윤원(朴胤源) 『경의(經義)·역경차략(易經箚略)·역계차의(易繫箚疑)』

貞, 正也.

정(貞)은 바름이다.

左傳曰, 師直爲壯, 直, 是正也.

『춘추좌씨전』에서 말하였다: 군대가 곧으면 씩씩하게 되니, '곧다'는 의미의 직(直)은 바름이다.

서유신(徐有臣) 『역의의언(易義擬言)』

坎坤, 皆爲衆. 互震爲動, 衆動爲師旅也. 古者寓兵於農, 不動則民, 動則兵也. 貞者, 六五與正應也. 丈人者, 九二剛得中也. 師貞, 六五之德也, 丈人吉, 九二之功也. 兵凶

그는 여러 경전을 주석하여 백여 만 글자에 이르렀고, 그 주석은 금문과 고문의 장점을 취한 특징이 있어 천하에 이름을 떨쳤다. 정현의 역 주석은 비씨 고문을 이용하되 금문도 함께 취하여 역학 발전에 큰 공헌을 하였다. 즉 그는 상수(象數)를 추리하여 호괘나 소식 등의 방법 이외에도 오행생성설(五行生成說)과 효진설(爻辰說)을 주장하였다.

器, 而貞且吉, 故无咎也.

감괘와 곤괘가 모두 무리가 된다. 호괘인 진괘(震卦)는 움직임이 되니, 무리가 움직이는 것이 군대이다. 옛날에 병사를 농사에 붙여두었으니, 출동하지 않으면 백성이고 출동하면 병사이다. '곧대貞'는 것은 육오가 구이와 정응이라는 것이다. '장인(丈人)'은 구이의 굳센 양이 알맞음을 얻은 것이다. "군대가 곧다"는 것은 육오의 덕이고, "장인이라야 길하다"는 것은 구이의 공이다. 병사는 흉기인데 곧고 또 길하기 때문에 허물이 없다.

김귀주(金龜柱)『주역차록(周易箚錄)』

師, 貞, 丈人, 吉, 云云.

사는 곧게 함이니, 장인이라야 길하다, 운운.

○ 按, 丈人, 雖指九二[7]而言, 然其所以任丈人而致吉, 則在於六五. 占者, 若是人君, 則當圖任老成之將, 若是爲將者, 則雖有丈人之德, 必待君信用, 然後可以任其事也.

내가 살펴보았다: '장인'은 비록 구이를 가리켜 말한 것이지만, '장인'에게 맡겨 길함을 이루는 것은 육오에 있다. 점치는 자가 이와 같은 임금이라면 마땅히 내가 노성한 장수를 임명하는 것이고, 이와 같이 장수가 된 자라면 비록 '장인'의 덕이 있더라도 반드시 임금이 믿고 쓰기를 기다린 뒤에 그 일을 맡을 수 있다.

本義, 師, 兵衆也, 云云

『본의』에서 말하였다: 군대는 병사의 무리이다, 운운.

○ 按, 寓兵於農, 亦自有坎坤之象. 蓋兵者, 險事, 固爲坎象, 而農者, 食土, 土乃坤象也.

내가 살펴보았다: 병사를 농사에 붙여두었으니, 또한 저절로 감괘와 곤괘의 상이 있다. 병사는 험한 일이니 진실로 감괘의 상이 되고, '농사'는 땅에서 나는 것을 먹는 것이니 땅은 곤괘의 상이다.

小註, 隆山李氏曰, 師止, 云云

소주에서 융산이씨가 말하였다: 사괘에서 단지, 운운.

○ 按, 師者凶事, 但當主貞而已, 固無大亨之道. 故不言元亨, 而其不言利者, 特是省文, 觀於本義利於得正云云, 可知矣. 李氏以四德分說, 旣非文義, 而又謂懼其貪功, 不以利誨, 則恐甚牽强. 苟如其說, 則如利用行師, 利用侵伐之類, 將何說以通之耶.

---

7) 二: 경학자료집성 DB와 영인본에는 '三'으로 되어 있으나, 장인은 구이를 가리키므로 문맥에 따라 '二'로 바로잡았다.

내가 살펴보았다: '군대'는 흉한 일이니, '곧음'을 주로 하는 것이 마땅할 뿐, 본래 크게 형통
하는 도가 없다. 그러므로 원(元)과 형(亨)을 말하지 않았고, 그 리(利)를 말하지 않은 것은
다만 문장을 생략한 것이니, 『본의』에서 "바름을 얻는 것이 이롭다"라고 운운한 것을 살펴본
다면 알 수 있다. 이씨가 사덕(四德)으로 나누어 설명한 것은 이미 문장의 뜻도 아니고,
또 공을 탐하는 것을 두려워하여 리(利)로써 가르치지 않았다고 말한다면, 이것은 심하게
견강부회한 듯하다. 정말 그의 말대로라면, '군대를 행하는 것을 씀이 이롭고', '침벌(侵伐)
을 쓰는 것이 이롭다'고 하는 종류를 무슨 말로 통하게 하겠는가?

윤행임(尹行恁) 『신호수필(薪湖隨筆)·역(易)』

師旅之興, 不但傷財害人. 師旅之中, 不用命者, 戮于社, 則其毒甚矣. 大禹之征有苗,
誓師之言, 不過曰一乃心力, 及至甘誓乃云, 孥戮汝, 則其爲毒, 從可知也. 師旅, 蓋不
得已用之也.

군대를 일으킴은 재물을 손상시키고 사람을 해칠 뿐만이 아니다. 군대에서 명을 따르지 않는
자는 사직에서 죽이니, 그 해독이 심해서이다. 우임금이 유묘를 정벌하는데 군대에 맹세한
말이 "마음과 힘을 한결같이 한다"[8]라고 한 것에 불과하며, 『서경·감서』에 이르러서는 "너의
처자식까지 죽인다"라고 하였으니, 그 독이 됨을 알 수 있다. 군대는 부득이하여 쓰는 것이다.

박문건(朴文健) 『주역연의(周易衍義)』

丈人, 老成人之稱也. 九二, 處五陰之中, 故勉剛. 貞, 惟其丈人, 而後能不失其御衆之
道也, 所以吉而无咎.

'장인'은 노성한 사람을 가리키는 말이다. 구이는 다섯 음 사이에 있으므로 굳셈에 힘쓰는
것이다. '곧대[貞]'는 것은 장인이어야만 그런 뒤에 무리를 다스리는 도를 잃지 않을 수 있다
는 것이니, 이 때문에 길하고 허물이 없다.

이지연(李止淵) 『주역차의(周易箚疑)』

卦中得正者, 六四上六兩爻, 而卦之取義, 似不以四六二爻也. 貞字之義, 未詳. 出師用
師之道, 以己之正, 正人之不正者, 其或以是而謂之貞歟.

괘 가운데 바름을 얻은 것이 육사와 상육 두 효인데, 괘의 취한 뜻은 사효와 육효 두 효로써

---

8) 『書經·湯誓』.

하지 않은 듯하다. '정(貞)'자의 뜻은 분명하지 않다. 군대를 출동시키고 군대를 부리는 도는 자신의 바름을 가지고 남의 바르지 않음을 바르게 하는 것이니, 그것이 혹 옳기 때문에 '정(貞)'이라고 한 것인가?

김기례(金箕澧) 「역요선의강목(易要選義綱目)」

師.
사(師)는.
由爭而聚. 師, 如水之聚地.
다툼으로 말미암아 모인다. 군대는 물이 땅에 모이는 것과 같다.

貞.
바르게 함[貞]이니.
行險以順, 惟在得正.
험한 일을 행하지만 (무리가) 따르는 것은 바름을 얻는데 달렸다.
○ 兵, 非生育之地, 又戒貪功. 故只曰貞, 不言元亨利.
'군대'는 생육하는 곳이 아니니, 또한 공을 탐하는 것을 경계하였다. 그러므로 '정(貞)'이라고만 하고, 원(元)·형(亨)·리(利)는 말하지 않았다.

丈人, 吉无咎.
장인이라야 길하고 허물이 없다.
興師毒民, 非无咎之地. 然因老成人, 行險以順, 吉且无咎
군대를 일으켜서 백성에게 해독을 끼치니, 허물이 없을 수 없는 자리이다. 그러나 노성한 사람이 하기 때문에 험한 일을 행하지만 따르니, 길하고 또 허물이 없다.

이항로(李恒老) 「주역전의동이석의(周易傳義同異釋義)」

按, 吉, 以事之成敗言, 咎, 以理之當否言.
내가 살펴보았다: '길하다[吉]'는 일의 성공과 실패로 말하고, '허물[咎]'은 이치의 마땅하고 마땅하지 않은 것으로 말한다.

심대윤(沈大允) 『주역상의점법(周易象義占法)』

不言利貞者, 兵不得已而用之, 不可以利之也. 以坎剛實果行之才, 有坤含弘厚重之

德, 故曰丈人.

"곧게 하는 것이 이롭다[利貞]"라고 말하지 않은 것은 병사란 부득이하여 쓰는 것이지 이득을 보려 해서는 안되기 때문이다. 감괘의 굳세고 실질적이며 과감하게 행하는 재질로써 곤괘의 널리 머금고 중후한 덕이 있기 때문에 '장인(丈人)'이라고 한다.

오치기(吳致箕) 「주역경전증해(周易經傳增解)」

師者, 兵象也. 一陽統五陰, 而以剛居中. 五陰從一陽而順, 聚上下爲師旅之象. 地中有水, 亦爲師衆聚集之象也. 師出以正, 然後爲王者之師, 故言貞, 材堪將帥, 曰丈人也. 旣得丈人, 則有成功之吉, 師出以正, 則旡妄動之咎也.

'군대[師]'는 병사의 상이다. 하나의 양이 다섯 음을 통솔하고 굳셈으로 가운데 있다. 다섯 음은 하나의 양을 따르고 순종하니, 위아래가 모여 군대의 상이 된다. 땅 속에 물이 있는 것이 또한 군대의 무리가 모이는 상이 된다. 바른 명분을 가지고 군대를 출동시킨 후라야 왕도를 행하는 자의 군대가 되므로 '곧다[貞]'고 하였고, 재질이 장수의 직책을 감당할 수 있어서 '장인'이라고 하였다. 장인을 얻었다면 공을 이룰 만한 길함이 있는 것이고, 바른 명분을 가지고 군대를 출동시키면 함부로 움직이는 허물이 없다.

○ 貞者, 戒辭也. 丈人指九二, 而衆稱之曰丈人, 君稱之曰長子, 當與六五之辭, 叅看也. 師旅險事, 故不言亨.

'바르다[貞]'는 경계하는 말이다. '장인'은 구이를 가리키는데, 대중들이 부를 때에는 '장인'이라고 하고, 임금이 부를 때는 '장자(長子)'라고 하니, 마땅히 육오의 효사와 참고하여 보아야 한다. 군대는 험난한 일이기 때문에 '형통하다[亨]'라 하지 않았다.

이진상(李震相) 『역학관규(易學管窺)』

馮厚齋, 以一經無作丈人字, 謂大訛爲丈. 如郭子儀者, 乃將帥中大人也. 如果以老成持重, 而發例稱丈, 則象傳宜有發明, 而但云, 能以衆正可以王矣, 謂之大人吉者, 似是. 而丈字無害於義理, 而得先王命將鍊兵之體, 只得遵之.

풍후재(馮厚齋)[9]는 어떤 경(經)에서도 '장인(丈人)'이란 글자를 쓴 것이 없으니, 대(大)가 장(丈)으로 잘못된 것이라고 하였다. 곽자의(郭子儀) 같은 자가 장수 가운데 '대인(大人)'이

---

9) 풍후재(馮厚齋): 남송의 역학자 풍의(馮椅)이다. 자는 의지(儀之), 호는 후재(厚齋)이다. 풍거비(馮去非)의 아버지이다. 주진(朱震)으로부터 학문을 배웠다. 박학다식하여 저술도 많았으나 오직 『후재역학(厚齋易學)』 52권만이 사고전서에 실려 있다.

다. 노성하여 진중한 것으로 사례를 들어 '장(丈)'이라고 부른다면 「단전」에서 마땅히 드러내 밝힌 것이 있어야 하는데, "무리를 다스려 바르게 할 수 있으면 왕 노릇을 할 수 있다"라고만 하였으니, 그것을 "대인이라야 길하다"라고 말한 것이 옳을 듯하다. 그러나 '장(丈)'자를 써도 의미에 크게 지장은 없어서 선왕이 장수에게 명하여 병사를 단련시키는 요체를 얻은 것이니, 따라도 되겠다.

象.

단사.

卦中本無乾離, 不可以大人言, 而九二卦主, 互震有長子之象, 故目之爲丈人.

괘 가운데 본래 건괘(乾卦)와 리괘(離卦)가 없어 대인(大人)으로 말할 수 없는데, 구이가 괘의 주인이고 호괘인 진괘(震卦)에 맏아들의 상이 있으므로 '장인(丈人)'으로 지목하였다.

박문호(朴文鎬) 「경설(經說)·주역(周易)」

師之經文, 言吉无咎者有二, 則大人之指九二, 明矣. 以程子意觀之, 吉无咎, 始可以當元吉矣.

사괘의 경문에 "길하고 허물이 없다"라고 말한 것이 둘이 있으니, 대인이 구이를 가리키는 것은 분명하다. 정자(程子)의 뜻으로 본다면 "길하고 허물이 없다"는 것은 비로소 "크게 길하다[元吉]"는 것에 해당할 만하다.

이용구(李容九) 「역주해선(易註解選)」

師, 呂氏曰, 丈人者, 老成持重之人也, 如趙充國, 是也.

사괘에 대해 여씨가 말하였다: '장인(丈人)'은 노성하고 진중한 사람이니, 조충국(趙充國)과 같은 사람이 그렇다.

이병헌(李炳憲) 『역경금문고통론(易經今文考通論)』

大, 王弼本作丈. 崔憬李鼎祚, 從子夏傳, 以大爲是. 傳雖贗造, 此必舊注

'대(大)'는 왕필본에서는 장(丈)으로 썼다. 최경(崔憬)과 이정조(李鼎祚)는 『자하역전』에 따라 '대(大)'를 옳은 것으로 여겼다. 『자하역전』이 비록 위작이지만 이는 반드시 옛 주석일 것이다.

象曰, 師衆也, 貞正也, 能以衆正, 可以王矣.

「단전」에서 말하였다: 사(師)는 무리이고 정(貞)은 바름이니, 무리를 바르게 할 수 있으면 왕 노릇을 할 수 있다.

‖中國大全‖

傳

能使衆人皆正, 可以王天下矣. 得衆心服從而歸正, 王道止於是也.

여러 사람들로 하여금 모두 바르게 할 수 있으면, 천하에 왕 노릇을 할 수 있다. 여러 사람의 마음이 복종하여 바른 데로 돌아갈 수 있다면, 왕도(王道)는 여기에 그칠 뿐이다.

本義

此以卦體釋師貞之義. 以謂能左右之也. 一陽在下之中, 而五陰皆爲所以也, 能以衆正, 則王者之師矣.

이것은 괘의 몸체로 "사(師)는 바르게 함이다"라는 뜻을 풀이하였다. '이(以)'는 좌지우지할 수 있다는 말이다. 한 양이 하괘(下卦)의 가운데에 있고 다섯 음이 모두 좌지우지되는 바가 되니, 무리를 좌지우지하여 바르게 할 수 있으면 왕의 군대이다.

小註

漢上朱氏曰, 周官, 自五人爲伍, 積之至於二千五百人爲師, 衆之義也.

한상주씨가 말하였다: 주관(周官)은 다섯 사람이 오(伍)가 되는 것으로부터 이를 누적하여 2500인에 이르면 사(師)가 되니, 많다는 뜻이다.

○ 西溪李氏曰, 王者之兵, 行一不義, 殺一不辜, 而得天下不爲, 故曰能以衆正, 可以王矣.

서계이씨가 말하였다: 왕의 병사는 한 가지 불의(不義)를 행하고 한사람의 무고한 자를 죽여서 천하를 얻더라도 하지 않으므로, "무리를 바르게 할 수 있으면 왕 노릇을 할 수 있다"라고 하였다.

○ 雲峰胡氏曰, 本義提出一以字, 依春秋書法, 謂能左右之也. 一陽而五陰皆爲所以, 闔外之事將得專制之也. 然以之歸於正, 則爲王者之師, 以之微有不正, 則爲霸者之術.
운봉호씨가 말하였다: 『본의』에서 '이(以)'자를 제시하였는데, 『춘추』의 글 쓰는 법에 따르면 좌지우지할 수 있다는 말이다. 하나의 양이지만 다섯 음이 모두 좌지우지되는 바가 되니, 병마를 통솔하는 일을 장수가 전적으로 맡아서 제어할 수 있다. 그러나 좌지우지하여 바른데에 돌아가면 왕의 군대가 되지만, 좌지우지하는 데에 조금이라도 바르지 않은 것이 있으면 패권자의 술수가 된다.

▌韓國大全▐

유정원(柳正源) 『역해참고(易解參攷)』

師衆 [至] 王矣.
군대는 무리이니 … 왕 노릇을 하다.
劉氏曰, 征之爲言, 正也. 湯伐桀曰, 不敢不正, 武王伐紂曰, 將有大正于商, 蓋能以衆正也.
유씨가 말하였다: '정(征)'이란 바르게 하는 것이다. 탕임금이 걸(桀)을 치며 "감히 바르게 하지 않을 수 없다"라고 하였고, 무왕이 주(紂)를 치며 "장차 상(商)나라에 크게 바르게 함이 있다"라고 하였으니, 무리를 좌우하여 바르게 할 수 있다는 것이다.

김상악(金相岳) 『산천역설(山天易說)』

以卦體釋師貞. 五爲衆陰之主, 能以衆正, 故可以王矣.
괘의 몸체로 "사(師)는 바르게 함이다"는 것을 풀었다. 오효는 여러 음의 주인이 되니, 무리를 바르게 할 수 있으므로 왕 노릇을 할 수 있다.

○ 衆, 坤象, 可坎象. 五陰之中, 五爲君, 餘四爻, 四與上位皆正. 初居下, 亦爲正也. 惟三不正, 故有輿尸之凶.

'무리'는 곤괘의 상이며 감괘의 상도 된다. 다섯 음 가운데 오효가 임금이고, 나머지 네 효 중에 사효와 상효의 자리가 모두 바르다. 초효는 아래에 있으니, 또 바르게 된다. 삼효만이 바르지 않으므로 수레에 시체를 싣게 되는 흉함이 있다.

서유신(徐有臣) 『역의의언(易義擬言)』

虛中相應, 專任丈人, 此六五, 所以能以衆正也.

겸허하고 알맞음으로 서로 호응하여 장인(丈人)에게 전적으로 맡기니, 이것이 육오가 무리를 바르게 할 수 있는 까닭이다.

김귀주(金龜柱) 『주역차록(周易箚錄)』

象曰, 師衆也, 云云.

「단전」에서 말하였다: 군대는 무리이니, 운운.

○ 按, 以衆正正字, 意極包闊. 凡以衆正, 人及自正. 其衆出師, 有名之正, 紀律賞罰之正, 皆在其中矣.

내가 살펴보았다: "무리를 바르게 한다"라고 한 것에서 '바르게 한다[正]'는 뜻이 매우 포괄적이다. "무리를 바르게 한다[以衆正]"는 것은 남들이 스스로 바르게 되는 것이다. 그 무리에서 군대를 출동시키는데 명분의 바름이 있으면 기율(紀律)과 상벌(賞罰)의 바른 것은 모두 그 안에 있다.

本義, 又以卦體, 云云,

『본의』에서 말하였다: 또 괘의 몸체로써, 운운.

小註, 雙湖胡氏曰, 衆正, 云云.

소주에서 쌍호호씨가 말하였다: 무리를 바르게 한다, 운운.

○ 按, 衆正可王, 是統論卦義, 非只贊六五. 剛中而應, 是兼言二五, 亦非只贊九二, 胡說未精.

내가 살펴보았다: 무리를 바르게 하면 왕 노릇을 할 수 있다는 것은 괘의 의미를 통틀어서 논한 것이지, 육오만을 칭찬한 것은 아니다. "굳세고 알맞아 호응한다"는 것은 이효와 오효를 겸하여 말한 것이지, 또한 구이만을 칭찬한 것은 아니다. 호씨의 설명이 정밀하지 못하다.

강엄(康儼) 『주역(周易)』

彖曰 [止] 王矣.

단전에서 말하였다: … 왕 노릇을 할 수 있다

本義, 以謂能左右之也. 左傳, 隱元年冬十月, 鄭人以王師註, 林堯叟[10]云, 凡師能左右之曰以.

『본의』에서 "이(以)'는 좌지우지할 수 있다는 말이다"라고 하였다. 『좌전·은공』원년(元年) 겨울 10월에 "정나라 사람이 왕의 군대로써"라는 대목에 대한 주석에서 임요수는 "군대가 좌지우지할 수 있는 것을 '이(以)'라고 한다"고 하였다.

이지연(李止淵) 『주역차의(周易箚疑)』

此卦之大象, 亦不專以本卦義取象.

이 괘의 「대상전」이 또한 본래의 의미만으로 상을 취하지는 않았다.

박문건(朴文健) 『주역연의(周易衍義)』

衆正, 非一人之正也. 能以衆正, 則可以丈於人, 而王天下也. 此釋師貞丈人之義.

"무리를 바르게 한다"는 것은 한 사람만 바르게 하는 것이 아니다. 무리를 바르게 할 수 있으면 다른 사람들의 어른이 될 수 있어 천하에 왕 노릇을 할 수 있다. 이것이 "군대는 바르게 함이니 장인이라야"의 뜻을 풀이한 것이다.

김기례(金箕澧) 「역요선의강목(易要選義綱目)」

彖曰, 師衆也.

「단전」에서 말하였다: 사(師)는 무리이다.

坤爲衆, 故曰衆.

곤괘는 무리가 되므로 '무리'라고 하였다.

能以衆正, 可以王矣.

무리를 바르게 할 수 있으면 왕 노릇을 할 수 있다.

---

10) 林堯叟: 경학자료집성DB와 영인본에는 '堯林叟'로 되어 있으나, 『춘추좌씨전』에 '林堯叟'로 되어 있어 이에 근거하여 바로잡았다.

九二爲中, 權之位, 統衆以正, 可爲王者之兵也.

구이는 가운데가 되니 권력의 자리이며, 바름으로 무리를 통솔하면 왕도를 행하는 자의 군대가 될 수 있다.

심대윤(沈大允) 『주역상의점법(周易象義占法)』

特釋貞者, 明師之重正也. 兵所以已亂也, 順民之心而救其危, 故民從之矣. 雖虽[11]尤不能以樂生之民, 駈之死地也.

특별히 '정(貞)'을 풀이한 것은 군대의 진중하고 바름을 밝힌 것이다. 군대는 난을 그치게 하는 것으로 민심에 따라서 그 위태로움을 구제하기 때문에 백성들이 따르는 것이다. 더군다나 살기를 바라는 백성을 사지로 내몰 수는 없는 것이다.

오치기(吳致箕) 「주역경전증해(周易經傳增解)」

此以字義釋卦名. 反卦辭貞之義, 以卦體主爻卦德釋卦辭也. 傳義已備, 又見象解.

이것은 '이(以)'자의 의미로 괘의 명칭을 풀이하였다. 반대로 괘사에서의 '정(貞)'의 뜻은 괘의 몸체와 주효(主爻)와 괘의 덕으로 괘의 말을 풀이하였다. 『정전』과 『본의』에 이미 갖추어져 있으니, 또 「단전」의 풀이에 보인다.

최세학(崔世鶴) 주역단전괘변설(周易象傳卦變說)」

師, 坤之一體變也. 二一爻爲主, 故象以剛中言之. 乾二來居於下體之中而應五也.

사괘는 곤괘의 한 몸체(효)가 변한 것이다. 이효 자리의 한 효가 주인이 되므로 「단전」에서 "굳세고 알맞다"는 것으로 말하였다. 건괘의 이효가 하체(下體)의 가운데 자리로 와서 오효에 호응한다.

이병헌(李炳憲) 『역경금문고통론(易經今文考通論)』

乾之九二一陽, 入坤爲師. 訟不過就相對者而言, 故曰訟不可成. 師乃大人除暴救亂之義. 故曰能以衆正, 可以王矣. 又曰以此毒天下, 而民從之.

건괘(乾卦)의 구이 한 양이 곤괘로 들어가 사괘(師卦)가 된다. 송괘(訟卦)는 상대하는 것을 가지고 말한 것에 불과하므로 "송사를 이루어서는 안 된다"라고 하였다. 사괘(師卦)는 바로

---

11) 경학자료집성DB와 영인본에 '雖虽'라고 되어 있으나, 문맥상 오류이다.

대인이 사나운 것을 제거하고 어지러운 것을 구제하는 뜻이므로 "무리를 바르게 할 수 있으면 왕 노릇을 할 수 있다"라고 하였고, 또 "이것으로써 천하에 해독을 끼치지만 백성들이 따른다"라고 하였다.

孟曰, 年二十行役, 三十受兵, 六十還兵.
맹희가 말하였다: 나이 이십에 부역을 행하고 삼십에 수병(受兵)하고 육십에 수병에서 돌아온다.

正義曰, 毒役也.
『주역정의』에서 말하였다: 독(毒)은 부리는 것이다.

按, 象辭之能以衆正可以王矣者, 兼九二之承天寵, 六五之執言, 上六之有命而言.
내가 살펴보았다: 「단전」에서 "무리를 바르게 할 수 있으면 왕 노릇을 할 수 있다"고 한 것은 구이가 '임금[天]의 총애를 잇는 것'과 육오가 '말[言]'을 받드는 것'과 상육이 '명을 두는 것'을 겸하여 말한 것이다.

剛中而應, 行險而順,

굳세고 알맞아서 호응하며, 험한 일을 행하지만 따르니,

▌中國大全▐

傳

言二也. 以剛處中, 剛而得中道也. 六五之君爲正應, 信任之專也. 雖行險道而以順動, 所謂義兵, 王者之師也. 上順下險, 行險而順也.

이효를 말한다. 굳센 양으로 가운데에 있으니, 굳세어 중도(中道)를 얻었다. 육오의 임금이 정응(正應)이 되니, 전적으로 믿고 맡긴다. 비록 험한 길을 가지만 따라 움직이는 것은 이른바 '의로운 병사[義兵]'니, 왕도를 행하는 임금의 군대이다. 위는 따르고 아래는 험하니 험한 일을 행하지만 따른다.

小註

進齋徐氏曰, 剛中而應, 行險而順, 此爲將之道. 蓋不剛則无威嚴而不足以服衆, 過剛則暴而无以懷之, 有剛中之才而信任不專, 亦不能有成功, 此師所以貴乎剛中而應也. 兵凶器, 戰危事, 不得已而興師動衆, 禁暴除亂, 此師所以貴乎行險而順也.

진재서씨가 말하였다: "굳세고 알맞아서 호응하며, 험한 일을 행하지만 따르니", 이것은 장수가 되는 도이다. 굳세지 않으면 위엄이 없어서 무리를 복종시킬 수 없고, 지나치게 굳세면 사나워서 무리를 품을 수 없으며, 굳세고 알맞은 재주는 있지만 전적으로 믿고 맡기지 못하면 또한 공을 이룰 수 없으니, 이것이 사괘(師卦)가 "굳세고 알맞아서 호응하는 것"을 귀하게 여기는 까닭이다. '병사[兵]'는 흉기이고 '싸움[戰]'은 위급한 일이니, 부득이하게 군대를 일으키고 무리를 움직이지만 사납게 구는 것을 금하고 어지러움을 제거하니, 이것은 군대가 "험한 일을 행하지만 따른다"는 것을 귀하게 여기는 까닭이다.

∥韓國大全∥

이익(李瀷) 『역경질서(易經疾書)』

剛中以下, 乃丈人之註脚. 有剛中之德, 而上有正應, 行險難之時, 而順於柔主, 以此亨毒天下, 民皆悅從人, 不敢爲咎. 惟漢之諸葛亮, 當此目矣.

'굳세고 알맞아서[剛中]' 이하는 '장인(丈人)'에 대한 주석이다. 굳세고 알맞은 덕이 있고 위로 정응(正應)이 있으며, 험난한 때에 행하고 부드러운 음의 주인을 따르니, 이것으로써 천하에 해독을 끼치지만 백성들이 모두 기뻐하여 구이를 따르니, 감히 허물이랄 수 없다. 한나라의 제갈량만이 이 같은 조목에 해당한다.

심조(沈潮) 「역상차론(易象箚論)」

剛中, 非年少者所能, 又互震爲長男, 故稱丈人.

"굳세고 알맞다"는 것은 나이 어린 자가 할 수 있는 바가 아니며, 또 호괘인 진괘(震卦)가 맏아들이 되므로 '장인(丈人)'이라고 일컬었다.

김상악(金相岳) 『산천역설(山天易說)』

又以卦體卦德, 釋丈人吉无咎. 九二陽剛居坎之中, 應坤之五, 是行險而順也. 二之才德如是, 故毒害天下, 民皆從之, 所以有成功之吉, 无僨事之咎也.

또 괘의 몸체와 괘의 덕으로 "장인이라야 길하고 허물이 없다"는 것을 풀이하였다. 구이의 굳센 양이 감괘의 가운데에 있고 곤괘인 오효와 호응하니, 험한 일을 행하지만 따르는 것이다. 이효의 재질과 덕이 이와 같으므로 천하에 해독을 끼치지만 백성들이 모두 따르니, 이 때문에 공을 이루는 길함이 있고 일을 그르치는 허물이 없다.

○ 凡言剛中而應者五. 師臨升, 二以剛中應五. 无妄萃, 五以剛中應二也. 毒者, 坎之象. 或曰, 字書從生下母, 音育也. 老子所謂亨之毒之養之覆之, 亦是育字義也. 故一本亨毒作成熟, 與鴆毒之毒, 字形音義, 皆不同. 然毒字, 恐无疑. 師旅之興, 不无傷害, 而民皆從之者, 行險而順也. 行險所以爲毒, 王弼註毒猶役也, 是也.

"굳세고 알맞아서 호응한다"라고 말한 것이 다섯이다. 사괘(師卦)와 림괘(臨卦)와 승괘(升卦)에서는 이효가 '굳세고 알맞음'으로 오효와 호응하며, 무망괘(无妄卦)와 취괘(萃卦)에서는 오효가 '굳세고 알맞음'으로 이효와 호응한다. '독(毒)'은 감괘의 상이다. 어떤 이는 "글자를 생(生)자 아래에 모(母)자를 쓰고 육(育)으로 발음한다"라고 하였는데, 노자가 "안정시키고 돈독하게 하고, 길러주고 감싸준다"[12]라고 한 것이 또한 이 '육(育)'자의 뜻이다. 그러므로 어떤 본에서는 정독(亭毒)을 '성숙(成熟)'으로 썼으니, 짐독(鴆毒)의 '독(毒)'과는 글자의 모양과 소리의 의미가 모두 같지 않다. 그러나 '독'자는 의심할 것이 없겠다. 군대를 일으킴에 상하고 해치는 것이 없지 않지만 백성들이 모두 따르는 것이니, 이것이 험한 일을 행하지만 따른다는 것이다. "험한 일을 행한다"는 것은 독이 되는 일인데, 왕필이 '독'을 '부린다'고 하는 '역(役)'과 같다고 주석하였으니, 이러한 이유이다.

서유신(徐有臣) 『역의의언(易義擬言)』

不得已後用之, 是爲順也. 此九二, 所以爲丈人也.

부득이한 다음에 쓰는 것이 따르는 것이다. 이것이 구이가 장인이 되는 까닭이다.

김귀주(金龜柱) 『주역차록(周易箚錄)』

雲峯胡氏曰, 剛中, 云云.

운봉호씨가 말하였다: 굳세고 알맞아서, 운운.

○ 按, 象象之凡言剛中而應, 多取二五相應之義, 而此卦應字, 則乃五之應二, 非二之應五也. 故本義特言之, 胡說未甚分曉.

내가 살펴보았다: 「단전」과 「대상전」에서 "굳세고 알맞아서 호응한다"라고 말한 것은 대부분 이효와 오효가 서로 호응하는 뜻을 취한 것인데, 이 괘에서 '호응한다'고 하는 '응(應)'자는 바로 오효가 이효에 호응하는 것이지, 이효가 오효에 호응하는 것은 아니다. 그러므로 『본의』에서 특별히 그것을 말하였으니, 호씨의 설명이 매우 분명하지 않다.

박문건(朴文健) 『주역연의(周易衍義)』

應, 應五也. 以此應順之德, 而毒天下, 故民所以從之也. 此以卦體卦德, 釋吉无咎之義.

'응(應)'은 오효에 호응하는 것이다. 이 호응하고 따르는 덕으로써 행하여 천하에 해독을 끼치는 것이므로 백성들이 이 때문에 따르는 것이다. 이것은 괘의 몸체와 괘의 덕으로 "길하고 허물이 없다"는 뜻을 풀이한 것이다.

---

12) 『道德經』.

〈問, 應順之義. 曰, 應, 應五. 順, 不戾也. 應, 兼應天之義, 順, 兼順人之義也.
물었다: 호응하고 따른다는 뜻은 무엇입니까?
답하였다: '호응한다'는 것은 오효에 호응하는 것이고, '따른다'는 것은 어긋나지 않는 것입니다. '호응한다'는 것은 하늘에 호응하는 뜻을 겸하고, '따른다'는 것은 상대에게 따르는 뜻을 겸합니다.〉

김기례(金箕澧) 「역요선의강목(易要選義綱目)」

剛中而應,
굳세고 알맞아서 호응하며
指九二剛中丈人, 應六五柔順君命.
구이의 굳세고 알맞은 장인(丈人)이 육오의 유순한 임금의 명령에 호응함을 가리킨다.

行險而順,
험한 일을 행하지만 따르니,
謂坎險坤順.
감괘는 험하고 곤괘는 따르는 것을 말한다 .

○ 兵死地而順, 以出師故吉.
병사는 죽을 자리일지라도 따르니, 이로써 군대를 출동시키므로 길하다.

박문호(朴文鎬) 「경설(經說)・주역(周易)」

險不測, 本指坎水, 而今竝以指兵. 順靜, 本指坤地, 而今竝以指農.
헤아릴 수 없이 험한 것은 본래 감괘인 물을 가리키는데, 이제 아울러 병사를 가리킨다. 따른다는 것과 고요하다는 것은 본래 곤괘인 땅을 가리키는데, 이제 아울러 농사를 가리킨다.

以此毒天下而民從之, 吉又何咎矣.

이것으로써 천하에 해독을 끼치지만 백성들이 따르니, 길하고 또 무슨 허물이 있겠는가?

‖中國大全‖

傳

師旅之興, 不无傷財害人, 毒害天下. 然而民心從之者, 以其義動也. 古者東征西怨, 民心從也. 如是, 故吉而无咎. 吉謂必克, 无咎謂合義, 又何咎矣, 其義故无咎也.

군대를 일으킴에 재물을 허비하고 인명을 해치는 것이 없지 않으니, 천하에 해독을 끼치는 것이다. 그럼에도 민심이 따르는 것은 군대를 의(義)에 따라 움직이기 때문이다. 옛날에 동쪽을 정벌하면 서쪽의 나라가 원망했던 것은 민심이 따랐기 때문이다. 이와 같이 하기에 길하고 허물이 없다. '길하다'는 것은 반드시 승리하는 것을 말하고, '허물이 없다'는 것은 반드시 의리에 부합함을 말한다. "또 무슨 허물이 있겠는가"라고 한 것은 그것이 의롭기 때문에 허물이 없다는 말이다.

本義

又以卦體卦德釋丈人吉无咎之義. 剛中謂九二. 應謂六五應之. 行險謂行危道. 順謂順人心, 此非有老成之德者不能也. 毒, 害也. 師旅之興, 不无害於天下, 然以其有是才德, 是以民悅而從之也.

또 괘의 몸체와 괘의 덕으로 "장인(丈人)이라야 길하고 허물이 없다"는 뜻을 풀이하였다. "굳세고 알맞다[剛中]"는 것은 구이를 말한다. '응(應)'은 육오가 구이에 호응하는 것을 말한다. "험한 일을 행한다"는 것은 위험한 방도를 행하는 것을 말한다. '따른다[順]'는 것은 인심에 따른다는 것을 말하니, 이것은 노성한 덕이 있는 자가 아니라면 할 수 없다. '독(毒)'은 해로움이다. 군대가 일어남은 천하에 해로움이 없을 수 없지만 장인에게 이러한 재주와 덕이 있으니, 이 때문에 백성들이 기뻐하여 따르는 것이다.

小註

童溪王氏曰, 殺戮之慘, 供億之苦, 勞民而費財, 所謂毒天下也.

동계왕씨가 말하였다: 살육의 참화와 군비를 안정되게 공급하는[供億] 고통은 백성을 수고롭게 하고 재물을 소진시키니, 이른바 천하에 해독을 끼치는 것이다.

○ 雙湖胡氏曰, 衆正可王, 贊六五剛中而應, 贊九二行險而順, 贊兩體. 師本毒害, 而民從之, 吉且无咎者, 特以中正順道耳. 後之王者, 可以觀矣.

쌍호호씨가 말하였다: 무리를 바르게 할 수 있어 왕 노릇을 할 수 있다는 것은 육오가 "굳세고 알맞아서 호응한다"는 것을 칭찬하고 구이가 "험한 일을 행하지만 따른다"는 것을 칭찬한 것으로 두 몸체를 칭찬한 것이다. 군대는 본래 해와 독이 되는 것이지만, 백성들이 따르니 길하고 또 허물이 없는 것은 다만 중정(中正)으로 도를 따르기 때문이다. 뒤에 왕이 되는 자가 살펴야 할 것이다.

○ 雲峰胡氏曰, 剛中而應, 彖傳凡五見, 或五應二, 或二應五. 本義於他卦不明言之, 而師獨曰剛中謂九二, 應謂六五應之. 以在師之時, 五之信任乎二, 尤不可不專也. 毒之一字, 見得王者之師不得已而用之. 如毒藥之攻病, 非有沈痾堅癥, 不輕用也, 其指深矣.

운봉호씨가 말하였다: "굳세고 알맞아서 호응한다"는 것이 「단전」에 다섯 번 보이는데, 오효가 이효에 호응하는 때가 있고 이효가 오효에 호응하는 때가 있다. 『본의』의 경우 다른 괘에서는 명확하게 말하지 않았으나, 사괘에서는 유독 "'굳세고 알맞다'는 것은 구이를 말하고 '응(應)'은 육오가 구이에 호응하는 것을 말한다"라고 하였다. 사괘의 때에 있기 때문에 오효가 이효를 믿고 맡기는 것이 더욱 전일하지 않을 수 없다. '독(毒)'이라는 한 글자는 왕의 군대가 부득이하여 쓰는 것임을 알 수 있다. 독약으로 병을 치료하는 일은 고질병이나 굳은 혹이 있는 경우가 아니라면 가볍게 쓰지 못하는 것이니, 그 가리키는 뜻이 깊다.

▌韓國大全▐

이익(李瀷) 『역경질서(易經疾書)』

毒, 王肅讀爲育, 老子曰, 亭之毒之, 毒育也. 歸藏易, 大畜小畜作大毒小毒, 毒與育畜等字, 古者通用.

'독(毒)'을 왕숙은 '기른다'는 육(育)으로 읽었고, 노자는 "정지독지(亭之毒之)"[13]라고 하였으니, '독'은 기르는 것이다. 『귀장역』에서 대축(大畜)과 소축(小畜)을 대독(大毒)과 소독(小毒)으로 썼으니, '독'은 '육(育)'이나 '축(畜)' 등의 글자와 옛날에 통용되었다.

吾聞, 深窟中, 或有深潭長溪, 莫究源流. 我國若此類極多. 蓋地中未必皆堅實, 往往孔竅空洞, 積水凝聚, 而今地面流出, 泉脉, 莫非此類之滲洩也. 地中有水, 恐是此義. 民非水不生, 其所資以生者, 皆地中之水所流布也. 藏於深窟之中, 出以濟民, 故有容民育衆之象. 外國人言地動者, 地中之土石崩隆, 所以震也, 其說亦有理. 師非常用, 只合藏畜有待, 故卦義亦取此.

내가 들으니, 깊은 동굴 안에는 혹 깊은 못이나 긴 시냇물이 있는데, 그 원류를 찾을 수 없다고 하였다. 우리나라에는 이런 동굴들이 매우 많다. 땅 속이 반드시 다 견고하게 꽉 차있는 것은 아니어서 종종 구멍과 동굴이 물을 머금어 엉기고 모여서 이제 지면으로 흘러나오는 것이니, 샘의 줄기는 이러한 종류가 스며 흘러나오는 것 아닌 것이 없다. 땅 속에 물이 있는 것이 아마도 이 의미인 듯하다. 백성은 물이 아니면 살지 못하니, 그 의지하여 생활할 수 있는 것이 모두 땅속의 물이 흘러 퍼진 때문이다. 깊은 동굴 속에 저장되어 있다가 흘러나와 백성을 구제하기 때문에 백성을 포용하고 무리를 기르는 상이 있다. 외국인 가운데 땅이 움직인다고 하는 이들은, 땅 속의 흙과 돌이 무너지고 떨어져 이 때문에 진동한다고 하는데, 그 설명도 일리가 있다. 군대는 항상 쓰는 것은 아니지만, 갖추고 기르는데 기다림이 있기 때문에 괘의 의미가 또한 이것을 취하였다.

유정원(柳正源) 『역해참고(易解參攷)』

以此 [至] 從之

이것으로써 … 따른다.

正義, 毒猶役也. 若用此諸德使役, 天下之衆人必從之.

『주역정의』에서 말하였다: 독(毒)은 '부린다'는 역(役)과 같다. 이러한 여러 덕을 써서 부린다면, 천하의 사람들이 반드시 따를 것이다.

○ 涑水司馬氏曰, 毒之者, 將以安之也, 若鍼石之所以已疾.

속수사마씨가 말하였다: "해독을 끼친다"는 것은 편안케 하려는 것이니, 침[鍼石]이 질병을

---

13) 『道德經』.

낮게 하는 이유와 같다.

○ 莆陽張氏曰, 坎爲毒, 噬嗑遇毒, 亦坎象.
보양장씨가 말하였다: 감괘가 독이 되니, 서합괘(噬嗑卦䷔) 육삼효의 효사에서 "독(毒)을 만난다"고 한 것도 감괘의 상이다.

박윤원(朴胤源)『경의(經義)·역경차략(易經箚略)·역계차의(易繫箚疑)』

以此毒天下, 而民從之. 卦德, 內險而外順, 險故毒天下, 順故民從之. 來易, 以毒爲陳久之意, 謂時久師老之意, 似未妥當.
이로써 천하에 해독을 끼치지만 백성들이 따른다. 괘의 덕이 안은 험하고 밖은 순하니, 험하기 때문에 천하에 해독을 끼치는 것이고 순하기 때문에 백성들이 따르는 것이다. 래지덕의『주역집주』에서는 '독(毒)'을 "케케묵어 오래되었다"는 뜻으로 여겼으니, 시간이 오래되어 군대가 노쇠해졌다는 뜻을 말하는데, 온당하지 않은 듯하다.

서유신(徐有臣)『역의의언(易義擬言)』

險故爲毒, 順故爲從.
험하기 때문에 해독이 되며, 순하기 때문에 따르게 된다.

강엄(康儼)『주역(周易)』

以此毒天下, 而民從之.
이로써 천하에 해독을 끼치지만 백성들이 따른다.

按, 不曰衆, 而曰民者, 言民, 則衆在其中, 且以明王者之師, 天下響應, 不但兵衆之從而已.
내가 살펴보았다: '무리'라고 하지 않고 '백성'이라고 한 것은 '백성'을 말하면 '무리'는 그 안에 있기 때문이다. 또한 왕도를 행하는 자의 군대를 밝힘으로써 천하 사람들이 그에게 메아리치듯 호응하는 것이니, 단지 병사의 무리가 따를 뿐만이 아니다.

김기례(金箕澧)「역요선의강목(易要選義綱目)」

以此毒天下, 民從之.

이로써 천하에 해독을 끼치지만 백성들이 따른다.

胡雲峯曰, 坎有毒象.
호운봉이 말하였다: 감괘에 해독을 끼치는 상이 있다.

○ 動兵不無威毒, 但丈人應君, 統衆以順, 故民從.
병사를 움직임에 위엄과 해독이 없지 않지만, '장인'이라야 임금에게 호응하고 순리롭게 무리를 통솔하므로 백성이 따른다

○ 如毒藥之可試深病, 不可試无妄之疾. 救亂誅暴, 不得已而出, 則雖有威毒, 民孰不從也.
독약 같은 것은 깊은 병이라야 시도해 볼 수 있으니, 무망괘(无妄卦)에서 말하는 정도의 병에는 시도할 수가 없다. 어지러운 것을 구제하고 사나운 자를 죽이는 것은 부득이해서 나온 것이니, 비록 위엄과 해독이 있지만 백성 가운데 누가 따르지 않겠는가?

허전(許傳)「역고(易考)」

以此毒天下, 而民從之, 吉又何咎矣. 象
일로뻐 天下를 毒ㅎ야 民이 從ㅎ니 吉코 또 무슴 쎰리오
이것으로써 천하를 독이 되게 하지만 백성이 따르니, 길하고 또 무슨 허물이겠는가.

毒畜也. 連山易, 大畜小畜作大毒小毒, 師象之毒字, 亦畜之義也. 故象辭曰, 容民畜衆. 蓋地中有水, 有畜聚之狀, 故以此畜天下, 而民心悅從也.
'독(毒)'은 기르는 것이다. 연산역에서 대축괘(大畜卦)와 소축괘(小畜卦)를 대독괘(大毒卦)과 소독괘(小毒卦)로 썼고, 사괘「단전」에서의 '독(毒)'자가 또한 '기른다畜'는 뜻으로 썼다. 그러므로「대상전」에서 "백성을 포용하고 무리를 기른다"고 하였다. 땅속에 물이 있는 것에 기르고 모이는 상이 있으므로 이것으로 천하를 길러서 백성들이 마음으로 기뻐하여 따르는 것이다.

이진상(李震相)『역학관규(易學管窺)』

傳.
『정전』.

衆坤象, 毒坎象, 王陽象, 民陰象.

'무리[衆]'는 곤괘의 상이고 '독(毒)'은 감괘의 상이며, '왕(王)'은 양의 상이고 '백성[民]'은 음의 상이다.

이용구(李容九) 「역주해선(易註解選)」

毒天下, 而民從之, 如東征之怨, 民心從之.

"천하에 해독을 끼치지만 백성들이 따른다"는 말은 "동쪽을 정벌하니 서쪽지방 사람이 원망하더라"[14]는 경우처럼 민심이 따르는 것이다.

---

14) 은나라의 어진 임금 탕(湯)이 동쪽을 정벌하러 나가면 서이(西夷)가 왜 우리 쪽에 정벌하러 오지 않느냐하고 원망을 하고, 또 남쪽을 정벌하러 나가면 북적(北狄)이 이처럼 원망을 하였다. 평소 자기 나라 군주의학정에 고생하고 있었기 때문에 어진 임금이 전쟁을 통해서라도 그 고통을 해소해 주길 바랐다는 말이다.『孟子·梁惠王』: 書曰, 湯一征, 自葛始. 天下信之, 東面而征, 西夷怨, 南面而征, 北狄怨, 曰奚爲後我. 民望之, 若大旱之望雲霓也. 歸市者不止, 耕者不變, 誅其君而弔其民, 若時雨降. 民大悅.

象曰, 地中有水, 師, 君子以, 容民畜衆.

「상전」에서 말하였다: 땅 속에 물이 있는 것이 '사(師)'이니, 군자가 그것을 본받아 백성을 포용하고 무리를 기른다.

‖中國大全‖

傳

地中有水, 水聚於地中, 爲衆聚之象. 故爲師也. 君子觀地中有水之象, 以容保其民, 畜聚其衆也.

땅속에 물이 있다는 것은 물이 땅속에서 모인 것이니, 무리가 모이는 상이 된다. 그러므로 군대가 된다. 군자가 땅속에 물이 있는 상을 보고서 백성들을 포용하여 보호하고 무리를 기르고 모으는 것이다.

本義

水不外於地, 兵不外於民. 故能養民, 則可以得衆矣.

물은 땅에서 벗어나지 못하고 병사는 백성에게서 벗어나지 못하므로, 백성을 기를 수 있으면 무리를 얻을 수 있다.

小註

朱子曰, 易有精有蘊. 如師貞丈人吉, 此聖人之精. 畫前之易, 不可易之妙理, 至於容民畜衆等處, 因卦以發, 皆其蘊也.

주자가 말하였다: 역은 정밀한 것[精]도 있고 온축된 것[蘊]도 있다. "사(師)는 바르게 함이니 장인이라야 길하다"라 한 것은 성인의 '정밀함'이다. 괘를 긋기 이전의 역은 변화할 수 없는 묘한 이치이니[15] "백성을 포용하고 무리를 기른다"고 한 것 등에 이르러서야 괘에 따라서

드러난다. 이러한 것이 모두 성인의 '온축함[蘊]'이다.

○ 李氏曰, 容民則无流民, 畜衆則无叛衆. 左傳武有七德, 安民和衆, 亦此義也.

이씨가 말하였다: 백성을 포용하면 유랑하는 백성이 없고, 무리를 기르면 배반하는 무리가 없다. 『춘추좌씨전』에서 "무(武)에 일곱 가지 덕이 있는데, 백성을 편안하게 하고 무리를 화합하는 것이 또한 이 뜻이다"[16]라고 하였다.

○ 習靜劉氏曰, 古者兵農合一, 居則爲比閭族黨之民, 役則爲卒伍軍旅之衆, 容之畜之於无事之時, 而用之於有事之日, 此衆卽此民也.

습정유씨가 말하였다: 옛날에 병사와 농사가 합하여 하나였으니, 거주지에 따라 비(比)·려(閭)·족(族)·당(黨)의 백성이 되었고, 부역하게 되면 졸(卒)·오(伍)·군(軍)·려(旅)의 무리가 되었으니, 일이 없을 때에 그들을 포용하고 길러서 일이 있는 날에 쓴다면, 이 무리가 바로 그 백성인 것이다.

○ 隆山李氏曰, 於師得古人井田之法, 於比得古人封建之法.

융산이씨가 말하였다: 사괘(師卦)에서 옛사람의 정전의 법을 얻고, 비괘(比卦)에서 옛사람의 봉건의 법을 얻었다.

∥韓國大全∥

김도(金濤) 「주역천설(周易淺說)」

愚按, 本義下朱子所釋惟一條, 李氏以下諸儒所釋凡三條, 而皆合於大象之旨矣. 蓋容民畜衆, 固非在下者之所爲也. 必須王公大人者, 有含弘之德, 然後能致比閭族黨之化, 而民得以容焉. 又必須臨事而懼, 好謀而成, 然後終致克捷之慶, 而居者役者, 竝受

---

15) '괘를 긋기 이전의 역[畫前之易]'에 대한 설명은 『역학계몽·원괘획』에서 '역유태극(易有太極)'을 논의하는 부분에 나온다. 즉 '획전지역(畫前之易)'은 아직 양의, 사상, 팔괘로 벌어지는 괘획으로 드러나기 전 태극의 차원이라는 것이다. 그러므로 여기에서는 변역(變易)의 차원이 아닌 불역(不易) 차원의 묘리로 설명하는 것이라 하겠다.

16) 『春秋左氏傳·宣公』12년조.

其福矣. 此乃王者之師, 而容民畜衆之明效大驗也. 孟子所謂君子有不戰, 戰必勝矣者, 卽此意也. 然則世之人君, 可不法此象, 而以爲王政之本乎. 嗚呼, 人君勗勉之哉.

내가 살펴보았다: 『본의』아래에 주자가 풀이한 것이 한 조목이고, 이씨 이하 여러 유학자들이 풀이한 것이 세 조목인데, 모두 「대상전」의 종지에 부합한다. 백성을 포용하고 무리를 기르는 것이 본래 아래에 있는 자가 할 수 있는 바가 아니다. 반드시 왕이나 공(公), 혹은 대인이라야 널리 포용하는 덕이 있어서 그런 뒤에야 비(比)·려(閭)·족(族)·당(黨)의 교화를 이룰 수 있어서 백성들이 포용될 수 있다. 또 반드시 일에 임하여 두려워하고 도모하기를 좋아하여 이루니, 그런 뒤에야 마침내 싸워 이기는 경사를 이루어서 지위에 있는 자와 부려지는 자가 함께 그 복을 받는다. 이것이 바로 왕도를 행하는 자의 군대이고, 백성을 포용하고 무리를 기르는 밝고 큰 효험이다. 맹자가 "군자는 싸우지 않을지언정 싸우면 반드시 이긴다"[17]라고 한 것이 바로 이 뜻이다. 그렇다면 세상의 임금 된 이가 이 상을 본받지 않고 왕도정치의 근본을 삼을 수 있겠는가? 아! 임금 된 이가 더욱 힘써야 할 것이다.

이만부(李萬敷) 「역통(易統)·역대상편람(易大象便覽)·잡서변(雜書辨)」

臣謹按, 先王, 因井里而制軍賦, 故居則爲比閭族黨之民, 動則爲卒伍軍旅之衆, 正容民畜衆之義也. 自兵民岐而爲二, 非但兵不能衛民, 而反以兵厲民. 我國兵制最疏, 而軍門漸多, 號令不一, 名實相反, 外方軍政, 尤爲乖戾, 各衙門保丁, 則白骨徵布者過半, 各營各鎭畓軍, 則剝割徵督, 盡歸武人, 媒進營私之資, 不能容保民如此, 又何以畜聚其衆乎.

신이 삼가 살펴보았습니다: 선왕이 마을 단위로 군부(軍賦)를 제정하였으므로 거처하면 비·려·족·당의 백성이 되고 출동하면 졸·오·군·려의 무리가 되었으니, 바로 백성을 포용하고 무리를 기르는 뜻입니다. 병사와 백성이 갈라져 둘이 되면 병사가 백성을 지켜줄 수 없을 뿐 아니라, 도리어 병사를 가지고 백성을 괴롭히게 되는 것입니다. 우리나라는 병사의 제도가 매우 거칠고 군문(軍門)이 점차 많아져 호령이 한결같지 않으니, 이름과 실제가 서로 어긋나며 외지의 군정(軍政)은 더욱 어그러져 각 아문의 보정(保丁)은 백골징포(白骨徵布)된 자가 반을 넘었고, 각 군영(軍營)과 진영(鎭營)의 번군은 착취하고 징독(徵督)한 것이 다 무인에게 돌아가 승진과 사리를 꾀하는 자금이 되어 백성을 포용하여 보호할 수 없는 것이 이와 같으니, 어떻게 무리를 기르고 모을 수 있겠습니까?

---

17) 『孟子·公孫丑』.

심조(沈潮) 「역상차론(易象箚論)」

九二, 爲將帥者, 非但陽剛而已. 此爲互震之初爻, 而有振動號令之象也. 又坎爲盜賊而在內, 盜入寇矣. 師可不興乎.

구이가 장수가 되는 것은 양으로 굳세기 때문만은 아니다. 구이는 호괘인 진괘(震卦)의 초효가 되어서 떨쳐 움직이고 호령하는 상이 있다. 또 감괘는 도적이 되어 안에 있으니, 도적이 쳐들어왔는데 군대가 일어나지 않을 수 있겠는가?

유정원(柳正源) 『역해참고(易解参攷)』

地中 [至] 畜衆.

땅속에서 … 무리를 기른다.

涑水司馬氏曰, 容民畜衆, 不特施之兵. 天子用之, 以治天下, 諸侯用之, 以治其國, 卿大夫用之, 以治其家.

속수사마씨가 말하였다: 백성을 포용하고 무리를 기르는 것은 군대의 일에서만 시행하는 것이 아니다. 천자는 그것을 써서 천하를 다스리고, 제후는 그것을 써서 나라를 다스리며, 경과 대부가 그것을 써서 그들의 가문을 다스리는 것이다.

○ 問, 水行地中, 隨勢曲折, 如師行而隨地之利.

朱子曰, 易有精蘊, 包含衆義, 有甚窮盡.

물었다: 물이 땅 속에서 흐르는데 형세에 따라 구부러지고 꺾이는 것이 군대가 출동하면서 지세의 이로움에 따르는 것과 같다는 말은 무엇을 말하는 것입니까?

주자가 답하였다: 『주역』에는 정밀한 것도 있고 온축된 것도 있어서 여러 의미를 포함하니, 무엇이든지 다 표현할 수 있습니다.

김상악(金相岳) 『산천역설(山天易說)』

水寓於地, 猶兵寓於民也, 故容保其民, 正所以畜聚其衆也. 民與衆, 象坎之在內, 容與畜, 象坤之居外也.

물이 땅에 붙어있는 것이 병사를 백성에 붙여 두는 것과 같으므로 그 백성을 포용하여 보호하는 것이 바로 그 무리를 기르고 모으는 까닭이다. 백성과 무리는 감괘가 안에 있는 것을 형상하고 '포용한다'는 것과 '기른다'는 것은 곤괘가 밖에 있는 것을 형상한다.

박윤원(朴胤源) 『경의(經義)·역경차략(易經箚略)·역계차의(易繫箚疑)』

容民畜衆, 卽寓兵於農之象.

"백성을 포용하고 무리를 기른다"는 것은 병사를 농사에 붙여 두는 상이다.

서유신(徐有臣) 『역의의언(易義擬言)』

天下之大, 莫如地, 天下之多, 莫如水, 故地中有水師, 師衆也. 水不容則潰, 容民所以備亂. 水不畜則渴, 畜衆所以致用. 何以容之. 曰寬厚. 何以畜之, 曰惠鮮. 君子之御民, 如地之能載能藏也.

천하에 큰 것으로 땅만 한 것이 없고 천하에 많은 것으로 물만 한 것이 없다. 그러므로 땅속에 물이 있는 것이 사괘(師卦)이니, 사(師)는 무리이다. 물은 담지 못하면 쏟아지니, 백성을 포용하는 것이 어지러움을 방비하는 까닭이다. 물이 모이지 않으면 고갈되니, 무리를 모으기 때문에 쓸 수 있다. 무엇으로 백성들을 포용할 것인가? '너그러움과 두터움'이라고 하였다. 무엇으로 백성들을 모을 것인가? '은혜와 생기 있게 하는 것[惠鮮]'이라고 하였다. 군자가 백성을 다스리는 것이 땅이 만물을 실을 수 있고 만물을 저장할 수 있는 것과 같다.

김귀주(金龜柱) 『주역차록(周易箚錄)』

本義, 水不外於地, 云云.

『본의』에서 말하였다: 물이 땅에서 벗어나지 못한다, 운운.

○ 按, 畜衆之衆字, 似泛指民衆, 蓋大象必別取一義. 此卦則因水聚地中之象, 而欲含畜民衆而已, 非必專指兵象而言, 本義說可疑, 當更商. 師之謂衆, 未必皆指兵也. 如詩云, 殷之未喪師, 亦泛指民衆而已.

내가 살펴보았다: "무리를 모은다"고 할 때의 '무리[衆]'는 넓게 백성의 무리를 가리키는 듯한데, 「대상전」에서는 반드시 따로 한 의미를 취하였다. 이 괘에서는 물이 땅 속에 모이는 상으로 백성의 무리를 함축하고자 하였을 뿐이고, 반드시 병사의 상만을 가리켜 말한 것은 아니니, 『본의』의 설명은 의심스러워 마땅히 다시 헤아려 보아야 한다. 여기에서 '무리'는 군대를 말하지만 반드시 모두 병사를 가리키는 것은 아니다. 『시경』에서 "은(殷)이 무리를 잃지 않았다"[18]라고 한 것은 역시 넓게 백성의 무리를 가리킬 뿐이다.

---

18) 『詩經·文王之什』.

윤행임(尹行恁) 『신호수필(薪湖隨筆)·역(易)』

容民畜衆之容字畜字, 皆取象於地之容水, 水之畜於地.

"백성을 포용하고 무리를 모은다"고 할 때의 용(容)자와 축(畜)자는 모두 땅이 물을 포용하고 물이 땅에서 모인다는 데에서 상을 취하였다.

강엄(康儼) 『주역(周易)』

按, 畜字反切, 傳義不同. 蓋以本義有養民得衆之語, 故遂以畜爲畜養之畜. 然養民是釋容民, 得衆是釋畜衆, 恐不可以養民之義, 又作養衆之義也. 但程傳以容民畜衆作兩事, 本義作一義. 然畜音恐當與程傳同.

내가 살펴보았다: '축(畜)'자는 반절인데, 『정전』과 『본의』가 다르다. 『본의』에서는 "백성을 길러 무리를 얻는다"는 말이 있기 때문에 드디어 축(畜)을 '기른다'는 휵(畜)으로 여겼다. 그러나 "백성을 기른다[養民]"는 것은 "백성을 포용한다[容民]"는 것을 풀이한 것이고, "무리를 얻는다[得衆]"는 것은 "무리를 모은다[畜衆]"는 것을 풀이한 것이니, 아마도 "백성을 기른다"는 의미를 또 "무리를 기른다"는 의미로 쓰는 것은 옳지 않은 듯하다. 다만 『정전』은 "백성을 포용하고 무리를 모으는 것을 두 가지 일로 보았는데, 『본의』에서는 한 가지 의미로 썼다. 그러나 축(畜)의 음은 아마도 마땅히 『정전』과 같아야 할 듯하다.

박문건(朴文健) 『주역연의(周易衍義)』

地中衆流之所會也.

땅 속에서 여러 흐름이 흘러 모인 것이다.

〈問, 容民畜衆. 曰, 君子以其體虛, 故能容, 以其量廣, 故能畜, 容民爲畜衆之本也.

물었다: "백성을 포용하고 무리를 기른다"는 무슨 뜻입니까?

답하였다: 군자는 그 몸체가 텅 비었기 때문에 포용할 수 있으며, 그 도량이 넓기 때문에 모을 수 있으니, 백성을 포용하는 것은 무리를 모으는 근본이 됩니다.〉

김기례(金箕澧) 「역요선의강목(易要選義綱目)」

君子以, 容民畜衆.

군자가 그것을 본받아서 백성을 포용하고 무리를 모은다.

體水之聚地中, 養民而得衆, 師.

물이 땅속에서 모이는 것을 체득하여 백성을 길러서 무리를 얻는 것이 군대이다.

윤종섭(尹鍾燮) 「경(經)·역(易)」

水在地中, 爲容民畜衆之象, 水行地上, 爲建國親侯之象. 師之反爲比. 故曰有命開國.

물이 땅 속에 있는 것이 백성을 포용하고 무리를 모으는 상이 되며, 물이 땅 위에 흐르는 것이 나라를 세우고 제후를 친하게 하는 상이 된다. 사괘(師卦䷆)가 거꾸로 된 괘가 비괘(比卦䷇)가 된다. 그러므로 "명을 가지니, 나라를 연다"라고 하였다.

이항로(李恒老) 「주역전의동이석의(周易傳義同異釋義)」

按, 釋畜以聚, 則與容語複, 釋畜以養, 則又見地德.

내가 살펴보았다: '모인다'는 취(聚)로 '축(畜)'을 풀이하면 '포용한다'는 용(容)과 말이 중복되지만, '기른다'는 양(養)으로 '축'을 풀이하면 또 땅의 덕을 볼 수 있다.

심대윤(沈大允) 『주역상의점법(周易象義占法)』

君子見水之聚積于寬深之地, 以容民畜衆. 子曰, 寬則得衆, 兌爲容, 乾爲畜, 對乾一變爲兌.

군자는 넓고 깊은 땅에서 물이 모이고 쌓이는 것을 보고서 백성을 포용하고 무리를 모았다. 공자는 "너그러우면 무리를 얻는다"[19]라고 하였는데, 태괘(兌卦)는 포용하고 건괘(乾卦)는 기르니, 건괘에서 한 번 변하여 태괘가 된다.

오치기(吳致箕) 「주역경전증해(周易經傳增解)」

地中有水, 爲衆聚之象, 而君子觀其象, 以容保其民, 畜聚其衆也. 五陰相聚, 爲民衆之象, 一陽爲主, 有容畜之象也.

땅 속에 물이 있는 것이 무리가 모이는 상이 되니, 군자가 그 상을 보고서 그 백성을 포용하여 보호하며 그 무리를 기르고 모으는 것이다. 다섯 음이 서로 모이는 것이 백성이 무리를 짓는 상이 되며, 한 양이 주인이 되는 데에 포용하고 모으는 상이 있다.

이진상(李震相) 『역학관규(易學管窺)』

坎爲民衆, 而坤有容畜之象, 含弘容也. 廣生畜也. 左傳曰, 坎爲衆, 象之取象與彖爻多異.

---

19) 『論語·陽貨』.

감괘는 백성의 무리가 되고 곤괘에 포용하고 기르는 상이 있으니, 머금어서 넓은 것이 '포용함[容]'이고 널리 살리는 것이 '기름[畜]'이다. 『춘추좌씨전』에서 "감괘는 무리가 된다"라고 하였는데,「대상전」에서 상을 취한 것이 단사나 효사와는 많이 다르다.

박문호(朴文鎬) 「경설(經說)·주역(周易)」

畜衆之畜, 旣與容爲對待. 程子之釋作聚, 恐尤長.

"무리를 모은다"고 할 때의 '축(畜)'은 이미 '포용한다'고 하는 용(容)과 대대(對待)의 관계가 된다. 정자가 '모은다'고 하는 취(聚)자로 풀이한 것이 더 좋은 듯하다.

이정규(李正奎) 「독역기(讀易記)」

師之大象曰, 地中有水, 師, 君子以, 容民畜衆. 容民, 則民皆安堵樂業, 畜衆, 則衆皆和睦向上矣. 用此民爲師, 何往而不利哉. 后世不知此義, 驅怨叛之民, 以要一時之功, 宗社生靈, 委之草蔓獸食, 不亦愚乎.

사괘의 「대상전」에서 "땅 속에 물이 있는 것이 사(師)니, 군자가 그것을 본받아서 백성을 포용하고 무리를 기른다"라고 하였다. 백성을 포용하면 백성들이 모두 편안하게 거처하고 자기의 생업을 즐기게 되며, 무리를 기르면 무리가 모두 화목하여 임금을 향하게 된다. 이러한 백성들로 군대를 만들면 어디를 간들 이롭지 않겠는가? 후세 사람들은 이러한 의미를 알지 못하고 원망하고 배반하는 백성들을 전쟁에 몰아다가 한 때의 공만을 바라는 것은 종사와 백성을 수풀 속에 던져 짐승 먹이로 주는 것이니, 또한 어리석지 않겠는가?

이용구(李容九) 「역주해선(易註解選)」

李隆山曰, 於師得古人井田之法, 於比得古人封建之法.

이융산이 말하였다: 사괘(師卦)에서 옛사람의 정전의 법을 얻고, 비괘(比卦)에서 옛사람의 봉건의 법을 얻었다.

이병헌(李炳憲) 『역경금문고통론(易經今文考通論)』

國之有師, 安保君民, 如地中有水, 滋養萬物之生意也.

나라에 군대를 두는 것은 임금과 백성을 편안하게 보호하려는 것이니, 땅 속에 물이 있어 만물을 번식시키고 길러 살리려고 하는 뜻과 같다.

初六, 師出以律, 否臧凶.

정전 초육은 군대가 출동하는데 규율에 맞게 하니, 그렇지 않으면 이기더라도 흉하다.
본의 초육은 군대가 출동하는데 규율에 맞게 하니, 착하지 않으면 흉하다.

┃中國大全┃

傳

初師之始也, 故言出師之義及行師之道. 在邦國興師而言, 合義理則是以律法
也, 謂以禁亂誅暴而動. 苟動不以義, 則雖善亦凶道也. 善謂克勝, 凶謂殃民害
義也. 在行師而言, 律謂號令節制, 行師之道以號令節制爲本. 所以統制於衆,
不以律則雖善亦凶, 雖使勝捷猶凶道也. 制師无法, 幸而不敗且勝者, 時有之矣,
聖人之所戒也.

초효는 사괘(師卦)의 시작이므로 군대를 출동시키는 의리와 군대를 운용하는 도를 말하였다. 나라의
군대를 일으키는 입장에서 말하면 의리에 합당한 것은 율법으로써 하기 때문이니, 난리를 억제하고
포악한 이를 주벌하기 위하여 군대를 움직이는 경우를 말하는 것이다. 그런데 그 움직임을 의리에
합당하게 하지 않는다면 비록 잘하더라도 흉한 도이다. 잘한다는 것[善]은 이기는 것을 말하고, 흉하
다는 것은 백성에게 재앙을 끼치고 의리를 해치는 것을 말한다. 군대를 운용하는 입장에서 말한다면
'율법[律]'은 호령과 절제를 말하니, 군대를 운용하는 도는 호령과 절제를 근본으로 한다. 이 때문에
무리를 통제하는데 율법으로써 하지 않으면 비록 잘하더라도 또한 흉한 것이니, 비록 싸움에 이기더
라도 오히려 흉한 도이다. 군대를 통제하는데 법도가 없는데도 요행히 패하지 않고 또 이기는 경우가
때로 있지만, 성인이 경계하는 일이다.

小註

程子曰, 律有二義. 有出師不以義者, 有行師而无號令節制者, 皆失律也. 師出當以律,
不然雖臧亦凶.

정자가 말하였다: '율(律)'에는 두 가지 뜻이 있다. 군대를 출동시키는데 의리로써 하지 않는

자가 있고, 군대를 행하면서 호령과 절제가 없는 것이 있는데 모두 규율을 잃은 것이다. 군대가 출동하는데 마땅히 규율에 맞게 하여야 하니, 그렇게 하지 않으면 비록 승리하더라도 흉하다

本義

律, 法也, 否臧謂不善也. 鼂氏曰, 否字, 先儒多作不, 是也. 在卦之初, 爲師之始, 出師之道, 當謹其始, 以律則吉, 不臧則凶. 戒占者, 當謹始而守法也.

'율(律)'은 법이고, '비장(否臧)'은 착하지 않은 것[不善]을 말한다. 조씨(鼂氏)는 "비(否)자를 선유(先儒)들이 '~아니다'는 불(不)자로 많이 썼다"라고 하였으니, 그 말이 옳다. 초육은 이 괘의 처음에 있어서 군대의 시작이 되는데, 군대를 출동시키는 도(道)는 마땅히 그 시작을 삼가야 하니 규율에 맞게 하면 길하고 착하게 하지 않으면 흉하다. 점치는 자가 마땅히 시작을 삼가고 법을 지켜야 함을 경계한 것이다.

小註

隆山李氏曰, 二爲師主, 初受節制, 有師出以律之象.

융산이씨가 말하였다: 이효는 군대의 주인이 되고 초효는 이효의 절제를 받으니, 군대가 출동하는데 규율에 맞게 하는 상이 있다.

○ 西溪李氏曰, 甘誓攻右攻左, 御非其馬之正, 牧誓五步六步七步, 五伐六伐七伐, 皆不可亂. 周公司馬法, 坐作進退, 皆有常節, 魯侯撫師, 牛馬臣妾, 戒以勿逐, 以其亂部分後, 不可以爲師也.

서계이씨가 말하였다: 『서경·감서』에서 "오른쪽을 다스리고 왼쪽을 다스리며, 마부가 말을 바르게 몰지 않는다"라고 한 것과 『서경·목서』에서 "다섯 보, 여섯 보, 일곱 보와 다섯 번 찌르고, 여섯 번 찌르고, 일곱 번 찌른다"라고 한 것을 모두 어지럽힐 수 없다. 주공(周公)의 사마법(司馬法)에는 앉고 일어나며 나아가고 물러나는 것이 모두 떳떳한 절도가 있었는데, 노나라 제후가 군대를 진무하면서 우마(牛馬)와 신첩(臣妾)은 따르지 말라고 경계한 것은 그들이 분부를 어지럽힌 뒤에는 군대가 될 수 없기 때문이다.

○ 雲峰胡氏曰, 初六才柔, 故有否臧之戒. 然以律不言吉, 否臧則言凶者, 律令謹嚴, 出師之常, 其勝負猶未可知也, 故不言吉. 出而失律, 凶立見矣.

운봉호씨가 말하였다: 초육은 재질이 유약하므로 "착하지 않으면"이라는 경계가 있다. 그러나 규율에 맞게한다고만 하고 '길하다'고 말하지 않았으며, 착하지 않으면 '흉하다'고 말한 것은 율령의 근엄함이 군대를 출동시키는 올바른 법이기 때문이고, 그 이기고 지는 것은 오히려 알 수 없으므로 '길하다'고 말하지 않은 것이다. 군대를 출동시켰는데 규율을 잃으면 흉함이 바로 드러난다.

‖韓國大全‖

송시열(宋時烈) 『역설(易說)』

坎爲律, 故云出以律. 臧凶者, 言不善則凶也. 不善者, 謂失律也. 傳釋以否, 則雖善凶也, 未知幹旋太過否.

감괘는 규율이 되므로 "출동하는데 규율에 맞게 한다"라고 하였다. '장흉[臧凶]'은 착하지 않으면 흉하다는 말이다. "착하지 않다"는 것은 군율을 잃은 것을 말한다. 『정전』에서 '그렇지 않으면[否]'으로 풀이한 것은 비록 착하더라도 흉하다는 것이니, 풀이한 것이 너무 지나치지 않은지 모르겠다.

이익(李瀷) 『역경질서(易經疾書)』

失律, 卽否臧之註脚. 否臧猶言是非, 古人或言臧否, 或言否臧, 如杜甫所謂否臧太常議, 是也. 先否而後臧者, 以失律故也. 律以同心同力爲主, 律旣定矣, 或否而或臧, 是爲失律. 否承律字說

"규율을 잃는다"는 것은 '착하지 않으면[否臧]'의 주석이다. '착하지 않으면'이라는 말은 옳고 그름을 말하는 것과 같아서 옛사람은 '장부(臧否)'라고 말하기도 하고 '부장(否臧)'이라고 말하기도 하였으니, 두보가 "옳고 그름을 태상(太常)에서 의론한다"[20]라고 한 경우가 이것이다. 앞에서는 그르다고 하고 뒤에는 옳다고 하는 것은 규율을 잃었기 때문이다. 규율은 마음과 힘을 같이하는 것을 주로 하니, 규율이 정해졌는데 그르다고 하거나 옳다고 하면 이는 규율을 잃은 것이다. '그르다'는 부(否)는 율(律)자와 이어지는 설명이다.

---

20) 『全唐詩・贈秘書監江夏李公邕』.

심조(沈潮) 「역상차론(易象箚論)」

初爻得正, 有以律之象.

초효가 바름을 얻었으니, 규율에 맞게하는 상이 있다.

유정원(柳正源) 『역해참고(易解參攷)』

初六 [至] 臧凶.

초육 … 이기더라도 흉하다.

左宣十二年, 楚圍鄭. 荀林父將中軍救鄭, 先縠佐之, 荀首爲下軍大夫, 聞鄭及楚平. 桓子〈林父〉, 欲還, 先縠不從而欲進. 荀首曰, 此師殆哉. 周易有之, 在師之臨曰, 師出而律, 否, 臧, 凶. 執事承順爲臧, 逆爲否〈縠逆命, 不順成, 故應否臧之凶〉, 衆散爲弱〈坎爲衆, 今變爲兌, 兌柔弱也〉, 川壅爲澤〈坎爲川, 今變爲兌, 兌爲澤, 川見壅〉, 有律以如己也〈如從也, 法行則人從法, 法敗則法從人, 坎爲法象, 今爲衆則散, 川則壅, 是失法從人之象〉. 故曰律否臧〈不以法, 非臧善〉, 且律竭也〈坎變兌, 是法敗〉. 盈而以竭, 〈水以盈爲功, 竭則敗〉, 夭且不整〈水過夭塞, 不得正流, 則竭涸〉, 所以凶也. 不行之謂臨〈水變爲澤, 乃成臨卦, 不行之物, 故謂臨〉, 有帥而不從, 臨孰甚焉. 果遇必敗, 彘子〈先縠〉, 尸之〈此主禍〉, 雖歸而免, 必有大咎〈明年晉殺先縠〉.

『춘추좌씨전』 선공(宣公) 12년 초나라가 정나라를 포위하였다. 순림보(荀林父)가 중군의 장수로 정나라를 구하려고 할 때에 선곡(先縠)이 그 부장이고, 순수(荀首)가 하군의 대부가 되었는데, 정나라가 초나라에 항복하여 화평하였음을 들었다. 환자(桓子)〈순림보이다.〉는 돌아가려고 하였는데, 선곡이 따르지 않고 나아가고자 하였다. 순수가 말하기를 "이 군대는 위태로울 것이다. 『주역』에도 있으니, 사괘(師卦)가 림괘(臨卦)로 바뀐 데에서 "군대가 출동하는데 군율로써 하니, 그렇지 않으면 이기더라도 흉하다"라고 하였다. 일을 맡아 보는 것이 받들고 따르면 '좋다'고 하고 거스르면 '좋지 않다'고 하며〈선곡이 명을 거슬러 잘 따르지 않았기 때문에 착하지 못한 흉함에 해당한다〉, 무리가 흩어지는 것을 약하대(弱]고 하고〈감괘는 무리가 되는데 이제 바뀌어 태괘(兌卦)가 되니, 태괘는 유약하다〉, 냇물이 막히면 못이 되니〈감괘는 냇물이 되는데 이제 바뀌어 태괘가 되니, 태괘는 못이 되어 냇물이 막히게 된다〉, 군율을 자기 뜻대로 함이 있다〈'여(如)'는 따르는 것이니, 군율이 행해지면 사람들이 군법을 따르지만 군법이 무너지면 군법이 사람을 따르게 되니, 감괘는 군법의 상이 되는데 이제 무리가 되어서는 흩어지고 냇물이 되어서는 막히니, 이것이 군법을 잃고 사람을 따르는 상이다〉. 그러므로 "군법이 좋지 않으면〈법으로써 하지 않으면 좋지 않다〉, 또 군율이 없어지게 된다"라고 하였다〈감괘가 태괘로 바뀌는 것이 법이 무너지는 것이다〉. 가득 찼는데도 마르게 되고〈물은 가득 차는 것을 공덕(功德)으로 여기니, 마르면 실패하는 것이다〉 막혀 흐르지 않으니〈물이 흐르다 막혀 바른 흐름을 얻지 못하면 마르게 된다〉, 이 때문에 흉하다.
그 가지 못하는 것을 '림(臨)'이라고 이르니〈물이 바뀌어 못이 되면 바로 림괘(臨卦)가 이루
어지며, 가지 못하는 물건이므로 '림(臨)'이라고 하였다〉, 장수가 있지만 따르지 않으니, 가지
못하는 것 가운데 무엇이 이보다 심하겠는가? 결국 초나라를 만나면 반드시 패할 것이니,
체자(彘子)가〈선곡이다.〉 죽을 것이며〈이는 화(禍)의 주체이다.〉 비록 돌아와 화를 면하더
라도 반드시 크게 허물이 있게 된다〈다음해에 진나라가 선곡을 주살하였다.〉"라고 하였다.

○ 餘學齋胡氏曰, 周禮註, 大師吹律合音, 商則戰勝, 角則軍擾, 宮則軍和, 徵則軍勞,
羽則兵. 此雖聽律以定吉凶, 亦見律於師尤切也.
여학재호씨가 말하였다:『주례』의 주석에 크게 군사를 일으킬 때는 육률을 불어 소리를 합
치시킨다고 하였는데, 상(商)은 싸움에서 이기는 것이고 각(角)은 군대가 흐트러지는 것이
고 궁(宮)은 군대가 화합하는 것이고 치(徵)는 군대가 수고로운 것이고 우(羽)는 병사가
쇠약한 것이다. 이것은 비록 육률을 듣고서 길하고 흉한 것을 정한 것이지만, 또한 육률이
군대에서 매우 절실함을 드러낸 것이다.

○ 廬陵龍氏曰, 易非徒占筮, 敎戒在焉. 音律之義狹, 不若法律之義廣, 從程朱爲是.
여릉용씨가 말하였다:『주역』은 단지 점을 치는 것만이 아니어서 가르침과 경계가 있다. 음
률의 의미가 협소하여 법률의 의미만큼 넓지는 못하지만, 정자와 주자를 따르는 것이 옳다.

○ 案, 師出以律, 王者之師也. 然這律字, 當於應天順人, 除暴救亂上看, 至若比干稱
矛, 五伐六伐之數, 則不足爲律. 如秦晉及隋, 窮兵黷武, 五令三申, 約束什伍之法, 豈
不反有精於昔日王者之師. 而終非應順除救之道, 故不足謂師出以律.
내가 살펴보았다: 군대가 출동하는데 규율에 맞게하는 것은 왕도를 행하는 자의 군대이다.
그러나 이 '율(律)'자는 마땅히 하늘에 호응하고 사람에게 따르며 포악한 이를 제거하고 혼
란을 구제하는 데에서 보아야 하니, 방패와 창을 나란히 한다거나 다섯 번 찌르고 여섯 번
찌르는 횟수와 같은 것은 군율이 되지 못한다. 예컨대 진(秦)나라와 진(晉)나라 및 수(隋)나
라는 임의로 무력을 써서 전쟁을 일삼으며 번거롭게 명을 내리니, 대오를 형성하는 법이도
리어 옛날 왕도를 행하는 자의 군대보다 정밀함이 있지 않았겠는가? 그러나 끝내 하늘에
호응하고 사람에게 따르며 포악한 이를 제거하고 혼란을 구제하는 도가 아니므로 군대가
출동하는데 규율에 맞게한다고 말하기에는 부족하다.

傳.
『정전』

案, 傳末本有臧作郞反四字.

내가 살펴보았다: 『정전』의 끝에 본래 '장작랑반(臧作郞反)'[21]이라는 네 글자가 있다.

김상악(金相岳) 『산천역설(山天易說)』

律, 法也. 否臧, 謂不善也. 初六, 居坎之下, 出師之始, 比二而受其節制, 故有師出以律之象. 若不善, 則必失律而凶也.

'율(律)'은 법이다. '비장(否臧)'은 착하지 않다는 것을 말한다. 초육은 감괘의 아래에 있어 군대를 출동시키는 처음이니, 이효를 가까이하여 그 절제를 받으므로 군대가 출동하는데 군법으로써 하는 상이 있다. 착하지 않으면 반드시 규율을 잃어서 흉하게 된다.

○ 律, 坎象. 九二一陽處衆陰之中, 主坎於下, 故曰師出以律. 而否臧戒初之才柔也. 初之无位, 无用師之責, 則未見其否臧. 及其失律而後見凶, 如三輿尸之凶, 乃失律者也.

율(律)은 감괘의 상이다. 구이의 한 양이 여러 음 사이에 있고 하괘에서 감괘의 주인이 되므로 "군대가 출동하는데 군법으로써 한다"라고 하였다. 그런데 "착하지 않다"는 뜻의 비장(否臧)은 초효의 재질이 유약함을 경계한 말이다. 초효는 지위가 없어 군대를 쓰는 책임이 없으니, 그 착하지 않음이 드러나지 않는다. 그 규율을 잃음에 이른 뒤에 흉함을 볼 수 있으니, 삼효의 "수레에 시체를 싣는 흉함" 같은 것이 바로 규율을 잃은 것이다.

박윤원(朴胤源) 『경의(經義)・역경차략(易經箚略)・역계차의(易繫箚疑)』

六是才柔, 而初是不習於兵, 故出師易以失律也.

음인 육은 재질이 유약하고 초효는 군대의 일에 익숙하지 않으므로 군대를 출동시키는데 쉽게 규율을 잃는다.

서유신(徐有臣) 『역의의언(易義擬言)』

師之初, 故曰師出也. 凡師之出, 當以紀律, 而初六柔弱, 有不臧之象, 故便知其必凶. 師之勝敗, 已可決於出師之初也.

사괘(師卦)의 처음이므로 "군대가 출동한다"라고 하였다. 군대의 출동이 마땅히 규율에 맞게하여야 하는데, 초육은 유약하여 착하지 않은 상이 있으므로 곧바로 그것이 반드시 흉하게 됨을 안다. 군대의 이기고 지는 것이 이미 군대를 출동시키는 처음에서 결정이 난다.

---

21) 장작랑반(臧作郞反): '臧'의 음이 '作'에서 'ㅈ'와 '郞'에서 'ㅇ'이 합하여 '장'이 된다는 말이다.

김귀주(金龜柱) 『주역차록(周易箚錄)』

初六, 師出以律, 云云.

초육은 군대가 출동하는데 규율에 맞게한다, 운운.

○ 按, 初六前臨九二之剛, 剛有威斷之象, 所以言師出以律. 然六之才陰柔, 又恐有否藏之失, 故戒之以凶也. 或疑, 九二乃將帥也, 又安得爲師出以律之象乎. 曰, 易之取義, 爻爻不同. 就九二言, 則九二爲將帥, 而初六爲卒徒也, 就初六言, 則初六爲出師之始, 而九二爲以律之象. 言各有攸當也.

내가 살펴보았다: 초육은 굳센 구이의 앞에 임하는데, 굳셈에는 위엄과 결단의 상이 있으니, 이 때문에 "군대가 출동하는데 규율에 맞게한다"라고 말하였다. 그러나 육의 재질은 음으로 유약하고, 또 착하지 않은 잘못이 있을까 의심하므로 '흉하다'는 말로 경계하였다.

어떤 이가 의심하여 물었다: 구이가 바로 장수인데, 또 어떻게 군대가 출동하는데 규율에 맞게하는 상이 될 수 있겠습니까?

답하였다: 『주역』이 의미를 취한 것이 효마다 같지 않습니다. 구이의 입장에서 말하면, 구이는 장수가 되고 초육은 병졸이 되지만, 초육의 입장에서 말하면 초육은 군대를 출동시키는 처음이 되고 구이는 규율에 맞게하는 상이 됩니다. 말이 각각 마땅한 바가 있습니다.

本義, 律, 法也, 云云.

『본의』에서 말하였다: 율(律)은 법이다, 운운.

小註, 雲峯胡氏曰, 初六, 云云.

소주에서 운봉호씨가 말하였다: 초육은, 운운.

○ 按, 旣言否藏凶, 則以律之吉, 不待言而可知也. 勝負, 猶未可知云云, 恐未安.

내가 살펴보았다: 이미 "착하지 않으면 흉하다"라고 말하였으니, 규율에 맞게하는 길함은 말하지 않아도 알 수 있다. 이기고 지는 것은 오히려 아직 알지 못하겠다고 운운한 것은 타당하지 않은 듯하다.

박문건(朴文健) 『주역연의(周易衍義)』

勉其行正, 故有以律之象. 律, 征討之律也. 否臧, 不善也.

그 바름을 행하는데 힘쓰므로 규율에 맞게하는 상이 있다. '율(律)'은 정벌하는 규율이다. '부장(否臧)'의 뜻은 착하지 않음이다.

〈問, 否臧. 曰, 否臧不善, 失律之謂也. 與否二大人否, 遯四小人否之否, 不同文法也.

물었다: '부장(否臧)'은 무슨 뜻입니까?

답하였다: '부장(否臧)'은 착하지 않다는 것이니, 군율을 상실한 것을 말합니다. 비괘(否卦)

이효에서 '대인비(大人否)'라고 한 것과 돈괘(遯卦) 사효에서 '소인비(小人否)'라고 한 비(否)자와는 글의 어법이 같지 않습니다.〉

〈○ 問, 師出以律, 否臧, 凶. 曰, 初六與六四相應, 故勉其以律, 而戒其否臧. 若違律而征上, 則致凶也.
물었다: "군대가 출동하는데 규율에 맞게 하니, 착하지 않으면 흉하다"는 것은 무슨 뜻입니까?
답하였다: 초육은 육사와 서로 호응하므로 그 규율에 맞게하는데 힘쓰고 그 착하지 않음을 경계한 것입니다. 규율을 어기고 정벌하게 되면 흉한데 이르는 것입니다.〉

이지연(李止淵) 『주역차의(周易箚疑)』

蒙之初六, 非發蒙之才, 而曰發蒙, 訟之初六, 无終吉之道, 而曰終吉者, 皆承九二中德之陽, 故已雖不吉, 而賴人而吉者也. 師之初六, 以陰柔之才, 處不中正, 安能有出以律之道乎. 故繼之以不臧二字. 不臧, 六之象也, 以律者, 承九二之節制故也.
몽괘(蒙卦)의 초육은 몽매함을 계발시키는 재질이 아닌데도 "몽매함을 계발시킨다"라고 하고, 송괘(訟卦)의 초육은 마침내 길한 도가 없는데도 "끝이 길하다"라고 한 것은 모두 알맞은 덕을 지닌 구이의 양으로 이었기 때문에 자신은 비록 길하지는 못하지만 구이의 양에게 의지하여 길한 것이다. 사괘(師卦)의 초육은 부드러운 음의 재질로서 중정(中正)하지 않은데 있으니, 어떻게 규율에 따라 출동하는 도가 있을 수 있겠는가? 그러므로 '착하지 않으면'이란 뜻의 '부장(不臧)' 두 글자로 이었다. "착하지 않다"는 것은 음인 육의 상이고, "규율에 맞게한다"는 것은 구이의 절제를 이었기 때문이다.

김기례(金箕澧) 「역요선의강목(易要選義綱目)」

坎爲律, 故曰律. 出師之初, 无法律, 則焉得不凶.
감괘는 법률이 되므로 '율(律)'이라고 하였다. 군대를 출동시키는 처음에 법률이 없으면 어떻게 흉하지 않을 수 있겠는가?

○ 初六, 柔弱, 故首戒失律.
초육은 유약하므로 첫머리에 법률을 잃어버릴까 경계한 것이다.

이항로(李恒老) 「주역전의동이석의(周易傳義同異釋義)」

按, 象傳, 以失律, 釋不臧.

내가 살펴보았다: 「단전」은 규율을 잃는 것으로 "착하지 않다"는 의미를 풀이하였다.

허전(許傳) 「역고(易考)」

初六, 師出以律〈이니〉 否臧〈이면〉 凶.

초육은 군대가 출동하는데 규율에 맞게 해야 하니, 착하지 않으면 흉하다.

本義, 否臧, 謂不善也, 此說是也. 韻書曰, 否不, 臧善, 蓋否不通用.

『본의』에서 "부장(否臧)은 착하지 않음을 말한다"라고 하였으니, 이 설명이 옳다. 『운서(韻書)』에서는 "부(否)는 '아니다'는 뜻의 불(不)이고, 장(臧)은 '착하다'는 선(善)이다"라고 하였으니, '부'와 '불'이 통용된다.

심대윤(沈大允) 『주역상의점법(周易象義占法)』

師之爻位, 居剛, 欲戰者也, 居柔, 不欲戰者也.

사괘 효의 자리가 군센 양의 자리에 있으면 싸우려고 하는 자이고, 유약한 음의 자리에 있으면 싸우려고 하지 않는 자이다.

師之臨☷☱, 下接也. 以恩信撫衆, 然後可用矣. 初六, 居剛欲戰, 震爲出, 言以威力遷動其下也. 兌爲律, 律節制也, 言不臧於律則凶矣. 初六在二剛之內, 有節制之象, 而以才柔, 故有否臧之凶. 師之道, 當以恩信懷下, 而尤嚴於節制. 初以柔才居師之初, 能以恩聚衆, 而節制未立, 遽以之戰, 危亡之道也. 初六蓋愛克厥威者也, 兵法愛而无威, 慢, 威而无愛, 殘, 必使愛己而畏法, 然後可也.

사괘가 림괘(臨卦☷☱)로 바뀌었으니, 아래의 초효에 이어진다. 은혜와 믿음으로 무리를 어루만진 뒤에야 쓸 수 있다. 초육은 군센 양의 자리에 있어 싸우려 하고, 호괘인 진괘(震卦)는 나아가니, 위력으로 그 아랫사람을 옮겨 움직이게 하는 것을 말한다. 림괘의 하괘인 태괘(兌卦)는 규율이 되니, 규율은 절제하는 것이어서 절제를 잘하지 못하면 흉하게 됨을 말한다. 초육은 이효의 군센 양 안에 있어 절제하는 상이 있는데, 재질이 유약함으로써 착하지 않다는 흉함이 있다. 군대의 도는 은혜와 믿음으로 아랫사람을 품어야 하지만, 절제에 더욱 엄격해야 한다. 초효는 유약한 재질로써 사괘의 처음에 있어 은혜로써 무리를 모을 수 있지만, 절제함이 아직 확립되지 않아서 갑작스럽게 싸우게 한다면 위태롭고 망하는 도이다. 초육은 대체로 사랑이 그 위엄을 뛰어넘는 자이니, 병법에 "사랑하지만 위엄이 없으면 게으르게 되고, 위엄으로만 하고 사랑이 없으면 잔혹해지니, 반드시 자신을 사랑하도록 하지만 군법을 두려워하게 한 뒤에야 옳다"라고 하였다.

오치기(吳致箕) 「주역경전증해(周易經傳增解)」

初六, 陰柔不正, 在師之初, 故戒言師旅之出, 必先以紀律, 整其部伍, 然後乃能成功. 若或不善於此, 則必取其凶也.

초육은 유약한 음으로 바르지 않으며 사괘(師卦)의 처음에 있으므로, 군대의 출동을 반드시 먼저 기율(紀律)로써 하고 그 대오(隊伍)를 가지런히 해야 함을 경계하여 말하였으니, 그런 뒤에 공을 이룰 수 있다. 만약 이것을 잘하지 못하면, 반드시 그 흉함을 얻게 된다.

○ 坎爲律之象. 否者不也. 臧者善也.

감괘는 규율의 상이 된다. '부(否)'는 '아니다'는 뜻의 불(不)이다. '장(臧)'은 '착하다'는 선(善)이다.

이진상(李震相) 『역학관규(易學管窺)』

除暴救亂, 師之律也. 湯武之吊伐, 是也. 否則齊人之伐燕, 取之而係累父兄, 肆其侵掠者也, 雖有一時之功, 擢筋之匈, 終不得免. 傳之曰, 雖善亦匈, 恐得之. 但號今節制, 不足以盡之. 漢武時, 衛霍用兵, 豈不是統制之嚴明, 絶大漠封狼居, 豈不是偉功. 而天下騷然, 民不聊生, 幾蹈亡秦之轍. 若此而謂之師出以律, 可乎.

사나운 이를 제거하고 혼란을 구제하는 것이 군대의 율법이다. 탕왕(湯王)과 무왕(武王)이 적을 벌준 일이 그런 것이다. 그렇지 않고 제나라 사람이 연나라를 쳐서 취하고 그 부형(父兄)을 구속한 것은 그 침략을 멋대로 한 것이니, 비록 한 때의 공이 있더라도 잔인하게 박해하는 흉함을 끝내 면하지 못한다. 『정전』에서 "비록 싸움에 이기더라도 흉하다"라고 한 것이 잘 본 것 같다. 단지 호령하고 제재하기만 해서는 다할 수 없는 것이다. 한나라 무제 때에 위청[22]과 곽거병[23]이 병사를 쓰는데 어찌 통제함이 엄격하고 분명하지 않았겠으며, 고비사막을 가로질러 낭거서산에서 봉제사를 지낸 것이 어찌 위대한 공적이 아니겠는가? 그런데 천하가 시끄럽고 백성이 편히 살지 못하니, 어찌 망한 진나라의 전철을 밟은 것이 아니겠는가? 이같이 하고서 "군대가 출동하는데 군율에 맞게 한다"라고 한다면 옳겠는가?

채종식(蔡鍾植) 「주역전의동귀해(周易傳義同歸解)」

師, 初六, 否臧凶, 傳云, 動不以義, 則雖善, 亦凶道也. 善謂克勝, 本義云, 否臧, 謂不

---

22) 위청(衛靑, ? ~ B.C.106): 중국 전한(前漢) 무제(武帝) 때의 장군이다. 무제가 대대적으로 흉노와 전쟁을 벌였는데, 위청은 흉노를 대패시키는 혁혁한 전공을 세웠다.

23) 곽거병(霍去病, B.C.140.~B.C.117): 한나라 무제 때 인물로 곽광의 이복 형이고, 대장군 위청(衛靑)의 조카이며, 무제(武帝) 위황후(衛皇后)의 조카이다. 위청과 함께 흉노정벌에 혁혁한 전공을 세웠다.

善也. 以律則吉, 不臧則凶. 蓋雖善亦凶者, 言雖勝亦凶也, 不臧則凶者, 无勝負之可論也, 其凶道則一也.

사괘 초육에서 "착하지 않으면 흉하다[否臧凶]"고 한 것에 대해 『정전』에서는 "움직이기를 의리로써 하지 않으면 비록 잘하더라도 흉한 도이다. '잘한다[善]'는 것은 이겨 승리하는 것을 말한다"라고 하였으며, 『본의』에서는 "비장(否臧)은 '착하지 않다'는 것을 말한다. 군율로써 하면 길하고 착하게 하지 않으면 흉하다"라고 하였다. 『정전』에서 "비록 잘하더라도 흉하다"는 것은 비록 승리하더라도 흉하다는 말이며, 『본의』에서 "착하게 하지 않으면 흉하다"는 것은 이기고 지는 것을 논할 것이 없이 그것이 흉한 도라는 점에서는 같다는 것이다.

박문호(朴文鎬) 「경설(經說)·주역(周易)」

否臧, 本義之釋作不善, 於文勢爲順, 又況象傳之失律, 正釋否臧者乎

'부장(否臧)'에 대해서 『본의』의 해석은 "착하지 않다"라고 하였으니, 문장의 형세에도 순한데 또 하물며 「상전」에서 "율법을 잃는다"고 한 것이 바로 '부장(否臧)'을 풀이한 것이겠는가?

五陰旣爲衆之象, 而傳義又皆處五爲君, 易之取義, 其廣大如此. 蓋五之爲君常也. 其爲衆者, 惟此卦爲然耳.

다섯 음이 이미 무리의 상이 되고, 『정전』과 『본의』에서 또 모두 오효에 있는 것이 임금이 되니, 『주역』이 취한 의리는 그 광대함이 이와 같다. 오효가 임금이 되는 것은 상도이다. 오효가 무리가 되는 것은 이 괘만 그러할 뿐이다.

이병헌(李炳憲) 『역경금문고통론(易經今文考通論)』

荀九家曰, 坎爲法律,

『순구가역』에서 말하였다: 감괘는 법률이 된다.

按, 師出以律, 謹始之意, 失律卽不臧也.

내가 살펴보았다: "군대가 출동하는데 규율에 맞게 한다"는 것은 시작을 조심스럽게 한다는 뜻이며, "규율을 잃는다"는 것은 바로 착하지 않은 것이다.

象曰, 師出以律, 失律, 凶也.

「상전」에서 말하였다: "군대가 출동하는데 규율에 맞게 하니"규율을 잃으면 흉하다.

‖中國大全‖

傳

師出當以律, 失律則凶矣. 雖幸而勝, 亦凶道也.

군대가 출동하는 것은 마땅히 규율에 맞게 해야 하는데, 규율을 잃으면 흉하게 된다. 비록 요행으로 승리하더라도 흉한 도이다.

‖韓國大全‖

김상악(金相岳)『산천역설(山天易說)』

失律, 則否臧而凶也.

규율을 잃으면 착하지 못하여 흉하다.

서유신(徐有臣)『역의의언(易義擬言)』

失律, 乃否藏也.

규율을 잃음이 바로 "착하지 않다[否臧]"는 것이다.

심대윤(沈大允) 『주역상의점법(周易象義占法)』

釋否臧之爲失律也.

'착하지 않음'을 '규율을 잃음'이 되는 것으로 풀이하였다.

오치기(吳致箕) 「주역경전증해(周易經傳增解)」

失律, 乃行師之不善者, 故必敗而致凶也.

규율을 잃는 것은 바로 군대를 행하는데 잘하지 못하는 것이므로 반드시 패하여 흉한 데 이르게 된다.

九二, 在師, 中吉无咎, 王三錫命.

정전 구이는 군대에 있어 중도로 하여 길하고 허물이 없으니, 왕이 세 번 명령을 내려준다.

九二, 在師中, 吉无咎, 王三錫命.

본의 구이는 군대 가운데 있어 길하고 허물이 없으니, 왕이 세 번 명령을 내려준다.

中國大全

傳

師卦, 唯九二一陽爲衆陰所歸, 五居君位, 是其正應, 二乃師之主, 專制其事者也. 居下而專制其事, 唯在師則可. 自古命將, 閫外之事, 得專制之, 在師專制而得中道, 故吉而无咎. 蓋恃專則失爲下之道, 不專則无成功之理. 故得中爲吉. 凡師之道, 威和竝至則吉也. 旣處之盡其善, 則能成功而安天下, 故王錫寵命至于三也, 凡事至于三者極也. 六五在上, 旣專倚任, 復厚其寵數, 蓋禮不稱, 則威不重而下不信也. 他卦九二, 爲六五所任者有矣, 唯師專主其事, 而爲衆陰所歸, 故其義最大. 人臣之道, 於事无所敢專, 唯閫外之事則專制之, 雖制之在己, 然因師之力而能致者, 皆君所與而職當爲也. 世儒有論魯祀周公以天子禮樂, 以爲周公能爲人臣不能爲之功, 則可用人臣不得用之禮樂, 是不知人臣之道也. 夫居周公之位, 則爲周公之事, 由其位而能爲者, 皆所當爲也. 周公乃盡其職耳, 子道亦然. 唯孟子爲知此義, 故曰事親若曾子者, 可也, 未嘗以曾子之孝爲有餘也. 蓋子之身, 所能爲者, 皆所當爲也.

사괘는 오직 구이의 한 양에 여러 음의 귀의하는 바가 되는데, 오효가 임금 자리에 있는 것은 구이의 정응(正應)이 되니, 이효는 이에 사괘의 주인으로 그 일을 전담하고 제어하는 자이다. 아래에 있으면서 그 일을 전담하고 제어하는 것은 군대에서만 가능하다. 예로부터 장수에게 명령하여 나라 밖의 일을 전담하여 제어하게 하였으니, 군대에 있어서는 전담하고 제어하더라도 중도를 얻었기 때문에 길하고 허물이 없다. 전담하는 것만 믿으면 아랫사람의 도리를 잃게 되고, 전담하지 못하면 공을 이룰 수 있는 이치가 없다. 그러므로 중도를 얻어야 길하게 된다. 군대의 도는 위엄과 온화함이 함께 하면 길하다. 이미 대처하기를 다 잘했으면 공을 이루어 천하를 편안히 할 수 있으므로 왕이 총애하는 명령을 세 번에 이르도록 내리니, 일이 세 번에 이른다는 것은 지극한 것이다. 육오가 위에 있어서 이미 전적으로 의지하여 맡기고, 다시 그 총애를 두터이 하기를 자주하였으니, 예(禮)를 걸맞게 하지 않으면 위엄이 무겁지 못하여 아랫사람이 믿지 않게 된다. 다른 괘의 구이에도 육오의 신임을 받는 경우가 있지만, 오직 사괘(師卦)는 그 일을 전적으로 주관하고 여러 음의 귀의하는 바가 되므로 그 의미가 가장 크다. 남의 신하가 된 도리는 일에 있어서 감히 전단할 것이 없으나, 오직 나라밖의 일에 있어서는 전담하고 제어할 수 있으니, 비록 제어하는 것이 자기에게 있지만 군대의 힘으로 인하여 이룰 수 있는 것은 모두 임금이 준 것이고, 직분상 마땅히 해야 하는 것이다.

세상의 선비가 노(魯)나라에서 주공을 제사지낼 때 천자의 예악을 쓴 일에 대해 논하면서, 주공은 신하가 할 수 없는 공을 세웠으니 신하가 쓸 수 없는 예악을 쓸 만하다고 여겼는데 이것은 신하된 도리를 알지 못하는 것이다. 주공의 지위에 있으면 주공의 일을 하여야 하니, 그 자리로 말미암아 할 수 있는 것은 모두 마땅히 해야 하는 것이다. 주공은 바로 그 직분을 다했을 뿐이니 자식의 도리도 그러하다. 맹자만이 그러한 의리를 알았으므로 "어버이 섬기기를 증자처럼 하면 된다"라고 하고, 증자의 효가 충분하고도 남는다고는 하지 않았으니, 자식의 몸으로 할 수 있는 일은 모두 마땅히 해야 하는 것이다.

小註

兼山郭氏曰, 威克厥愛允濟, 愛克厥威允罔功, 九二剛勝之將, 能用中焉, 是以有功而宜膺寵錫者也.

겸산곽씨가 말하였다: 위엄이 사랑을 이기면 진실로 이기고, 사랑이 위엄을 이기면 진실로 공을 이루지 못하니,[24] 구이는 굳세어 이길 만한 장수이니 중도를 쓸 수 있다. 이 때문에 공이 있어서 마땅히 총애를 받을 만한 자이다.

○ 臨川吳氏曰, 錫命, 如王使宰周公錫齊侯命, 王使內史過錫晉侯命, 是也. 至于三者, 天寵之優渥也.

임천오씨가 말하였다: "명령을 내려준다"는 것은 왕이 재(宰)인 주공을 보내어 제나라 후(侯)에게 명령을 내려주고, 왕이 내사(內史) 과(過)를 보내어 진(晉)나라 후(侯)에게 작명을 내려준경우가 이것이다. 세 번에 이른 것은 임금의 총애가 넓고 두터움을 말한다.

---

24) 『書經・胤征』.

本義

九二在下, 爲衆陰所歸, 而有剛中之德, 上應於五而爲所寵任, 故其象占如此.

구이가 아래에 있어서 여러 음들이 귀의하는 바가 되고 굳세고 알맞은 덕이 있으며, 위로 오효와 호응하여 총애하고 신임하는 바가 되므로 그 상(象)과 점(占)이 이와 같다.

小註

朱子曰, 在師中吉, 言以剛中之德在師中, 所以爲吉.

주자가 말하였다: "군대 가운데 있어 길하다"는 것은 굳세고 알맞은 덕으로 군대 가운데 있음을 말하니, 이 때문에 길하게 된다.

○ 建安丘氏曰, 九二卽師之丈人也. 以一陽統衆陰, 而居下卦之中, 有帥師之象. 唯二以剛居柔, 得師之中, 无過不及, 故吉无咎獨與卦辭同也.

건안구씨가 말하였다: 구이가 바로 군대의 장인(丈人)이다. 한 양으로 여러 음을 통솔하고 하괘의 가운데에 있어서 군대를 이끄는 상이 있다. 이효는 굳센 양으로 부드러운 음의 자리에 있고 사괘의 가운데를 얻어 지나치거나 미치지 못하는 것이 없다. 그러므로 "길하고 허물이 없대吉无咎]"고 한 것이 유독 괘사와 같다.

○ 雲峰胡氏曰, 九二剛中, 所謂丈人者. 故吉而无咎. 六四无咎, 不言吉, 三則凶矣. 二曰, 王三錫命, 五應也. 五曰, 長子帥師, 二應也. 五應二故曰錫.

운봉호씨가 말하였다: 구이가 "굳세고 알맞다"는 것은 이른바 '장인(丈人)'이라는 것이다. 그러므로 길하고 허물이 없다. 육사는 "허물이 없대无咎]"고 하였는데, '길하다'고 말하지 않은 것은 삼효가 곧 흉하기 때문이다. 이효에서 "왕이 세 번 명을 내려준다"라고 한 것은 오효가 호응하기 때문이다. 오효에서 "장자(長子)가 군대를 거느린다"라고 한 것은 이효가 호응하기 때문이다. 오효가 이효에 호응하므로 '내려준다'라고 하였다.

┃韓國大全┃

김장생(金長生) 「주역(周易)」

師, 九二 傳, 世儒.

사괘 구이의 『정전』에 보이는 세상의 선비[世儒].

世儒, 指王安石.

'세상의 선비'는 왕안석을 가리킨다.

송시열(宋時烈) 『역설(易說)』

九二, 在師卦, 以剛爻居中, 故吉. 王指六五也. 錫命者, 授之以專征之命也. 三者, 三合也. 坎錯離三之說, 出於來易. 來易云, 此二爻純用錯卦同人, 蓋以三字故也, 用錯似過.

구이는 사괘에 있어 굳센 양효로 가운데 있으므로 길하다. '왕'은 육오를 가리킨다. "명령을 내려준다"는 것은 정벌을 전담하게 하는 명을 내려주는 것이다. '삼(三)'이란 세 번 합함이다. 감괘의 음양이 바뀐 괘인 리괘가 '삼(三)'[25]이라는 설명은 래지덕의 『주역집주』에서 나왔다. 래지덕의 『주역집주』에서 "여기 사괘의 이효에서 순전히 음양이 바뀐 동인괘(同人卦)를 썼다"고 한 것은 삼(三)자 때문인데, 음양이 바뀐 괘를 썼다는 것은 지나친 듯하다.

이현익(李顯益) 「주역설(周易說)」

東萊呂氏, 以趙充國當師之九二, 恐充國不足以當之.

동래여씨는 조충국(趙充國)으로 사괘의 구이에 해당시켰는데, 아마도 조충국은 그에 해당하기엔 부족할 듯하다.

衆正可王, 本義以九二言, 而雙湖胡氏以此爲指六五, 非是. 〈胡說似以可王之王言. 然此只是王師之謂, 則蓋以九二言矣.〉

"무리를 바르게 하면 왕 노릇을 할 수 있다"는 것에 대해 『본의』에서는 구이로 말하였는데, 쌍호호씨는 이것으로 육오를 가리킨다고 생각하였지만 옳지 않다. 〈호씨의 설명은 왕 노릇을 할 수 있다는 왕으로 말한 듯하다. 그러나 이것은 다만 왕도를 행하는 군대를 말하니, 구이를 가지고 말한 것이다〉.

---

25) 「복희팔괘방위도」에서 리괘는 세 번째에 온다.

이익(李瀷) 『역경질서(易經疾書)』

在師中吉, 戰而功成也. 如此者萬邦維懷. 夫然後方可以尊爵加之. 此云者, 不可以無功而濫加也.

군대에 있어 중도로써 하여 길하니, 싸워서 공이 이루어진다. 이와 같은 자는 만방을 품을 수 있다. 그런 뒤에 높은 작위를 더할 수 있다. 여기서 말한 것은 공이 없는데 함부로 더해서는 안 된다는 말이다.

심조(沈潮) 「역상차론(易象箚論)」

震爲帝, 又與君位相應, 故稱王. 三河圖三爲木位也. 錫之從金, 陽剛也.

진괘는 제(帝)가 되고 또 임금의 자리와 서로 호응하므로 '왕'이라고 말했다. '삼(三)'은 하도에서 '삼'이 목(木)의 자리가 된다.[26] '내려준다'는 뜻의 석(錫)은 금(金)을 부수로 하니, 양이 굳센 것이다.

유정원(柳正源) 『역해참고(易解參攷)』

九二 [至] 錫命.

구이는 … 명을 준다.

正義, 一命受爵, 再命受服, 三命受車馬, 三賜, 三命而尊之.

『주역정의』에서 말하였다: 첫 번째 명은 작위를 받는 것이고 두 번째 명은 의복을 받는 것이고 세 번째 명은 수레와 말[車馬]을 받는 것이니, "세 번 내려준다"는 것은 세 번이나 명을 내려서 높여주는 것이다.

○ 林氏栗曰, 自五至三所歷三爻, 三錫命也.

임율이 말하였다: 오효에서 삼효까지 세 효를 지나온 것이 세 번 명령을 내려준 것이다.

○ 厚齋馮氏曰, 凡行師, 將必親之在師之中, 然後吉而无咎. 將不在中而督人以戰, 誰用命哉. 九二在下卦中, 又在五陰中, 皆在師中之象也.

후재풍씨가 말하였다: 군대를 운용하는데 장수는 반드시 친히 군대 안에 있어야 하니, 그런 뒤에라야 길하고 허물이 없다. 장수가 군대 안에 있지 않으면서 남을 독려하여 싸우게 한다

---

26) 「설괘전」에서 "제(帝)가 진괘(震卦)에서 나온다"고 하였고, 진괘(震卦)는 「문왕팔괘방위도」에서 볼 때 동방으로 목(木)의 위치에 있다.

면 누가 명을 받아들이겠는가? 구이는 하괘의 가운데에 있고, 또 다섯 음의 안에 있는 것이 모두 군대 안에 있는 상이다.

○ 雙湖胡氏曰, 九二爲成卦之主, 丈人吉无咎, 唯二當之. 王指五言.
쌍호호씨가 말하였다: 구이는 괘를 이루는 주인이 되니, "장인이라야 길하고 허물이 없다"는 것은 이효만이 그에 해당한다. 왕은 오효를 가리켜 말한다.

傳, 小註, 臨川說錫晉候.
『정전』의 소주에서 임천(臨川)이 진(晉)나라 후(侯)에게 명을 내려주었다는 설명.
案, 左僖十一年, 天王使召武公內史過賜晉候命, 是. 惠公新立之時, 不必援證於此. 若以此爻之在師錫命言之, 則文公克楚城濮, 王策命車服弓矢, 可以當之. 吳氏豈偶失契勘歟.
내가 살펴보았다: 『춘추좌씨전』 희공(僖公) 11년에 천자가 소무공(召武公)과 내사(內史) 과(過)를 보내어 진(晉)나라 후(侯)에게 작명(爵命)을 내려준 것이 이것이다. 진나라 혜공(惠公)이 새로 즉위한 때였음을 여기에서 반드시 이끌어 증명할 필요는 없다. 이 효가 "군대에 있어서 명령을 내려준다"고 한 것으로 말하면 문공이 초(楚)나라를 이기고 복(濮)땅에 성을 쌓았는데, 왕이 수레와 의복과 활 및 화살을 책명(策命)한 것이 그에 해당할 수 있다. 오씨가 아마도 뜻하지 않게 잘못 살핀 것 같다.

김상악(金相岳) 『산천역설(山天易說)』

一陽主卦於下, 比初與三, 應五而交, 爲衆所歸, 爲上所任, 而有師中之德, 故吉且无咎. 又有王三錫命之象, 言寵任之專也. 曲禮, 一命受爵, 再命受服, 三命受車馬, 是也.
한 양이 아래에서 괘를 주관하니, 초효와 삼효에 대해 비(比)의 관계에 있고, 오효와 호응하여 사귀어 무리가 돌아갈 곳이 되고 구오의 신임하는 바가 되니, 사괘의 가운데 있는 덕이 있으므로 길하고 또 허물이 없다. 또 "왕이 세 번 명령을 내려준다"는 상이 있는 것은 총애하여 맡기는 것이 전일함을 말한다. 「곡례」에서 "첫 번째 명은 작위를 받는 것이고 두 번째 명은 의복을 받는 것이고 세 번째 명은 수레와 말을 받는 것이다"라고 한 말이 이것이다.

○ 王, 五也, 命令自君而出, 故二曰錫命, 上曰有命. 三者, 二至五歷三位也. 記云, 月者三日而成魄, 三月而成時, 是以禮有三讓, 建國必立三卿. 故易中言三者, 多在坎體之卦也. 來註, 本卦錯同人, 乾在上, 王之象, 離在下, 三之象, 中爻巽, 錫命之象也. 郭子和云, 一陽之卦得位者, 師比而已, 得天位爲比, 得人位爲師, 天下之吉, 莫吉於此.

왕은 오효니, 명령이 임금에게서 나오기 때문에 이효에서 "명령을 내려준다"라고 하였고, 상효에서 "명령을 가진다"라고 하였다. '세 번'을 뜻하는 삼(三)은 이효에서 오효까지 세 효의 자리를 지나는 것이다. 『예기』에서 "달이란 삼일이 지난 후에 백(魄)을 이루고 삼 개월이 지난 후에 계절을 이루니, 이 때문에 예(禮)에 세 번 사양함이 있고, 나라를 세우는데 반드시 삼경(三卿)을 세운다"고 하였다. 그러므로 『주역』에서 셋[三]이라고 말한 것은 대부분 감괘를 몸체로 하는 괘에 있다. 래지덕의 『주역집주』에서는 "본괘인 사괘의 음양이 바뀐 괘가 동인괘(同人卦)이니, 건괘가 위에 있는 것은 왕의 상이고 리괘가 아래에 있는 것은 삼(三)의 상이며, 이효로서 가운데 효의 호괘인 손괘는 명을 주는 상이다"라고 하였다. 곽자화(郭子和)는 "양이 하나인 괘로 제자리를 얻은 것이 사괘(師卦)와 비괘(比卦)인데, 하늘(임금)의 자리를 얻은 것은 비괘(比卦)가 되고 사람의 자리를 얻은 것은 사괘(師卦)가 되니, 천하에 길한 것 가운데 이것보다 길한 것이 없다"[27]라고 하였다.

서유신(徐有臣) 『역의의언(易義擬言)』

此卽丈人也. 柔五而剛一, 有專制之象. 非戎權, 則爲咎, 不得中, 則爲咎, 在師而中, 故吉且无咎也. 專制而有吉无咎之義, 故王三錫命, 六五應之, 久且專也.

이것이 바로 장인(丈人)이다. 부드러운 음이 다섯이고 굳센 양이 하나이니, 제 뜻대로 제어하는[專制] 상이 있다. 병권이 아니면 허물이 되고 중도를 얻지 못하면 허물이 되니, 군대에 있으면서 중도로 하므로 길하고 또 허물이 없다. 제 뜻대로 제어하는데도 길하고 허물이 없는 뜻이 있으므로 왕이 세 번 명을 준다는 것은 육오가 호응하여 오래가고 또 제 뜻대로 하는 것이다.

김귀주(金龜柱) 『주역차록(周易箚錄)』

九二, 在師中吉, 云云.

구이는 군대의 가운데 있어 길하다, 운운.

○ 按, 自二至五, 凡涉三爻, 故以三錫言之.

---

27) 『郭氏傳家易說』: 雍曰, 一陽之卦得位者, 師比而已. 得天位則爲比, 得臣位則爲師, 天下之吉莫吉于此.

내가 살펴보았다: 이효에서 오효까지 세 효를 지나므로 "세 번 준다"는 것으로 말하였다.

本義, 九二在下, 云云,
『본의』에서 말하였다: 구이는 아래에 있어, 운운.
小註, 雲峯胡氏曰, 九二, 云云.
소주에서 운봉호씨가 말하였다: 구이는, 운운.

○ 按, 長子帥師, 二應也之云, 恐無當.
내가 살펴보았다: 맏아들이 군대를 거느림은 이효가 호응한 것이라고 말하였는데, 타당하지 않은 듯하다.

강엄(康儼) 『주역(周易)』

九二 [止] 錫命.
구이는 … 명령을 내려준다.

或疑, 九二方在師中, 未及乎班師, 論功之時, 安得遽有爵賞之命乎. 妄謂將在閫外, 人君或有爵賞之命, 如樂毅伐齊未返, 而昭王封爲齊王, 衛靑伐凶奴未返, 而武帝特拜大將軍, 是也. 然此命字, 非必爵賞也. 如光武於馮異以璽言勞之者, 亦是錫命也.
어떤 이가 의심하여 말하였다: 구이가 군대 안에 있고 아직 군대를 이끌고 돌아오지 않았는데, 공을 논할 때에 어떻게 갑작스럽게 작위와 상을 주는 명령을 둘 수 있는가?
내가 살펴보았다: 장수가 도성 밖에 있는데도 임금이 혹 작위와 상을 주는 명령을 내린 것이 악의(樂毅)가 제(齊)나라를 치고 아직 돌아오지 않았는데 소왕(昭王)이 제나라 왕으로 봉하고, 위청(衛靑)[28]이 흉노를 치고 아직 돌아오지 않았는데 무제가 특별히 대장군의 벼슬을 준 것이 그러한 것이다. 그러나 이 '명(命)'자가 반드시 작위를 주고 상을 준 것은 아니다. 광무제가 풍이(馮異)[29]에 대해 교서로 위로한 것도 명령을 내려준 것이다.

---

28) 위청(衛靑: ? ~ B.C.106): 중국 전한(前漢) 무제(武帝) 때의 무장. 자는 중경(仲卿). 흉노 정벌에 많은 공을 세워 대사마의 자리에 올랐다.
29) 풍이(馮異, ? ~ 34): 중국 후한 시대 부성(父城) 사람으로서 자(字)가 공손(公孫)이다. 독서를 좋아하여 『춘추좌씨전』·『손자병법』 등에 통달하였다. 후한 광무제를 위하여 여러 차례 전쟁터에 나갔으며, 전쟁터에서는 다른 장수들이 모여 앉아 전공을 논의할 때 홀로 나무 아래에 앉아 대책을 궁리하였으므로 대수장군(大樹將軍)이라는 별호를 얻었다.

박문건(朴文健) 『주역연의(周易衍義)』

勤於王室, 故有三錫之象. 命, 褒賞之命也.

왕실을 잘 섬겼으므로 세 번 주는 상이 있다. '명(命)'은 포상(褒賞)하는 명이다.

〈問, 在師, 中吉无咎, 王三錫命. 曰, 九二在師之中, 而行剛中之道者也, 所以吉而无咎. 勤於王室, 故六五至於三錫恩命也. 三者, 取下來之數也, 自四至二之謂也.

물었다: "군대에 있어 중도로 행하여 길하고 허물이 없으니, 왕이 세 번 명령을 내려준다"는 무슨 뜻입니까?

답하였다: 구이는 군대의 안에 있고 굳세고 알맞은 도를 행하는 자이니, 이 때문에 길하고 허물이 없습니다. 왕실을 잘 섬기는 까닭에 육오가 세 번에 이르도록 은혜로운 명령을 내려주는 것입니다. '삼(三)'이란 아래로 내려오는 수를 취함이니, 사효에서 이효까지를 말합니다.〉

이지연(李止淵) 『주역차의(周易箚疑)』

九二爲將, 六三以上諸爻, 皆兵之在前者也, 所謂前徒也. 初六一爻, 在將帥之後, 而爲殿者也, 車騎輜重, 皆在於後. 在前者, 猶可指揮如意, 而在後者, 尤易於失律, 在後者, 一失其律, 則腹背受敵, 爲必敗之道. 用兵者, 常善於襲其後, 可不愼乎.

王者用兵之道, 出師之初, 戒其妄殺, 當如宋太祖之命曹彬下江南也, 不忍其生靈之罹於鋒鏑, 而再三告誡, 以致丁寧之意. 王三錫命云者, 亦是義歟. 然則於懷萬邦三字, 尤襯切矣.

구이가 장수가 되고 육삼 이상의 여러 효는 모두 병졸이 앞에 있는 것이니, 선봉의 군사들이다. 초육의 한 효만 장수의 뒤에 있어서 후군이 되니, 수레와 말, 보급부대가 모두 뒤에 있다. 앞에 있는 자들은 뜻대로 지휘할 수 있지만 뒤에 있는 자는 군율을 잃기 더욱 쉬우니, 뒤에 있는 자가 한 번 그 군율을 잃으면 앞뒤로 적을 받아들여 반드시 패하는 도가 된다. 병사를 부리는 자는 항상 그 배후로 습격을 잘하니, 조심하지 않을 수 있겠는가?

왕이 병사를 쓰는 도는 군대를 출동시키는 처음에 함부로 죽이는 것을 경계하니, 송나라 태조가 조빈(曹彬)에게 명하여 강남을 항복시킬 때에 그 백성들이 창끝에 죽는 것을 차마 보지 못하여 두 번 세 번 경계하여 간곡한 뜻을 다한 것과 같이 해야 한다. "왕이 세 번 명을 내려준다"라고 말한 것도 이 의미이다. 그렇다면 "만방을 품는다"고 하는 '회만방(懷萬邦)' 세 글자의 뜻에 더욱 부합한다.

김기례(金箕澧) 「역요선의강목(易要選義綱目)」

九二, 在師, 中吉无咎.

구이는 군대에 있어 중도로 하여 길하고 허물이 없다.

一陽中正, 應君居下, 統衆陰, 制閫外, 故吉无咎. 若无中正應君之位, 則當有咎.

한 양이 중정하며, 임금에 호응하여 아래에 있으면서 여러 음을 통솔하여 변방을 통제하므로 길하고 허물이 없다. 중정하고 임금에 호응하는 지위가 없다면 마땅히 허물이 있을 것이다.

王三錫命.

왕이 세 번 명령을 내려준다.

王指五, 自五至二歷三位, 故曰三錫.

'왕'은 오효를 가리킨다. 오효에서 이효까지 세 효의 자리를 지나므로 "세 번 내려준다"라고 하였다.

심대윤(沈大允) 『주역상의점법(周易象義占法)』

師之坤䷁, 才剛行順, 而得中居柔, 不欲戰, 能以威德服敵, 而不務力戰而已者也. 有六五之正應, 爲得君專任之象, 故曰王三錫命. 巽离爲在對同人有离巽, 爲巽而明, 師有彼此翻覆, 故取變對也, 言明于料敵而巽于承君也. 乾坤之變, 兌在离上, 艮在坎上, 艮爲命, 兌爲錫.

사괘가 곤괘(坤卦䷁)로 바뀌었으니, 재질은 굳세고 행동이 유순하여 중도를 얻고 부드러운 음의 자리에 있어 싸우려고 하지 않고 위엄과 덕으로 적을 복종시킬 수 있어서 싸우는데 애써 힘쓰지 않는 자일 뿐이다. 육오의 정응이 있어 임금의 전적인 신임을 얻는 상이 되므로 "왕이 세 번 명령을 내려준다"라고 하였다. 손괘(巽卦)와 리괘(離卦)는 사괘(師卦)의 음양이 바뀐 동인괘(同人卦)에 리괘와 손괘가 있는 것이니, 공손하고 밝음이 되는데 전쟁에서는 이편과 저편이 엎치락뒤치락하는 것이므로 바뀐 상대를 취한 것은 적을 살피는데 밝고 임금을 받드는데 공손함을 말한다. 건괘와 곤괘의 변화에서 태괘(兌卦)는 리괘(離卦)의 위에 있고 간괘(艮卦)는 감괘(坎卦)의 위에 있으니, 간괘는 '명(命)'이 되고 태괘는 '내려준다[錫]'는 것이 된다.

오치기(吳致箕) 「주역경전증해(周易經傳增解)」

九二, 以陽剛之才, 上應六五柔中之君, 爲其所委任, 主將帥之權者也. 統率師旅, 中以行正, 有成功之吉, 无妄動之咎, 故王錫以寵命, 至于三而頻繁也.

구이는 양의 굳센 재질로써 위로 육오의 부드럽고 알맞은 임금에 호응하여 그 위임(委任)을 받아 장수의 권세를 맡은 자이다. 군대를 통솔하는데 중도로써 바름을 행하여 공을 이루는 길함이 있고, 함부로 움직이는 허물이 없으므로 왕이 총애하는 명을 주는 것이 세 번에 이르도록 빈번하였다.

○ 在師中者, 卽象所言丈人, 而二爲主爻. 故吉无咎之辭與象同. 三取坎少陽之位. 君賜曰錫也. 命謂寵褒之命, 而對體互巽爲命也.
군대 가운데 있는 자는 바로 단사에서 말한 장인(丈人)으로 이효가 주효(主爻)가 된다. 그러므로 "길하고 허물이 없다"는 말이 단사와 같다. '삼(三)'은 감괘 소양의 자리에서 취하였다. 임금이 주는 것을 '석(錫)'이라고 한다. '명령'은 총애하여 포상하는 명령을 말하니, 사괘의 음양이 바뀐 동인괘(同人卦)의 호괘인 손괘(巽卦)가 명령하는 의미가 된다.

이진상(李震相) 『역학관규(易學管窺)』

九二, 以中德居中位, 得師之中, 故吉, 非徒在師中也.
구이는 알맞은 덕으로 가운데 자리에 있고 사괘의 가운데를 얻었기 때문에 길하니, 한갓 사괘의 가운데 있을 뿐만이 아니다.

박문호(朴文鎬) 「경설(經說)·주역(周易)」

傳從其言外, 而曰恃專則失爲下之道, 至其末, 又引世儒論, 特詳之. 至上六, 註又引英彭, 以實之. 蓋恃功驕恣, 將家之所大戒也.
『정전』은 그 숨은 의미로부터 "제 뜻대로 제어할 수 있다는 것에만 의지하면 아랫사람이 된 도리를 잃는다"라고 하였고, 그 끝에 이르러 또 세속 유학자들의 의론을 인용하여 특별히 자세하게 말하였다. 상육에서는 주석에서 또 영포와 팽월을 인용하여 실증하였다. 공에 의지하여 교만하고 방자한 것은 무인의 집안에서 크게 경계해야 할 바이다.

이용구(李容九) 「역주해선(易註解選)」

吳氏曰, 錫命, 如王使宰周公, 錫齊侯命, 使內史過, 錫晉侯命, 是也.
오씨가 말하였다: "명령을 내려준다"는 것은 왕이 재(宰)인 주공을 보내어 제(齊)나라 제후에게 명령을 내려주고, 내사(內史)인 과(過)를 보내어 진(晉)나라 제후에게 작명(爵命)을 내려준 일 같은 것이 이러한 경우이다.

이병헌(李炳憲) 『역경금문고통론(易經今文考通論)』

荀曰, 王謂二上居五位, 可以王矣. 三者, 陽德成也. 程傳本義, 則皆以王謂五.

『순구가역(荀九家易)』에서 말하였다: '왕'은 이효가 올라가 오효의 자리에 있어 왕 노릇을 할 수 있는 것을 말한다. '삼(三)'이란 양의 덕이 이루어지는 것이다. 『정전』과 『본의』는 모두 왕을 오효로 말하기 때문이다.

按, 二說俱備, 然後義足. 爻之當體, 則當從後說. 然深究承天寵, 王三錫命之義, 乃上六大君, 所以有命也.

내가 살펴보았다: 두 설명이 함께 갖추어져야 그런 뒤에 의미가 충분해진다. 효의 본래 모습은 마땅히 뒤의 설명을 따라야 한다. 그러나 "하늘(임금)의 총애를 받든다"는 것을 깊이 살핀다면 "왕이 세 번 명령을 내려준다"는 의미가 바로 상육의 대군이니, 이 때문에 명을 가지는 것이다.

象曰, 在師中吉, 承天寵也, 王三錫命, 懷萬邦也.

정전 「상전」에서 말하였다: "구이는 군대에 있어 중도로 하여 길함"은 하늘(임금)의 총애를 받드는 것이고, "왕이 세 번 명령을 내려줌"은 만방을 품는 것이다.

본의 「상전」에서 말하였다: "구이는 군대 가운데 있어 길함"은 하늘(임금)의 총애를 받드는 것이고, "왕이 세 번 명령을 내려줌"은 만방을 품는 것이다.

中國大全

傳

在師中吉者, 以其承天之寵任也. 天謂王也. 人臣非君寵任之, 則安得專征之權而有成功之吉. 象以二專主其事, 故發此義, 與前所云世儒之見異矣. 王三錫以恩命, 褒其成功, 所以懷萬邦也.

"군대에 있어 중도로 하여 길하다[在師中吉]"는 것은 하늘(임금)이 총애하는 신임을 받들기 때문이다. '하늘'은 왕을 말한다. 신하는 임금이 총애하여 맡기지 않는다면 어떻게 정벌을 제 뜻대로 하는 권한을 얻어 공을 이루는 길함이 있겠는가? 「상전」에서는 이효로써 그 일을 제 뜻대로 주장하게 하므로 이 의미를 밝혔으니, 앞에서 말한 세상 선비의 견해와는 다르다. 왕이 은혜로운 명령을 세 번 내려주어 그 공을 이룬 것을 표창하였으니, 이 때문에 만방을 품는 것이다.

小註

建安丘氏曰, 上承天子之寵任, 而以兵權屬之錫命至三, 使之得專閫外之事. 王者用兵, 非得已嗜殺, 豈其本心, 故三錫之命, 惟在於懷綏萬邦而已.

건안구씨가 말하였다: 위로 천자의 총애하는 신임을 받아 병권으로 명령을 받음이 세 번에 이르게 하고, 구이로 하여금 변방의 일을 제 뜻대로 할 수 있게 한다. 왕이 군사를 쓰는 것이 죽이기를 즐기고자 하는 것이 아닌데, 어찌 그것이 본심이겠는가? 그러므로 세 번 주는 명령은 오직 만방을 품어 편안하게 하려는 데 있을 뿐이다.

○ 雲峰胡氏曰, 爻言王命, 象言天寵, 亦春秋王必稱天之意也.

운봉호씨가 말하였다: 효사에서 '왕의 명령'을 말하였고 「상전」에서는 '임금의 총애'를 말하였는데, 『춘추』에서도 '왕'은 반드시 하늘의 뜻이라고 말하였다.

▌韓國大全▐

유정원(柳正源) 『역해참고(易解參攷)』

在師 [至] 邦也.

군대에 있어 … 만방.

問, 互說在師中吉, 懷萬邦也, 王三錫命, 承天寵也, 何如. 朱子曰, 聖人作易象, 只是大槪恁地.

물었다: "군대에 있어 중도로 하여 길하다[在師中吉]"는 "만방을 품는 것[懷萬邦也]"이고, "왕이 명을 세 번 내려준다[王三錫命]"는 "하늘의 총애를 받드는 것이다[承天寵也]"라고 서로 바꾸어 설명하면 어떻습니까?

주자가 답하였다: 성인이 『주역』의 「상전」을 지은 것이 대체로 이와 같을 뿐입니다.

○ 案, 諸卦象辭, 亦多有互說者, 當以此例推.

내가 살펴보았다: 여러 괘의 「상전」의 말이 또한 서로 바꾸어 설명한 경우가 많으니, 마땅히 이 사례들을 가지고 유추하여야 할 것이다.

傳, 世儒之見.

『정전』에서 말하였다: 세상 선비의 견해,

案, 見一作說.

내가 살펴보았다: '견해'라고 한 견(見)자는 어떤 곳에서는 '설(說)'자로 되어있다.

김상악(金相岳) 『산천역설(山天易說)』

承天寵, 謂承六五之寵也, 王之恩命至於再三, 爲懷綏萬邦也.

"하늘의 총애를 받든다"는 것은 육오의 총애를 받든다는 말이니, 왕의 은혜로운 명령이 두 번 세 번에 이르면 만방을 품어 편안하게 된다.

박윤원(朴胤源)『경의(經義)·역경차략(易經箚略)·역계차의(易繫箚疑)』

象曰, 承天寵, 可見君將之應, 懷萬邦, 可知仁義之師.

「상전」에서 "하늘의 총애를 받든다"라고 하였으니 임금과 장수의 호응을 볼 수 있으며, "만방을 품는다"라고 하였으니 인의(仁義)의 군대임을 알 수 있다.

서유신(徐有臣)『역의의언(易義擬言)』

承天寵, 見其將之非擅也, 懷萬邦, 見其師之非暴也.

"하늘의 총애를 받든다"는 말에서 그 장수가 제멋대로 하지 않음을 볼 수 있으며, "만방을 품는다"는 말에서 그 군대가 포악하지 않음을 볼 수 있다.

박문건(朴文健)『주역연의(周易衍義)』

寵, 寵任也. 王所以錫命, 非爲一人也, 乃懷綏萬邦之故也.

'총(寵)'은 총애하여 맡기는 것이다. 왕이 명령을 내려주는 이유는 한 사람을 위해서가 아니라 바로 만방을 품어 편안하게 하려 하기 때문이다.

김기례(金箕澧)「역요선의강목(易要選義綱目)」

懷萬邦.

만방을 품는다.

王者, 當協和萬邦, 萬邦, 賴二之救亂誅暴而寧, 故三錫之恩, 由於安民.

왕도를 행하는 자는 마땅히 만방을 화합시켜야 하니, 만방은 이효가 혼란을 구제하고 난폭한 이를 주벌하는데 힘입어 편안하게 되므로 세 번 내려주는 은혜는 백성을 편안하게 하려는 데서 말미암는다.

심대윤(沈大允)『주역상의점법(周易象義占法)』

天寵, 同人之五居乾也. 錫命, 以九二之能懷萬邦也.

'하늘의 총애'는 동인괘(同人卦)의 오효가 건괘에 있는 것이다. "명령을 내려준다"는 것은 구이가 만방을 품을 수 있기 때문이다.

오치기(吳致箕) 「주역경전증해(周易經傳增解)」

委任而帥師者, 大君之寵也, 錫命而褒功者, 萬邦之綏也.

위임하여 군대를 거느리는 것은 대군(大君)이 총애한다는 의미이고, 명을 주고 공을 포상하는 것은 만방이 편안하다는 의미이다.

이진상(李震相) 『역학관규(易學管窺)』

懷萬邦.

만방을 품는다.

雖得用師之中, 而君不寵任, 則不能以成功, 雖有成功之吉, 而王不錫命, 則無足以懷邦, 恐非互說也.

비록 군대를 쓰는 중도를 얻었지만 임금이 총애하여 맡겨주지 않으면 공을 이룰 수 없으며, 비록 공을 이루는 길함이 있더라도 왕이 명령을 내려주지 않으면 나라를 품을 수 없으니, 아마도 서로 보완하는 설명이 아닌 듯하다.

六三, 師或輿尸, 凶.

정전 육삼은 군대를 혹 여럿이 주장하면 흉하다.
본의 육삼은 군대가 혹 시체를 싣고 오니, 흉하다.

┃中國大全┃

傳

三居下卦之上, 居位當任者也, 不唯其才陰柔不中正. 師旅之事, 任當專一. 二
旣以剛中之才爲上信倚, 必專其事乃有成功, 若或更使衆人主之, 凶之道也. 輿
尸衆主也, 蓋指三也. 以三居下之上, 故發此義, 軍旅之事, 任不專一, 覆敗必矣.

육삼은 하괘의 위에 있으니 지위에 있으면서 책임을 맡은 사람이지만, 그 재질이 유약한 음으로 중정
하지 못할 뿐만이 아니다. 군대의 일은 맡기는 것이 마땅히 한결같아야 한다. 이효가 이미 굳세고
알맞은 재질로서 윗사람이 신임하고 의지하는 바가 되니, 반드시 그 일을 제 뜻대로 하여야 이에
공을 이룰 수 있을 것인데, 혹시라도 다시 여러 사람으로 하여금 주관하게 하면 흉한 도이다. '여시
(輿尸)'는 여럿이 주장하는 것이니 삼효를 가리킨다. 삼효가 하괘의 맨 위에 있기 때문으로 이 뜻을
밝혔으니, 군대의 일은 맡기는 것을 한결같게 하지 않으면 엎어지고 패망하는 것이 필연적이다.

小註

龜山楊氏曰, 師之或以衆尸之也. 衆尸之, 稟命不一而无功矣, 凶之道也. 六三上乘衆
陰輿尸也, 故凶. 唐九節度之師, 不立統帥, 雖李郭之善兵, 猶不免敗衄, 則輿尸之凶,
可知.

구산양씨가 말하였다: 군대가 혹 여러 사람에 의해 주장되는 것이다. 여러 사람들에 의해주
장되면 명령을 받음이 일정하지 않아서 공이 없으니 흉한 도이다. 육삼은 위에서 올라타고
있는 여러 음들에 의하여 주장되므로 흉하다. 당나라 아홉 절도사의 군대가 그 통솔함을
세우지 못하여 비록 이숙(李俶)과 곽자의(郭子儀)의 훌륭한 병사일지라도 오히려 패하여
꺾이는 것을 면치 못하였으니, 여럿이 주장하는 흉함을 알 수 있다.

○ 誠齋楊氏曰, 河曲之師, 趙盾爲將, 而令出趙穿, 邲之師, 荀林父爲將, 而令出先縠,
後世復有中人監軍者, 師焉往而不敗.

성재양씨가 말하였다: 하곡(河曲) 땅의 군대는 장수된 이가 조순(趙盾)이지만 명령은 조천
(趙穿)에게서 나왔고, 필(邲) 땅의 군대는 장수된 이가 순림보(荀林父)이지만 명령은 선곡
(先縠)에게서 나왔으니, 후세에 다시 중인으로 감군(監軍)이 되는 자가 있다면, 군대가 어
디를 간들 패하지 않겠는가?

本義

輿尸, 謂師徒撓敗, 輿尸而歸也. 以陰居陽, 才弱志剛, 不中不正, 而犯非其分,
故其象占如此.

'여시(輿尸)'는 군대의 무리가 꺾이고 패하여 수레에 시체를 싣고서 돌아오는 것을 말한다. 음으로
양의 자리에 있고 재질은 약하고 뜻은 굳세며, 알맞지도 못하고 바르지도 못하여 그 분수가 아닌
것을 범하므로 그 상과 점이 이와 같다.

小註

或問, 師或輿尸, 伊川說爲衆主, 如何. 朱子曰, 從來有輿尸血刃之說, 何必又牽引別
說. 某自少時未曾識訓詁, 只讀白本時, 便疑如此說. 後來從鄕先生學, 皆作衆主說, 甚
不以爲然, 今看來只是兵敗輿其尸而歸之義.

어떤 이가 물었다: '사혹여시[師或輿尸]'를 이천은 여러 사람이 주장한다고 말하였는데 어떻
습니까?

주자가 답하였다: 종래에 '여시혈인[輿尸血刃]'의 설명이 있는데 하필이면 또 다른 설명을
끌어들이겠는가? 내가 어릴 적 아직 훈고(訓詁)를 알지 못해서 경문[白本]으로만 읽던 시절
에 문득 이러한 말을 의문스럽게 여겼다. 뒤에 마을 선생에게 배울 때 모두가 "여러 사람이
주장한다"고 하는 설을 쓰고 있었는데, 매우 합당하게 여기지 않았다. 지금 보니 다만 병사
가 패하여 그 시체를 수레에 싣고 돌아온다는 의미일 뿐이다.

○ 雲峰胡氏曰, 剝一陽在上, 而衆陰載之, 有得輿象. 六三衆陰在上, 如積尸, 而坤爲輿
坎爲車輪有輿尸象. 此爻甚言師徒撓敗之凶, 以見師之成敗生死, 皆繫於將九二剛中可
以用師. 六四柔正, 猶能全師以退. 六三不中不正, 才柔志剛, 輿尸而歸, 其凶何如哉.

운봉호씨가 말하였다: 박괘(剝卦)의 한 양이 맨 위에 있고 여러 음이 싣고 있으니, 수레를

얻는 상이 있다. 육삼은 여러 음이 위에 있는 것이 시체를 쌓는 것과 같아서 곤괘는 수레가 되고 감괘는 수레바퀴가 되어 수레에 시체를 싣는 상이 있다. 이 효는 군대의 무리가 꺾이고 패하는 흉함을 깊이 말하여서 군대의 성공과 실패, 삶과 죽음이 모두 구이의 굳세고 알맞음을 가지고서 군대를 쓸 수 있는지에 달려있음을 보인 것이다. 육사는 부드러우면서 바르니 군대를 온전히 하여 물러날 수 있는 것과 같으며, 육삼은 알맞지도 않고 바르지도 않아서 재주는 유약하지만 뜻은 굳세어 수레에 시체를 싣고 돌아오니, 그 흉함이 어떠하겠는가?

‖韓國大全‖

김장생(金長生)「주역(周易)」

六三, 輿尸,

육삼은 여럿이 주장하면,

輿尸之說, 程傳似好

"여럿이 주장한다"는 설명은 『정전』이 좋은 듯하다.

송시열(宋時烈)『역설(易說)』

或者, 疑之也, 輿者, 坤爲輿也, 尸者, 死人者也. 師或敗還以輿載尸. 左傳多有之, 其凶可知. 傳以衆主釋之, 未知如何. 於小象, 大無功, 可見無位無功, 所以異於六五也. "군대가 혹 수레에 시체를 싣고 온다[師或輿尸]"고 한 것에 대해 '혹(或)'은 의심하는 것이고, '여(輿)'는 곤괘가 수레가 되며, '시(尸)'는 죽은 사람이다. 군대가 혹 패하여 수레에 죽은 자를 싣고 돌아오는 것이다. 『춘추좌씨전』에 그런 내용이 많으니, 그 흉함을 알 수 있다. 『정전』에서는 "여러 사람이 주장한다"는 것으로 풀이하였는데, 어떤지 모르겠다. 「소상전」에서 "크게 공이 없다"고 한 것에서 지위도 없고 공도 없음을 알 수 있으니, 이 때문에 육오와 다르다.

이익(李瀷) 『역경질서(易經疾書)』

六三, 以柔居陽, 不量力而輕進, 故或至於輿尸. 六四, 以柔居陰, 知難而有待, 故無咎.

육삼은 부드러운 음으로 양의 자리에 있어 힘을 헤아리지 않고 경솔하게 나아가기 때문에 혹 수레에 시체를 싣는데 이른다. 육사는 부드러운 음으로 음의 자리에 있어 어려움을 알아서 기다림이 있으므로 허물이 없다.

심조(沈潮) 「역상차론(易象箚論)」

六三, 輿尸,

육삼은 시체를 수레에 싣는 것이니,

尸, 陰象, 象陰, 積尸象

'시(尸)'는 음의 상이니, 음을 형상하는 것은 시체를 쌓는 상이다.

유정원(柳正源) 『역해참고(易解參攷)』

六三 [至] 尸凶.

육삼은 … 시체를 싣고 오니, 흉하다.

王氏曰, 以陰處陽, 以柔乘剛, 進則无應, 退无所守, 以此用師, 宜獲輿尸之凶.

왕필이 말하였다: 음으로써 양의 자리에 머물러 있고 부드러운 음으로 굳센 양을 탔으니, 나아가면 호응함이 없고 물러나면 지킬 것이 없어서 이것으로 군대를 쓰면 마땅히 수레에 시체를 싣는 흉함을 얻게 된다.

本義, 小註, 朱子說白本. 〈案, 只載經文, 不雜注疏之本.〉

『본의』소주에서 주자가 '백본(白本)'이라고 한 것에 대한 설명. 〈내가 살펴보았다: 백본은 단지 경문만 싣고 주소(注疏)등이 섞여 있지 않은 판본이다.〉

김상악(金相岳) 『산천역설(山天易說)』

三之不正, 互爲坤體, 比二而居上, 故有師或輿尸之象. 衆主之, 則无成功而凶也.

삼효가 바르지 않고 호괘는 곤괘(坤卦)의 몸체가 되니, 이효에 가까우나 위에 있으므로 군대가 혹 여럿이 주장하는 상이 있다. 여럿이 주장하면 공을 이루지 못해서 흉하다.

○ 興者, 衆也, 坤之象. 云或者, 未入坤位也. 晉師之救鄭也, 荀林父爲元帥, 而令出先縠, 以至邲敗. 故荀首曰, 彘子尸之, 雖免而歸, 必有大咎. 以本卦言, 二之陽, 爲師之主, 而三居其上, 犯非其分者, 故有興尸之戒. 損六三曰, 一人行, 三則疑也, 亦言其致一之理也.

'여(興)'는 무리이니 곤괘의 상이다. '혹(或)'이라고 말한 것은 아직 곤괘의 자리로 들어가지 않은 것이다. 진(晉)나라의 군대가 정(鄭)나라를 구원할 때 원수는 순림보(荀林父)이지만 선곡에게서 명령이 나왔는데, 필(邲)땅에 이르러 패했다. 그러므로 순수(荀首)가 "체자[선곡]가 주장하니, 비록 죽음을 면하여 돌아오더라도 반드시 크게 허물이 있을 것이다"라고 하였다. 본 괘[師卦]로 말하면 이효의 양이 군대의 주인이 되는데, 삼효가 그 위에 있어 그 분수가 아닌 것을 범했기 때문에 "여럿이 주장한다"는 경계가 있다. 손괘(損卦)의 육삼에서 "한 사람이 간다"라고 한 것은 세 사람이면 의심하기 때문이니, 또한 그 하나로 하는 이치를 말한 것이다.

김규오(金奎五) 「독역기의(讀易記疑)」

六三, 師或輿尸. 義不用傳說, 而作爲輿其尸, 只以輿尸二字看之, 義說, 固无可疑. 但上文或字之襯, 不如傳說. 又輿其尸, 則敗績甚矣, 象所謂大无功, 似不免說得无力. 六五輿尸字之順, 不如傳說, 如何.

육삼은 군대가 혹 수레에 시체를 싣는 것이다. 『본의』는 『정전』의 설명을 쓰지 않고 그 시체를 수레에 싣는다고 하였는데, "수레에 시체를 싣는다"는 여시(輿尸)의 두 글자로만 본다면 『본의』의 설명은 진실로 의심할 것이 없다. 다만 앞글의 '혹(或)'자의 적절함은 『정전』의 설명보다 못하다. 또 그 시체를 수레에 실었다면 패하여 시체를 실은 것이 많을 것이니, 「상전」에서 "크게 공이 없다"고 한 것은 말이 무기력함을 면하지 못할 듯하다. 육오에서 '수레에 시체를 싣게 하면[輿尸]'이라고 한 문세가 순조로움으로 보아 『정전』에서 '여럿이 주장하면'이라 한 설명만 못한 듯한데 어떤지 모르겠다.

박윤원(朴胤源) 『경의(經義)·역경차략(易經箚略)·역계차의(易繫箚疑)』

輿尸, 程傳本義說皆通, 而程傳不如本義之語順而明. 以六五弟子輿尸觀之, 弟子旣是輿, 又何疊言輿歟.

'여시(輿尸)'는 『정전』과 『본의』의 설명이 모두 통하지만, 『정전』의 설명은 『본의』의 말이 순조롭고 분명한 것에는 못 미친다. 육오에서 "제자(弟子)가 수레에 시체를 싣는다[弟子輿尸]"고 한 것으로 보면, 제자(弟子)가 이미 여럿[輿]이란 뜻인데, '여럿'이라고 중첩해 말하겠는가?

서유신(徐有臣) 『역의의언(易義擬言)』

或者, 間雜之也. 輿者, 衆所載也. 尸者, 素其位也. 六三爲旅帥, 亦師衆之所載, 而柔
不當位, 尸居其任, 是爲師輿尸而往, 僨敗必矣. 故凶也.

'혹(或)'은 끼어들고 섞이는 것이다. '여(輿)'는 여럿이 실리는 것이다. '시(尸)'는 그 자리만
차지하고 있는 것이다. 육삼은 군대의 우두머리가 되고 또 군대의 무리가 떠받드는 바인데
유약하여 지위에 합당하지 않은데 그 지위만 차지하고 있는 것이다. 이는 군대에서 수레에
여럿이 올라타서 주장해 가는 것이니, 넘어지고 패할 수밖에 없다. 그러므로 흉하다.

김귀주(金龜柱) 『주역차록(周易箚錄)』

六三, 師或輿尸, 云云.

육삼은 군대가 혹 시체를 싣는다, 운운.

○ 按, 六三在險體之內, 以陰居陽, 有不揆力弱, 而輕犯敗衂之象. 又坎以爲居輪上,
承衆陰, 有輿尸之象. 小註, 胡雲峰, 亦言此意.

내가 살펴보았다: 육삼은 험한 몸체[坎卦]의 안에 있고, 음으로 양의 자리에 있어 그 힘이
약한 것을 헤아리지 못하고 경솔하게 범하여 패하여 죽는 상이 있다. 또 감괘는 수레바퀴의
위에 있어 여러 음을 받드니, 수레에 시체를 싣는 상이 있다. 소주에서 호운봉이 또한 이
뜻을 말했다.

박문건(朴文健) 『주역연의(周易衍義)』

逼而見敗, 故有輿尸之象. 或, 疑辭也.

핍박하다 패하기 때문에 "수레에 시체를 싣는다"는 상이 있다. '혹(或)'은 의심하는 말이다.
〈問, 師或輿尸凶. 曰, 六三進逼上六, 而其師撓敗, 故載尸而來也, 所以凶也.
물었다: "군대가 혹 수레에 시체를 실으니 흉하다"는 무슨 뜻입니까?
답하였다: 육삼이 나아가 상육을 핍박하다 그 군대가 꺾이고 패하기 때문에 시체를 싣고서
돌아오니, 이 때문에 흉한 것입니다.〉

김기례(金箕澧) 「역요선의강목(易要選義綱目)」

或與坤六三同. 以陰居剛, 恐或輿尸, 故戒其凶.

'혹(或)'은 곤괘 육삼에서 '혹'이라고 한 것과 같다. 음으로 굳센 양의 자리에 있어 혹 수레에
시체를 실을까 걱정하였기 때문에 그 흉함을 경계하였다.

○ 坤坎皆爲輿, 故曰輿. 程傳以輿尸爲衆主, 朱子言輿尸而歸, 二說不同.

곤괘와 감괘가 모두 수레가 되므로 '수레'라고 하였다. 『정전』에서는 '여시(輿尸)'를 "무리가 주장한다"고 하였고, 주자는 "수레에 시체를 싣고 돌아온다"라고 말했으니, 두 설명이 같지 않다.

이항로(李恒老) 「주역전의동이석의(周易傳義同異釋義)」

按, 三居下上, 有輿象. 故睽三曰曳輿, 大畜三曰輿衛, 解三曰負且乘, 小畜三曰輿脫輹. 若以象訓輿, 則恐非其象.

내가 살펴보았다: 삼효는 하괘의 맨 위에 있어 수레의 상이 있다. 그러므로 규괘(睽卦)의 삼효에서 "수레를 끈다[曳輿]"라고 하고, 대축괘(大畜卦) 삼효에서 "수레 타기와 호위[輿衛]"라고 하였으며, 해괘(解卦) 삼효에서 "짊어져야 하는데 또 올라탔다[負且乘]"라고 하였고, 소축괘(小畜卦) 삼효에서 "수레에 바큇살이 벗겨진다[輿脫輹]"라고 하였다. 상으로 수레를 설명한다면, 아마도 그 상이 아닌 듯하다.

심대윤(沈大允) 『주역상의점법(周易象義占法)』

師之升䷭. 六三, 以柔居剛欲戰, 三與四, 以陰柔處九二之上, 爲師之政, 以輿人上升而主事, 故曰師或輿尸. 或竝言三四也. 坤爲輿衆, 艮爲尸, 坤一變爲艮而得位也. 以柔乘剛, 爲不能自用, 而俯從之象. 輿人居將師之位, 不能自用, 而牽制於下, 以此而戰, 凶可知也.

사괘가 승괘(升卦䷭)로 바뀌었다. 육삼은 부드러운 음으로 굳센 양의 자리에 있어 싸우고자 하지만, 삼효와 사효는 부드러운 음으로 구이의 위에 있어 군대의 관리가 되니, 여러 사람이 위로 올라가 일을 주관하기 때문에 "군대를 혹 여럿이 주장한다"라고 하였다. '혹(或)'은 삼효와 사효를 함께 말한다. 곤괘는 여러 사람이 되고 간괘는 주장하는 것이 되는데 곤괘가 한번 바뀌어 간괘가 되어 자리를 얻은 것이다. 부드러운 음으로 굳센 양을 타지만 스스로 쓸 수가 없어서 숙이고 따르는 상이 된다. 많은 사람이 군대를 거느리는 자리에 있지만 스스로 쓸 수가 없고 아랫사람에게 견제되니, 이것으로 싸우면 흉함을 알 수 있다.

오치기(吳致箕) 「주역경전증해(周易經傳增解)」

六三, 陰柔不正, 而外无應援, 卽不利于兵者也. 以其失正而居剛, 故自恃而妄進, 才弱而无援, 故或至覆敗, 輿尸而還, 所以爲凶也.

육삼은 부드러운 음으로 제 자리에 있지 않고 밖으로는 호응하여 이끌어 주는 이가 없으니, 병사를 쓰기에 불리한 것이다. 그 바름을 잃고 굳센 양의 자리에 있으므로 스스로 믿어서 함부로 나아가며, 재질이 약한데다 이끌어 주는 이도 없으므로 혹 엎어지고 패하는데 이르니, 수레에 시체를 싣고 돌아와 흉하게 되는 것이다.

○ 或者, 未定之辭. 輿謂載而取於坎, 尸取於陰. 蓋以勝敗言, 則陽爲勝陰爲敗, 以死生言, 則陽爲生陰爲死也.

'혹(或)'은 아직 정해지지 않았다는 말이다. '여(輿)'는 싣음을 말하는데 감괘에서 취하였고, '시(尸)'는 음(陰)에서 취하였다. 이기고 지는 것으로 말하면 양은 이기는 것이 되고 음은 지는 것이 되며, 죽고 사는 것으로 말하면 양은 사는 것이 되고 음은 죽는 것이 된다.

이진상(李震相) 『역학관규(易學管窺)』

師或輿尸,

군대를 혹 여럿이 주장하면,

傳文以尸爲主, 出左傳, 所謂羆子尸之, 是也. 衆主之匈, 必至於載尸, 得免亦幸耳. 此亦隨其時象而占之.

『정전』의 글에서 '시(尸)'를 주장한다고 본 것은 『춘추좌씨전』에 나오는데, "체자가 주장하였다"고 한 것이 그러하다. 여럿이 주장하는 흉함은 반드시 시체를 싣는 데에 이르니, 그것을 면할 수 있는 것은 또한 요행이다. 이 또한 그 때의 상에 따라서 점친 것이다.

채종식(蔡鍾植) 「주역전의동귀해(周易傳義同歸解)」

傳解作衆主, 本義解作師徒撓敗, 輿尸而歸也. 兩說大不相同. 蓋程子專推義理而言, 九二旣專其事, 乃有成功, 若或更使衆人主之, 則凶之道也. 朱子原其爻象而言, 象陰在上如積尸, 而坤爲輿坎爲車輪, 有輿尸象. 且從來有輿尸之說, 不必牽引作別說也. 然人君旣專任一人, 又或使衆人主之, 則必有積尸輿歸之凶, 合兩說而旨益備也.

『정전』에서는 "여럿이 주장한다"고 풀이하였는데, 『본의』에서는 "군대의 무리가 꺾이고 패하여 수레에 시체를 싣고 돌아온다"고 풀었다. 두 설명이 크게 같지 않다. 정자는 의리만을 유추하여 말했으니, 구이가 이미 그 일을 전담하면 이에 공을 이룸이 있지만, 혹 다시 여러 사람이 주장하게 되면 흉한 도이다. 주자는 그 효의 상에 근원하여 말하였으니, 음이 위에 있는 것이 시체를 쌓는 것과 같음을 형상하는데, 곤괘가 수레가 되고 감괘가 수레바퀴가 되어 수레에 시체를 싣는 상이 있다. 또 종래에 수레에 시체를 싣는다는 설명이 있으니,

반드시 다른 설명을 이끌어서 쓸 필요는 없다. 그러나 임금이 이미 한 사람에게 전적으로 맡겼는데다시 혹 여러 사람이 주장하게 하면 반드시 시체를 수레에 쌓아 돌아오는 흉함이 있을 것이니, 두 설명을 합하여 의미가 더욱 갖추어진다.

박문호(朴文鎬) 「경설(經說)·주역(周易)」

輿尸, 以六五之輿尸比而觀之, 弟子輿尸, 旣與長子帥師, 爲對說, 則程子之釋作衆主, 似尤長矣. 洵衡

여시(輿尸)를 육오의 '여시(輿尸)'와 견주어 살핀다면 "제자가 여럿이 주장한다"는 것은 이미 "맏아들이 군대를 거느린다"는 것과 짝이 맞는 설명이 되니, 정자가 "여럿이 주장한다"라고 풀이한 것이 더 나은 듯하다.

衆主, 蓋指三, 謂自初而二, 自二而三, 有衆主之象.

"여럿이 주장한다"는 것은 삼효를 가리키니, 초효에서 이효로, 이효에서 삼효까지 여럿이 주장하는 상이 있음을 말한다.

象曰, 師或輿尸, 大无功也.

정전 「상전」에서 말하였다: "군대를 혹 여럿이 주장하면"크게 공이 없다.
본의 「상전」에서 말하였다: "군대가 혹 시체를 싣고 오니" 크게 공이 없다.

中國大全

傳

倚付二三, 安能成功, 豈唯无功, 所以致凶也.

이효와 삼효에 의지하면 어떻게 공을 이룰 수 있으며, 어찌 공만 없겠는가? 이 때문에 흉하게까지
된다.

韓國大全

김상악(金相岳) 『산천역설(山天易說)』

陽爲大, 若使衆人主之, 則九二雖陽之大者, 必不能成功也.

양은 큰 것이지만 여럿이 주장하게 되면 구이가 비록 양의 큰 것이라 할지라도 반드시 공을
이루지 못할 것이다.

서유신(徐有臣) 『역의의언(易義擬言)』

不獨一戰之敗也.

한 번의 싸움만 패한 것이 아니다.

박문건(朴文健) 『주역연의(周易衍義)』

大无功, 言无所成也.

"크게 공이 없다"는 것은 이룬 것이 없음을 말한다.

오치기(吳致箕) 「주역경전증해(周易經傳增解)」

敗之甚也.

심하게 패함이다.

六四, 師左次, 无咎.

육사는 군대가 물러나 머무니, 허물이 없다.

中國大全

傳

師之進以强勇也, 四以柔居陰, 非能進而克捷者也. 知不能進而退, 故左次, 左次退舍也. 量宜進退, 乃所當也, 故无咎. 見可而進, 知難而退, 師之常也. 唯取其退之得宜, 不論其才之能否也. 度不能勝, 而完師以退, 愈於覆敗遠矣, 可進而退乃爲咎也. 易之發此義, 以示後世, 其仁深矣.

군대의 나아감은 강함과 용맹으로써 하는데, 사효는 부드러운 음으로 음의 자리에 있어 나아가서 이길 수 있는 사람이 아니다. 나아갈 수 없음을 알고서 물러나므로 물러나 머무르니, ‘좌차(左次)’는 물러나 머무른다는 뜻이다. 마땅함을 헤아려 나아가거나 물러나는 것이 바로 마땅한 것이므로 허물이 없다. 가능함을 보고서 나아가고 어려움을 알아서 물러남은 군대의 떳떳한 도리이다. 오직 그 물러남에 마땅함을 얻기를 취할 뿐, 그 재질의 할 수 있고 할 수 없음에 대해서는 논하지 않았다. 이길 수 없음을 헤아려서 군대를 온전히 하여 물러남은 엎어지고 패하는 것보다 훨씬 나은 것이지만, 나아갈 수 있는데도 물러남은 바로 허물이 된다. 『주역』에서 이런 의미를 밝힌 것은 후세에 보이려고 한 때문이니, 그 어질음이 깊다.

本義

左次, 謂退舍也. 陰柔不中, 而居陰得正, 故其象如此. 全師以退, 賢於六三遠矣, 故其占如此.

‘좌차(左次)’는 진영으로 물러남을 말한다. 부드러운 음으로 알맞지[中] 못하지만 음의 자리에 거하여 바름을 얻었으므로 그 상이 이와 같다. 군대를 온전히 하여 물러나니 육삼보다 훨씬 현명하므로 그 점(占)이 이와 같다.

小註

臨川吳氏曰, 春秋師次于郞, 次于召陵, 左氏傳曰, 凡師三宿爲次. 按, 兵家尙右, 右爲前, 左爲後, 故八陣圖, 天前衝地前衝在右, 天後衝地後衝在左. 左次猶言退舍, 謂不進前而退後也.

임천오씨가 말하였다: 『춘추』에서 "군대를 랑(郞)땅에 머물게 한다"라고 하고 "소릉(召陵)에 머물게 한다"라고 하였는데, 『춘추좌씨전』에서 "군대가 삼일을 자는 것이 '차(次)'가 된다"라고 하였다. 생각건대 병가는 오른쪽을 높이니 오른쪽이 앞이 되고 왼쪽이 뒤가 되므로, 「팔진도」에서 천전충(天前衝)과 지전충(地前衝)은 오른쪽에 있고 천후충(天後衝)과 지후충(地後衝)은 왼쪽에 있다. '좌차(左次)'는 진영으로 물러남을 말하는 것과 같으니, 앞으로 나아가지 못하고 뒤로 물러남을 말한다.

‖韓國大全‖

조호익(曺好益)『역상설(易象說)』

六四, 師左次,

육사는 군대가 물러나 머무니,

臨川吳氏曰, 兵家尙右, 左爲後.

임천오씨가 말하였다: 병가는 오른쪽을 높이니, 왼쪽이 뒤가 된다.

愚謂, 陽爲左, 陰爲右, 互震, 故取義. 如明夷之二, 互坎體, 四震體, 皆陽卦, 豊之三, 本離體, 互亦巽體, 皆陰卦, 故稱右.

내가 살펴보았다: 양은 왼쪽이 되고 음은 오른쪽이 되는데, 호괘인 진괘(震卦)가 양이기 때문에 그 의미를 취하였다. 명이괘(明夷卦)의 이효는 호괘가 감괘(坎卦)의 몸체이고 사효는 진괘(震卦)의 몸체이니 모두 양인 괘이며, 풍괘(豊卦)의 삼효는 본래 리괘(離卦)의 몸체이고 호괘도 손괘(巽卦)의 몸체이니, 모두 음의 괘이므로 오른쪽이라고 말하였다.

송시열(宋時烈) 『역설(易說)』

左者, 後也, 如明夷左腹之左, 於五爻爲後左. 四又以陰爻居陰位, 志在於退, 故曰左次也, 陰爻之常道也. 左字之義, 竝見明夷六四註.

'좌(左)'는 뒤이니, 명이괘(明夷卦)에서 '왼쪽 배'라고 한 왼쪽은 오효에 대하여 뒤가 되니, 왼쪽이다. 사효는 또 음효로써 음의 자리에 있어 뜻이 물러나는데 있으므로 '좌차(左次)'라고 하였으니, 음효의 항상된 도이다. '왼쪽'을 뜻하는 좌(左)자의 의미를 명이괘 육사의 주석에서도 볼 수 있다.

심조(沈潮) 「역상차론(易象箚論)」

六四, 左次,

육사는 물러나 머무니,

左次, 陰退之象也. 〈六三亦陰, 而不中不正, 故犯分而致敗. 此則得陰之正, 故能全師而退, 其旨深哉.〉

'좌차(左次)'는 음이 물러나는 상이다. 〈육삼도 음인데 알맞지도 않고 바르지도 않으므로 자기의 분수를 범하여 패하는데 이른다. 여기서는 음의 바름을 얻었기 때문에 군대를 온전히 하여 물러날 수 있으니, 그 뜻이 깊다〉

유정원(柳正源) 『역해참고(易解參攷)』

六四 [至] 无咎

육사는 … 허물이 없다.

丹陽都氏曰, 陰陽之運, 自東徂西, 而易之六位, 自下而上. 故凡易之辭, 上右而下左, 次者不前而卻也.

단양도씨가 말하였다: 음양의 운행은 동쪽에서 서쪽으로 가고 역의 여섯 자리는 아래에서 위로 올라간다. 그러므로 『주역』의 언어에서는 오른쪽이 위이고 왼쪽이 아래이다. '차(次)'란 앞으로 나아가지 못하고 물러남이다.

○ 鄭氏剛中曰, 左次依震林坎水, 靜止而不動也.

정강중이 말하였다: '좌차(左次)'는 진괘인 수풀과 감괘인 물에 의지하여 조용히 멈추어 움직이지 않음이다.

○ 隆山李氏曰, 坤體, 平陸而无險, 左旋其旆, 下依坎水之阻, 而止軍者也. 軍事, 出則尙右, 旋返則爲左.

융산이씨가 말하였다: 곤괘의 몸체는 평평한 땅으로 험함이 없으니, 그 깃발을 왼쪽으로 돌려 아래로 감괘인 물의 험함에 의지하여 군대를 멈추는 것이다. 군대의 일은 출정할 때에는 오른쪽을 높이고, 되돌릴 때에는 왼쪽을 높인다.

○ 雙湖胡氏曰, 兵前右後左, 上將軍居右, 偏將軍居左, 則右爲重, 左不用之地. 四左次, 與明夷四左腹同, 坤體之下.

쌍호호씨가 말하였다: 병사는 오른쪽이 앞이고 왼쪽이 뒤여서, 상장군은 오른쪽에 있고 편장군은 왼쪽에 있으니, 오른쪽이 중요하고 왼쪽은 쓰지 않는 곳이다. 사효의 '좌차(左次)'는 명이괘(明夷卦) 사효의 '좌복(左腹)'과 같은데 곤괘 몸체의 맨 아래에 있다.

김상악(金相岳) 『산천역설(山天易說)』

左次, 退舍也. 六四以陰居陰, 无比應於上下, 故有左次之象. 度不能勝, 全師以退, 无咎之道也.

'좌차(左次)'는 진영으로 물러나는 것이다. 육사는 음으로써 음의 자리에 있고 위아래에 비응(比應)의 관계가 없기 때문에 물러나 머무는 상이 있다. 이길 수 없음을 헤아려 군대를 온전히 하여 물러나니, 허물이 없는 도이다.

○ 兵家尙右, 右爲前, 左爲後, 而四之左次无咎, 以陰得正也. 所以无不臧之戒, 輿尸之凶也. 易中言左者, 皆在陰爻也. 明夷之二曰左股, 四曰左腹, 是也. 豊則上六陰而无位, 故三曰折其右肱, 泰之大象曰左右民者, 陽左而陰右, 交泰之義也.

병가는 오른쪽을 높이기에 오른쪽이 앞이 되고 왼쪽이 뒤가 되니, 사효에서 "물러나 머무니 허물이 없다"는 것은 음으로서 바름을 얻었기 때문이다. 이 때문에 '착하지 않으면'이라는 경계와 '수레에 시체를 싣는' 흉함이 없다. 『주역』에서 '좌(左)'를 말한 것은 모두 음효에 있다. 명이괘(明夷卦) 육이에서 '왼쪽 다리[左股]'라고 하였고 사효에서 '왼쪽 배[左腹]'라고 한 것이 그러하다. 풍괘(豊卦)에서는 상육이 음이고 지위가 없기 때문에 삼효에서 "오른팔이 부러졌다"라고 하였고, 태괘(泰卦)의 「대상전」에서 "백성을 좌지우지한다"라고 한 것은 양이 왼쪽이고 음이 오른쪽으로 음양이 조화로운 의미이다.

김규오(金奎五) 「독역기의(讀易記疑)」

六四左次, 似以陰居陰位, 而陰主於退, 象所謂未失常, 亦似有退, 是陰之象之意.

육사의 "물러나 머문다"는 것은 음으로서 음의 자리에 있어서 음이 물러남을 주장하는 것과 같고, 「상전」의 "아직 상도를 잃지 않은 것이다"라는 것도 물러남이 있는 것과 같으니, 이것은 음이 형상하는 뜻이다.

박윤원(朴胤源) 『경의(經義)·역경차략(易經箚略)·역계차의(易繫箚疑)』

師進而後有功, 故退故无咎而已. 六五, 田有禽.

군대는 나아간 뒤라야 공이 있는 것인데, 물러났기 때문에 허물이 없을 뿐이다. 육오는 밭에 새[짐승]가 있는 것이다.

서유신(徐有臣) 『역의의언(易義擬言)』

志從初六, 左次象也. 知難而退, 軍之善政, 左次匪咎也. 妄進取敗, 未若左次全師. 四柔而得正, 故有是象也.

뜻이 초육을 따르니, 물러나 머무는 상이다. 어려움을 알아서 물러남은 군대를 잘 다스림이니, 물러나 머무는 것은 허물이 아니다. 함부로 나아가 패하는 것은 물러나 머물러서 군대를 온전히 하느니만 못하다. 사효는 유약하지만 바름을 얻었기 때문에 이러한 상이 있다.

김귀주(金龜柱) 『주역차록(周易箚錄)』

六四, 師左次, 云云.

육사는 군대가 물러나 머무니, 운운.

○ 按, 六四, 以陰柔得正, 而在順體之下, 出陰體之象, 有退次完師之象.

내가 살펴보았다: 육사는 부드러운 음으로 바름을 얻었고 유순한 몸체의 아랫자리에 있어 음의 몸체를 벗어나는 상이니, 물러나 머물러 군대를 온전하게 하는 상이 있다.

박문건(朴文健) 『주역연의(周易衍義)』

師欲應初, 故有左次之象. 地道以左爲下也.

사괘는 육사가 초효에 호응하고자 하므로 물러나 머무는 상이 있다. 땅의 도는 왼쪽을 아래로 여긴다.

〈問, 師左次, 无咎. 曰, 六四之志在初, 故左次未失常道者也, 何咎之有哉. 師出三宿以上, 謂之次也.

물었다: "군대가 물러나 머무니 허물이 없다"는 것은 무슨 뜻입니까?

답하였다: 육사의 뜻은 초효에 있으므로 물러나 머무는 것이 상도를 잃지 않는 것이니, 무슨 허물이 있겠습니까? 군대가 출동하여 세 밤 이상 묵는 것을 '차(次)'라고 합니다.〉

김기례(金箕澧) 「역요선의강목(易要選義綱目)」

左與左遷之左同. 以陰居陰, 可謂得正, 量力退舍, 幸无咎也. 若妄進, 則有咎.

좌는 좌천(左遷)의 좌와 같다. 음으로서 음의 자리에 있어 바름을 얻었다고 할 만한데, 힘을 헤아려 진영으로 물러나면 다행히 허물이 없다. 함부로 나아가면 허물이 있게 된다.

심대윤(沈大允) 『주역상의점법(周易象義占法)』

師之解䷧. 解, 釋也. 六以四柔居柔才, 不足戰志, 不欲戰, 故曰師左次. 坎离互震, 有次且遷動之象. 艮爲次, 震爲左. 三之義升而欲戰, 故爲進位, 四之義解而不戰, 故爲退次, 知難而退, 軍之善政. 故曰无咎.

사괘가 해괘(解卦䷧)로 바뀌었으니, 해(解)는 푸는 것이다. 음인 육은 사효의 부드러움으로 부드러운 재질을 갖춘 자리에 있어서 싸우려는 뜻이 부족하니, 싸우려 하지 않으므로 "군대가 물러나 머문다"고 하였다. 감괘(坎卦)와 리괘(離卦), 호괘인 진괘(震卦)는 머무르고 또 옮겨 움직이는 상이 있다. 간괘(艮卦)는 머무름이 되고 진괘는 물러남이 된다. 삼효의 의미는 올라가서 싸우려고 하기 때문에 나아가는 자리가 되고, 사효의 의미는 풀어서 싸우려고 하지 않기 때문에 물러나 머무름이 되니, 어려울 줄 알아 물러남은 군대를 잘 다스리는 것이므로 "허물이 없다"라고 하였다.

오치기(吳致箕) 「주역경전증해(周易經傳增解)」

六四, 以柔居柔, 而內无應援, 兵弱不能克獲者也. 宜若致咎, 而以其處順得正, 故知難而不進, 完師而左次, 是以能无喪敗之咎也.

육사는 부드러운 음으로서 음의 자리에 있고 안에서 호응하여 이끌음이 없으니, 군대가 약하여 이겨서 얻을 수 없는 것이다. 그러므로 마땅히 허물이 될 것 같지만, 그 대처하는 것이 순조로워 바름을 얻었기 때문에 어려움을 알아서 나아가지 않고 군대를 온전히 하여 물러나 머무르니, 이 때문에 상하고 패하는 허물이 없을 수 있는 것이다.

○ 左謂後, 而次謂舍, 言退舍於後也. 他卦言左者, 皆取陰爻, 蓋以陰在陽後也.

'좌(左)'는 뒤를 말하고, '차(次)'는 진영을 말하니, 뒤로 진영에 물러남을 말한다. 다른 괘에서 좌(左)를 말한 것이 모두 음효를 취하였으니, 음으로서 양의 뒤에 있는 것이다.

이진상(李震相) 『역학관규(易學管窺)』

左次, 无咎.

물러나 머무니, 허물이 없다.

陰陽之運, 上右而下左, 且坤體退欽, 而六四陰柔, 故有左次之象. 兵法前右而後左, 出則尙右, 旋則爲左. 且自守之兵, 據險爲要, 而坤體平順無險, 同於四戰之地, 故下依坎水, 互取震林, 退舍而自全也.

음양의 운행은 오른쪽을 위로 삼고 왼쪽을 아래로 삼으며, 또 곤괘의 몸체는 물러나 공경하니, 육사는 음이면서 부드럽기 때문에 물러나 머무는 상이 있다. 병법은 오른쪽이 앞이고왼쪽이 뒤이니, 나아갈 때는 오른쪽을 높이고 군대를 되돌릴 때에는 왼쪽을 높인다. 또 조심하여 지키려는 병사는 험한 곳을 근거로 요충지를 삼는데, 곤괘의 몸체는 평이하고 순하여 험한 것이 없어 사방으로 싸우는 땅과 같기 때문에 아래의 감괘인 물에 의지하고, 호괘인 진괘(震卦)의 수풀을 취하여 진영으로 물러나서 스스로를 보전하는 것이다.

박문호(朴文鎬) 「경설(經說)·주역(周易)」

不言其才之能否, 言經文不論以其柔居陰, 非能進而克捷之才也.

그 재질의 할 수 있고 없음을 말하지 않은 것은 경문에서 유약한 음이 음의 자리에 있어서 나아가 이길 수 있는 재질이 아니라고 논하지는 않았음을 말한다.

이정규(李正奎) 「독역기(讀易記)」

六四, 无咎, 雖非將才, 以陰居柔, 正則正矣. 故不至如六三之輿尸. 蓋守分者, 爲正而无大失也.

육사에서 "허물이 없다"는 것은 비록 장수의 재질은 아니지만, 음으로서 부드러운 음의 자리에 있으니, 바르다고 한다면 바른 것이다. 그러므로 육삼처럼 '수레에 시체를 싣는' 지경에 이르지는 않는다. 자기의 분수를 지키는 자는 바르게 하여 크게 잃는 것이 없다.

이용구(李容九) 「역주해선(易註解選)」

六四, 左次, 如禹之班師, 晉文退舍, 是也.

육사에서 "물러나 머문다"는 것은 우임금이 군대를 돌린 것과 진나라 문공이 진영에 물러난 것이 그러하다.

이병헌(李炳憲) 『역경금문고통론(易經今文考通論)』

荀曰, 左謂二也, 陽稱左. 次舍也. 二與四同功.

순상이 말하였다: 좌(左)는 이효를 말하니, 양을 '좌'라고 말한다. 차(次)는 진영이다. 이효와 사효는 공이 같다.

按, 左謂東, 當指殷也. 此據殷周當日之事而言, 故繫辭中常引用此等語. 然夫子制之 爲經, 則何取乎此等句語邪. 蓋左次者, 周師東征之謂也, 繫辭相傳之語也. 夫子之爲 萬世定易經也, 因不沒其實, 以爲未失常者, 明其尙左之義也. 聖人制明堂之禮, 則王 者先闢靑陽左个, 以尙東方好生之德, 論鄕飮之儀, 則水在洗東, 祖天地之左海也. 聖 人所謂未失常者, 其旨甚深, 豈特爲殷周一時之事已哉.

내가 살펴보았다: '좌'는 동쪽을 말하니, 마땅히 은나라를 가리킨다. 이것은 은나라와 주나라 시기의 일을 근거로 말하였기 때문에, 「계사전」에서 항상 이러한 말을 인용하였다. 그러나 공자가 경을 지은 것이 어찌 이러한 어구들을 취한 것이겠는가? '좌차(左次)'라는 것은 주나라의 군대가 동쪽으로 정벌한 일을 말하니, 「계사전」에서 서로 전한 말이다. 공자가 만세(萬世)를 위하여 『역경』을 정리하면서, 그 사실이 없어지지 않은 것으로 인하여 "아직 상도를 잃지 않았다"고 여긴 것은 그 왼쪽을 높이는 의리를 밝힌 것이다. 성인이 명당(明堂)의 예(禮)를 제정함에 왕도를 행하는 자가 먼저 청양좌개(靑陽左个)[30]를 열어서 동방의 살리기를 좋아하는 덕을 숭상하였으며, 향음(鄕飮)의 의식을 논함에 물이 씻는 곳의 동쪽에 있게 한 것은 천지가 바다를 왼쪽에 둔 것을 본받는 것이다. 성인이 "아직 상도를 잃지 않았다"고 한 것은 그 뜻이 매우 깊으니, 어찌 다만 은나라와 주나라의 한 때의 일만이 될 뿐이겠는가?

---

30) 『예기·월령』에서는 천자의 거처로서 명당(明堂)을 언급하고 있다. 맹춘(孟春)에는 천자가 거처하는 곳이 청양(靑陽) 좌측이 되고, 중춘(仲春)에는 청양(靑陽) 태묘(太廟)가 되며 계춘(季春)에는 청양(靑陽) 우측이 된다. 맹하(孟夏)에는 명당(明堂) 좌측이고 중하(仲夏)에는 명당(明堂) 태묘(太廟)이다. 계하(季夏)에는 명당(明堂) 우측이며 중앙은 토(土)로 천자가 태묘(太廟) 태실에 거처한다. 맹추에는 총장(總章) 좌측이 되며 중추(仲秋)에는 천자의 거처가 총장 태묘. 계추(季秋)에는 총장 우측에 천자가 거처하며 맹동(孟冬)에는 현당(玄堂) 좌측이 된다. 중동(仲冬)에는 천자의 거처가 현당 태묘가 되며 계동(季冬)에는 현당 우측이 된다고 했으니, 이들은 모두 태일성의 움직임을 따라 정해져 있는 자리가 된다.

象曰, 左次无咎, 未失常也.

「상전」에서 말하였다: "물러나 머무니, 허물이 없음"은 아직 상도를 잃지 않은 것이다.

┃中國大全┃

傳

行師之道, 因時施宜, 乃其常也, 故左次未必爲失也. 如四退次, 乃得其宜, 是以无咎.

군대를 행하는 도는 때에 따라 마땅하게 시행하는 것이 바로 상도(常道)이므로 물러나 머무른다고 해서 반드시 잘못이 되지는 않는다. 예컨대 사효가 물러나 머무는 것은 바로 그 마땅함을 얻은 것이니, 이 때문에 허물이 없다.

本義

知難而退, 師之常也.

어려움을 알고 물러남은 군대의 떳떳한 도이다.

小註

誠齋楊氏曰, 善戰者, 不必進, 而退亦進也. 禹之班師, 晉文之退舍, 是已. 使高帝不至白登, 太宗不渡鴨綠, 咎於何有.

성재양씨가 말하였다: 잘 싸운다는 것은 반드시 나아감만은 아니어서 물러남도 나아가는 것이라고 할 수 있다. 우임금이 군대를 거느리고 돌아온 일과 진나라 문공이 진영으로 물러난 경우가 그러하다. 가령 한 고제(高帝)가 백등(白登)의 땅에 이르지 않고,[31] 당 태종이

---

31) 한고조 유방이 천하를 통일한 여세를 몰아 이 흉노족을 제압하고자 대원정군단을 편성하고 전투를 벌였으나 오히려 백등(白登)이란 곳에서 7일간 포위되었다가, 적장공주를 시집보내고 세폐(歲幣)를 주는 조건으로 화친을 맺게 되었다.

압록강을 건너지 않은 것이 어디에 허물이 있겠는가?

○ 雲峰胡氏曰, 恐人以退爲怯, 故明當退而退, 亦師之常也.

운봉호씨가 말하였다: 아마도 사람들이 물러남을 비겁하게 여기기 때문에 마땅히 물러나야 할 때에 물러나는 것이 또한 군대의 떳떳한 도임을 밝혔다.

‖韓國大全‖

김장생(金長生)「주역(周易)」

六四, 象, 傳.

육사「상전」의 『정전』.

如四退次.

예컨대 사효가 물러나 머무는 것은.

如, 發語辭.

여(如)는 발어사이다.

유정원(柳正源)『역해참고(易解參攷)』

未失常.

아직 상도를 잃지 않은 것이다.

王氏曰, 雖不能有獲, 足以不失其常也.

왕필이 말하였다: 비록 수확은 얻을 수 없지만, 그 떳떳한 도를 잃지 않기에는 충분하다.

김상악(金相岳)『산천역설(山天易說)』

知難而退, 兵家之常也

어려움을 알아서 물러남은 병가의 떳떳한 도이다.

서유신(徐有臣)『역의의언(易義擬言)』

當退而退, 兵家之常也.

마땅히 물러나야 함에 물러나는 것은 병가의 상도이다.

六五, 田有禽, 利執言, 无咎. 長子帥師, 弟子輿尸, 貞凶.

정전 육오는 밭에 새[짐승]가 있으면 말을 받듦이 이로우니, 허물이 없다. 맏아들이 군대를 거느리니, 제자들이 여럿이 주장하면 바르더라도 흉하다.

본의 육오는 밭에 새[짐승]가 있다. 잡는 것이 이로우니, 허물이 없다. 맏아들로 군대를 거느리게 하고 제자들로 수레에 시체를 싣게 하면 바르더라도 흉하다.

中國大全

傳

五君位, 興師之主也, 故言興師任將之道. 師之興, 必以蠻夷猾夏, 寇賊姦宄, 爲生民之害, 不可懷來, 然後奉辭以誅之. 若禽獸入于田中, 侵害稼穡, 於義宜獵取, 則獵取之, 如此而動, 乃得无咎. 若輕動以毒天下, 其咎大矣. 執言奉辭也, 明其罪而討之也. 若秦皇漢武, 皆窮山林以索禽獸者也, 非田有禽也. 任將授師之道, 當以長子帥師. 二在下而爲師之主, 長子也. 若以弟子衆主之, 則所爲雖正, 亦凶也. 弟子凡非長者也. 自古任將不專而致覆敗者, 如晉荀林父邲之戰, 唐郭子儀相州之敗, 是也.

오효는 임금의 자리이니 군대를 일으키는 주체이므로 군대를 일으키고 장수를 임명하는 도리를 말하였다. 군대의 일어남은 반드시 오랑캐가 중국을 어지럽히고 도적들이 간사한 짓을 하여 백성의 폐해가 되어서 회유하여 오게 할 수 없는 뒤라야 말을 받들어 토벌하는 것이다. 마치 금수가 밭 가운데 들어와 농사를 침해하여 사냥해 잡기에 마땅하면 사냥해 잡는 것과 같으니, 이렇게 움직여야 이에 허물이 없음을 얻게 된다. 만약 가볍게 움직여 천하 사람에게 해독을 끼치면 그 허물이 크게 된다. '집언(執言)'은 말을 받듦이니, 그 죄를 밝혀 토벌하는 것이다. 진시황이나 한무제 같은 이는 모두 산림을 다 뒤져서 금수를 찾아 잡은 것이며, 밭에 새[짐승]가 있어 잡은 것은 아니다. 장수를 임명하고 군대를 맡기는 도리는 마땅히 맏아들로 군대를 거느리게 하여야 한다. 이효가 아래에 있어 사괘의 주인이 되니, 맏아들이다. 만약 제자[弟子]로 하여금 여럿이 주장하게 하면 하는 바가 비록 바르더라도 흉하다. 제자(弟子)는 맏아들이 아닌 모든 사람이다. 예로부터 장수를 임명함에 제 뜻대로 할 수 있게 하지 않아 엎어져 패망에 이른 것이 진나라의 순림보(荀林父)가 필(邲)땅에서 싸운 것과 당나라의 곽자의(郭子儀)가 상주(相州)에서 패한 것이 그러하다.

小註

程子曰, 帥師以長子, 今以弟子衆主之, 亦是失律, 故雖貞亦凶也.

정자가 말하였다: 군대를 거느리기를 맏아들로써 하는데, 이제 제자(弟子)로서 여럿이 주장하니, 또한 군율을 잃은 것이다. 그러므로 비록 바르더라도 흉하다.

○ 厚齋馮氏曰, 禹之征苗, 啓之伐有扈, 胤之征羲和, 自虞夏以來, 其伐有罪必執言, 不但鳴條以後也.

후재풍씨가 말하였다: 우임금이 묘를 정벌하고 계(啓)가 유호를 치며 윤(胤)이 희·화를 정벌하였다. 우하(虞夏)로부터 이래로 그 징벌에 죄가 있으면 반드시 말을 받들었으니, 다만 명조(鳴條)[32]의 일 이후가 아니다.

本義

六五用師之主, 柔順而中, 不爲兵端者也. 敵加於已, 不得已而應之, 故爲田有禽之象, 而其占利以搏執而无咎也. 言, 語辭也. 長子九二也, 弟子三四也. 又戒占者專於委任. 若使君子任事而又使小人參之, 則是使之輿尸而歸, 故雖貞而亦不免於凶也.

육오는 군대를 쓰는 주체이지만 부드러운 음으로 유순하고 알맞아 군대를 일으키는 단서를 만들지 않는 사람이다. 적이 자기(육오)에게 침범함에 부득이 하게 대응하므로 밭에 새가 있는 상이 되며, 그 점은 잡는 것이 이롭고 허물이 없다. 언(言)은 어조사이다. 맏아들[長子]은 구이(九二)이고 제자(弟子)는 삼효(三爻)와 사효(四爻)이다. 또 점치는 자가 전적으로 위임하여야 하는데, 만약 군자로 하여금 일을 맡기고 또 소인에게 참여하게 하면 이것은 수레에 시체를 싣고 돌아오게 하는 것이므로 비록 곧더라도[貞] 흉함을 면치 못한다고 경계한 것이다.

小註

或問, 易爻取義, 如師之五, 長子帥師, 乃是本爻有此象. 又卻說弟子輿尸, 何也. 朱子曰, 此假設之辭也. 言若弟子輿尸則凶矣. 問, 此例, 恐與家人嗃嗃, 而繼以婦子嘻嘻同. 曰, 然.

---

32) 명조(鳴條): 탕왕이 걸왕을 격파하였던 곳으로, 탕왕은 그 후 박(亳)에 도읍하여 상(商)을 세웠다.

어떤 이가 물었다: 『주역』의 효사가 뜻을 취함에 있어서 사괘 오효의 "맏아들이 군대를 거느린다"와 같은 경우, 바로 본효(本爻)에 이러한 상이 있습니다. 그런데 또 도리어 제자(弟子)로 수레에 시체를 싣게 한다고 한 것은 무엇을 말하는 것입니까?

주자가 답하였다: 이것은 가설하여 한 말입니다. 만약 제자로 수레에 시체를 싣게 한다면 흉하다는 말입니다.

물었다: 이러한 예는 아마도 가인괘(家人卦)에서 "집안사람이 원망한다[家人嗃嗃]"고 하고 "부녀자가 희희덕거린다[婦子嘻嘻]"는 것으로 연결한 것과 같은 뜻입니까?

답하였다: 그렇습니다.

○ 雲峰胡氏曰, 二三四皆將也. 五任將者也. 於三曰師或輿尸, 危之之辭, 而不忍必言之也. 至五則直書曰弟子輿尸. 蓋謂五用二而又用三, 必至於如此, 故長子帥師不言吉, 而弟子則曰輿尸貞凶, 甚言任將之不可不審且專也. 長子卽象所謂丈人也. 自衆尊之則曰丈人, 自君稱之則曰長子, 皆長老之稱. 象言師必用老成, 則旣貞又吉, 爻言用老成, 而或以新進參之, 雖貞亦凶, 吉凶之鑒昭然矣.

운봉호씨가 말하였다: 이효, 삼효, 사효가 모두 장수이다. 오효는 장수를 임명하는 사람이다. 삼효에서 "군대가 혹 수레에 시체를 싣는다"라고 한 것은 위험하다는 말인데, 차마 반드시 그렇다고 말하지 못하였다. 오효에 이르면 직접 "제자가 수레에 시체를 싣는다"라고 썼다. 오효는 이효를 쓰기도 하고 또 삼효를 쓰기도 하는데, 반드시 이와 같은 데 이르는 것을 말하므로 "맏아들이 군대를 거느린다"는 것에서는 길함을 말하지 않았지만, 제자에게는 바로 "수레에 시체를 실으면 곧더라도 흉하다"라고 하였으니, 장수를 임명하는 사람이 살피지 않을 수 없고, 또 제 뜻대로 하게 하지 않을 수 없음을 깊이 말한 것이다. 맏아들[長子]은 바로 단사에서 말한 '장인(丈人)'이다. 여럿이 높인 것으로부터 보면 '장인'이라고 하며, 임금이 부르는 것으로부터 보면 '맏아들[長子]'이라고 하니, 모두 장로의 호칭이다. 단사의 『본의』에서 군대는 반드시 노성한 사람을 쓴다고 말했으니, 이미 곧고[貞] 또 길하며, 효사에서도 노성한 사람을 쓴다고 했는데, 혹 새로운 사람[新進]으로 노성한 사람의 일에 참여하게 하면 비록 곧더라도 흉하니, 길흉을 살펴봄이 분명하다.

║韓國大全║

조호익(曺好益) 『역상설(易象說)』

六五, 田有禽, 利執言.

육오는 밭에 새가 있으니, 말을 받듦이 이롭다.

田有禽, 下體坎, 坎爲豕. 初二地位, 二田象, 田有禽之象. 禮記迎虎食田豕也. 執自二至四, 反體艮伏巽.

"밭에 새[짐승]가 있다"는 것은 하체가 감괘이니, 감괘는 돼지가 된다. 초효와 이효는 땅의 자리가 되는데, 이효는 밭의 상이니, 밭에 새[짐승]가 있는 상이다. 『예기』에서는 "호랑이를 맞이하는 것은 멧돼지를 잡아먹기 때문이다"[33]라고 하였다. '집(執)'은 이효에서 사효까지의 호괘인 진괘가 거꾸로 된 몸체인 간괘(艮卦)가 호괘인 진괘의 음양이 바뀐 손괘(巽卦)에 숨어있는 것이다.

송시열(宋時烈) 『역설(易說)』

自五爻下視二爻, 爲邇遠, 故曰田. 若乾之二謂之田也, 卦有坎象, 應得陽實之爻, 故曰有禽. 若恒之四爻曰无禽, 此曰有禽, 坎錯爲離爲飛鳥, 蓋以坎之中爻謂之禽也. 長子互震也. 帥師者, 揔衆陰爲卦主也. 坎爲中男, 則於震爲弟, 故曰弟子. 言旣以震帥師, 復若以坎弟帥之, 則是不當使 而使也, 必有輿尸之凶.

오효에서 아래로 이효를 보면 멀기 때문에 '밭'이라고 하였다. 만약 건괘의 이효를 밭이라고 말하면 괘에 감괘의 상이 있어 응당 양이 꽉 찬 효를 얻어야 하기 때문에 "새[짐승]가 있다"라고 하였다. 항괘(恒卦)의 사효에서는 "새[짐승]가 없다"라고 하였는데, 여기에서는 "있다"라고 하였으니, 하괘인 감괘의 음양이 바뀐 괘가 리괘(離卦)가 되어 날아가는 새[짐승]가 되니, 감괘의 가운데 효를 '새'라고 하였다. 맏아들은 호괘인 진괘(震卦)이다. "군대를 거느린다"는 것은 여러 음을 거느려 괘의 주인이 됨이다. 감괘(坎卦)는 둘째아들이 되니, 진괘에 대해서는 아우가 되므로 '제자'라고 하였다. 이미 진괘인 맏아들로 군대를 거느린다고 말하였는데, 다시 감괘인 제자로 거느리게 한다면, 이것은 마땅히 부리지 말아야 하는데도 부려서 반드시 수레에 시체를 싣는 흉함이 있는 것이다.

---

33) 『禮記 · 郊特牲』: 迎虎, 爲其食田豕也.

이현익(李顯益) 「주역설(周易說)」

弟子輿尸, 本義以弟子爲三四, 三則固輿尸, 四則不至輿尸, 其竝四而言, 何哉. 雲峯胡氏, 則專以三言矣. 〈豈以主四而言, 則四不至輿尸, 而自五而言, 則二之外, 皆爲輿尸, 不但三獨然也耶.〉

“제자(弟子)가 수레에 시체를 싣는다”는 것에 대해 『본의』에서는 ‘제자’를 삼효와 사효라 하였는데, 삼효는 진실로 수레에 시체를 싣는 것이지만 사효는 수레에 시체를 싣는 데에까지는 이르지 않았는데, 사효를 함께 말한 것은 어째서인가? 운봉호씨는 삼효만으로 말하였다. 〈사효를 주인으로 하여 말하면 사효는 수레에 시체를 싣는 데에 이르지 않지만, 오효로부터 말한다면 이효 이외에는 모두 수레에 시체를 싣는 것이 되니, 단지 삼효만이 그런 것은 아니지 않겠는가?〉

석지형(石之珩) 『오위귀감(五位龜鑑)』

臣謹按, 師之六五, 征討害民之寇, 猶獵取害穀之禽. 故取田有禽, 利執言之義. 蓋坤爲田, 坎爲憂爲險爲血, 田之憂在於禽, 而設險以血傷之, 非獵之象乎. 互震爲長男, 坎爲中男, 非長子弟子之象乎. 若言其要, 則不過曰, 師出有名, 任將必專而已. 噫, 奚但於戎事爲然哉. 凡擧事而无名, 任人而貳者, 罔或不凶. 伏願, 殿下雖在无事之時, 必先正名, 而毋貳任賢焉.

신이 삼가 살펴보았습니다: 사괘의 육오는 백성을 해치는 도적을 쳐서 토벌함이니, 곡식에 해가 되는 새를 사냥하여 취하는 것과 같습니다. 그러므로 “밭에 새가 있으니 말을 받드는 것이 이롭다”는 뜻을 취하였습니다. 곤괘는 밭이 되고 감괘는 근심도 되고 험한 것도 되고 피가 되기도 하니, 밭에서의 근심은 새에게 있어 험한 것을 설치하여 피 흘리고 상처 나게 하니, 사냥의 상이 아니겠습니까? 호괘인 진괘(震卦)는 맏아들이 되고 감괘(坎卦)는 둘째아들이 되니, 맏아들[長子]과 제자(弟子)의 상이 아니겠습니까? 만약 그 요점을 말한다면 군대가 출동하는 데에는 명분이 있어야 하고 장수에게 맡기는 것은 반드시 제 뜻대로 하게 하는데 불과할 뿐입니다. 아! 어찌 다만 군사의 일에 있어서만 그러하겠습니까? 일을 일으키는데 명분도 없고 남에게 맡기는데 한결같이 하지도 않아서 여럿으로 한다면 함부로 하는 것이 되어혹 흉하지 않겠습니까? 엎드려 바라건대, 전하께서는 비록 일이 없는 때에 있어서도 반드시 먼저 명분을 바르게 하시고 어진 이에게 전일하게 맡기셔서 여러 사람에게 하지 마시옵소서.

이현석(李玄錫) 「역의규반(易義窺斑)」

旣利以執言矣, 而又必以長子帥師, 不令衆主, 然後成功可冀, 其愼重也, 如是. 世之迂儒, 或言在我者辭直名正, 義聲動人, 則士氣自壯, 敵人自服, 將之巧拙, 兵之强弱, 非所論也, 大失此爻之義矣.

이미 말을 받드는 것으로써도 이로운데, 또 반드시 맏아들로써 군대를 거느리게 하고 여럿이 주장하지 않게 하여 그러한 뒤에 공이 이루어지길 바랄만 하다고 여기니, 그 신중함이 이와 같다. 세상의 고루한 선비가 혹 자기에게 있는 것이 말이 곧고 명분이 옳으며, 의로운 외침으로 상대를 움직인다면, 군사의 기세가 저절로 씩씩해져서 적이 스스로 복종하게 될 것이므로, 장수의 능란함과 서투름, 병사의 강함과 약함은 논할 바가 아니라고 말한다면, 이 효의 의미를 크게 잃은 것이다.

이익(李瀷) 『역경질서(易經疾書)』

田有禽, 與恒之田無禽相勘, 田是田獵之田也. 有禽, 與比之失禽相勘, 利執如巽之田獲. 弟子承長子說, 乃長子之弟也. 從父言, 故曰弟子承. 帥師言, 則謂弟子之帥師也. 帥師, 長子之任也. 若弟子任之, 必輿尸矣. 無咎, 卽六四之無咎. 輿尸, 卽六三之輿尸. 六五, 君位, 乃命將出師者也. 六四, 近君以柔居陰, 乃長子左次, 而未失常也. 左傳襄公十一年, 師于向右, 旋次于瑣[34]. 左次者, 左旋也. 自下卦入于坤, 其義左旋也. 六三稍遠, 以柔居陽, 乃弟子大無功也. 三在坎上, 四變則互震, 故有此象, 易擧正言作之.

"밭에 새가 있다"는 것을 항괘(恒卦)의 "밭에 새[짐승]가 없다"는 것과 아울러 헤아려본다면 '전(田)'은 사냥하는 밭이다. "새[짐승]가 있다"는 것을 비괘(比卦)의 "새[짐승]를 잃는다"는 것과 서로 헤아려본다면 잡는 것이 이로움은 손괘(巽卦)에서 "사냥하여 얻는다"는 것과 같다. 제자(弟子)가 맏아들을 받든다는 설명은 바로 맏아들의 동생이다. 아버지로부터 말하기 때문에 "제자가 받든다"라고 말하였다. "군대를 거느린다"는 것으로 말하면 제자가 군대를 거느림을 말한다. 군대를 거느리는 것은 맏아들의 책임이다. 만약 제자가 맡는다면 반드시 수레에 시체를 싣게 된다. "허물이 없다"는 말은 육사가 허물이 없다는 말이다. "수레에 시체를 싣는다"는 것은 육삼이 수레에 시체를 싣는 것이다. 육오는 임금의 자리이니, 장수에게 명하여 군대를 출동시키는 사람이다. 육사는 부드러운 음이 음의 자리에 있는 것으로 임금 가까이에 있으니, 맏아들이 물러나 머무르지만 아직 떳떳한 도를 잃지 않음이다. 『춘추좌씨전』 양공 11년에 "군대가 향(向)의 오른쪽에 주둔하였는데, 돌아가 쇄(瑣)에 머물렀다"라고 하였다. '좌차(左次)'는 왼쪽으로 도는 것이다. 하괘로부터 곤괘로 들어가니, 그 의미가 왼쪽으로 도는 것이다. 육삼은 육오에서 조금 멀고 부드러운 음으로 양의 자리에 있어 제자가 크게 공이 없다. 삼효는 감괘(坎卦)의 윗자리에 있고, 사효가 변하면 호괘는 진괘이므로

---

34) 瑣: 경학자료집성 DB와 영인본에는 '須'로 되어 있으나, 『춘추좌씨전』을 참조하여 '瑣'로 바로잡았다.

이러한 상이 있으니, 『주역거정』[35]에는 '리집언(利執言)'의 '언(言)'을 '지(之)'로 썼다.

유정원(柳正源) 『역해참고(易解參攷)』

六五 [至] 貞凶.

육오는 … 곧더라도 흉하다.

〈擧正言作之. ○ 雙湖胡氏曰, 或作吉旡咎.〉

〈『주역거정』에는 언(言)을 지(之)로 썼다. ○ 쌍호호씨가 말하였다: 혹 "길하여 허물이 없다"고 썼다.〉

正義, 長子謂九五, 德長於人. 弟子謂六三, 德劣於物.

『주역정의』에서 말하였다: 맏아들은 구오를 말하니, 덕이 남보다 낫기 때문이다. 제자는 육삼을 말하니, 덕이 남보다 못하기 때문이다.

○ 厚齋馮氏曰, 田獵, 以除田之害, 故謂之田. 二在地之中, 田之象.

후재풍씨가 말하였다: 전렵(田獵)은 밭에 해가 되는 것을 제거하기 때문에 밭[田]이라고 하였다. 이효는 땅에 있으니, 밭의 상이다.

○ 雙湖胡氏曰, 師以坎爲害田之豕, 六五, 用師以獵之也. 長子, 指九二, 自二至四互震象. 弟子, 指六三.

쌍호호씨가 말하였다: 사괘에서는 하괘인 감괘(坎卦)를 밭에 해로운 멧돼지로 여기니, 육오가 군대를 써서 돼지를 사냥하는 것이다. 맏아들은 구이를 가리키니, 이효에서 사효까지는 호괘가 진괘의 상이다. 제자는 육삼을 가리킨다.

傳, 邲之戰. 〈左宣十二年, 晉師救鄭及河, 聞鄭及楚平, 桓子欲還, 彘子曰, 不可. 成師而出, 聞敵强而退, 非夫也. 以中軍佐濟. 韓獻子謂桓子曰, 子爲元, 帥師不用命, 誰之罪也. 師遂濟, 爲楚所敗.〉

『정전』에서 말한 필(邲)땅의 싸움. 〈『춘추좌씨전』선공 12년 진(晉)나라 군대가 정(鄭)나라를 구하고자 황하에 이르렀을 때, 정나라가 초(楚)나라에 평정되었음을 듣고 환자(桓子)가 돌아가려고 하였는데, 체자(彘子)가 "불가하다. 군대를 이루어 출정하였는데, 적이 강하다는 것을 듣고 물러난다면 장부가 아니다"라고 하고 중군으로 돕게 하고 강을 건넜다. 한헌자

(韓獻子)가 환자에게 일러 "그대가 원수가 되어 군대를 거느리는데 명령이 쓰이지 못한다면 누구의 죄인가?"라고 하였다. 군대가 드디어 강을 건넜는데, 초나라에게 패하게 되었다.〉

相州之敗. 〈唐書乾元二年, 命郭子儀等九節度, 討安慶緒, 以宦官魚朝恩爲觀軍容使, 明年三月, 九節度之兵潰於相州.〉

상주(相州)의 패함. 〈『당서』 숙종 건원 2년(759)에 곽자의(郭子儀) 등 아홉 지역의 절도사[九節度]36)에게 명령하여 안록산의 아들 안경서(安慶緖)37)를 토벌하면서 환관 어조은(魚朝恩)을 관군용사38)로 삼았는데, 다음해 삼월 구절도의 병사가 상주(相州)에서 사사명(史思明)에게 궤멸되었다.〉

김상악(金相岳) 『산천역설(山天易說)』

禽, 謂三也. 五爲用師之主, 與二爲應, 而陰之陷陽, 猶田之有禽, 利以執搏, 而无咎也. 長子二也, 弟子三也. 坎互震體, 故又有帥師興尸之戒. 若任使不當, 雖貞亦不免於凶也.

새[짐승]는 삼효를 이른다. 오효가 군대를 쓰는 주인이 되고 이효와 호응이 되는데, 음이 양을 빠뜨리는 것이 밭에 새[짐승]가 있는 것과 같아서 잡아 취하는 것을 이롭게 여겨서 허물이 없다. 맏아들은 이효이고 제자는 삼효이다. 감괘는 호괘인 진괘의 몸체이므로, 또 군대를 거느리고 수레에 시체를 싣는 경계가 있다. 맡겨 부리는 것이 마땅하지 않으면 비록 바르더라도 흉함을 면하지 못한다.

○ 白虎通, 田狩者, 爲田除害也, 凡言田者, 只謂田獵, 而此言用師, 故取除害之義也. 二在地位之上爲田. 乾九二曰, 見龍在田, 是也. 禽者, 飛走總名, 坎之象. 屯之三曰卽鹿, 象曰從禽, 是也. 震之禾稼, 爲禽所害, 故曰田有禽. 執者, 興師而執獲也. 言, 語辭也. 比之九五, 亦取田獵之象, 而曰失前禽者, 王者之仁也. 師曰利執言者, 王者之義

---

36) 구절도(九節度): 당나라는 10절도 체제를 유지하고 있었는데, 안록산을 이어 그 아들이 반란을 일으켰으므로 나머지 아홉 지역의 절도사들에게 토벌을 명했다는 말이다.

37) 안경서(安慶緖, ?~759): 당나라 안록산(安祿山)의 둘째 아들이다. 안록산이 난을 일으켜 황제(皇帝)로 자처하면서 안경서는 진왕(晉王)에 봉해졌다. 안록산이 동생 안경은(安慶恩)을 편애하자 안록산을 죽이고(757년) 반란군을 통솔하였다. 당나라 군대가 낙양(洛陽)과 장안(長安)을 수복하자 호남(湖南)의 업(鄴)으로 달아나 안록산의 부장 사사명(史思明)에게 구원을 요청하였으나, 오히려 살해당했다.

38) 관군용사(觀軍容使): 전쟁에 나간 장수들을 감독하는 최고 직책. 숙종이 아홉명의 절도사 중 누군가에게 권력이 쏠릴 것을 우려하여, 총 지휘관을 세우지도 않고 총애하던 환관 어조은을 관군용사로 삼았다. 그러나 그는 근본적으로 병법을 모르는 자였고, 구절도의 군사는 총지휘관 없이 명령계통이 전일하지 못하였으므로 결국 반란군에게 대패하고 말았다.

也. 田有禽而後執之, 異於窮山林而索禽獸者. 故无窮兵黷武之咎也. 正卦坎, 互體震, 而先震之長子, 後坎之弟子者, 得陽者先, 得陰者後. 所以帥師者, 陽之一也, 輿尸者, 陰之二也. 无咎, 已然之美, 貞凶, 將然之戒也.

『백호통』에서 "전수(田狩)란 밭에 해가 되는 것을 제거하는 일이다"라고 하였으니, '밭'이라고 말한 것은 단지 사냥(田獵)을 이르는데, 여기서 "군대를 쓴다"고 말했기 때문에 해를 제거하는 뜻을 취하였다. 이효는 땅의 자리에서 윗자리에 있어 밭이 된다. 건괘 구이에서 "나타난 용이 밭에 있다"라고 한 것이 그러하다. '새'란 날아서 가는 것을 통틀어 부르는 이름이니, 감괘의 상이다. 준괘(屯卦)의 삼효에서 "사슴을 좇는다"라고 하고 「상전」에서 "새를 좇는다"라고 한 것이 그러하다. 진괘(震卦)인 곡식이 새에게 해를 입기 때문에 "밭에 새가 있다"라고 하였다. 집(執)은 군대를 일으켜서 잡아 손에 넣는 것이다. '언(言)'은 어조사이다. 비괘(比卦)의 구오가 또한 사냥(田獵)하는 상을 취하였는데, "앞의 새를 잃는다"라고 한 것은 왕도를 행하는 사람의 어짊이다. 사괘에서 "말을 받듦이 이롭다"라고 한 것은 왕도를 행하는 사람의 의리이다. 밭에 새가 있고난 뒤에 그것을 잡는 것이니, 산림을 다 뒤져서 금수를 찾아 잡는 것과는 다르다. 그러므로 공훈을 탐내어 무력을 남용하는 허물이 없다. 정괘(正卦)는 감괘이고 호괘(互卦)의 몸체는 진괘(震卦)여서 진괘인 맏아들을 먼저하고 감괘(坎卦)인 제자를 뒤에 하는 것이니, 양을 얻은 것이 먼저이고 음을 얻은 것이 뒤이다. 이 때문에 군대를 거느리는 것은 하나인 양이며, "수레에 시체를 싣는다"는 것은 둘인 음이다. "허물이 없다"는 것은 이미 그러한 아름다움이며, "곧더라도 흉하다"는 것은 앞으로 그렇게 되리라는 경계이다.

박윤원(朴胤源) 『경의(經義)·역경차략(易經箚略)·역계차의(易繫箚疑)』

六五, 田有禽.

육오는 밭에 새[짐승]가 있으니.

○ 程傳, 以執言爲奉辭, 而其義無當於獲禽. 本義, 以執爲搏執, 言作語辭, 恐此爲是. 弟子對長子言, 則是次子之稱, 坎爲中男, 有次子之象.

『정전』에서는 '집언(執言)'을 말을 받드는 것[奉辭]으로 여겼는데, 그 의미가 새를 잡는다는 뜻에는 해당하지 않는다. 『본의』에서는 '집(執)'을 사로잡는 것으로 여겼고 '언(言)'은 어조사라고 하였으니, 아마도 이것이 옳은 듯하다. '제자(弟子)'는 맏아들에 대해서 말하면 맏아들 다음의 아들인 차자(次子)에 대한 호칭인데, 감괘가 둘째아들이 되니, 차자(次子)의 상이 있다.

서유신(徐有臣) 『역의의언(易義擬言)』

田, 見龍之田, 二之位也. 禽, 匪熊之禽, 二之才也. 執, 取而用之也. 言, 語辭. 二曰无咎, 制閫不嫌其專也. 五曰无咎, 任將不厭其剛也. 長子, 九二, 互震也. 自其師徒而言, 則丈人尊嚴之稱也, 自其君上而言, 則長子倚任之稱也. 統衆陰, 故曰帥師也. 弟子, 六三也. 長子一人, 其少者, 皆弟子, 柔弱尸位之稱也. 旣任丈人, 又使童子備官, 故長子雖貞, 弟子必致凶也.

'전(田)'은 '나타난 용[39]'의 밭이니, 이효의 자리이다. 금(禽)은 곰이 아닌 날짐승이니, 이효의 재질이다. 집(執)은 취하여 씀이다. '집언(執言)'의 언(言)은 어조사이다. 이효에서 "허물이 없다"라고 한 것은 군대를 다스리는데 제 뜻대로 하는 것이 혐의가 되지 않기 때문이다. 오효에서 "허물이 없다"라고 한 것은 장수를 임명하는데 그 굳셈을 싫어하지 않기 때문이다. 맏아들은 구이인데, 호괘가 진괘(震卦)이기 때문이다. 그 군대의 무리에서 말하면 '장인'은 높고 엄한 칭호이고, 그 임금으로부터 말하면 맏아들은 의지하고 맡긴다는 칭호이다. 여러 음을 통솔하기 때문에 "군대를 거느린다"라고 하였다. '제자'는 육삼이다. 맏아들[長子]은 한 사람이고 그보다 어린 사람들은 모두 제자이니, 유약하고 자리만 차지하고 있는 명칭이다. 이미 장인에게 맡겼는데 또 철없는 아이들에게 관직을 맡기기 때문에, 맏아들이 비록 곧더라도 제자가 반드시 흉함에 이르게 된다.

김귀주(金龜柱) 『주역차록(周易箚錄)』

六五, 田有禽, 利執, 云云.

육오는 밭에 새가 있으니, 잡는 것이 이롭다, 운운.

○ 按, 上體坤爲地, 地卽田也. 如見龍在田, 亦謂地爲田耳. 六五, 居陽剛之位, 爲搏執禽獸之象. 但柔順居中, 故又有敵加於已, 不得已而應之云意.

내가 살펴보았다: 상체인 곤괘가 땅이 되니, 땅은 바로 밭이다. "나타난 용이 밭에 있다"는 것도 땅이 밭이 됨을 말한다. 육오는 굳센 양의 자리에 있어 금수를 쳐서 잡는 상이 된다. 다만 부드러운 음으로 순하고 가운데 있기 때문에 또 "적이 내게 침범하여 부득이하게 대응한다"고 하는 뜻이 있다.

本義, 六五, 用師, 云云.

『본의』에서 말하였다: 육오는 군대를 쓴다, 운운.

小註, 雲峰胡氏曰, 二三, 云云.

---

39) 『周易·乾卦·九二』: 見龍在田, 利見大人.

소주에서 운봉호씨가 말하였다: 이효와 삼효, 운운.

○ 按, 師或輿尸, 據六三爻才言之而已, 未遽及於六五使弟子之意. 至六五, 方設其任將不一之戒, 此當就各爻上看. 今謂之不忍必言者, 未知何說. 且弟子之云統, 指三四, 本義已言之. 今必欲牽合輿尸之說, 而只指三爲弟子者, 亦未備.

내가 살펴보았다: "군대가 혹 수레에 시체를 싣는다"고 한 것은 육삼 효의 재질에 근거하여 말하였을 뿐이니, 육오가 제자(弟子)를 부리는 뜻에는 아직 이르지 않았다. 육오에 이르러 그 장수를 임명하는데 한결같지 못한 경계를 비로소 베풀었으니, 이것은 마땅히 각각의 효에 나아가 살펴야 한다. 이제 "차마 반드시 그렇다고 말하지 못하였다"는 것은 어떤 설명인지 모르겠다. 또 제자가 '거느린다'고 말한 것은 삼효와 사효를 가리키는 것으로 『본의』에서 이미 말하였다. 이제 "수레에 시체를 싣는다"는 설명에 억지로 이끌어 합치시키려 하면서 단지 삼효만 제자(弟子)가 된다고 지적하는 것이 또한 설명이 미흡하다.

강엄(康儼) 『주역(周易)』

六五, 田有禽, [止] 貞凶.

육오는 밭에 새[짐승]가 있으니 … 곧더라도 흉하다.

本義, 爲田有禽之象.

『본의』에서 말하였다: 밭에 새[짐승]가 있는 상이 된다.

按, 本義, 不言何爻之爲禽象. 然恒九四田无禽.

내가 살펴보았다: 『본의』는 어떤 효가 새의 상이 되는지 말하지 않았다. 그러나 항괘(恒卦) 구사에서 "밭에 새가 없다"고 하였다.

胡雲峯曰, 師之六五曰, 田有禽, 五柔中, 而所應者剛, 剛實故曰有禽, 恒之四, 以剛居不中, 而所應者柔, 柔虛故曰无禽.

호운봉이 말하였다: 사괘 육오에서 "밭에 새가 있다"라고 하였으니, 오효는 부드러운 음으로 가운데 있고 호응하는 것이 굳센 양이니, 굳센 양은 꽉 찼기 때문에 "새[짐승]가 있다"라고 하였다. 항괘의 사효는 굳센 양으로 가운데가 아닌 자리에 있고 호응하는 것이 부드러운 음이니, 부드러운 음은 텅 비어 있기 때문에 "새가 없다"라고 하였다.

今觀此說, 則此卦九二爲禽之象矣. 蓋六五柔中居尊, 爲衆陰之所歸, 而獨九二一爻, 以剛爲敵, 是天下皆從, 而一人梗化之象也. 故曰田有禽. 然九二, 雖爲禽之象, 而其下長子帥師, 又以九二言之, 與在師中承天寵之語, 相應. 易之取義多端, 不可爲典要, 此亦可見矣.

이제 이 설명을 보면 이 괘의 구이가 새[짐승]의 상이 된다. 육오는 부드러운 음으로 가운데 있고 높은 자리에 있어 여러 음이 귀의 하는 바가 되는데, 구이의 한 효만이 굳센 양으로 대적하니, 이는 천하가 모두 따르는데 한 사람만이 교화되지 않는 상이다. 그러므로 "밭에 새가 있다"라고 하였다. 그러나 구이가 비록 '새'의 상이 되지만 그 아래에 "맏아들이 군대를 거느린다"라고 하였고, 또 구이로써 말하면 "군대에 있어 중도로써 하고 하늘(임금)의 총애를 받든다"고 하는 말과 서로 호응한다. 『주역』이 취한 뜻이 단서가 많아 어떤 하나를 변하지 않는 법칙으로 삼지 못하니, 여기에서 또한 볼 수 있다.

○ 按, 繫辭, 若夫雜物, 小註洪氏曰, 長子帥師, 取自二至四爲互震之象. 妄謂若是, 則弟子輿尸, 取坎之中男爲象耶.

내가 살펴보았다: 「계사전」에서 "물건을 섞는다"라고 하였는데, 소주에서 홍씨는 "맏아들이 군대를 거느린다"라고 하였으니, 이효에서 사효까지 호괘인 진괘가 되는 상을 취한 것이다. 이와 같다면 "제자가 수레에 시체를 싣는다"는 것은 감괘인 둘째 아들 상이 되는 것을 취한 것인가 생각해 본다.

박문건(朴文健) 『주역연의(周易衍義)』

驅而有得, 故有有禽之象. 禽謂九二也. 言當爲吉, 利其執, 則吉而旡咎也. 長子, 老成者, 弟子, 卽其弟也.

몰아서 얻으므로 "새가 있다"는 상이 있다. '새'는 구이를 말한다. '말'이 마땅히 길한데, "그 받들음이 이롭다"고 하였으니, 길하고 허물이 없다. 맏아들[長子]은 노성한 사람이고, 제자는 그 아우이다.

〈問, 六之居五, 无異恒之九居四也, 此則有禽, 彼則无禽, 何. 曰, 田獵之法, 驅禽獸入來, 則執而取之也. 此則處天位而用中, 故被驅而必至, 彼則處不中而用剛, 故背驅而不至也. 然處不當之咎, 則皆存焉.

물었다: 육이 오효의 자리에 있는 것은 항괘(恒卦)의 구가 사효의 자리에 있는 것과 다를 것이 없는데, 사괘 육오에서는 새가 있고 항괘 구사에서는 새가 없다고 한 것은 어째서입니까? 답하였다: 사냥하는 법도는 금수를 몰아 안으로 들어오면 잡아서 취하는 것입니다. 사괘 육오에서는 임금의 자리에 있어 중도를 쓰기 때문에 몰려 반드시 이르고, 항괘 구사에서는 가운데가 아닌 자리에 있고 굳센 것을 쓰기 때문에 등 뒤로 몰아 이르지 않는 것입니다. 그러나 마땅하지 않은데 있는 허물은 모두 있는 것입니다.〉

○ 問, 長子帥師, 弟子輿尸, 貞, 凶. 曰, 長子帥師, 則能勝於二, 弟子帥師, 則必敗於二也. 五若用柔, 則致凶必矣.

물었다: "맏아들로 군대를 거느리게 하고 제자로 수레에 시체를 싣게 하면 곧더라도 흉하다"는 것은 무슨 뜻입니까?

답하였다: 맏아들이 군대를 거느리면 이효를 이길 수 있지만, 제자가 군대를 거느리면 반드시 이효에게 패하게 됩니다. 오효가 만약 음의 부드러움을 쓴다면 반드시 흉함을 이루게 됩니다.

曰, 或曰, 長子弟子之象, 與家人嗃嗃, 婦子嘻嘻, 同, 是否. 曰, 是也.

물었다: 어떤 이가 "맏아들과 제자의 상이 가인괘(家人卦)에서 '집안사람이 엄숙하게 하고, 부녀자가 희희덕거린다'고 한 것과 같다"고 하였는데, 옳습니까?

답하였다: 그렇습니다.

이지연(李止淵)『주역차의(周易箚疑)』

乾之九二曰, 見龍在田, 二有田之象. 禽者, 陰物, 指下二陰也. 六五, 除已而下視九二, 則爲互震, 故曰長子. 坎爲中男, 中男卽弟也, 而九二之上下二陰, 亦弟子之象也.

건괘(乾卦)의 구이에서 "나타난 용이 밭에 있다"라고 하였으니, 이효에 밭의 상이 있다. '새'란 음에 속한 물건이니, 하괘의 두 음을 가리킨다. 육오는 자신을 제외하고 아래로 구이를 보면 호괘가 진괘(震卦)가 되므로 '맏아들[長子]'이라고 하였다. 감괘(坎卦)는 둘째 아들이 되니 둘째 아들은 아우인데, 구이의 위와 아래 두 음이 또한 제자의 상이다.

김기례(金箕澧)「역요선의강목(易要選義綱目)」

六五, 田有禽, 利執言.

육오는 밭에 새가 있으니, 말을 받들음이 이롭다.

坤土, 故曰田.

곤괘는 흙이므로 '밭'이라고 하였다.

○ 五爲拜將興師之君, 明其爲賊而動兵, 如禽入田而害苗, 則獵而除害, 故曰利執言也.

오효는 장군에 임명하여 군사를 일으키는 임금이 되니, 그 도적이 됨을 밝혀 병사를 움직이는 것이 새가 밭에 들어와 곡식을 해치면 사냥하여 해를 제거하는 것과 같으므로 "말을 받들음이 이롭다"라고 하였다.

長子帥師,

맏아들이 군대를 거느린다

九二爲震互體, 故曰長子. 言二剛中得位, 應君任師, 則如長子主家. 若諸子代領, 則雖貞且凶, 況四三, 皆陰柔之才, 安得不輿尸.

구이는 호괘인 진괘의 몸체가 되므로 '맏아들'이라고 한다. 이효가 굳센 양으로 가운데 있어 지위를 얻고 임금에 호응하여 군대를 맡은 것으로 말하면 맏아들이 가정을 주관하는 것과 같다. 여러 아들이 맏아들의 역할을 대신한다면 비록 곧더라도 흉한 것인데, 하물며 사효와 삼효가 모두 음의 유약한 재질인데, 어떻게 수레에 시체를 싣지 않을 수 있겠는가?

심대윤(沈大允)『주역상의점법(周易象義占法)』

師之坎䷜. 六五, 居剛欲戰, 而得中柔而應乎二. 王者之兵, 有所叛亂, 宜聲罪致討, 不可无名而動衆, 故曰田有禽利執言. 坤艮坎互取爲田獵. 艮爲執爲言. 凡坎之義, 爲專陷而不移, 人主之任將, 當專一而不可貳也. 六五之應二, 有是道焉, 故曰長子帥師. 二居震爲長子, 以三四居二之上, 故特設弟子輿尸之戒. 艮爲少男, 弟子, 衆子也.

사괘가 감괘(坎卦䷜)로 바뀌었다. 육오는 굳센 양의 자리에 있어 싸우려고 하지만, 알맞고 부드러움을 얻어서 이효에 호응한다. 왕도를 행하는 사람의 군사는 반란하는 것이 있으면 마땅히 죄상을 알리고 정벌하여야 하니, 명분이 없는데도 군대를 움직여서는 안 되기 때문에 "밭에 새가 있으니, 말을 받듦이 이롭다"라고 하였다. 곤괘는 간괘와 감괘를 호체로 취하여[40] '사냥함[田獵]'이 된다. 간괘는 받듦도 되고 말도 된다. 감괘의 뜻은 오직 함정이 되어 바뀌지 않으니, 임금이 장수에게 맡김이 마땅히 전일(專一)하여야 하고 여러 사람에게 맡길 수 없다. 육오가 이효에 호응하는 것이 이러한 도가 있기 때문에 "맏아들이 군대를 거느린다"라고 하였다. 이효는 진괘에 있어서는 맏아들이 되는데, 삼효와 사효가 이효의 위에 있으므로 특별히 "제자(弟子)들이 여럿이 주장한다"는 경계를 베푼 것이다. 간괘는 막내아들이 되니, 제자는 여러 아들들이다.

이진상(李震相)『역학관규(易學管窺)』

田有禽.

밭에 새가 있다.

---

40) 사괘(師卦)의 상괘는 곤괘인데, 이제 오효가 바뀌어 감괘(坎卦)가 되면 삼효에서 오효까지가 간괘(艮卦)가 되고, 사효에서 상효까지가 감괘(坎卦)가 된다.

坤爲土, 田象. 坎爲豕, 豕乃害田之禽也. 敵加於已, 師出有名. 故曰利執言. 此卦互震, 故主二, 而曰長子. 下坎又爲中子, 故主三, 而更言弟子輿尸之訓爲衆主, 固不如軍敗載尸之訓[41], 而但曰貞匈, 則喪師隕身之將, 有何所爲之正耶. 若謂小人敗事, 君子喪元, 則殺身成仁, 是其自處之貞, 而非用師之正也. 蓋任將, 當專一, 而又用弟子以貳之, 如漢時之五道出將. 衛霍成功, 而李廣敗死, 公孫賀下吏自殺. 雖有克捷之功, 而折一名將, 隳損國威, 非計之得者也. 竊意, 九二長子, 不失師貞之道, 而六三弟子, 自致輿尸之匈, 非弟子反輿長子之屍也. 苟其如相州之敗, 則九師皆潰, 不可謂之貞矣.

곤괘는 흙이 되니 밭의 상이다. 감괘는 멧돼지가 되는데, 멧돼지는 밭에 해가 되는 짐승이다. 적이 나에게 침범하니, 군대가 출동하는데 명분이 있다. 그러므로 "말을 받드는 것이 이롭다"라고 하였다. 이 괘의 호괘는 진괘이므로 이효가 주인이어서 '맏아들'이라고 하였다. 그런데 아래의 감괘(坎卦)가 또 둘째아들이 되므로 삼효를 주인으로 삼아 다시 "제자여시(弟子輿尸)"의 뜻을 "여럿이 주장한다"라고 풀이한다면 진실로 "군대가 패하여 시체를 싣는다"라고 풀이하는 것보다 순조롭지 못하다. 그래서 단지 "곧더라도 흉하다"라고 하였으니, 군대를 잃고 자신을 몰락시킨 장수에게 어찌 하는 바에 바름이 있겠는가? 소인이 일을 그르치고 군자가 나라를 떠나오는 것을 말한다면 살신성인(殺身成仁)은 그 자신의 처신으로는 곧은 것이지만, 군대를 운용하는 바른 방법은 아니다. 장수에게 맡김은 마땅히 전일하여야 하는데 또 여러 사람에게 맡겨서 나누었으니, 한나라 때에 다섯 개 지역[五道]에서 장수를 낸 사례와 같다. 위청과 곽거병은 공을 이루었으나 이광(李廣)은 패하여 죽었으며, 공손하(公孫賀)는 하급 관리로 자살하였다. 비록 싸움에 이긴 공은 있으나 이름 있는 장수를 멸절하여 나라의 위엄을 무너뜨렸으니, 지략을 얻은 경우가 아니다. 가만히 생각건대, 구이의 맏아들이 군대의 바른 도를 잃지 않았지만 육삼인 제자가 스스로 수레에 시체를 싣는 흉함을 이루었으니, 제자가 아니면 도리어 수레에 맏아들의 주검을 싣게 된다. 참으로 상주(相州)에서 패한 것과 같이 한다면 구절도의 군대는 궤멸할 수밖에 없으니,[42] '곧다'고 말할 수 없다.

박문호(朴文鎬) 「경설(經說)·주역(周易)」

弟子, 猶言次子也, 弟, 次也. 執辭, 於田有禽, 其義甚當, 而本義以言作語辭, 豈以敵

41) 경학자료집성DB와 영인본에 '順'으로 되어 있으나, 문맥을 살펴서 '訓'으로 바로잡았다.
42) 『당서』숙종 건원 2년(759)에 곽자의(郭子儀)등 아홉 지역의 절도새[九節度]에게 명령하여 안록산의 아들 안경서(安慶緖)를 토벌하도록 하였다. 이 때 숙종은 절도사 가운데 한 명에게 권력이 쏠릴까 우려한 나머지 총지휘관을 세우지도 않은 채, 총애하던 환관 어조은(魚朝恩)을 장수들을 관리하는 최고 책임자인 관군용사로 삼았다. 그 결과 다음해 삼월 구절도의 병사가 상주(相州)에서 안경서를 죽이고 황제를 칭한 안록산의 부장 출신 사사명(史思明)에게 대패하였다.

必討, 禽必執而然耶.

'제자(弟子)'는 둘째 아들이라고 말하는 것과 같으니, 제(弟)는 '둘째'이다. "밭에 새가 있는 것"에 대해서 "말을 받든다[執辭]"라고 한 것이 매우 타당한데, 『본의』에서는 '언(言)'을 어조사라고 했으니, 아마도 적은 반드시 토벌하여야 하고 새는 반드시 잡아야 하기 때문에 그런 것인 듯하다.

이용구(李容九) 「역주해선(易註解選)」

九五, 禹之征苗, 啓之伐有扈, 胤之征羲和

구오는 우임금이 묘(苗)를 정벌하고 계(啓)가 유호(有扈)를 치며 윤(胤)이 희(羲)와 화(和)를 정벌한 경우이다.

이병헌(李炳憲) 『역경금문고통론(易經今文考通論)』

田, 謂九二之防禦境上也. 禽, 謂侵害嘉穀者也. 執言, 謂聲罪致討, 師出有名也. 長子, 謂九二, 弟子, 謂六三.

'전(田)'은 구이가 국경을 방어하는 것을 말한다. '금(禽)'은 좋은 곡식을 침해하는 것을 말한다. "말을 받든다"는 집언(執言)은 죄상을 널리 알려 토벌함을 말하니, 군대가 출동하는데 명분이 있다. 맏아들[長子]은 구이를 말하고, 제자(弟子)는 육삼을 말한다.

象曰, 長子帥師, 以中行也, 弟子輿尸, 使不當也.

정전 「상전」에서 말하였다: "맏아들이 군대를 거느림"은 중도로 행하는 것이고, "제자들이 여럿이 주장함"은 부리는 것이 마땅하지 못한 것이다.

본의 「상전」에서 말하였다: "맏아들로 군대를 거느리게 함"은 중도로 행하는 것이고, "제자들로 수레에 시체를 싣게 함"은 부리는 것이 마땅하지 못한 것이다.

▌中國大全▐

傳

長子謂二, 以中正之德, 合於上而受任以行. 若復使其餘者, 衆尸其事, 是任使之不當也, 其凶宜矣.

맏아들은 이효를 말하니, 중정(中正)한 덕으로 윗사람에게 합하여 임무를 받고서 가는 것이다. 만약 다시 남은 사람들로 하여금 군대의 일을 여럿이 주장하게 하면 이것은 맡기고 부리는 것이 마땅하지 않은 것이니, 그 흉함이 당연하다.

小註

建安丘氏曰, 以中行者, 謂九二以剛中之道而行師也. 使不當者, 謂六三才弱不足倚仗, 必致喪師而歸, 是任使之不當也.

건안구씨가 말하였다: "중도로 행한다"는 것은 구이가 굳세고 알맞은 도로써 군대를 행하는 것을 말한다. "부리는 것이 마땅하지 않다"는 것은 육삼이 재주가 약해 의지하지 못하고 반드시 군대를 잃고 돌아오는 데에 이름을 말하니, 이것은 맡기고 부리는 것이 마땅하지 않은 것이다.

○ 雲峰胡氏曰, 一使字, 繫民命之生死, 國家之安危. 或當或否, 吉凶天壤, 可不戒哉.

운봉호씨가 말하였다: '사(使)' 한 글자에 백성의 목숨이 살고 죽는 것과 국가의 안위가 달려 있다. 그 부림이 마땅한가 아닌가에 따라 길흉이 하늘과 땅 차이로 달라지니, 경계하지 않을 수 있겠는가?

‖韓國大全‖

김상악(金相岳) 『산천역설(山天易說)』

行, 謂遣行也, 使, 謂任使也.

‘행(行)’은 보내어 가게 함을 말하며, ‘사(使)’는 맡겨서 부림이다.

서유신(徐有臣) 『역의의언(易義擬言)』

中行者, 九二也. 三不當位, 有任使不當之象也.

중도로 행하는 것은 구이이다. 삼효는 자리가 마땅하지 않으니, 맡겨 부리는 것이 마땅하지 않은 상이 있다.

김귀주(金龜柱) 『주역차록(周易箚錄)』

傳, 長子謂二, 云云,

『정전』에서 말하였다: ‘맏아들’은 이효를 말한다, 운운.

小註, 建安丘氏曰, 以中, 云云.

소주에서 건안구씨가 말하였다: 중도로, 운운.

○ 按, 此亦只指六三爲弟子, 與雲峯說同病.

내가 살펴보았다: 이 또한 단지 육삼이 제자가 됨을 가리키니, 운봉의 설명과 같은 문제가 있다.

박문건(朴文健) 『주역연의(周易衍義)』

中行, 中道也.

“중도로 행함”은 중도(中道)이다.

〈問, 以其中行者, 長子歟, 六五歟. 曰, 六五也.

물었다: 그 중도로써 행하는 자는 맏아들입니까, 아니면 육오입니까?

답하였다: 육오입니다.〉

上六, 大君有命, 開國承家, 小人勿用.

정전 상육은 대군이 명을 가지니, 나라를 열고 가문을 이음에 소인을 쓰지 말아야 한다.
본의 상육은 대군이 명을 가져서 나라를 열고 가문을 이으니, 소인을 쓰지 말아야 한다.

║中國大全║

傳

上, 師之終也, 功之成也, 大君以爵命賞有功也. 開國, 封之爲諸侯也. 承家, 以爲卿大夫也. 承受也. 小人者, 雖有功不可用也, 故戒使勿用. 師旅之興, 成功非一道, 不必皆君子也, 故戒以小人有功不可用也, 賞之以金帛祿位可也, 不可使有國家而爲政也. 小人平時易致驕盈, 況挾其功乎, 漢之英彭所以亡也, 聖人之深慮遠戒也. 此專言師終之義, 不取爻義, 蓋以其大者. 若以爻言, 則六以柔居順之極, 師旣終而在无位之地, 善處而无咎者也.

맨 위는 사괘의 끝이고 공이 이루어진 것이니, 대군이 벼슬로써 명하여 공이 있는 사람에게 상을 주는 것이다. "나라를 연다"는 것은 제후로 봉하는 것이다. "가문을 잇는다"는 것은 경과 대부로 삼는 것이다. '잇는다'는 뜻의 승(承)은 받아서 누리는 것이다. '소인'은 비록 공이 있더라도 쓸 수 없기 때문에 쓰지 말라고 경계하였다. 군대가 일어남에 공을 이루는 것이 한 가지 방법이 아니어서, 공을 이룬 사람이 반드시 모두가 군자인 것은 아니므로 소인은 공이 있더라도 쓸 수 없다고 경계하였으니, 금이나 비단, 녹봉이나 지위로써 상을 주는 것은 옳고 나라와 가문을 두어서 정치를 하게 해서는 안 된다. 소인은 평시에도 교만하고 넘치기 쉬운데, 하물며 그 공을 끼고 있음에랴! 한나라의 영포(英布)와 팽월(彭越)이 이 때문에 망했으니, 성인이 깊이 생각하고 멀리까지 경계하신 것이다. 이는 오로지 사괘가 끝나는 뜻으로 말하였고 효의 뜻을 취하지 않았으니, 큰 것으로써 말한 것이다. 효로써 말한다면 상육은 부드러운 음으로 순함의 끝에 있으니, 군대의 일이 이미 끝남에 지위가 없는 곳에 있어서 잘 대처하여 허물이 없는 사람이다.

本義

師之終, 順之極, 論功行賞之時也. 坤爲土, 故有開國承家之象. 然小人則雖有功, 亦不可使之得有爵土, 但優以金帛可也. 戒行賞之人, 於小人則不可用此占, 而小人遇之, 亦不得用此爻也.

사괘의 끝이고 순함의 지극함이니, 공을 논하고 상을 시행하는 때이다. 곤괘는 땅이 되므로 나라를 열고 가문을 잇는 상이 있다. 그러나 소인은 비록 공이 있더라도 작위와 땅을 갖게 해서는 안 되고, 단지 금이나 비단으로 우대하는 것이 옳다. 상을 시행하는 사람이 소인에게는 이 점괘를 써서는 안 되고, 소인이 이 점을 만나더라도 이 효를 쓸 수 없음을 경계한 것이다.

小註

朱子曰, 開國承家一句, 是公共得底, 未分別君子小人在. 小人勿用, 則是勿更用他與之謀議經畫爾. 漢光武能用此義, 自定天下之後, 一例論功行封. 其所以用之在左右者, 則鄧禹耿弇賈復數人, 他不與焉.

주자가 말하였다: "나라를 열고 가문을 잇는다"는 한 구절은 공공적으로 얻는 것이라서 군자와 소인을 분별하지 않았다. "소인은 쓰지 말라"는 것은 곧 다시 그를 등용하여 함께 정사(政事)를 도모하지 말라는 것이다. 한나라의 광무제가 이 뜻을 잘 운용하여 천하를 안정시킨 뒤에 일관된 법식으로 공을 논하고 봉토를 시행하였다. 이 때문에 좌우에 있는 사람 가운데 등용한 이들은 등우(鄧禹)와 경엄(耿弇), 가복(賈復)의 몇 사람이고 다른 이들은 참여하지 못하였다.

○ 建安丘氏曰, 初言師之出, 上言師之還, 至此則功成凱奏之時也. 大君必有賞功之命. 開國, 功之大者也. 承家, 功之小者也. 象曰, 以正功者, 言爵賞之命, 乃所以正諸將武功之等差也. 然兵行詭道, 而販繒屠狗之人, 孰不願出奇以立功, 而立功不必皆君子也. 此又曰小人勿用何耶. 蓋以小人有功, 固當例以賞之, 若使之參預國家之謀議, 則挾功以逞, 必生僭竊亂邦之禍, 故於小人戒以勿用, 而象曰必亂邦也. 其意嚴矣.

건안구씨가 말하였다: 초구는 군대의 출동을 말하고 상효는 군대가 돌아옴을 말하니, 여기에 이르면 공이 이루어져 승리를 아뢰는 때이다. 대군은 반드시 상을 주고 공을 치하하는 명이 있다. "나라를 연다"는 것은 공이 큰 것이다. "가문을 잇는다"는 것은 공이 작은 것이다. 「상전」에서 "공을 바르게 한다"고 한 것은 작위와 상을 주는 명이 바로 여러 장수들이 세운 무공의 순서를 바르게 함을 말한다. 그러나 병사는 궤도(詭道)를 행하고 비단을 팔고 개를 잡는 사람일지라도 기이한 방법을 내어 공을 세우기를 원하지 않는 자가 없으니, 공을 세운

자가 반드시 모두 군자는 아니다. 여기에서 또 "소인을 쓰지 말라"라고 한 것은 어째서인가? 소인으로서 공이 있으면 진실로 마땅히 법식에 따라 상을 줄 것이나, 만약 국가적인 논의에 참여하게 하면 공을 빙자하여 드러내 반드시 참람하게 도적질하고 나라를 어지럽히는 화를 낳을 것이니, 그러므로 소인에 대하여 경계하여 쓰지 말라 하고 「상전」에서 "반드시 나라를 어지럽힌다"라고 하였으니, 그 뜻이 엄중하다.

‖韓國大全‖

송시열(宋時烈) 『역설(易說)』

大君子, 指五爻, 君位也. 又坤錯爲乾, 乾爲君也. 此丘氏所謂凱旋論賞之時也. 坤爲土, 有開國承家之象, 本義, 已言之. 以陰柔居高位, 則必有禍乱, 故曰小人勿用.

큰 군자는 오효를 가리키니, 임금의 지위이다. 또 곤괘의 음양이 바뀐 괘가 건괘가 되니, 건괘는 임금이 된다. 이는 구씨가 말한 전쟁에 이기고 돌아와 상을 논하는 때이다. 곤괘는 흙이 되니, 나라를 열고 가문을 잇는 상이 있음은 『본의』에서 이미 말하였다. 음의 부드러움으로 높은 자리에 있으면 반드시 화란(禍亂)이 있기 때문에 "소인을 쓰지 말라"고 하였다.

이익(李瀷) 『역경질서(易經疾書)』

上六, 在君位之外, 有裂土封建之象. 開國, 則受封也. 承家, 則傳子矣. 雖有戎師之功, 苟非其人, 貽害無窮, 宜於大君誥命之始, 審察也. 卦名爲師, 則此當爲叛業之時矣.

상육은 임금 자리의 밖에 있어 땅을 나누어 제후를 봉하는 상이 있다. '개국(開國)'은 봉지(封地)를 받는 것이다. '승가(承家)'는 자식에게 전하는 것이다. 비록 전쟁에서 공이 있지만, 진실로 그에 합당한 사람이 아니면 해를 끼침이 무궁하니, 마땅히 대군이 고명(誥命)하는 처음에 깊이 살펴야 한다. 괘의 이름이 사괘(師卦)가 되니, 이는 마땅히 창업의 때가 된다.

심조(沈潮) 「역상차론(易象箚論)」

上六, 開國, 小人,

상육은 나라를 여는데 소인을,

陰畫柝, 有開象. 陰爻, 故容有小人, 與九二丈人相反.

음의 획은 트였으니, 여는 상이 있다. 음효인 까닭에 관용하여 소인을 두니, 구이의 장인과
는 서로 반대된다.

유정원(柳正源) 『역해참고(易解參攷)』

上六 [至] 勿用

상육은 … 쓰지 말라.

問, 論功行封, 若使小人參其間, 則誠有弊病. 朱子曰, 勢不容不封他得. 但聖人別有以
處之, 未見得如何. 如舜封象, 使吏治其國. 若是, 小人亦自有以處之也. 此義方思量
得如此, 未曾改入本義.

물었다: 공을 논하고 봉토를 행하는데, 소인이 그 사이에 참여하게 되면 진실로 병폐가 있는
데 어떻습니까?

주자가 답하였다: 형세가 소인에게 분봉하지 않을 수 없습니다. 다만 성인이 따로 그에 대처
하는 방법이 있었겠지만, 어떠한지 알지 못합니다. 순임금의 경우는 상(象)을 봉해주고 관
리로 하여금 대신 그 나라를 다스리게 하였습니다.[43] 이와 같이 하면 소인이라도 자연 그에
대처하는 방법이 있습니다. 이 의미를 이처럼 생각했지만, 미처 『본의』에 고쳐 넣지 못하였
습니다.

○ 開國承家, 爲是坤有土之象. 然屯之利建候, 卻都旡坤, 止有震, 此又不可曉.

‘나라를 열고 가문을 이음’은 이 곤괘에 흙의 상이 있기 때문이다. 그러나 준괘(屯卦)에서
“제후(侯)를 세움이 이롭다”고 한 경우에는 도리어 전혀 곤괘는 없고 진괘(震卦)만 있으니,
이 또한 분명하지 않다.

○ 厚齋馮氏曰, 爻, 比六五, 大君有命之象, 三爲應, 有弟子輿尸之象. 故曰, 小人勿
用. 以位則爲弟子, 以德則爲小人. 本爻陰柔不斷, 故戒.

후재풍씨가 말하였다: 효가 육오에 가까우니 대군이 명을 두는 상이며, 삼효가 호응이 되니
제자가 수레에 시체를 싣는 상이 있다. 그러므로 “소인을 쓰지 말라”라고 하였다. 자리로는
제자가 되고 덕으로는 소인이 된다. 본래의 효가 음으로 유약하고 결단하지 못하기 때문에
경계하였다.

○ 案, 錫命行賞, 皆出於五, 而上六居旡位之地, 則不可謂大君也. 而以其比近於五,
故有大君之象, 而居高旡位, 故不稱大人.

내가 살펴보았다: 명(命)을 내려주고 상을 시행하는 것이 모두 오효에서 나오는데, 상육은

---

43) 『孟子 · 萬章』.

지위가 없는 곳에 있으니, '대군'이라 말할 수 없다. 그런데 오효에 가깝기 때문에 대군의 상이 있고, 높은 데 있으나 지위가 없기 때문에 대인이라고 일컫지 않았다.

本義, 優以金帛.
『본의』에서 말하였다: 금이나 비단으로 우대한다.
案, 師旅之興, 成功者, 未必皆君子, 如漢英彭之徒, 是也. 旣以此屬取天下, 而不使有其爵土, 但優以金帛. 妄呼擊柱之徒, 烏可禁乎. 夫朝廷之處置得宜, 則韓弘, 興疾討賊, 承宗, 斂手削地, 後世猶然, 況聖人之論功行賞, 而豈旡小人區處之道乎. 優以金帛, 恐非經文本旨. 朱子所謂思量得, 舜之封象, 而未曾改入本義者, 或以此歟.
내가 살펴보았다: 군대가 일어나 공을 이루는 사람이 반드시 모두 군자는 아니니, 한나라의 영포와 팽월의 무리가 그러하다. 이러한 무리로써 천하를 얻었더라도 그에게 작위와 봉토를 갖게 해서는 안 되고, 다만 금이나 비단으로 우대해야 한다. 함부로 소리치고 칼을 빼어들어 기둥을 치는 무리를 어떻게 막을 수 있겠는가? 조정이 마땅하게 일을 처리하자 한홍(韓弘)이 질병을 무릅쓰고 수레에 올라 적을 토벌하고, 왕승종(王承宗)이 손을 거두고 땅을 떼어가게 하였으니,[44] 후세에도 오히려 그러한데 하물며 성인이 공을 논하고 상을 행하는데 어찌 소인을 따로 구별하여 처리하는 도가 없었겠는가? 금이나 비단으로 우대한다는 것은 아마도 경문의 본래 종지는 아닌 듯하다. 주자가 순임금이 상(象)을 봉한 것을 생각했는데, 『본의』에 고쳐 넣지 못했다는 것이 혹 이 때문인 듯하다.

김상악(金相岳) 『산천역설(山天易說)』

大君, 五也. 處師之終, 受五之命, 正師之功. 故有開國承家之象. 用師之時, 則戒弟子興尸, 正功之時, 則戒小人勿用者, 創業守成, 見當任賢也.
대군은 오효이다. 사괘의 끝에 있어서 오효의 명령을 받아 군대의 공을 바르게 한다. 그러므로 나라를 열고 가문을 잇는 상이 있다. 군대를 쓰는 때에는 "제자가 수레에 시체를 싣는다"는 것을 경계하였고, 공을 바르게 하는 때에는 "소인을 쓰지 말라"고 경계하였으니, 창업(創業)과 수성(守成)에 마땅히 어진 이에게 맡겨야 함을 볼 수 있다.

---

44) 위에서 일을 명분에 따라 합당하게 처리하면, 아랫사람들이 감복하여 자발적으로 따르게 된다는 말이다. 당 헌종(憲宗)이 채주(蔡州)의 오원제(吳元帝)를 토벌하게 하자, 한홍(韓弘)이 병을 무릅쓰고 수레에 올라 토벌하였으며, 왕승종이 상산(常山)을 점거하고 황제의 명을 거역하였는데, 조정에서 병란을 싫어하여 선비 백기(柏耆)를 보내어 대의를 들어 설득하자 감복하여 덕주(德州), 도주(桃州)를 떼어 바치고 복종하였다.

○ 易中有曰王, 曰先王, 曰帝, 曰后, 曰大君者, 王以德言, 先王以垂統言, 帝以主宰言, 天子以正位言, 后諸侯天子, 通稱大君, 天子, 尊稱也. 屯爲難生之始, 故建侯在初, 師爲靖難之時, 故大君在上. 應九二而言, 則曰錫命, 統諸爻而言, 則曰有命. 開國者, 侯伯之始封也. 承家者, 公卿之世襲也. 國者, 坤之邑國也. 家者, 變艮爲門闕也. 坎守國之王公, 卽此所開之國也. 蒙克家之子, 卽此所承之家也. 小人, 指三也. 用師除亂, 而復用小人, 則亂必復生, 故有勿用之戒. 旣濟九三, 亦用師之時, 故與此同辭. 又坎水生於兌金, 坤土生於乾金, 乾兌之合, 其卦爲履. 履之三曰, 武人, 爲于大君. 故此曰, 大君有命, 小人勿用. 小人, 卽彼之武人也.

『주역』에 ‘왕(王)’이라고 하고, ‘선왕(先王)’이라고 하고, ‘제(帝)’라고 하고, ‘후(后)’라고 하고, ‘대군(大君)’이라고 말한 것이 있는데, 왕은 덕으로 말하고, 선왕은 왕의 계통을 드리운 것으로 말하고, 제는 주재로 말하고, 천자는 바른 자리로 말하고, 후나 제후나 천자를 통틀어 대군이라고 말하지만, 천자는 존칭이다. 준괘(屯卦)는 생겨나기 어려운 처음이 되기 때문에 제후를 세움이 처음에 있고, 사괘(師卦)는 난을 평정하는 때가 되기 때문에 대군이 위에 있다. 구이에 호응하는 것으로 말하면 “명을 준다”라고 하고, 여러 효를 거느리는 것으로 말하면 “명을 가진다”라고 한다. “나라를 연다”는 것은 후작과 백작이 처음 봉해지는 것이다. “가문을 잇는다”는 것은 공(公)과 경(卿)이 세습되는 것이다. ‘나라’는 곤괘의 읍국(邑國)이다. ‘가문’은 간괘로 바뀌어 대궐의 문이 되는 것이다. 감괘는 나라를 지키는 왕공이니, 바로 이것이 열린 나라이다. 몽괘(蒙卦)는 집안을 다스리는 자식이니, 바로 이것이 잇게 되는 집이다. 소인은 삼효를 가리킨다. 군대를 써서 혼란을 제거하였는데 다시 소인을 쓴다면 혼란이 반드시 다시 생겨나기 때문에 “쓰지 말라”는 경계가 있다. 기제괘(旣濟卦)의 구삼이 또한 군대를 쓰는 때이므로 여기와 말이 같다. 또 감괘인 물[水]이 태괘인 쇠[金]에서 생기고 곤괘인 흙[土]이 건괘인 쇠[金]에서 생기니, 건괘와 태괘가 합하여 그 괘가 리괘(履卦)가 된다. 리괘의 삼효에서 “무인이 대군이 된다”라고 하였다. 그러므로 여기에서 “대군이 명을 가지니, 소인을 쓰지 말라”라고 하였다. 소인은 바로 리괘의 무인이다.

박윤원(朴胤源)『경의(經義)·역경차략(易經箚略)·역계차의(易繫箚疑)』

上六, 開國承家, 小人勿用.
상육은 나라를 열고 가문을 이음에 소인을 쓰지 말라.

○ 小人, 非奸邪之小人, 是卑賤之小人. 以小註所云屠狗販繒之類, 觀之, 可知.
소인은 간사한 소인이 아니고 비천한 소인이다. 소주에서 “개를 잡고 비단을 판다”고 말한 종류로 살펴보면 알 수 있다.

김규오(金奎五) 「독역기의(讀易記疑)」

上六, 義不可使有爵土. 蓋用傳說, 而又以勿用此占申之. 小註以開國小人, 謂未分君子小人, 以小人勿用, 謂勿更用他與之謀議云云. 竊疑, 小註說似密, 蓋小人旣成大功, 而不得比同功之茅土, 則必將怨恨不伏, 奈何.

상육의 『본의』에서 작위와 봉토를 갖게 해서는 안 된다고 하였는데, 대체로 『정전』의 설명을 따르고 또 "이 점사를 쓰지 말라"고 거듭 말하였다. 소주에서 "나라를 연다"는 것과 '소인'으로써 아직 군자와 소인을 나누지 않았음을 말하고, "소인을 쓰지 말라'는 것으로써 다시 그를 써서 함께 도모하지 말라고 말하여 운운하였다. 내가 생각해 보건대, 소주의 설명이 정밀한 듯하지만, 소인이 이미 큰 공을 이루었는데 같은 공에 비견되는 영지를 얻지 못한다면 반드시 원한을 가져 복종하지 않을 것이니, 어찌하겠는가?

조유선(趙有善) 「경의(經義) · 주역본의(周易本義)」

上六, 小人勿用, 戒占者, 不可用小人於開承之列. 本義以爲不可用此占, 可疑.

상육에서 "소인을 쓰지 말라'고 한 것은 점치는 자가 나라를 열고 가문을 잇는 반열에 소인을 써서는 안 된다는 것을 경계한 것이다. 『본의』에서 "이 점을 써서는 안 된다'라고 하였는데, 의심스럽다.

서유신(徐有臣) 『역의의언(易義擬言)』

旣成而有命, 所以開國承家也. 小人, 六三也. 上六, 不相應, 故知其不用也.

이미 이루어져 명을 가졌으니, 이 때문에 나라를 열고 가문을 잇는 것이다. 소인은 육삼이다. 상육이 서로 호응하지 못하므로 그 쓸 수 없음을 안다.

김귀주(金龜柱) 『주역차록(周易箚錄)』

上六, 大君有命, 云云.

상육은 대군이 명을 가지니, 운운.

○ 按, 上六, 隣於六五, 爲大君有命之象. 坤爲土爲均爲吝嗇, 而在師之終. 有割土均分, 而於小人, 則吝而不與之象歟. 然語涉附會, 未敢必信.

내가 살펴보았다: 상육은 육오와 이웃하니, 대군이 명을 가지는 상이 된다. 곤괘는 흙이 되고 균등함이 되고 인색함이 되어 사괘의 끝에 있다. 땅을 고르게 분할하였는데, 소인에게는

인색하여 주지 않는 상이다. 그러나 말이 견강부회하니, 감히 꼭 믿지는 못하겠다.

박제가(朴齊家) 『주역(周易)』

傳, 師旅成功, 非一道, 不必皆君子也, 故戒以小人有功, 不可用. 賞之以金帛祿位, 不可使有國家而爲政. 漢之英彭, 所以亡也. 案, 祿位, 非爲政而何. 本義所以云, 但優以金帛, 削祿位二字者, 此也. 然小人旣有功, 如漢之英彭, 烏可不裂上而封之耶. 若有功而賞不均, 則速之反矣. 此師之終爻所云, 乃分封行賞之時, 戒此成功受爵之人之辭. 故上文特言, 大君有命, 如書曰往欽哉之義, 卽推演丈人吉之餘意也. 蓋師中丈人, 王者之兵也. 初不挾小人而成功, 雖或反側之類, 亦當死心塌地革面向善, 然後使之, 豈可如後世僥倖於鷄鳴狗吠之爲哉. 雖鷄狗之倫, 旣成功, 則不可不賞, 朱子曰勿用者, 勿更用也, 引漢光武事, 終欠分曉.

『정전』에서 말하였다: 군대가 공을 이루는 것이 한 가지 방법이 아니어서 반드시 모두가 군자는 아니므로 소인이 공이 있더라도 써서는 안 된다고 경계하였다. 금이나 비단, 녹봉이나 지위로 상을 주어야지 나라와 가문을 두어 정치를 하게 할 수는 없다. 한나라의 영포와 팽월이 이 때문에 망하였다.

내가 살펴보았다: 녹봉과 지위가 정치를 하는 것이 아니고 무엇인가? 『본의』에서는 다만 금이나 비단으로 우대한다고 하고, 녹위(祿位)의 두 자를 삭제한 것이 이 때문이다. 그러나 소인에게 공이 있는 것이 한나라의 영포(英布)와 팽월(彭月)[45] 같은데, 어떻게 땅을 나누어서 봉해주지 않을 수 있겠는가? 공이 있는데 그 상이 고르지 않다면 그들의 반란을 부를 것이다. 이것이 사괘의 끝 효에서 '봉토를 나누어주고 상을 시행하는 때'에 이 공을 이루고 작위를 받은 사람을 경계한 말이다. 그러므로 윗글에서는 다만 "대군이 명을 가진다"라고 말하였으니, 『서경』에서 "가서 공경하라"라고 말한 의미가 바로 "장인이라야 길하다"는 함축된 뜻을 미루어 연역한 것이다. 사괘에서의 장인은 왕도를 행하는 자의 병사이다. 처음에 소인을 끼지 않고서 공을 이루었다면, 비록 딴 마음을 품은 무리일지라도 마땅히 죽을 힘을 다해 얼굴색을 바꾸어 선을 향할 것이니, 그런 뒤에 부린다면 어찌 후세에 요행히 닭이 울고 개가 짖는 소리를 내는 것과 같겠는가? 비록 닭이나 개의 소리를 내는 무리일지라도 공을 이루었으면 상을 주지 않을 수 없으니, 주자가 "쓰지 말라"고 한 것은 다시 쓰지 말라는 것인데, 한나라 광무제(光武帝)의 일을 인용한 것은 끝내 명쾌하지 못하다.[46]

---

45) 영포(英布)와 팽월(彭月): 영포와 팽월은 모두 한나라 고조를 도와 항우를 물리치고 건국에 공을 세운 공신들이다. 후에 모두 모반의 혐의로 죽음을 당하였다.

46) 광무제는 왕망을 격파하고 천하를 평정하였다. 그는 한고조가 거의 모든 공신들을 숙청하였던 전철을 밟지 않으려고, 공신들에게 작위와 봉토를 내려주었으나 삼공으로 등용하지는 않았다. 그러나 그러한 조처가

윤행임(尹行恁) 『신호수필(薪湖隨筆)·역(易)』

當班師行賞之時, 分裂爵土, 必審君子小人之分, 而使小人無得開國而爲諸候, 承家而
爲大夫. 宋太祖之杯酒釋兵權, 蓋亦懲創於漢高帝也. 於師之上六, 雖以勿用爲言, 六
十四卦, 三百八十四爻, 無非抑陰扶陽, 進君子退小人之義.

군사를 거느리고 돌아와 상을 시행하는 때에 작위와 봉토를 나누는데, 반드시 군자와 소인
의 구분을 살펴서 소인이 나라를 열어 제후가 되고 가문을 이어 대부가 되는 일이 없게
하여야 한다. 송나라 태조가 술잔으로 병권(兵權)을 놓게 한 일은 또한 한나라 고제(高帝)
를 보고서 경계한 것이다. 사괘의 상육에 비록 "쓰지 말라"고 말하였으나, 육십사괘 삼백팔
십사효가 음을 누르고 양을 북돋아서 군자를 나아가게 하고 소인을 물러나게 하는 의미가
아닌 것이 없다.

박문건(朴文健) 『주역연의(周易衍義)』

順而處高, 故有大君之象. 大君, 公候之稱也. 開國, 開斥國都也. 承家, 承受家邑也.
惟大君有天命, 故能辟土而建都, 勤王而受采也. 若小人, 則勿用征討之事也.

순리롭고 높은 데 있기 때문에 대군의 상이 있다. 대군은 공과 제후의 명칭이다. 개국(開國)
은 나라의 도읍을 개척하는 것이다. 승가(承家)는 집안의 식읍(食邑)을 이어 받는 것이다.
대군만이 천명을 가지기 때문에 땅을 열고 도읍을 세울 수 있어서 임금의 일을 열심히 하여
채지(采地)를 받는 것이다. 소인이라면 정벌하는일에 중용하지 말아야 한다.

〈問, 有命. 曰, 師之上, 高而處三陰之上者也, 否之四, 貴而處三陰之上者也. 故皆曰,
有命也, 與錫命之命, 不同義也.

물었다: "명을 가진다"는 무슨 뜻입니까?
답하였다: 사괘(師卦)의 상효는 높아서 세 음의 위에 있는 자이며, 비괘(否卦)의 사효는 귀
하여 세 음의 위에 있는 자입니다. 그러므로 모두 "명을 가진다"라고 하였으니, "명을 내려준
다[錫命]"고 할 때의 명(命)과는 의미가 같지 않습니다.〉

이지연(李止淵) 『주역차의(周易箚疑)』

惟天生民, 有欲, 無主乃亂. 於是乎作之君, 作之師, 君以養之, 師以教之. 教之而不從
者, 不得已少則刑獄, 大則師旅, 然後天下可乎. 人之大慾, 莫甚於食色, 乾坤之後, 屯

인재를 쓰는 도리에 있어서는 미진함이 있다는 말이다. 『맹자·이루』에서는 "탕임금은 중용의 도를 지켰고,
현인을 등용하면서는 그가 어떠한 부류인지는 묻지 않았다"라고 하였다.

蒙繼之, 屯六二六四曰, 婚媾, 蒙九二曰, 納婦, 六三曰, 取女, 蒙之後, 繼之以需, 需者, 食也. 食色之道著, 然後人欲動, 而獄訟興. 此乃理之必然也. 故聖人決之以中正之道, 隨其大小淺深, 而刑獄以止之, 誅討以施之. 此皆聖人遏人欲存天理之大旨也. 師是行師之象. 六畫中一部武經備焉, 尤宜致詳也.

하늘이 백성을 냄에 하려는 것이 있어서 주인이 없으면 어지럽게 된다. 이에 임금을 만들어 주고 스승을 만들어 주어 임금이 기르고 스승이 교화하게 하였다. 교화시켰는데도 따르지 않는 자를 부득이하게 작게는 형옥(刑獄)을 쓰고 크게는 군대를 쓰니, 그런 뒤에 천하가 태평할 수 있었다. 사람의 큰 욕심이 식색(食色)보다 심한 것이 없어서 건괘와 곤괘의 뒤에 준괘(屯卦)와 몽괘(蒙卦)가 이었으니, 준괘 육이와 육사에서 '혼구(婚媾)'라고 하고 몽괘 구이에서 '납부(納婦)'라고 하고 육삼에서 '취녀(取女)'라고 하였으며, 몽괘의 뒤에 수괘(需卦)로 이었으니, '수(需)'란 먹는 것이다. 식색의 도가 드러난 뒤에 사람의 욕심이 움직여서 형벌과 옥사[刑獄]가 일어난다. 이것은 이치가 반드시 그러한 것이다. 그러므로 성인이 중정(中正)의 도로써 결단하여 그 크고 작으며 얕고 깊음에 따라서 형벌과 옥사로 그치게 하며, 죽이고 토벌하는 것으로 시행하였다. 이것은 모두 성인이 사람의 욕심을 막고 천리를 보존한 큰 뜻이다. 사괘는 군대를 움직이는 상이다. 여섯 획 가운데 일부에 병법에 관한 글이 갖추어져 있으니, 더욱 마땅히 상세히 하여야 할 것이다.

김기례(金箕澧) 「역요선의강목(易要選義綱目)」

興師任將, 五君之事, 及至凱還, 封功論賞, 上六, 以上皇位, 不無干預之勢, 恐陰暗之才, 有誤恩之弊, 故戒小人勿用. 坤爲邑國, 故易中有坤處, 多言邑國. 蓋開國, 裂土, 承家, 命卿也.

군대를 일으키고 장수에게 맡김은 오효인 임금의 일이지만, 싸움에 이기고 돌아와 공훈을 봉하고 상을 논함에 이르러서는 상육이 그 윗자리에 있는 황위(皇位)로서 참견하는 형세가 없지 않으니, 음의 어두운 재질로 은혜를 잘못 베푸는 폐단이 있을까 두려워한 까닭에 소인을 쓰지 말라고 경계하였다. 곤괘는 읍국(邑國)이 되기 때문에 『주역』 가운데 곤괘가 있는 곳은 읍국을 말한 것이 많다. 나라를 여는 것은 땅을 나누어 받는 것이고, 가문을 잇는 것은 경(卿)에 명하는 것이다.

허전(許傳) 「역고(易考)」

上六 大君〈이라야〉 有命〈ᄒ야〉 開國承家〈니〉 小人은 勿用〈이니라〉
上六은 大君이라야 命을 두어 國을 開ᄒ고 家를 承케 홀지니 小人은 쓰지 말지니라.

상육은 대군이라야 명을 두어 나라를 열고 가문을 잇게 할 것이니 소인은 쓰지 말라.

六, 雖柔順之極, 而居高無位, 恐不能正功行賞. 故戒之曰, 唯大君, 乃可有命也.
상육이 비록 유순함이 지극하나, 높지만 지위가 없는 데 있어 공을 바르게 하고 상을 시행할 수 없을까 걱정하므로 경계하여 "오직 대군이라야 이에 명을 둘 수 있다"라고 하였다.

심대윤(沈大允) 『주역상의점법(周易象義占法)』

師之蒙䷃, 雜而未辨也. 上六, 居柔不欲戰, 而當師功之成, 以行封爵, 故曰, 大君有命, 開國承家. 坎艮爲大君, 因九二以大, 故兼二而言大君. 艮兌爲開, 坤爲國, 巽爲承, 艮[47)爲家. 論功行賞, 君子小人, 蒙雜而未辨, 小人有功, 可賞而不當假之以土衆, 故曰, 小人勿用. 离坤爲小人, 艮震爲用.

사괘가 몽괘(蒙卦䷃)로 바뀌었으니, 섞여 분변하지 못한다. 상육은 유약한 음의 자리에 있어 싸우려고 하지 않지만 군대의 공이 이루어진 때를 맞이하여 봉토와 작위를 행하기 때문에 "대군이 명을 가지니, 나라를 열고 가문을 잇는다"라고 하였다. 감괘와 간괘가 대군이 되는데, 구이로 말미암아 크기 때문에 이효를 겸하여 '대군'이라고 말한다. 간괘와 태괘는 여는 것[開]이 되고, 곤괘는 나라[國]가 되며, 손괘는 이음[承]이 되고 간괘는 가문[家]이 된다. 공을 논하고 상을 행함에 군자와 소인이 몽매하게 뒤섞여 분간되지 않으니, 소인에게 공이 있으면 상을 줄 수는 있지만 토지와 백성을 더해 주는 것은 마땅하지 않기 때문에 "소인을 쓰지 말라"고 하였다. 리괘(離卦)와 곤괘(坤卦)가 소인이 되고, 간괘(艮卦)와 진괘(震卦)가 쓰임이 된다.

오치기(吳致箕) 「주역경전증해(周易經傳增解)」

上六, 居師之終, 故大君有正功行賞之命, 大者, 分土而開其國, 小者, 賜爵而承其家. 然小人之有功者, 不當寵之以祿位, 戒其挾功倚勢, 必致亂邦也.

상육은 사괘의 끝에 있기 때문에 대군이 공을 바르게 하고 상을 시행하는 명이 있으니, 공이 큰 자는 땅을 나누어 주어 그 나라를 열게 하고, 공이 작은 자는 작위를 주어 그 가문을 잇게 한다. 그러나 소인으로 공이 있는 자를 녹봉과 지위로 총애하는 것은 마땅하지 않으니, 그 공을 끼고 위세에 의지하여 반드시 나라를 어지럽히는데 이르게 됨을 경계하였다.

---

47) 艮: 경학자료집성 DB와 영인본에는 '良'으로 되어 있으나, 문맥을 살펴 '艮'으로 바로잡았다.

○ 對體之乾, 爲大君之象. 命之取象, 與九二同. 開者, 闢也, 坤之象也. 國, 亦取於坤. 承者, 受也, 取於變. 艮爲手受之象, 而家亦艮之象也.

상괘의 음양이 바뀐 건괘(乾卦)가 대군의 상이 된다. '명(命)'이 취한 상은 구이와 같다. '개(開)'는 여는 것이니, 곤괘의 상이다. '국(國)'이 또한 곤괘에서 취하였다. '승(承)'은 받는 것이니, 변화한 괘에서 취하였다. 간괘는 손으로 받는 상인데 '가문[家]'도 간괘의 상이다.

이진상(李震相) 『역학관규(易學管窺)』

上六, 小人勿用
상육은 소인을 쓰지 말라.

師之六三, 不中不正, 事敗, 則爲輿尸之弟子, 倖成, 則爲勿用之小人. 此當於用師之始, 擇而任之而已. 然自古人君之用兵取天下者, 所任之將, 未必皆方叔召虎也. 英彭之徒, 不得不駕馭, 任使而成功之後, 金帛祿位, 不足以塞其望, 難使之不有爵土, 但在處置之得宜耳. 光武封功臣, 大不過六縣, 而賈鄧外, 皆不任以職事, 此最可法. 朱子嘗言勢不容不封. 但聖人別有以處之, 如舜之封象. 此義方思量, 未曾改入本義. 如是則傳義之不可使有國家, 但優以金帛者, 不得爲定論.

사괘의 육삼은 가운데 있지도 않고 제 자리에 있지도 않으니, 일이 실패하면 수레에 시체를 싣는 제자가 되고 다행히 이루어지면 "쓰지 말라"고 한 소인이 된다. 이것은 마땅히 군대를 쓰는 처음에 택하여 맡길 뿐이다. 그러나 예로부터 임금이 군대를 움직여 천하를 취하는 것이 맡은 바의 장수가 반드시 모두 방숙(方叔)과 소호(召虎)같은 이는 아니었다. 영포와 팽월 같은 무리는 부득이하게 부리는 것이지만, 책임을 주어 부려서 공을 이룬 뒤에는 금이나 비단, 녹봉이나 지위로는 그 바라는 것을 다 채워줄 수가 없고, 작위와 봉토를 갖지 않게 하는 것이 어려우니, 다만 형편에 따라 잘 처리해야한다. 광무는 공신을 봉한 것이 크게 여섯 현[六縣]에 불과하였고 가복(賈復)과 등우(鄧禹) 외에는 모두 관직의 일을 맡기지 않았으니, 이것을 가장 본받을 만하다. 주자는 "형세가 봉하지 않을 수 없다. 다만 성인이 따로 대처하는 방법이 있어 순임금이 상(象)을 봉한 것과 같다. 이 의미를 생각했지만 『본의』에 고쳐 넣지 못하였다"라고 하였다. 이와 같다면 『정전』과 『본의』가 나라와 가문을 갖게 할 수 없고, 다만 금이나 비단으로 우대한다고 한 것은 정론(定論)이 되지 못한다.

○ 更按, 上六, 雖居五上, 而實非用事之位. 恰似傳樺之主告誡嗣君, 使之勿用小人, 唐宗傳位詔中, 多用此句. 且以時勢言之, 則正値論功行賞之際, 自有陰柔不斷之戒者也. 若又小人得之, 則遽受爵土之命, 必召菹醢之禍, 反不若辭封早退, 不居成功之爲愈也.

다시 살펴보았다: 상육이 비록 오효의 위에 있지만 실상 일을 하는 자리가 아니다. 흡사 선위하는 임금이 물려받는 임금에게 타일러 훈계하여 소인을 쓰지 말게 한 것과 같으니, 당 태종이 보위를 전하는 조서에서 이 구절을 많이 썼다. 또 때의 형세로 말하면 바로 공을 논하고 상을 주는 때이니, 자연 음의 유약함으로 끊지 못하는 것에 대한 경계가 있다. 만약 또 소인이 얻게 되면 갑작스럽게 작위와 봉토의 명을 받아 반드시 저해(菹醢)의 화를 부르게 되니, 도리어 봉토를 사양하고 일찍 물러나 이룬 공을 차지하지 않는 것만 못하다.

박문호(朴文鎬) 「경설(經說)・주역(周易)」

以其大者, 言取其大義也.

"큰 것으로 말했다"는 것은 그 큰 뜻을 취한 것을 말한다.

於小人, 則不可用此占, 言不得授以開國承家也. 小人遇之, 亦不得用, 言不得受其開國承家也.

"소인에게는 이 점을 써서는 안 된다"는 것은 나라를 열고 가문을 잇는 것으로 줄 수 없음을 말한다. "소인이 이를 만나도 쓸 수 없다"는 것은 그 나라를 열고 가문을 잇는 것을 받을 수 없음을 말한다.

이정규(李正奎) 「독역기(讀易記)」

上六爻辭, 開國承家, 小人勿用者, 師之終, 功之成, 則不得不論功行賞也. 然以陰柔之質, 又處陰柔之地, 則已有小人之象. 故如是歟.

상육의 효사에서 "나라를 열고 가문을 이음에 소인을 쓰지 말라"고 하였으니, 군대를 다 쓰고 나서 공이 이루어지면 공을 논하고 상을 시행하지 않을 수 없다. 그러나 음의 유약한 자질로 또 유약한 음의 자리에 있으니, 이미 소인의 상이 있다. 그러므로 이와 같다.

이용구(李容九) 「역주해선(易註解選)」

上六, 大君有命, 開國. 漢光武能用此義, 論功行封, 鄧禹耿弇賈復數人.

상육은 대군이 명을 가져서 나라를 연다고 하였다. 한나라 광무제가 이 뜻을 잘 써서 공을 논하고 봉토를 행함에 등우(鄧禹)와 경엄(耿弇)과 가복(賈復) 몇 사람뿐이었다.

이병헌(李炳憲) 『역경금문고통론(易經今文考通論)』

京傳指上爻, 謂宗廟.

경방의 『역전』에 상효를 가리켜 종묘(宗廟)라고 하였다.

乾鑿度云, 大君者, 君人之盛者也.

『건착도』에서 말하였다: 대군은 임금 노릇을 잘한 자이다.

鄭曰, 命, 所受天命也.

정현이 말하였다: 명(命)은 천명을 받은 것이다.

按, 上六, 爲大君之位, 含神秘色彩. 開國承家, 以啓下卦建國親侯之象.

내가 살펴보았다: 상육은 대군의 지위가 되니, 신비한 색채를 머금는다. 나라를 열고 가문을 이음이 있다고 하여 다음 괘인 비괘(比卦)의 "나라를 세우고 제후를 가까이 한다"는 상을 보여주었다.

象曰, 大君有命, 以正功也. 小人勿用, 必亂邦也.

「상전」에서 말하였다: "대군이 명을 가짐"은 공을 바르게 하는 것이고, "소인을 쓰지 말아야 함"은 반드시 나라를 어지럽히기 때문이다.

中國大全

傳

大君持恩賞之柄, 以正軍旅之功. 師之終也, 雖賞其功, 小人則不可以有功而任用之, 用之必亂邦. 小人恃功而亂邦者, 古有之矣.

대군은 은혜와 상의 자루를 가지고서 군대의 공을 바르게 한다. 군대의 일이 끝났을 때에 비록 그 공에 상을 주지만 소인이라면 공이 있더라도 맡겨 쓸 수 없으니, 쓰면 반드시 나라를 어지럽히게 된다. 소인이 공을 믿고서 나라를 어지럽힌 경우가 예로부터 있었다.

本義

聖人之戒深矣.

성인의 경계가 깊다.

小註

雲峰胡氏曰, 王三錫命, 命於行師之始, 大君有命, 命於行師之終. 懷邦亂邦, 丈人小人之所以分, 此固聖人之所深慮遠戒也.

운봉호씨가 말하였다: "왕이 세 번 명을 내려준다"는 것은 군대를 움직이기 시작할 즈음에 명령하는 것이고, "대군이 명을 가진다"는 것은 군대를 행하여 마칠 즈음에 명령하는 것이다. "나라를 품는다"는 것과 "나라를 어지럽힌다"는 것은 장인과 소인이 나뉘는 까닭이니, 이것은 진실로 성인이 깊이 염려하고 멀리 경계한 바이다.

○ 隆山李氏曰, 六爻出師駐師, 將兵將將, 與夫奉辭伐罪, 旋師班賞, 无所不載, 雖後世兵書之繁, 殆不如師卦六爻之略, 而況於論王者之師, 比之後世權謀之書, 奇正甚遠. 爲天下者不得已而用師, 又何必捨此而他求哉.

융산이씨가 말하였다: 여섯 효가 군대를 출동시키고 군대를 주둔시킴, 병사를 거느리고 장수를 거느림, 저 말씀을 받들어 죄를 토벌함, 군대를 회군하여 상을 나누어 주는 일 등 싣지 않은 것이 없어, 비록 후세의 병서가 많지만 거의 사괘 여섯 효의 간략함만 못하다. 하물며 왕도정치를 행하는 임금의 군대를 후세의 권모술수와 견주어 논한 글에서는 기이함과 올바름의 차이가 매우 크니, 하물며 사괘에서 왕도정치를 행하는 임금의 군대를 논한 것이 후세의 권모술수의 서적에 비교하면, 기이한 방법과 올바른 방법의 차이가 매우 큼에랴! 천하를 위하는 자가 부득이 군대를 쓸 때, 또 하필 이것을 버리고 다른 것을 구하겠는가?

○ 建安丘氏曰, 師卦以九二一陽統衆陰, 有大將總兵之象, 故卦名曰師. 出師之道不可不正, 故曰師貞. 帥師之任不可非人, 故曰丈人吉无咎. 蓋只七字, 而用師之道盡矣. 初六師之始, 故曰師出以律. 上六師之終, 故曰開國承家. 師之次序然也. 中四爻, 六五爲任將之君也, 故以長子弟子係之. 二三四三爻, 則皆用師之將也. 九二以剛居中, 威而不暴, 持重之將也, 故有師中之吉, 卽五所謂長子也. 六三以柔居剛, 輕躁妄動, 僨師之將也, 故有輿尸之凶, 卽五所謂弟子也. 六四以柔居柔, 僅知自守. 蓋度德量力之人, 固無戰勝之功, 亦无喪敗之禍, 止於左次无咎而已, 四之无咎不如二之吉, 而三之凶, 又不如四之无咎. 聖人以萬世用兵利害, 而權輕重於吉凶无咎四字之間, 後之出師命將者, 盍亦鑒之於斯乎.

건안구씨가 말하였다: 사괘는 구이의 한 양으로 여러 음을 통솔하니 대장이 병사를 거느리는 상이 있으므로 괘의 이름을 '사(師)'라고 하였다. 군대를 출동시키는 도는 바르지 않을 수 없으므로 "군대는 바르게 한다"라고 하였다. 군대를 거느리는 임무는 사람다운 사람이 아니면 안 되니, 그러므로 "장인이라야 길하여 허물이 없다"라고 하였다. 다만 일곱 글자[故曰丈人吉无咎]이지만 군대를 쓰는 도를 다하였다. 초육은 군대의 시작이므로 "군대의 출동을 군율로써 한다"라고 하였다. 상육은 군대를 쓰는 일의 마무리이므로 "나라를 열고 가문을 잇는다"라고 하였다. 군대를 운용하는 순서가 그러하다. 가운데 네 효에서 육오가 장수를 임명하는 임금이 되므로 맏아들과 제자로써 연계하였다. 이·삼·사, 세 효는 모두 군대를 쓰는 장수이다. 구이는 굳센 양으로 가운데 있어 위엄이 있고 난폭하지 않아 진중한 장수이므로 군대에 있어 중도로 하는 길함이 있으니, 바로 오효에서 말하는 '맏아들'이다. 육삼은 부드러운 음으로 굳센 양의 자리에 있어 경솔하고 급하여 망령되이 움직여서, 군대를 넘어뜨리는 장수이므로 수레에 시체를 싣는 흉함이 있으니, 오효에서 말하는 '제자'이다. 육사는 유약한 음으로 음의 자리에 있어 겨우 스스로 지킬 줄을 안다. 덕과 재주를 헤아릴 줄 아는 사람은

진실로 싸워 이기는 공은 없으나 또한 죽고 무너지는 화도 없어 물러나 머물러서 허물이 없는 데에 이를 뿐이니, 사효에서 "허물이 없다"는 것은 이효에서 '길하다'고 한 것만 못하지만, 삼효에서의 흉함이 또한 사효에서의 "허물이 없다"는 것만 못하다. 성인이 만세에 병사를 쓰는 이로움과 해로움으로써 '길흉무구(吉凶无咎)' 네 글자 사이에 경중을 저울질하였으니, 후대의 군대를 출동시키고 장수에게 명하는 사람이 어찌 또한 여기에서 살펴보지 않겠는가?

┃韓國大全┃

김상악(金相岳) 『산천역설(山天易說)』

正功者, 正功之大小也. 上有虛中之君, 則能以一人, 而懷萬邦, 下有陰險之小人, 則亦以一人, 而必亂邦也. 二之錫命, 上之有命, 爲師之終始, 故小人與丈人爲對, 亂邦與懷邦爲對.

"공을 바르게 한다"는 것은 공의 크고 작음을 바르게 하는 것이다. 위에 마음을 비운 임금이 있으면 한 사람으로 만방을 품을 수 있고, 아래에 음으로 험한 소인이 있으면 또한 한 사람 때문에 반드시 나라를 어지럽히게 된다. 이효에서 "명을 준다"는 것과 상효에서 "명을 가진다"는 것이 군대의 시작과 끝이 되기 때문에 소인(小人)과 장인(丈人)이 상대가 되고, 나라를 어지럽히는 것과 만방을 품는 것이 상대가 된다.

서유신(徐有臣) 『역의의언(易義擬言)』

以正功者, 以其師貞之功也, 必亂邦者, 不正之故也.

"공을 바르게 한다"는 것은 그 군대를 곧게 하는 공 때문이고, "반드시 나라를 어지럽힌다"는 것은 바르게 하지 못하기 때문이다.

박문건(朴文健) 『주역연의(周易衍義)』

正功, 猶言立功也. 大君, 能征六三而正功, 小人, 徒亂邦國而有禍.

"공을 바르게 한다"는 것은 공을 세운다고 말하는 것과 같다. 대군은 육삼을 쳐서 공을 바르게 할 수 있으며, 소인은 한갓 나라를 어지럽혀 해가 있을 뿐이다.

김기례(金箕澧) 「역요선의강목(易要選義綱目)」

小人, 指三四陰爻, 小人時功, 而易亂邦.

소인은 삼과 사의 음효를 가리키니, 소인은 공이 있는 때가 있지만 쉽게 나라를 어지럽힌다.

贊曰, 閫外之事, 將軍制之, 剛中得位, 應君帥帥. 得正而治, 行險以順. 小人之道, 功且難施.

찬(贊)하여 말하였다: 왕성 밖의 일은 장군이 통제하니, 굳세고 알맞음으로 지위를 얻고 임금에 호응하여 군대를 거느린다. 바름을 얻어 다스리고 험한 일을 행하는데 순함으로써 한다. 소인의 도는 공이 있으나 또한 베풀기 어렵다.

허전(許傳) 「역고(易考)」

象曰, 大君有命은 以正功也〈ㄹ시오〉 小人勿用은 必亂邦也〈ㄹ식라〉

大君有命은 功을 正홈을로써오 小人勿用은 반다시 邦을 亂홀식라

대군이 명을 둠은 공을 바름으로써 하는 것이고, 소인을 쓰지 말라는 것은 반드시 나라를 어지럽히기 때문이다.

大君而有命者, 以其正功之故也. 小人, 則雖有功, 不可用也, 是以戒之.

대군으로서 명을 둔다는 것은 그 공을 바르게 하기 때문이다. 소인이라면 비록 공이 있더라도 쓸 수 없으니, 이 때문에 경계한 것이다.

심대윤(沈大允) 『주역상의점법(周易象義占法)』

兵凶器, 戰危事, 故好戰必亡, 初三五之所以凶也. 將以剛果知勇爲貴, 故師之爲卦, 體坎而用坤. 坎爲孚信爲知謀爲剛果, 有此而行順, 故能克也. 非懦柔者, 所能了, 故師之陰爻, 皆不可用也. 師欲速, 而不欲久, 故惟二爲吉, 過此以往, 鮮有得也. 師之時, 初, 聚衆而紀律未立也. 二, 紀律旣立而用恩信也. 三, 進也. 四, 退也. 五, 奉辭討叛也. 上, 成功行封也.

군대[兵]는 흉기이고 전쟁은 위급한 일이기 때문에 전쟁을 좋아하면 반드시 망하니, 초효와 삼효, 오효가 이 때문에 흉하다. 장수는 굳세고 과단하며 지혜롭고 용감한 것을 귀하게 여기기 때문에, 사괘는 몸체가 감괘(坎卦)이고 쓰임이 곤괘(坤卦)이다. 감괘는 믿음이 되고 지략이 되고 굳세고 과단함이 되니, 이러한 것을 가지고서 순리롭게 행하기 때문이 이길 수 있다. 나약한 자가 할 수 있는 것이 아니므로 사괘의 음효는 모두 쓸 수 없다. 군대는 빨리 하려 하고 오래 하려 하지 않기 때문에, 이효만이 길하고 이 효를 지나가면 길함을 얻기가

힘들다. 사괘의 때에 초효는 무리가 모이나 규율이 아직 서지 않았다. 이효는 규율이 이미 서서 은혜와 믿음을 쓴다. 삼효는 나아감이다. 사효는 물러남이다. 오효는 말을 받들어 반란을 토벌하는 것이다. 상효는 공을 이루어 봉토를 행하는 것이다.

오치기(吳致箕) 「주역경전증해(周易經傳增解)」

正功行當, 師已終矣. 小人竊位, 邦必亂也.

"공을 바르게 한다"는 것은 마땅함을 행하는 것이니, 군대의 일이 이미 끝난 것이다. 소인은 지위를 도적질하니, 나라가 반드시 어지러워진다.

8

비괘

比卦 ䷇

∥中國大全∥

比, 序卦, 衆必有所比, 故受之以比. 比親輔也, 人之類, 必相親輔然後能安. 故
旣有衆則必有所比, 比所以次師也. 爲卦, 上坎下坤. 以二體言之, 水在地上, 物
之相切比无間, 莫如水之在地上, 故爲比也, 又衆爻皆陰, 獨五以陽剛, 居君位,
衆所親附, 而上亦親下, 故爲比也.

비괘(比卦)는 「서괘전」에서 "무리는 반드시 돕는 바가 있으니, 그러므로 비괘로 받았다"고 하였다.
비(比)는 친하여 돕는 것이니, 사람의 무리는 반드시 서로 친하여 도운 뒤에 편안할 수 있다. 그러므
로 이미 무리가 있으면 반드시 친하여 돕는 바가 있으니, 비괘가 이 때문에 사괘(師卦)의 다음이
된다. 괘가 위는 감괘이고 아래는 곤괘가 된다. 두 몸체로 말하면 물이 땅 위에 있으니, 물건이 서로
지극히 가까워 틈이 없는 것이 물이 땅 위에 있는 것 만한 것이 없으므로 비괘가 되었고, 또 여러
효가 다 음인데 오효만이 굳센 양으로 임금의 자리에 있어 무리가 친하게 따르고, 위에서도 아래와
친밀하게 하므로 비괘가 된다.

東萊呂氏曰, 師以二爲主, 二將帥也. 以一陽而爲衆陰之所聽命者. 比以五爲主, 以一
陽而爲衆陰之所親輔者也. 比所以次師者, 言衆雖聽命於將帥, 而心當親輔於君也.
동래여씨가 말하였다: 사괘는 이효를 주인으로 삼으니, 이효는 장수이다. 한 양으로써 여러
음이 명령을 듣는 바가 된다. 비괘는 오효를 주인으로 삼는데, 하나의 양으로서 여러 음이
친밀하게 하여 돕는 바가 되기 때문이다. 비괘가 사괘의 다음에 오는 것은 무리가 비록 장수
에게서 명령을 듣지만, 마음은 마땅히 임금을 친히 하여 돕고자 하기 때문이다.

○ 白雲郭氏曰, 一陽之卦得位者, 師比而已. 得君位者爲比, 得臣位者爲師.
백운곽씨가 말하였다: 양이 하나인 괘로 제자리를 얻은 것은 사괘와 비괘일 뿐이다. 임금의
자리를 얻은 것은 비괘(比卦)가 되고, 신하의 자리를 얻은 것은 사괘(師卦)가 된다.

○ 雲峰胡氏曰, 易一陽之卦凡六, 復師謙豫比剝也, 而最吉莫如比.
운봉호씨가 말하였다: 『주역』에서 양이 하나인 괘가 여섯이니, 복괘(復卦), 사괘(師卦), 겸
괘(謙卦), 예괘(豫卦), 비괘(比卦), 박괘(剝卦)가 그러한데, 가장 길한 것으로 비괘만 한
것이 없다.

比, 吉, 原筮, 元永貞, 无咎.

정전 비는 길하니 근원하여 점치되 크고 영원하고 곧으면 허물이 없다.
본의 비는 길하나 두 번 접쳐 크고 영원하고 곧아야 허물이 없다.

┃中國大全┃

傳

比吉道也. 人相親比, 自爲吉道. 故雜卦云, 比樂師憂. 人相親比, 必有其道, 苟
非其道, 則有悔咎. 故必推原占決其可比者而比之. 筮謂占決卜度, 非謂以蓍龜
也. 所比, 得元永貞則无咎, 元謂有君長之道, 永謂可以常久, 貞謂得正道. 上之
比下, 必有此三者, 下之從上, 必求此三者, 則无咎也.

비는 길한 도이다. 사람이 서로 친하여 도우니, 저절로 길한 도가 된다. 그러므로 「잡괘전」에서 "비
괘는 즐겁고 사괘는 근심스럽다"라고 하였다. 사람이 서로 친하여 도움에 반드시 그 도가 있으니,
진실로 그 도로써 하지 않으면 후회와 허물이 있다. 그러므로 반드시 친하여 도울만한 자를 미루어
헤아려서 돕는 것이다. '서(筮)'는 결단하고 헤아리는 것을 말하니, 시초점과 거북점으로 말하는 것
이 아니다. 돕는 바가 원·영·정을 얻으면 허물이 없으니, '크다[元]'는 것은 임금과 어른의 도가
있는 것을 말하고, '영원하다[永]'는 것은 항상되고 오래갈 수 있는 것을 말하며, '곧다[貞]'는 것은
바른 도를 얻은 것을 말한다. 윗사람이 아랫사람을 친히 하여 돕는 것에 반드시 이 세 가지가 있고,
아랫사람이 윗사람을 따르는 것에 반드시 이 세 가지를 구한다면 허물이 없다.

小註

龜山楊氏曰, 先王什伍其民, 鄉田同井, 出入相友, 守望相助, 疾病相扶持, 比所以吉
也. 衆散民流, 用蕩析離居, 凶可知矣.

구산양씨가 말하였다: 선왕이 백성을 십오(什伍)로 편성하니 고을의 밭은 우물을 같이 쓰고
출입하는데 서로 우애하고 망을 보며 서로 돕고 질병에 서로 견디니, 비괘가 길한 까닭이다.
무리가 흩어져 백성이 유랑함은 흩어지고 떨어져 살기 때문이니, 흉함을 알 수 있다.

○ 白雲郭氏曰, 卦之一陽, 惟比得天位, 莫吉於此, 故直言吉.

백운곽씨가 말하였다: 양이 하나인 괘에서 비괘(比卦)만이 하늘의 자리를 얻었으니, 이것보다 길함이 없으므로 곧바로 '길하다'고 말하였다.

○ 涑水司馬氏曰, 原筮者, 比不可以苟合也. 比之道, 不可以不善也, 不可以不長久也, 不可以不正也. 故曰元永貞无咎.

속수사마씨가 말하였다: '미루어 헤아림[原筮]'은 도움에 구차하게 영합해서는 안 되는 것이다. 돕는 도는 선하지 않아서는 안 되고, 장구(長久)하지 않아서는 안 되며, 바르지 않아서는 안 된다. 그러므로 "크고[元]하고 영원하고[永] 곧으면[貞] 허물이 없다"라고 하였다.

○ 漢上朱氏曰, 凡物孤則危, 群則强, 父子夫婦朋友, 未有孤危而不凶者, 人君爲甚, 故比而吉.

한상주씨가 말하였다: 만물이 고립되면 위태롭고 무리를 지으면 강하니, 부자와 부부, 붕우는 고립되거나 위태로우면서도 흉하지 않은 것은 없다. 임금의 경우는 더욱 심하므로 친밀하게 도와서 길한 것이다.

○ 厚齋馮氏曰, 萃與比下體坤順同, 上體水澤不相遠. 惟九四一爻有分權之象, 故元永貞言於五. 比下无分權者, 故元永貞言於卦, 義各有在也.

후재풍씨가 말하였다: 취괘(萃卦)와 비괘(比卦)는 하체(下體)가 곤괘의 순함인 것은 같고, 상체(上體)는 감괘인 물과 태괘인 못으로 서로 크게 다르지 않다. 취괘(萃卦)에서는 구사의 한 효에만 권한을 나누어 갖는 상이 있으므로 크고[元] 영원하고[永] 곧음[貞]을 구오에서 말하였다. 비괘에서는 아래에 권한을 나눌 만한 자가 없으므로 크고[元] 영원하고[永] 곧음[貞]을 괘사에서 말했으니, 각각의 의미가 있는 것이다.

┃韓國大全┃

강석경(姜碩慶) 「역의문답(易疑問答)」

比之卦辭曰, 原筮, 元永貞, 无咎. 何謂也. 曰, 爲人所比者, 當再筮以自審其有元永貞之德, 而後可以當衆人之歸, 而无咎矣.

물었다: 비괘(比卦)의 괘사에서 "두 번 점쳐 크고 영원하고 곧아야 허물이 없다"라고 한 것은 무엇을 말합니까?

답하였다: 남의 도움을 받는 자는 마땅히 거듭 헤아려 자신이 크고 영원하고 곧은 덕이 있는지 스스로 살피고 나서 여러 사람이 귀의함을 감당할 수 있어 허물이 없습니다.

或曰, 蒙戒再瀆, 比許再筮, 何也. 曰, 蒙之占, 問之在人, 比之占, 審之在己. 人無憤悱之誠, 問不專一故戒之, 己有度量之意, 審之至再, 故許之. 伊川恐人小了易, 素惡占筮字, 易中有占筮之文, 則皆以卜度占決爲解, 而不作卜筮看, 此亦一病也. 如用史巫紛若之言, 又何不解以他語乎. 凡經文須以常用言語解之, 不必用艱曲說以證之. 如輿尸血刃之說, 自古有之, 不必用衆主說也.

어떤 이가 물었다: 몽괘(蒙卦)에서는 두 번 점치는 더럽힘을 경계하였는데, 비괘에서는 두 번 점치는 것을 허용한 것은 무엇 때문입니까?

답하였다: 몽괘의 점은 묻는 것이 상대에게 있는데, 비괘의 점은 살피는 것이 자기에게 있기 때문입니다. 상대가 분발하고 안타까워할 만큼의 간절한 정성이 없으면 물음이 전일(專一)하지 못하기 때문에 경계한 것이며, 자기에게 헤아리는 뜻이 있어 살피기를 두 번 하는 데에 이르기 때문에 허락한 것입니다. 이천은 사람들이 『주역』을 가볍게 여길까 걱정하여 평소 점서(占筮)자를 싫어하여 『주역』 가운데 점서(占筮)의 문장이 있으면 헤아려 판단하는 것[卜度占決]으로 풀이하여 복서(卜筮)로 보지 않았으니, 이 또한 한 가지 병입니다. 이런 식이라면 "사관과 무당을 쓰기를 많이 한다"[1]는 말도 또한 다른 말로 풀이할 수 없겠습니까? 경문은 평상시 쓰는 말로 풀이하여야 하니, 반드시 어려운 설명으로 증명할 필요는 없습니다. '여시(輿尸)'와 '혈인(血刃)'과 같은 설명이 예로부터 있었으니, 반드시 "여럿이 주장한다[衆主]"는 설명을 쓸 필요는 없습니다.

問, 无首一也, 而在乾用九則吉, 在此上六則凶, 何也. 曰, 乾之无首, 以剛變柔, 而自不爲首也, 故吉, 比之无首, 陰柔居上, 而不足爲首也, 故凶.

물었다: '머리가 없음'은 하나인데 건괘의 용구(用九)에서는 길하고, 여기 상육에서는 흉한 것이 무엇 때문입니까?

답하였다: 건괘의 '머리가 없음'은 굳센 양이 부드러운 음으로 바뀌어 스스로 머리가 되지 않기 때문에 길하고, 비괘의 '머리가 없음'은 부드러운 음이 위에 있어서 머리가 되기에는 부족하기 때문에 흉한 것입니다.

---

1) 『周易 · 巽卦』: 구이는 공손함이 상(牀) 아래에 있으니, 사관(史官)과 무당을 쓰기를 많이 하면 길하고 허물이 없을 것이다.[九二, 巽在牀下, 用史巫紛若, 吉, 无咎.]

이익(李瀷) 『역경질서(易經疾書)』

原筮, 初卜而再筮也. 卜不習吉, 豈有一筮二筮之理. 此蓋謂龜筮叶從, 此始仕而筮決. 如女之適人, 弟子之從師也, 已見蒙卦. 蒙主於九二, 則蒙求我矣. 比主於九五, 則臣比君矣. 或曰, 原者初也, 亦通.

'원서(原筮)'는 처음에 거북점을 치고 다시 시초점을 치는 것이다. 점치는 것은 길함을 되풀이하지 않는 것인데, 어찌 한 번 시초점을 치고 두 번 시초점을 치는 이치가 있겠는가? 이것은 거북점과 시초점이 화합하여 따르는 것을 말하니, 이것이 벼슬에 나아감에 점쳐 결단하는 것이다. 여자가 시집가고 제자가 스승을 따르는 것과 같으니, 이미 몽괘(蒙卦)에 보인다. 몽괘는 구이를 주인으로 하니, 몽(蒙)이 나를 찾는 것이다.[2] 비괘는 구오를 주인으로 하니 신하가 임금을 돕는 것이다. 어떤 이가 "원(原)은 처음이다"라고 하였으니, 또한 통한다.

유정원(柳正源) 『역해참고(易解參攷)』

子夏傳, 地得水而柔, 水得地而流, 故曰比.

『자하역전』에서 말하였다: 땅이 물을 얻어 부드럽고 물이 땅을 얻어 흐르기 때문에 "돕는다"고 하였다.

○ 正義, 原窮其情, 筮決其意.

『주역정의』에서 말하였다: 실정(實情)을 근원을 헤아리고 시초점을 쳐서 그 뜻을 결정한다.

○ 林氏栗曰, 書云, 卜不習吉, 初筮之謂也. 又云, 一習吉, 原筮之謂也.

임율이 말하였다: 『서경』에서 "점을 치는데 길함을 반복하지 않는다"는 것은 한 번만 시초점을 친다는 말이다. 또 "'원서(原筮)'란 처음 한 번 점을 쳐서 길한 것을 말한다"라고 하였다.

○ 厚齋馮氏曰, 原再也, 如原廟原蠶之原.

후재풍씨가 말하였다: '원(原)'은 두 번 함이니, '원묘(原廟)'나 '원잠(原蠶)'의 원과 같다.

○ 雙湖胡氏曰, 易主卜筮, 六十四卦, 皆然, 何獨蒙比, 文王偶於此二卦發之. 然蒙有師道, 比有君道故也. 蒙貴初, 比貴原, 發蒙之道, 當視其初筮之誠一, 顯比之道, 當致其原筮而謹審. 又二蒙主當下卦, 故曰初, 五比主當上卦, 故曰原.

---

2) 가르침을 받아야 할 어리석은 이 또는 어린 아이가 스승을 찾아 구하는 것이지 스승이 먼저 나서서 가르쳐야 할 대상을 찾아 구하지 않는다는 뜻이다.

쌍호호씨가 말하였다: 『주역』은 복서(卜筮)를 주로 하니 육십사괘가 모두 그러한 것인데, 어찌 오직 몽괘와 비괘만 문왕이 이 두 괘를 만나 드러낸 것이겠는가. 그러나 몽괘에 군대의 도가 있고 비괘에 임금의 도가 있기 때문이다. 몽괘는 처음을 귀히 여기고 비괘는 두 번함을 귀히 여기니, 몽매함을 계발하는 도는 마땅히 그 처음 시초점을 치는 정성이 한결같음을 보아야 하며, 드러나게 돕는 도는 마땅히 스스로 거듭 헤아려 삼가 살펴야 한다. 또 몽괘에서는 이효가 주인으로 하괘에 해당하기 때문에 '처음'이라고 하였고, 비괘에서는 오효가 주인으로 상괘에 해당하기 때문에 '두 번'이라고 하였다.

○ 案, 筮之道, 貴乎虛心誠一, 而其養蒙顯比之義尤切, 故獨於二卦發之. 然六十四卦, 可以例推也. 原筮, 兼人己言也, 以我言, 則審我之有三德, 然後可以當人之比, 以人言, 則審彼之有三德, 然後可以往比.

내가 살펴보았다: 시초점을 치는 도는 마음을 비우고 한결같이 정성스러움을 귀하게 여기는데, 몽매한 이를 길러주고, 드러나게 돕는 뜻에서 더욱 절실하기 때문에 오직 두 괘에서만 드러내었다. 그러나 육십사괘를 본보기로 유추할 수 있다. "두 번 점친다"는 것은 상대와 나를 겸하여 말함이니, 나의 입장에서 말하면 내게 세 가지 덕이 있음을 살핀 뒤라야 남의 도움을 감당할 수 있으며, 상대를 가지고 말하면 그에게 세 가지 덕이 있음을 살핀 뒤라야 가서 그를 도울 수 있다.

박윤원(朴胤源) 『경의(經義)·역경차략(易經箚略)·역계차의(易繫箚疑)』

原筮, 本義曰, 再筮以自審也. 卜不習吉, 安用再筮. 筮非實用筮. 原筮, 猶言再思, 故不以瀆爲嫌.

'원서(原筮)'를 『본의』에서 "거듭 헤아려[再筮] 스스로 살핀다"고 하였다. 점치는 것은 길함을 되풀이하지 않는 것인데, 어떻게 두 번 점칠 수 있겠는가? '서(筮)'는 실제로 점치는 것이 아니다. '원서'는 '거듭 생각함'을 말하는 것과 같기 때문에 모독하는 것으로 혐의를 삼을 수 없다.

김기례(金箕澧) 「역요선의강목(易要選義綱目)」

比, 輔也. 人衆, 則必有比附, 如水在地而功近.

비는 돕는 것이다. 사람이 많으면 반드시 도움이 있으니, 물이 땅에 있어서 공이 가까운 것과 같다.

吉.

길하니.

一陽居尊, 衆陰順附, 上下相得故, 吉.

한 양이 높은 데 있어 여러 음이 순종하니, 위아래가 서로 얻으므로 길하다.

原筮, 元永貞.

두 번 점쳐 크고 영원하고 곧으면.

欲比人者, 先自審自家才德有善, 而久正之行而後比, 則何咎之有.

남을 도우려는 자는 먼저 자신의 재주와 덕에 선함이 있는지 스스로 살피고 오래도록 바르게 행동한 뒤에 돕는 것이니, 무슨 허물이 있겠는가?

이진상(李震相)『역학관규(易學管窺)』

卦體, 比, 師之反也. 一陽之爲主者, 自內而達外, 陽之著也. 天一生水, 地六成之, 而水爲開物之始, 故坎體次乎乾坤, 而終於六卦. 此則坤母入內, 中男出外, 而少男處內外之際, 三男事母之序也.

괘의 몸체로 보면, 비괘(比卦)는 사괘(師卦)가 거꾸로 된 괘이다. 한 양이 주인이 되는 것은 안으로부터 밖으로 이루어 양이 드러난다. 천일(天一)이 물[水]을 낳고 지육(地六)이 이루는데 물이 만물을 여는 시초가 되기 때문에 감괘의 몸체가 건괘와 곤괘의 다음이고 여섯 괘에서 마친다. 이것은 곤괘인 어미가 안으로 들어가고 둘째 아들이 밖으로 나오며 막내아들이 안과 밖의 경계에 있는 것이니, 세 아들이 어미를 섬기는 순서이다.

박문호(朴文鎬)「경설(經說)・주역(周易)」

再筮, 謂之原筮, 猶再蠶, 謂之原蠶也. 蓋占者遇此, 則當舍之而再筮. 若遇初筮告, 再三瀆之辭, 則不得再筮也.

두 번 시초점을 치는 것을 '원서(原筮)'라고 한 것은 누에의 재잠(再蠶)을 '원잠(原蠶)'이라고 하는 것과 같다. 점치는 자가 이 점을 만나면 마땅히 버리고 다시 시초점을 친다. 만약 "처음 점치거든 알려주고 두 번 세 번 점치면 욕되게 하는 것이다"[3]라는 효사를 만나면 두 번 시초점을 치지 않는다.

---

3)『周易・蒙卦』: 初筮告, 以剛中也, 再三瀆瀆則不告, 瀆蒙也.

不寧, 方來, 後, 夫, 凶.

정전 편안하지 못하여야 바야흐로 올 것이니, 뒤에 하면 장부라도 흉하다.

본의 편안하지 못한 이가 바야흐로 올 것이니, 뒤에 오는 장부는 흉하다.

中國大全

傳

人之不能自保其安寧, 方且來求親比, 得所比, 則能保其安. 當其不寧之時, 固宜汲汲以求比, 若獨立自恃, 求比之志, 不速而後, 則雖夫亦凶矣. 夫猶凶, 況柔弱者乎. 夫剛立之稱, 傳曰, 子南夫也, 又曰, 是謂我非夫, 凡生天地之間者, 未有不相親比而能自存者也, 雖剛强之至, 未有能獨立者也. 比之道, 由兩志相求, 兩志不相求, 則睽矣. 君懷撫其下, 下親輔於上, 親戚朋友鄉黨, 皆然. 故當上下合志以相從, 苟无相求之意, 則離而凶矣. 大抵人情, 相求則合, 相持則睽, 相持, 相待莫先也. 人之相親, 固有道, 然而欲比之志, 不可緩也.

사람이 스스로 그 안녕함을 보존할 수 없어야 비로소 와서 친하여 돕기를 구하니, 돕는 바를 얻으면 그 편안함을 보존할 수 있다. 편안하지 못할 때를 당해서는 진실로 마땅히 급하고 급하게 친하여 돕는 바를 구해야 하는데, 만약 홀로 서서 자신만을 믿어 돕기를 구하는 뜻을 빨리 하지 않고 뒤에 하면 비록 장부라도 흉하다. 장부라도 오히려 흉한데 하물며 유약한 자에 있어서이겠는가? '장부'는 굳세게 선 자의 칭호니, 『춘추좌씨전』에서 "공자 남(南)은 장부이다"라고 하였고, 또 "이는 내가 장부가 아님을 말한다"[4]라고 하였다. 천지의 사이에 사는 것 가운데 서로 친하여 돕지 않고 스스로 보존할 수 있는 것이 없으니, 비록 굳세고 강함이 지극하더라도 홀로 설 수 있는 것은 없다. 비괘의 도는 둘의 뜻이 서로 구해야 하니, 둘의 뜻이 서로 구하지 않으면 어긋난다. 임금이 그 아랫사람을 품고 어루만지며, 아랫사람은 윗사람을 친하여 도우니, 친척과 친구, 마을사람이 다 그러하다. 그러므로 마땅히 위아래가 뜻을 합하여 서로 따라야 하니, 진실로 서로 구하는 뜻이 없으면 떠나서 흉하다. 인정이 서로 구하면 합하고 서로 버티면 어긋나니, 서로 버팀은 서로 기다리고 먼저 하지 않는 것이다. 사람이 서로 친함에 진실로 도가 있으나, 친하여 돕고자 하는 뜻을 늦출 수 없다.

---

4) 『춘추좌씨전·애공』: 애공11년 무숙(武叔)의 고사.

小註

進齋徐氏曰, 後夫凶, 如萬國朝禹而防風後至, 天下歸漢而田横不來, 隗囂公孫述之徒, 皆是也.

진재서씨가 말하였다: '후부흉(後夫凶)'은 모든 나라가 우임금에게 조회하였는데 방풍(防風)이 뒤에 이르고, 천하가 한나라에 귀의하였는데 전횡(田横)[5]이 오지 않은 것과 같으니, 외효(隗囂)나 공손술(公孫述)의 무리[6]가 다 이것이다.

本義

比親輔也. 九五以陽剛, 居上之中而得其正, 上下五陰, 比而從之, 以一人而撫萬邦, 以四海而仰一人之象. 故筮者得之, 則當爲人所親輔. 然必再筮以自審, 有元善長永正固之德, 然後可以當衆之歸而无咎, 其未比而有所不安者, 亦將皆來歸之. 若又遲而後至, 則此交已固, 彼來已晩, 而得凶矣. 若欲比人, 則亦以是而反觀之耳.

비는 친하여 돕는 것이다. 구오가 굳센 양으로 상괘의 가운데에 있어 그 바름을 얻었고, 위아래의 다섯 음이 친하여 돕고 따르니, 한 사람이 만방을 어루만지고 사해의 사람이 한 사람을 우러러보는 상이다. 그러므로 점친 자가 이 괘를 얻으면 마땅히 사람들이 친하여 돕는 바가 된다. 그러나 반드시 두 번 점쳐 스스로 살펴서 크게 착하고 길이 영원하며 바르고 굳은 덕이 있은 뒤에라야 무리가 귀의함을 감당할 수 있어 허물이 없을 것이고, 아직 친하지 않아 돕지 못하고 불안한 바가 있는 사람도 장차 다 와서 귀의할 것이다. 만약 또 더디어 뒤에 이르면 이 사람의 사귐은 이미 견고하고 저 사람이 온 것은 이미 늦어서 흉함을 얻게 된다. 만약 남과 친하여 돕고자 한다면 또한 이것으로써 돌이켜 보아야 한다.

小註

或問, 比卦, 大抵占得之多是人君爲人所比之象. 朱子曰, 也不必拘. 若三家村中推一箇人作頭首, 也是爲人所比, 也須自審自家才德可以爲之比否. 所以原筮元永貞也.

어떤 이가 물었다: 비괘는 점쳐서 얻은 것이 대체로 임금이 남들에게 도움을 받는 상인 것은

---

5) 전횡(?~BC 202): 중국 진(秦) 말기의 인물로서 형인 전담(田儋), 전영(田榮)과 함께 진(秦)에 반기를 들고 제(齊)를 다시 일으켰다. 한(漢)의 유방(劉邦)이 천하를 평정하자 빈객(賓客) 5백여 명과 섬에 숨어 살다가, 유방의 부름을 받고 뤄양[洛陽]으로 가던 중에 자결하였다.
6) 전한 말 감숙성의 농서를 점거한 외효(隗囂)와 사천의 촉을 점거한 공손술(公孫述) 등의 세력을 일컫는다.

왜 그렇습니까?

주자가 답하였다: 또한 반드시 구애될 필요는 없습니다. 가령 세 가구가 사는 마을에서 한 사람을 추대하여 우두머리를 삼았다면 또한 사람들이 돕는 바가 되는 것이니, 또한 모름지기 자기의 재덕이 그들을 위해 도울 수 있을지의 여부를 살펴야 합니다. 이 때문에 "두 번 점처 크고 영원하고 곧아야 한다"고 하였습니다.

○ 問, 不寧方來, 後夫, 凶. 曰, 別人自相比了, 已旣後於衆人, 却要强去比他, 豈不爲人所惡, 是取凶也. 後夫, 猶言後人, 亦是占中一義. 左傳齊崔武子卜娶妻, 卦云, 入於其宮, 不見其妻, 凶. 人以爲凶, 他云, 先夫已當之矣. 彼云先夫, 則此云後夫, 正是一樣語. 陽便是夫, 陰便是婦, 後夫凶, 言九五旣爲衆陰所歸, 若後面更添一箇陽來則必凶. 古人如袁紹劉馥劉繇劉備之事, 可見兩雄不竝棲之義.

물었다: "편안하지 못한 이가 바야흐로 올 것이니, 뒤에 오는 장부는 흉하다"는 것은 무슨 뜻입니까?

답하였다: 다른 사람들이 자기들끼리 서로 돕고 있는데, 내가 이미 여러 사람들보다 뒤졌으면서도 도리어 억지로 가서 그를 돕고자 한다면 어찌 남들이 미워하는 바가 되지 않겠습니까? 이것이 흉함을 취하는 것입니다. '뒤에 온 장부'는 '뒷사람'을 말하는 것과 같으니, 또한 점 가운데의 한 의미입니다. 『춘추좌씨전』에 제나라의 최무자(崔武子)[7]가 아내에게 장가들 때에 점을 쳤는데, 괘에서 "그 집에 들어가더라도 그 아내를 보지 못하니 흉하다"[8]라고 하였습니다. 사람들이 '흉하다'고 생각하였는데, 그는 "앞선 장부[先夫]가 그에 해당한다"라고 하였습니다. 최무자가 말한 '앞선 장부'는 곧 여기서 말한 '뒤에 온 장부'와 어법이 같습니다. 양이 바로 지아비이고 음은 아내이니, "뒤에 온 장부는 흉하다"라고 한 것은 구오가 이미 여러 음이 귀의하는 바가 됨을 말하니, 만약 뒤쪽에 다시 하나의 양을 더한다면 반드시 흉하게 되는 것과 같습니다. 옛사람 가운데 원소(袁紹)[9] 유복(劉馥) 유요(劉繇), 유비(劉備)의 일과 같은 데에서 두 영웅이 함께 하지 못하는 의리를 볼 수 있습니다.

○ 雲峰胡氏曰, 蒙之筮, 問之人者, 也不一則不專, 比之筮, 問其在我者, 也不再則不審. 曰吉曰无咎曰凶, 皆占辭. 吉乃上下相比之占, 統言之也. 无咎則所比者之占, 凶爲比人者之占, 分言之也. 不寧方來, 指下四陰而言. 後夫凶, 指上一陰而言. 來者自

---

7) 최무자(?~BC 546): 이름은 저(杼)이며, 제(齊) 나라 대부(大夫)인데, 장공(莊公)을 죽이고 경공(景公)을 세웠다.

8) 『周易·困卦』: 六三, 困于石, 據于蒺藜. 入于其宮, 不見其妻, 凶.

9) 원소(?~BC 202): 후한(後漢) 말기의 무인. 당시 정치적 부패의 요인인 환관들을 일소하고 정권을 독차지한 동탁에 대한 토벌군을 일으켰다. 하북을 중심으로 강력한 세력을 구축해 조조와 관도(官渡)에서 대결전을 벌여 대패했다.

來, 後者自後, 吾惟問我之可比不可比, 彼之來比不來比, 吾不問也. 此固王者大公之道, 而爲九五之顯比者也. 又曰, 原筮元永貞, 爲比於人者言也. 本義又發出比人之義, 言外意也.

운봉호씨가 말하였다: 몽괘의 점에서는 남에게 묻는 자가 또한 한결같지 않으면 전일하지 못하고, 비괘(比卦)의 점에서는 나에게 있는 것을 묻는 것이 또한 거듭되지 않으면 살피지 않는 것이다. '길하다'고 하고 '허물이 없다'고 하며 '흉하다'고 하는 것이 모두 점사(占辭)이다. '길하다'는 것은 바로 윗사람과 아랫사람이 서로 돕는 점(占)이니, 통틀어서 말한 것이다. '허물이 없다'는 것은 도움을 받는 자의 점이며, '흉하다'는 것은 남을 돕는 자의 점이되니, 나누어서 말한 것이다. "편안하지 못한 이가 바야흐로 온다"는 것은 아래 네 음을 가리켜 말한다. "뒤에 오는 장부는 흉하다"는 것은 맨 위의 한 음을 가리켜 말한다. '온다'는 것은 스스로 오는 것이고 '뒤'라고 한 것은 스스로 뒤에 하는 것이니, 나는 오직 내가 도울 수 있는지 도울 수 없는지를 물을 뿐, 상대가 와서 도울 것인지 와서 돕지 않을 것인지를 내가 묻는 것이 아니다. 이것이 진실로 왕 노릇하는 자의 크게 공평한 도여서 구오가 드러내 돕는 자가 되는 것이다.

또 말하였다: "두 번 점쳐 크고 영원하고 곧다[原筮元永貞]"는 것은 남을 돕는 자를 위하여 말한 것이다. 『본의』에 또 남을 돕는 의리를 드러낸 것은, 문장 밖의 숨은 뜻이다.

▌韓國大全▌

조호익(曺好益) 『역상설(易象說)』

不寧, 方來,
편안하지 못하여야 바야흐로 오니,

傳, 相親, 固有道.
『정전』에서 말하였다: 서로 친함에 참으로 도가 있다.

此道字, 六二象傳意同.
이 '도(道)'자는 육이 「상전」의 뜻과 같다.

최규서(崔奎瑞) 「병후만록(病後漫錄)·역(易)」

易之比卦, 後夫凶, 程傳, 釋以求比之志, 不速以後, 則雖夫亦凶云, 而愚意則以爲夫是五爻. 夫此則爲凶矣, 上六當之矣.

『주역』의 비괘 「단전」의 '후부흉(後夫凶)'에 대해 『정전』은 "도움을 구하는 뜻이 빠르지 않아 뒤에 하면 비록 장부라도 흉하다"고 하였는데, 내 생각에는 장부가 오효라고 생각된다. 장부가 이러면 흉함이 되니, 상육이 그에 해당한다.

이익(李瀷) 『역경질서(易經疾書)』

屯云, 天造草昧, 宜建侯, 而不寧. 屯難之時, 有將治之幾者也. 此云不寧, 亦非大亂, 只不安而猶可爲也. 方來如梓材作兄弟方來, 謂方方而來也. 不寧方來, 如大蹇朋來, 但有輕重之別. 于斯時也, 才德者, 可以方來, 而克治之也. 夫語辭. 後夫者, 後時也, 若後時而亂甚, 則雖或使勘定亦凶, 咎之道也. 朱子旣謂後衆人, 又以先夫字爲證, 二說不同, 且先夫, 卽夫婦之夫, 恐與此不相帖.

준괘(屯卦)에서 "하늘의 조화가 어지럽고 어두우니 제후를 세우고 편안히 여기지 말아야 한다"라고 말하였다. 준괘는 어려운 때니, 다스릴 수 있는 기회가 있다. 여기서 "편안히 하지 않다"라 함은 또한 크게 어지러운 것이 아니라 다만 편하지 않은 것이므로 오히려 할 수 있다. '방래(方來)'를 『서경·자재(梓材)』에서는 '형제방래(兄弟方來)'라고 하였으니, 형제가 곳곳에서 오는 것을 말한다. "편하지 않아 온다"는 것은 "큰 어려움이 닥치면 벗이 온다"는 것과 같지만, 경중의 구별이 있다. 이러한 때에는 재주와 덕이 있는 자가 곳곳에서 와서 다스릴 수 있다. '부(夫)'는 어조사이다. '후부(後夫)'는 때에 늦는다는 말이니, 때에 늦어 어려움이 심해지면 비록 헤아려 정하더라도 흉하니 허물이 있는 도이다. 주자는 이미 여러 사람의 뒤에 한다고 하고 또 '선부(先夫)'자로 증명하였으니, 두 설명이 같지 않다. 또 '선부'는 바로 부부(夫婦)의 부(夫)이니, 여기에서의 쓰임과는 서로 맞지 않는 듯하다.

地未有無水, 建萬國之象. 水未有不比於地, 親諸侯之象.

땅에 물이 없을 수 없는 것은 만국을 세우는 상이다. 물이 땅에 가까이 하지 않음이 없는 것은 제후와 친밀하게 하는 상이다.

유정원(柳正源) 『역해참고(易解參攷)』

正義, 寧樂之時, 若能與人親比, 則不寧之方, 皆悉歸來. 後夫凶者, 夫, 語辭也. 親比貴速, 在先者吉. 若在後而至者, 人或疏己, 親比不成, 故後夫凶. 或以夫爲丈夫, 謂後來之人也.

『주역정의』에서 말하였다: 편안하고 즐거운 때에 상대와 친히 하여 도울 수 있다면 편히 여기지 않는 곳에서 모두 다 귀의하여 올 것이다. '후부흉(後夫凶)'에서의 부(夫)자는 어조사이다. 친히 하여 돕는 것은 신속하게 하는 것이 귀하니, 앞에 있는 자가 길하다. 뒤에 이르는 자가 있으면 남이 혹 자기를 멀리하여 친히 하여 도움을 이루지 못하므로 뒤에 오는 자가 흉한 것이다. 혹 '부(夫)'를 '장부'라고 하는 것은 뒤에 오는 사람을 말한다.

○ 厚齋馮氏曰, 方來, 各以其方來. 六位先後有二, 衡觀之, 則外在前, 內在後, 豎觀之, 則下者謂之先, 上者後之者也. 五君而謂之夫, 以陽爻有夫道也.

후재풍씨가 말하였다: '방래(方來)'는 각각 그 있는 곳에서 오는 것이다. 여섯 자리의 선후에 대해 두 가지가 있으니, 옆으로 보면 외괘가 앞에 있고 내괘가 뒤에 있으며, 세워서 보면하괘를 먼저라고 하니 상괘가 뒤가 된다. 오효는 임금인데 '장부[夫]'라고 말하는 것은 양효에 장부의 도가 있기 때문이다.

○ 進齋徐氏曰, 後夫, 爲後乎夫, 上也. 上居卦終比五, 獨後也. 比道貴先, 比而獨後, 失所當比而凶矣.

진재서씨가 말하였다: '후부(後夫)'는 장부보다 뒤지는 것이 되니, 상효이다. 상효가 괘의 끝에 있으면서 오효를 도우니, 홀로 뒤에 있다. 돕는 도는 먼저 하는 것을 귀하게 여기는데, 돕지만 홀로 뒤에 있으니 마땅히 도와야 할 바를 잃어서 흉하다.

○ 案, 不寧, 更有一義. 凡人有驕傲盤怠之意, 則人不親比, 雖親戚朋友鄕黨之間, 未免有睽乖之恨. 況人君居至尊之位, 求臣鄰之輔者. 苟或自聖自智自暇自逸, 則衆叛親離, 其不爲獨夫也者, 幾希矣. 然則求比之道在我, 雖有長人之三德, 而又必謙牧自卑, 夙夜祗懼, 有不遑寧處之心, 然後信服者多, 來附者衆矣. 如其不然, 而獨立自恃, 乃逸厥逸, 所以求比者, 緩慢怠後, 則雖剛强之夫, 鮮有不凶者夫.

내가 살펴보았다: '편안하지 않음'은 다시 하나의 뜻이 있다. 사람이 교만하고 게으른 뜻이 있으면 남이 친히 하여 돕지 않으니, 비록 친척이나 벗, 마을 사람의 사이일지라도 어긋나는 잘못이 있음을 면치 못하는데, 하물며 임금으로서 지극히 높은 자리에 있으면서 신하의 도움을 구하는 자에 있어서이겠는가? 진실로 혹 스스로 성인이라 여기고 스스로 지혜롭다고 생각하며 스스로 한가하게 여기고 스스로 안일하게 생각하면 무리가 배반하고 친한 이가 떠나가 그 '독부(獨夫)'가 되지 않는 자가 거의 드물 것이다. 그렇다면 도움을 구하는 도는 내게 있으니, 비록 남보다 나은 세 가지 덕이 있더라도 또 반드시 겸손하여 스스로를 낮추며 아침저녁으로 공경하고 두려워하여 허둥대지 않고 편안히 머물러 있는 마음이 있어야 그런

뒤에 믿고 복종하는 자가 많아지고 와서 의지하는 자가 무리를 이루게 된다. 그렇지 않고 홀로 우뚝 서서 스스로를 믿을 것 같으면, 그 즐거움에 빠져 이 때문에 도움을 구하는 자가 느릿하고 게을러서 비록 굳세고 강건한 장부라 할지라도 흉하지 않을 자가 드물다.

傳, 子南, 夫也.
『정전』에서 말하였다: 공자 남(南)은 장부이다.
左昭元年. 鄭徐吾杞之妹美. 公孫楚聘之矣, 公孫晳, 又强委禽焉. 女曰, 子晳信美, 抑子南夫也
『춘추좌전』 소공 원년의 일이다. 정나라 서오범의 누이동생이 아름다웠다. 공손초가 빙문(聘問)하였는데, 공손절이 또 억지로 납채(納采)하였다. 여인이 "공자 절(晳)도 진실로 아름다우나, 공자 남(南)이 장부답다"라고 하였다.

非夫.
장부가 아니다.
案, 左哀十一年, 武叔曰, 是謂我不成丈夫. 宣十二年, 晉麂子曰, 聞敵强而退, 非夫也. 傳所引, 蓋據此二者.
내가 살펴보았다:『춘추좌씨전』 애공 11년에 무숙(武叔)이 "이것은 내가 장부가 되지 못하였음을 말한다"라고 했고, 선공(宣公) 12년에 진(晉)나라 체자(麂子)가 "적이 강함을 듣고 물러남은 장부가 아니다"라고 하였다. 『정전』에서 인용한 것이 이 두 가지에 근거하였다.

本義, 小註, 朱子說袁紹, 劉馥, 劉繇, 劉備.
『본의』의 소주에서 주자의 원소, 유복, 유요, 유비에 대한 설명.
案, 劉馥, 爲揚州刺史, 而在袁紹敗後, 不曾同處一州. 劉恐韓字之誤, 韓馥, 爲冀州牧, 袁紹奔冀州, 馥忌紹, 紹密要公孫瓚, 使取冀州, 馥乃避位讓紹, 是紹與馥不可並栖於冀州也. 劉繇, 爲揚州刺史, 爲孫策所敗, 卒在劉備牧徐豫之時, 不曾同處一州, 繇恐璋字之誤, 劉璋, 爲益州牧, 迎劉備於荆州, 卒爲所並. 是璋與備不可並栖於益州也.
내가 살펴보았다: 유복이 양주의 자사가 된 것은 원소가 싸움에 패한 뒤에 있었으니, 일찍이 한 주(州)에 같이 거처하지 못한 것이다. 유(劉)는 아마도 한(韓)자의 잘못이니, 한복이 기주의 목(牧)이 되었는데 원소가 기주로 달아났다. 한복이 원소를 꺼려하였는데 원소가 은밀하게 공손찬을 요청하여 기주를 취하게 하려니, 한복이 달아나 그 자리[지위]를 원소에게 넘겼다. 이것이 원소와 한복이 기주에 함께 머무르지 못한 까닭이다. 유요가 양주의 자사(刺史)가 되었다가 손책에게 패한 것은 마침내 유비가 서땅과 예땅의 목(牧)으로 있었을 때이니, 일찍이 한 주(州)에 같이 거처하지 못한 것이다. 요(繇)는 아마도 장(璋)자의 잘못

이니, 유장이 익주의 목(牧)이 되었는데 형주에서 유비를 맞이하였으니, 마침내 함께 하는 바가 되었다. 이것이 유장과 유비가 익주에 함께 머무르지 못한 까닭이다.

김상악(金相岳) 『산천역설(山天易說)』

卦惟一陽在上, 五陰比而從之. 以一人而撫萬邦, 以四海而仰一人之象. 比吉, 以卦義言也. 原, 再也, 以坎乘坤, 故有原筮元永貞之象, 言爲人所親輔者, 必再筮以自審其德也. 不寧方來, 指下四陰也. 後夫凶, 指上一陰也. 來者得安, 而後者凶也.

이 괘에서는 한 양이 위에 있어 다섯 음이 돕고 따른다. 한 사람이 만방을 어루만지고 온 세상이 한 사람을 우러러보는 상이다. '비(比)는 길함'은 괘의 의미로 말하였다. '원(原)'은 두 번함이니, 감괘로써 곤괘를 탔기 때문에 두 번 점쳐 크고 영원하고 곧은 상이 있는 것은 남들이 가까이 하고 돕는 바가 됨을 말하니, 반드시 두 번 점쳐서 자신의 덕을 스스로 살펴야 한다. "편안하지 못한 이가 바야흐로 온다"는 것은 아래의 네 음을 가리킨다. "뒤에 오는 장부는 흉하다"는 것은 위의 한 음을 가리킨다. 오는 이가 편안함을 얻으니, 뒤늦은 이는 흉하다.

○ 筮之象, 見蒙卦. 蒙之坎在貞, 故曰初筮. 比之坎在悔, 故曰原筮. 元者, 坎陽之動也. 永貞者, 坤陰之靜也. 元爲四德之始, 貞爲四德之終. 元而能貞, 則德備而无咎也. 不寧, 見屯卦. 後夫, 程傳, 剛立之稱, 取坎之爲男, 如蒙三之指二爲金夫也. 朱子曰, 後夫, 猶言後人, 取上之居後, 如睽四之指初爲元夫也. 當兩存之以備叅考.

점치는 상이 몽괘(蒙卦)에 드러난다. 몽괘에서의 감괘는 곧은[貞] 데 있기 때문에 "처음 점친다"고 하였다. 비괘(比卦)에서의 감괘는 후회하는[悔] 데 있기 때문에 "두 번 점친다"고 하였다. '원(元)'은 감괘인 양의 움직임이다. '영원하고 곧음'은 곤괘인 음의 고요함이다. '원(元)'은 사덕의 시작이 되고 '정(貞)'은 사덕의 마침이 된다. 시작인 원(元)으로서 마침인 정(貞)이 될 수 있으면 덕이 갖추어져 허물이 없다. '편하지 않음'은 준괘(屯卦)에 보인다. '후부(後夫)'는 『정전』에서 굳세게 선 사람을 일컫는 것으로 감괘가 남자가 됨을 취한 것이니, 몽괘의 삼효가 이효를 가리켜 '돈이 많은 사내[金夫]'라고 한 것과 같다. 주자가 "후부란 '후인'이라는 말과 같다"라고 한 것은 상효가 뒤에 있는 것을 취한 것으로, 규괘(睽卦)의 사효에서 초효를 가리켜 '착한 남편[元夫]'이라고 한 것과 같다. 마땅히 두 가지를 보존해 두어 참고에 대비한다.

김규오(金奎五) 「독역기의(讀易記疑)」

卦辭後夫凶, 小註引崔武子先夫之說, 以證後夫, 又言更添一箇陽來, 則必凶. 竊疑, 卦

惟一陽, 初无從後可添之陽矣. 諸卦中未嘗於本卦之外懸空引入他爻. 或疑此夫字, 直
是虛字也. 大抵此卦之中, 凶莫如上六. 象所謂其道窮, 與坤之上六同例, 指上六也.
六三比之匪人, 亦上六也. 九五舍逆失前禽, 亦上六也. 群陰, 皆仰一陽, 爲其依庇, 而
上獨過之, 乘剛處極, 此所謂後夫, 竊恐專指上六也. 夫以六之柔, 而又居陰位, 初无可
夫之道. 小註說, 恐或一時偶然否.

「괘사」에서 "뒤에 오는 장부는 흉하다"는 소주에 최무자의 '선부(先夫)'의 설명을 인용하여
'후부'를 증명하고, 또 다시 하나의 양(陽)을 더하면 반드시 흉하다고 말하였다. 가만히 생각
해보건대, 이 괘는 양이 하나뿐이므로 애초에 뒤에 붙일 만한 양이 없다. 여러 괘 가운데
본 괘 이외에 다른 효를 근거 없이 끌어들인 경우가 없다. 어떤 사람은'부(夫)'자가 별 뜻
없이 들어간 글자가 아닌가 의심한다. 이 괘 가운데 흉한 것이 상육만한 것이 없다. 「단전」
에서 "그 도가 궁하다"고 한 것은 곤괘의 상육과 같은 사례로 상육을 가리킨다. 육삼에서
"돕는 것이 사람이 아니다"라고 한 것도 상육이다. 구오에서 "거스르는 것을 버림은 앞의
새를 잃는 것이다"라고 한 것도 상육이다. 여러 음이 모두 하나의 양을 우러러 그에게 의탁
하게 되는데 상효만이 지나쳐 굳셈을 타고 끝에 있어서 이것이 '후부'인 것이니, 아마도 전적
으로 상육만을 가리키는 듯하다. 육[음]의 부드러움으로 또 음의 자리에 있으니, 애초에 장부
라고 할 만한 도가 없다. 소주의 설명은 아마도 한 때의 우연이 아닌가 싶다.

서유신(徐有臣) 『역의의언(易義擬言)』

比者, 皇極之道也. 一陽中正居尊, 群陰之歸嚮, 无所攜貳, 故爲比也. 內卦坤順, 故吉
也. 外卦坎險可疑, 故再筮之. 九五剛中而比下, 故又元永貞, 而无可咎矣. 其坎, 乃爲
憂勞不寧之象. 然果終有後夫之凶也. 不寧, 坎爲加憂爲勞卦也. 方, 四方, 坤象. 九
五, 憂勞無逸, 故四方來歸也. 後, 如未有義而後其君之後. 夫, 陽之稱也. 九五, 在於
上六之後, 其象也. 上六獨不來比而後其夫, 故凶也.

'비(比)'는 황극의 도이다. 한 양이 중정하고 높은 자리에 있어 여러 음이 귀의하는데, 두
가지로 이끄는 바가 없기 때문에 비괘(比卦)가 된다. 내괘인 곤괘는 순하기 때문에 길하다.
외괘인 감괘는 험하여 의심스럽기 때문에 두 번 점치는 것이다. 구오는 굳세고 가운데 있으
며 아래를 돕기 때문에 또 크고 영원하고 곧아서 허물할 수 없다. 감괘는 근심하고 수고로워
편하지 않은 상이 된다. 그리하여 과연 마침내 '뒤에 오는 장부'의 흉함이 있다. '편하지 않음'
은 감괘가 근심을 더하게 됨이니, 수고로운 괘가 된다. '방(方)'은 네 방위[四方]이니 곤괘의
상이다. 구오가 근심하고 수고로워 편안하게 있지 않기 때문에 사방에서 와서 귀의함이다.
'후(後)'는 "의로우면서도 그 임금을 뒷전으로 하는[後] 사람은 없다"[10]고 할 때의 후(後)와
같다. '부(夫)'는 양을 지칭한다. 구오는 상육이 뒷전으로 놓는 자리에 있는 그러한 상이다.

상육만 와서 돕지 않고 그 양(陽)을 뒷전으로 하기 때문에 흉하다.

강엄(康儼) 『주역(周易)』

傳曰, 子南, 夫也.
『정전』에서 말하였다: 공자 남(南)은 장부이다.

○ 按, 夫字, 程傳作剛立之稱, 本義不釋, 而小註朱子曰, 後夫猶言後人. 蓋卦有五陰, 九五爲比主, 四陰, 皆在下而向五, 一陰, 獨在上而背五, 有衆皆來比, 而一人獨後之象, 故卦辭之言, 如此. 若以夫字爲剛立之稱, 則上六陰柔, 何以當剛立之稱乎. 此爲不通, 故本義, 只作後人之義.
내가 살펴보았다: '부(夫)'자는 『정전』에서 "군세게 서는 것을 말한다"라고 썼는데, 『본의』에서는 해석하지 않았으나 소주에서 주자는 "후부는 뒤에 오는 사람[後人]을 말하는 것과 같다"라고 하였다. 괘에 다섯 음이 있는데 구오가 비괘의 주인이 되니, 네 음은 모두 아래에 있으면서 오효를 향하지만 한 음만이 맨 위에서 오효를 등지고 있어 여러 사람이 모두 와서 돕는데 한 사람만 홀로 뒤에 있는 상이 있기 때문에 괘사의 말이 이와 같다. '부(夫)'자를 군세게 서는 것을 말한 것으로 본다면 상육은 음으로 부드러운데 어떻게 군세게 서는 것을 말하는 것에 해당하겠는가? 이것이 통하지 않게 되므로 『본의』에서 '후인'의 뜻으로만 썼다.

박문건(朴文健) 『주역연의(周易衍義)』

居天位, 而有五陰, 故吉. 五陰若疑己而至於再筮, 必大爲永其貞, 則无咎也. 雖不寧於五陰之中, 然五陰方來已故吉. 後必見陷而凶也.
구오가 하늘의 자리에 있고 다섯 음이 있기 때문에 길하다. 만약 다섯 음이 자기를 의심하여 두 번 점을 치는데 이른다면, 구오는 반드시 크게 그 곧음[貞]을 길게 하여야 허물이 없을 것이다. 비록 다섯 음 사이에서 편안하지 않으나, 다섯 음이 나에게 오기 때문에 길하다. 뒤에 오면 반드시 구덩이에 빠지게 되어 흉하다.
〈問, 原筮. 曰, 原, 再也. 若至於再筮, 則疑己, 疑則危矣, 故永貞. 五陰之必至再筮者, 其體陰柔也.
물었다: '원서(原筮)'는 무슨 뜻입니까?
답하였다: '원(原)'은 두 번 하는 것입니다. 만약 두 번 점치는데 이르면 자기[구오]를 의심하

10) 『孟子·梁惠王』.

는 것이니, 의심하면 위태롭기 때문에 곧음[貞]을 길게 하는 것입니다. 다섯 음이 반드시
두 번 점치는데 이르는 것은 그 몸체가 음으로 유약해서입니다.〉

〈問, 後夫凶. 曰, 初吉而後凶, 故曰後夫凶. 後夫之夫, 與繫辭傳貞夫之夫, 同也.
물었다: '후부흉(後夫凶)'은 무슨 뜻입니까?
답하였다: 처음하면 길하지만 뒤에 또 하면 흉하기 때문에 "뒤에 점치는 것은 흉하다"라고
하였으니, '후부(後夫)'에서 '부(夫)'는 「계사전」에서 '항상되게 하는 것[貞夫]'라고 한 '부
(夫)'와 같습니다.[11]〉

이지연(李止淵) 『주역차의(周易箚疑)』

原者, 再也. 文王世子曰, 末有原, 原者, 再底意思. 元者, 大善也. 永者, 常久也. 貞者,
正也. 傳曰, 小人, 比而不周, 小人比人之道, 每以邪昵爲黨, 故其比也, 不能常久, 利
盡而交疏, 勢窮而情變. 比之道, 先以大正至善爲心, 則愈久而愈敬, 人不能間之. 後夫
凶, 指上六一爻也.
'원(原)'은 두 번 하는 것이다. 『예기·문왕세자』에서 "두 번 올리지 마라"라고 하였으니,
'원'은 두 번 하는 뜻이다. '원(元)'은 크게 선함이다. '영(永)'은 항상되고 오래 함이다. '정
(貞)'은 바름이다. 『경전』에서 "소인은 편애하지만 두루 하지 못한다"[12]라고 하였으니, 소인
이 남과 친하는 방법은 매양 치우치고 친숙한 것만으로 편당을 짓기 때문에 그 편애함이
항상되고 오래갈 수 없어서 이익이 다하면 사귀는 것이 소원해지고, 형세가 궁핍해지면 정
상이 변하게 된다. 친하는 도리는 먼저 크게 바르고 지극히 선한 것으로 마음을 삼으면 오래
되면 될수록 공경하게 되어 남이 이간시킬 수 없다. "뒤에 오는 장부는 흉하다"라고 한 것은
상육의 한 효를 가리킨다.

김기례(金箕澧) 「역요선의강목(易要選義綱目)」

不寧方來,
편안하지 못한 이가 바야흐로 올 것이니,
患難相救.
어려운 일을 당하면 서로 돕는다.

---

11) 『周易·繫辭傳』: 天下之動, 貞夫一者也. 이 문장에서 '정부(貞夫)'의 '부'는 의미 없이 쓰인 말로, 박문건은
'후부(後夫)'의 '부'도 「계사전」의 이 경우와 쓰임이 같다고 보는 것이다.
12) 『論語·爲政』: 子曰, 君子, 周而不比, 小人, 比而不周.

後夫凶.

뒤에 온 장부는 흉하다.

指上一陰.

맨 위의 한 음(효)를 가리킨다.

○ 程傳, 以爲不寧之時, 求比之緩, 則雖剛丈夫且凶. 朱子以爲來比, 而後至凶, 二說 不同, 蓋取順舍逆之意

『정전』에서는 편하지 않은 때에 도움을 구하는 것이 늦으면 비록 굳센 장부일지라도 또 흉하다고 여겼다. 주자는 와서 돕는데 뒤에 이르면 흉하다고 여겼으니, 두 설명이 같지 않으 나, 대체로 순한 것을 취하고 거스르는 것을 버리는 뜻이다.

심대윤(沈大允) 『주역상의점법(周易象義占法)』

人道以離間爲凶, 而比附爲吉, 故曰吉. 元, 大始也, 陽剛之德. 永貞, 大終也, 坎坤之 德. 比之道, 貴有始終. 故曰原筮, 元永貞, 言本策, 其元永貞, 則无咎也, 言五之剛順 得中, 可必其有終始也. 艮坎坤, 爲筮, 比之世, 天下一統, 專意比輔, 故曰不寧方來. 不寧, 寧也, 言不寧方來乎. 其有不來而在後者, 凶. 卦之內, 皆比輔者也, 取對大有之 象. 离爲後, 互本卦之坎爲夫. 〈乾入坤爲震, 取震象者, 以明爲陰所比附者, 由於陽之 能入于陰也.〉

사람의 도는 사이가 벌어지는 것을 흉하게 여기고 친하게 따르는 것을 길하게 여기므로 '길 하다'라고 하였다. '원(元)'은 크게 시작함이니, 굳센 양의 덕이다. '영정(永貞)'은 크게 마침 이니, 감괘와 곤괘의 덕이다. 친하는 도리는 시종일관함에 그 귀함이 있으므로 "근원하여 헤아리되 크고 영원하고 곧으면 허물이 없다"라고 하였다. 이는 점에 근거하여 크고 영원하 고 곧으면 허물이 없다는 말이고, 오효가 굳세면서도 순해서 중을 얻어 반드시 시종일관할 수 있다는 말이다. 간괘와 감괘, 곤괘는 '점치는 것[筮]'이 되니, 비괘의 세상에 천하가 일통 (一統)됨은 전적으로 친밀하게 돕는 것을 뜻하므로 "편하지 못하여야 바야흐로 온다"라고 하였다. 편하지 않은 것이 편해짐이니, "편하지 못하여야 바야흐로 온다"라는 말이다. 오지 않아서 뒤에 남은 자는 흉하다. 괘의 내괘가 모두 친밀하게 돕는 자이니, 음양이 바뀐 대유 괘(大有卦)의 상을 취하였다. 리괘(離卦)가 '뒤'가 되고, 리괘의 호괘인 본괘인 감괘가 '장 부'가 된다. 〈건괘가 곤괘로 들어가 진괘(震卦)가 되니 진괘의 상을 취한 것은, 밝은 것으로 음의 돕는 바가 되는 것은 양이 음에게 들어갈 수 있는 데 말미암기 때문이다.〉

오치기(吳致箕) 「주역경전증해(周易經傳增解)」

比者, 親輔也. 地上有水, 爲比輔親切之象. 五居尊位, 陽剛中正, 而衆陰順以從之, 有一人居上, 而親萬邦, 四海歸仁, 而仰一人之象, 故曰, 吉. 原者, 本也. 筮以求卦, 故以卦謂筮, 而原筮者, 猶言本卦也. 元, 大也. 永, 長也. 貞, 正也. 言本卦, 非特以名義取象而爲吉, 亦以卦體剛中而應. 上坎下坤, 皆居正位, 其爲正道. 旣大且長, 故雖以一陽居於險體衆陰之中, 而无咎也. 民无所從, 則不能安寧, 故四方來附于有德之君. 若或後乎夫, 而不從者, 其義凶也. 不寧, 取於坎. 方取於坤. 夫者, 尊稱也, 指九五之陽, 爲衆陰所尊也. 後乎夫者, 指上六也. 卦體, 一陽陷於五陰, 故不言亨, 而只言吉也.

'비(比)'는 친하여 도움이다. 땅 위에 물이 있어 돕고 친절한 상이 된다. 오효가 높은 자리에 있고 양의 굳셈이 중정하여 여러 음이 순종하여 따르니, 한 사람이 위에 있어서 만방을 친하게 하며 사해가 인(仁)으로 돌아가 한 사람을 우러르는 상이기 때문에 "'길하다'라고 하였다. '원(原)'이란 '근본함'이다. 시초점을 쳐 괘를 구하기 때문에 괘를 '서(筮)'라고 하였으니, '원서(原筮)'는 괘에 근본한다는 말과 같다. '원(元)'은 큼이다. '영(永)'은 길게 함이다. '정(貞)'은 바름이다. "괘에 근본한다"는 것은 단지 이름과 의미로 상을 취하여 길하다고 여기는 것일 뿐 아니라, 또한 괘의 몸체가 굳세고 가운데 있어 호응하기 때문이라는 말이다. 위는 감괘이고 아래는 곤괘이니, 모두 바른 자리에 있고 바른 도리가 된다. 이미 크고 길기 때문에 비록 한 양이 험한 몸체인 여러 음 가운데 있지만 허물이 없다. 백성은 따를 바가 없으면 편안할 수 없기 때문에 사방에서 덕이 있는 임금에게 와서 의지한다. 혹 장부보다 뒤처져서 따르지 않는 자는 그 의리상 흉하다. 편안하지 않음은 감괘에서 취하였다. '방(方)'은 곤괘에서 취하였다. '장부[夫]'는 존칭이니, 구오의 양이 여러 음의 높이는 바가 됨을 가리킨다. 장부보다 뒤에 하는 자는 상육을 가리킨다. 괘의 몸체가 한 양이 다섯 음에 빠졌기 때문에 '형통하다[亨]'고 말하지 않고 '길하다'고만 하였다.

박문호(朴文鎬) 「경설(經說)·주역(周易)」

不寧方來, 程朱之釋, 未見其不同, 而諺解乃作異讀, 蓋諺解者, 不察程傳之字之文勢也. 此方字, 若讀作四方之方, 似亦足備一義. 蓋謂其來, 非一方也, 如此讀之, 則於上下應之文義爲尤當.

"편안하지 못하여야 바야흐로 온다[不寧方來]"는 것에 대한 정자와 주자의 풀이가 그 다름을 볼 수 없는데 『언해』에서는 다르게 읽었으니, 『언해』를 한 자가 『정전』에 보인 글자의 문세를 살피지 않은 것이다. 이 '방(方)'자를 사방이라는 '방'으로 읽으면 또한 충분히 한 가지 의미를 갖출 수 있을 듯하다. 온다고 말하는 것이 한 방면만이 아니어서 이와 같이 읽으면 위아래에 호응하는 문장의 의미가 더욱 합당하게 된다.

김귀주(金龜柱)『주역차록(周易箚錄)』

按, 比吉二字, 泛言比之道吉也. 原筮元永貞, 就九五一爻上說. 蓋九五之居尊中正, 有元永貞之德, 而原筮云者, 爲占者自審而言也. 不寧方來, 指下四陰. 後夫凶, 指上一陰. 凡卦爻自下而上, 則已在之上者, 皆當爲前, 自上而下者, 皆當爲來, 如卦變是也. 而至於此卦, 則從九五一爻而反觀之, 故下四陰, 皆向我而來, 而上一陰, 反爲我之後也. 後夫之夫, 恐亦指九五. 蓋陽爲夫, 而陰爲婦, 以此卦言之, 一陽爲夫, 而五陰爲婦. 然下四陰, 則便皆是及時從夫者, 而上一陰, 則獨爲後於夫之象. 如是看, 似頗分曉, 而諺解, 乃以後來之夫釋之, 恐甚未然.

내가 살펴보았다: '비길(比吉)' 두 글자는 돕는 도가 길함을 넓게 말한 것이다. "근원하여 점치되 크고 영원하고 곧다"는 것은 구오 한 효에 나아가 말한 것이다. 구오가 높은데 있고 중정하여 크고 영원하고 곧은 덕이 있는데 "근원하여 점친다"라고 말한 것은 점치는 자가 스스로 살펴서 말함이다. "편안하지 못한 이가 바야흐로 온다"는 것은 아래 네 음을 가리킨다. "남편보다 뒤에 오면 흉하대[後夫凶]"는 것은 상효의 한 음을 가리킨다. 괘의 효가 아래로부터 위로 올라가니 자기 위에 있는 것은 모두 마땅히 앞이 되고, 위로부터 아래로 내려가는 것은 모두 마땅히 오는 것이 되니, 괘의 변화 같은 것이 이것이다. 그런데 이 괘에 이르면 구오 한 효로부터 돌이켜 보기 때문에 아래의 네 음이 모두 나를 향해 오고 위의 한 음이 도리어 나의 뒤가 된다. '후부(後夫)'의 부(夫)는 구오를 가리키는 듯하다. 양이 남편이 되고 음이 아내가 되니, 이 괘로 말하면 한 양이 남편이 되고 다섯 음이 아내가 된다. 그러나 아래의 네 음은 곧 모두가 때에 맞춰 남편을 따르는 것인데, 위의 한 음만 홀로 남편에게 뒤처지는 상이다. 이와 같이 보면 조금 분명한 듯한데『언해』엔 뒤에 오는 장부로 풀었으니, 전연 그렇지 않은 듯하다.

本義, 比親輔也, 云云.
『본의』에서 말하였다: 비(比)는 친하여 돕는 것이다, 운운.

○ 按, 筮者得之筮字, 以占者而言, 下文再筮之筮字, 方指卦辭中筮字, 而亦非謂用蓍龜而再占之也. 蓋原筮之云, 有反復詳審之意, 故謂之再筮. 筮至再, 則詳審至矣. 諺解之釋, 直以再字當原字之訓, 恐少失本義之意.

내가 살펴보았다: '서자득지(筮者得之)'의 '서(筮)'자는 점치는 자로써 말한 것이지만, 아래 글의 '재서(再筮)'의 '서'자는 괘사 가운데의 '서'자를 가리키는 것으로 또한 시초점과 거북점을 써서 재차 점친다는 말이 아니다. '원서(原筮)'라고 말한 것은 반복하여 상세하게 살피는 뜻이 있기 때문에 "거듭 헤아린다"고 하였다. 헤아리는 것을 거듭하게 되면 상세하게 살핌이 이루어진다.『언해』의 풀이는 다만 '재(再)'자로 '원(原)'자의 의미에 해당시켰으니,『본의』

의 뜻을 조금 잃은 듯하다.

小註, 問, 不寧方來, 云云.
소주에서 물었다: "편안하지 못한 이가 바야흐로 올 것이다", 운운은 무슨 뜻입니까?
○ 按, 此引崔武子先夫之說者, 似以後夫爲後來之夫, 而其下外面, 更添一箇陽, 両雄不竝棲云云, 皆於本卦之義, 無所襯貼. 蓋後夫者, 後於夫之謂也. 上六一陰, 居五之上, 有後於夫之象. 以是而觀, 於本義之旨, 恐無不合, 而此註, 則卻相逕庭甚是可疑, 當更商.
내가 살펴보았다: 여기에서 최무자의 '선부(先夫)'의 설명을 인용한 것은 '후부'를 뒤에 오는 장부로 여겨서인 듯한데, 그 아래 외면에 다시 하나의 양을 더하여 두 영웅이 함께 거처하지 못한다고 운운한 것은 모두 본괘의 의미에 맞지 않는다. '후부'는 남편보다 뒤에 있음을 이른다. 상육의 한 음이 오효의 위에 있어 남편보다 뒤처지는 있는 상이 있다. 이것으로 보면 『본의』의 종지에 부합하지 않는 것이 없을 듯하나, 이 주석은 오히려 서로 모순됨이 심하여 의심스러우니, 마땅히 다시 생각하여야 한다.

雲峯胡氏曰, 蒙之, 云云.
운봉호씨가 말하였다: 몽괘의, 운운.
○ 按, 凶, 固爲比人者之占. 然亦可爲所比者之占. 本義, 則主所比者言, 而使比人者反觀之. 胡說, 似少偏.
내가 살펴보았다: 흉함은 본래 남을 돕는 사람의 점이 된다. 그러나 또한 도움을 받는 자의 점이 되기도 한다. 『본의』는 도움을 받는 자를 주로 하여 말하고 남을 돕는 자가 돌이켜 살피게 하였다. 호씨의 설명이 조금 편협한 듯하다.

박제가(朴齊家) 『주역(周易)』

不寧, 一陽求賢之貌. 方來, 四陰從上之意. 象傳本義, 上下謂五陰.
"편안하지 않다"는 것은 한 양이 어진 이를 구하는 모습이다. '방래(方來)'는 네 음이 위를 따르는 뜻이다. 「단전」의 『본의』에서 "위아래는 다섯 음을 말한다"라고 하였다[13]

案, 上謂五, 經明言下順從也. 蓋上一爻, 則不應五矣, 與小畜上下五陽, 不同. 雲峯胡氏曰, 後夫凶, 指上一陰者, 是矣. 又曰上下應者, 五陰皆當應也. 此與本義有異, 故如

---

13) 『本義』: 亦以卦體, 釋卦辭. 剛中, 謂五, 上下, 謂五陰.

此說. 若然只有當應之理, 而未嘗應耶. 進齋徐氏亦曰五爲比主, 上獨背之後夫. 朱子引崔武子卜娶妻云, 先天[14]後夫, 一樣語云者, 儘明快.

내가 살펴보았다: 위는 오효를 말하니, 경「단전」에서 "아랫사람이 순종하여 따른다"고 분명히 말하였다. 맨 위의 한 효는 오효에 호응하지 않으니, 소축괘(小畜卦)의 위아래 다섯 양과는 같지 않다. 운봉호씨가 "후부흉(後夫凶)이란 위의 한 음을 가리킨다"는 것이 이것이다. 또 "「단전」에서 '위아래가 호응한다'는 것은 다섯 음이 모두 마땅히 호응해야 하는 것이다"라고 하였는데, 이는 『본의』와 의미가 다른 점이 있기 때문에 이처럼 설명한 것이다.[15] 만약 그렇다면 단지 마땅히 호응해야 하는 이치만 있고 호응한 적은 없다는 것인가? 진재서씨도 "오효가 비괘의 주인이 된다"고 하였으니, 상효만이 등진 '후부'인 것이다. 주자는 최무자가 아내에게 장가드는 것에 대해 점쳐 말한 것을 인용하여 '선부(先夫)'와 '후부(後夫)'가 같은 말이라고 하였는데, 참으로 명쾌하다.

이항로(李恒老) 「주역전의동이석의(周易傳義同異釋義)」

按, 不寧方來, 指九五以下四陰也. 後夫, 指上一陰也. 未見有剛立之象, 故本義不從.

내가 살펴보았다: "편안하지 못한 이가 바야흐로 온다"는 것은 구오 이하의 네 음을 가리킨다. '뒤에 오는 장부'는 맨 위의 한 음을 가리킨다. 굳세게 서 있는 상이 있음을 보지 못했기 때문에 『본의』가 따르지 않았다.

채종식(蔡鍾植) 「주역전의동귀해(周易傳義同歸解)」

比, 後夫凶, 傳云, 求比之志, 不速而後, 則雖夫, 亦凶. 本義云, 若又遲而後至, 則此交已固, 彼來已晚, 而得凶矣. 兩說亦有義理象占之分. 然其求比不速而取凶之義, 則一也

비괘의 '후부흉(後夫凶)'에 대해 『정전』에서는 "도움을 구하는 뜻을 빨리 하지 않고 뒤에 하면 비록 장부라도 흉하다"라고 하였다. 『본의』에서는 "만약 또 늦어서 뒤에 이르면 이 사람이 사귀는 것은 이미 견고한데 저 사람이 오는 것이 너무 늦어 흉함을 얻는다"라고 하였다. 두 설명에 또한 의리(義理)와 상점(象占)의 구분이 있다. 그러나 그 도움을 구하는 것이 신속하지 않아서 흉함을 얻는다는 뜻에 있어서는 같다.

---

14) 先天: 경학자료집성DB와 영인본에 '先天'으로 되어 있으나, '先夫'의 오류이므로 바로잡는다.

15) 운봉호씨는 「단전」을 해설하면서, 다섯 음이 마땅히 구오에 호응하여야 하는데, 상육이 호응하지 않으므로 흉하다고 설명하였다. 그가 "다섯 음이 마땅히 구오에 호응하여야 하는 것이다"라고 한 것은 『본의』에서 위아래는 "다섯 음을 말한다"라고 한 설명과는 의미상 차이가 있다는 말이다.

이용구(李容九) 「역주해선(易註解選)」

比, 後夫凶, 如萬國朝禹, 而防風後至, 天下歸漢, 而田橫不來, 是也.

비괘(比卦)의 "뒤에 오는 장부는 흉하다"는 것은 모든 나라가 우임금에게 조회하는데, 방풍(防風)이 뒤에 이르며, 천하가 한나라에 귀의하였는데 전횡(田橫)이 오지 않은 것이 이 경우이다.

박문호(朴文鎬) 「경설(經說)・주역(周易)」

此交已固, 彼來已晚, 於文勢似當曰, 彼交已固, 此來已晚, 而此[16]云爾者, 蓋主比人者而言也. 大象中凡言君子, 通指上下也, 其言王與后者, 專指爲君者而言也.

이 사람의 사귀는 것은 이미 견고한데 저 사람이 오는 것이 너무 늦었다는 것은 문장의 형세에 있어 마땅히 "저 사람의 사귀는 것은 이미 견고한데 이 사람이 오는 것이 너무 늦었다"라고 해야 할 듯한데, 여기서 '이 사람'이라고 말한 것은 대체로 남을 돕는 자를 주로 하여 말한 것이다. 「대상전」에서 '군자'라고 말한 것은 위아래를 통틀어 가리키며, '왕'과 '제후'라고 말한 것은 전적으로 임금이 된 자만을 가리켜 말한다.

---

16) 此: 경학자료집성 DB와 영인본에 '比'로 되어 있으나 『주역』 원문에 따라 '此'로 바로잡았다.

象曰, 比, 吉也,

「단전」에서 말하였다: 비는 길(吉)하며,

‖中國大全‖

本義

此三字, 疑衍文.

여기에서 세 번째 글자는 잘못 들어간 글 같다.

小註

朱子曰, 比吉也, 也字羨, 當云比吉, 比輔也, 下順從也. 比輔也. 解比字, 下順從也, 解吉字.

주자가 말하였다: “비길야(比吉也)”의 ‘야(也)’자는 잘못 들어간 글자로, 마땅히 “비는 길하며, 비는 돕는 것이니, 아랫사람이 순종하여 따른다”라고 해야 한다. “비는 돕는 것이다”고 한 것은 ‘비(比)’자를 풀이한 것이고 “아랫사람이 순종하여 따른다”라고 한 것은 ‘길’자를 풀이한 것이다.

○ 嵩山晁氏曰, 王昭素, 謂多此也字.

숭산조씨가 말하였다: 왕소소는 이런 형태의 ‘야(也)’자가 많다고 하였다.

▮韓國大全▮

권근(權近) 『주역천견록(周易淺見錄)』[17]

本義, 比吉也, 三字疑衍文. 愚謂, 比輔, 下順從, 非但釋比字, 兼言比吉之義. 言比之所以爲吉也者, 以比爲親輔之道, 而下皆順從於上, 是以上下皆得其吉也.

『본의』에서 말하였다: "비는 길하며[比吉也]의 세 번째 글자는 잘못 들어간 글 같다. 내가 살펴보았다: "비는 돕는 것이니, 아랫사람이 순종하여 따른다"라고 한 것은 '비(比)'자만 풀이한 것이 아니라 "비는 길하다"는 의미를 함께 말한다. 비괘가 길하게 되는 까닭은 '비'가 친밀하게 하여 돕는 도이고 아랫사람이 모두 윗사람을 따르므로 이 때문에 윗사람과 아랫사람이 모두 그 길함을 얻는 것을 말한다.

홍여하(洪汝河) 「책제(策題):문역(問易)·독서차기(讀書箚記)-주역(周易)」

比, 彖辭, 本義, 若欲比人, 則亦以是而反觀之耳.

비괘 단사의 『본의』에서 "만약 남을 돕고자[比人] 하면 또한 이것으로 돌이켜 보아야 한다"라고 하였다.

比人, 求比於人也, 自五陰爻而言, 人指九五.

'비인(比人)'은 남에게서 도움을 구하는 것이니, 다섯 음효로부터 말하면 '비인'의 '인(人)'은 구오를 가리킨다.[18]

九五象, 顯比之吉, 失前禽也, 上使中也.

구오의 「상전」에서 '드러나게 돕는 길함'은 앞의 새를 잃음이니, 윗사람의 부림이 알맞다.

顯比之王, 卽三錫命之王也. 前禽, 卽田有禽也. 上使中之使, 卽使不當之使也.

드러나게 돕는 왕은 바로 세 번 명을 주는 왕이다. '앞의 새'는 바로 밭에 새[짐승]가 있는 것이다. "윗사람의 부림이 알맞다"고 할 때의 '부림[使]'은 바로 "부림이 마땅하지 않다"고 할 때의 부림이다.

---

17) 경학자료집성 DB에서는 비괘 괘사에 해당하는 것으로 분류했으나, 내용에 따라 이 자리로 옮겨 바로잡는다.

18) 홍여하의 관점에 따르면 비인(比人)은 "남을 돕는다"가 아니라 "남에게 도움을 구한다"가 된다.

서유신(徐有臣) 『역의의언(易義擬言)』

吉也之也, 疑衍又錯簡, 當曰比輔也. 比吉, 下順從也, 在下之四陰, 順從於九五, 是爲比輔而吉也.

'길야(吉也)'의 '야(也)'자는 잘못 들어갔거나 착간인 듯하니, 마땅히 "비는 돕는 것이다"라고 해야 한다. "비는 길하니, 아랫사람이 순종하여 따른다"고 한 것은 아래에 있는 네 음이 구오를 따르는 것이니, 비는 돕는 것이 되어 길하다.

박문건(朴文健) 『주역연의(周易衍義)』

朱子曰, 也字衍.

주자가 말하였다: '야(也)'자는 잘못 들어갔다.

○ 比有吉道, 不待言也.

비괘에 길한 도가 있음은 말할 필요도 없다.

〈問, 比吉. 曰, 九五處四陰之上, 故有吉道, 與震彖震亨, 同文法也.

물었다: "비는 길하다"는 무슨 뜻입니까?

답하였다: 구오가 네 음의 위에 있기 때문에 길한 도가 있으니, 진괘(震卦) 「단전」에서 "진(震)은 형통하니"라고 한 것과 글의 법식이 같습니다.〉

이지연(李止淵) 『주역차의(周易箚疑)』

六以乘應之, 四以承應之, 二以應應之. 三雖下卦之終, 而上近於四, 隨其承而應之, 初以四之應, 亦隨其承而應之.

초육은 타는 것으로 호응하고, 사효는 잇는 것으로 호응하며, 이효는 호응의 관계로 호응한다. 삼효가 비록 하괘의 끝이지만 위로 사효에 가까워 그 잇는 것에 따라서 호응하며, 초효는 사효의 호응관계이니, 또한 그 잇는 것에 따라서 호응한다.

심대윤(沈大允) 『주역상의점법(周易象義占法)』

三字, 當在從也之下.

"비길야(比吉也)"의 세 글자는 마땅히 "종야(從也)"의 아래에 있어야 한다.[19]

---

19) 「단전」의 경문 순서가 "比, 輔也, 下順從也, 比吉也"가 되어야 한다는 뜻이다.

比輔也, 下順從也.

비는 돕는 것이니, 아랫사람이 순종하여 따른다.

║中國大全║

傳

比吉也, 比者, 吉之道也, 物相親比, 乃吉道也. 比輔也, 釋比之義, 比者相親輔也. 下順從也, 解卦所以爲比也. 五以陽居尊位, 群下順從以親輔之, 所以爲比也.

"비(比)는 길하다"는 것은 비란 것이 길한 도이니, 물건이 서로 친하여 돕는 것이 바로 길한 도이다. "비는 돕는 것이다"는 것은 비의 뜻을 풀이한 것이니, 비란 서로 친하여 돕는 것이다. "아랫사람이 순종하여 따른다"는 것은 괘가 비괘가 된 까닭을 풀이한 것이다. 오효는 양으로 존귀한 지위에 있고 여러 아랫사람들이 순종하여 친하게 도우니, 이 때문에 비괘가 된다.

本義

此以卦體釋卦名義.

이것은 괘의 몸체로 괘의 이름을 풀이하였다.

韓國大全

김기례(金箕澧) 「역요선의강목(易要選義綱目)」

指四陰在下, 順從陽君, 故比輔.

네 음이 아래에 있음을 가리키는데, 양인 임금에게 순종하기 때문에 비(比)는 돕는 것이다.

김규오(金奎五) 「독역기의(讀易記疑)」

○ 象, 下順從也, 內卦及互卦, 皆坤, 坤順地從. 九五, 所謂取順, 亦指此.

「단전」에서 "아랫사람이 순종하여 따른다"고 한 것은 내괘 및 호괘가 모두 곤괘라서, 곤괘인 땅이 순종하는 것이다. 구오에서 "따르는 것을 취한다"라 한 것도 이를 가리킨다.

강엄(康儼) 『주역(周易)』

象曰 [止] 下順從也

「단전」에서 말하였다: … 아랫사람이 순종하여 따른다.

按, 下字指五陰而言. 上六居上而亦曰下者, 以陰陽尊卑之分言之, 則雖上而亦下也. 觀程傳群下二字可見, 而本義亦曰, 五陰比而從之.

내가 살펴보았다: 아랫사람이라고 한 '하(下)'자는 다섯 음을 가리켜 말한다. 상육은 맨 위에 있는데 또 '아래[下]'라고 한 것은 음과 양의 높고 낮은 분한으로 말하면 비록 위에 있지만 또한 아래이다. 『정전』에서 '아래인 무리[群下]'라고 한 두 글자를 보면 알 수 있으며, 『본의』에서도 "다섯 음이 돕고 따른다"라고 하였다.

박문건(朴文健) 『주역연의(周易衍義)』

下謂四陰也. 此以卦體釋卦名.

'하(下)'는 네 음을 말한다. 이것은 괘의 몸체로 괘의 이름을 풀이하였다.

原筮元永貞无咎, 以剛中也,

정전 "근원하여 점치되 크고 영원하고 곧으면 허물이 없음"은 굳센 양으로서 가운데 있기 때문이다. 본의 "두 번 점쳐 크고 영원하고 곧아야 허물이 없음"은 굳센 양으로서 가운데 있기 때문이다.

║中國大全║

傳

推原筮決相比之道, 得元永貞而後, 可以无咎. 所謂元永貞, 如五是也. 以陽剛居中正, 盡比道之善者也. 以陽剛當尊位, 爲君德元也, 居中得正, 能永而貞也. 卦辭, 本泛言比道, 彖言元永貞者, 九五以剛處中正, 是也.

서로 친하여 돕는 도를 미루어 헤아려 크고 영원하고 곧음을 얻은 뒤라야 허물이 없을 수 있다. 크고 영원하고 곧다고 한 것은 오효와 같은 것이 그렇다. 굳센 양으로 중정한 데에 있어 친하여 돕는 도를 매우 잘한 것이다. 굳센 양으로 높은 자리를 감당하니 임금의 덕이 크게 착한 것이 되고, 가운데에 있어 바름을 얻었으니 영원하고 곧을 수 있다. 괘사가 본래 친하여 돕는 도를 범범히 말하였고, 「단전」에서는 크고 영원하고 곧음을 말하였으니, 구오가 굳센 양으로 중정에 있는 것이 이것이다.

║韓國大全║

김기례(金箕澧) 「역요선의강목(易要選義綱目)」

以剛中也.

굳센 양으로서 가운데 있기 때문이다.

指五陽剛中. 五以元爲君德, 以永貞爲君道, 可謂盡比人之道.

오효인 양이 굳세고 가운데 있음[剛中]을 가리킨다. 오효는 큼[元]으로 임금의 덕을 삼고, 영원하고 곧음[永貞]으로 임금의 도를 삼으니, 남을 돕는 도를 다했다고 말할 만하다.

서유신(徐有臣) 『역의의언(易義擬言)』

剛中, 九五也. 以四陰之比五言之, 則吉矣. 以九五之比下言之, 則元永貞也.

굳세고 가운데 있는 것[剛中]은 구오이다. 네 음이 오효를 돕는 것으로 말하면 길하다. 구오가 아래의 음을 돕는 것으로 말하면 크고 영원하고 곧다.

유정원(柳正源) 『역해참고(易解參攷)』

王氏曰, 群陰相比, 而不以元永貞, 則凶邪之道也. 若不遇其主, 則雖永貞, 而猶未足免於咎也. 使永貞而无咎者, 其唯九五乎.

왕필이 말하였다: 여러 음이 서로 돕는데 크고 영원하고 곧음으로써 하지 않으면 흉하고 간사한 도이다. 만약 그 주인을 만나지 못하면 비록 영원하고 곧더라도 오히려 허물을 면하지 못한다. 영원하게 하고 곧게 하여 허물이 없는 것은 오직 구오뿐이다.

○ 建安丘氏曰, 蒙內坎爲初筮, 象曰以剛中, 爲九二也. 比外坎爲原筮, 象曰以剛中, 爲九五也.

건안구씨가 말하였다: 몽괘의 내괘인 감괘는 처음 시초점을 치는 것이 되니, 「단전」에서 "굳센 양으로서 가운데 있기 때문이다"라고 한 것은 구이가 된다. 비괘(比卦)의 외괘인 감괘는 거듭 헤아림이 되니, 「단전」에서 "굳센 양으로서 가운데 있기 때문이다 "고 한 것은 구오가 된다.

○ 案, 二五之剛中, 不但蒙比然. 坎有有孚心亨之道, 而可通於神明, 故以坎爲筮歟.

내가 살펴보았다: 이효와 오효에서의 "굳센 양으로서 가운데 있음[剛中]"은 단지 몽괘와 비괘에서만 그런 것은 아니다. 감괘에는 믿음을 가져 마음이 형통한 도가 있어 신명함에 통할 수 있으므로 감괘를 서(筮)로 삼았다.

최세학(崔世鶴) 주역단전괘변설(周易彖傳卦變說)」

比, 坤之一體, 變也. 五一爻爲主, 故象以剛中言之, 乾五往處於上體之中也.

비괘는 곤괘의 한 몸체[한 효]가 바뀐 것이다. 다섯 번째 한 효가 주인이 되므로 「단전」에서 "굳센 양으로서 가운데 있다[剛中]"는 것으로 말하였으니, 건괘 오효가 비괘(比卦) 상체(上體)의 가운데로 가서 있는 것이다.

이병헌(李炳憲) 『역경금문고통론(易經今文考通論)』

師一轉而爲比, 師之王三錫命, 比之王用三驅, 因坎之一下一上, 空間之大事濟矣. 原筮元永貞無咎, 應筮之神理而記俗也. 以剛中也四字, 從習坎維心亨, 乃以剛中而來, 其旨微矣. 韓嬰曰, 凶者生乎乖爭, 今旣親比, 故吉也. 荀子曰, 仁人用國日[20]明, 諸侯, 先順者安, 後順者危.

사괘(師卦)가 한번 뒤집혀 비괘(比卦)가 되니, 사괘에서 "왕이 세 번 명령을 내려준다"고 한 것과 비괘에서 "왕이 세 군데로 몬다"고 한 것은 감괘가 사괘에서는 아래에 있고 비괘에서는 위에 있음으로 인하여 그 사이의 커다란 일을 구제하는 것이다. "근원하여 살피되 크고 영원하고 곧아야 허물이 없다"는 것은 시초점의 신묘한 이치에 호응하여 풍속을 기록한 것이다. "굳센 양으로서 가운데 있기 때문이다[以剛中也]"의 네 글자는 감괘의 "습감(習坎)은 마음 때문에 형통하다"를 따라 '굳센 양으로 가운데 있음'으로써 오는 것이니, 그 뜻이 은미하다. 한영은 "흉이란 다퉈 어긋남에서 생긴다"라고 하였으니, 이제 친히 하여 돕기 때문에 길하다. 순자는 "어진 사람이 나라를 쓰는 것이 날로 밝으니, 제후는 먼저 따르는 자가 편안하고 나중에 따르는 자는 위태롭다"고 하였다.

---

20) 日: 경학자료집성 DB와 영인본에는 '曰'로 되어 있으나, 『순자』의 원문에 따라 '日'로 바로잡았다.

不寧方來, 上下應也,

정전 "편안하지 못하여야 바야흐로 옴"은 위아래가 호응하는 것이고,
본의 "편안하지 못한 이가 바야흐로 옴"은 위아래가 호응하는 것이고,

‖中國大全‖

傳

人之生, 不能保其安寧, 方且來求附比, 民不能自保, 故戴君以求寧, 君不能獨立, 故保民以爲安, 不寧而來比者, 上下相應也. 以聖人之公言之, 固至誠求天下之比, 以安民也, 以後王之私言之, 不求下民之附則危亡至矣. 故上下之志, 必相應也. 在卦言之, 上下群陰, 比於五, 五比其衆, 乃上下應也.

사람의 삶이 그 안녕함을 보존할 수 없어야 비로소 와서 의지하고 도움을 구하니, 백성은 스스로 자신을 보존할 수 없으므로 임금을 추대하여 편안함을 구하고, 임금은 홀로 설 수 없으므로 백성을 보존하는 것으로 편안함을 삼으니, 편안하지 못하여 와서 돕는 것은 위아래가 서로 호응하는 것이다. 공적으로 천하 사람을 돕는 성인으로 말하면 진실로 천하 사람들의 도움을 지극한 정성으로 구하여 백성을 편안히 하는 것이고, 사사롭게 왕위를 잇는 후대의 왕으로 말하면 백성이 의지하기를 구하지 않으면 위태하여 망하는데 이른다. 그러므로 윗사람과 아랫사람의 뜻이 반드시 서로 호응한다. 괘에 있어서 말하면 위아래의 여러 음이 오효를 돕고 오효가 그 무리를 도우니, 바로 위아래가 호응하는 것이다.

小註

朱子曰, 程傳云以聖人之公言之, 固至誠求天下之比, 以安民也, 以後王之私言之, 不求下民之附, 則危亡至矣. 蓋且得他畏危亡之禍而求所以比附其民, 猶勝於全不顧者也.

주자가 말하였다: 『정전』에서 "천하 사람을 돕는 성인으로 말하면 진실로 천하 사람들의 도움을 지극한 정성으로 구하여 백성을 편안히 하는 것이고, 사사롭게 왕위를 잇는 후대의 왕으로 말하면 아래 백성이 의지하기를 구하지 않으면 위태하여 망하는데 이른다"라고 하였

다. 대체로 또 그가 위태로워 망하는 화를 두려워하여 백성이 의지하기를 구한 것인데, 그래도 도리어 전연 돌아보지 않는 것보다는 낫다.

‖韓國大全‖

서유신(徐有臣) 『역의의언(易義擬言)』

上無逸而下歸極, 上下相應也

윗사람이 안일하지 않아서 아랫사람이 지극한 데로 돌아가니, 위아래가 서로 호응한다.

김귀주(金龜柱) 『주역차록(周易箚錄)』

按, 上下應, 謂上下五陰應之也. 蓋統言之, 則上下之陰, 皆應於五, 而分言之, 則下四陰, 皆爲實應, 而上一陰, 雖曰應之, 旣後夫而至, 則謂之不應, 亦可也. 両說恐不相妨.

내가 살펴보았다. "위아래가 호응한다"고 한 것은 위아래의 다섯 음이 구오에 호응함을 말한다. 통틀어 말하면 위아래의 음이 모두 오효에 호응하며, 나누어 말하면 아래의 네 음이 모두 실제의 호응이 되는데, 맨 위의 한 음이 비록 '호응한다'고는 하지만, 이미 뒤에 오는 장부로 왔으니, 호응하지 못한다고 말해도 괜찮다. 두 설명이 서로 어긋나지 않을 듯하다.

이현익(李顯益) 「주역설(周易說)」

上下應, 傳則以五陰與九五言, 本義則以五陰言, 而雲峯胡氏, 謂上以一陰獨不能應, 其說與傳義不合. 蓋以上一陰爲後夫, 故說得如此. 然上六爻象及傳義, 未見有後之之意, 以此爲後夫, 不可也. 〈上六, 主其爻而言, 則只是陰柔, 不能比下之意, 而主九五而言, 則有五陰爻, 皆來比之意.〉

"위아래가 호응한다"는 것에 대해 『정전』은 다섯 음과 구오로 말하였고 『본의』는 다섯 음으로 말하였는데, 운봉호씨는 맨 위 한 음만이 호응할 수 없다고 하였으니, 그 설명이 『정전』이나 『본의』와는 부합하지 않는다. 맨 위의 한 음을 '뒤에 오는 장부[後夫]'라고 했으므로 설명이 이와 같다. 그러나 상육의 효상 및 『정전』과 『본의』에서 '뒤에 한다'는 뜻이 있는 것을 볼 수 없는데, 이것으로 '후부(後夫)'라고 하였으니 옳지 못하다. 〈상육은 그 효를 주로

하여 말하면 다만 음이 유약하여 아래를 도울 수 없는 뜻이지만, 구오를 주로 하여 말하면
다섯 음효가 모두 와서 돕는 뜻이 있다.〉

朱子曰, 三乃應上, 上爲比之無首者, 故爲比之匪人. 此說與本義之兼承乘應言者不同.
易雖隨時取義不同, 然如此之類, 只以正應言, 恐爲是, 朱子此說, 當以爲正.〈兼承乘
應言者, 亦無妨. 蓋雖逐爻而論, 未必皆匪人, 而只以諸陰相連之象言, 則爲如此耳〉
주자가 말하였다: 삼효가 상효에 호응하니, 상효는 ‘돕는데 머리가 없는 것’이 되므로 돕는
것이 사람이 아니다.
이 설명은 『본의』에서 ‘잇고’ ‘타며’ ‘호응한다’를 겸하여 말한 것과는 같지 않다. 『주역』이
비록 때에 따라 뜻을 취하는 것이 같지는 않지만, 이와 같은 종류는 다만 정응으로 말하는
것이 옳을 듯하니, 주자의 이 설명이 마땅히 바르다.〈‘잇고’ ‘타며’ ‘호응한다’를 겸하여 말한
것도 방해될 것은 없다. 비록 효에 따라서 논하였지만 반드시 모두가 온당한 사람이 아닌
것은 아니고, 단지 여러 음이 서로 연결된 상으로 말하면 이와 같이 될뿐이다.〉

象主九五而言曰, 上下應, 則是五陰皆來比也. 故傳義以五陰言. 然則九五之前禽, 豈
必是上六, 而進齋徐氏建安丘氏, 以上六爲背乎五, 而以前禽爲指上六, 非朱子之旨.
朱子於九五, 只曰一陽居尊, 卦之群陰, 皆來比, 何曾言上六獨不來比乎. 此亦以上六
爲後夫, 故說得如此也.〈徐說, 雖如此, 不妨作一義看.〉
「단전」은 구오를 주로 하여 말하여 “위아래가 호응한다”라고 말하면, 이것은 다섯 음이 모두
와서 돕는 것이다. 그러므로 『정전』과 『본의』에서 다섯 음으로 말하였다. 그렇다면 구오의
‘앞의 새[前禽]’가 어찌 반드시 이 상육이겠는가마는 진재서씨와 건안구씨가 상육을 오효에
등진 것으로 여겨서 ‘앞의 새’로 상육을 지목하였으니, 주자의 종지는 아니다. 주자는 구오에
대해서 단지 “한 양이 높은데 있고 괘의 여러 음이 모두 와서 돕는다”라고만 하였으니, 어찌
“상육만이 와서 돕지 않는다”고 말한 것이겠는가? 이것이 또한 상육을 ‘뒤에 오는 장부’라고
여겼기 때문에 설명이 이와 같은 것이다.〈서씨의 설명이 비록 이와 같지만, 하나의 의미로
볼 수 있다.〉

강엄(康儼) 『주역(周易)』

按, 先儒以後夫凶易指上六. 旣言上下之皆應, 而又言上六之不應, 蓋易之取義, 固非
一端通. 一卦而言, 則上[21]下五陰皆應九五, 而各據其爻而言, 則上六在九五之後爲後

---

21) 上: 경학자료집성DB와 영인본에는 ‘止’로 되어 있으나, 문맥을 살펴 ‘上’으로 바로잡았다.

夫之象. 如六三在上下皆應之中, 而爻辭以爲比之匪人, 則是於九五亦爲不比之象矣. 上六之爲後夫, 不亦宜乎.

내가 살펴보았다: 이전의 유학자가 ‘후부흉(後夫凶)’을 쉽게 상육이라고 지적하였다. 이미 “위아래가 모두 호응한다”고 말하였는데 또 “상육이 호응하지 않는다”라고 말하니, 『주역』이 의미를 취한 것이 진실로 한 가지 단서로 통하는 것이 아니다. 하나의 괘로 말하면 상하의 다섯 음이 모두 구오에 호응하지만, 각기 그 효에 근거하여 말한다면 상육은 구오의 뒤에 있어 ‘뒤에 오는 장부[後夫]’인 상이 된다. 육삼은 위아래가 모두 호응하는 가운데 있는데, 효사에서 “돕는 것이 사람이 아니다[比之匪人]”라고 하였으니, 이것은 구오에 대해 또한 돕지 못하는 상이 된다. 상육이 ‘뒤에 오는 장부’가 되는 것이 또한 마땅하지 않겠는가?

김기례(金箕澧) 「역요선의강목(易要選義綱目)」

指五君旣盡比道, 則上下五陰百宜來比.

오효인 임금이 이미 돕는 도를 다하였음을 가리키니, 위아래의 다섯 음이 모두 마땅히 와서 돕는다.

後夫凶, 其道窮也.

정전 "뒤에 하면 장부라도 흉함"은 그 도가 궁한 것이다.
본의 "뒤에 오는 장부는 흉함"은 그 도가 궁한 것이다.

中國大全

傳

衆必相比而後, 能遂其生, 天地之間, 未有不相親比而能遂者也. 若相從之志, 不疾而後, 則不能成比, 雖夫亦凶矣. 无所親比, 困屈以致凶, 窮之道也.

무리가 반드시 서로 도운 뒤에 그 생활[삶]을 이룰 수 있으니, 천지 사이에 서로 친하여 돕지 않고서 생활을 이룰 수 있는 것은 있지 않다. 만약 서로 따르려는 의지를 빨리하지 않아서 뒤에 하게 되면 도움을 이룰 수 없으니, 비록 장부라도 흉하다. 친하여 돕는 바가 없어서 막혀 굽혀서 흉함을 이루니, 곤궁하게 되는 길이다.

本義

亦以卦體釋卦辭. 剛中謂五, 上下謂五陰.

또한 괘의 몸체로 괘사를 풀이 하였다. 굳센 양이 가운데 있음[剛中]은 오효를 말하고, 위아래는 다섯 음을 말한다.

小註

雲峰胡氏曰, 凡應字多謂剛柔兩爻相應. 此則爲上下五陰應乎五之剛, 又一例也. 師比皆一陽五陰, 師之應獨重, 謂五應二, 將之任專也. 比之應, 則謂上下應五, 君之分嚴也. 其曰上下應者, 五陰皆當應也. 曰其道窮者, 上以一陰獨不能應也. 易窮則變, 乾上九窮之災, 坤比上六, 皆曰其道窮, 皆不知變者.

운봉호씨가 말하였다: '응(應)'자는 대다수가 굳센 양과 부드러운 음의 두 효가 서로 호응하는 것을 말한다. 이것은 위아래의 다섯 음이 오효인 굳센 양에게 호응하는 것이 되니, 또한 가지 예이다. 사괘(師卦)와 비괘(比卦)는 모두 하나의 양과 다섯 음인데, 사괘에서의 호응이 유독 중요하니, 오효가 이효에 호응하는 것은 장수의 임무가 전일함을 말한다. 비괘에서의 호응은 위아래가 오효에 호응하는 것은 임금의 분수가 엄한 것을 말한다. "위아래가 호응한다"고 말한 것은 다섯 음이 모두 마땅히 호응해야 하는 것이다. "그 도가 궁하다"고 말한 것은 상효는 한 음으로 홀로 호응할 수 없기 때문이다. 역은 궁하면 변하니, 건괘의 상구는 궁핍하여 재앙이고, 곤괘(坤卦)와 비괘(比卦)의 상육에 모두 "그 도가 궁하다"고 한 것은 다 변화를 알지 못해서이다.

‖韓國大全‖

김상악(金相岳) 『산천역설(山天易說)』

以卦體釋卦名義. 比吉也者, 比有親輔之義也. 坤之德順, 故曰下順從也.

괘의 몸체로 괘의 이름을 풀었다. "비는 길함이다"라고 한 것은 비괘에 친하여 돕는 뜻이 있다. 곤괘의 덕은 순하므로 "아랫사람이 순종하여 따른다"라고 하였다.

又以卦體釋卦辭. 以剛中, 故有元永貞之德也. 上下應者, 衆陰皆比之也. 其道窮者, 一陰獨窮於上也, 所以比復好先.

또 괘의 몸체로 괘의 말을 풀었다. 굳센 양으로 가운데 있으므로 크고 영원하고 곧은 덕이 있다. "위아래가 호응한다"고 한 것은 여러 음이 모두 돕는 것이다. "그 도가 궁하다"고 한 것은 한 음만이 홀로 위에서 궁핍하니, 이 때문에 돕는 일과 회복하는 일은 먼저 하는 것이 좋다.

서유신(徐有臣) 『역의의언(易義擬言)』

水德能下不能上, 比道亦無奈何於上六也.

물[水]의 덕은 아래로 내려갈 수는 있으나 위로 올라갈 수는 없으니, 돕는 도가 또한 상육을 어떻게 할 수 없다.

김기례(金箕澧) 「역요선의강목(易要選義綱目)」

下四陰, 皆來比而上六獨不應, 如防風之塗山後至.

아래 네 음이 모두 와서 돕는데 상육만이 호응하지 않으니, 바람을 막는 흙이 산 뒤까지 이른 것과 같다.

○ 乾上九有窮之災, 坤與比上六有其道窮, 皆不知變也.

건괘 상구에서 "궁핍하여 재앙이 있다"는 것과 곤괘와 비괘의 상육에서 "그 도가 궁하다"고 한 것이 모두 변화를 알지 못한 것이다.

오치기(吳致箕) 「주역경전증해(周易經傳增解)」

此以字義釋卦名, 以卦德主爻主卦體釋卦辭也. 比吉也之也字, 朱子謂衍文. 上下應, 指五陰也. 其道窮, 言不比也. 餘見上.

이것은 글자의 의미로 괘의 이름을 푼 것이니, 괘의 덕과 주된 효[主爻]와 괘의 몸체로 괘의 말을 풀었다. "비길야(比吉也)"의 '야(也)'자를 주자는 '잘못 들어간 글'이라고 하였다. "위아래가 호응한다"고 한 것은 다섯 음을 가리킨다. "그 도가 궁하다"고 한 것은 돕지 않음을 말한다. 나머지는 위를 보라.

이진상(李震相) 『역학관규(易學管窺)』

象, 胡氏曰, 易主卜筮, 六十四卦皆然, 何獨蒙比, 文王偶於此發之然. 蒙有師道, 比有君道, 蒙貴初, 比貴原. 發蒙之道, 當視初筮之誠一, 而顯比之道, 當致原筮之謹審. 又二蒙主, 當下卦, 故曰初, 五比主, 當上卦, 故曰原.

「단전」에서 호씨는 "『주역』은 복서(卜筮)를 주로 하니, 육십사괘가 모두 그렇다"라고 하였으니, 어찌 유독 몽괘와 비괘에서만 문왕이 이를 만나 드러내어 그러한 것이겠는가? 몽괘에 스승의 도가 있고 비괘에 임금의 도가 있으니, 몽괘는 시작을 귀하게 여기고 비괘는 '두 번[原]'을 귀하게 여긴다. 몽매함을 일깨우는 도는 마땅히 처음 시초점을 칠 때의 한결같은 정성을 보아야 하고, 나타나게 돕는 도는 마땅히 거듭 헤아리는 신중한 살핌을 이루어야 한다. 또 이효는 몽괘의 주인인데 하괘에 해당하므로 '처음'이라고 하였고, 오효는 비괘의 주인인데 상괘에 해당하므로 '두 번[原]'이라고 하였다.

○ 五陰一陽, 故有元永貞之象, 坤體當寧而坎險, 故不寧, 乃人君不敢遑寧, 萬邦來賓來王之象. 四陰在下, 皆以安順自守, 比應之道易於遲緩, 故設此戒夫. 九五一陽也與六二爲正應而相比, 初以自守而終得來比, 四以功近而從上爲比. 惟三則後於二而不得夫, 上則後於五而不見夫, 皆匈道也. 以象則當釋作後於夫者匈. 三與上皆卦體之終, 故象傳亦以其道窮言之.

다섯 음과 한 양이므로 크고 영원하며 곧은 상이 있으며, 곤괘의 몸체는 마땅히 편안한데 감괘가 험하므로 "편안하지 못하다"고 한 것은 임금이 감히 편안하지 못하여 모든 나라에서 손님이 오고 왕이 오는 상이다. 네 음이 아래에 있으면서 모두 편안하고 순한 것으로 스스로를 지키니, 돕고 호응하는 도가 느슨해지기 쉽기 때문에 이를 열거하여 장부를 경계하였다. 구오의 한 양이 육이와 정응이 되어 서로 도우니, 초효는 스스로를 지켜서 마침내 와서 도움을 얻으며, 사효는 오효에 매우 가까워서 위를 따라 돕게 된다. 삼효만 이효의 뒤에 있어 장부를 얻지 못하며, 상효는 오효의 뒤에 있어 장부를 보지 못하니, 모두 흉한 도이다. 상으로써는 마땅히 "장부의 뒤에 있는 자는 흉하다"고 풀어야 한다. 삼효와 상효가 모두 괘의 몸체의 끝이므로 「단전」에서 또한 "그 도가 궁하다"는 것으로 말하였다.

박문건(朴文健) 『주역연의(周易衍義)』

應猶承也. 此亦以卦體釋卦辭.

호응의 '응(應)'은 잇는다는 '승(承)'과 같다. 이것은 또한 괘의 몸체로 괘의 말을 풀이한 것이다.

〈問, 其道窮. 曰, 其道窮者, 陰盛而陽微也.

물었다: "그 도가 궁하다"는 무슨 뜻입니까?

답하였다: 그 도가 궁하다는 것은 음이 왕성하고 양이 미미한 것입니다.〉

象曰, 地上有水比, 先王以, 建萬國, 親諸侯.

「상전」에서 말하였다: 땅 위에 물이 있는 것이 비(比)이니, 선왕이 그것을 본받아 여러 나라를 세우고 제후를 가까이 한다.

中國大全

傳

夫物相親比而无間者, 莫如水在地上, 所以爲比也. 先王觀比之象, 以建萬國親諸侯, 建立萬國, 所以比民也, 親撫諸侯, 所以比天下也.

만물이 서로 친하여 돕고 틈이 없는 것이 물[水]이 땅 위에 있는 것 만한 것이 없으니, 이 때문에 비괘가 된다. 선왕이 비괘의 상을 관찰하여 여러 나라를 세우고 제후를 가까이 하였으니, 여러 나라를 세운 것은 백성을 도우려는 것이고, 제후를 가까이 하고 어루만진 것은 천하를 도우려는 것이다.

小註

朱子曰, 伊川言建萬國以比民, 言民不可盡得而比. 故建諸侯使比民, 而天子所親者諸侯而已. 這便是他比天下之道.

주자가 말하였다: 이천이 "여러 나라를 세워 백성을 돕는다"고 말한 것은 백성을 모두 얻어서 도울 수 없기 때문에 제후를 세워 백성을 돕게 해서 천자가 가까이 하는 바는 제후일 뿐임을 말한다. 이것이 바로 천자가 천하를 친애하는 방법이다.

本義

地上有水, 水比於地, 不容有間, 建國親侯, 亦先王所以比於天下, 而无間者也. 象意, 人來比我, 此取我往比人.

땅 위에 물[水]이 있는 것은 물이 땅과 가까워서 틈을 용납하지 않는 것이고, 나라를 세우고 제후를 가까이 하는 것도 선왕이 천하를 도와서 제후와 백성의 사이에 틈이 없게 하려 한 까닭이다. 「단전」의 뜻은 남이 와서 나를 돕는 것이고, 여기서는 내가 가서 남을 돕는 것을 취하였다.

小註

龜山楊氏曰, 水在地上, 相比而不離, 先王觀比之象, 建國畫地而封之, 爲之屬連, 使相親比, 則諸侯知尊君親上, 而天下從之矣.

구산양씨가 말하였다: 물이 땅위에 있어서 서로 돕고 떨어지지 않으니, 선왕이 비괘의 상을 살펴 나라를 세우고 땅을 구획하여 봉하고, 그것을 붙이고 이어서 서로 가까이 하여 돕게 하였으니, 제후가 임금을 높이고 윗사람을 가까이함을 알아서 천하 사람들이 따르는 것이다.

○ 建安丘氏曰, 夫水與地相親比, 有合无間也. 先王以建萬國親諸侯, 而不曰親萬國者, 蓋人君以一身而居九重之上, 萬國如此其廣, 人民如此其衆, 安得人人而親比之. 必也分建萬國而先親諸侯, 使諸侯又親萬國之民, 則莫不尊君親上而比于一矣.

건안구씨가 말하였다: 물이 땅과 서로 가까이하여 도우니, 합하여 사이가 없다. "선왕이 그 것을 본받아 여러 나라를 세우고 제후를 가까이한다"고 하고, "여러 나라를 가까이한다"라고 하지 않은 것은 임금은 한 몸을 구중궁궐에 두었는데, 모든 나라가 이와 같이 넓고 백성이 이와 같이 많은데, 어떻게 사람 사람마다 가까이하여 도울 수 있겠는가? 반드시 또한 모든 나라로 나누어서 세워 먼저 제후를 가까이하고서, 제후로 하여금 또 모든 나라의 백성을 가까이하게 한다면 임금을 높이고 윗사람을 가까이하지 않음이 없어서 임금 한 사람에게로 친할 것이다.

○ 方塘徐氏曰, 彖言五陰比一陽, 象言一陽比五陰, 以互相發, 比之義盡矣.

방당서씨가 말하였다: 「단전」에서는 다섯 음이 한 양을 돕는다고 말하고, 「상전」에서는 한 양이 다섯 음을 돕는다고 말하여 서로 밝혔으니, 비괘의 뜻이 극진하다.

○ 雲峰胡氏曰, 師之容民畜衆, 井田法也, 可以使民自相合而无間. 比之建國親侯, 封建法也, 可使君與民相合而无間.

운봉호씨가 말하였다: 사괘에서의 "백성을 포용한다"는 것과 "무리를 기른다"는 것이 정전(井田)의 법이니, 백성들로 하여금 스스로 서로 합하여 틈이 없게 할 수 있다. 비괘에서의 "여러 나라를 세운다"고 한 것과 "제후를 가까이한다"고 한 것이 봉건(封建)의 법이니, 임금으로 하여금 백성과 서로 합하여 틈이 없게 할 수 있다.

┃韓國大全┃

조호익(曺好益) 『역상설(易象說)』

國, 坤土象. 侯, 自五至三震之反體, 取震侯象, 取雙湖推象例. 愚謂, 以二體言, 上卦坎, 坎中男, 互體艮, 艮少男. 中少二男, 居坤土上, 元子繼世, 衆子爲侯, 是建國象. 以六爻言, 上无位, 五天子, 下四公, 三侯, 二伯子, 初男. 凡四等諸侯各有分土, 皆統於天子, 五是親侯象.

'나래[國]'는 곤괘인 땅의 상이다. '제후[侯]'는 오효에서 삼효까지가 진괘(震卦)가 거꾸로 된 몸체로서, 진괘인 '제후'의 상을 취하였으니, 쌍호호씨가 상을 유추한 경우를 취하였다. 내가 살펴보았다: 두 몸체로써 말하면 상괘는 감괘이니 감괘는 둘째 아들이고, 호괘의 몸체가 간괘(艮卦)이니 간괘는 막내아들이다. 둘째와 막내, 두 아들이 곤괘인 땅 위에 있고 원자(元子)가 세대를 계승하며 여러 아들들이 제후가 되니, 나라를 세우는 상이다. 여섯 효로 말하면 상효는 지위가 없고 오효는 천자이며, 아래 사효는 공(公)이고 삼효는 후(侯)이며, 이효는 백(伯)과 자(子)이고 초효는 남(男)이다. 네 등급의 제후가 각기 땅을 나누어 가지며 모두 천자에 통솔되니, 오효는 제후를 친밀하게 하는 상이다.

김도(金濤) 「주역천설(周易淺說)」

愚按, 程傳下朱子所釋惟一條, 本義下諸儒所釋凡四條, 而皆合於大象之旨矣. 夫建萬國親諸侯, 總而言之, 皆是比天下之道, 而分而言之, 則建萬國者, 所以比萬國之民也, 親諸侯者, 所以比萬國之君長也. 萬國之民, 如許其至衆, 則天子豈可人人而比之. 必須先撫其君長, 然後可得以比萬國之民也. 比天下之道, 莫功於撫諸侯, 而撫諸侯之道, 又有其要, 九五爻之顯比者是也. 天子苟有顯比之德, 則天下孰不願戴. 此則比道之盡善盡美者也. 世之人君, 可不法此象, 而以爲治天下之綱領也哉.

내가 살펴보았다: 『정전』 아래에 주자가 풀이한 것이 한 조목이고 『본의』 아래에 여러 유학자가 풀이한 것이 네 조목인데, 모두 「대상전」의 뜻에 부합한다. "여러 나라를 세우고 제후를 가까이한다"는 것을 통틀어서 말하면 모두 천하를 돕는 도이지만, 나누어서 말하면 "여러 나라를 세운다"는 것은 모든 나라의 백성을 돕는 것이며 "제후를 가까이한다"는 것은 모든 나라의 임금을 돕는 것이다. 모든 나라의 백성이 저와 같이 매우 많은데, 천자가 어떻게 사람마다 도울 수 있겠는가? 반드시 먼저 그 임금을 진무(賑撫)하고 그런 뒤에 모든 나라의 백성을 도울 수 있는 것이다. 천하를 돕는 도는 제후를 진무하는 것보다 절실한 것이 없는데

제후를 진무하는 도에 또 그 요령이 있으니, 구오 효에서 "드러나게 돕는다[顯比]"는 것이 이것이다. 천자에게 참으로 '드러나게 돕는 덕'이 있으면 천하에 누가 떠받들고자 하지 않겠는가? 이러니 돕는 도가 지극히 선하고 지극히 아름다운 것이다. 세상의 임금이 이러한 상을 본받지 않고서 천하를 다스리는 강령으로 삼을 수 있겠는가?

심조(沈潮) 「역상차론(易象箚論)」

象, 建萬國, 親諸侯.
「상전」에서 말하였다: 여러 나라를 세우고 제후를 가까이 한다.

萬國諸侯, 下互坤也.
'모든 나라'와 '제후'는 아래쪽 호체가 곤괘의 상이다.

유정원(柳正源) 『역해참고(易解參攷)』

王氏曰, 萬國以比建, 諸侯以比親.
왕필이 말하였다: 여러 나라로써 세우는 것을 돕고, 제후로써 가까이 하는 것을 돕는다.

○ 正義, 地上有水, 猶域中有萬國, 使之各相親比, 猶地上有水, 流通相潤及物, 故云地上有水比也.
『주역정의』에서 말하였다: 땅 위에 물이 있는 것이 구역 안에 여러 나라가 있는 것과 같고 각각 서로 가까이 하여 돕게 하는 것이 땅위에 물이 있는 것과 같아서 흘러 통하고 서로 적셔 만물에 미치기 때문에 "땅 위에 물이 있는 것이 비(比)이다"라고 하였다.

○ 平庵項氏曰, 萬國象地, 諸侯布其上象水.
평암항씨가 말하였다: '여러 나라'는 땅을 형상하고, '제후'가 그 나라 위에 분포되어 있는 것이 물을 형상한다.

○ 案, 師之容民畜衆, 井田之法寓焉, 比之建國親侯, 封建之法立焉. 師之後, 受之以比者, 亦張子所謂, 井田卒歸於封建乃定之意歟.
내가 살펴보았다: 사괘(師卦)에서 "백성을 포용하고 무리를 기른다"고 한 것에 정전(井田)의 법이 깃들어 있으며, 비괘(比卦)에서 "나라를 세우고 제후를 가까이 한다"고 한 것에 봉건(封建)의 법이 서게 된다. 사괘의 뒤를 비괘로 받은 것이 또한 장재가 "정전이 마침내

토지를 봉하고 나라를 세우는 데 돌아가 정해졌다"라고 한 뜻이다.

김상악(金相岳) 『산천역설(山天易說)』

需之雲上於天而成雨, 故比曰地上有水. 周禮疏, 坤爲土, 坎爲水, 水得土而流, 土得水而柔. 水土和合, 故象先王建萬國親諸侯.

수괘(需卦)에서 구름이 하늘로 올라가서 비를 이루므로 비괘에서 "땅 위에 물이 있다"고 하였다. 『주례』의 소에서 "곤괘는 땅이 되고 감괘는 물이 되니, 물이 땅을 얻어서 흐르고 땅이 물을 얻어서 부드러워진다"라고 하였다. 물과 땅이 화합하므로 「상전」에서 "선왕이 여러 나라를 세우고 제후를 가까이 한다"라고 하였다.

박윤원(朴胤源) 『경의(經義)·역경차략(易經箚略)·역계차의(易繫箚疑)』

周武王之列爵惟五, 分土惟三, 卽此象.

주나라 무왕이 작위를 오직 다섯 등급으로 열거하였고, 땅을 세 등급으로 나눈 것이 바로 이 상이다.

서유신(徐有臣) 『역의의언(易義擬言)』

地上有水, 猶云民上有君. 凡言君民, 不可曰君下有民. 然其比之則在於君也. 君比於民, 上比於下, 如水之比地, 親切無間, 而潤澤淪浹也. 建萬國, 坤土象, 親諸侯, 坎水象.

"땅위에 물이 있다"는 것은 백성 위에 임금이 있다고 말하는 것과 같다. 임금과 백성을 말하면 "임금 아래에 백성이 있다"고 말할 수 없다. 그러나 그 돕는 것은 임금에게 있다. 임금이 백성을 돕고 윗사람이 아랫사람을 돕는 것이 물이 땅을 가까이 해 친밀하고 틈이 없어서 두루두루 윤택하게 적시는 것과 같다. "여러 나라를 세운다"는 것은 곤괘인 땅의 상이고, "제후를 가까이 한다"는 것은 감괘인 물의 상이다.

박제가(朴齊家) 『주역(周易)』

本義, 象意, 人來比我, 此取我往比人. 象取衆比, 象取本比.

「대상전」의 『본의』에서 "괘사[象]의 뜻은 남들이 와서 나를 돕는 것인데, 여기서는 내가 가서 남들을 돕는 것을 취하였다"라고 하였다. 괘사는 여럿이 도와주는 것을 취하였고, 「상전」은 내가 돕는 것을 취하였다.

案, 五爲比主, 故五陰爻皆曰比之. 五獨無之字者, 比之本也, 有來比, 無往比也.

내가 살펴보았다: 오효가 비괘의 주인이 되므로 다섯 음의 효가 모두 '돕는다'라고 하였다. 오효만 '지(之)'자가 없는 것은 도와주는 근본이기 때문이니, 와서 도와주는 것은 있어도 가서 도와주는 것은 없다.

윤행임(尹行恁) 『신호수필(薪湖隨筆)·역(易)』

水有千派萬流, 而歸于海, 先王觀水有術, 觀其在乎地中則爲師, 觀其在乎地上則爲比, 而皆統於天子, 則朝宗之義也.

물이 천 갈래 만 갈래로 흐르지만 모두 바다로 돌아가니, 선왕이 물을 살피는 데에 방법이 있어서 물이 땅 속에 있는 것을 보고서 사괘(師卦)로 삼고, 물이 땅 위에 있는 것을 보고서 비괘(比卦)로 삼았지만, 모두가 천자에게 통솔되니 조종(朝宗)의 의미이다.

박문건(朴文健) 『주역연의(周易衍義)』[22]

〈問, 建萬國親諸侯. 曰, 建國者, 廣比民之道也. 親侯者, 廣比臣之道也. 非先世之聖王, 无以與於此也, 故言先王以之也.

물었다: "여러 나라를 세우고 제후를 가까이한다"는 무슨 뜻입니까?

답하였다: "나라를 세운다"는 것은 널리 백성을 돕는 도이고, "제후를 가까이한다"는 것은 널리 신하를 돕는 도입니다. 선대의 성왕이 아니면 여기에 참여할 수 없기 때문에 "선왕이 그것을 본받는다"고 하였습니다.〉

김기례(金箕澧) 「역요선의강목(易要選義綱目)」

先王, 以, 建萬國, 親諸侯.

선왕이 그것을 본받아서 여러 나라를 세우고 제후를 가까이 한다.

建國親侯, 垂統之業, 故曰先王比民得輔, 天下爲大, 故曰建親.

나라를 세우고 제후를 가까이 하여 통솔하는 사업을 후세에 드리우기 때문에 "선왕이 돕고 백성이 도움을 얻는다"고 하였으며, 천하가 크기 때문에 "세우고, 친하게 한다"라고 하였다.

---

22) 경학자료집성 DB에서는 소축괘 상전에 해당하는 것으로 분류했으나, 내용에 따라 이 자리로 옮겼다.

심대윤(沈大允) 『주역상의점법(周易象義占法)』

水隨地之高下而焉. 先王使天下隨其等位, 而親附於己也. 萬國諸侯, 坤艮象, 震建, 兌親.

물은 땅의 높고 낮음에 따라서 따라 붙고, 선왕은 천하 사람을 그 지위에 따라 자신에게 따르도록 하였다. 여러 나라와 제후는 곤괘와 간괘의 상이고, 진괘는 세우는 것이며, 태괘는 친하게 하는 것이다.

오치기(吳致箕) 「주역경전증해(周易經傳增解)」

親比而旡間者, 莫如地上有水, 故先王觀比之象, 以之建萬國, 而親諸侯以比天下也. 坤爲國之象, 而眾陰在下順從一陽, 一陽在上尊居君位, 故有建國親侯之象.

가까이하고 도와서 틈이 없는 것이 땅 위에 물이 있는 것만한 것이 없으므로 선왕이 비괘의 상을 살피고, 그것으로 여러 나라를 세우고 제후를 가까이하여 천하를 돕는 것이다. 곤괘는 나라의 상이 되는데, 여러 음이 아래에 있어 한 양에게 순종하며, 한 양이 위에 있어 높이 임금의 자리에 있기 때문에 나라를 세우고 제후를 가까이하는 상이 있다.

이진상(李震相) 『역학관규(易學管窺)』

國與侯坤象, 而建之則各止其所有. 互艮意親之, 則其心必孚外坎象.

나라와 제후는 곤괘의 상인데, 나라를 세우면 각각 그 소유하는 것이 있다. 호괘인 간괘는 친하게 함을 뜻하니, 그 마음이 반드시 밖을 믿는 것은 외괘인 감괘의 상이다.

박문호(朴文鎬) 「경설(經說)・주역(周易)」

相持相待莫先, 言相持者相待, 故莫之先也. 相待謂相觀望也.

'상지(相持)'와 '상대(相待)' 가운데 무엇이 먼저라고 할 게 없다. '상지'라고 말하면 '상대'하기 때문에 무엇이 먼저라고 할 수 없는 것이다. '상대'는 서로 관망함을 말한다.

初六, 有孚比之, 无咎,

정전 초육은 믿음을 가지고 도와야 허물이 없을 것이니,
본의 초육은 믿음을 가지고 돕기 때문에 허물이 없을 것이니,

‖中國大全‖

傳

初六, 比之始也. 相比之道, 以誠信爲本, 中心不信而親人, 人誰與之. 故比之始, 必有孚誠, 乃无咎也. 孚, 信之在中也.

초육은 돕는 시작이다. 서로 돕는 도는 정성과 믿음을 근본으로 하니, 속마음이 미덥지 못하면서 남과 친하려고 한다면 남들 가운데 누가 함께 하겠는가? 그러므로 돕는 처음에 반드시 믿음과 정성이 있어야 이에 허물이 없다. '부(孚)'는 믿음이 마음속에 있는 것이다.

小註

朱子曰, 孚有在陽爻者, 有在陰爻者. 伊川謂中虛信之本, 中實信之質, 是也.
주자가 말하였다: 믿음이 양효에 있는 것도 있고 음효에 있는 것도 있다. 이천이 "가운데가 텅 빈 것은 믿음의 근본이고, 가운데가 꽉 찬 것은 믿음의 실질이다"라고 말한 것이 그런 것이다.

○ 蘭氏廷瑞曰, 易言有孚者二十一, 有言信其如此者, 有言有孚誠者.
난정서가 말하였다: 『주역』에 "믿음이 있다"고 말한 것이 스물 하나인데, "믿음이 이와 같다"라고 말한 것이 있고 "믿음과 정성이 있다"라고 말한 것이 있다.

‖韓國大全‖

김기례(金箕澧) 「역요선의강목(易要選義綱目)」

坎有中實, 故曰有孚, 而比初六中虛, 故亦曰有孚. 蓋程子以中實爲信之質, 中虛爲信之本. 是已當比之始, 虛心以比, 何咎之有.

감괘는 가운데가 꽉 찼기 때문에 "믿음을 갖는다"고 하였는데, 비괘의 초육은 가운데가 텅 비었기 때문에 또 "믿음을 갖는다"고 하였다. 정자는 가운데가 꽉 찬 것으로 믿음의 바탕을 삼고 가운데가 텅 빈 것으로 믿음의 근본을 삼았다. 이것은 자신이 비괘의 처음을 만나 마음을 비우고 도움이니, 무슨 허물이 있겠는가?

有孚盈缶, 終, 來有他吉.

정전 "믿음을 가짐"이 질그릇에 가득하면 끝에 다른 길함이 있음을 오게 한다.

본의 "믿음을 가짐"이 질그릇에 가득하면 끝에 다른 길함이 있으리라.

║中國大全║

傳

誠信, 充實於內, 若物之盈滿於缶中也. 缶質素之器, 言若缶之盈實其中, 外不加文飾, 則終能來有他吉也. 他非此也, 外也. 若誠實充於內, 物无不信, 豈用飾外以求比乎. 誠信中實, 雖他外, 皆當感而來從, 孚信, 比之本也.

정성과 믿음이 안에 가득 찼으니, 물건이 질그릇 안에 가득한 것과 같다. '부(缶)'는 질박한 그릇이니, 질그릇의 속이 차고 실속이 있어서 밖에 꾸밈을 더하지 않으면 끝에 남들이 와서 다른 길함이 있다. '타(他)'는 여기가 아니고 밖이다. 만약 성실함이 안에 차 있다면 남들이 믿지 않음이 없을 것이니, 어찌 밖을 꾸며서 도움을 구하겠는가? 성실과 믿음이 안에 차면 비록 밖의 다른 것일지라도 모두 감동하여 와서 따를 것이니, 믿음은 돕는 근본이다.

本義

比之初, 貴乎有信, 則可以无咎矣. 若其充實, 則又有他吉也.

돕는 처음에는 믿음을 가지는 것을 귀하게 여기니, 허물이 없을 수 있다. 만약 믿음이 가득 차면 또 다른 길함이 있다.

小註

朱子曰, 終來有他, 說將來似顯比, 便有那周遍底意思.

주자가 말하였다: "끝에 다른 길함이 있다"라 함은 장차 초효가 구오의 '드러나게 도움'처럼

되어서 곧 거기에도 두루 미치는 뜻이 있음을 말한 것이다.

○ 厚齋馮氏曰, 缶, 瓦器, 爾雅云盎也. 初陽實, 六陰虛, 虛者, 缶也, 實者, 盈也.
후재풍씨가 말하였다: '부(缶)'는 질그릇이니, 『이아』에서는 '동이[盎]'라고 하였다. 초효의 자리는 양으로 꽉 찬 것인데 육은 음효로 비었으니, 빈 것은 질그릇이고 꽉 찬다는 것은 가득 채우는 것이다.

○ 雲峰胡氏曰, 與人交止於信. 親比之初, 能有誠信, 所以比之无咎, 及其誠信充實, 則非特无咎, 又有他吉, 初六不與五應, 故曰有他, 大過九四中孚初九, 皆曰有他, 皆指非應而言. 但彼則戒其有他向之心. 此則許其有他至之吉也.
운봉호씨가 말하였다: 남과 사귐에 있어서는 믿음에 그친다. 친하게 돕는 처음에 성실과 믿음이 있을 수 있으면 도와서 허물이 없게 되니, 그 성실과 믿음이 충실해지면 단지 허물이 없을 뿐만이 아니어서, 또 다른 길함이 있다. 초육은 오효와 호응하지 않으므로 "다른 것이 있다"라고 하였으며, 대과괘(大過卦) 구사와 중부괘(中孚卦) 초구에서도 모두 "다른 것이 있다"라고 한 것은 다 호응이 아님을 가리켜서 말한 것이다. 다만 대과괘와 중부괘에서는 다른 곳으로 향하는 마음이 있음을 경계한 것이고, 여기서는 다른 것이 이르는 길함이 있는 것을 받아들인 것이다.

○ 沙隨程氏曰, 終來有他吉者, 非初之時, 吉在後也.
사수정씨가 말하였다: "끝에 다른 길함이 있다"라고 한 것은 초효의 때가 아니니, 길함이 뒤에 있다.

○ 趙氏曰, 易六爻貴於正應, 其近而相得, 亦有不應者, 惟比諸爻不論應否, 而專以比五爲義.
조씨가 말하였다: 『주역』의 여섯 효는 정응을 귀하게 여기지만, 그 가까이하여 서로 얻는 것에 또한 호응하지 않는 것이 있으니, 비괘(比卦)의 여러 효는 호응함의 여부를 논할 것이 없이 전적으로 비괘(比卦)의 오효를 의미로 삼는다.

▌韓國大全▐

이익(李瀷) 『역경질서(易經疾書)』

有孚比之, 謂比之之誠信也. 下又云有孚, 則雖不言比之, 其比之之意自在其中. 缶土器也. 非謂誠信於盈缶, 卽誠信比之之道, 有此物也. 盈於缶者, 酒齊是也. 樽罍罍爵本於瓦缶. 禮不忘本, 故昏用卺盃, 祭用玄酒, 燕饗之用缶, 其意均也. 坎六四云, 樽酒, 簋貳, 用缶. 今有樽簋之說, 則其貳必用缶, 古道然也. 其九五云, 坎不盈, 所謂不盈, 雖不言水, 水在其中. 此言缶者, 亦貳缶也, 互參可知也. 言貳缶, 則樽簋在其中, 樽貳用缶而無不盈, 則比接之盛禮也. 比人之道, 有物無誠不可, 有誠無物亦不可. 酒齊所以導達誠衷也. 有孚於比之而酒齊盈缶, 則二者備矣. 爲卦地上有水, 乃酒盈土缶之象. 故於初發之. 卦中六二九五爲正應, 而下三爻同德, 相比初, 若誠信備禮求比於二, 則二亦終見來比於初, 故二之應五之功, 初亦將同有而吉也. 他者與此爲對, 非此事此物, 而又有事物, 則曰他也. 下言吉則其无咎者始也. 始之比之无咎而已, 終之吉則有他故也. 言盈言來言他, 而不言其物, 易文槪多此例也. 易中言有他者三. 大過之棟隆, 不撓乎下也. 或有他而撓乎下則吝, 中孚之虞吉, 志未變也. 或有他而志變則不然, 可以參考.

"믿음을 가지고 돕는다"는 것은 돕는 것이 정성스럽고 미더움을 말한다. 아래에 또 "믿음을 가진다"고 말하였는데, 비록 돕는다고 말하지는 않았지만, 그 돕는 뜻이 자연히 그 안에 있다. '부(缶)'는 토기이다. 동이를 채우는데 정성스럽고 미덥게 한다는 말이 아니라, 정성스럽고 미덥게 돕는 도리에 이 물건이 있다는 말이다. 질그릇에 채우는 것은 제주가 이것이다. 술통과 술잔은 본래 질그릇이다. 예는 근본을 잊지 않는 것이기 때문에, 혼례에 합환주를 쓰고 제사에 현주를 쓰며 주연에 질그릇을 쓰는 것이니, 그 뜻이 같다. 감괘의 육사에서 "동이[樽]의 술과 궤 두 개를 질그릇으로 사용한다"라고 하였다. 지금 동이와 궤로 설명하였는데, 두 개를 질그릇으로 사용하는 것은 옛날의 도가 그러한 것이다. 그 감괘 구오에서 "구덩이에 차지 못하였다"고 하였으니, "차지 못하였다"는 것은 비록 물[水]을 말하지는 않았으나 물이 그 안에 있는 것이다. 여기서 '질그릇'이라고 말한 것도 두 개의 질그릇이니 서로 참고하여 보면 알 수 있다. 두 개의 질그릇이라고 말하면 동이와 궤가 그 안에 있어서 동이와 궤 둘을 질그릇으로 사용하되 채우지 않음이 없으니, 돕고 사귐이[比接] 극진한 예이다. 남을 돕는 도는 물건은 있는데 정성이 없어도 옳지 않고 정성은 있는데 물건이 없어도 옳지 않다. 제주는 곡진한 정성을 잘 전달하는 방법이다. 돕는 데에 믿음을 두어 제주를 질그릇에 채우면 두 가지가 갖추어진다. 땅 위에 물이 있는 것이 이 괘가 되니, 바로 술을 질그릇에 채우는 상이다. 그러므로 초효에서 드러내었다. 괘 가운데 육이와 구오가 정응이 되고 아래 세 효는 덕이 같아 서로 초효를 도우니, 정성과 믿음으로 예를 갖추어 이효에게 도움을 구하면 이효도 마침내 와서 초효를 돕는 것을 볼 수 있기 때문에, 이효가 오효에 호응하는 공을 초효가 또한 같이 가지고 있어서 길한 것이다. '다른 것[他]'이란 이것[此]과 짝이 되니, 이 일이나 이 물건 말고 또 일이나 물건이 있으면 '다른 것'이라고 말한다. 아래에서 길하다고 했으니 그 허물 없는 것은 시작할 때이다. 시작함에 돕는 것은 허물이 없을 뿐이니, 마침에 길한 데에는 다른 까닭이 있다. '찬대[盈]'고 말하고 '온대[來]'고 말하며 '다른 것[他]'이라고만 말하고 구체적으로 어떤 물건이라고 말하지 않은 것은 『주역』의 문장이 대체로 이러한 예가 많다. 『주역』에서 "다른 데 둔다"고 말한 것이 셋이다. 대과괘에서 "들보가 솟음은 아래로 휘어지지 않기 때문이다"[23]라고 하였으니, 혹 다른 데 두어 아래로 휘어지면 어려운 것이며, 중부괘에서 "헤아리면 길함은 뜻이 변하지 않아서이다"라고 하였는데, 혹 다른 데 두어 뜻이 변하면 그렇지 않으니, 참고할 만하다.

下四陰, 皆求比於九五. 二之內四之外, 以貞悔上下言, 二在下卦, 故加自字.
아래 네 음이 모두 구오에게 도움을 구한다. 이효의 '안으로부터'와 사효의 '밖으로'는 정괘(貞卦, 하괘)와 회괘(悔卦, 상괘)인 위아래로 말한 것인데, 이효는 하괘에 있기 때문에 ~으로부터[自]'라는 말을 더하였다.

송시열(宋時烈) 『역설(易說)』

孚者坎象. 二五有相孚之象. 缶者瓦土之器, 坤土中虛之象. 所以盛水者, 坎爲水, 盈於坤土也. 終來有他吉者, 言初爻雖無正應, 然畢竟將有他五爻之相比, 所以爲言也.
'믿음[孚]'은 감괘의 상이다. 이효와 오효에 서로 믿는 상이 있다. '질그릇[缶]'은 진흙으로 빚은 그릇이니, 곤괘인 흙 속이 텅 빈 상이다. 이 때문에 물을 담을 수 있으니, 감괘는 물[水]이 되어 곤괘인 흙에 담긴다. "끝에 다른 길함이 있다"는 것은 초효가 비록 정응은 없지만, 결국에는 저 오효가 돕게 됨이 있어서 이 때문에 그렇게 말하였다.

유정원(柳正源) 『역해참고(易解參攷)』

鄭氏〈剛中〉曰, 陶土爲缶, 初取以爲象者, 坤土而有坎水故也.
정강중이 말하였다: 진흙이 질그릇이 되는데, 초효가 그것을 취하여 상으로 삼은 것은 곤괘인 땅으로 감괘인 물이 있기 때문이다.

---

23) 『周易·大過卦』: 九四, 棟隆, 吉, 有它, 吝. 象曰, 棟隆之吉, 不橈乎下也.

○ 案, 比之道, 與五相應, 然後乃有吉. 初六之不與五應, 而猶有吉焉, 何也. 以其有孚信之道故也. 所貴乎道者, 有始有終. 初六在卦之始, 故曰終來, 言愼厥終唯其始也. 上六在卦之終, 故曰无首, 言无始則无其終, 可知矣.

내가 살펴보았다: 돕는 도는 오효와 서로 호응하니, 그런 뒤에 길함이 있다. 초육이 오효와 호응하지 못하는데도 오히려 길함이 있는 것은 어째서인가? 그것은 믿음을 두는 도가 있기 때문이다. 도를 귀하게 여기는 것은 처음도 있고 끝도 있다. 초육은 괘의 처음에 있기 때문에 '마침내'라고 한 것은 그 마침을 삼가려거든 그 시작을 잘해야 함을 말한다. 상육은 괘의 끝에 있기 때문에 "머리가 없다"라고 한 것은 시작이 없으면 그 마침도 없는 것을 말함을 알 수 있다.

김상악(金相岳) 『산천역설(山天易說)』

九五曰顯比, 陽爲陰所比也. 諸爻曰比之, 陰比於陽也. 五之陽主坎於上, 而五陰皆從之, 故初之與五雖非其應, 有相比之義也. 居坤之初, 必以孚誠, 可以无咎. 五之中實, 若孚之盈缶. 上下有孚而比之, 故終來有他吉. 凡言有他者, 指非其應也.

구오에서 "드러나게 돕는다"고 말한 것은 양이 음에게 도움을 받는 것이다. 여러 효에 '돕는다'고 한 것은 음이 양을 도움이다. 오효의 양이 위에서 감괘를 주재(主宰)하고 다섯 음이 모두 따르기 때문에 초효가 오효와 비록 그 호응은 아니지만 서로 돕는 의미가 있다. 곤괘의 초효에 있으면서 반드시 믿음과 성실함으로 하니 허물이 없다. 오효가 알맞고 꽉 찬 것은 믿음이 질그릇에 차는 것과 같다. 위아래에 믿음을 두어 돕기 때문에 마침내 다른 길함이 있다. "다른 것이 있다"고 말한 것은 본래의 호응이 아님을 가리킨다.

上有孚屬初之坤體, 下有孚屬五之坎體, 一爻中言上下有孚, 與益九五[24]相似. 蓋此爻之象, 專取於坎. 缶者坎之小罍也. 盈者坎之中滿也. 變爻爲屯, 屯者盈也. 終來有他吉者, 坎水之就下也. 既濟則二五爲應, 故曰吉大來, 水火之相交也.

앞에서의 "믿음을 가진다"는 것은 초효가 곤괘의 몸체에 속하는 것이고 뒤에서의 "믿음을 가진다"는 것은 오효가 감괘의 몸체에 속하는 것인데, 한 효에서 앞뒤로 "믿음을 가진다"고 말한 것은 익괘(益卦)의 구오와 비슷하다. 이 효의 상은 감괘에서만 취하였다. '부(缶)'는 파인 곳가 작은 그릇이다. '영(盈)'은 파인 곳의 안을 채우는 것이다. 효가 바뀌면 준괘(屯卦)가 되니 '준'은 채우는 것이다. "끝에 다른 길함이 있다"고 한 것은 감괘인 물이 아래로 내려가는 것이다. 기제괘(既濟卦)에서는 이효와 오효가 호응이 되기 때문에 "길함이 크게

---

24) 九五: 경학자료집성 DB와 영인본에는 '六五'로 되어 있으나, 익괘의 오효는 양이므로 '九五'로 바로잡았다.

온다"라고 하였으니, 물과 불이 서로 사귀기 때문이다.

박윤원(朴胤源) 『경의(經義)·역경차략(易經箚略)·역계차의(易繫箚疑)』

盈是坎水之象, 缶是坤土之象.

'채운다'는 것은 감괘인 물의 상이고, '질그릇'은 곤괘인 흙의 상이다.

김귀주(金龜柱) 『주역차록(周易箚錄)』

有孚盈缶, 云云.

믿음을 가짐이 질그릇에 가득 하다, 운운.

○ 按, 他吉, 指九五而言. 蓋初六於九五, 未能如六二之正應, 或六四之外比, 則便是他人耳. 然苟能有信而充實, 則終當與之比矣. 此所謂終來有他吉也. 來字當讀如方來後來之來, 恐非謂彼來比我也.

내가 살펴보았다: '다른 길함'은 구오를 가리켜 말한다. 초육은 구오에 대하여 육이가 구오의 정응이 되는 것이나, 혹은 육사가 '밖으로 돕는 것'만 같을 수는 없으니, 바로 다른 사람이다. 그러나 진실로 믿음을 가져서 충실하게 할 수 있으면 끝에 마땅히 도움을 줄 수 있다. 이것이 "끝에 다른 길함이 있다"고 한 것이다. '래(來)'자는 마땅히 "바야흐로 온다[方來]"거나 혹은 "뒤에 온다[後來]"라고 할 때의 '온다'고 하는 래(來)와 같이 읽어야 하니, 아마도 "저 사람이 와서 나를 돕는다"라고 할 때의 래(來)를 말하는 것은 아닌 듯하다.

서유신(徐有臣) 『역의의언(易義擬言)』

自初六積四陰而達於九五, 有孚之象也. 有孚, 故比之而无咎也. 缶坎象也. 積至於四, 盈缶之象也. 厥孚盈於缶, 故六四自外來比, 以從於九五. 殆非始望之所及, 故曰終來有他吉也. 有孚比之, 以在我者言也, 終來他吉, 以在彼者言也. 君子當修其在我者, 待其在彼者也.

초육으로부터 네 음을 쌓아서 구오에 도달함이 믿음을 가지는 상이다. 믿음을 가지기 때문에 돕고 허물이 없다. 질그릇은 감괘의 상이다. 쌓아 사효까지 이르는 것이 질그릇을 채우는 상이다. 그 믿음을 질그릇에 채우듯 하기 때문에 육사는 밖으로부터 와서 돕고 구오를 따르는 것이다. 거의 처음의 기대가 미칠 수 있는 바가 아니기 때문에 "끝에 다른 길함이 있다"라고 하였다. "믿음을 가지고 돕는다"는 것은 내게 있는 것으로 말하고, "끝에 다른 길함이 있다'라고 한 것은 상대에게 있는 것으로 말하였다. 군자는 마땅히 내게 있는 것을 수양하여 상대에게 있는 것을 기다리는 것이다.

강엄(康儼) 『주역(周易)』

按, 有他吉[25]之義, 以比人言, 則程傳所謂物无不信, 朱子所謂周遍[26]底意思是也. 以聖學言, 則孟子所謂有諸己之謂信, 以至聖而不可知之謂神, 卽有孚盈[27]缶終來有他吉[28]之義也.

내가 살펴보았다: "다른 길함이 있다"는 의미는 남을 돕는 것으로 말하면 『정전』의 "만물이 믿지 않음이 없다"는 것과 주자의 "두루한다"는 뜻이 이것이다. 성학(聖學)으로 말하면 맹자가 "자기에게 가지고 있는 것을 믿음[信]이라고 하고, 지극히 성스러워 알 수 없는 것을 신(神)이라고 한다"[29]고 한 것이 바로 "믿음을 가짐이 질그릇에 가득하면 끝에 다른 길함이 있다"는 의미이다.

박문건(朴文健) 『주역연의(周易衍義)』

志在正應, 故有有孚之象. 比之, 比四也. 盈缶, 酒食盈於缶, 善養其上者也. 他, 從他, 謂從五也.

뜻이 바른 호응에 있기 때문에 믿음을 가지는 상이 있다. '돕는다'는 사효를 도움이다. "질그릇에 가득 찬다"는 것은 술과 밥을 질그릇에 가득 채워 그 윗사람을 잘 봉양함이다. '타(他)'는 그를 따름이니 오효를 따르는 것을 말한다.

〈問, 盈缶之取象. 曰, 四陰爲九五之所含藏, 故於初取酒食盈缶之義, 與坎四簋貳用缶之義互考, 則可見, 缶者質素之器也.

물었다: 질그릇에 가득 찬다는 상을 취한 것은 무슨 뜻입니까?

답하였다: 네 음은 구오가 머금어 감춘 것이 되는 까닭에 초효에서 술과 밥을 질그릇에 가득 채우는 의미를 취하였으니, 감괘의 사효에서 "동이의 술과 궤 두 개를 질그릇으로 사용한다"고 한 의미와 서로 참고해보면 알 수 있으니, 질그릇은 바탕이 소박한 그릇입니다.〉

---

25) 吉: 경학자료집성 DB와 영인본에 '言'으로 되어 있으나, 『주역』의 원문을 참조하여 '吉'로 바로잡았다.
26) 遍: 경학자료집성 DB와 영인본에 '□'로 되어 있으나, 『주역』의 원문 소주를 참조하여 '遍'으로 바로잡았다.
27) 盈: 경학자료집성 DB와 영인본에 '盛'으로 되어 있으나, 『주역』의 원문을 참조하여 '盈'으로 바로잡았다.
28) 吉: 경학자료집성 DB와 영인본에 '言'으로 되어 있으나, 『주역』의 원문을 참조하여 '吉'로 바로잡았다.
29) 『孟子 · 盡心』.

〈○ 問, 有孚比之无咎, 有孚盈缶終來有他吉. 曰, 初六有孚上之道者也, 比四則无咎. 旣有孚上之道, 而且酒食盈缶, 終必退來而更進從他, 則吉必先於四, 而後於五者, 察時宜也, 況四亦從五乎.

물었다: "믿음을 가지고 도와야 허물이 없으니, 믿음을 가짐이 질그릇에 가득하면 끝에 다른 길함이 있다"는 것은 무엇을 말하는 것입니까?

답하였다: 초육은 위를 믿는 도가 있는 자이니, 사효를 믿으면 허물이 없습니다. 이미 위를 믿는 도가 있고 또 술과 밥을 질그릇에 채우고 마침내는 반드시 물러났다가 다시 나아가 그를 따르니, 길함이 반드시 사효보다는 먼저 하고 오효보다는 뒤에 하는 것은 때의 마땅함을 살핌인데, 하물며 사효가 또한 오효를 따르겠습니까?〉

이지연(李止淵) 『주역차의(周易箚疑)』

比之大象, 亦所謂意象也.

비괘의 대상이 또한 의상(意象)이다.

陰虛故爲缶, 陽實故爲盈. 有他吉, 不以正應爲吉, 而以五爲吉也.

음은 텅 비었기 때문에 질그릇이 되고, 양은 꽉 찼기 때문에 채우는 것이 된다. "다른 길함이 있다"고 한 것은 정응을 길하다고 하지 않고, 오효를 길하다고 한 것이다.

김기례(金箕澧) 「역요선의강목(易要選義綱目)」

初陽位實, 故曰盈, 陰爻虛, 故曰缶.

초효는 양의 자리로 꽉 찼기 때문에 '채운다'고 하였지만, 음효로 텅 비었기 때문에 '질그릇'이라고 하였다.

○ 他指五也. 易中以非其應而應, 皆爲不正, 獨比爲比天下之道, 故貴在上下應, 則初能虛心質實, 見誠於上, 豈无五君顯比之吉乎. 故曰他.

타(他)는 오효를 가리킨다. 『주역』에서 그 호응이 아닌데도 호응하는 것은 모두 바르지 않음이 되는데, 비괘만은 천하를 돕는 도가 되기 때문에 위아래가 호응하는 데 귀함이 있으니, 초효가 마음을 비울 수 있어서 질박하고 꾸밈이 없어 정성이 위에 드러나는데, 어찌 오효인 임금이 나타나게 돕는 길함이 없겠는가? 그러므로 '다른'이라고 하였다.

윤종섭(尹鍾燮) 「경(經)·역(易)」

比之有孚盈缶, 缶者土器, 以土承水, 卦象有盈缶之象. 坎离皆言缶, 离以坎變, 虛中有缶象.

비괘(比卦)에서 "믿음을 가짐이 질그릇에 가득한다"고 한 것에서 질그릇[缶]은 토기로, 흙으로 물을 받아들이니, 괘의 상에 질그릇에 가득 채우는 상이 있다. 감괘와 리괘에 모두 '질그릇'을 말하였는데, 리괘는 감괘의 음양이 바뀐 괘로 가운데가 텅 비어 질그릇의 상이 있다.

심대윤(沈大允)『주역상의점법(周易象義占法)』

比之爻位居剛求比者也, 居柔安於比者也.

비괘(比卦) 초효의 자리는 굳센 양의 자리에 있으면서 도움을 구하는 자인데, 부드러운 음의 자리에 있으며 돕는데 편안한 자이다.

比之屯䷂, 艱苦也. 比之道, 當求而不可急求也. 初以柔才居剛, 居比之初, 情意未孚, 求其親信難矣. 比之世, 獨有一陽在五, 衆心所願附, 而初不應於五, 而應於四, 以四之近五爲之介, 而求合于五. 故曰有孚比之. 孚五坎象, 言五之所比而比之也. 缶震象. 坎居震上爲有孚盈缶之象. 他吉, 言終得五之親比也. 坤爲終, 震离爲近見曰來, 艮爲阻塞曰他, 言初之隔遠于五也.

비괘가 준괘로 바뀌었으니, 어렵고 괴롭다. 돕는 도는 마땅히 구해야 하지만, 급하게 구해서는 안 된다. 초효는 부드러운 음의 재질로 굳센 양의 자리에 있고 돕는 처음에 있어 정의(情意)가 아직 미덥지 못하여 그 친하고 믿음을 구함이 어렵다. 비괘의 세상엔 한 양만이 오효자리에 있어 무리의 마음이 의지하기를 원하는 바이나, 초효는 오효와 호응하지 못하고 사효와 호응하니, 사효가 오효에 가까운 것을 매개로 하여 오효에 합하기를 구한다. 그러므로 "믿음을 가지고 돕는다"라고 하였다. 오효를 믿음은 감괘의 상이니, 오효가 도와주는 바인데 그것을 돕는 것을 말한다. '질그릇'은 진괘의 상이다. 감괘가 진괘의 위에 있어 믿음을 가짐이 질그릇에 가득한 상이 된다. '다른 길함'은 끝내 오효가 친하게 돕는 것을 얻게 됨을 말한다. 곤괘는 끝이 되고, 진괘와 리괘는 가까이 봄이 되니 '온대[來]'고 했고, 간괘는 끝나면 막힘이 되니 '다른 것[他]'이라고 했으니, 초효가 오효에서 막히고 멂을 말한다.

오치기(吳致箕) 「주역경전증해(周易經傳增解)」

初六, 柔順在比之初, 最先來附於剛中之君, 卽有信而比之者也. 故雖以在下居遠而得无咎. 若能於親比之地, 充積誠信, 如物之盈滿缶中, 則終來有自他之吉矣. 此卽先譽而後戒之辭也.

초육은 유순함이 비괘의 처음에 있고 가장 먼저 굳센 양이 가운데 있는 임금에게 와서 의지하니, 바로 믿음을 가지고 돕는 자이다. 그러므로 비록 아래에 있고 멀리 있지만 허물이 없을 수 있다. 친하게 돕는 곳에서 성실과 믿음을 채우고 쌓을 수 있어 물건이 질그릇 안에 차고 넘치는 것과 같으면 장차 그로부터 오는 길함이 있을 것이다. 이것이 바로 먼저 칭찬하고 뒤에 경계하는 말이다.

○ 有孚取於坤, 坎爲盈之象. 對離中虛爲缶之象. 初在始而來比, 故言終來得吉, 而在遠, 故亦言有他也. 比之義, 在於以陰比陽, 故无論應否, 皆以比於九五爲義也.

"믿음을 가진다"는 것은 곤괘에서 취하였는데, 감괘는 채우는 상이 된다. 음양이 바뀐 리괘(☲)의 가운데가 텅 빈 것이 질그릇의 상이 된다. 초효는 처음에 있지만 와서 돕기 때문에 "끝에 길함을 얻는다"라고 말하였는데, 멀리 있기 때문에 또 "다른 것이 있다"라고 말하였다. 돕는 의미가 음으로 양을 돕는데 있으므로 호응의 여부를 논할 것이 없이 모두 구오를 돕는 것으로 의미를 삼았다.

이진상(李震相) 『역학관규(易學管窺)』

有孚盈缶, 皆坎象. 缶土器之盛水者也. 來有他吉, 九五之陽, 自外而來比也, 非正應故曰他. 終以坤體言.

"믿음을 가짐이 질그릇에 가득하다"고 한 것은 다 감괘의 상이다. 질그릇은 토기에 물을 가득 담은 것이다. "끝에 다른 길함이 있다"고 한 것은 구오의 양이 밖으로부터 와서 도움이니, 정응이 아니기 때문에 '다른[他]'이라고 하였다. '종(終)'은 곤괘의 몸체로 말하였다.

박문호(朴文鎬) 「경설(經說)・주역(周易)」

終來, 本義之意, 猶言將來, 而程傳特釋來字. 又其釋他字處, 甚費力矣.

'종래(從來)'에 대해서 『본의』의 뜻은 오히려 '장래(將來)'라고 말하였는데, 『정전』에서는 특별히 '온다'고 하는 래(來)자를 풀이하였다. 또 그 타(他)자를 풀이한 곳에서 매우 힘을 들였다.

이병헌(李炳憲) 『역경금문고통론(易經今文考通論)』

程傳曰, 初六, 比之始也, 相比之道, 以誠信爲本.

『정전』에서 말하였다: 초육은 돕는 처음이니, 서로 돕는 도는 정성과 믿음을 근본으로 삼는다.

按, 水在地上, 其原不同, 至于大洋, 合一無間. 於此可見大同之歸趣. 統觀六合, 則地亦盛水之缶.

내가 살펴보았다: 물이 땅 위에 있으니, 그 근원은 같지 않으나 대양에 이르면 하나로 합하여 차이가 없다. 여기에서 대동(大同)으로 돌아가는 뜻을 볼 수 있다. 천지만물을 전체로 보면 땅이 또한 물을 담는 질그릇이다.

象曰, 比之初六, 有他吉也.

「상전」에서 말하였다: 비괘의 초육은 다른 길함이 있다.

‖中國大全‖

傳

言比之初六者, 比之道, 在乎始也, 始能有孚, 則終致有他之吉, 其始不誠, 終焉得吉. 上六之凶, 由无首也.

‘비괘의 초육’이라고 말한 것은 돕는 도가 처음에 달려있으니, 처음에 믿음을 가질 수 있으면 끝에 다른 길함이 있음을 이루지만, 그 처음에 정성스럽지 못하면 끝에 어떻게 길함을 얻겠는가? 상육의 ‘흉함’은 머리가 없기 때문이다.

‖韓國大全‖

김상악(金相岳)『산천역설(山天易說)』

始能有孚, 終有他吉. 其始不誠, 終焉得吉.

처음에 믿음을 가질 수 있어서 끝에 다른 길함이 있다. 그 처음에 정성스럽지 못하면 끝에 어떻게 길할 수 있겠는가?

박문건(朴文健)『주역연의(周易衍義)』

〈問, 比之初六. 曰, 此與大有初象大有初九同文法也. 與下象比之之義不同, 特曰比之初六者, 非常也.

물었다: '비괘의 초육[比之初六]'은 무엇을 말하는 것입니까?

답하였다: 이것은 대유괘(大有卦) 초효의 「상전」에서 '대유의 초구는'이라고 한 것과 같은 어법입니다. 아래의 「상전」에서 '돕는다'고 한 뜻과는 같지 않아서 특별히 '비괘의 초육'이라고 한 것이니, 일반적인 경우는 아닙니다.)

김규오(金奎五) 「독역기의(讀易記疑)」

初六象解 比의 初六 疑作初六의 比홈은

초육 「상전」의 해석에서 '비의 초육'이라고 한 것은 아마도 '초육의 도움은'으로 써야 할 듯하다.

서유신(徐有臣) 『역의의언(易義擬言)』

初而比五, 以其比卦也, 以其柔爻也. 故必稱比之初六也. 卦非比而爻非柔, 則安得以比五也. 此等處, 時義可見也.

초효로서 오효를 도움은 그것이 돕는 괘[比卦]이기 때문이며, 그것이 부드러운 음효이기 때문이다. 그러므로 반드시 '비괘의 초육'이라고 일컬었다. 괘가 비괘(比卦)가 아니고 효가 부드러운 음이 아니라면 어떻게 오효를 도울 수 있겠는가? 이런 곳에서 때에 맞는 뜻을 볼 수 있다.

오치기(吳致箕) 「주역경전증해(周易經傳增解)」

此擧末句, 而略言之也.

이것은 끝 구절을 들어서 간략히 말하였다.

六二, 比之自內, 貞吉.

정전 육이는 돕기를 안으로부터 하니, 곧게 해서 길하다.
본의 육이는 돕기를 안으로부터 하니, 곧기 때문에 길하다.

┃中國大全┃

傳

二與五爲正應, 皆得中正, 以中正之道相比者也. 二處於內, 自內謂由己也. 擇才而用, 雖在乎上, 而以身許國, 必由於己, 已以得君, 道合而進, 乃得正而吉也. 以中正之道, 應上之求, 乃自內也, 不自失也, 汲汲以求比者, 非君子自重之道, 乃自失也.

이효와 오효는 정응이 되고 모두 중정함을 얻었으니, 중정의 도로 서로 돕는 것이다. 이효는 안에 있으니, "안으로부터 한다"는 것은 자기로 말미암음을 이른다. 재주를 가려 쓰는 것은 비록 윗사람에게 달려 있지만 몸을 나라에 허락하는 것은 반드시 나에게서 말미암는 것이니, 자신이 임금을 얻어 도가 합하여 나아가면 이에 바름을 얻어 길하게 된다. 중정의 도로써 윗사람이 구하는 데에 호응하니, 바로 '안으로부터 하는 것'이고 자신을 잃지 않는 것이지만, 급하고 급하게 도와주기를 구하는 것은 군자가 자중하는 도리가 아니어서 바로 자신을 잃는 것이다.

本義

柔順中正, 上應九五, 自內比外而得其貞, 吉之道也. 占者如是, 則正而吉矣.

유순하고 중정하여 위로 구오에 호응하여 안으로부터 밖을 도와 그 곧음을 얻었으니, 길한 도이다. 점치는 자가 이와 같이 하면 바르고 길할 것이다.

小註

中溪張氏曰, 小人比而不周, 所惡於比者, 爲其不正也. 苟比之以正則无惡於比矣. 五爲比之主, 二其應也. 以陰從陽, 各當其位, 故曰貞吉.

중계장씨가 말하였다: 소인은 편당 짓고 두루 하지 못하니, 편당 짓는 것을 미워하는 것은 그것이 바르지 않음이 되기 때문이다. 진실로 편당 짓기를 바름으로 한다면 편당 짓는 것을 미워할 것이 없다. 오효는 비괘의 주인이 되고, 이효는 그 호응의 대상이다. 음으로써 양을 따르고 각각 그 자리에 합당하므로 "곧게 해서 길하다"라고 하였다.

○ 隆山李氏曰, 比之世, 陰皆求陽而非陽求陰, 故二之比五, 自內之外, 出應乎上者也.

융산이씨가 말하였다: 비괘의 세상에서는 음이 모두 양을 구하는 것이고 양이 음을 구하는 것이 아니기 때문에, 이효가 오효를 돕는 것은 안으로부터 밖으로 가, 나와서 윗사람과 호응하는 것이다.

○ 雲峰胡氏曰, 初不係四之應而五應之, 故曰他. 四不係初之應而應乎五, 故曰外. 惟二本與五應, 故曰比之自內, 而又以正故吉. 凡卦以下卦爲內, 上卦爲外, 比六二言內, 六四言外, 內外卦之分, 見於此.

운봉호씨가 말하였다: 초효는 사효의 호응에 매이지 않고 오효가 그에 호응하므로 '다른 것'이라고 하였다. 사효는 초효의 호응에 매이지 않고 오효와 호응하므로 '밖'이라고 하였다. 이효만이 본래 오효와 호응하므로 "안으로부터 돕는다"라고 하였는데, 또 바름으로써 하는 까닭에 길하다. 괘에서는 하괘가 안이 되고 상괘가 밖이 되니, 비괘의 육이는 '안'이라고 말하고 육사는 '밖'이라고 말하여 안팎으로 괘가 나뉘는 것이 여기에서 드러난다.

┃韓國大全┃

송시열(宋時烈) 『역설(易說)』

爻與九五爲比. 二卽內卦, 故云自內, 言自內卦而出比也. 此貞正之道而吉也. 陰往而求陽, 雖若失道, 然適於正應, 非自失其身也.

효가 구오와 비(比)의 관계가 된다. 이효는 바로 내괘이므로 '안으로부터[自內]'라고 하였으니,

내괘로부터 나와서 도움을 말한다. 이것은 곧고 바른 도여서 길하다. 음이 가서 양에게 구하니, 비록 도를 잃은 것 같지만 정응(正應)에게 가는 것이므로 스스로 그 몸을 잃는 것이 아니다.

유정원(柳正源) 『역해참고(易解參攷)』

六二 [至] 自內.

육이는 … 안으로부터.

案, 君子之道, 內脩諸己而已, 仕止進退之義, 彌綸範圍之道, 皆當視己爲定, 吾斯之能信, 則特立獨行, 而无所疑懼, 衆毀群譽, 而不爲沮勸. 要之, 內不愧而已. 己心不定, 則其出也, 豈无因緣希慕之心, 其比也, 豈无浮沈諂諛之弊哉. 故傳曰由己, 此由己字, 當以己志兼看. 然此從傳義說耳. 抑又有一說, 自內之內, 卽五之謂也. 今夫下位沈滯草澤隱淪之士, 中正自守, 可比之德, 愈厚而在上者, 愈不之比矣. 唯其九五之君, 同德相應, 振拔登庸, 如恐不及, 則彼之自重者, 方得出而應命, 不辭其比. 然則比之自內者, 豈非九五之求比耶. 或曰九五外卦也, 不可言內. 然以君民言, 則君內而民外, 以上下言, 則上內而下外, 以二五位言, 而謂五爲內者, 有何嫌疑乎.

내가 살펴보았다: 군자의 도는 안으로 자신을 수양할 뿐이니, 벼슬을 하고 그만두는 진퇴의 의리와 널리 다스리는 범위의 도는 모두 자신이 정한 것을 보아야 하니, 내가 이 벼슬을 해낼 만한 자신이 있으면 특별히 서서 홀로 행하여 의심하고 두려워하는 바가 없어 여러 사람이 비방하거나 무리가 칭찬하여도 저지되거나 권려되지 않는다. 요컨대 안으로 부끄럽지 않을 뿐이다. 자기의 마음이 정해지지 않으면 그 출사에 어찌 바라고 사모하는 마음에 인연함이 없을 것이며, 그 도움에 어찌 아첨에 오르내리는 폐단이 없겠는가? 그러므로 『정전』에서 '나로부터[由己]'라고 하였으니, 이 '나로부터'라는 글자는 마땅히 자기의 뜻을 아울러 보아야 한다. 그러나 이것은 『정전』과 『본의』에서 말하는 것이다. 그런데 또 하나의 설명이 있으니, '안으로부터[自內]'의 '안[內]'은 바로 오효를 말한다. 이제 저 아랫자리에 있으면서 벼슬에 오르지 않고 세상을 피해 재야에 숨어있는 선비가 중정으로 스스로를 지켜서 돕는 덕이 두터울수록 위에 있는 자는 더욱더 돕지 못한다. 오직 그 구오의 임금만이 덕을 같이 하여 서로 호응하며 돕고 등용함에 두려워 미치지 못하듯이 하면 저 선비의 자중하던 자가 출사를 하여 임금의 명에 호응하고 그 도움을 사양하지 않는다. 그렇다면 "안으로부터 돕는다"는 것이 어찌 구오가 도움을 구하는 것이 아니겠는가? 어떤 이가 "구오는 외괘니 안이라고 말할 수 없다"고 하였다. 그러나 임금과 백성으로 말하면 임금이 안이고 백성이 밖이며, 위아래로 말하면 위는 안이고 아래는 밖이며, 이효와 오효의 자리로 말하면 오효의 자리가 안이 된다고 말하는 것에 무슨 혐의가 있겠는가?

김상악(金相岳) 『산천역설(山天易說)』

六二, 柔順中正, 與五相應, 自內比之, 故得貞而吉也.

육이는 유순하고 중정하여 오효와 서로 호응하며 안으로부터 돕기 때문에 곧음을 얻어 길하다.

○ 凡卦以下爲內, 以上爲外, 故二曰比之自內, 四曰外比之, 內外卦之分也. 故臨上六與泰初九象傳, 亦以志在內在外爲辭. 凡曰貞, 曰孚, 乃六十四卦之樞紐. 聖人於卦爻, 不敎以貞, 則敎之以孚, 故初曰有孚, 二四曰貞吉. 五互剝體, 比剝異義, 故剝之初二蔑貞而凶, 比則二與四, 皆得正, 與五爲比應, 故皆言貞吉. 蓋一陽五陰之卦, 皆以從陽爲美.

괘는 아래를 '안'이라 하고 위를 '밖'이라 하기 때문에 이효에서 "안으로부터 돕는다"라고 하였고, 사효에서 "밖으로 돕는다"라고 하였으니, 안팎으로 괘가 나뉜다. 그러므로 림괘(臨卦)의 상육 「상전」과 태괘의 초구 「상전」에도 뜻이 안에 있고 또 밖에 있는 것으로 말하였다. '곧다'고 하고 '미덥다'고 한 것은 육십사괘의 중요한 관건이다. 성인이 괘와 효에서 '곧다'는 것으로 가르치지 않으면 '미덥다'는 것으로 가르쳤기 때문에 초효에서 "믿음을 가진다"라고 하고 이효와 사효에서 "곧아서 길하다"라고 하였다. 오효의 호괘는 박괘의 몸체인데, 비괘(比卦)와 박괘(剝卦)는 의미가 다르기 때문에 박괘의 초효와 이효에서 "곧은 것을 멸하여 흉하다"라고 하였고, 비괘에서는 이효와 사효가 모두 바름을 얻고, 오효와 비응(比應)의 관계가 되기 때문에 모두 "곧아서 길하다"고 말하였다. 양이 하나에 음이 다섯인 괘는 모두 양을 따르는 것으로 아름다움을 삼는다.

박윤원(朴胤源) 『경의(經義)·역경차략(易經箚略)·역계차의(易繫箚疑)』

內外卦之說, 始於此.

내괘와 외괘의 설명이 여기에서 시작한다.

서유신(徐有臣) 『역의의언(易義擬言)』

自內, 猶云自我在. 君子出處之義, 得無失之自輕乎. 此難以一槪論也. 皇建會極之日, 在六二應位者, 不可以緩且後也, 故比之自內, 爲貞吉之道也.

'안으로부터'는 '내가 있는 곳으로부터'라고 말하는 것과 같다. 군자가 출처(出處)하는 의리는 스스로를 가볍게 여기는데서 잘못되지 않을 수 있겠는가? 이것은 하나로 논하기는 어렵다. 임금이 큰 표준을 세우는 날은 육이가 호응하는 자리에 있는데, 늦거나 뒤처져서는 아니 되므로 "돕기를 안으로부터 한다"는 것이 곧고 길한 도가 된다.

김귀주(金龜柱) 『주역차록(周易箚錄)』

本義, 柔順中正, 云云.

『본의』에서 말하였다: 유순하고 중정하니, 운운.

小註, 雲峯胡氏曰, 初不, 云云.

소주에서 운봉호씨가 말하였다: 초효는 … 않고, 운운.

○ 按, 五應之云云, 似以初六爻辭終來之來字爲五來比初, 恐未安. 大抵此卦, 皆陰求
於陽, 非陽求於陰也.

내가 살펴보았다: 오효가 호응한다고 운운한 것은 초육의 「효사」에서 '종래(從來)'의 래(來)
자를 오효가 와서 초효를 돕는 것으로 여긴 듯한데, 아마도 그렇지 않은 것 같다. 이 괘는
모두 음이 양에게 구하는 것이지 양이 음에게 구하는 것이 아니다.

박문건(朴文健) 『주역연의(周易衍義)』

比必自遠, 故有自內之象. 自內者, 避犯上之嫌也.

돕는 것이 반드시 먼 곳으로부터 하기 때문에 '안으로부터' 하는 상이 있다. '안으로부터'는
위를 침범하는 혐의를 피한다.

〈問, 比之自內, 貞, 吉. 曰, 九五處五陰之中, 不无疑於五陰者也. 六二處得中正, 故知
上之心, 而比之自內. 若用柔貞之道, 則无所疑而吉也. 此與蹇三象內喜之義互考, 則
可見其義也.

물었다: "돕기를 안으로부터 하니, 바르게 해서 길하다"는 무슨 뜻입니까?

답하였다: 구오가 다섯 음의 안에 있으니, 다섯 음에 혐의가 없지 않습니다. 육이는 있는
곳이 중정을 얻었기 때문에 윗사람의 마음을 알아서 안으로부터 돕는 것입니다. 만약 음의
부드럽고 바른 도를 쓴다면 의심하는 바가 없어 길합니다. 이것을 건괘(蹇卦) 삼효의 「상전」
에 "안에서 기뻐한다"는 뜻과 서로 살펴보면 그 의미를 알 수 있습니다.〉

이지연(李止淵) 『주역차의(周易箚疑)』

我有中正之道, 則不求比人, 而人自求比, 如蒙之九二匪我求童蒙, 童蒙求我. 可比之
道先於我, 故比之自內吉也.

내게 중정의 도가 있으면 다른 사람을 도우려고 하지 않아도 상대가 스스로 도와주길 구하
니, 몽괘(蒙卦)의 구이에서 "내가 동몽(童蒙)을 구하는 것이 아니라 동몽이 나에게 구함이

다”라고 한 것과 같다. 도울 만한 도가 나보다 먼저 하기 때문에 돕기를 안으로부터 하니, 길하다.

김기례(金箕澧) 「역요선의강목(易要選義綱目)」

以陰居下, 以中正之道, 比正應之陽君, 故得正而吉.

음으로써 아래에 있고 중정의 도로써 정응인 양효의 임금을 돕기 때문에 바름을 얻어서 길하다.

○ 初曰他, 四曰外, 皆非正應之應, 二以當道比當應, 故曰自內.

초효에서 ‘다른 것’이라고 하고 사효에서 ‘밖’이라고 한 것은 모두 정응으로서의 호응이 아니고, 이효는 마땅한 도로써 마땅히 호응해야 할 것을 돕기 때문에 ‘안으로부터’라고 하였다.

심대윤(沈大允) 『주역상의점법(周易象義占法)』

比之坎䷜. 六二, 柔中而居柔, 正應於五, 而不復他求. 比人之道, 貴其親密, 故不害其專陷也. 比之自內, 言二從于五也. 人臣旣已委質, 當柔順忠信, 以求親于君, 不當偃蹇自重, 以爲疏外, 故曰貞吉.

비괘가 감괘(坎卦䷜)로 바뀌었다. 육이는 부드러운 음이 가운데 있고 부드러운 음의 자리에 있어 오효에 정응이 되어 다시 다른 것을 구하지 않는다. 남을 돕는 도는 그 친밀함을 귀하게 여기기 때문에 그 빠져드는 것을 해롭게 여기지 않는다. “돕기를 안으로부터 한다”는 것은 이효가 오효에게 따름을 말한다. 신하가 되어 이미 자신을 임금에게 맡겼다면 마땅히 유순하고 충신(忠信)함으로 하여 임금에게 친함을 구하여야 하고, 거드름을 피우고 거만함으로 자신을 소중히 하여 임금을 멀어지게 해서는 안 되기 때문에 “곧아서 길하다”라고 하였다.

오치기(吳致箕) 「주역경전증해(周易經傳增解)」

六二, 以柔順中正之德居于內, 而外應九五剛中之君, 在比之時, 最得其正者, 而自內修行, 出以從君, 吉之道也. 故占言貞而吉.

육이는 유순하고 중정한 덕으로 안에 있고 밖으로 구오의 굳세고 가운데 있는 임금에게 호응하니, 돕는 때에 있어 그 바름을 최고로 얻은 자여서 안으로부터 수행하고 밖으로 임금을 따르기 때문에 길한 도이다. 그러므로 점사에서 “곧아서 길하다”라고 말했다.

○ 在內卦, 故爲內之象也.

내괘에 있기 때문에 '안'이라는 상이 된다.

이병헌(李炳憲) 『역경금문고통론(易經今文考通論)』

姚曰, 二得正應, 五中誠親比, 故曰自內.

요씨가 말하였다: 이효가 정응을 얻고 오효가 마음속으로 정성스럽고 친하게 돕기 때문에 '안으로부터'라고 하였다.

按, 內指初六, 它指外.

내가 살펴보았다: '안으로부터[內]'는 초육을 가리키고, '다른 것[它]'은 밖의 상육을 가리킨다.

象曰, 比之自內, 不自失也.

「상전」에서 말하였다: "돕기를 안으로부터 함"은 자신을 잃지 않는 것이다.

┃中國大全┃

傳

守己中正之道, 以待上之求, 乃不自失也. 易之爲戒嚴密, 二雖中正, 質柔體順, 故有貞吉自失之戒. 戒之自守以待上之求, 无乃涉後凶乎. 曰, 士之修己, 乃求上之道, 降志辱身, 非自重之道也. 故伊尹武侯, 救天下之心, 非不切, 必待禮至然後出也.

자기의 중정한 도를 지켜서 윗사람이 구하기를 기다리니, 바로 자신을 잃지 않는 것이다. 『주역』의 경계함이 엄밀하니, 이효가 비록 중정하지만 바탕이 부드럽고 몸체가 순하므로 "곧아서 길하다"라고 하고 "자신을 잃는다"고 하는 경계를 두었다. 자신을 지켜 윗사람이 구하기를 기다리라고 경계하였으니, 이는 늦게 하면 흉하다는 경계에 걸려든 것이 아니겠는가? 말하자면 선비가 자기를 수양하는 것이 바로 윗사람이 자신을 써주기를 구하는 길이지만, 뜻을 낮추고 몸을 욕되게 함은 자중(自重)하는 도리가 아니다. 그러므로 이윤(伊尹)과 제갈무후(諸葛武侯)가 천하를 구제하려는 마음이 간절하지 않은 것은 아니었지만, 반드시 예가 지극하기를 기다린 뒤에야 나갔던 것이다.

本義

得正則不自失矣.

바름을 얻으면 자신을 잃지 않는다.

小註

進齋徐氏曰, 二柔順中正, 上應九五, 由內比外, 故曰自內. 以中相應, 故曰貞吉. 象言不自失者, 則又推原二之比五, 必當反求諸己, 自无所失, 而後可以比於人也.

진재서씨가 말하였다: 이효는 유순하고 중정하여 위로 구오와 호응하며 안으로부터 밖을 도우므로 '안으로부터'라고 하였다. 중도로써 서로 호응하므로 "곧아서 길하다"라고 하였다. 「상전」에서 "자신을 잃지 않는다"라고 말한 것은 또 이효가 오효를 돕는 것을 미루어 헤아려 반드시 자신에게 돌이켜 구하여서 스스로를 잃는 바가 없은 뒤에야 다른 사람을 도울 수 있을 것이다.

‖韓國大全‖

유정원(柳正源) 『역해참고(易解參攷)』

案, 以陰居陰, 質柔體順, 必有不量而入, 不求而應之, 失而以其居中得正, 且下體本坤, 而坤之六二, 有敬義之德, 守之在內, 自重其身, 而待上之求, 乃所以不自失也.

내가 살펴보았다: 음으로 음의 자리에 있어 바탕은 부드럽고 몸체는 순하여 반드시 헤아리지 않아도 들어가고 구하지 않아도 호응하는 것은 자신을 잃더라도 가운데에 있고 바름을 얻었기 때문이며, 또 하체(下體)가 본래 곤괘인데 곤괘의 육이에 공경하고 의로운 덕이 있어서 지키는 것이 안에 있고 그 몸을 스스로 중히 여겨서 윗사람이 구하기를 기다리니, 바로 이 때문에 스스로를 잃지 않는 것이다.

김상악(金相岳) 『산천역설(山天易說)』

三陰同處, 獨與五爲應, 是不自失也. 與小畜九二同辭. 陽之畜於陰, 陰之比於陽, 皆以不自失爲吉.

세 음이 같이 있지만 홀로 오효와 호응이 되니, "자신을 잃지 않는다"는 것이다. 소축괘(小畜卦) 구이의 「상전」의 말[30]과 같다. 양이 음에게 저지되고 음이 양을 돕는 것이 모두 '자신을 잃지 않는 것'으로 길함을 삼는 것이다.

---

30) 『周易 · 小畜卦』: 牽復, 在中. 亦不自失也.

서유신(徐有臣) 『역의의언(易義擬言)』

二, 中正, 有不自失之象也. 士不自失, 然後可以事君, 苟爲自失, 何所藉手哉.

육이는 중정하여 "자신을 잃지 않는다"는 상이 있다. 선비가 스스로를 잃지 않아서 그런 뒤에 임금을 섬길 수 있으니, 자신을 잃게 되면 어떻게 임금을 돕는 것이겠는가?

박문건(朴文健) 『주역연의(周易衍義)』

不自失, 言不失其處身之道也.

"자신을 잃지 않는다"고 한 것은 그 몸을 두는[處身] 도리를 잃지 않았음을 말한다.

오치기(吳致箕) 「주역경전증해(周易經傳增解)」

自內修行, 而比輔於君, 卽吉之道. 故言不自失也.〈失則凶, 不失則吉.〉

안으로부터 수행하고 임금을 도우니, 바로 길한 도이다. 그러므로 "자신을 잃지 않는다"고 말하였다.〈잃으면 흉하고 잃지 않으면 길하다.〉

심대윤(沈大允) 『주역상의점법(周易象義占法)』

言二之中正, 亦不諂媚而阿附也.

이효가 중정하여 또한 아첨하거나 아부하지 않음을 말한다.

이진상(李震相) 『역학관규(易學管窺)』

坎體在外, 而二比自內, 不求比而比者也. 故象亦曰不自失.

감괘의 몸체가 밖에 있고 이효가 안으로부터 도우니, 돕기를 구하지 않아도 돕는 것이다. 그러므로 「상전」에서 또 "자신을 잃지 않는다"라고 하였다.

이용구(李容九) 「역주해선(易註解選)」

六二, 比之自[31]內, 如伊尹武侯救天下之心非不切, 必待禮至然后出也.

육이에서 "돕기를 안으로부터 한다"는 것은 이윤과 제갈량이 천하를 구제하려는 마음이 절실하지 않은 것은 아니지만, 반드시 예가 지극하길 기다린 뒤에 출사(出仕)한 것과 같다.

---

31) 自: 경학자료집성 DB와 영인본에 '自'으로 되어 있으나, 『주역』 원문을 참조하여 '自'로 바로잡았다.

六三, 比之匪人.

정전 육삼은 온당한 사람이 아닌데 돕는 것이다.
본의 육삼은 돕는 것이 온당한 사람이 아니다.

中國大全

傳

三不中正而所比, 皆不中正. 四陰柔而不中, 二存應而比初, 皆不中正, 匪人也. 比於匪人, 其失可知, 悔吝, 不假言也, 故可傷. 二之中正而謂之匪人, 隨時取義, 各不同也.

삼효는 중정하지 못하고 돕는 것도 모두 중정하지 못하다. 사효는 부드러운 음으로 가운데 있지 못하고, 이효는 호응을 간직한 채로 초효를 도우니, 모두 중정하지 못하여 사람이 아니다. 사람이 아닌데 도우면 그 잃음을 알 수 있으니, 후회와 인색함은 말할 것도 없으므로 해롭다 할 수 있다. 이효는 중정한데도 "온당한 사람이 아니다"라고 한 것은 때에 따라 의리를 취한 것이 각각 같지 않기 때문이다.

小註

東萊呂氏曰, 二之中正, 本未嘗存應而比初. 但三以私心觀之, 故見其存應而比初耳. 蓋君子之所爲本公, 苟以私心觀之, 則但見其私也. 三旣看得二爲小人, 故與二相比, 未嘗得近君子之益, 反得近小人之損, 此三之罪, 非二之咎也. 爻辭隨時取義, 最當詳考.

동래여씨가 말하였다: 이효의 중정은 본래 호응을 두고서 초효를 도운 적이 없다. 다만 삼효가 사심으로 보니, 그가 호응을 두고서 초효를 돕는다고 보았을 뿐이다. 군자의 하는 바는 본래 공적인 것인데, 구차하게 사심으로 본다면 단지 그가 사사롭다고 볼 뿐이다. 삼효는 이미 이효가 소인이 된다고 보았으므로 이효와 서로 도움에, 일찍이 군자를 가까이 하는 유익함을 얻지 못하고 도리어 소인을 가까이 하는 손해를 얻었으니, 이것은 삼효의 죄이지 이효의 허물은 아니다. 효사는 때에 따라 그 의미를 취하니, 가장 마땅히 자세하게 살펴야 한다.

本義

陰柔不中正, 承乘應, 皆陰, 所比, 皆非其人之象. 其占大凶, 不言可知.

부드러운 음으로 중정하지 못하고, '잇고' '타며' '호응하는 것'이 모두 음이니, 돕는 바가 모두 그 사람이 아닌 상이다. 그 점이 크게 흉함을 말하지 않아도 알 수 있다.

小註

朱子曰, 初應四. 四是外比於賢, 爲比得其人. 二應五, 五爲顯比之君, 亦爲比得其人. 惟三乃應上, 上爲比之无首者, 故爲比之匪人也.

주자가 말하였다: 초효는 사효에 호응하는데, 사효는 밖으로 현자를 도우니, 도움에 있어 온당한 사람을 얻는다. 이효는 오효에 호응하는데, 오효는 나타나게 돕는 임금이 되니, 또한 도움에 있어 온당한 사람을 얻은 것이다. 삼효만이 이에 상효에 호응하는데, 상효는 돕는데 머리가 없는 것이 되므로 "돕는 것이 온당한 사람이 아니다"라는 것이다.

○ 進齋徐氏曰, 匪人謂上六. 五爲比主, 上獨背之, 而六三位不中正, 復與之應, 是所比之非其人也.

진재서씨가 말하였다: "온당한 사람이 아니다"는 것은 상육을 이른다. 오효는 비괘의 주인이 되는데, 상효만이 그를 등지고 육삼은 자리가 중정하지 않으며 다시 상효와 호응하니, 이것은 돕는 바가 온당한 사람이 아닌 것이다.

○ 三山劉氏曰, 承乘應皆陰, 匪人之象. 凡居者之隣, 學者之友, 仕者之同僚, 皆所當戒也.

삼산유씨가 말하였다: '잇고' '타며' '호응하는 것'이 모두 음이어서 온당한 사람이 아닌 상이다. 거처하는 자의 이웃이나 배우는 자의 벗, 벼슬하는 자의 동료를 모두 마땅히 경계하여야 할 바이다.

┃韓國大全┃

송시열(宋時烈) 『역설(易說)』

匪人者, 陰爻之小人也. 三之正應與上下爲親比者, 皆陰爻, 陰爲小人, 故曰匪人類也.

或者云, 匪人者, 非人之所爲也, 乃天也. 小人之與小人朋比者, 乃天道之自然也, 此說如何. 或說本於來易否卦. 小象不亦傷者, 悲歎之辭, 胡氏說信矣.

"온당한 사람이 아니다"라는 것은 음효인 소인이다. 삼효의 정응과 위아래가 친하게 돕는 것이 모두 음효니, 음은 소인이 되기 때문에 "온당한 사람이 아니다"는 식으로 말하였다. 어떤 이는 "'온당한 사람이 아니다'라는 것은 인력으로 할 바가 아니니 바로 하늘이다. 소인이 소인과 벗하여 돕는 것이 바로 천도의 자연함이다"라고 하였는데, 이 설명은 어떠한가? 어떤 이의 설명은 래지덕의『주역집주』비괘(否卦)에 근본한 것이다. 「소상전」에서 "또한 상하지 않겠는가?"라고 한 것은 슬퍼하고 탄식한 말이니, 호씨의 설명이 믿을만하다.

심조(沈潮)「역상차론(易象箚論)」

三爲人位, 故下人字.

삼효는 사람의 자리가 되므로 '사람'이라는 인(人)자를 썼다.

유정원(柳正源)『역해참고(易解參攷)』

案, 三人位也. 何謂匪人. 柔而不中正, 又所應者, 上六之无首, 是自我匪人, 而比之者, 亦匪人也.

내가 살펴보았다: 삼효는 사람의 자리인데, 어째서 "온당한 사람이 아니다[匪人]"라고 말하였는가? 유약한데다 중정하지 않고, 또 호응하는 것이 '머리가 없는[无首]' 상육이니, 자기 자신도 온당한 사람이 아니고 돕는 자도 온당한 사람이 아니다.

김상악(金相岳)『산천역설(山天易說)』

三之不中正, 承乘應, 皆陰, 故有比之匪人之象, 凶不假言也.

삼효가 중정하지 않으며 '잇고' '타며' '호응하는 것'이 모두 음이기 때문에 "돕는 것이 온당한 사람이 아니다"라고 하는 상이 있으니, 흉함은 말할 필요도 없다.

○ 否以陰消陽, 比以陰失陽, 皆爲匪人. 程子曰, 二之中正, 而謂之匪人, 隨時取義, 各不同也. 如蒙之六三謂二爲金夫也. 初二四, 皆比之於陽, 故三爻皆吉. 惟三急於上比. 反遇无首之陰, 故爻辭雖不言凶, 象辭嗟傷之也. 三變爲蹇, 蹇象曰利見大人. 蹇又對睽, 睽之初曰見惡人, 亦謂三也.

비괘(否卦)는 음이 양을 소멸시키고 비괘(比卦)는 음이 양을 잃어버리니, 모두 '온당한 사람이 아닌 것'이 된다. 정자는 "이효가 중정한데 '온당한 사람이 아니다'라고 한 것은 때에 따라 의미를 취한 것이 각각 같지 않기 때문이다"라고 하였으니, 몽괘(蒙卦)의 육삼에서 이효를 '돈이 많은 사내[金夫]'라고 한 것과 같다. 초효와 이효, 사효는 모두 양을 돕기 때문에 세 효가 모두 길하다. 삼효만이 위로 돕는데 급급하여 도리어 '머리가 없는' 음을 만나기 때문에 효사에서 비록 '흉하다'고 말하지는 않았지만, 「상전」에서 탄식하고 슬퍼하였다. 삼효가 바뀌어 건괘(蹇卦☵☶)가 되니, 건괘의 「단전」에서 "대인을 보는 것이 이롭다"라고 하였다. 건괘(蹇卦☵☶)는 또 음양이 바뀌어 규괘(睽卦)가 되니, 규괘의 초효에서 "악한 사람을 본다"라고 한 것도 삼효를 말한다.

김규오(金奎五) 「독역기의(讀易記疑)」

六三, 比之匪人, 雖統說三陰, 而實主上六. 蓋捨九五中正之君, 而上比无首, 其惑良可哀也. 是以象曰不亦傷乎, 其占誠凶, 而恐不至如上六之直爲後夫矣. 本義其占大凶云者, 或壓得太重否.

육삼에서 "돕는 것이 온당한 사람이 아니다"라고 한 것은 비록 세 음을 통틀어서 말했지만 실상 주체는 상육이다. 구오의 중정한 임금을 버리고 위로 머리가 없는 것을 도우니, 그 미혹됨이 진실로 애처롭다. 이 때문에 「상전」에서 "또한 상하지 않겠는가?"라고 하였으니, 그 점이 정말로 흉하지만 상육을 직접 '뒤에 오는 장부'라고 한 데에까지는 이르지 않은 듯하다. 『본의』에서 "그 점이 크게 흉하다"고 말한 것은 혹 표현이 너무 지나치지 않은가?

박윤원(朴胤源) 『경의(經義)‧역경차략(易經箚略)‧역계차의(易繫箚疑)』

爻辭不言悔咎, 而小象以傷字發之, 故本義曰大凶.

「효사」에서는 '후회'와 '허물'을 말하지 않았는데, 「소상전」에서 '상한다'고 하는 상(傷)자를 말했기 때문에 『본의』에서 "크게 흉하다"고 하였다.

서유신(徐有臣) 『역의의언(易義擬言)』

柔不中正, 上下無所與, 在比道爲匪人也. 三人位而失其職, 故曰匪人也.

유약하고 중정하지 않아 위아래에서 함께하는 바가 없으니 돕는 도에 있어 온당한 사람이 아닌 것이 된다. 삼효는 사람의 자리인데 그 직분을 잃었기 때문에 "온당한 사람이 아니다"라고 하였다.

김귀주(金龜柱) 『주역차록(周易箚錄)』

傳, 三不中正, 云云.

『정전』에서 말하였다: 삼효가 중정하지 못하다, 운운.

小註, 東萊呂氏曰, 二之, 云云.

소주에서 동래여씨가 말하였다: 이효가, 운운.

○ 按, 二之中正在六三言, 則謂之匪人, 猶屯之初九本陽剛之賢, 而在六二反爲寇難也. 隨爻取義本自如此, 不必言三以私心觀之也. 若必如是索言, 則三雖以私心觀之, 二之中正, 則自如也, 奈何以彼私心之觀, 而甘與之比乎. 到此亦無說可解矣. 故看易者, 當就各爻上理會, 切不可周遮爲說.

내가 살펴보았다: 이효의 중정을 육삼의 입장에서 말하면 "온당한 사람이 아니다"라고 말한 것은 준괘(屯卦)의 초구가 본래 양으로서 굳센 현인이지만 육이에게는 도리어 도적의 어지러움이 되는 것과 같다. 효에 따라 의미를 취한 것이 본래 저절로 이와 같아서 삼효가 사심으로 본다고 말할 필요는 없다. 반드시 이와 같이 말해야 한다면 삼효가 비록 사심으로 보더라도 이효의 중정함은 자연 그러한 것이니, 어찌 그가 사심으로 보는데 달갑게 도움을 줄 수 있겠는가? 여기까지 이르면 설명하여 해결할 수 없다. 그러므로 『주역』을 보는 자가 마땅히 각각의 효에 나아가 이해하여야 하니, 말을 많이 해서 설을 세워서는 안 된다.

本義, 陰柔不中, 云云.

『본의』에서 말하였다: 음의 유약함으로 알맞지 못하고, 운운.

小註, 朱子曰, 初應, 云云.

소주에서 주자가 말하였다: 초효는 호응한다, 운운.

○ 按, 此但以上六爲匪人, 恐不如本義承乘應皆陰之云, 卻爲完備耳.

내가 살펴보았다: 이것은 단지 상육을 "온당한 사람이 아니다"라고 여긴 것이니, 『본의』에서 "잇고, 타며, 호응하는 것이 모두 음이다"라고 한 말이 더욱 온전히 갖춘 것만은 못한 듯하다.

윤행임(尹行恁) 『신호수필(薪湖隨筆)·역(易)』

比之匪人, 卽孔子所謂小人比而不周. 徐子與以隗囂之降蜀爲比者, 得之. 文中子曰, 君子先擇而後交, 故寡尤, 小人先交而後擇, 故多怨, 眞格言也. 若使人人者取友必端, 以友輔仁, 則夫豈有比匪人之歎乎. 故朱子曰, 汎交而不擇, 取禍之道.

"돕는 것이 온당한 사람이 아니다"란 바로 공자가 말한 "소인은 끼리끼리 친하고 두루하지 못한다"는 것이다. 서자여(徐子與)[32]가 외효(隗囂)가 촉에 항복한 일이 한나라를 도운 셈이라고 여긴 것이 옳다. 문중자는 "군자는 먼저 택하고 뒤에 사귀기 때문에 허물이 적고, 소인은 먼저 사귀고 뒤에 택하기 때문에 원망이 많다"라고 하였으니, 참으로 격언이다. 사람마다 벗을 취함에 반드시 단정한 사람으로 하여 벗으로 인(仁)을 돕게 한다면 어찌 돕는데 온당한 사람이 아니라는 탄식이 있겠는가? 그러므로 주자는 "널리 사귀면서 택하지 않음은 화를 얻는 도이다"라고 하였다.

박문건(朴文健) 『주역연의(周易衍義)』

越五比上, 故有匪人之象. 匪人, 言所比之情違於人道也.

오효를 넘어 상효를 돕기 때문에 "온당한 사람이 아니다"는 상이 있다. "온당한 사람이 아니다"는 것은 도우려는 정이 사람의 도에 어긋남을 말한다.

이지연(李止淵) 『주역차의(周易箚疑)』

傳義以六二六四上六俱爲匪其人之象, 上六之於六三, 猶可謂之匪人, 以六二六四爲匪人, 則竊恐未安. 蓋小人與小人爲比, 君子與君子爲比, 六三以己之不中不正, 下欲比六二, 則六二以中正之德不欲爲比上, 欲比六四, 則六四以得貞, 外比之賢, 不欲與比, 在六三者, 寧不悲傷自悼乎. 然則匪人, 專指上六宜矣. 陰在於陽之下, 則曰田[33]无禽, 陰在於陽之上, 則曰田有禽, 此卦之上六, 亦在陽之上, 故云前禽也.

『정전』과 『본의』는 육이와 육사, 상육을 모두 그 사람이 아닌 상으로 여겼는데, 상육이 육삼에 대해서는 "온당한 사람이 아니다"라고 말할 만하지만, 육이와 육사를 온당한 사람이 아니라고 여긴 것은 가만히 생각건대 타당하지 않다. 소인과 소인이 돕고, 군자와 군자가 돕는 것인데, 육삼은 자신이 가운데 있지도 못하고 바르지도 못하면서 아래로 육이를 도우려고 한다면 육이는 중정한 덕으로 위의 육삼을 돕고자 하지 않으며, 육삼이 육사를 도우려한다면 육사는 곧음을 얻어 밖으로 어진 이를 돕고 함께 도우려 하지 않으니, 육삼에 있는 것이 어찌 슬프고 상하여 스스로 슬퍼하지 않겠는가? 그렇다면 "온당한 사람이 아니다"는 것은 전적으로 상육만을 가리키는 것이 마땅하다. 음이 양의 아래에 있으면 "밭에 새[짐승]가 없다"라고 하고 음이 양의 위에 있으면 "밭에 새[짐승]가 있다"라고 하였으니, 이 괘의

---

32) 서자여(徐子與, 1517~1578): 명나라 인물 서중행(徐仲行). 자여는 자. 이반룡(李攀龍), 왕세정(王世貞) 등과 함께 후칠자(後七子) 가운데 한 사람으로 꼽힌다.

33) 田: 경학자료집성 영인본에는 '井'으로 되어 있으나, 문맥을 살펴 '田'으로 바로잡았다.

상육이 또한 양의 위에 있기 때문에 '앞의 새'라고 하였다.

김기례(金箕澧) 「역요선의강목(易要選義綱目)」

以陰居剛, 承外比之四, 乘應五之二, 皆是匪人之比. 而況應上之无首无位者, 比之匪人.

음으로써 굳센 양의 자리에 있어 밖으로 돕는 사효를 잇고 오효에 호응하는 이효를 타는
것이 모두 온당한 사람이 아닌 것의 도움이다. 그런데 하물며 머리도 없고 지위도 없는 상효
에 호응하니, 돕는 것이 온당한 사람이 아니다.

심대윤(沈大允) 『주역상의점법(周易象義占法)』

比之蹇䷦, 流行而朋合也. 六三居剛, 求比而无應, 比于四而同物, 志不相通, 故曰比之
匪人. 匪人異類也. 同人同類也. 求比于異心之人, 勤而无效, 故象曰不亦傷乎. 三下
有二陰之比從, 爲蹇朋合之義. 侯牧之求比于大臣, 有匪人之義.

비괘가 건괘(蹇卦䷦)로 바뀌었으니, 흘러가서 벗이 합한다. 육삼이 굳센 양의 자리에 있어
도움을 구하지만 호응이 없고 사효를 돕지만 같은 음이라서 뜻이 서로 통하지 않기 때문에
"돕는 것이 온당한 사람이 아니다"라고 하였다. "온당한 사람이 아니다"라는 것은 종류가
다름이다. '사람과 같이 함'은 종류가 같은 것이다. 생각이 다른 사람에게 도움을 구하니,
부지런하지만 효험이 없으므로 「상전」에서 "또한 상하지 않겠는가?"라고 하였다. 삼효의 아
래에 두 음이 돕고 따라서 건괘(蹇卦)의 벗이 합하는 의미가 된다. 후목[方伯]이 대신에게
도움을 구하니, 온당한 사람이 아닌 의미가 있다.

오치기(吳致箕) 「주역경전증해(周易經傳增解)」

六三, 陰柔不中不正, 在比之時, 卽以匪道從君者也. 上不若六四之比以正道, 下不若
六二之比以中德, 而乃以柔邪上從顯比之君, 故爲匪人也. 雖不言占, 自可知矣.

육삼은 음의 유약함으로 가운데 있지도 못하고 바르지도 못하니, 돕는 때에 그릇된 도[匪道]
로써 임금을 따르는 자이다. 위로는 육사가 바른 도로써 돕는 것보다 못하고, 아래로는 육이
가 가운데 있는 덕으로 돕는 것보다 못하여 유약하고 사특함으로 위로 나타나게 돕는 임금
을 따르기 때문에 '온당한 사람이 아닌 것'이 된다. 비록 점을 말하지는 않았으나, 저절로
알 수 있다.

○ 不正故曰匪, 而人取人位也.

바르지 않기 때문에 '아니다'는 뜻의 '비(匪)'라고 하였지만, 사람으로 사람의 자리를 취하였다.

이진상(李震相) 『역학관규(易學管窺)』

三人位而比於上六, 故曰匪人. 人爲陽, 鬼爲陰. 兩陰相應, 而彼尤邪暗, 非人之象.

삼효는 사람의 자리인데 상육을 도우므로 "온당한 사람이 아니다"라고 하였다. 사람은 양이 되고 귀신은 음이 된다. 두 음이 서로 호응하지만 저것[상육]이 더욱 사특하고 어두우니, 온당한 사람이 아닌 상이다.

박문호(朴文鎬) 「경설(經說)·주역(周易)」

今人謂賊爲匪, 蓋從此比之匪人而爲稱耳.

요즘 사람이 도적을 '비(匪)'라고 한 것은 대체로 이 효에서 "돕는 것이 온당한 사람이 아니다"라고 한 말에 따라 일컬은 것이다.

이정규(李正奎) 「독역기(讀易記)」

比之六三, 以不中正之人, 又比之匪人, 則其何能免乎. 推觀古今, 比之正人者, 无一不吉, 比之匪人者, 无一不凶矣. 然則人不可以不比, 比之可愼者如此. 九五顯比之吉者, 比道顯明, 不以其私, 則上下无不以公心相比, 爲天下之大吉也. 后世不分公私之異, 惟以相比爲非, 在上則斥以朋黨, 在下則指以派黨, 徒事中立而自謂无偏无黨者, 不亦笑乎.

비괘의 육삼은 중정한 사람이 아니고 또 돕는 것이 온당한 사람이 아니니, 그 어찌 벗어날 수 있겠는가? 고금을 미루어 살펴보면 바른 사람을 도우면 하나라도 길하지 않음이 없고, 바르지 않은 사람을 도우면 하나라도 흉하지 않음이 없다. 그렇다면 사람이 돕지 않을 수 없지만 돕기를 삼가는 것이 이와 같다. 구오에서 "드러나게 도와서 길하다"는 것은 돕는 도가 드러나 밝아서 그 사사로움으로 하지 않으니, 위아래가 공적인 마음으로 서로 돕지 않음이 없어서 천하의 커다란 길함이 된다. 후세에 공적인 것과 사적인 것의 차이를 구분하지 못하고 오직 서로 돕는다는 것을 '그르다'고 여겨서 위에 있으면 붕당이라고 배척하고 아래에 있으면 당파라고 지목하여 한갓 중립하는데 전념하고서는 스스로 치우침도 없고 당파도 없는 자라고 말하니, 또한 우습지 않겠는가?

象曰, 比之匪人, 不亦傷乎.

정전 「상전」에서 말하였다:"온당한 사람이 아닌데 도우니"또한 상하지 않겠는가?

본의 「상전」에서 말하였다:"돕는 것이 온당한 사람이 아니니"또한 상하지 않겠는가?

▌中國大全▌

傳

人之相比, 求安吉也, 乃比於匪人, 必將反得悔吝, 其亦可傷矣. 深戒失所比也.

사람이 서로 돕는 것이 편안하고 길함을 구하는 것인데, 이에 온당한 사람이 아닌데 도우니, 반드시 도리어 후회와 인색함을 얻게 될 것이니, 그 또한 해로울 만한 것이다. 도울 바를 그르친 것을 깊이 경계한 것이다.

小註

進齋徐氏曰, 三居不正之位而應上, 比之匪人也. 上比无首而凶, 己乃應之, 亦可傷矣. 馬援勸隗囂專意東方, 而隗囂降蜀, 至於殺身亡宗, 爲天下笑者, 非大可傷乎.

진재서씨가 말하였다: 삼효는 바르지 않은 자리에 있으면서 상효와 호응하니, 돕는 것이 사람이 아니다. 상효는 돕는데 머리가 없어 흉한데 자신이 상효에 호응하였으니, 또한 다치는 것이다. 마원(馬援)[34]은 외효(隗囂)[35]가 동방[36]에만 전념하기를 권하였는데 외효는 촉(蜀)

---

34) 마원(馬援, BC14~49): 마원은 그가 섬기던 외효에게 촉의 공손술에 집착하지 말고, 동방에 세력을 잡고 있던 유수((劉秀)와 함께 할 것을 권하였다. 마원은 후일 광무제에게 귀의하여 명장으로 이름을 떨쳤다. 강족(羌族)을 평정하였으며, 교지(交趾)의 난을 진압하고 흉노족을 쳐서 공을 세웠다. 후에 남방의 무릉만(武陵蠻) 토벌 중 병사하였다.

35) 외효(隗囂, ?~33): 전한 말 중국 감숙성 농서를 점거하고 있던 세력의 우두머리이다. 외효는 그 세력이 동방의 유수와 촉나라의 공손술 사이에 끼어 있었다. 그 휘하에 있던 마원이 공손술의 사람됨이 소인이므로 유수와 함께할 것을 건의하였다. 외효는 처음에는 후일 광무제가 된 유수에게 귀의하였다가, 결국 배반하고 촉나라 공손술에게로 붙었으나, 여러 차례 한나라에 패하자 분통하여 죽고 말았다.

36) 동방(東方): 여기에서 동방은 후일 광무제가 된 유수(劉秀)를 말한다.

에 항복하여, 자기 자신은 죽고 종묘가 망하는 데 이르러 천하 사람의 웃음거리가 되었으니, 크게 다친 것이 아니겠는가?

○ 雲峰胡氏曰, 爻不言其大凶, 而夫子於象惻然痛憫之曰, 不亦傷乎, 卽孟子哀哉之意. 令人惕然有深省處.

운봉호씨가 말하였다: 효사에 그 크게 흉함을 말하지 않았는데, 공자가 「상전」에서 측은하고 애통해하여 "또한 상하지 않겠는가?"라고 하였으니, 바로 맹자가 '슬프다'고 한 뜻이다.[37] 사람으로 하여금 근심하고 두려워하여 깊이 성찰할 곳이 있게 한다.

▌韓國大全▐

김상악(金相岳) 『산천역설(山天易說)』

不亦傷乎, 卽孟子哀哉之意也.

"또한 상하지 않겠는가?"라는 것은 바로 맹자가 '슬프다'라고 한 뜻이다.

서유신(徐有臣) 『역의의언(易義擬言)』

傷其昏迷, 而亦以爲戒也.

혼미함을 마음 아파하고 또한 경계하였다.

박문건(朴文健) 『주역연의(周易衍義)』

不亦傷, 歎其捨比象之賢, 而從害己之應也.

"또한 상하지 않겠는가?"라는 것은 그 비괘 육사 「상전」의 '어진 이[賢]'를 버리고 자신을 해치는 호응에 따르는 것을 탄식한 것이다.

---

37) 『孟子·離婁』上: 仁, 人之安宅也, 義, 人之正路也. 曠安宅而弗居, 舍正路而不由, 哀哉.

오치기(吳致箕) 「주역경전증해(周易經傳增解)」

此, 痛憫而切戒之辭也.

이는 아프고 불쌍하여 간절히 경계한 말이다.

이병헌(李炳憲) 『역경금문고통론(易經今文考通論)』

虞曰, 匪非也. 失位无應, 故曰匪人. 體剝傷象.

우씨가 말하였다: '비(匪)'는 '아니다'는 말이다. 자리를 잃고 호응함이 없기 때문에 "온당한 사람이 아니다"라고 하였다. 몸이 벗겨져 다치는[傷] 상이다.

按, 匪人指上六.

내가 살펴보았다: "온당한 사람이 아니다"는 것은 상육을 가리킨다.

六四, 外比之, 貞吉.

육사는 밖으로 도우니, 곧아서 길하다.

‖中國大全‖

傳

四與初不相應而五比之, 外比於五, 乃得貞正而吉也. 君臣相比, 正也, 相比相與, 宜也. 五剛陽中正, 賢也, 居尊位, 在上也, 親賢從上, 比之正也, 故爲貞吉. 以六居四, 亦爲得正之義. 又陰柔不中之人, 能比於剛明中正之賢, 乃得正而吉也, 又比賢從上, 必以正道則吉也, 數說相須, 其義始備.

사효가 초효와 서로 호응하지 않고 오효를 도우니, 밖으로 오효를 도움은 바로 곧고 바름을 얻어 길한 것이다. 임금과 신하가 서로 도움은 바른 것이니, 서로 돕고 서로 함께함이 마땅하다. 오효는 굳센 양으로 중정하니 어진 사람이며 높은 자리에 있으니 위에 있는 자인데, 어진 이를 친하게 하고 윗사람을 따르는 것은 비괘의 바름이므로 곧고 길한 것이 된다. 음으로서 사효 자리에 있으니, 또한 바름을 얻은 뜻이 된다. 또 부드러운 음으로 가운데 있지 못하는 사람으로서 굳세고 밝으며 중정한 어진 이를 도울 수 있으니, 바름을 얻어 길한 것이고, 또 어진 이를 돕고 윗사람을 따르는데 반드시 바른 도로써 하니 길하다. 여러 해설이 서로 갖추어 있어야 그 의미가 비로소 갖추어진다.

本義

以柔居柔, 外比九五, 爲得其正, 吉之道也. 占者如是, 則正而吉矣.

부드러운 음으로 음의 자리에 있고 밖으로 구오를 도와 그 바름을 얻는 것이 되니, 길한 도이다. 점치는 자가 이와 같이 하면 바르고 길할 것이다.

小註

王氏湘卿曰, 五爲比主. 六二自內卦比之, 六四自外卦比之, 二四陰, 皆得正, 故皆貞吉.
왕상경이 말하였다: 오효가 비괘의 주인이 된다. 육이는 내괘에서 돕고 육사는 외괘에서
돕는데, 이효와 사효는 음으로 모두 바름을 얻었으므로 전부 모두 길하다.

○ 趙氏曰, 外有可比則爲貞吉, 不必應而後爲正也.
조씨가 말하였다: 밖으로 도울 만한 것이 있으면 곧아서 길하게 되니, 반드시 호응한 뒤에
바르게 되는 것은 아니다.

○ 雲峰胡氏曰, 初六內也, 九五外也. 四宜應內者, 內无可比而比乎五, 義之與比而无
適莫者, 是舍柔暗而比剛明, 得正而吉之道也.
운봉호씨가 말하였다: 초육은 안이고 구오는 밖이다. 사효는 마땅히 안(초효)과 호응하는
것인데 안에서 도울 만한 것이 없어서 오효를 도우니, 의리에 따라 도우며 꼭 그래야 하는
것도 그렇지 않은 것도 없으니,[38] 이것은 유약하고 어두운 것을 버리고 굳세고 밝은 것을
도와서 바름을 얻어 길한 도이다.

▮韓國大全▮

송시열(宋時烈) 『역설(易說)』

此爻以外卦之爻比於九五, 所謂外比也. 二則自內而比, 此則以外而相比, 其道皆貞正
而吉也. 小象賢者, 指五爻也, 所謂從上也.
이 효는 외괘의 효로써 구오를 도우니, "밖으로 돕는다"는 것이다. 이효는 안으로부터 돕는
데, 사효는 밖에서 서로 도우니 그 도가 모두 곧고 바르게 되어서 길하다. 「소상전」의 '어진
이'는 오효를 가리키니, "위를 따른다"는 것이다.

---

38) 『論語・里仁』: 子曰, 君子之於天下也, 無適也, 無莫也, 義之與比.

유정원(柳正源) 『역해참고(易解參攷)』

王氏曰, 比不失賢, 處不失位, 故貞吉.

왕필이 말하였다: 돕는데 어진 이를 잃지 않고 처해 있는 곳도 제자리를 잃지 않았기 때문에 곧아서 길하다.

○ 案, 四不比初, 而外比於五, 以正道而合者也, 如伯夷太公之避紂歸周, 是也.

내가 살펴보았다: 사효가 초효를 돕지 못하고 밖으로 오효를 도움은 바른 도로써 화합한 것이니, 백이(伯夷)와 태공(太公)이 주(紂)임금을 피해 주(周)나라로 귀의한 경우가 그렇다.

김상악(金相岳) 『산천역설(山天易說)』

六四, 以陰得正, 與五相比, 比之親切者也. 故有外比之象. 止於下而尙賢, 順於上而從陽, 正而吉之道也.

육사는 음으로 바름을 얻고 오효와 서로 도우니, 잘 돕는 자이다. 그러므로 밖으로 돕는 상이 있다. 아랫자리에 머물러 어진 이를 숭상하고 윗사람에게 순응하여 양을 따르니, 바르고 길한 도이다.

○ 坤之德, 敬以直內, 義以方外, 而二與四, 得內外之正位, 故皆貞吉. 朱子曰, 二之自內主心, 四之外比主事, 是也.

곤괘의 덕은 공경으로 안을 곧게 하고 의리로 밖을 방정하게 하는 것이니, 이효와 사효가 안팎으로 바른 자리를 얻었기 때문에 모두 곧아서 길하다. 주자가 "이효가 안으로부터 한다는 것은 마음을 중심으로 하고, 사효가 밖으로 돕는다는 것은 일을 중심으로 한다"라고 한 것이 이것이다.

서유신(徐有臣) 『역의의언(易義擬言)』

外比之者, 自外比內也. 其所比者, 初六之孚也. 四與初正應之地, 故爲貞, 積四陰以從九五, 故爲吉也.

"밖으로 돕는다"는 것은 밖에서 안을 도움이다. 그 돕는 것이 초육의 믿음이다. 사효는 초효와 정응의 상황이므로 곧음이 되며, 네 음이 합하여 구오를 따르므로 길하다.

김귀주(金龜柱) 『주역차록(周易箚錄)』

六四, 外比之, 云云.

육사는 밖으로 도우니, 운운.

○ 按, 外比之, 蓋明其不比於內之初也.

내가 살펴보았다: "밖으로 돕는다"는 것은 내괘의 초효를 돕지 못함을 밝혔다.

本義, 以柔居柔, 云云.

『본의』에서 말하였다: 유약한 음으로 음의 자리에 있다, 운운.

小註, 雲峯胡氏曰, 初六, 云云.

소주에서 운봉호씨가 말하였다: 초육은, 운운.

○ 按, 無適莫之云, 恐無當.

내가 살펴보았다: 꼭 그래야 하거나 절대 그래서는 안 되는 것이 없다고 말한 것은 아마도 합당하지 않은 듯하다.

박문건(朴文健) 『주역연의(周易衍義)』

察其時宜, 故有外比之象. 用柔貞, 則能順於上而致吉.

그 때의 마땅함을 살피기 때문에 밖으로 돕는 상이 있다. 음의 부드러움과 곧음을 쓰니, 윗사람에게 순종하여 길함을 이룰 수 있다.

김기례(金箕澧) 「역요선의강목(易要選義綱目)」

凡卦上三爻爲外, 下三爻爲內. 四當應初, 初亦以陰旣得他吉, 則四不得內比初, 而上比於五, 故曰外比.

괘의 위 세 효가 밖(외괘)이 되고 아래의 세 효가 안(내괘)이 된다. 사효는 마땅히 초효와 호응해야 하는데 초효가 또한 음으로 이미 다른 길함을 얻었으니, 사효가 안으로 초효를 돕지 못하고 위로 오효를 도우므로 "밖으로 돕는다"라고 하였다.

○ 二四, 皆以柔居柔, 故曰貞吉.

이효와 사효는 모두 부드러운 음으로 음의 자리에 있기 때문에 "곧아서 길하다"라고 하였다.

심대윤(沈大允) 『주역상의점법(周易象義占法)』

比之萃☵, 所比者, 漸多而萃矣. 六四以柔居柔, 安於比五, 而下之三陰, 皆屬焉. 五比于四, 而四比于五, 君臣相求, 不專以四從五, 故曰外比之.

비괘가 취괘(萃卦☵)로 바뀌었으니, 돕는 이들이 점차 많이 모인다. 육사는 부드러운 음으로 음의 자리에 있으면서 안정되게 오효를 도우니, 아래의 세 음이 모두 따른다. 오효가 사효를 돕고 사효가 오효를 돕는 것은 임금과 신하가 서로 구하는 것으로 사효만이 오효를 따르는 것이 아니므로 "밖으로 돕는다"라고 하였다.

오치기(吳致箕) 「주역경전증해(周易經傳增解)」

六四, 柔得其正而居外, 上與九五之君, 同體而切比, 卽親輔而最近者也. 居外而行正道, 從上而輔賢君, 乃吉之道. 故占言貞而吉.

육사는 부드러운 음이 그 바름을 얻어 밖에 있고 위로 구오의 임금과 같은 몸체로서 매우 가까우니, 바로 직접 도와서 가장 가까이 한 자이다. 밖에 있으면서 바른 도리를 행하며 윗사람을 따라 어진 임금을 보필하니, 바로 길한 도이다. 그러므로 점에서 "곧아서 길하다"라고 하였다.

○ 在外卦, 故爲外之象也.
외괘에 있기 때문에 밖의 상이 된다.

이진상(李震相) 『역학관규(易學管窺)』

九五在外, 而四能外比之, 爻象然也. 但以陰比陽, 疑於不貞, 故曰貞吉.

구오가 밖에 있고 사효가 밖으로 오효를 도울 수 있어서 효의 상이 그러하다. 다만 음으로 양을 돕는 것이어서 곧지 않을까 의심스럽기 때문에 "곧아서 길하다"라고 하였다.

박문호(朴文鎬) 「경설(經說)·주역(周易)」

存應而比初, 言上存心於正應之五, 下比於初也.
"호응함이 있는데 초효를 돕는다"는 것은 위로 바른 호응인 오효에 마음을 두면서 아래로 초효를 돕는다는 말이다.

象曰, 外比於賢, 以從上也.

「상전」에서 말하였다: 밖으로 어진 이를 도움은 위를 따르는 것이다.

中國大全

傳

外比, 謂從五也. 五剛明中正之賢, 又居君位, 四比之. 是比賢, 且從上, 所以吉也.

밖으로 도움은 오효를 따르는 것을 말한다. 오효는 굳세고 밝으며 중정한 어진 이이며, 또 임금의 자리에 있으니, 사효가 돕는다. 이는 어진 이를 돕는 것이고 또 윗사람을 따르는 것이니, 이 때문에 길하다.

小註

中溪張氏曰, 以位言之, 五在四之外也. 五有剛中之德, 賢而在上, 四外比而佐之, 卽象所謂比輔也. 君剛臣柔, 以下從上, 故曰貞吉.

중계장씨가 말하였다: 자리로 말하면 오효는 사효의 밖에 있다. 오효는 굳세고 알맞은 덕이 있어 어질면서 위에 있고 사효가 밖으로 도와 보좌하니, 바로 「단전」에서 "비(比)는 돕는 것이다"라고 한 것이다. 임금은 굳센 양이고 신하는 부드러운 음이어서 아랫사람이 윗사람을 따르므로 "곧아서 길하다"라고 하였다.

韓國大全

김상악(金相岳) 『산천역설(山天易說)』

賢以德言, 上以位言.

'어진 이'는 덕으로 말하였고, '윗사람'이라고 한 '위[上]'는 자리로 말하였다.

박윤원(朴胤源) 『경의(經義)·역경차략(易經箚略)·역계차의(易繫箚疑)』

外卽上也. 故象曰, 外比於賢, 以從上也.

'밖'은 바로 위이다. 그러므로 「상전」에서 "밖으로 어진 이를 도움은 위를 따르는 것이다"라고 하였다.

서유신(徐有臣) 『역의의언(易義擬言)』

賢謂初六也, 上謂九五也.

'어진 이'는 초육을 말하고, '위'는 구오를 말한다.

박문건(朴文健) 『주역연의(周易衍義)』

上謂九五也.

'윗사람'이라는 '위[上]'는 구오를 말한다.

〈問, 外比於賢, 以從上. 曰, 人徒知從上之義, 而不知比賢之道, 故先言比賢, 而後言從上也. 然曰賢, 曰上, 互明外比之義也.

물었다: "밖으로 어진 이를 도움은 윗사람을 따르는 것이다"는 무슨 뜻입니까?

답하였다: 사람이 한갓 윗사람을 따르는 뜻만 알 뿐, 어진 이를 돕는 도리를 알지 못하기 때문에 어진 이를 돕는 것을 먼저 말하고 윗사람을 따르는 것을 나중에 말하였습니다. 그러나 '어진 이'라고 말하고 '윗사람'이라고 말한 것도 밖으로 돕는 뜻을 서로 밝힌 것입니다.〉

심대윤(沈大允) 『주역상의점법(周易象義占法)』

大臣以道事君, 不可則止, 故曰外比于賢.

대신은 도로써 임금을 섬기다가 그렇게 할 수 없게 되면 그만두기 때문에 "밖으로 어진 이를 돕는다"라고 하였다.

오치기(吳致箕) 「주역경전증해(周易經傳增解)」

居外而比賢君, 卽以正道而從上也.

밖에 있으면서 어진 임금을 도움은 바로 바른 도리로써 하여 윗사람을 따름이다.

이병헌(李炳憲) 『역경금문고통론(易經今文考通論)』

外比之外, 四自謂也. 賢謂初二也. 蓋與初二比而從五也.

"밖으로 돕는대[外比]"라 한 것에서 '밖'을 뜻하는 외(外)는 사효 자신을 말한다. '어진 이'는 초효와 이효를 말한다. 초효, 이효와 함께 도와서 오효를 따른다.

九五, 顯比, 王用三驅, 失前禽, 邑人不誡, 吉.

정전 구오는 드러나게 도우니, 왕이 세 군데로 모는데 앞의 새를 잃으며[39] 읍 사람에게 기약하지 않으니, 길하다.

본의 구오는 드러나게 도우니, 왕이 세 군데로 모는데 앞의 새를 잃고 읍 사람도 경계하지 않으니, 길하다.

‖中國大全‖

傳

五居君位, 處中得正, 盡比道之善者也. 人君比天下之道, 當顯明其比道而已, 如誠意以待物, 恕己以及人, 發政施仁, 使天下蒙其惠澤. 是人君親比天下之道也. 如是, 天下孰不親比於上. 若乃暴其小仁, 違道干譽, 欲以求下之比, 其道亦狹矣, 其能得天下之比乎. 故聖人以九五盡比道之正, 取三驅爲喩曰, 王用三驅, 失前禽, 邑人不誡, 吉. 先王以四時之畋, 不可廢也, 故推其仁心, 爲三驅之禮, 乃禮所謂天子不合圍也, 成湯祝網, 是其義也. 天子之畋, 圍合其三面, 前開一路, 使之可去, 不忍盡物, 好生之仁也. 只取其不用命者, 不出而反入者也, 禽獸前去者, 皆免矣. 故曰失前禽也. 王者顯用其比道, 天下自然來比, 來者撫之, 固不煦煦然求比於物, 若田之三驅, 禽之去者, 從而不追, 來者則取之也, 此王道之大, 所以其民皞皞而莫知爲之者也. 邑人不誡吉, 言其至公不私, 无遠邇親疏之別也. 邑者居邑, 易中所言邑, 皆同, 王者所都, 諸侯國中也. 誡期約也, 待物之一, 不期誡於居邑, 如是則吉也. 聖人以大公无私, 治天下, 於顯比見之矣, 非唯人君比天下之道如此. 大率人之相比莫不然, 以臣於君言之, 竭其忠誠, 致其才力, 乃顯其比, 君之道也. 用之與否, 在君而已, 不可阿諛逢迎, 求其比己也. 在朋友, 亦然, 修身誠意以待之, 親己與否, 在人而已, 不可巧言令色, 曲從苟合, 以求人之比己也. 於鄕黨親戚, 於衆人, 莫不皆然, 三驅失前禽之義也.

---

39) 세 면을 막고 한 면만 틔워 놓아 앞으로 도망가는 것을 잡지 않는다.

오효는 임금의 자리에 있고 가운데에 있으면서 바름을 얻었으니, 돕는 도의 최선을 다한 자이다. 임금 된 이가 천하를 돕는 도는 마땅히 그 돕는 도를 드러내어 밝게 할 뿐이니, 성의로써 남을 대하고 자기를 미루어 남에게 미치며 정사를 일으키고 어진 것을 베풀어 천하 사람으로 하여금 그 혜택을 입게 한다. 이는 임금 된 이가 천하를 친하게 돕는 도이다. 이와 같이 하면 천하에 그 누가 윗사람을 친하게 돕지 않겠는가? 만약 그 조그마한 어짊을 드러내며 도를 어기고 명예를 요구하여 아랫사람의 도움을 구하려 한다면 그 도가 또한 협소할 것이니, 어찌 천하의 도움을 얻을 수 있겠는가? 그러므로 성인이 구오로 돕는 도의 바름을 다하였으나, 세 군데로 모는 것을 취하여 비유하기를 "왕이 세 군데로 모으는데 앞의 새를 잃으며 읍 사람에게 기약하지 않으니, 길하다"라고 하였다. 선왕이 사시(四時)의 사냥을 폐지할 수 없으므로 어진 마음을 미루어 세 군데로 모는 예를 만들었으니, 『예기』에서 이른바 "천자가 완전히 포위하지 않는다"고 한 것이고, 성탕(成湯)이 그물을 치고 축원한 것도 이것이 그 의미이다.

천자의 사냥은 그 세 군데만 포위하고 앞의 한 길은 열어 주어 도망가게 하여, 차마 짐승을 모두 잡지 않으니, 살리기를 좋아하는 어짊이다. 다만 명령을 따르지 않는 것과 나가지 않고 도로 들어오는 것을 취하니, 새와 짐승이 앞으로 도망가는 것은 다 죽음을 면한다. 그러므로 "앞의 새를 잃는다"라고 하였다. 왕은 그 돕는 도를 드러내 밝게 하면 천하가 자연히 와서 도울 것이니, 오는 자를 어루만지되 진실로 편안하여 남에게 도움을 구하지 않고, 사냥함에 세 군데로 몰아서 도망가는 짐승은 놓아주고 쫓아가 잡지 않고 오는 것을 취하니, 이것은 왕도의 큰 것이다. 이 때문에 그 백성이 편안하여 그렇게 하는지를 알지 못하는 것이다.

"읍 사람에게 기약하지 않으니 길하다"는 것은 지극히 공변되고 사사로움이 없어서 멀고 가까우며 친하고 소원한 구별이 없는 것이다. '읍'이란 거주하는 마을인데, 『주역』에서 말한 '읍'은 다 같으니, 왕이 도읍한 곳이고 제후의 수도이다. '계(誡)'는 기약함이니, 남을 대접하는 것이 한결같아 거주하는 마을에 기약하기를 정하지 않는 것으로, 이와 같이 하면 길하다. 성인이 크게 공평하고 사사로움이 없는 것으로 천하를 다스림은 나타나 돕는데서 볼 수 있으니, 임금이 천하를 돕는 도만 이와 같은 것이 아니다.

대체로 사람이 서로 돕는 것이 그렇지 않은 것이 없어서 신하로써 임금에 대해 말하면 충성을 다하고 재주와 힘을 다하여야 이에 그 임금을 돕는 도를 나타내는 것이고, 씀의 여부는 임금에게 있을 뿐이니, 아첨하고 영합하여 임금이 자신을 돕도록 구해서는 안 된다. 벗에 있어서도 그러하니, 몸을 닦고 뜻을 성실히 하여 대할 것이고, 자기를 친하게 하는 여부는 상대에게 있을 뿐이니, 말을 잘하고 얼굴빛을 좋게 하여 굽혀 따르고 구차하게 합하여 상대가 자신을 돕도록 구해서는 안 된다. 고향사람과 친척, 여러 사람에게 있어서도 다 그렇지 않음이 없으니, 세 군데로 몰아 앞의 새를 잃는다는 뜻이다.

小註

或問, 伊川解, 顯比, 王用三驅, 失前禽, 所謂來者撫之去者不追, 與失前禽而殺不去者, 所譬頗不相類如何. 朱子曰, 田獵之禮, 置旂以爲門, 刈草以爲長圍, 田獵者自門驅而入, 禽獸向我而出者皆免. 惟被驅而入者皆獲, 故以前禽比去者不追. 獲者譬來則取之, 大意如此, 无緣得一一相似. 伊川解此句不須疑. 但邑人不誡吉一句似可疑, 恐易之文義不如此耳.

어떤 이가 물었다: 이천이 "드러나게 도움이니, 왕이 세 곳으로 모으는데 앞의 새를 잃는다"고 한 것을 풀이한 것이 이른바 "오는 것을 어루만지고 가는 것을 좇지 않는다"고 한 것인데, "앞의 새를 잃고 가지 않는 것을 죽인다"고 한 것과 비유한 것이 자못 서로 비슷하지 않은 것은 어째서입니까?

주자가 답하였다: 사냥터에서 수렵하는 예는 깃대를 설치하여 문으로 하고 풀을 베어 길게 두르니, 사냥하는 자는 문으로부터 몰고 들어가 금수가 나를 향하여 나오는 것은 다 살려줍니다. 쫓겨 들어가는 것만 다 잡으니, 그러므로 '앞의 새'로 가는 것은 좇지 않는 것을 비유하였습니다. 얻는 것은 오면 취한다는 것으로 비유하였으니, 큰 뜻이 이와 같고 하나하나가 서로 같을 수는 없습니다. 이천이 이 구절을 풀이한 것은 꼭 의심스러울 것이 없습니다. 다만 '읍인불계길(邑人不誡吉)'[40]의 한 구절은 의심할 수 있을 듯하니, 아마도 『주역』의 문의(文義)는 이와 같지 않은 듯합니다.

○ 進齋徐氏曰, 五以剛健之德而居正中之位, 能顯明比道於天下. 比以顯言, 則天下皆依光之臣, 近光之民矣, 其吉可知. 王者田獵, 合三面之網, 而開其一面, 以驅逐禽獸, 至再至三使之可去. 其順而來者則取之, 以喩下四陰之順乎五也. 其逆而去者則舍之, 以喩上一陰之背乎五也. 前禽指上六也. 一卦五陰, 而四陰從陽, 上獨背之, 是失前禽也. 然聖人雖无心於留天下, 而天下自不能釋然於聖人, 有不待告誡而自然順從之者矣, 故曰邑人不誡吉.

진재서씨가 말하였다: 오효는 강건한 덕으로 정중(正中)의 자리에 있어서 천하에 돕는 도를 드러내 밝힐 수 있다. 돕는 것을 드러낸 것으로 말하면 천하가 모두 임금에 의지하는 신하이고 임금을 가까이 하는 백성이니, 그 길함을 알 수 있다. 왕이 사냥을 함에 세 면의 그물을 합하고 그 한 방면을 열어 금수를 쫓아 두 번 세 번 달아날 수 있게 한다. 그 순응하여 오는 것을 잡는 것으로 아래의 네 음이 오효에 순응하는 것을 비유하였다. 그 거슬러 도망가는 것은 놓아주는 것으로 맨 위의 한 음이 오효에 등지는 것을 비유하였다. '앞의 새'는 상육을 가리킨다. 한 괘에서 음이 다섯인데 네 음이 양을 따르고 상효만이 등지니, 이것이 "앞의 새를 잃는다"는 것이다. 그러나 성인이 비록 천하에 마음을 두지 않았지만, 천하 사람들은

---

40) '읍인불계길(邑人不誡吉)'의 풀이는 『정전』에 따르면 "천자가 다스리는 지역의 읍인에게 특별히 기약하지 않으니 길하다"는 의미가 되고, 『본의』에 따르면 "읍인도 짐승을 놓칠까 긴장해서 경계하지 않으니 길하다"가 된다. '읍인불계길(邑人不誡吉)'에 대한 『정전』과 『본의』의 해석을 비교하여 논한 것으로 이항로의 『주역전의동이석의』를 참조할 것. 진재서씨의 해석은 또 달라서 "읍사람을 훈계하고 경계시키지 않더라도 자연히 순종해서 길하다"는 의미가 된다.

성인에 대해서 자연 마음을 풀 수가 없어서 타일러 훈계함을 기다리지 않고 자연 순종하는 자가 있으므로 "읍 사람에게 기약하지 않으니 길하다"라고 하였다.

本義

一陽居尊, 剛健中正, 卦之群陰, 皆來比己. 顯其比而无私, 如天子不合圍, 開一面之網, 來者不拒, 去者不追, 故爲用三驅失前禽而邑人不誠之象. 蓋雖私屬, 亦喩上意, 不相警備, 以求必得也, 凡此皆吉之道, 占者如是則吉也.

한 양이 높은 자리에 있어 강건하고 중정하니, 괘의 여러 음이 다 와서 자기를 돕는다. 그 도움을 드러내어 사사로움이 없는 것이 천자가 모두 에워싸지 않고 한쪽의 그물을 열어 놓아 오는 것을 막지 않고 가는 것을 쫓지 않으므로 세 군데로 모는 것을 씀에 앞의 새를 잃고 읍 사람도 경계하지 않는다는 상이 된다. 비록 사사로운 무리[私屬]일지라도 윗사람의 뜻을 깨달아서 서로 경계하고 대비하여 반드시 얻기를 구하지는 않으니, 이것이 다 길한 도이다. 점치는 자가 이와 같이 하면 길할 것이다.

小註

朱子曰, 邑人不誠, 蓋上之人顯明其比道, 而不必人之從己, 而其私屬亦化之, 不相戒約而自然從己也.

주자가 말하였다: "읍 사람도 경계하지 않는다"는 것은 윗사람이 그 돕는 도를 나타내 밝히더라도 반드시 사람들이 자신을 따르는 것은 아니지만, 그 사사로운 무리[私屬]가 또한 변화되어 서로 경계하고 약속하지 않더라도 자연히 자신을 따르는 것이다.

○ 邑人不誠, 如有聞无聲, 言其自不消相告誡. 又如歸市者不止, 耕者不變, 相似.

"읍 사람도 경계하지 않는다"는 것은 "간다는 소문은 있는데, 가는 소리가 없다"[41]는 것과 같으니, 그들이 스스로 서로 권면할 필요가 없다는 말이다. 또 시장으로 몰려드는 자가 끊이지 않고 밭 가는 자도 변함없이 밭을 간 것과 비슷하다.

○ 林氏栗曰, 陽爲明, 故稱顯比.

임율이 말하였다: 양은 밝음이 되므로 "드러나게 돕는다"고 일컬었다.

---

41) 『시경(詩經)·거공(車攻)』. 덕스러운 임금이 사냥하는 모습을 그린 것이다. 임금이 사냥을 하지만 백성들의 생활에 소란을 일으키지 않음을 의미한다.

○ 沙隨程氏曰, 比卦師之反也, 故九五喩王者之田.

사수정씨가 말하였다: 비괘는 사괘가 거꾸로 된 것이므로 구오를 왕의 사냥터[田]로 비유하였다.

○ 雲峰胡氏曰, 諸陰爻, 皆言比之, 陰比陽也. 五言顯比, 陽爲陰之所比也. 比易近於私, 王者之比大公至正, 顯然於天下而无私. 三驅失前禽, 此成湯祝綱之心也. 師比之五俱取禽象. 師之田有禽, 害物之禽也, 比之前禽, 背己之禽也. 在師則執之, 王者之義也, 在比能失之, 王者之仁也. 然使邑人不喩上意, 或有惟恐失之之心, 則禽无遺類, 其仁不廣矣, 未可以吉言也.

운봉호씨가 말하였다: 모든 음효가 다 돕는다고 말하였으니, 음이 양을 돕는 것이다. 오효는 '드러나게 도움'을 말하니, 양은 음이 돕는 바가 된다. 도움은 사사로움에 쉽게 가까워지니 왕의 도움은 크게 공평하고 지극히 바루어 천하에 밝게 나타나서 사사로움이 없다. "세 군데로 몰아 앞의 새를 잃는다"는 것은 이는 성탕이 그물을 치고 축원한 마음이다. 사괘와 비괘의 오효가 새[짐승]를 취하는 상을 가지고 있다. 사괘에서 "밭에 새[짐승]가 있다"는 것은 만물을 해치는 새[짐승]이고, 비괘에서의 '앞의 새'는 자신을 배반하는 짐승이다. 사괘에서는 잡는 것이 왕의 의리이며, 비괘에서는 잃어버릴 수 있는 것이 왕의 어짊이다. 그러나 읍사람으로 하여금 자기들이 윗사람의 뜻을 깨닫지 못하여 혹 짐승을 잃는 것은 아닐까 걱정하는 마음이 있게 한다면 짐승은 남겨 둘 것이 없어서 그 어짊이 넓지 못하니, 길하다는 것으로써 말할 수 없을 것이다.

‖韓國大全‖

송시열(宋時烈) 『역설(易說)』

顯者明顯也. 坎之道幽暗, 而錯爲離之光明, 故曰顯比也. 王者, 君位故也. 三者, 離數也. 驅者, 從禽也, 坎有馬象故也. 失前禽者, 成陽之四面, 解網之意也. 邑者, 坤象也, 坤邑之人, 皆誠信相孚, 無坎之疑, 故不爲畏誠. 蓋上之所使光明正大, 至於田獵, 但取莫不用命者而已故也. 所以吉也. 禽見師六五, 此曰失, 恒曰旡, 失者, 有而失之也, 旡者, 本無也.

현(顯)은 밝게 나타난다는 뜻이다. 감괘의 도는 그윽하고 어두운데 음양이 바뀌면 리괘(離卦)의 빛나고 밝음이 되므로 "드러나게 돕는다"라고 하였다. '왕'은 임금의 자리이기 때문이다. '삼(三)'은 리괘의 숫자이다. '몰다'라는 것은 짐승을 좇는 것이니, 감괘에 말의 상이 있기 때문이다. "앞의 새를 잃는다"는 것은 산을 둘러싸고 한 면의 그물을 열어 놓는다는 뜻이다. '읍(邑)'은 곤괘의 상이니, 곤괘인 읍의 사람이 모두 정성과 믿음으로 서로를 믿어서 험난함에 대한 의심이 없으므로 두려워하여 공경하는 것이 아니다. 윗사람의 부리는 바가 광명정대하여 사냥터에 이르러서도 취하는 것이 명령을 따르지 않는 것이 없을 뿐인 까닭이다. 이 때문에 길하다. '짐승[새]'은 사괘의 육오에 보이는데, 여기서는 '잃는다'고 하였고 항괘(恒卦)에서는 '없다'고 하였으니, '잃는다'는 것은 있다가 잃어버리는 것이고 '없다'는 것은 본래부터 없는 것이다.

석지형(石之珩) 『오위귀감(五位龜鑑)』

臣謹按, 比之九五互艮爲山, 又爲黔喙. 坎體爲陷, 且是血卦, 故爲山有黔喙之獸, 而設陷阱以血傷之象. 自艮方歷巽至坤, 經三面, 故爲圍三面開一路之象, 而其要只在顯比二字. 蓋五陰來比於一陽, 猶人君顯明比道, 而天下莫不尊親也. 將欲體此爲治. 正當先鋤昵比之心, 使私屬罔或越志而已. 伏願殿下加意焉.

신이 삼가 살펴보았습니다: 비괘 구오의 호괘인 간괘는 산이 되고 또 검은 부리가 됩니다. 감괘의 몸체는 함정이 되고 또 혈괘(血卦)이기 때문에 산에 검은 부리의 짐승이 있어서 함정을 설치하여 피가 나고 다치는 상입니다. 간괘의 방위로부터 손괘의 방위를 지나 곤괘의 방위에 이르기까지 세 면을 지나기 때문에 세 면을 에워싸고 한쪽 길을 열어두는 상이 되어서 그 요점은 다만 "드러나게 돕는대[顯比]"는 두 글자에 있습니다. 다섯 음이 와서 한 양을 돕는 것이 임금이 돕는 도를 드러나게 밝히고 천하가 높이고 가까이 하지 않음이 없는 것과 같습니다. 이것을 체득하여 다스리고자 한다면 마땅히 먼저 사사롭게 가까이 하는 마음을 버려 사적인 부류들로 하여금 함부로 하는 일이 없도록 해야 합니다. 엎드려 바라건대, 전하께서는 각별히 주의하시기 바랍니다.

이익(李瀷) 『역경질서(易經疾書)』

凡天下之比, 各有其人. 惟九五居尊位, 比天下之人, 是謂顯比也. 比承於師, 有軍旅之象. 比心比力, 又莫如軍旅. 軍旅者, 時平則用之於田獵, 田獵獲禽, 貴在乾豆也. 如籍田爲粢盛, 則王三推, 親蠶爲祭服, 則后三盆手, 田獵三驅亦猶是也. 其三殺皆左拔而獲, 此取順也. 若驅而未及, 又或詭遇, 禽在前而亂射者, 皆逆故法, 宜舍之也. 大比之制, 聞令齊發以從田役, 誠者禁其亂也. 王者之師動遵法式, 何待乎禁誠. 詩所謂有聞無聲是也. 師比皆主五爻, 師陰而比陽, 則師卽命將出征, 比乃親帥戎旅. 然一時田役, 不必齊發六軍, 故曰邑人. 易擧正云失前禽, 舍逆取順也, 今本誤倒其句.

천하를 도움에 각각 그 사람이 있다. 구오만이 높은 자리에 있어 천하 사람을 도우니, 이것을 "드러나게 돕는다"라고 한다. 비괘는 사괘를 이었으니, 군대의 상이 있다. 돕는 마음과 돕는 힘이 또 군대만한 것이 없다. 군대란 평상시에는 사냥터에서 쓰니, 사냥터에서 짐승을 잡음은 그 귀함이 말린 제물로 하는데 있다. 마치 적전(籍田)[42]에서 제사에 쓸 기장과 피[粢盛]의 곡식을 얻기 위해 왕이 직접 쟁기를 세 번 밀며, 친히 누에를 쳐 제복을 만들기 위해 왕후가 세 번 동이에서 실을 뽑는 것과 같으니, 사냥터에서 세 곳으로 모는 것도 이와 같다. 그 세 가지 희생(犧牲)은 모두 왼쪽에서 쏘아 얻으니, 이것이 순함을 취함이다. 만약 몰아서 잡지 못하거나 또 혹 정당하지 않은 방법으로 쏘아 맞히며, 짐승이 앞에 있는데 함부로 쏘는 것은 모두 옛 법을 거스르는 것으로 마땅히 놓아준다. 대비(大比)의 제도[43]는 명령을 듣고 일제히 나아가 사냥에 종사하고 경계하는 자가 그 어지러움을 금한다. 왕의 군대가 움직임은 법식을 따르는데, 무슨 금지하여 경계함을 기다리겠는가? 『시경』에 "간다는 소문은 있는데, 가는 소리가 없다"[44]고 한 것이 이것이다. 사괘와 비괘가 모두 오효를 주인으로 하지만 사괘는 음이고 비괘는 양이니, 사괘에서는 바로 장수에게 명령하여 출정함이고, 비괘에서는 친히 군대를 거느림이다. 그러나 한 때의 사냥에 반드시 육군(六軍)을 일제히 나아가게 하지는 못하기 때문에 '읍 사람'이라고 하였다. 『주역거정(周易擧正)』에서 "앞의 짐승을 잃음은 거스르는 것을 버리고 따르는 것을 취함이다"라고 하였는데, 지금 본에는 그 구절이 거꾸로 잘못되었다.

심조(沈潮) 「역상차론(易象箚論)」

陽而在天位, 天數三, 故曰三驅. 五畫橫亘, 卽後合也. 以下四爻皆偶, 卽左右合, 開一面之象也. 又自五而下視, 則有震象, 故下驅字. 邑坤也, 人中爻也.

양으로서 하늘의 자리에 있고, 하늘의 수가 삼(三)인 까닭에 "세 군데로 몬다"라고 하였다. 오효의 획이 옆으로 이어졌으니, 바로 뒷부분이 합쳐진 모양이다.[45] 아래의 네 효가 모두

---

42) 적전(籍田): 임금이 몸소 농민(農民)을 두고 농사(農事)를 지어, 거두어 들인 곡식(穀食)으로 제사 지내던 제전(祭田).

43) 대비(大比): '대비'는 본래 주나라 때의 제도로, 매 3년마다 호구와 물자를 조사하던 제도이다. 또한 3년마다 향리에서 관리를 뽑는 과거 시험제도이기도 했다. 『주례(周禮)·소사도(小司徒)』와 『주례(周禮)·향대부(鄕大夫)』에 관련 기록이 있다.

44) 『詩經·車攻』.

45) 앞의 네 효가 음으로 가운데가 끊어져 있다가, 오효에 와서 양효로 막혀있으므로 마치 앞은 터지고 뒷면이

짝으로 된 음이기 때문에 좌우가 합하고 한 면을 열어놓는 상이다. 또 오효로부터 아래를 보면 진괘의 상이 있기 때문에 '몰다'라고 하는 구(驅)자를 썼다. '읍'은 곤괘이고 '사람'이라는 인(人)은 가운데 효이다.

유정원(柳正源) 『역해참고(易解參攷)』

九五 [至] 誡吉.
구오는 … 경계하지 않으니, 길하다.

馬氏曰, 三驅, 一曰乾豆, 二曰賓客, 三曰君庖.
마씨가 말하였다: "세 군데로 몬다"라고 한 것은 첫째는 제사음식을 마련하기 위해서이고, 둘째는 빈객을 위해서이고, 셋째는 임금의 부엌[君庖]을 위해서이다.

○ 鄭氏曰, 大司馬狩田, 旣陳, 設驅逆之車, 謂驅出禽獸趨田者.
정씨가 말하였다: 대사마가 수렵을 할 적에 이미 진을 치고 몰 수레를 정렬하는데, 금수를 몰아나가 수렵하는 것을 말한다.

○ 王氏曰, 用其中正, 征討有常, 伐不加邑. 動亦討叛, 邑人无虞, 故不誡也.
왕필이 말하였다: 중정(中正)하게 하고, 정벌과 토벌에 법도가[常] 있으며, 정벌을 읍에 더하지 않는다. 군대를 움직임은 또한 반란을 토벌하는 것인데, 읍 사람에 대해서는 근심할 것이 없으므로 경계하지 않는다.

○ 雙湖胡氏曰, 五陰皆稱比之, 比乎五也. 九五獨稱顯比, 爲衆陰所比也.
쌍호호씨가 말하였다: 다섯 음을 모두 돕는다고 일컬으니, 오효를 돕는 것이다. 구오만 "드러나게 돕는다"라고 일컬음은 여러 음의 돕는 바가 되기 때문이다.

傳, 煦煦.
『정전』에서 말하였다: 후후(煦煦).
〈案, 日出微溫之貌.〉
〈내가 살펴보았다: 해가 나와 조금 따뜻한 모양이다.〉

막힌 것이, 사냥할 때 삼면을 막고 앞의 한 면이 열린 것과 같은 형상이라는 말이다.

김상악(金相岳) 『산천역설(山天易說)』

五之陽, 以坎乘坤, 其中正之德, 能顯明比道於天下者也. 故有三驅失前禽之象. 雖私屬不相警備以求, 必得也. 顯其比而能如是, 故吉也.

오효의 양은 감괘로 곤괘를 타니, 그 중정한 덕이 천하 사람에게 돕는 도를 드러내 밝힐 수 있는 자이다. 그러므로 "세 군데로 몰아 앞의 새를 잃는다"는 상이 있다. 비록 사적인 무리가 서로 경계하고 방비하여 구하더라도 반드시 얻는 것은 아니다. 그 돕는 것을 드러내어 이와 같이 할 수 있기 때문에 길하다.

○ 顯者, 陽之明也. 坤在中之文, 至比而顯也. 五居尊位, 有坤邑國王之象. 三驅, 坎田獵象, 以坎馬駕坤輿驅之象. 師之二曰王三錫命, 比之五曰王用三驅, 可見反對之義也. 禽者飛走總名. 見屯六三, 天子不合圍, 開一面之網, 而初二四皆自內而比之, 所以來者不拒也. 上六居外而爲後, 所以去者不追也, 故曰失前禽也. 卦言後夫, 爻曰前禽, 皆指上也. 背乎五則爲前禽, 窮於上則爲後夫也. 三四居坤邑人之象. 邑人不誡, 卽不掩群之義也. 戒於言爲誡, 泰之四曰不戒以孚, 戒於心者也.

'드러낸다'는 것은 양의 밝음이다. 곤괘는 안에 있는 문채인데 비괘에 이르러 드러난다. 오효는 높은 자리에 있어 곤괘인 읍국에서 왕인 상이 있다. "세 군데로 몰다"라는 것은 감괘인 사냥터의 상이니, 감괘인 말에 멍에를 씌어 곤괘인 수레를 모는 상이다. 사괘의 이효에서 "왕이 세 번 명령을 내려준다"라고 하고, 비괘의 오효에서 "왕이 세 군데로 몬다"라고 하였으니, 반대되는 의미를 볼 수 있다. '새'는 날아다니는 것의 전체 이름이다. 준괘(屯卦)의 육삼을 보면 천자는 네 면으로 에워싸지 않고 한 면의 그물을 열어놓아서 초효와 이효와 사효가 모두 안으로부터 도우니, 이 때문에 오는 것을 막지 않는다. 상육은 밖에 있어 뒤가 되니, 이 때문에 가는 것을 쫓지 않으므로 "앞의 새를 잃는다"고 하였다. 괘에서 '뒤에 오는 장부'라고 하고 효에서 '앞의 새'라고 한 것은 모두 상효를 가리킨다. 오효의 뒤에 있는 것이 '앞의 새'가 되고, 맨 위에서 다한 것이 '뒤의 장부'가 된다. 삼효와 사효는 곤괘인 읍에 사는 사람의 상이다. "읍 사람도 경계하지 않는다"는 것은 바로 사냥감을 궁지로 몰아 모조리 잡지 않는다는 뜻이다.[46] 말에 대해 경계한 것이 '계(誡)'가 되고, 태괘(泰卦)의 사효에서 "경계하지[戒] 않아도 믿는다"라고 한 것은 마음에 대해 경계한 것이다.

박윤원(朴胤源) 『경의(經義)·역경차략(易經箚略)·역계차의(易繫箚疑)』

前禽, 徐進齋以爲指上六, 此一陰獨背于五, 故曰失前禽. 來易以爲指初, 下卦在前, 初

---

46) 『禮記·曲禮』: 國君春田不圍澤, 大夫不掩群, 士不取麛卵.

在應爻之外, 故曰失前禽, 未知孰是.

'앞의 새'를 서진재(徐進齋)는 상육을 가리키는 것으로 생각하였는데, 상육의 한 음만이 오효의 뒤에 있기 때문에 "앞의 새를 잃는다"라고 하였다. 래지덕의『주역집주』에서는 초효를 가리키는 것이라고 했는데, 하괘가 앞에 있고 초효는 호응하는 효의 밖에 있기 때문에 "앞의 새를 잃는다"고 한 것이니, 어느 것이 옳은지 모르겠다.

서유신(徐有臣)『역의의언(易義擬言)』

此九五之比下也. 一陽居尊, 坎水比地, 互艮畜止四陰, 比道於是乎光大矣. 故曰顯比, 所謂天子之光也. 三驅者, 初二四也. 前禽者, 上六也. 不入於艮限之內, 爲前禽象, 亦爲失之之象. 在前而失之, 任其去而不取也. 邑人者, 六三也. 不誡者, 毋用申戒也. 自三言之, 則爲不得比五者, 自五視之, 則同在四陰順從之中也.

이것은 구오가 아래를 도움이다. 한 양이 높은데 있으니 감괘인 물이 땅에 붙어 있고 호괘인 간괘가 네 음을 막아 그치게 하니, 돕는 도가 이에 빛나고 크다. 그러므로 "드러나게 돕는다"라고 하였으니, 천자의 빛남이다. '세 군데로 모는 것'은 초효와 이효와 사효이다. '앞의 새'는 상육이다. 호괘인 간괘의 한계선(☶) 안에 들어가지 못해[47] '앞의 새'의 상이 되고, 또 그것을 잃는 상이 된다. 앞에 있는데 잃으니, 그 가는 대로 맡겨두고 취하지 않는다. '읍 사람'은 육삼이다. "경계하지 않는다"는 것은 말로 훈계함을 쓰지 않음이다. 삼효에서 말하면 오효를 돕지 못하는 자가 되고, 오효에서 보면 다 같이 네 음이 순히 따르는 가운데 있다.

김귀주(金龜柱)『주역차록(周易箚錄)』

九五, 顯比, 王用, 云云.

구오는 드러나게 돕는 것이니, 왕이 쓴다, 운운.

○ 按, 失前禽, 指上六一爻而言, 小註, 諸儒說已盡之.

내가 살펴보았다: "앞의 새를 잃는다"는 것은 상육의 한 효를 가리켜 말하니, 소주에서 여러 유학자들의 설명이 이미 곡진하다.

本義, 一陽居尊, 云云.

『본의』에서 말하였다: 한 양이 높은데 있다, 운운.

小註, 雲峯胡氏曰, 諸陰云云.

---

47) 비괘(比卦)의 외호괘(삼효에서 오효까지)가 간괘가 되는데, 상육은 그 간괘의 밖에 있다는 뜻이다.

소주에서 운봉호씨가 말하였다: 여러 음이, 운운.

○ 按, 邑人不誡, 蓋言不待相誡, 自然從上, 與失前禽各爲一義. 且失前禽, 只取舍逆取順之義, 非取其好生不盡物之義也. 胡說邑人, 惟恐失之云云以下, 恐失文義.

내가 살펴보았다: "읍 사람도 경계하지 않는다"는 것은 서로 경계함을 기다리지 않고 저절로 윗사람을 따름이니, "앞의 새를 잃는다"는 것과 각각 한 가지의 의미가 된다. 또 "앞의 새를 잃는다"는 것은 단지 "거스르는 것을 버리고 따르는 것을 취한다"는 의미만을 취함이니, 그 살리기를 좋아하여 사냥감을 모조리 잡지않는 뜻을 취한 것은 아니다. 호씨가 말한 "읍 사람은 오직 잃을까 두려워한다"고 운운한 이하는 아마도 문장의 의미를 잃은 듯하다.

박제가(朴齊家) 『주역(周易)』

顯者暗之反. 王者之比惟恐有暗, 暗則私矣, 故必曰顯比, 以三驅喩之. 蓋三驅失前禽, 自是一義, 邑人不誡, 又自是一義. 傳得之, 而本義合之, 乃以不誡爲不求, 必得朱子. 曰邑人不誡, 如有聞無聲, 又如歸市者不止, 耕者不變, 相似者至矣. 但此畋獵之場, 旣非邑中, 而邑中之人之從禽者, 又未必自爲一隊而別爲誡也. 經云不誡, 蓋言尋常有事之時, 遐遠之民, 則必相誡飭, 而邑人則熟喩上之使民以時之意, 無容告語者, 爲坦然無間隔之象, 故取之耳. 但傳意以不誡邑人爲言, 與邑人之自不誡者有異, 故朱子云, 伊川解此一句爲可疑, 恐易之文義不如此者, 此也.

'드러남'은 어두움의 반대이다. 임금된 사람의 도움은 오직 어두움이 있을까 근심하니, 어두우면 사사로운 까닭에 반드시 "드러나게 돕는다"고 하고, 세 군데로 모는 것으로 비유하였다. "세 군데로 모는데 앞의 새를 잃는다"는 것이 자연 한 가지 의미이고, "읍 사람도 경계하지 않는다"고 한 것이 또 한 가지 의미이다. 『정전』은 옳고 『본의』는 부합하나 "경계하지 않는다"를 "구하지 않는다"는 것으로 보면 반드시 주자가 옳다. "읍 사람도 경계하지 않는다"고 말함은 "간다는 소문은 있는데, 가는 소리가 없다"는 것, 또 시장으로 몰려드는 자가 끊이지 않고 밭가는 자도 변함없이 밭을 간 것과 매우 비슷하다. 다만 이 사냥터가 이미 읍 안에 있는 것도 아니고, 읍의 사람이 새[짐승]를 쫓는 것도 반드시 한 대열이 되어 따로 경계를 삼은 것도 아니다. 경(經)에 "경계하지 않는다"고 한 것은 대체로 보통 어떤 일이 있을 때에는 멀리 있는 백성들은 반드시 서로 경계하지만, 가까이 있는 읍 사람들은 윗사람이 백성을 때에 맞게 부리는 뜻을 잘 알고 있어서, 특별히 고해줄 것도 없어서 편안히 틈이 없는 상이 되므로, 이 뜻을 취한 것이다. 다만 『정전』의 뜻은 읍 사람을 경계하지 않는 것으로 말했으니, 읍 사람이 스스로 경계하지 않는 것과는 차이가 있기 때문에 주자가 "이천이 이 한 구절을 풀이한 것은 의심스러우니 아마도 『주역』의 문장의 의미는 이와 같지 않은 듯하다"라고 한 것이 이것이다.

윤행임(尹行恁) 『신호수필(薪湖隨筆)·역(易)』

顯比之吉, 自有孚盈缶而始. 人之待物, 若無誠意, 則物無比我者, 惟在自反而誠. 誠在
我, 比在人.

"드러나게 돕는 길함"은 "믿음을 둠이 질그릇에 차듯 한다"는 것에서 시작한다. 사람이 남을
대접하는데 정성스러운 뜻이 없으면 남이 나를 돕는 것이 없으니, 오직 스스로 반성하여
정성스럽게 함에 있다. 정성은 내게 달렸고 돕는 것은 상대에게 달렸다.

강엄(康儼) 『주역(周易)』

九五, 顯比 [止] 不誡言.

구오는 드러나게 돕는 것이니 … 경계하지 않으니 길하다.

按, 比, 師之反也. 師九二以陽在下, 而爲衆陰之所歸, 故於二言王. 比九五以陽居尊,
而爲衆陰之所比, 故於五言王. 師之王, 明其有君也, 比之王, 明其爲君也.

내가 살펴보았다: 비괘(比卦)는 사괘(師卦)가 거꾸로 된 괘이다. 사괘의 구이는 양으로서
아래에 있고 여러 음이 귀의하는 바가 되기 때문에 이효에서 왕을 말하였다. 비괘 구오는
양으로 높은데 있어 여러 음이 돕는 바가 되기 때문에 오효에서 '왕'이라고 하였다. 사괘의
왕은 그에게 임금의 자질이 있음을 밝혔고, 비괘의 왕은 그가 임금이 됨을 밝혔다.

박문건(朴文健) 『주역연의(周易衍義)』

舍逆取順, 故有顯比之象. 顯比, 顯明其比民之道也. 三驅, 三面之驅也. 前禽, 三上也.
誡, 警懼也.

거스르는 것을 버리고 따르는 것을 취하는 까닭에 드러나게 돕는 상이 있다. "드러나게 돕는
다"는 것은 그 백성을 돕는 도를 분명하게 나타내는 것이다. "세 군데로 몬다"는 것은 세
면에서 모는 것이다. '앞의 새'는 삼효와 상효이다. '경계'는 경계하고 두려워하는 것이다.
〈問, 失前禽. 曰, 在前之二禽, 逆, 三驅而出去, 故云失前禽. 三在下體之前, 上在上體
之前, 故取此義也.

물었다: "앞의 새를 잃는다"는 무슨 뜻입니까?

답하였다: 앞에 있는 두 마리 새가 거스르는 것이니, 세 군데로 몰아 달아나기 때문에 "앞의
새를 잃는다"고 하였습니다. 삼효는 하체의 앞에 있고 상효는 상체의 앞에 있기 때문에 이
의미를 취하였습니다.〉

〈問, 王用三驅, 失前禽, 邑人不誡, 吉. 曰, 九五, 顯其比道者也. 故用邑人之三驅, 而失在前之禽. 然王必不責其失禽, 故爲驅者, 亦知其王心, 而不警懼也. 此九五之吉道也.
물었다: "왕이 세 군데로 모는데 앞의 새를 잃으며 읍 사람도 경계하지 않으니 길하다"는 무슨 뜻입니까?
답하였다: 구오는 그 돕는 도를 나타낸 자입니다. 그러므로 읍 사람이 세 군데로 몰아서 앞에 있는 새를 잃는 것입니다. 그러나 왕이 반드시 그 잃어버린 새에 대해 질책하지 않기 때문에 몰이한 자가 또한 그 왕의 마음을 알아서 경계하고 두려워하지 않습니다. 이것이 구오의 길한 도입니다.〉

김기례(金箕澧) 「역요선의강목(易要選義綱目)」

九五, 顯比,
구오는 드러나게 도우니,

一陽居尊, 故曰顯. 蓋以顯明之道, 下比衆陰也.
한 양이 높은데 있기 때문에 '드러난다'고 하였다. 드러나게 밝은 도로써 아래의 여러 음을 돕는다.

王[48]用三驅, 失前禽,
왕이 세 군데로 모는데 앞의 새를 잃으며,

王謂君位, 王者之佃, 圍三面而前開一面, 順來者取之, 逆去者舍之. 蓋內比四陰之順來, 外舍一陰之逆去, 故曰失前禽. 蓋比道當舍逆取順.
'왕(王)'은 임금의 자리를 말하니, 임금의 사냥이 세 면을 포위하고 앞의 한 면을 열어 따라오는 것은 취하고 거슬러 가는 것은 버린다. 안으로 네 음이 순순히 오는 것은 돕고 밖으로 한 음이 거슬러 가는 것은 버리기 때문에 "앞의 새를 잃는다"라고 하였다. 돕는 도는 마땅히 거스르는 것을 버리고 따르는 것을 취해야 한다.

邑人不誡.
읍 사람도 경계하지 않는다.

坤爲邑國, 故曰邑人. 指上雖切近而不取也.
곤괘가 읍국이 되기 때문에 '읍 사람'이라고 하였다. 상효가 비록 절실하고 가깝지만 취하지 않음을 가리킨다.

---

48) 王: 경학자료집성 DB와 영인본에는 '王'으로 되어 있으나, 『주역』 원문을 참조하여 '王'으로 바로잡았다.

○ 蓋顯出之道, 不以遠近有間. 舍逆取順, 雖諸下之人, 不必警而求比.

분명하게 나오는 도는 멀고 가깝다고 해서 차이가 있는 것이 아니다. 그러니 거스르는 것을 버리고 따르는 것을 취하니, 아랫사람들이라 할지라도 경계하여 도움을 구할 필요가 없다.

이항로(李恒老) 「주역전의동이석의(周易傳義同異釋義)」

按, 以期約釋誡, 有三不便. 當曰不誡邑人, 而曰邑人不誡, 文倒. 連上三句通爲一說, 而分作両說, 文斷. 象傳[49]以上使中也, 釋邑人不誡, 則不誡之善在邑人也, 而若曰不誡邑人, 則善不在邑人矣, 文意不相應, 故以邑人亦不警備前禽之意釋之, 則三者俱安, 細察可見.

내가 살펴보았다: 『정전』처럼 '기약하다[期約]'로 '계(誡)'를 풀이하면 세 가지 문제가 있다. '기약하다'로 풀이하면 마땅히 '불계읍인(不誡邑人)'이라고 해야 할 것인데, 경문에서는 '읍인불계(邑人不誡)'라고 하였으니, 문장이 거꾸로 된다. 또 위 세 구절과 이어져 통하여 하나의 설명이 되어야 하는데 『정전』처럼 풀이하면 나뉘어 두 가지 설명이 되니, 문장이 끊긴다.[50] 구오 「상전」에서는 '상사중(上使中)'[51]이라는 말을 가지고 '읍인불계(邑人不誡)'를 풀이하였으니, 경계하지 않는 선(善)이 읍 사람에게 있다. 그런데 만약 '불계읍인(不誡邑人)'이라고 풀이한다면 선(善)이 읍 사람에게 있는 것이 아니게 되어, 문장의 뜻이 서로 호응하지 않는다. 그러므로 읍 사람도 앞의 새를 놓치지 않게 방비하려 경계하지 않는다는 뜻으로 풀이하면 세 가지 문제가 모두 편안해지니, 자세히 살피면 알 수 있다.

박종영(朴宗永) 「경지몽해(經旨蒙解)·주역(周易)」

蓋比者, 人相親比也. 君臣相比, 以成天下之務, 朋友相比, 以成講習之美, 比雖不可無者, 而於其中, 亦有善不善之異, 故六二曰比之自內貞吉, 象曰比之自內不自失也. 程傳釋之以守己, 中正之道, 以待上之求, 乃不自失也. 降志辱身, 非自重之道, 故伊尹武

---

49) 象: 경학자료집성 DB와 영인본에는 '象'으로 되어 있으나, 『주역』 원문을 참조하여 '象'으로 바로잡았다.

50) "九五, 顯比, 王用三驅, 失前禽, 邑人不誡, 吉."에 대한 풀이를 『본의』에 따라 풀이하면 "구오는 드러나게 도우니, 왕이 세 군데로 모는데 앞의 새를 잃고 읍 사람도 경계하지 않으니, 길하다."가 되어 전체적으로 하나의 맥락으로 이 문장을 이해할 수 있다. 그런데 『정전』에 따라 풀이하면 "구오는 드러나게 도우니, 왕이 세 군데로 모는데 앞의 새를 잃으며, 읍 사람에게 기약하지 않으니, 길하다."가 되어, 뒤의 "읍 사람에게 기약하지 않으니 길하다"라 한 부분이 앞 구절의 맥락과 연결되지 않아, 의미가 둘로 나뉜다는 것이다.

51) 『周易·比卦』: 九五, 「象傳」의 "邑人不誡, 上使中也."을 『정전』에 따라 풀이하면 "읍 사람에게 기약하지 않음은 윗사람의 부림이 중도에 맞기 때문이다"가 되고, 『본의』에 따라 풀이하면 "읍 사람이 경계하지 않음은 윗사람이 중도로 하게 하기 때문이다"가 된다.

候救天下之心, 非不切, 必待禮至然後出也. 六三曰比之匪人, 象曰比之匪人不亦傷乎. 程傳釋之以人之相比求安, 吉也, 乃比於匪人, 必將反得悔吝, 其亦可傷矣. 至於九五顯比, 乃人君比天下之道, 而三驅失前禽, 人君之德以仁爲貴, 故體天好生之德, 以盡及物之仁也. 雖然此非獨人君. 如此大率人之相比, 莫不然, 於處事接物之際, 克誠克仁, 恒求大中至正之道, 則大學之脩身齊家治國平天下, 亦不外是矣. 學者宜詳覽而致意焉.

'돕는다'는 것은 상대가 서로 가까이 하여 도움이다. 임금과 신하가 서로 도와 천하의 일을 이루고, 벗이 서로 도와 강습(講習)의 아름다움을 이루니, 도움이 비록 없을 수 없는 것이지만, 그 가운데에 또한 좋고 좋지 않은 차이가 있기 때문에, 육이에서 "안으로부터 도우니 곧아서 길하다"라고 하고 「상전」에서 "안으로부터 도우니 자신을 잃지 않는다"라고 하였다. 『정전』은 자기를 지키는 것으로 풀이하였으니, 중정한 도로써 윗사람의 요구를 기다리는 것이 스스로를 잃지 않는 것이다. 뜻을 꺾고 자신의 몸을 욕되게 함은 스스로를 귀중하게 여기는 도가 아니기 때문에 이윤과 제갈량이 천하를 구하려는 마음이 절실하지 않은 것은 아니지만 반드시 예가 갖추어지길 기다린 후에 나온 것이다. 육삼에서 "돕는 것이 온당한 사람이 아니다"라고 하고 「상전」에서 "돕는 것이 온당한 사람이 아니니, 또한 상하지 않겠는가?"라고 하였다. 『정전』은 상대가 서로 돕는 것으로 편안함을 구하여 길한 것으로 풀었으니, 온당한 사람이 아닌데도 도우면 반드시 거꾸로 후회와 인색함을 얻게 되니, 그 또한 상할 수 있다. 구오의 '드러나게 도움'은 임금이 천하 사람을 돕는 도인데 "세 군데로 모는데 앞의 새를 잃는다"는 것은 임금의 덕이 인(仁)을 귀하게 여기기 때문에 하늘의 살리기를 좋아하는 덕을 체득하여 만물에 이르기까지 인(仁)을 다하는 것이다. 비록 그렇지만 이것은 임금만의 일이 아니다. 이와 같이 대체로 사람들이 서로 돕는데 그렇지 않음이 없어서, 일을 처리하고 남을 접대하는 때에도 정성스럽고 어질어서 변함없이 크게 알맞고 지극히 바른 도를 구한다면 『대학』에서 "자신을 닦고 집안을 다스리며 나라를 다스리고 천하를 평화롭게 한다"고 한 것이 또한 여기에서 벗어나지 않는다. 배우는 자가 마땅히 자세하게 살펴서 뜻을 다 파악해야 할 것이다.

심대윤(沈大允) 『주역상의점법(周易象義占法)』

比之坤䷁. 九五以剛中居剛, 以順道求比焉. 坎之對离爲明顯. 顯比者, 以君對臣而言, 顯明賢德以爲比也. 人君无私比, 比于賢德也. 天子不合圍, 圍其三面而已. 五居兌體爲失, 坎爲前, 艮爲禽, 九五用巽順之道, 去者不强取, 故曰王用三驅失前禽. 人君當修道, 以來天下, 其有不附者, 不可强求服也. 坤坎艮爲田獵, 臣民之附屬者, 皆親信其君, 无戒備之心, 故曰邑人不誡. 艮坤爲邑人, 邑人私屬也. 凡附屬于天子者, 皆天子之私屬也. 兌爲戒.

비괘가 곤괘(坤卦☷)로 바뀌었다. 구오는 굳세고 알맞음[剛中]으로 굳센 자리에 있고 순하게 하는 도로써 도움을 구한다. 감괘의 음양이 바뀐 리괘(離卦)가 밝게 드러나는 것이 된다. 드러나게 도움은 임금이 신하를 대하는 것으로 말했기 때문에 어진 이의 덕을 드러나게 밝힘을 돕는 것으로 여겼다. 임금은 사사롭게 돕는 마음을 갖지 않고 어진 이의 덕을 돕는다. 천자는 사방으로 에워싸지 않으니, 그 세 면만 에워쌀 뿐이다. 오효는 태괘의 몸체에 있어 잃음이 되고, 감괘는 앞이 되고, 호괘인 간괘는 새[짐승]가 되니, 구오가 공손한 도를 써서 가는 것을 억지로 취하지 않기 때문에 "왕이 세 군데로 모는데 앞의 새를 잃는다"라고 하였다. 임금이 마땅히 도를 닦아 천하 사람을 오게 하고, 그 곁에 따르지 않는 자를 억지로 와서 복종하게 해서는 안 된다. 곤괘와 감괘와 간괘가 사냥이 되고 신하와 백성의 의지하는 무리는 모두 그 임금을 가까이 여기고 믿어 경계하여 방비하는 마음이 없기 때문에 "읍 사람도 경계하지 않는다"라고 하였다. 간괘와 곤괘가 읍 사람이 되니, 읍 사람은 사사로운 무리이다. 천자에 의지하는 무리는 모두 천자의 사사로운 무리이다. 태괘(兌卦)는 경계가 된다.

오치기(吳致箕)「주역경전증해(周易經傳增解)」

九五, 陽剛中正而居尊, 大公无私, 有顯比之德. 其仁不欲盡物取之. 出畋而不合圍, 乃用一面之網, 三驅其禽, 往者不追, 來者不拒, 而失其前去之禽. 邑人亦從而化之, 不待上之告誡. 此皆吉之道也, 故其辭如此.

구오는 굳센 양으로서 가운데 있고 바르며[中正] 높은 데 있어서 크게 공평하고 사사로움이 없이 드러나게 돕는 덕이 있으니, 그 어짊은 짐승을 다 취하고자 하지는 않는다. 사냥터에 나가 사방을 둘러싸지 않고 한 곳이 뚫린 그물을 쓰니, 세 곳에서 그 짐승을 몰아서 가는 것은 쫓지 않고 오는 것은 막지 않아 그 앞으로 가는 짐승을 잃는다. 읍 사람도 따라서 감화되어 윗사람이 타일러 훈계하는 것을 기다리지 않는다. 이것이 다 길한 도이기 때문에 그 말이 이와 같다.

○ 光明曰顯, 而取於對體之離. 王指九五也. 三取坎少陽, 位居三也. 坎有飛鳥之象故言禽, 而前禽指上六也. 誠取於對體互兌也.

광명을 "드러난다"고 하였는데, 음양이 바뀐 몸체인 리괘(離卦)에서 취하였다. 왕은 구오를 가리킨다. 삼(三)은 감괘인 소양을 취하므로 자리가 세 번째에 있다. 감괘에 날아가는 새의 상이 있기 때문에 새[禽]라고 말하였는데, 앞의 짐승[새]은 상육을 가리킨다. '경계함[誠]'은 상대되는 몸체의 호체인 태괘에서 취하였다.

이진상(李震相) 『역학관규(易學管窺)』

九五尊位, 故曰顯. 三, 坎位. 驅, 坎馬也. 禽, 坎豕也. 邑人, 指六二, 言坤體之人位也. 前禽, 指上六而六三舍我而比上, 邑人之所易詰捕, 故以不誡爲象, 亦去者不追之義.

구오는 높은 자리이기 때문에 "드러난다"라고 하였다. '세 곳'은 구덩이[坎]의 자리이다. '몰다'는 감괘(坎卦)인 말[馬]이다. '짐승[禽]'은 감괘인 돼지이다. '읍 사람'은 육이를 가리키니, 곤괘의 몸체에서 사람의 자리이다. '앞의 새'는 상육을 가리키는데 육삼이 나를 버리고 상육을 도우니, 읍 사람에게 쉽게 공격당하고 사로잡히는 바이기 때문에 "경계하지 않는다"는 것으로 상을 삼았으니, 또한 가는 것을 좇지 않는 의미이다.

박문호(朴文鎬) 「경설(經說)·주역(周易)」

象例著也字, 而此特著乎字, 所以示丁寧之意也. 邑人不誡, 程子之釋儘好, 蓋從顯比之顯及使中之中, 而爲之說也.

「상전」의 사례를 보면 '야(也)'자를 썼는데, 여기서 특별히 '호(乎)'자를 붙인 것은 '틀림없다'는 뜻을 보이기 때문이다. "읍 사람에게 기약하지 않는다"는 것은 정자의 풀이가 매우 좋으니, "드러나게 돕는다"고 할 때의 '드러남[顯]'과 "중도로써 부린다"고 할 때의 '중도[中]'로써 설명하였다.

其處正得中, 言其所處之地正得中也, 諺釋得之.

"그 바른 데에 있고 중도를 얻는다"고 한 것은 그 있는 곳이 바르고 중도를 얻었다는 말이니, 『언해』의 해석이 좋다.

이용구(李容九) 「역주해선(易註解選)」

九五, 三驅, 失前禽, 此成湯祝網之心.

구오에서 "세 군데로 모는데 앞의 새를 잃는다"고 한 것은 탕임금이 그물을 쳐 놓고 축원한 마음이다.

象曰, 顯比之吉, 位正中也,

「상전」에서 말하였다: "드러나게 돕는 길함"은 자리가 정중(正中)하기 때문이고,

中國大全

傳

顯比所以吉者, 以其所居之位得正中也, 處正中之地, 乃由正中之道也. 比以不偏爲善, 故云正中. 凡言正中者, 其處正得中也, 比與隨是也, 言中正者, 得中與正也, 訟與需是也.

드러나게 도움이 길한 까닭은 그 있는 바의 자리가 바르고 가운데[正中]를 얻었기 때문이니, 정중의 자리에 있음은 바로 정중한 도로 말미암는 것이다. 도움은 치우치지 않는 것을 선(善)으로 여기므로 '정중'이라고 하였다. '정중'이라고 말한 것은 그 바른 데 있고 가운데[알맞음]를 얻은 것이니, 비괘(比卦)와 수괘(隨卦)가 그렇다. '중정(中正)'이라고 말한 것은 가운데[알맞음]와 바름을 얻은 것이니, 송괘(訟卦)와 수괘(需卦)가 그렇다.

韓國大全

김장생(金長生) 「주역(周易)」

比九五象, 位正中.

비괘 구오의 「상전」에서 말하였다: 자리가 바르고 가운데이다.

正而中, 諺解釋非.
"바르고 가운데이다"이니, 『언해』의 풀이가 틀렸다.[52]

김상악(金相岳) 『산천역설(山天易說)』

顯比而无私, 由其位正中也. 舍其不比我者, 爲逆也, 取其比我者, 爲順也. 上使中者, 五有中德, 故下化之亦中, 由上之德, 使之不偏也. 正中與中正, 其用不同. 正中者, 必在九五, 中正者, 亦在六二, 故必稱位而別之. 比隨巽三卦, 是也. 需象傳, 則以天位言也.

드러나게 돕지만 사사로움이 없음은 그 자리가 바르고 가운데 있기 때문이다. 나를 돕지 않는 자를 버림이 거스름이 되며, 나를 돕는 자를 취함이 따름이 된다. "윗사람이 중도로 하게 한다[上使中]"란 오효가 알맞은 덕이 있으므로 아래로 교화함 역시 알맞음으로 하니, "윗사람의 덕이 그들로 하여금 치우치지 않게 하기 때문이다",[53] "바르고 가운데 있다[正中]"는 것과 "가운데 있어 바르다[中正]"는 것은 그 쓰임이 같지 않다. "바르고 가운데 있다"는 것은 반드시 구오에 있고, "가운데 있어 바르다"는 것은 또한 육이에 있기 때문에 반드시 자리를 말해 구별하였다. 비괘(比卦)와 수괘(隨卦), 손괘(巽卦)의 세 괘가 그렇다. 수괘(需卦)의 「단전」에서는 하늘의 자리로 말하였다.

김귀주(金龜柱) 『주역차록(周易箚錄)』

傳, 顯比所以吉, 云云.
『정전』에서 말하였다: 드러나게 도우니 이 때문에 길함은, 운운.

○ 按, 朱子嘗云正中, 正中卽一般只是要恊韻, 此說恐是.
내가 살펴보았다: 주자가 일찍이 "'바르고 가운데 있다[正中]'에 대해서 '바르고 가운데 있다'는 것은 일반적으로 다만 운율을 맞추고자 함이다"라고 했는데, 이 설명이 옳은 듯하다.

舍逆取順, 失前禽也,

거스르는 것을 버리고 따르는 것을 취함이 "앞의 새를 잃음"이며,

中國大全

傳

禮取不用命者, 乃是舍順取逆也. 順命而去者, 皆免矣. 比以向背而言, 謂去者爲逆, 來者爲順也. 故所失者, 前去之禽也, 言來者撫之, 去者不追也.

『예기』에서 "명령을 듣지 않는 것을 취한다"라고 하였는데, 이것은 따르는 것을 버리고 거스르는 것을 취하는 것이다. 명에 따라 가는 것은 모두 면하는 것이다. 비괘(比卦)는 가는 방향으로 말하였으니, 달아나는 것을 거스르는 것으로 삼고 오는 것을 따르는 것으로 삼아서 말했다. 그러므로 잃는 것은 앞으로 가는 새이니, 오는 것을 어루만지고 가는 것을 쫓지 않는다는 말이다.

小註

建安丘氏曰, 舍逆, 謂舍上一陰, 而陰以乘陽爲逆也. 取順, 謂取下四陰, 而陰以承陽爲順也. 失上一陰, 故曰失前禽.

건안구씨가 말하였다: "거스르는 것을 버린다"는 것은 맨 위의 한 음을 버리는 것을 말하는데, 음이 양을 타는 것을 거스르는 것으로 여겼다. "따르는 것을 취한다"는 것은 아래의 네 음을 취하는 것을 말하는데, 음이 양을 받드는 것을 따르는 것으로 여겼다. 위의 한 음을 잃으므로 "앞의 새를 잃는다"라고 하였다.

韓國大全

유정원(柳正源) 『역해참고(易解參攷)』

舍逆 [至] 禽也.

거스르는 것을 버리고 … 새를 잃는다.

〈舉正, 失前禽, 舍逆取順也. ○ 案, 如郭說, 則韻不叶. 蓋古韻禽叶中〉

〈『주역거정』에서 말하였다: “앞의 새를 잃는다”는 것은 거스르는 것을 버리고 따르는 것을 취하는 것이다.

○ 내가 살펴보았다: 곽씨의 설과 같다면 운이 맞지 않는다. 옛 운에 ‘금(禽)’이 운에 맞는다.〉

〈案, 傳末本有舍音捨三字.〉

〈내가 살펴보았다: 『정전』의 끝에 본래 ‘사음사(舍音捨)’의 세 글자가 있었다.〉

이병헌(李炳憲) 『역경금문고통론(易經今文考通論)』

鄭曰, 王者習兵於蒐狩, 驅禽而射之三, 則已法軍禮也. 失前禽者, 在前者不逆〈迎也〉而射之, 旁去又不射. 唯背走者順而射之, 不中則已. 是皆所以失之. 用兵之法亦如之, 降者不殺, 奔者不禦.

정씨가 말하였다: 임금이 사냥에서 병사를 조련하고 새를 몰아 쏘기를 세 번 함이 이미 군례를 따르는 것이다. 앞의 새를 잃음은 앞에 있는 것이 거스르지 않아〈맞이함이다.〉쏘는 것이고, 옆으로 가면 또 쏘지 않는다. 등을 보이고 달아나는 것은 순한 것이니, 쏘지만 맞히지 못하면 그친다. 이것이 모두 잃는 까닭이다. 군대를 쓰는 법이 또한 그와 같아서 항복하는 자를 죽이지 않고 달아나는 자를 막지 않는다.

按, 鄭說必有所本, 然舍逆之逆, 恐爲順逆之逆, 取順之取, 恐爲取善之取, 撫取初二四之比, 從者則非取善乎. 任彼旁去及後夫而不追, 則非舍逆乎. 夫取字之對物對人不得不異也. 旁去謂六三, 後夫謂上六.

내가 살펴보았다: 정씨의 설명이 반드시 근거한 바가 있을 것이나 “거스르는 것을 버린다”라고 할 때의 거스르는 것[逆]은 아마도 순역(順逆)이라고 할 때의 거스르는 것[逆]이 되고, “따르는 것을 취한다”라고 할 때의 취하는 것[取]은 아마도 선을 취한다고 할 때의 취하는 것이 되니, 초효와 이효, 사효가 돕고 따르는 것을 어루만져 취한다면 선을 취하는 것이 아니겠는가? 저 옆으로 가며 뒤처진 자는 내버려두어 좇지 않음은 거스르는 것을 버리는 것이 아니겠는가? ‘취(取)’자는 사물에 대해서와 사람에 대해서가 다르지 않을 수가 없다. “옆으로 간다”는 것은 육삼을 가리키고, ‘뒤처진 자’는 상육을 가리킨다.

邑人不誡, 上使中也.

정전 "읍 사람에게 기약하지 않음"은 윗사람의 부림이 중도에 맞기 때문이다.

본의 "읍 사람도 경계하지 않음"은 윗사람이 중도로 하게 하기 때문이다.

|中國大全|

傳

不期誡於親近, 上之使下, 中平不偏, 遠近如一也.

친하고 가까운 이에게 기약하기를 정하지 않으니, 윗사람이 아랫사람을 부리는 것이 중도로써 하고 공평하게 하여 치우치지 않아서 멀고 가까움이 한결같은 것이다.

本義

由上之德, 使不偏也.

윗사람의 덕이 치우치지 않게 하기 때문이다.

小註

雲峰胡氏曰, 使字與師六五同. 師之使不當, 誰使之, 五也. 比之使中誰使之, 亦五也.

운봉호씨가 말하였다: '사(使)'자는 사괘(師卦) 육오와 같다. 사괘에서 부리는 것이 마땅하지 않다는 것은 누가 시킨 것인가? 오효이다. 비괘에서 부리는 것이 알맞다는 것은 누가 시킨 것인가? 또한 오효이다.

|韓國大全|

서유신(徐有臣) 『역의의언(易義擬言)』

位正中者, 皇建其有極也. 上使中者, 會其有極, 歸其有極也. 上六在外, 故舍而不取也, 六三在內, 故使之趨中, 皇極之道也.

"자리가 바르고 가운데이다"라는 것은 임금이 그 표준을 세우는 것이다.[54] "위의 부림이 알 맞다"는 것은 그 표준에 모이고 그 표준으로 돌아감이다. 상육이 밖에 있기 때문에 버리고 취하지 않으며, 육삼은 안[內卦]에 있기 때문에 가운데를 따르게 하니, 황극의 도이다.

박문건(朴文健) 『주역연의(周易衍義)』

位正中, 位得正中也. 上使中, 使民有道也.

"자리가 정중(正中)하다"고 한 것은 자리가 바르고 가운데 있음을 얻었기 때문이다. "윗사람의 부림이 중도에 맞는다"는 것은 백성을 부리는데 도가 있는 것이다.

〈問, 舍逆取順. 曰, 舍在前之二禽, 取在後之三禽, 故謂之舍逆取順也.

물었다: "거스르는 것을 버리고 따르는 것을 취한다"는 무슨 뜻입니까?

답하였다: 앞에 있는 두 마리의 새를 버리고 뒤에 있는 세 마리의 새를 취하기 때문에, "거스르는 것을 버리고 따르는 것을 취한다"라고 하였습니다.〉

심대윤(沈大允) 『주역상의점법(周易象義占法)』

去者爲逆, 來者爲順. 上使中者, 上之使下, 得其中正, 故下无疑備之心, 上下无間, 然比道之至也.

가는 것은 거스르는 것이고 오는 것이 따르는 것이다. "윗사람의 부림이 중도에 맞는다"는 것은 윗사람이 아랫사람을 부림에 그 중정(中正)을 얻었기 때문에 아랫사람이 의심하고 방비하는 마음이 없어 위아래가 틈이 없으니, 돕는 도가 지극하다.

오치기(吳致箕) 「주역경전증해(周易經傳增解)」

居正中之位, 以至公比下, 吉之道也. 下四陰順而從陽, 上一陰逆而乘陽, 故失上一陰, 爲前禽之失也. 上之使下以中正之道, 故邑人從上化而不待其告誡也.

바르고 가운데인 자리에 있어 지극히 공평하게 아래를 도우니 길한 도이다. 아래 네 음이 순조롭게 양을 따르는데, 맨 위의 한 음이 거슬러서 양을 타기 때문에 맨 위의 한 음을 잃으니, 앞의 새를 잃는 것이 된다. 윗사람이 아랫사람을 중정(中正)의 도리로 부리기 때문에 읍 사람이 윗사람을 따라서 교화되어 그 타일러 훈계함을 기다리지 않는 것이다.

---

54) 『書經·洪範』.

上六, 比之无首, 凶.

상육은 돕는데 머리가 없으니, 흉하다.

▌中國大全▌

傳

六居上, 比之終也. 首謂始也, 凡比之道, 其始善則其終善矣. 有其始而无其終者,
或有矣, 未有无其始而有終者也. 故比之无首, 至終則凶也, 此據比終而言. 然上
六, 陰柔不中, 處險之極, 固非克終者也. 始比, 不以道, 隙於終者, 天下多矣.

육인 음이 맨 위에 있으니, 비괘의 끝이다. ‘머리’는 처음을 말하니, 돕는 도는 그 처음이 좋으면 끝도
좋다. 처음은 있으나 그 끝이 없는 것은 혹 있지만, 처음이 없는데 그 끝이 있는 것은 있지 않다.
그러므로 “돕는데 머리가 없다”는 것은 끝에 이르면 흉하니, 이것은 돕는 끝에 근거하여 말하였다.
그러나 상육이 유약한 음으로서 가운데 있지 못하고 험한 끝에 있으니, 진실로 끝을 잘 마칠 수 있는
자가 아니다. 처음에 돕기를 도로써 하지 못하여 끝에 틈이 벌어지는 것이 천하에 많다.

本義

陰柔居上, 无以比下, 凶之道也. 故爲无首之象, 而其占則凶也.

음의 부드러움으로 맨 위에 있고 아랫사람을 도움이 없으니, 흉한 도이다. 그러므로 ‘머리가 없는’
상이 되고 그 점괘가 흉하다.

小註

厚齋馮氏曰, 以六位自下言之, 初始而上終, 初本而上末. 以全體自上觀之, 上首而初
足, 上角而初尾. 乾姤艮貴旣未濟之象可見. 上六无首, 不能率衆以比於君之象, 言无

能爲首也. 與乾用九辭同而旨異.

후재풍씨가 말하였다: 여섯 자리는 아래로부터 말하기 때문에 초효가 시작이고 상효가 끝이며 초효가 근본이고 상효가 말단이다. 전체는 위로부터 살피기 때문에 상효가 머리이고 초효가 발이며 상효가 뿌리이고 초효가 꼬리이다. 건괘(乾卦), 구괘(姤卦), 간괘(艮卦), 비괘(賁卦), 기제괘(旣濟卦), 미제괘(未濟卦)의 상에서 볼 수 있다. 상육에서 "머리가 없다"는 것은 무리를 거느려 임금을 도울 수 없는 상이니, 머리가 될 수 없음을 말한다. 건괘 용구의 말과 같지만 뜻이 다르다.

○ 沙隨程氏曰, 卦言其才, 則夫當順從而不可後, 爻言其變, 則首當統下而不可无, 其凶一也.

사수정씨가 말하였다: 괘는 그 재질로 말하였으니, '장부'는 마땅히 순조롭게 따라서 뒤처져서는 안 되는 것이다. 효는 그 변화로 말하였으니, '머리'는 마땅히 아랫사람을 통솔하여야 되어서 없을 수 없는 것이다. 괘사나 효사나 그 흉함은 같다.

○ 雲峰胡氏曰, 王弼云, 乾剛惡首, 比吉惡後, 上六居五之後, 比之不先, 卽卦辭所謂後夫凶者也. 諸家皆依之, 惟本義則與後夫之取義不同. 蓋乾以六爻陽剛, 盡變而爲坤之陰柔, 故曰无首. 比以陰柔居上, 亦曰无首者. 乾之无首, 剛而能柔不爲首也, 故吉. 比之无首, 陰柔不足爲首也, 故凶. 然卦辭惡其後, 爻辭惡其无首, 蓋其才旣不是以高人, 又不能自卑以從人, 其凶同耳. 兩義亦自相貫.

운봉호씨가 말하였다: 왕필은 "건괘의 굳셈은 '머리'가 되는 것을 싫어하고 비괘의 길함은 '뒤에 하는 것'을 싫어한다"라고 하였으니, 상육은 오효의 뒤에 있어 돕는 것이 먼저 하지 못하니, 바로 괘사에서 이른바 "뒤에 하면 장부라도 흉하다"라고 한 것이다. 여러 학자가 모두 그것을 따랐는데, 『본의』에서만 '후부[後夫]'의 뜻을 취한 것이 다른 학자들과 같지 않다. 건괘는 여섯 효가 양으로 굳센 것인데 다 변화하여 곤괘인 음의 부드러움이 되므로 "머리가 없다"라고 하였다. 비괘는 음의 부드러움으로 맨 위에 있으니, 또한 "머리가 없다"고 하였다. 건괘에서 "머리가 없다"는 것은 굳세지만 부드러울 수 있어서 머리가 되지 않으므로 길하다. 비괘에서 "머리가 없다"는 것은 음의 부드러움으로 머리가 되지 못하므로 흉하다. 그러나 괘사는 그 뒤에 하는 것을 싫어하고 효사는 머리가 없는 것을 싫어하였으니, 이미 그 재주가 많은 사람이 아니고 또 자신을 낮추어 남을 따를 수도 없어서 그 흉함이 같다. 두 뜻이 또한 저절로 서로 이어진다.

┃韓國大全┃

김장생(金長生) 「주역(周易)」

无首之義, 傳義有異, 首傳指初言, 義指上六.

"머리가 없다[无首]"는 의미는 『정전』과 『본의』가 다르니, '머리'를 『정전』에서는 초효를 가리켜 말하였는데, 『본의』에서는 상육을 가리킨다.

송시열(宋時烈) 『역설(易說)』

首傳云始也, 小象云无所終也. 蓋以陰居亢高之位, 比輔之道, 无首尾. 來易云, 九五, 乾之中爻, 乾爲首, 謂不能與乾爻爲比, 是卽无首, 云云, 未知是否.

'머리'를 『정전』에서는 '처음[始]'이라고 하였는데, 「소상전」에서는 "마칠 바가 없다"라고 하였다. 음으로서 지나치게 높은 자리에 있어 돕는 도에 머리와 꼬리가 없다. 래지덕의 『주역집주』에서 "비괘의 구오는 건괘의 가운데 효인데, 구오[乾卦]가 머리가 된 것은 건괘의 여러 효들과 함께 할 수 없음을 말하니, 이것이 바로 머리가 없는 것이다"라고 운운하였는데, 옳은지 그른지는 모르겠다.

심조(沈潮) 「역상차론(易象箚論)」

首陽而在上者也, 此則在上而非陽, 故曰无首.

'머리'는 양으로 위에 있는 것인데, 여기서는 위에 있지만 양이 아니므로 "머리가 없다"라고 하였다.

유정원(柳正源) 『역해참고(易解參攷)』

王氏曰, 无首, 後也. 處卦之終, 是後夫也.

왕필이 말하였다: "머리가 없다"는 것은 뒤에 있는 것이다. 괘의 끝에 있으니, 이것이 뒤에 오는 자이다.

○ 正義, 无首凶者, 謂无能爲頭首. 他人皆比己, 獨在後, 是親比於人, 无能爲頭首也.

『주역정의』에서 말하였다: "머리가 없어 흉하다"고 한 것은 우두머리가 될 수 없음을 말한다. 다른 사람들이 모두 자신을 돕는데 홀로 뒤에 있으니, 남을 친하게 돕지만 우두머리가 될 수 없다.

김상악(金相岳) 『산천역설(山天易說)』

以陰居上, 无以比下, 爲无首之象. 雖與五爲比, 旣不能自爲首, 而後於比, 故道窮而凶也.

음으로 맨 위에 있고 아래를 돕는 까닭이 없어 머리가 없는 상이 된다. 비록 오효와 비(比)의 관계가 되지만, 이미 스스로 머리가 될 수 없고 돕는 데 뒤처지기 때문에 도가 궁핍하여 흉하다.

○ 乾之无首, 剛而能柔也, 比之无首, 陰本无頭也. 一陽居上, 首出庶物, 爲陰所比, 而上六居坎以陷之, 故曰比之无首. 水火互藏[55]其宅,[56] 變而爲晉. 晉之上以剛處終, 晉其角而猶有貞吝之戒, 況无首而比之乎.

건괘에서 “머리가 없다”는 것은 굳세지만 부드러울 수 있는데, 비괘에서 “머리가 없다”는 것은 음이라서 본래 머리가 없다. 건괘는 한 양이 맨 위에 있어 만물 위에 우뚝 서니 음들이 따르는 바가 되지만, 비괘의 상육은 감괘에 있어 함정에 빠지므로 “돕는데 머리가 없다”라고 하였다. 물과 불은 서로 상대방의 집에 깃들어 있으므로 변하여 진괘(晉卦䷢)가 된다. 진괘의 상효가 굳센 양으로 끝자리에 있어 그 뿔에 나아가지만 오히려 “곧더라도 부끄럽다”는 경계가 있는데, 하물며 머리가 없으면서 돕는 것에 있어서이겠는가?

김규오(金奎五) 「독역기의(讀易記疑)」

上六无首, 以本義无以比下見之, 似謂无以爲首. 是以象以爲无所終, 而義以爲无首則无終, 這一所字, 當著眼看.

상육의 “머리가 없다”는 것을 『본의』에서의 “아랫사람을 도움이 없다”는 것으로 보면 “~으로 머리를 삼을 것이 없다”라고 말하는 것 같다. 이 때문에 「상전」에서는 “마칠 바가 없다”고 보았는데, 『본의』에서는 “머리가 없으면 마침이 없다”고 하였으니, 이 ‘소(所)’자를 마땅히 주목하여 보아야 한다.

---

55) 藏: 경학자료 집성 DB와 영인본에 ‘莊’으로 되어 있으나, 문맥에 따라 ‘藏’으로 바로잡았다.

56) 호장기택(互藏其宅): ‘호장기택’에 대한 해석은 역학이론에 따라 크게 “서로 상대방의 집을 감춘다”, “서로 상대방의 집에 깃들인다”로 정리될 수 있다. 「하도」에서 노음의 위(位)인 생수 4는 노양의 수인 성수 9와 방위를 같이하여 그 속에 깃들어 있다. 이는 달리 말하면 노양수 9가 노음 4를 감추고 있는 것이다. 마찬가지로 노양의 위(位)인 생수 1은 노음의 수인 성수 6과 방위를 같이 하여 그 속에 깃들어 있다. 이는 달리 말하면 노음수 6이 노양인 1을 감추고 있는 것이다. 이는 소음, 소양의 경우도 마찬가지이다.

박윤원(朴胤源) 『경의(經義)·역경차략(易經箚略)·역계차의(易繫箚疑)』

此是彖辭所謂後夫凶者也.

이것은 단사에서 이른바 "뒤에 오는 자는 흉하다"는 것이다.

서유신(徐有臣) 『역의의언(易義擬言)』

此卽後夫凶者也. 在上而不成比, 故曰比之无首也.

이것이 바로 "뒤에 오는 자는 흉하다"고 한 것이다. 맨 위에 있지만 돕지 못하기 때문에 "돕는데 머리가 없다"라고 하였다.

김귀주(金龜柱) 『주역차록(周易箚錄)』

上六, 比之無首, 云云.

상육은 돕는데 머리가 없으니, 운운.

○ 按, 四陰皆上承於五, 是皆以一陽爲首, 而獨上六一爻, 與五相背, 則乃爲無首之象.

내가 살펴보았다: 네 음이 모두 위로 오효를 받드니 이는 모두 하나의 양을 머리로 삼는 것인데, 상육의 한 효만 오효와 서로 등지니 바로 머리가 없는 상이 된다.

本義, 陰柔居上, 云云.

『본의』에서 말하였다: 부드러운 음으로 위에 있다, 운운.

○ 按, 無以比下下字指五也. 比者當居下, 所比者當居上, 而今上六居五之上, 而五在上六之下, 勢相倒置, 如人之相背而坐, 何以相比乎.

내가 살펴보았다: "아랫사람을 도움이 없다"에서 '아랫사람'이라는 뜻의 하(下)자는 오효를 가리킨다. 돕는 자가 마땅히 아래에 있고 도움을 받는 자는 마땅히 위에 있어야 하는데, 이제 상육이 오효의 위에 있고 오효가 상육의 아래에 있으니, 형세가 서로 도치된 것이 사람이 서로 등지고 앉는 것과 같으니, 어떻게 서로 돕겠는가.

小註, 厚齋馮氏曰, 以六, 云云.

소주에서 후재풍씨가 말하였다: 육으로, 운운.

○ 按, 無能爲首之云, 恐失文義

내가 살펴보았다: "머리가 될 수 없다"고 운운한 것은 아마도 본문의 의미를 잃은 듯하다.

沙隨程氏曰, 卦言, 云云.

사수정씨가 말하였다: 괘는 ~라고 말한다, 운운.

○ 按, 此云首當統下, 而不可無者, 亦非無首之本旨.

내가 살펴보았다: 여기서 "머리는 마땅히 아랫사람을 거느려야 하니, 없을 수 없다"라고 말한 것은 또한 "머리가 없다"의 본래 뜻은 아니다.

雲峯胡氏曰, 王弼, 云云.

운봉호씨가 말하였다: 왕필은, 운운.

○ 按, 此釋無首之義, 亦與厚齋同病. 本義之說, 未見其與後夫不同. 蓋惟其後於夫, 故勢相背置, 無以相比, 是爲無首之象. 無首, 言其不能在下而以陽爲首也.

내가 살펴보았다: 이것은 "머리가 없다"는 의미를 푼 것인데 후재풍씨와 같은 문제가 있다. 『본의』의 설명에서 다른 학자들이 말하는 '후부'와 같지 않은 점을 볼 수 없다. 오직 상육은 구오인 장부보다 뒤에 있기 때문에 형세가 서로 배치되어 서로 돕지 못하니, "머리가 없다"는 상이 된다. "머리가 없다"는 것은 상육이 아래있는 구오가 양이라고 해서 머리로 삼을 수 없다는 말이다.

박제가(朴齊家) 『주역(周易)』

傳, 首謂始也, 本義, 无以比下, 爲无首之象.

『정전』에서는 "머리는 처음을 말한다"라고 하고 『본의』에서는 "아랫사람을 도움이 없다"가 머리가 없는 상이 된다.

案, 全卦皆上比, 而此一爻居最上, 雖欲比之, 更無可著, 不知其自无首, 故凶. 凡處六者, 皆可曰无首, 而此獨有比之之情, 故云諸家或曰无能爲首者, 恐未必然. 如乾用九无首, 乃渾體俱變, 非單指上一爻爲義, 自別. 蓋比雖惡後, 必自顧身分自內自外, 皆得无咎. 若求比太過, 更求分外之陽, 則乃所謂後夫凶矣.

내가 살펴보았다: 전체 괘의 효가 모두 위로 돕는데, 이 한 효가 가장 높은데 있어서 비록 도우려고 하지만 착수할 곳이 없고 그 스스로 머리가 없는 것을 알지 못하므로 흉하다. 육효 자리에 있는 것은 모두 "머리가 없다"라고 할 만한데, 이것만 홀로 돕고자 하는 정이 있기 때문에 여러 학자들이 혹 "머리가 될 수 없는 것이다"라고 하였는데, 아마도 반드시 그렇지만은 않은 것 같다. 건괘 용구에서 "머리가 없다"고 한 것은 뒤섞인 몸체로 함께 변하니, 상육의 한 효만을 가리켜 뜻을 삼은 것이 아님이 저절로 구별된다. 돕는 것이 비록 뒤에 하는 것을 싫어하지만, 반드시 스스로 자기의 분수가 안으로부터 하는지 밖으로부터 하는지 돌아보아 모두 허물이 없음을 얻어야 한다. 도움을 구하는 것이 너무 지나쳐 다시 자기 분수

밖의 양을 구하면 바로 뒤에 오는 장부가 흉하다는 것이 된다.

강엄(康儼) 『주역(周易)』

本義, 陰柔居上, 无以比下.

『본의』에서 말하였다: 부드러운 음이 위에 있어 아랫사람을 도움이 없다.

按, 下字指九五耶. 或曰, 下字, 指下四陰而言, 謂不能比下四陰, 以比於五也. 馮氏所謂不能率[57]衆, 以比於君者, 得其旨矣.

내가 살펴보았다: '아랫사람'을 뜻하는 하(下)자는 구오를 가리키는가? 어떤 이는 "'하(下)'자가 아래의 네 음을 가리켜 말하는 것으로, 아래의 네 음을 도울 수 없는 것은 오효를 돕기 때문이다"라고 하였다. 풍씨가 "무리를 통솔할 수 없는 것은 임금을 돕기 때문이다"라고 한 것이 옳다.[58]

박문건(朴文健) 『주역연의(周易衍義)』

比而不善, 故有无首之象. 无首, 言无始也.

돕는데 잘하지 못하기 때문에 머리가 없는 상이 있다. "머리가 없다"는 것은 시작이 없음을 말한다.

〈問, 无首. 曰, 乾之无首, 无剛也, 比之无首, 无始也. 猶噬嗑之噬膚爲噬肉, 而睽之噬膚爲噬肌之不同也.

물었다: "머리가 없다"는 무엇을 뜻입니까?

답하였다: 건괘에서 "머리가 없다"고 한 것은 굳셈이 없기 때문이고, 비괘에서 "머리가 없다"고 한 것은 시작이 없기 때문입니다. 서합괘(噬嗑卦)에서 "살을 씹는다"는 것은 고기를 씹는 것이지만, 규괘(睽卦)에서 "살을 씹는다"는 것은 살갗을 씹는 것으로 서로 같지 않은 것과 같습니다.〉

〈○ 問, 比之无首凶. 曰, 上六不比於五, 而比於三, 失比道於其始者也, 故有无首之象也. 无其始而善其終者鮮矣, 況相害者乎.

물었다: "돕는데 머리가 없으니 흉하다"는 무슨 뜻입니까?

---

57) 率: 경학자료집성 DB와 영인본에는 '事'로 되어 있으나, 『주역전의대전』 원문을 참조하여 '率'로 바로잡았다.

58) 후재풍씨의 원래 문장은 "上六无首, 不能率衆以比於君之象, 言无能爲首也."이므로 강엄의 해석과도 다소 차이가 있다.

답하였다: 상육이 오효를 돕지 못하고 삼효를 도우니, 그 처음에 돕는 도를 잃은 것이므로 머리가 없다는 상이 있는 것입니다. 그 시작이 없으면서 그 끝마침을 잘하는 자는 드문데, 하물며 서로 해치는 것에 있어서이겠습니까?)

이지연(李止淵) 『주역차의(周易箚疑)』

陰以陽爲首, 下以上爲首, 上六所處之位, 欲比於陽則无陽, 欲比於上則无上, 且卦爻之位, 有自下向上之道, 无自上降下之理. 居卦之終, 處上之極者, 以何爲首, 以何爲終乎. 不得不退而比五, 以陽爲首, 然後可謂有所終也. 此與乾九之无首, 其義自別.

음은 양을 머리로 하고 아랫사람은 윗사람을 머리로 하니, 상육이 처해 있는 자리가 양을 돕고자 하지만 양이 없고 위를 돕고자 하지만 맨 윗자리이기 때문에 위가 없으며, 또 괘효의 자리가 아래로부터 위로 올라가는 도는 있지만, 위에서 아래로 내려오는 이치는 없다. 괘의 끝에 있고 맨 위 꼭대기에 처해 있는 자이니 무엇으로 머리를 삼으며 무엇으로 끝을 삼을 수 있겠는가? 부득이하게 물러나서 오효를 돕고 양을 머리로 삼은 뒤에야 마칠 바가 있다고 할 것이다. 이것은 건괘 용구에서 "머리가 없다"는 것과 그 뜻이 자연 구별된다.

김기례(金箕澧) 「역요선의강목(易要選義綱目)」

卦辭所云, 後夫凶者.

「괘사」에 말한 "뒤에 오는 장부는 흉하다"는 것이다.

○ 剛爲下首, 故曰无首. 蓋才弱位極, 不能自卑而從人, 故凶.

굳센 양이 아래에서 머리가 되기 때문에 "머리가 없다"라고 하였다. 재질이 유약하고 자리가 끝이어서 자신을 낮추어 남을 따르지 못하기 때문에 흉하다.

○ 乾之无首, 剛不爲先, 故吉, 比之无首, 柔不爲首, 故曰凶.

건괘에서 "머리가 없다"는 것은 굳센 양이 먼저 하지 않으므로 길하나, 비괘에서 "머리가 없다"는 것은 유약하여 머리가 되지 못하므로 "흉하다"라고 하였다.

贊曰, 比人之道, 焉用蓍龜. 決之在我, 永貞是宜. 比應之道, 焉用後時. 施之在我, 自內比之.

찬하여 말하였다: 남을 돕는 도에 어찌 시초점과 거북점을 쓰겠는가? 결정함이 내게 있으니, 길이 곧게 함이 마땅하다. 돕고 호응하는 도에 어찌 나중에 하는 때를 쓰겠는가? 베푸는

것이 내게 있으니, 안으로부터 돕는다.

이항로(李恒老) 「주역전의동이석의(周易傳義同異釋義)」

按, 旣濟上六曰, 濡其首, 否之上九[59]曰, 否終則傾, 上之言首言終, 可見.

내가 살펴보았다: 기제괘(旣濟卦) 상육에서 "그 머리를 적신다"라고 하고 비괘(否卦) 상구의 「상전」에서 "비색한 것이 마치면 기울어진다"라고 하였으니, 상효에서 '머리'를 말하고 '마침'을 말한 것을 볼 수 있다.

심대윤(沈大允) 『주역상의점법(周易象義占法)』

比之觀☰☷, 觀仰也. 上六以柔居柔, 安於比五, 而居比之極, 比道甚廣. 然下无正應, 但自遠觀仰而无實輔也. 无首, 无所主首也. 巽之對震爲首, 師傅之比也.

비괘가 관괘(觀卦)로 바뀌었으니, 우러러봄이다. 상육이 부드러운 음으로 음의 자리에 있어 오효를 돕는데 편안해 하고 돕는 꼭대기에 있어 돕는 도가 매우 광대하다. 그러나 아래로 정응이 없고 다만 먼 곳에서 살펴보고 우러르기만 해서 실제로 도움이 없다. "머리가 없다"는 것은 주인이 될 만한 머리가 없다는 것이다. 손괘(巽卦)의 음양이 바뀐 괘인 진괘(震卦)가 머리가 되니, 사부(師傅)의 도움이다.

오치기(吳致箕) 「주역경전증해(周易經傳增解)」

上六, 在比之終, 而其來最後, 乘剛之上, 而高亢不順, 卽所謂後夫凶者也. 以柔而不能順乎剛, 以臣而不能承其君, 爲无首之象, 故占言凶.

상육은 비괘의 끝에 있어서 그 오는 것이 가장 뒤이고, 굳센 양의 위에 타고서 극도로 높아 따르지 않으니, 바로 "뒤에 오는 장부는 흉하다"라고 하는 것이다. 유약한 음으로서 굳센 양을 따를 수 없고, 신하로서 그 임금을 받들 수 없어서 머리가 없는 상이 되므로 점에서 흉하다고 말했다.

○ 九五一陽, 爲衆陰之首, 而上六獨不能比, 故言无首, 而雖居一卦之首, 不足謂也.

구오의 한 양이 여러 음의 머리가 되지만 상육만이 도울 수 없기 때문에 "머리가 없다"라고 말하였으니, 비록 한 괘의 머리에 있다고 할지라도 언급할 만한 것이 못된다.

---

59) 九: 경학자료집성 DB와 영인본에는 '六'으로 되어 있으나, 『주역』 원문을 참조하여 '九'로 바로잡았다.

이진상(李震相) 『역학관규(易學管窺)』

王氏曰, 无首後也. 處卦之終, 是後夫也. 以柔乘剛, 故爲无首之匈. 〈愚按, 无首坤象, 乾變坤亦曰无首.〉

왕씨가 말하였다: 머리가 없다는 것은 뒤이다. 괘의 끝에 자리하고 있으니, '뒤에 오는 장부'이다. 부드러운 음으로 굳센 양을 탔기 때문에 머리가 없는 흉함이 된다. 〈내가 살펴보았다: "머리가 없다"는 것은 곤괘의 상인데, 건괘가 변한 곤괘에서도 "머리가 없다"라고 하였다.〉

채종식(蔡鍾植) 「주역전의동귀해(周易傳義同歸解)」

傳解作无始, 本義云, 陰柔居上, 无以比下, 言不足爲首也. 蓋无其始, 故不足以爲首, 其爲凶之義一也.

『정전』에서는 "시작이 없다"라고 풀었는데, 『본의』에서는 "부드러운 음이 위에 있어 아랫사람을 도움이 없다"라고 하였으니, 머리가 되기에 부족함을 말한다. 그 시작이 없으므로 머리로 삼기에 부족하니, 그 흉하게 되는 뜻은 같다.

이정규(李正奎) 「독역기(讀易記)」

上六, 无首凶者. 乾之群龍, 其才足以爲首, 而不爲首故吉. 比之上六, 其才初不足爲首, 而无首故凶.

상육은 머리가 없으니, 흉한 자이다. 건괘의 여러 용은 그 재질이 머리가 될 만한데도 머리가 되지 않기 때문에 길하다. 비괘의 상육은 그 재질이 애초에 머리가 되기에 부족하고, 머리가 없기 때문에 흉하다.

이병헌(李炳憲) 『역경금문고통론(易經今文考通論)』

五旣當位, 上六已亢, 而無首也. 自屯至比, 坎水之功成矣. 師比爲一對, 其策各一百五十有六, 合三百十有二.

오효가 이미 마땅한 자리이고 상육은 너무 높아서 머리가 없다. 준괘(屯卦)로부터 비괘(比卦)에 이르기까지 감괘인 물의 공이 이루어진다. 사괘(師卦)와 비괘(比卦)가 한 짝이 되는데, 그 책수가 각각 156이고 합이 362이다.

象曰, 比之无首, 无所終也.

「상전」에서 말하였다: "돕는데 머리가 없음"은 마칠 바가 없는 것이다.

中國大全

傳

比旣无首, 何所終乎. 相比有首, 猶或終違, 始不以道, 終復何保. 故曰无所終也.

돕는데 이미 머리가 없으니, 어떻게 마치는 바가 있겠는가? 서로 돕는데 머리가 있더라도 오히려 혹 끝에 어긋나는데, 처음부터 도로써 하지 않았으니 끝에 다시 어떻게 보존할 수 있겠는가? 그러므로 "마칠 바가 없다"라고 하였다.

本義

以上下之象言之, 則爲无首, 以終始之象言之, 則爲无終, 无首則无終矣.

위아래의 상으로 말하면 머리가 없는 것이 되고, 시작과 끝의 상으로 말하면 마침이 없게 되니, 머리가 없으면 마침이 없다.

小註

雲峰胡氏曰, 陰柔在上, 其德不足以爲首, 无以比下, 其效不能以有終.

운봉호씨가 말하였다: 부드러운 음이 맨 위에 있어 그 덕이 머리가 되기에 부족하니, 아래를 도움이 까닭이 없어서 그 효험이 마침이 있을 수 없다.

○ 建安丘氏曰, 比卦六爻, 一陽五陰, 九五居得尊位爲顯比之主, 五陰爻皆求比者也. 比貴急不貴緩, 象曰後夫凶, 是也. 初六比之始, 先於比者, 故有他吉. 上六比之終, 後

於比者, 故无首凶. 二以應五而內比, 四以承五而外比, 以柔比剛, 得比之正者, 故皆曰
貞吉. 三於五非近非應, 不知, 比五反應上六无位之爻, 此所以有匪人之傷也歟.

건안구씨가 말하였다: 비괘의 여섯 효는 하나의 양과 다섯 음인데 구오는 높은 자리에 있어
서 드러나게 돕는 주인이 되니, 다섯 음효가 모두 도움을 구하는 자이다. 비괘는 급히 하는
것을 귀하게 여기고 늦게 하는 것을 귀하게 여기지 않으니, 「단전」에서 "뒤에 하는 장부는
흉하다"라고 한 것이 이것이다. 초육은 돕는 시작이니 돕는데 먼저 하는 자이므로 다른 길함
이 있다. 상육은 돕는 끝이니, 돕는데 뒤에 하는 자이므로 머리가 없어 흉하다. 이효는 오효
에 호응하게 때문에 안에서 돕고, 사효는 오효를 받들기 때문에 밖으로 도우니, 부드러운
음으로 굳센 양을 도와 도움의 바른 것을 얻었으므로 모두 "곧아서 길하다"라고 하였다. 삼
효는 오효에 대하여 가까운 것도 아니고 호응하는 것도 아니어서, 모르긴 하지만 오효를
도와야 하는데도 도리어 상육의 지위가 없는 효와 호응하니, 이것이 '온당한 사람이 아닌
상함'이 있는 까닭인가 보다.

韓國大全

유정원(柳正源) 『역해참고(易解參攷)』

比之 [至] 終也.

돕는데 … 마칠 바.

程子曰, 比之有首, 尙懼无終, 旣无首, 安得有終. 故曰无所終, 比之道,須當有首也.

정자가 말하였다: 돕는데 머리가 있더라도 오히려 마치는 것이 없을까 두려운 것인데, 이미
머리가 없으니, 어떻게 마치는 것이 있겠는가? 그러므로 "마칠 바가 없다"라고 하였으니,
돕는 도는 머리가 있어야 한다.

김상악(金相岳) 『산천역설(山天易說)』

无首, 以上下言, 无終, 以始終言也. 荀慈明曰, 陽欲无首, 陰以大終, 陰而无首, 不以
大終, 言上六旣无首, 而又无終也.

"머리가 없다"는 것은 위에 있느냐 아래에 있느냐를 가지고 말했고, "마침이 없다"는 것은
처음에 있느냐 끝에 있느냐를 가지고 말했다. 순자명(荀慈明)은 "양은 머리가 없고자 하고

음은 크게 마치고자 하는데, 음으로서 머리가 없어 크게 마칠 수 없다"라고 하였으니, 상육이 이미 머리가 없고 또 마치는 것도 없음을 말한다.

서유신(徐有臣) 『역의의언(易義擬言)』

以上下言, 則爲无首, 以始終言, 則爲无終, 以前後言, 則爲後夫爲前禽也.
위아래로 말하면 머리가 없는 것이 되고, 시작과 마침으로 말하면 마침이 없는 것이 되며, 앞뒤로 말하면 뒤에 오는 장부가 되고 또 앞의 짐승이 된다.

박문건(朴文健) 『주역연의(周易衍義)』

无所終, 言不相得也.
"마칠 바가 없다"는 것은 서로 얻지 못함을 말한다.

심대윤(沈大允) 『주역상의점법(周易象義占法)』

无所主首, 汎而无親, 終无所成也.
주인이 되는 머리가 없으니, 범범하여 친함이 없어서 끝에 이루는 바가 없다.

오치기(吳致箕) 「주역경전증해(周易經傳增解)」

失比而无其首, 道窮而无所終也.
도움을 잃어서 그 머리가 없으니, 도가 궁핍하여 마칠 바가 없다.

9

소축괘
小畜卦 ䷈

中國大全

傳

小畜序卦, 比必有所畜, 故受之以小畜. 物相比附則爲聚, 聚畜也. 又相親比則志相畜, 小畜所以次比也. 畜止也, 止則聚矣. 爲卦巽上乾下. 乾在上之物, 乃居巽下. 夫畜止剛健莫如巽順, 爲巽所畜, 故爲畜也. 然巽陰也, 其體柔順, 唯能以巽順柔其剛健, 非能力止之也, 畜道之小者也. 又四以一陰得位爲五陽所說. 得位, 得柔巽之道也, 能畜群陽之志, 是以爲畜也. 小畜, 謂以小畜大, 所畜聚者小, 所畜之事小, 以陰故也. 彖專以六四畜諸陽爲成卦之義, 不言二體, 蓋擧其重者.

소축괘(小畜卦)는 「서괘전」에 "도우면 반드시 쌓이는 바가 있다. 그러므로 소축괘로 받았다"라고 하였다. 물건이 서로 돕고 따르면 모이게 되니, 모임은 쌓이는 것이다. 또 서로 친하여 도우면 뜻이 서로 쌓이니, 소축괘가 비괘(比卦)의 다음이 된 이유이다. 쌓이는 것은 그침이니, 그치면 모이게 된다. 괘가 손괘가 위에 있고 건괘가 아래에 있다. 건괘는 위에 있는 물건인데, 이에 손괘의 아래에 있다. 강건한 것을 쌓고 그치게 함은 손순(巽順)함만한 것이 없으니, 손괘에 의해 그치게 되므로 소축(小畜)이 된다. 그러나 손괘는 음이고 그 몸체가 유순하여 오직 손순함으로 그 강건함을 부드럽게 할 수 있고, 힘으로 그치게 할 수 있는 것이 아니니, 쌓는 도의 작은 것이다. 또 사효는 한 음으로 제자리를 얻어 다섯 양의 기뻐하는 바가 된다. 제자리를 얻음은 부드럽고 공손한 도를 얻어 여러 양의 뜻을 쌓을 수 있기 때문에 쌓는 것이 된 것이다. 소축은 작은 것으로 큰 것을 쌓음을 이르는데, 쌓여 모이는 것이 작고 쌓여지는 일이 작은 것은 음이기 때문이다. 「단전」에서 오로지 육사가 여러 양을 쌓이게 하는 것으로 괘가 이루어진 뜻을 삼고 두 몸체는 말하지 않았으니, 그 중요한 것만을 든 것이다.

小註

或以小畜爲臣畜君, 以大畜爲君畜臣, 程子曰, 不必如此. 大畜只是所畜者大, 小畜只是所畜者小, 不必指定一件事, 便是君畜臣臣畜君, 皆是這道理, 隨大小用

혹 소축을 신하가 임금을 저지하는 것으로 여기고, 대축을 임금이 신하를 저지하는 것으로 여기는데, 정자는 "반드시 이와 같지는 않을 것이다"라고 하였다. 대축은 저지하는 바가 크고, 소축은 저지하는 바가 작아서 반드시 한 가지 일로 지정할 필요는 없으니, 바로 임금이 신하를 저지하고 신하가 임금을 저지하는 것이 다 이 도리로 크고 작음에 따라 쓰는 것이다.

○ 或問, 有說此卦作巽體順, 是小人以柔順畜君子, 以虛體卑辭相拘係, 其畜止人術

甚小, 而无大謀大作, 故曰小畜. 不知如何. 朱子曰, 易不可專就人上說, 且就陰陽上看, 分明巽畜乾, 陰畜陽, 故謂之小. 若配之人事, 則爲小人畜君子也得, 爲臣畜君也得, 爲因小小事畜止也得, 不可泥定事說

어떤 이가 물었다: 이 괘는 손괘의 몸체가 유순함이 되어 소인이 유순함으로 군자를 저지하고 자신을 비우고 말을 낮추는 것으로 서로 얽매는데, 그 사람을 저지하는 방법이 매우 자잘해서 크게 도모하거나 크게 만들지 못하기 때문에 '소축'이라고 하는 설명이 있는데, 어떤지 모르겠습니다.

주자가 답하였다: 『주역』은 사람으로만 말하고 또 음양으로만 볼 수 없으나 분명 손괘가 건괘를 저지하고 음이 양을 저지하므로 '작다'고 하였습니다. 만약 사람의 일에 견준다면 소인이 군자를 저지하는 것도 얻을 수 있고 신하가 임금을 저지하는 것도 얻을 수 있으며, 소소한 일로 인하여 그치게 하는 것도 얻을 수 있으니, 반드시 정해진 일에 얽매여 말할 필요는 없습니다.

○ 南軒張氏曰, 以大畜小, 以陰畜陽, 天地之大經, 古今之通義也. 然事有出於一時, 不獨天下國家, 凡百君子之欲行事, 小人得以擾係之, 大事之將就, 小物得以邀阻之, 皆小畜也.

남헌장씨가 말하였다: 큰 것으로 작은 것을 저지하고 음으로 양을 저지하는 것은 천지의 커다란 법도이고, 고금의 공통된 의리이다. 그러나 일은 한 때에 나오는 것이 있어 천하국가의 경우에만 그런 것이 아니니, 모든 군자가 일을 행하려 할 때 소인이 매어 놓기도 하며, 큰 일이 이루어지려 함에 작은 물건이 막기도 하는 것이 다 '소축'이다.

○ 白雲郭氏曰, 有止而畜之者, 畜之大也, 有入而畜之者, 畜之小也.

백운곽씨가 말하였다: 그치게 하여[☶] 쌓아 두는 것은 쌓는 것이 크고, 들어가[☴] 쌓아 두는 것은 쌓는 것이 작다.

小畜亨, 密雲不雨, 自我西郊.

소축은 형통하나, 빽빽이 구름이 끼나 비가 오지 않음은 나의 서쪽들로부터 하기 때문이다.

┃中國大全┃

傳

雲, 陰陽之氣, 二氣交而和, 則相畜固而成雨. 陽倡而陰和順也, 故和. 若陰先陽倡, 不順也, 故不和. 不和則不能成雨. 雲之畜聚雖密而不成雨者, 自西郊故也. 東北, 陽方, 西南, 陰方, 自陰倡, 故不和而不能成雨. 以人觀之, 雲氣之興皆自四遠, 故云郊, 據四而言, 故云自我. 畜陽者四, 畜之主也.

구름은 음양의 기운이니, 두 기운이 사귀어 화합하면 서로 쌓이고 굳어져 비를 이룬다. 양이 부르고 음이 화답함은 순리대로 함이므로 화합한다. 만약 음이 양보다 먼저 부르면 순리대로 하지 않음이므로 화합하지 못한다. 화합하지 못하면 비를 이룰 수 없다. 구름이 쌓이고 모인 것이 비록 빽빽하나 비를 이루지 못하는 것은 서쪽들로부터 하기 때문이다. 동쪽과 북쪽은 양의 방향이고 서쪽과 남쪽은 음의 방향이니, 음으로부터 부르기 때문에 화합하지 못하여 비를 이룰 수 없다. 사람의 입장에서 보면 구름의 기운이 일어나는 것이 모두 멀리 사방으로부터 오기 때문에 '들[郊]'이라고 하였고, 육사에 근거하여 말했기 때문에 '나의 ~부터'라고 하였다. 양을 저지하는 것은 육사이니, 저지하는 주인이다.

小註

或問, 密雲不雨自我西郊. 程子曰, 西郊陰所. 凡雨須陽倡乃成, 陰倡則不成矣. 今雲過西則雨, 過東則否, 是其義也. 所謂尙往者, 陰自西而往, 不待陽矣.

어떤 이가 물었다: "빽빽이 구름이 끼나 비가 오지 않음은 나의 서쪽들로부터 하기 때문이다"는 무슨 뜻입니까?

정자가 답하였다: '서쪽들'은 음의 장소입니다. 비는 모름지기 양이 불러야 내릴 수 있고 음이 부르면 내리지 못합니다. 이제 구름이 서쪽을 지나가면 비가 내리지만 동쪽을 지나가면

내리지 않으니, 이것이 그 의미입니다. 이른바 "오히려 간다[尙往]"는 것은 음이 서쪽으로부터 가서 양을 기다리지 않는 것입니다.

○ 建安丘氏曰, 乾本在上之物, 今在巽下則爲柔所畜, 故曰小畜. 巽爲陰, 乾爲陽, 惟巽順爲能畜乾健之性, 但六四以一陰而畜止五陽, 能係其志而不能固其志, 此又畜道之小者也. 夫物畜則止, 止極則行, 故小畜亦有亨義. 密雲, 陰氣也. 自二至四互兌, 屬西方故曰西郊. 四以柔居柔, 故有此象. 自我指四也. 凡雲自東而西則雨, 自西而東則不雨, 陰先倡也. 小畜以柔爲主, 不能固陽而止之, 故雲雖密而不雨.

건안구씨가 말하였다: 건괘는 본래 위에 있는 물건인데, 이제 손괘 아래에 있는 것은 부드러운 음에게 저지당하는 것이므로 '소축(小畜)'이라고 하였다. 손괘는 음이 되고 건괘는 양이 되니 손괘의 유순함만이 건괘의 굳건한 성질을 저지할 수 있는데, 다만 육사는 한 음으로 다섯 양을 저지하여 그치게 하니, 그 뜻을 매어둘 수는 있으나 그 뜻을 고정시킬 수는 없으니, 이것이 또 저지하는 도가 작은 것이다. 물건은 쌓이면 그치고 그침이 다하면 행하므로 소축이 또한 형통한 의미가 있다. 빽빽이 구름이 낌은 음의 기운이다. 이효에서 사효까지는 호괘가 태괘인데, 서쪽 방위에 속하므로 '서쪽들'이라고 하였다. 사효는 부드러운 음으로 음의 자리에 있으므로 이 상(象)이 있다. '나의 ~ 로부터[自我]'는 사효를 가리킨다. 구름이 동쪽에서 서쪽으로 가면 비가 내리지만, 서쪽에서 동쪽으로 가면 비가 내리지 않으니, 음이 먼저 부르기 때문이다. 소축은 부드러움을 위주로 해 양을 고정시켜 그치게 할 수 없으므로 구름이 비록 빽빽하더라도 비가 내리지 않는 것이다.

本義

巽, 亦三畫卦之名. 一陰伏於二陽之下, 故其德爲巽爲入, 其象爲風爲木. 小, 陰也, 畜, 止之之義也, 上巽下乾, 以陰畜陽, 又卦唯六四一陰, 上下五陽, 皆爲所畜, 故爲小畜. 又以陰畜陽, 能係而不能固, 亦爲所畜者小之象. 內健外巽, 二五皆陽各居一卦之中而用事, 有剛而能中, 其志得行之象. 故其占當得亨通. 然畜未極而施未行, 故有密雲不雨自我西郊之象. 蓋密雲, 陰物, 西郊, 陰方, 我者, 文王自我也. 文王演易於羑里, 視岐周爲西方, 正小畜之時也. 筮者得之, 則占亦如其象云.

손괘는 또한 삼획괘의 이름이다. 한 음이 두 양의 아래에 엎드려 있기 때문에 그 덕은 공손함이 되고 들어감이 되며, 그 상은 바람이 되고 나무가 된다. 소(小)는 음이고 축(畜)은 그치게 하는 뜻이니, 위는 손괘이고 아래는 건괘여서 음으로 양을 저지하고, 또 괘가 오직 육사의 한 음에게 위아래의 다섯 양이 다 저지되므로 '소축'이 된다. 또 음으로 양을 저지하니, 매어 둘 수는 있으나 고정시키지는 못하므로 또한 저지되는 바가 작은 상이 된다. 안은 굳건하고 밖은 공손하며, 이효와 오효가 다 양으로 각각 한 괘의 가운데에 있어서 일을 하며, 굳세면서도 중도에 맞게 할 수 있어 그 뜻이 행해지는 상이 있다. 그러므로 그 점이 마땅히 형통함을 얻는다. 그러나 저지함이 다하지 못하고 베풀어 행해지지 못하므로 "빽빽이 구름이 끼고 비가 오지 않음은 나의 서쪽들로부터 하기 때문이다"라고 하는 상이 있다. '빽빽이 구름이 낌'은 음의 물건이고 '서쪽들'은 음의 방향이며 '나'는 문왕 자신이다. 문왕이 유리(羑里)의 옥에 갇혀 『주역』을 지을 때에 기산의 주나라[岐周]를 보면 서쪽 방향이 되니, 바로 소축의 상황이었다. 점치는 자가 이 괘를 얻으면 점이 또한 그 상에서 말한 것과 같다.

朱子曰, 小畜是以巽之柔順而畜三陽, 畜他不住. 大畜則以艮畜乾, 畜得有力, 所以喚作大畜. 小畜亨是說陽. 緣陰畜他不住, 故陽得自亨. 橫渠言易爲君子謀不爲小人謀, 凡言亨皆是說陽, 到得說陰處, 便分曉說道小人吉. 亨字便是下面剛中而志行乃亨.
주자가 말하였다: 소축(小畜)은 손괘의 유순함으로 세 양을 저지하지만, 그것을 오래 저지하지 못한다. 대축(大畜)은 간괘로 건괘를 저지하니, 저지하는 데 힘이 있어서 '대축괘'라고 부른다. "소축은 형통하다"는 것은 양을 말한 것이니, 음이 그것들을 오래 저지하지 못하기 때문에 양은 스스로 형통할 수 있다. 장횡거는 "역은 군자를 위해 도모하고 소인을 위해 도모하지 않는다"고 하였으니, '형통함'을 말한 것이 다 양을 말한 것이며, 음을 말한 곳에 이르면 곧 분명하게 "소인이 길하다"라고 말하였다. '형통하다[亨]'는 말은 바로 아래의 "굳센 양이 가운데 있고 뜻이 행해지니, 이에 형통하다"라고 한 것이다.

○ 問, 密雲不雨自我西郊. 曰, 此是以巽畜乾, 巽順乾健, 畜他不得, 故不能雨.
물었다: "빽빽이 구름이 끼나 비가 오지 않음이 나의 서쪽들로부터 하기 때문이다"는 무슨 뜻입니까?
답하였다: 이것은 손괘로 건괘를 저지하는 것이니, 손괘는 유순하고 건괘는 굳건하여 건괘를 저지할 수 없으므로 비가 내릴 수 없는 것입니다.

○ 沙隨程氏曰, 不雨者, 未能施澤也. 人臣道盛而未得君之象.
사수정씨가 말하였다: "비가 오지 않는다"는 것은 아직 혜택을 베풀 수 없는 것이다. 신하의 도가 왕성하나 아직 임금을 얻지 못한 상이다.

○ 胡氏旦曰, 文王當紂之時, 左右憸人終不能以止其進, 以此知文王志在明夷而道在小畜.

호단(胡旦)이 말하였다: 문왕이 주(紂)임금을 대적할 때에 좌우의 간사한 사람이 끝내 그 나아감을 그치게 할 수 없었으니, 이것으로 문왕의 뜻이 명이괘(明夷卦䷣)에 있으나 그 도는 소축괘(小畜卦䷈)에 있음을 알 수 있다.

○ 雲峰胡氏曰, 自乾坤而下, 屯蒙需訟師比, 皆三男陽卦用事, 至此方見巽之一陰用事, 而以小畜名焉, 尊陽也. 陰之畜陽, 唯能以巽入, 柔其剛健, 非能力制之, 故陽之亨自若也. 小過六五爻辭與小畜象辭同. 文王之意, 謂一陰畜乎五陽, 陰有所不及, 不能成雨也, 周公之意, 謂四陰過乎二陽, 陽有所不及, 亦不能成雨也. 陰不及, 不許小者之畜, 陽不及, 不許小者之過, 何也. 易固爲尊陽作也, 本義以爲文王之事何也. 下畜上, 小畜大, 正爲文王與紂之事, 但能用柔巽之道以止畜其惡. 然終不能大有所爲. 文王觀象而適有會於心, 故以其所遭者而言之.

운봉호씨가 말하였다: 건괘(乾卦䷀)·곤괘(坤卦䷁)로부터 아래로 준괘(屯卦䷂)·몽괘(蒙卦䷃)·수괘(需卦䷄)·송괘(訟卦䷅)·사괘(師卦䷆)·비괘(比卦䷇)가 다 세 아들인 양괘가 일을 하는데, 여기에 이르면 손괘(☴)의 한 음이 일을 하여 '소축괘(小畜卦䷈)'로 이름 지은 것을 볼 수 있으니, 양을 높인 것이다. 음이 양을 저지함은 오직 공손하게 들어감으로 그 강건함을 부드럽게 할 수 있는 것이고, 능력으로 제어하는 것이 아니기 때문에 양의 형통함이 태연한 것이다. 소과괘(小過卦) 육오의 효사[1]가 소축괘 단사와 같다. 문왕의 뜻은 한 음이 다섯 양을 저지함을 말하니, 음이 미치지 못하는 바가 있어 비를 이룰 수 없는 것이고, 주공의 뜻은 네 번째 음이 두 양을 지남을 말하니, 양이 미치지 못하는 바가 있어 또한 비를 이룰 수 없는 것이다. 음이 미치지 못하여 작은 것의 저지함을 허락하지 않고, 양이 미치지 못하여 작은 것의 지나침을 허락지 않는 것은 어째서인가? 『주역』은 진실로 양을 높이기 위해 지었는데, 『본의』에서 문왕의 일로 여긴 것은 어째서인가? 아랫사람이 윗사람을 저지하고 작은 것이 큰 것을 저지하는 것은 바로 문왕과 주의 일로 오직 유순하고 공손한 도를 써서 그 악을 저지할 수 있기 때문이다. 그러나 끝내 크게 저지하는 바가 있을 수 없었다. 문왕이 상을 보고서 마침 마음에 깨달은 것이 있기 때문에 당시의 상황으로 말한 것이다.

---

[1] 『周易·小過卦』: 六五, 密雲不雨, 自我西郊, 公弋取彼在穴.

‖韓國大全‖

권근(權近) 『주역천견록(周易淺見錄)』

東北陽方, 西南陰方. 陽倡而陰和, 則交而成雨, 自陰倡則不和而不雨.

동북쪽은 양의 방위이고 서남쪽은 음의 방위이다. 양이 부르고 음이 화답하면 서로 작용하여 비가 오지만 음이 앞서 부르면 양이 화답하지 않아서 비가 오지 않는다.

愚謂, 今世俗之諺, 以西方爲水源, 以南風爲霖風. 蓋以黑雲自西而東, 則必雨, 和風自南而北, 則有雨故也. 是若自西南陰方而先倡, 似與此卦之辭, 不同. 然雲向東北, 則雨者, 陽在東北而先倡, 陰自西南而往應也. 向西南, 則不雨者, 陰在西南而先倡, 陽自東北而往應也. 人不見陽之先倡, 但見西方之陰和陽之倡而雲興, 則必雨, 故謂西爲水源也.

내가 살펴보았다: 지금 사람들의 말에 서쪽을 물의 근원이라 하고 남쪽에서 불어오는 바람을 흙비바람이라고 한다. 먹구름이 서쪽에서 동쪽으로 오면 반드시 비가 오고, 온화한 바람이 남쪽에서 북쪽으로 불면 비가 오기 때문이다. 이는 음의 방위인 서남쪽에서 먼저 부르는 것 같아서 이 괘의 말과 같지 않은 듯하다. 그러나 구름이 동북쪽을 향하면 비가 오는 것은 양이 동북쪽에서 먼저 부르고 음이 서남쪽에서 와서 호응하기 때문이다. 구름이 서남쪽을 향하면 비가 오지 않는 것은 음이 서남쪽에서 먼저 부르고 양이 동북쪽으로부터 가서 호응하기 때문이다. 사람들은 양이 먼저 부르는 것은 보지 못하고 다만 서쪽의 음이 양의 부름에 화답하여 구름이 일어나면 반드시 비가 오는 것만을 보기 때문에 서쪽을 물의 근원이라고 한다.

此卦所謂密雲不雨, 自我西郊者, 非謂密雲自西郊而興也, 但謂有密雲而不雨者, 其初自我陰方而先倡也. 是則密雲當自東而之西郊, 與今所見, 无以異矣. 程子所謂長安西風而雨, 亦是此理也. 本義, 我者, 文王自我也. 文王演易於羑里, 視岐周爲西方, 正小畜之時也. 竊意君倡而臣和, 則必功成, 猶陽倡陰和而雨澤降. 文王當紂之時, 率商之叛國以事紂, 豈不欲匡救輔翼以施其雲行雨施之澤於天下哉. 其如紂不應何哉. 故雖以文王忠誠至德, 終不免羑里之患, 況望匡輔而施澤乎. 此正小畜之時, 文王有感而稱我也歟.

이 괘에서 "빽빽이 구름이 끼나 비가 오지 않는 것은 나의 서쪽들로부터 하기 때문이다"라고 한 것은 빽빽이 구름이 낌이 서쪽들로부터 일어난다는 것이 아니라, 다만 "빽빽이 구름이 끼나 비가 오지 않는 것"이 애초에 나의 음의 방위에서 먼저 부르는 것을 가리킨다. 그렇다면 빽빽한 구름은 동쪽에서 서쪽들로 가는 것이니, 지금 사람들이 보는 것과 차이가 없다. 정자가 "장안에 서쪽에서 바람이 불면 비가 내린다"고 한 것도 이러한 이치이다. 『본의』에서의 '나'는 문왕 자신이다. 문왕이 유리(羑里)에 갇혀 『주역』을 지을 때 기산(岐山)의 주나라를 바라보면 서쪽이 되며 바로 소축의 상황이었다. 가만히 생각건대, 임금이 부르고 신하가 화답하면 반드시 공이 이루어지니 이는 양이 부르고 음이 화답하여 비의 혜택이 내리는 것과 같다. 문왕이 주왕(紂王)의 시대를 맞아 상나라를 배반한 나라들을 이끌고 주왕(紂王)을 섬긴 것이 어찌 주왕을 바로잡고 보필하여 구름이 움직이고 비가 내리는 은택을 천하에 베풀고 싶지 않아서였겠는가? 그가 만일 주왕에게 호응하지 않았다면 어찌 되었겠는가! 그 때문에 문왕이 충성스럽고 지극한 덕을 다했음에도 끝내 유리에 갇히는 환난을 벗어나지 못하였으니, 하물며 바로잡고 도와 은택을 베풀기를 바랄 수 있었겠는가? 이것이 바로 소축의 상황에 처하여 문왕이 탄식하여 '나'라고 일컬은 것이다.

홍여하(洪汝河)「책제(策題):문역(問易)·독서차기(讀書箚記)-주역(周易)」

小畜象辭,
소축괘 단사.
本義, 上巽下乾 [止] 所畜者小之象.
『본의』에서 말하였다: 위는 손괘이고 아래는 건괘여서 … 저지하는 바가 작은 상이 된다.
釋象傳初段.
「단전」의 첫 단락을 풀이하였다.

內健外巽 [止] 當得亨通.
안은 굳건하고 밖은 공손하며 … 마땅히 형통함을 얻는다.
釋第二段.
두 번째 단락을 풀이하였다.

畜未極 [止] 自我西郊之象.
저지함이 다하지 못하고 … 나의 서쪽들로부터 하기 때문이라는 상이 있다.[2]
釋第三段
세 번째 단락을 풀이하였다.

---

2) 『본의』의 내용이기는 하나 정확하게 구문이 일치하지 않는다.

강석경(姜碩慶)「역의문답(易疑問答)」3)

問, 小畜之卦, 畜之者力小而弱, 受畜者力大而強, 強弱勢也, 大小形也. 論其形勢, 信乎, 畜道之難成, 而文王以爲亨者, 不亦誣乎.

물었다: 소축의 괘는 저지하는 자의 힘은 작고 약하며, 저지당하는 자의 힘은 크고 강하니, 강하고 약함은 기세이고, 크고 작음은 드러난 모양입니다. 그 모양과 기세를 논한다면 진실로 그치게 하는 도가 이루어지기 어려운 것인데 문왕이 '형통하다'고 여긴 것은 또한 사실을 근거가 없는 것이 아닙니까?

曰, 不以無道, 必天下而棄之者, 孔子之志也, 故捿捿於歷騁, 不以不悛, 必吾君而忘之者, 文王之心也, 故眷眷於畜君. 故曰如有用我期月可也. 不用則已, 用之則豈不亨乎. 此文王孔子之志也.

답하였다: 도(道)가 없다고 반드시 천하를 버려야 할 것이 아니라는 것이 공자의 뜻이기 때문에 초빙하는 곳마다 그곳에 머물렀습니다. 주(紂)가 잘못을 고치지 않았다고 반드시 자기의 임금을 버려야 할 것이 아니라는 것이 문왕의 뜻이었기 때문에 임금을 저지하는 데에 간절하였습니다. 그러므로 "진실로 나를 써주는 사람이 있다면 일 년이면 기강을 세울 수 있다"4)고 하였으니, 써주지 않으면 그만이지만 써주면 어찌 형통하지 않겠습니까? 이것이 문왕과 공자의 뜻입니다.

小畜之卦, 曰密雲不雨者, 文王之辭也, 上九之辭, 曰旣雨旣處者, 周公之辭也, 聖則一揆, 親則父子, 而一卦所見相反, 若是何也.

소축괘에서 "빽빽이 구름이 끼나 비가 오지 않음"이라고 한 것은 문왕의 말이고, 상구의 효사에서 "이미 비가 내리고 이미 그침"이라고 한 것은 주공의 말이니, 성인으로서는 한 가지 도이고 친밀하기로는 아비와 자식사이인데, 한 괘에서 본 바가 서로 반대되니 이러한 것은 어째서입니까?

曰, 文王之意, 以爲以小畜大, 其道齟齬, 陰陽不和, 其勢則然, 故曰不雨. 此則據一卦全體而論之也. 周公之意, 則以爲畜道積載, 其終必成, 旣成之終, 到底和諧, 故曰旣雨旣處, 此則據上九終頭而言之也. 此雖不同, 而大義無異也.

답하였다: 문왕의 뜻은, 작은 것으로 큰 것을 저지하는 것은 그 도가 어긋나고 음과 양이

---

3) 강석경의『역의문답』은 자유롭게 역괘의 뜻을 문답식으로 서술한 작품으로, 수미일관한 체계를 지니고 있지 않다. 따라서 같은 괘에 대한 문답이 여러 곳에 산재되어 있는 경우도 있다.
4)『論語·子路』.

화합하지 못하는 것은 그 때의 형세가 그런 것이라고 여겼기 때문에 "비가 오지 않는다"고 하였습니다. 이는 한 괘 전체에 근거하여 논한 것입니다. 주공의 뜻은, 저지하는 도가 쌓인 것은 그 끝에 반드시 이루어지고 이미 이루어진 끝은 이루어놓은 화해(和諧)라고 여겼기 때문에 "이미 비가 내리고 이미 그침"이라고 하였습니다. 이것은 상구의 끝머리에 근거하여 말한 것입니다. 이러한 것이 비록 같지 않지만 대의에 있어서는 차이가 없습니다.

問, 易曰卦有小大, 辭有險易. 蓋好底卦, 其辭明白簡暢, 無所疑晦, 而今小畜卦, 其辭晦昧不分, 主意本欲言此, 而又似言彼, 主意在甲, 而又似在乙, 三聖之旨, 自相牴牾, 與奪未明, 莫適所從. 願子痛加分析, 各指所之, 使彼文卦周爻孔象之意, 殊途同歸, 皆有所用以破迷蒙之見, 何如.

물었다: 『주역』에서 "괘에는 크고 작음이 있고 말[辭]에는 험하고 쉬움이 있다"고 하였습니다. 대체로 좋은 괘는 그 말이 명백하며 간략하고 유창하여 의심나거나 모르는 바가 없는데, 지금 소축괘는 그 말이 애매하고 분명하지 않아서 주된 뜻이 본래 이것을 말하려고 하면서 또 저것을 말하는 것 같고, 주된 뜻이 이곳에 있으면서 또 저곳에 있는 것 같으니, 세 성인의 종지가 저절로 서로 부딪히고 함께 다투어 분명하지 않아서 딱히 좇을 것이 없습니다. 원컨대, 그대는 각각의 종지가 가리키는 바를 엄밀히 분석하여 저 문왕의 괘사와 주공의 효사, 공자 단전의 뜻이 그 방법은 다르지만 같은 곳으로 귀결하여 모두 미혹되어 몽매한 생각을 깨우쳐 주는 것으로 쓰이는 바가 있게 한다면 어떻겠습니까?

曰, 吾嘗致疑於斯久矣, 而先儒註釋, 皆不滿意, 欲以質於當世之先覺者, 而不遇其人. 今子實獲我心, 與吾同病, 其可諱其病, 而不言其所嘗疑子乎. 蓋小畜者, 乾下巽上之卦也. 乾健之性, 處在巽下, 陽性上進, 非可力制, 而巽之一陰, 爲卦之主, 柔其剛健, 止而畜之, 以陰畜陽, 以小畜大, 故曰名之曰小畜. 而序卦曰人相親比者, 志在相畜, 故比卦之後, 受之以小畜.

답하였다: 내가 일찍이 여기에 대해 의심한지 오래되었는데, 이전 유학자들의 주석이 모두 만족스럽지 못하여 당시 세상의 선각자에게 질정하고자 하였지만 그런 사람을 만나지 못하였습니다. 이제 그대가 실로 내 마음을 알아 나와 병이 같은데, 그 병을 꺼려 일찍이 의심을 가졌던 것을 말하지 않을 수 있겠습니까? 대체로 소축괘(小畜卦䷈)란 건괘가 아래고 손괘가 위인 괘입니다. 건괘의 굳건한 성질이 손괘의 아래에 있으나 양의 성질이 위로 나아가 힘으로 억제할 수 없는데, 손괘의 한 음이 괘의 주인이 되어서는 그 강건함을 부드럽게 하고 머물러 저지되니, 음으로 양을 저지하고 작은 것으로 큰 것을 저지하는 것이기 때문에 그것을 이름 붙여 소축이라고 하였습니다. 「서괘전」에서 "사람이 서로 친하여 가까이 하는 것은 뜻이 서로 저지하는 데 있기 때문에 비괘(比卦䷇)의 다음에 소축괘(小畜卦䷈)로 받았다"고 하였습니다.

畜之道, 可以致亨, 故曰小畜亨, 此文王據事理而言之也. 文王道在明夷, 而志在小畜,
以大聖之資, 遇帝受之惡, 竭忠盡誠, 欲止其惡. 受或自悛, 則國其正矣, 此豈非所謂亨
乎. 然而文王雖聖, 言其位則臣也下也小也陰也, 商受雖惡, 論其位則君也上也大也陽
也, 以小畜大, 以陰畜陽, 其勢則逆, 力亦不敵, 故不但我之不能畜彼, 反蒙大難厄於羑
里. 其不能致和諧而成事功, 譬如西郊之密雲, 似宜遇雨, 而陰先陽唱, 無以成和諧而
降雨澤也, 故小畜亨.

저지하는 도는 형통함을 이룰 수 있기 때문에 “소축은 형통하다”고 하였으니, 이것은 문왕이
사물의 이치에 근거하여 말한 것입니다. 문왕의 도는 명이괘(明夷卦䷣)에 있었지만 뜻은
소축괘(小畜卦䷈)에 있었으니, 성인의 자질로써 천자인 수(受)의 악을 만나 마음과 정성을
다하여 그의 악을 저지하고자 하였습니다. 수(受)가 혹 스스로 고치게 되면 나라가 바르게
될 것이니, 이것이 어찌 형통함이 아니겠습니까? 그런데 문왕이 성인일지라도 그 지위를
말하면 신하이고 아랫사람이며 작고 음이며, 상나라의 수(受)가 비록 악하지만 그 지위를
논하면 임금이고 윗사람이며 크고 양이니, 작은 것으로 큰 것을 저지하고 음으로 양을 저지
하는 것이 그 형세에 있어서는 거스르고, 힘 또한 대적하지 못하기 때문에 자신이 그를 저지
할 수 없을 뿐만 아니라 도리어 유리(羑里)의 옥에 갇히는 큰 어려움을 입은 것입니다. 그
화해(和諧)함을 이루지 못하고 일의 공을 완성치 못함이 마치 서쪽들의 빽빽이 낀 구름이
비가 내리는 것을 만나야 할 듯하지만, 음이 양의 부름에 앞서 음양이 화해하여 비를 내리는
혜택을 이루는 까닭이 없기 때문에 조금 저지하는 것이 형통합니다.

下繼之曰密雲不雨自我西郊, 此則文王觀衆, 而適有會於自己之心, 故憑己志於卦辭,
歎畜道之未成也. 其曰我者, 雖因四爲卦主, 而實文王自我之辭也. 云西郊者, 雖因卦
爲互兌, 而實周在羑里之西也. 周公之意, 則以爲優容巽入, 至誠積累, 則終必和合, 無
不受畜, 故於卦終爻曰旣雨旣處, 此則言其畜道之成, 而證其卦辭之亨也. 孔子之意,
則以爲小畜大陰畜陽, 是乃小人擾係君子之象. 孔子素有扶陽抑陰之志, 故戒其陰之
畜乎陽, 贊其陽之不受畜, 乃以亨字屬之於陽, 而言其陽性上進, 陰不能畜, 其勢必進
而無已也, 故其於解卦之辭曰, 健而巽, 剛中而志行, 乃亨, 密雲不雨, 尙往也, 自我西
郊, 未行也, 所謂志行尙往者, 言陽性上進而其道必亨也. 所謂西郊未行者, 言陰不成
畜而未有功施也. 此說亨字, 在陽而不在陰, 與文王之意大相不同. 孔子非不知文王之
意, 而第緣易理無窮無所不包, 聖言有限不能盡意, 故孔子觀象而自發胸中所蘊, 著於
經, 使後之學易者, 知易之不可爲典要, 而以爲參看互推, 無拘一義之地也. 後之解經
者, 其於文王之卦辭孔子之象傳, 各從本文之義而言之可也. 古今解易者, 不知此義,
雖以程朱之學, 只述孔子之言, 而文王命卦之本意, 全然晦矣, 豈不可惜哉. 斯義也, 馮
厚齋略發其端, 而余又細推之如此, 未知果合於三聖之意否乎. 且有所過者必亨, 故小

過之卦, 曰小過亨, 其與小畜亨之義一樣文法也. 是皆因卦名而言亨也. 小畜卦以一陰
爲成卦之主, 則豈可捨主不言, 而言其客之事也.

다음에 이어서 "빽빽이 구름이 끼나 비가 오지 않음은 나의 서쪽들로부터 하기 때문이다"고
하였는데, 이것은 문왕이 상을 살펴서 마침 자기의 마음에 맞는 배(會)가 있기 때문에 자신
의 뜻을 괘사에 빗대어 저지하는 도가 아직 이루어지지 않았음을 탄식하였습니다. 괘사에
'나'라고 한 것은 비록 사효가 괘의 주인이 되기 때문이지만 실상 문왕 자신이라는 말입니다.
'서쪽들'이라고 말한 것은 비록 괘가 호괘로 태괘(兌卦)가 될지라도 실상 주나라가 유리의
서쪽에 있기 때문입니다. 주공의 뜻은 넉넉하게 포용하고 부드럽게 간(諫)하여 지성으로
쌓으면 끝엔 반드시 화합하여 저지되지 않음이 없기 때문에 괘의 끝 효에서 "이미 비가 내리
고 이미 그쳤다"라고 하였으니, 이것은 그 저지하는 도가 이루어짐을 말하고 그 괘사가 형통
함을 증명하는 것입니다. 공자의 뜻은 작은 것으로 큰 것을 저지하고 음으로 양을 저지하는
것은 바로 소인이 군자를 어지럽히는 상이라고 생각하였습니다. 공자는 평소에 양을 붙들고
음을 억누르려는 뜻을 가지고 있기 때문에 그 음이 양을 저지하는 것을 경계하고 그 양이
음에게 저지되지 않음을 칭찬하여 이에 형(亨)자를 양에 소속시켜 그 양의 성질이 위로 나
아가고 음이 저지할 수 없음을 말하였습니다. 그 형세가 반드시 나아가고 그침이 없기 때문
에 그 괘를 풀이한 말에서 "굳건하고 공손하며 굳센 양이 가운데 있고 뜻이 행해짐이다.
이에 형통하다. 빽빽이 구름이 끼나 비가 오지 않음은 위로 올라감이고, 나의 서쪽들로부터
하기 때문은 베풀어 행해지지 못함이다"라고 하였으니, '뜻이 행해지고'와 "위로 올라간다"고
한 것은 양의 성질이 위로 나아가서 그 도가 반드시 형통함을 말합니다. '서쪽 들'과 "행해지
지 못한다"고 한 것은 음이 저지함을 이루지 못하여 공의 베풀어짐이 없는 것입니다. 여기서
말한 형(亨)자는 양에 있고 음에 있지 않으니, 문왕의 뜻과 크게 서로 같지 않습니다. 공자
가 문왕의 뜻을 알지 못한 것은 아니지만, 단지 역의 이치는 무궁하여 포함하지 않는 것이
없고 성인의 말은 한계가 있어 그 뜻을 다할 수 없었기 때문에, 공자가 상을 살펴서 마음속
에 감추어 둔 것을 드러내어 경에 붙여서 뒤의 역을 배우는 자로 하여금 역이 고정된 불변한
법칙이 될 수 없음을 알게 하고, 참고하여 보고 서로 유추하여 한 가지 뜻에만 구애됨이
없게 한 것입니다. 뒤에 경을 풀이하는 자가 문왕의 괘사와 공자의 「단전」에 대해 각각 본문
의 뜻에 따라서 말하는 것은 옳습니다. 고금의 『주역』을 풀이하는 자가 이 뜻을 알지 못하
여 비록 정·주의 학으로 단지 공자의 말을 서술할 뿐 문왕이 괘를 명명한 본래의 뜻은
전연 어두우니, 어찌 애석하지 않겠습니까! 이러한 뜻을 풍후재가 그 단서를 대략 드러냈지
만 내가 또 이와 같이 자세히 유추하였는데, 과연 세 성인의 뜻에 부합하는지는 모르겠습니
다. 또 지나친 바가 있으면 반드시 형통하기 때문에[5] 소과괘(小過卦)에서 "작은 것이 지나

---

5) 소과괘(小過卦)에서 정자는 지나침[過]이 중도(中道)로 나아가려는 시도로 바른 것을 지나치는 것으로 보았

침은 형통하다"고 하였으니, 그것이 소축괘의 '형통하다'는 뜻과 같은 어법입니다. 이는 모두 괘의 이름으로 인하여 형통함을 말한 것입니다. 소축괘는 하나의 음으로 괘를 이루는 주인을 삼았으니, 어찌 주인을 버려두고 말하지 않으면서 그 객의 일을 말할 수 있겠습니까?

問, 若如所論, 則小畜卦畢竟作好底卦看乎.
물었다: 이렇게 논한 것은 소축괘가 필경 좋은 괘라고 본 것입니까?

曰, 古語云, 畜君何尤. 畜君者, 好君也. 文王本意不過如此. 只以所遭之事言其道理之宜亨, 而又歎大小之不敵事勢之難成而已, 姑未分好不好也. 周公則初九之復自道, 九二牽復吉, 皆喜陽之不受畜矣. 至於九五之有孚攣如, 上九之旣雨旣處, 似喜畜道之成, 而婦貞厲, 君子征凶, 則又顯斥陰小之得志矣. 孔子則專贊陽剛之不受畜, 而陰則無所言, 其意可知矣.
답하였다: 옛말에 "임금의 욕심을 그치게 하는데 무엇을 근심하겠는가? 임금의 욕심을 그치게 한다는 것은 임금을 좋아함이다"라고 하였습니다. 문왕의 본래 뜻이 이와 같을 뿐입니다. 다만 만난 일을 가지고 그 도리가 의당 형통함을 말하고, 또 큰 것을 작은 것으로 대적하기 어려우며 일의 형세가 이루어지기 어려움을 탄식한 것일 뿐이니, 짐짓 좋고 좋지 않음을 구분하지 않은 것입니다. 주공이 말한 초구의 "회복함이 도로부터 함"과 구이의 "이끌어 회복하니 길하다"는 것은 모두 양이 저지되지 않음을 기뻐한 것입니다. 구오의 "믿음을 가지고 이끈다"는 것과 상구의 "이미 비가 오고 이미 그침"에 이르면 저지하는 도가 이루어짐을 기뻐하는 것 같지만 "아내가 곧더라도 위태롭다"는 것과 "군자가 가면 흉하다"고 한 것은 또 음인 작은 것이 뜻을 얻는 것을 드러내어 배척한 것입니다. 공자는 전적으로 양의 굳셈이 저지되지 않는 것을 칭찬하고 음에 대해서는 말한 것이 없으니, 그 뜻을 알 수 있습니다.

이현익(李顯益) 「주역설(周易說)」

小畜之亨, 只以諸剛之不受畜而言, 而建安丘氏謂物能畜則止, 止極則行, 則小畜有亨義, 此非本旨. 朱子曰, 小畜亨, 是陽緣陰畜他不住, 故陽得自亨, 當以此爲正.
소축의 형통함은 단지 여러 굳센 양이 음에게 저지되지 않는 것으로 말하였는데, 건안구씨는 "물건은 쌓이면 그치고 그침이 다하면 행하므로 소축괘에 형통한 의미가 있다"고 하였으니, 이것은 본래의 뜻이 아니다. 주자는 "소축은 형통하다는 것은, 양은 음이 자신을 오래

다. 따라서 작은 일은 형통하다고 풀이하였다. 주자는 소과괘가 양이 둘 음이 넷으로 작은 음이 양보다 많아서 과(過)하므로 작은 것이 형통하지만 바르게 하여야 한다고 보았다.

저지하지 못하기 때문에 그것이 스스로 형통할 수 있다"고 하였으니, 마땅히 이것을 정론으로 삼아야 한다.

小畜之不能畜, 以風之披揚解散之故, 而潛室陳氏謂不能披揚解散之故[6]成畜, 不然. 語類曰, 風是柔軟之物, 故能小畜而已.

소축이 저지할(쌓을) 수 없음은 바람이 흩날리며 흩어버리기 때문인데, 잠실진씨는 헤쳐서 흩날리게 할 수 없고 풀어서 흩뜨릴 수 없는 뜻이 저지함(쌓음)을 이룬다고 하였으니,[7] 그렇지가 않다. 『주자어류』에 "바람은 유연한 물건이기 때문에 조금 저지할 수 있을 뿐이다"라고 하였다.

程子曰, 所謂尙往者, 陰自西而往, 不待陽矣. 此說不但與本義不合, 亦與傳不合.

정자가 어떤 이의 질문에 답하기를 "'오히려 간다[尙往]'란 음이 서쪽으로부터 가서 양을 기다리지 않는 것입니다"라고 하였다.[8] 그러나 이 설명은 『본의』와 부합하지 않을 뿐만이 아니라 『정전』과도 부합하지 않는다.

이익(李瀷) 『역경질서(易經疾書)』

小畜之名, 由於柔得位, 則六四是也. 互體爲澤, 故有雨象. 旣曰尙往, 又云施未行也, 皆密雲不雨之註脚. 尙往如大壯九四之傳, 其下卦亦乾也. 此卦六四變, 則純乾矣. 施如乾之雲行雨施, 小畜故施未行也. 兌澤未及升天而變乾, 是尙往而未施行也. 然未施而其施之之意固在. 極則變, 故上九有旣雨之象. 兌本西方之卦, 故曰西郊. 至小過六五之互亦兌變爲乾, 故其辭同. 此則變在四, 彼則變在五也. 據乾文言, 五乃在天之位, 故曰已上也. 雲從風來, 雲自西郊, 則風亦俱矣. 雨候雖有各方之不同, 以大地論, 則少

---

6) 故: 경학자료집성 DB와 영인본에 모두 '意'로 되어 있으나, 『주역』 소주를 참조하여 '故'로 바로잡았다.

7) 『주역·소축괘·상전』: 잠실진씨가 말하였다: 바람이 하늘 위에 행하는데, 저지하는 이치를 취함이 있는 것은 어째서인가? 바람이라는 것은 헤쳐서 흩날리고 풀어 흩뜨리는 뜻을 갖고 있다. 이제 바람이 되어 하늘 위에서 행함은 물건이 그치고 쌓여 아직 풀어 흩뜨려지지 않음이 있기 때문에 저지함을 이룸이 작음과 같다.[潛室陳氏曰, 風行天上, 而有取於畜之理何也. 蓋風者, 披揚解散之意. 今爲風矣, 而止行於天之上, 是猶有物止畜而未得解散, 所以成畜之小也.]

8) 『주역·소축괘』괘사 "小畜, 亨, 密雲不雨, 自我西郊"아래 소주: 어떤 이가 물었다. "빽빽이 구름이 끼나 비가 오지 않음은 나의 서쪽들로부터 하기 때문"은 무슨 뜻입니까? 정자가 답하였다: '서쪽들'은 음의 장소입니다. 비는 모름지기 양이 불러야 비가 내릴 수 있고 음이 부르면 비가 내리지 못합니다. 이제 구름이 서쪽을 지나면 비가 오지만 동쪽을 지나면 오지 않으니, 이것은 그 의미입니다. 이른바 "오히려 간다[尙往]"는 것은 음이 서쪽으로부터 가서 양을 기다리지 않는 것입니다.[或問, 密雲不雨自我西郊. 程子曰, 西郊陰所. 凡雨須陽倡乃成, 陰倡則不成矣. 今雲過西則雨, 過東則否, 是其義也. 所謂尙往者, 陰自西而往, 不待陽矣.]

女之風, 宜爲其候也. 我者如蒙之求我, 在畜爲四, 在過爲五也. 或曰, 密雲不雨, 時値
旱乾, 郊而祭天以禱雨, 祭天有四郊, 而卦有西郊之象, 故云爾. 以象傳施未行者推之,
此亦有理. 凡四郊之祭, 兆風師於西郊, 兆雨師於北郊, 風爲雨候, 故先西郊.

소축(小畜☴)의 명칭은 부드러운 음이 자리를 얻은 데서 연유하니, 육사가 이것이다. 호체
가 못이 되기 때문에 비가 오는 상이 있다. 이미 "위로 올라간다"고 하고, 또 "베풀어 행해지
지 못한다"고 한 것은 모두 "빽빽이 구름이 끼나 비가 오지 않는다"는 구절에 대한 주석이다.
"위로 올라간다"는 것은 대장괘(大壯卦☳)의 구사의 『정전』과 같으니, 그 하괘가 또한 건괘이
다. 이 소축괘(小畜卦☴)의 육사효가 변하면 순전한 건괘(乾卦☰)가 된다. '베풀음'은 건괘
의 "구름이 행하고 비가 베푸는 것"과 같은데, 소축괘이기 때문에 베풀어 행해지지 못한다.
태괘인 못이 하늘에 오르는데 미치지 못하고 변하여 건괘가 되니, 위로 올라가나 베풀어
행해지지 못함이다. 그러나 베풀지는 않았지만 그 베풀려는 뜻은 본래 있다. 극에 이르면
변하기 때문에 상구효에 '이미 비가 오는' 상이 있다. 태괘는 본래 서방(西方)의 괘이기 때문
에 '서쪽들'이라고 하였다. 소과괘(小過卦☳) 육오효의 호괘가 또한 태괘인데, 변하여 건괘
가 되기 때문에 그 괘사가 같다. 소축괘에서는 변화가 사효에 있고 소과괘에서는 변화가
오효에 있다. 건괘(乾卦) 「문언전」에 의한다면 오효는 바로 하늘의 자리에 있기 때문에 "이
미(너무) 올라갔다"고 하였다. 구름은 바람을 따라 오니, 구름이 서쪽들로부터 오면 바람도
함께 온다. 비가 오는 조짐은 비록 각 방면이 다르지만 대지로 논하면 소녀인 바람은 당연히
그 조짐이 된다. '나'는 몽괘(蒙卦☶)에서 "나를 구한다"는 것과 같은데, 소축괘에 있어서는
사효가 되고 소과괘에서는 오효가 된다. 어떤 이는 "빽빽이 구름이 끼나 비가 오지 않음은
당시에 가뭄을 만나면 들[郊]에서 하늘에 제사를 지내 비 오기를 기도하는 것으로 하늘에
제사를 지냄에 사방에 들[郊]이 있어 괘에 서쪽들의 상이 있기 때문에 그렇게 말하였다"고
하였다. 「단전」에서 "베풀어 행해지지 못한다"는 것으로 미루어 보면 이 또한 이치가 있다.
사방 들[郊]의 제사에 바람의 신은 서쪽들에서 조짐이 일고 비의 신은 북쪽들에서 조짐이
일어나니, 바람은 비가 오는 조짐이 되기 때문에 서쪽들을 앞세웠다.

風有高下, 下者近地可識也. 雲隨風行, 高者見雲亦可識也. 密雲而風高, 養雨之候, 捲
地而急吹者, 將雨之候也. 天乃積氣, 積氣在下, 風雲行上, 畜而未洩, 是謂不雨. 風有
呼吸, 未雨則風吸而畜也, 旣雨則風呼而散也. 畜則必洩, 故風爲雨候也. 君子以之, 則
未及施用, 當內畜文德, 至於懿美以待其功也. 風行在上, 氣畜在下, 故先言文, 後言德.

바람에는 높고 낮음이 있으니, 바람이 낮은 것은 땅에 가까이 있어서 알 수 있다. 구름은
바람을 따라서 가니, 바람이 높은 것은 구름을 보면 또한 알 수 있다. 구름이 빽빽하고 바람
이 높음은 비를 만드는 조짐이고, 땅에 회오리를 일으켜 급하게 부는 것은 비가 오려는 조짐
이다. 하늘에 바로 기운이 쌓이는데, 쌓인 기운이 아래에 있고 바람과 구름이 위에서 지나가

면 쌓였지만 아직 흘러나오지 못하는 것이니, 이것을 "비가 오지 않는다"고 말하였다. 바람에 나고 듦[呼吸]이 있는데 비가 오지 않음은 바람이 빨아들여 쌓는 것이고, 이미 비가 내림은 바람이 불어내어 흩뜨리는 것이다. 쌓이면 반드시 새어나오기 때문에 바람이 비가 오는 조짐이 된다. 군자가 그것을 본받으니 베풀어 쓰는 데 미치지 않았다면 안으로 문덕(文德)을 쌓아 아름답게 하는 것으로 그 공을 기다려야 한다. 바람은 위에서 지나가고, 기운은 아래에 쌓이기 때문에 문(文)을 먼저 말하고 덕(德)을 뒤에 말하였다.

유정원(柳正源) 『역해참고(易解參攷)』

小註, 南軒說, 以陰畜陽.〈案, 陰陽字當互換.〉

소주에서 남헌이 말하였다: 음으로 양을 저지한다.〈내가 살펴보았다: 음양의 글자는 당연히 서로 바꿀 수 있다.〉

小畜 [至] 西郊.

소축 … 서쪽 들.

正義, 但小有所畜, 唯畜九三而已. 大畜, 乾在於下, 艮在於上. 艮是陽卦, 又能止物, 能止乾之剛健. 所畜者大, 故稱大畜. 此卦, 則巽在於上, 乾在於下. 巽是陰柔, 性又和順, 不能止畜在下之乾, 唯能畜止九三. 所畜狹小, 故云小畜.

『정의』에서 말하였다: 다만 조금 저지하는 바가 있으니, 오직 구삼을 저지할 뿐이다. 대축괘(大畜卦☶)는 건괘가 아래에 있고 간괘가 위에 있다. 간괘는 양괘이고 또 만물을 그치게 할 수 있어 건괘의 강건함을 그치게 할 수 있다. 저지하는 것이 크기 때문에 대축괘라고 일컫는다. 소축괘(小畜卦☴)는 손괘가 위에 있고 건괘가 아래에 있다. 손괘는 부드러운 음이고 성질이 또 화순(和順)하여 아래에 있는 건괘를 그치게 하여 저지할 수 없고 오직 구삼만을 저지하여 그치게 할 수 있다. 저지하는 바가 협소하기 때문에 소축괘라고 말한다.

○ 白雲蘭氏曰, 凡易之西郊, 西鄰, 西山, 皆自陰爻所致.

백운란씨가 말하였다: 『주역』의 '서쪽 들', '서쪽 이웃', '서쪽 산'은 모두 음효에 의해서 이루어진 것이다.

○ 雙湖胡氏曰, 陰陽和洽, 則散而爲雨, 陰小則陽氣泄而不收, 小畜一陰畜五陽, 是也. 陰多則陽氣鬱而不達, 小過四陰包二陽, 是也. 故皆不能成雨. 密雲, 兌澤氣上蒸象, 不雨, 巽風散之, 離日烜之象, 西郊兌象. 文王正以密雲不雨自比, 如沙隨所謂人臣道盛而未得君象, 是也.

쌍호호씨가 말하였다: 음과 양이 화합하면 흩어지면서 비가 되는데, 음이 작으면 양의 기운이 세어 나와 수용되지 못하니, 소축괘의 한 음이 다섯 양을 저지하는 것이 이것이다. 음이

많으면 양의 기운이 막혀 나오지 못하니, 소과괘의 네 음이 두 양을 감싼 것이 이것이다. 그러므로 모두 비를 내리게 할 수 없다. "빽빽이 구름이 낀다"는 것은 태괘인 못의 기운이 위로 나아가는 상이고, "비가 오지 않는다"는 것은 손괘인 바람이 흩뜨리고 리괘인 햇볕이 말리는 상이며, '서쪽들'은 태괘의 상이다. 문왕이 바로 "빽빽이 구름이 끼나 비가 오지 않는 것"으로 스스로를 비유하였으니, 사수정씨가 "신하의 도는 왕성[盛]한데 아직 임금을 얻지 못한 상"이라고 한 것이 이것이다.

○ 案, 郊者, 曠遠天際也, 乾象. 需于郊, 同人于郊, 皆乾爻.

내가 살펴보았다: '들'은 드넓고 멀어서 하늘과 만나니, 하늘의 상이다. "들에서 기다린다"와 "들에서 사람들과 같이 한다"는 것이 모두 건괘의 효이다.

本義, 小畜之時.

『본의』에서 말하였다: 소축의 때.

案, 陰陽交感, 陽倡陰和, 則甘雨時下, 而萬物生遂. 若陰先陽倡, 不順不和, 則密雲蒸鬱, 欲雨而不雨, 其當殷周之世乎, 以文王之德不能施澤於天下, 是固密雲不雨之象. 然文王之炳然一念, 只在於畜止紂惡, 而竟不得成, 所謂自我西郊者, 非是之謂耶.

내가 살펴보았다: 음과 양이 교감하여 양이 부르고 음이 화답하면 단비가 때에 맞게 내려서 만물이 생겨나서 자라게 된다. 만약 음이 양에 앞서 부르면 순하지도 못하고 화합치도 못하여 빽빽이 구름이 끼어 무덥고 막혀 비를 내리고자 하나 비가 내리지 않으니, 그것은 은나라 말기와 주나라가 막 시작하는 때에 문왕의 덕으로도 천하에 해택을 베풀 수 없는 것으로 진실로 빽빽이 구름이 끼나 비가 오지 않는 상이다. 그러나 문왕의 밝게 빛나는 한결같은 마음은 주(紂)의 악을 저지하여 그치게 하는 데에 있었지만 마침내 이룰 수 없었으니, "나의 서쪽들로부터 한다"는 것이 이것을 이르는 것이 아니겠는가.

김상악(金相岳) 『산천역설(山天易說)』

小畜之變, 六四得位, 而上而下應之爲小畜. 二五皆剛而得中, 故有亨之道也. 密雲陰物, 西郊陰方. 四自兌而變, 陰先陽倡, 故不能成雨也.

소축의 변화는 육사가 자리를 얻어 위로도 아래로도 호응하여 소축이 된다. 이효와 오효는 모두 군센 양으로 알맞음을 얻었기 때문에 형통한 도가 있다. '빽빽이 구름이 낌'은 음의 성질이고, '서쪽 들'은 음의 방향이다. 사효는 태괘로부터 변하여 음이 양에 앞서 부르기 때문에 비를 내리게 할 수 없다.

○ 小畜之義, 以陰畜陽, 健而巽, 剛中而志行, 故陽不失其亨也. 雨, 兌之象也. 小畜密雲指四, 小過密雲在五. 不雨者, 過高也, 故小過曰已上, 小畜曰尙往也. 來註凡雲自西而東者, 水生木, 洩其氣, 故无雨. 西兌之方, 郊乾之象, 自我西郊者, 文王演易於羑里, 視岐周爲西, 正小畜之時也.

소축의 의미는 음으로 양을 저지하고, 굳건하지만 공손하며, 굳센 양이 가운데 있어 뜻이 행해지기 때문에 양이 그 형통함을 잃지 않는다. '비가 내림'은 태괘의 상이다. 소축괘(小畜卦☰)의 '빽빽이 구름이 낌'은 사효를 가리키는데, 소과괘(小過卦☳)에서 '빽빽이 구름이 낌'은 오효에 있다. '비가 오지 않음'은 너무 높기 때문에 소과괘에서 "이미(너무) 올라갔다"고 하였고, 소축괘에서는 "위로 올라간다"고 하였다. 래지덕의 『주역집주』에서는 "구름이 서쪽에서 동쪽으로 오는 것은 수(水)가 목(木)을 낳는 것인데 그 기운이 새어나오기 때문에 비가 없다"고 하였다. '서쪽'은 태괘의 방향이고 '들'은 건괘의 상이니, "나의 서쪽들로부터 한다"는 것은 문왕이 유리의 옥에 갇혀 『주역』을 지을 때에 기산의 주나라를 보면 서쪽 방향이 되니, 바로 소축의 상황이었다.

김규오(金奎五) 「독역기의(讀易記疑)」

卦辭亨, 蓋下所云雨也. 謂有亨道而畜之未極, 故志可行而施未行, 行則亨而雨矣. 然則象尙往之往, 恐與志行施未行之行不同. 尙往者, 惜其氣不畜而猶進也. 施未行者, 恨其氣尙往而未行雨也. 然則卦辭之意, 蓋以畜之未極爲恨, 而爻辭之意, 復以不受畜爲善, 似若可疑. 然全卦, 則志在於亨而雨, 六爻, 則內外卦體自不同. 內以乾健之體主於行而上復, 故以九三之受畜爲咎, 外以巽入之性同爲畜乾, 期於行雨, 故六四以上合志爲賢, 其義自不同矣. 卦旣以未雨爲恨, 而上九旣雨, 復爲陰陽皆不利之象, 何也. 自是陰爲主之卦, 而陰主其雨, 故有月幾望之戒, 非直以旣雨爲不善也, 病其陰之爲主耳. 傳, 陰先倡之說, 恐不可廢.

괘사의 '형통함'은 아래에서 말한 '비가 옴'이다. 형통한 도가 있다고 하였으니, 저지하는 것이 지극하지 않기 때문에 뜻은 행할 수 있지만 베풀어 행해지지 못한다. 베풀어 행해진다면 형통하여 비가 내리게 된다. 그렇다면 「단전」의 '위로 올라감'의 '올라감[往]'은 아마도 "뜻이 행한다"고 하고 "베풀어 행해지지 못한다"의 '행한다[行]'와는 같지 않다. '위로 올라감'은 그 기운이 저지되지 못하고 오히려 나아감을 애석하게 여긴 것이다. "베풀어 행해지지 못한다"는 것은 그 기운이 위로 올라가서 비가 오지 않음을 걱정한 것이다. 그렇다면 괘사의 뜻은 저지하기를 다하지 못한 것으로 걱정을 삼은 것이고, 효사의 뜻은 회복함이 저지되지 않는 것으로 선(善)을 삼은 것이니, 의심스러울 만하다. 그러나 전체 괘에 있어서는 뜻이 형통하여 비가 오는 데에 있으며, 여섯 효에 있어서는 내외의 괘의 몸체가 자연 같지 않다. 내괘는 건괘의 굳건한 몸체로써 행하는 것을 주로 하여 위로 회복하기 때문에[9] 구삼이 저지되는 것은 허물이 되고, 외괘는 손괘의 들어가는 성질로 같이 건괘를 저지하여 비가 오기를 기약하기 때문에 육사는 위로 뜻을 합하는 것을 현명하게 여기니, 그 의미가 자연 같지 않다. 괘가 이미 비가 오지 않는 것을 원통하게 여기나 상구에서 이미 비가 왔는데, 다시 음양이 모두 이롭지 않은 상이 되는 것은 어째서인가? 본래 음이 주인이 되는 괘이고 음이 비가 오는 것을 주관하기 때문에 "달이 보름에 가깝다"라고 하는 경계가 있으니, 곧바로 "이미 비가 온다"는 것으로 좋지 않음을 삼은 것은 아니지만, 음이 주인이 되는 것을 병통으로 여겼을 뿐이다. 『정전』에서 "음이 먼저 부른다"는 설명을 없앨 수 없을 듯하다.

박윤원(朴胤源) 『경의(經義)·역경차략(易經箚略)·역계차의(易繫箚疑)』

密雲不雨自我西郊, 程傳說似長. 蓋我是西, 西陰方也. 本義以爲文王自我, 似可疑, 如明夷之內文明外柔順, 文王以之, 夫子象傳所以贊文王也. 隨之王用享于西山, 升之王用享于岐山, 旣濟東隣之殺牛, 不如西隣之禴祀, 實受其福, 皆周公所作爻辭, 而易中未有文王自言吾當此卦之象者, 則何獨於小畜露出意思如此耶. 繫辭中九卦, 各處憂患之道, 皆夫子追思而知文王之心事也.

"빽빽이 구름이 끼나 비가 오지 않음은 나의 서쪽들로부터 하기 때문이다"고 한 것은 『정전』의 설명이 좋은 듯하다. '나'는 '서쪽'에 있고, 서쪽은 음의 방위이다. 『본의』에서 '문왕 자신'이라고 한 것은 의심스러우니, 예를 들어 명이괘에서 "안은 문명하고 밖은 유순하니, 문왕이 그렇게 한다"라고 한 것은 공자의 「단전」에서 문왕을 칭찬한 바이기 때문이다. 수괘(隨卦)에서는 "왕이 서산에서 제사를 지낸다"고 하고, 승괘(升卦)에서는 "왕이 기산에서 제사를 지낸다"고 하였으며, 기제괘에서는 "동쪽 이웃의 소를 잡는 것이 서쪽 이웃이 간략히 제사를 지내 실제로 그 복을 받는 것만 못하다"고 한 것은 모두 주공이 지은 효사이다. 이처럼 『주역』에서 문왕 스스로 '내[吾]'가 이 괘의 상에 해당한다고 말한 적이 없으니, 어찌 유독 소축괘에서만 뜻을 내비친 것이 이와 같겠는가? 「계사전」 가운데 구덕괘(九德卦)는 각각 우환에 대처하는 도인데, 모두 공자가 생각을 미루어 문왕의 마음을 안 것이다.

김귀주(金龜柱) 『주역차록(周易箚錄)』

小畜, 亨, 密雲不雨, 云云.
소축은 형통하나, 빽빽이 구름이 끼나 비가 오지 않음은, 운운.

---

9) 소축괘의 하괘는 건괘(乾卦)인데, 건괘는 본래 하늘로서 위에 있는 것이다. 그러므로 내괘인 건괘는 앞으로 나아가기를 주로 하여 위로 돌아가 본래의 자리를 회복하려고 한다는 뜻이다.

按, 小畜何以有亨道也. 陽不爲陰所畜, 而得以行其志也. 何以曰密雲不雨自我西郊也. 陰欲畜陽, 而其力甚弱, 不能止彼上往之氣也. 蓋陽大陰小, 陽貴陰賤, 大而貴者, 不可爲小賤所畜, 猶夫不可制於婦, 君子不可制於小人也. 然陽剛陰柔, 陽健陰順, 剛而健者, 其性好動, 以柔順而畜止者, 亦是善道, 猶人臣當畜止其君之欲也. 文王彖辭, 蓋已竝包此両意, 而孔子傳義, 亦両邊說去. 如曰剛中而志行, 則喜陽志之不爲陰所畜也, 如曰尙往也施未行也, 則嫌畜道之不能成也, 尊陽之意, 畜剛之義, 可謂竝行而不悖矣. 六爻爻辭, 亦當以此推之, 內三爻主乾體而言, 故初九九二幸其不畜於陰, 而九三則惡其見畜也. 外三爻主巽體而言, 故六四九五上九, 皆以柔能畜剛爲善也. 一篇大意, 恐只是如此.

내가 살펴보았다: 소축에 어떻게 형통한 도가 있는 것인가? 양은 음에게 저지당하지 않아서 그 뜻을 행할 수 있는 것이다. 어째서 "빽빽이 구름이 끼나 비가 오지 않음은 내가 서쪽들로부터 하기 때문이다"라고 하였는가? 음이 양을 저지하려 하지만 그 힘이 매우 약하여 양이 위로 가려는 기운을 그치게 할 수 없는 것이다. 양은 크고 음은 작으며 양은 귀하고 음은 천하니, 크고 귀한 것이 작고 천한 것에게 저지당하지 않는 것이 남편이 아내에게 제재되지 않으며, 군자가 소인에게 제재되지 않는 것과 같다. 그런데 양은 굳세고 음은 부드러우며 양은 굳건하고 음은 유순하니, 굳세고 굳건한 것은 그 성질이 움직이기를 좋아하여 유순함으로써 저지하여 그치게 하는 것이 또한 좋은 도(道)여서 신하가 마땅히 그 임금의 욕심을 저지하여 그치게 하는 것과 같다. 문왕의 단사에 이미 이 두 뜻을 아울러 포함하였고, 공자의 「상전」도 또한 양쪽으로 설명하였으니, "굳센 양이 가운데 있고 뜻이 행해진다[剛中而志行]"라고 한 것과 같은 것은 양의 뜻이 음에게 저지되지 않음을 기뻐한 것이고, "위로 올라가는 것이고, 베풀어 행해지지 못함이다"라고 한 것 같은 것은 저지하는 도가 이루어질 수 없을까 의심한 것이니, 양을 높이는 뜻과 양을 저지하는 뜻이 함께 적용되어도 잘못되지 않는다고 할 수 있다. 여섯 효의 효사를 또한 마땅히 이것으로 미루어 본다면, 내괘의 세 효는 건괘의 몸체를 주로 하여 말했기 때문에 초구와 구이는 다행히 음에게 저지되지 않으나, 구삼은 저지당하는 것을 싫어한다. 외괘의 세 효는 손괘의 몸체를 주로 하여 말했기 때문에 육사와 구오와 상구는 모두 부드러운 음으로 굳센 양을 저지하는 것을 선으로 본 것이다. 한 편의 대의가 아마도 이와 같을 뿐이다.

○ 密雲不雨自我西郊, 正是文王當日光景, 蓋文王欲畜止商紂之惡, 而力不能得. 然又若有所等待於旣雨旣處之時者. 然其至誠惻怛之意, 見於言外, 惟朱子爲能識此, 故本義言之.

"빽빽이 구름이 끼나 비가 오지 않음은 나의 서쪽들로부터 하기 때문이다"는 것은 바로 문왕에게 일이 있었던 그 날의 광경으로 문왕이 상나라 주임금의 포악함을 막아 멈추게 하려

한 것인데, 힘이 부쳤던 것이나 또 깊이 "이미 비가 내리고 이미 그치는" 때를 기다린 것이다. 그런데 그 지극한 정성과 불쌍히 여겨 슬퍼한 뜻이 말 밖에 드러남을 오직 주자만이 이것을 알 수 있었기 때문에 『본의』에서 말하였다.

傳, 雲陰陽, 云云.
『정전』에서 말하였다: 구름은 음양, 운운.
小註, 或問, 密雲不雨, 云云.
소주에 어떤 이가 물었다: 빽빽이 구름이 끼나 비가 오지 않음은, 운운.
○ 按, 尙往者, 陰自西而往云云, 與象傳傳義所云陽尙往而上者, 不同, 此恐是誤錄.
내가 살펴보았다: "'오히려 간다[尙往]'는 것은 음이 서쪽으로부터 가서" 운운한 것은 「단전」 『정전』의 뜻에서 "양은 오히려 가서 올라가므로[陽尙往而上]"라고 말한 것과 같지 않으니, 이것은 아마 잘못 기록한 듯하다.

建安丘氏曰, 乾本, 云云.
건안구씨가 말하였다: 건괘는 본래, 운운.
○ 按, 此以止極則行, 爲有亨義, 恐非本旨.
내가 살펴보았다: 이것은 "그침이 다하면 행한다"는 것을 형통함이 있는 뜻으로 본 것인데, 본래의 뜻은 아닌 것 같다.

윤행임(尹行恁) 『신호수필(薪湖隨筆)·역(易)』

小畜之密雲不雨, 異於屯膏. 屯膏, 則人君無輔相之臣, 而惠澤不能下究, 密雲不雨, 則內文明而外柔順, 不能有所施, 此所以文王之自道也.
소축괘의 "빽빽이 구름이 끼나 비가 오지 않는다"는 것은 준괘(屯卦)의 "혜택[膏]을 베풀기가 어렵다"는 것과는 다르다. "혜택을 베풀기가 어려움"은 바로 임금이 도와주는 신하가 없어서 혜택이 아래로 다할 수 없는 것이다. "빽빽이 구름이 끼나 비가 오지 않는다"는 것은 명이괘에서처럼 "안은 문명하고 밖은 유순하여" 베푸는 바가 있을 수 없는 것이니, 이것은 문왕이 자기 자신을 말한 것이다.

서유신(徐有臣) 『역의의언(易義擬言)』

天上之風所畜聚者雲氣, 是爲密雲也. 畜之尙小, 故不及雨也. 我, 文王也. 西郊, 四互兌象也. 雲自周郊而始起, 其將布於四方, 施於天下矣, 特以畜止而未及行也. 文王觀小畜之象, 而有感於太王也.

하늘 위의 바람이 그치게 하여 쌓인 것이 구름의 기운인데, 이것이 빽빽이 낀 구름이 된다. 그치게 한 것이 오히려 작기 때문에 비가 오지 못한다. '나'는 문왕이다. '서쪽 들'은 사효의 호괘인 태괘의 상이다. 구름이 주나라의 들로부터 일어나기 시작하여 그것이 사방으로 퍼져 천하에 베푸는 것인데, 다만 쌓이고 그쳐서 행하는 데 아직 미치지 못하였다. 문왕이 소축의 상을 살피고 태왕에 대한 그리움이 있는 것이다.

박문건(朴文健)『주역연의(周易衍義)』

密雲, 謂乾之三陽處陰之下, 而蒸欝以成者也. 我, 謂六四. 西郊, 四之所處之地也.

"빽빽이 구름이 낀다"는 것은 건괘의 세 양이 음의 아래에 있어 수증기가 빽빽이 구름을 이루는 것을 말한다. '나'는 육사를 말한다. '서쪽 들'은 사효가 있는 땅이다.

〈問, 亨義. 曰, 六四進居剛體之上, 而欲行不止, 故其道亨也.

물었다: '형통하다'는 뜻은 무엇을 말합니까?

답하였다: 육사가 굳센 양의 몸체 위에 나아가 있지만, 행하고자 하는 것을 그치게 하지 못하기 때문에 그 도가 형통한 것입니다.〉

〈○ 問, 不雨, 西郊, 取象. 曰, 欲止者, 氣聚而成雨, 欲進者, 氣散而不雨. 乾剛進於上, 故謂之密雲不雨也. 西陰方, 六四所處之所也. 雲興而天應則升於天, 而不應則行於郊野, 郊野之雲, 未能施澤, 故謂之自我西郊也. 非有益己之澤, 反有損己之災也. 曰, 雲雨, 陰陽蒸鬱而成者也, 故或取陽爻, 或取陰爻歟. 曰, 然.

물었다: "비가 오지 않는다"와 "서쪽 들"은 상을 취한 것이 어떻습니까?

답하였다: 그치려고 하는 것은 기운이 모여서 비가 되고, 나아가려는 것은 기운이 흩어져 비가 내리지 않습니다. 건괘의 강건함은 위로 나아가기 때문에 "빽빽이 구름이 끼나 비가 오지 않는다"고 하였습니다. '서쪽'은 음의 방위니, 육사가 처해 있는 곳입니다. 구름이 생기는데 하늘이 호응하면 하늘로 올라가며, 호응하지 않으면 들로 지나가니 들의 구름은 혜택을 베풀 수 없기 때문에 "나의 서쪽들로부터 한다"고 하였습니다. 자기를 이롭게 하는 혜택이 있는 것이 아니고, 도리어 자신을 해롭게 하는 재앙이 있는 것입니다.

물었다: 구름과 비는 음과 양이 빽빽이 구름을 이루는 것이기 때문에 혹 양효를 취하기도 하고 혹은 음효를 취하기도 하는 것입니까?

답하였다: 그렇습니다.〉

이지연(李止淵) 『주역차의(周易箚疑)』

一陰五陽之卦, 非獨小畜也, 姤, 同人, 履, 大有, 夬, 皆是也. 然而二爻則地上也, 三則
人也, 五則天也. 此卦則陰在四, 四者已離乎人而未及乎天也. 雲者, 山川之氣, 而浮於
半空者, 此非已離乎人, 而未及乎天之陰氣乎. 又其卦下三畫, 則乾也, 乾是天也. 自二
而至四爲互兌, 自四而至上爲倒兌, 兌是西也. 三與五之間爲互離, 離是日也. 五六二
陽, 從下一陰畫而爲巽, 巽是風也. 凡雲氣之浮於半空也, 有天光焉, 有日色焉, 又有風
氣焉. 亢旱時光景, 正如此, 易之取象妙哉.

음이 하나에 양이 다섯인 괘는 소축괘(小畜卦☴)만이 아니어서 구괘(姤卦☴), 동인괘(同人
卦☴), 리괘(履卦☴), 대유괘(大有卦☴), 쾌괘(夬卦☴)가 모두 그러하다. 그렇다면 이효는
땅 위이고 삼효는 사람이며 오효는 하늘이다. 이 소축괘는 음이 사효 자리에 있으니, 사효는
이미 사람을 떠났지만 아직 하늘에는 미치지 않은 것이다. 구름이란 산천(山川)의 기운으로
공중에 떠있는 것이니, 이것은 이미 사람을 떠난 것도 아니며 아직 하늘의 음기에 이른 것도
아니다. 또 그 괘의 아래 세 획은 건괘이니, 건괘는 하늘이다. 이효부터 사효까지는 호괘인
태괘가 되고, 사효부터 상효까지는 거꾸로 된 태괘이니, 태괘는 서쪽이다. 삼효와 오효의
사이는 호괘인 리괘가 되니, 리괘는 해가 된다. 오효와 육효의 두 양이 아래의 한 음의 획을
따라서 손괘가 되니, 손괘는 바람이다. 구름의 기운이 공중에 떠있음에 하늘의 푸른빛이
있고 햇빛도 있으며 또 바람의 기운도 있다. 오랜 가뭄 때의 광경이 바로 이와 같으니, 『주
역』이 상을 취함이 오묘하다.

三男用事, 勢至於比, 比是相附之義. 附而卽散, 則不成比也, 故繼之以小畜. 小畜以小畜
大, 故所畜者小也. 比雖可樂之道, 而謂之比, 則與君子周之義, 煞有間焉, 本非大公至正
之道, 故其所畜聚, 若是小也. 然則小畜之所畜者小, 非小畜之咎, 乃比之餘烈也. 長女入
用, 終有嫌於陰之畜陽, 故於象傳曰, 尚往也, 施未行也, 聖人扶陽抑陰之微意, 可見矣.

세 아들이 일을 함에 형세가 서로 친하게 늘어서 있는 데[比] 이르니, 비(比)는 서로 따르는
뜻이다. 서로 따르다 흩어지면 친밀하게 늘어설 수 없기 때문에 소축으로 이었다. 소축은
작은 것으로 큰 것을 저지하기 때문에 저지하는 것이 작다. '따른다[比]'는 것이 비록 즐거워
할 만한 도이지만 '따른다'고 하였으니, 군자가 두루 사귄다는 의미와는 차이가 있다. 본래
크게 공평하고 지극히 바른 도는 아니기 때문에 그것이 저지하여 모이게 한 바가 이와 같이
작다. 그렇다면 소축괘의 저지하는 바가 작은 것은 소축괘의 허물은 아니며, 바로 비괘(比
卦)의 남은 영향이다. 만딸이 들어가 일함에 끝내 음이 양을 그치게 하는 혐의가 있기 때문
에 「단전」에서 "위로 올라감이고, 아직 베풀어 행해지지 못함이다"고 하였으니, 성인이 양을
붙들고 음을 억누르는 은미한 뜻을 볼 수 있다.

김기례(金箕澧) 「역요선의강목(易要選義綱目)」

小畜,

소축은,

親比之際, 自有畜聚. 巽順之道, 畜止[10]健剛, 以陰畜陽, 巽入止剛, 故曰小畜.

친하게 돕는 때에는 자연히 저지하여 쌓음이 있다. 손괘의 유순한 도가 굳건하고 굳센 양을 저지하여 그치게 하는 것은 음으로 양을 저지하고 손괘가 들어가서 굳센 양을 그치게 하는 것이기 때문에 '소축'이라고 하였다.

亨,

형통하니,

以巽順之道畜止健剛, 而二五得位, 中正用事, 則志行, 故亨.

손괘의 순한 도로써 굳건하고 굳센 양을 저지하여 그치게 하고, 이효와 오효가 제자리를 얻어 중정으로 일을 하니 뜻이 행해지므로 형통하다.

密雲不雨, 自我西郊.

빽빽이 구름이 끼나 비가 오지 않음은 나의 서쪽들로부터 하기 때문이다.

自二至四互兌, 故曰西.

이효에서 사효까지는 호괘가 태괘이므로 '서쪽'이라고 하였다.

○ 凡雲自東則雨, 自西則不雨. 蓋以巽畜乾而爲雲, 則陰先於陽, 故不雨. 巽爲西南陰方. 密雲不雨者, 一陰畜五陽, 力不能制, 故曰小畜.

구름이 동쪽으로부터 오면 비가 내리고, 서쪽으로부터 오면 비가 내리지 않는다. 손괘가 건괘를 저지하여 구름이 되는 것은 음이 양보다 앞서는 것이기 때문에 비가 오지 않는다. 손괘는 서남쪽 음의 방위가 된다. "빽빽이 구름이 끼나 비가 오지 않는다"는 것은 한 음이 다섯 양을 저지하는 것이지만, 힘이 충분히 제어할 수 없으므로 '소축'이라고 하였다.

○ 文王在羑里時演易. 坎指西, 曰我, 自比以臣畜君之力小, 而不能施澤也.

문왕이 유리(羑里)의 옥에 갇혀있을 때에 『주역』을 지었다. 감괘(坎卦)는 서쪽을 가리키고, '나'라고 한 것은 가까이 신하로써 임금을 저지하는 힘이 적어서 혜택을 베풀 수 없는 것이다.

---

10) 止: 경학자료집성 DB와 영인본에는 모두 '正'으로 되어 있으나 문맥을 살펴 '止'로 바로잡았다.

이항로(李恒老) 「주역전의동이석의(周易傳義同異釋義)」

按, 易中言我者七, 蒙之匪我, 據九二而言, 小畜自我, 據六四而言, 小過自我, 據六五而言, 頤之觀我, 據六四而言, 觀之觀我, 旅之我心, 中孚之我有, 皆據當爻而言, 以此推之, 則程傳之釋, 恐无未安.

내가 살펴보았다: 『주역』에서 '나'라고 말한 것이 일곱 군데이니, 몽괘의 '비아(匪我)'는 구이에 근거하여 말했고, 소축괘의 '자아(自我)'는 육사에 근거하여 말했으며, 소과괘의 '자아(自我)'는 육오에 근거하여 말했고, 이괘(頤卦)의 '관아(觀我)'는 육사에 근거하여 말했으며, 관괘의 '관아(觀我)'와 려괘(旅卦)의 '아심(我心)'과 중부괘의 '아유(我有)'는 모두 해당 효에 근거하여 말했으니, 이것으로 미루어 본다면 『정전』의 해석은 아마도 타당하지 않음이 없을 것 같다.

심대윤(沈大允) 『주역상의점법(周易象義占法)』

文德旣畜, 可以施行而盛大, 故曰亨. 未及施行而有事業, 故曰密雲不雨, 猶在其鄕, 故曰自我西郊. 文德而事業, 故取對而言也. 巽爲密, 對豫全爲坎, 曰雲. 坎互本卦之兌, 爲雨爲不也. 互巽風离日有不雨之象. 兌爲西, 乾巽爲郊.

'문덕'이 이미 쌓이면 시행하여 성대해질 수 있으므로 "형통하다"고 하였다. 아직 시행하는 데 미치지는 못하였지만 이루어야 할 사업이 있으므로 "빽빽이 구름이 끼나 비가 오지 않는다"고 하였고, 아직 고향에 있기 때문에 "나의 서쪽들로부터 하기 때문이다"라고 하였다. 문덕이면서 사업이기 때문에 음양이 바뀐 괘를 취하여 말하였다. 손괘는 '빽빽함'이 되고 음양이 바뀐 예괘(豫卦䷏)는 큰 감괘가 되니, '구름'이라고 하였다. 감괘와 본괘의 호괘인 태괘가 비가 오기도 하고 오지 않기도 하는 것이다. 손괘인 바람과 호괘인 리괘의 해에 모두 비가 오지 않는 상이 있다. 태괘는 '서쪽'이 되고, 건괘와 손괘는 '들[郊]'이 된다.

오치기(吳致箕) 「주역경전증해(周易經傳增解)」

小畜者, 以陰小而畜止陽剛也. 巽一陰以柔而得位, 乾三陽以剛而在下, 有陽見止於陰之象也. 卦體則二五陽剛而得中, 其志同行. 卦義則有所畜而終能亨通, 故言亨. 陰柔而欲止三陽之進, 陽剛而不爲一陰之畜, 陰陽不和, 故有密雲不雨之象. 雲從西郊而來, 則陰倡而陽不和, 故雖密而不雨, 言畜道之未成也.

소축이란 음의 작은 것으로써 양의 굳셈을 저지하여 그치게 함이다. 손괘의 한 음은 부드러움으로 제자리를 얻었고, 건괘의 세 양은 굳셈으로 아래에 있어서 양이 음에게 그쳐지는 상이 있다. 괘의 몸체는 이효와 오효의 양이 굳세고 가운데를 얻어서 그 뜻이 함께 행해진다. 괘의 뜻은 그치게 하는 바가 있으나 끝내 형통할 수 있기 때문에 '형통하다'고 하였다. 음은 부드러우면서 세 양의 나아감을 그치게 하려하고, 양은 굳세면서 한 음에게 그쳐지지 않아서 음과 양이 화합하지 못하므로 "빽빽이 구름이 끼나 비가 오지 않는다"는 상이 있다. 구름이 서쪽들로부터 오게 됨은 음이 부르는데도 양이 화합하지 못하기 때문에 비록 구름이 빽빽하지만 비가 오지 않는 것이니, 저지하는 도가 아직 이루어지지 않음을 말한다.

○ 雲雨取對體互坎也. 自謂從也, 我蓋文王自謂也. 互兌爲西, 而郊取於乾, 已見需初. 乾失正位, 故不言貞, 二五不相應, 故不言大亨.

구름과 비는 음양이 바뀐 몸체에서 그 호괘인 감괘를 취한 것이다. '자(自)'는 '~로부터'라는 말이다. '나'는 문왕이 스스로를 말한 것이다. 호괘인 태괘는 '서쪽'이 되고 '들'은 건괘에서 취하였으니, 수괘(需卦)의 초효에 이미 보인다. 건괘가 바른 자리를 잃었기 때문에 '곧다[貞]'고 말하지 않았고, 이효와 오효가 서로 호응하지 않으므로 "크게 형통하다"고 말하지 않았다.

이진상(李震相) 『역학관규(易學管窺)』

先天坎在西, 爲雲爲雨, 而巽在西南, 風以散之, 故雲自西升, 則不成雨. 唯陽倡於東, 而求陰於西, 然後雨澤成矣. 郊者, 曠遠天際也, 故需于郊, 同人于郊, 皆取天象. 而郊以西言, 則際天而在西者, 亦巽位也. 此卦互體兌澤壅於中, 離日烜於外, 澤氣上蒸, 而群陽不應, 亦雲而不雨之象也. 丘氏以兌屬西方, 故曰西郊, 兌何嘗有郊象乎. 易之曰西山者, 艮體也, 如隨之互艮, 是也. 或謂隨亦兌體, 故言西山. 然既濟未嘗互兌而言西郊, 西郊坎也, 西山艮也, 西郊巽也. 周邦在西, 故以西爲主也. 或曰, 卦體無坎, 而此言雲雨, 何也. 曰, 上六卦皆坎體, 而此卦爲三女用事之始, 不成其爲坎, 故不成其爲雨, 而六卦坎體, 反爲密雲之象也.

「복희팔괘방위도」에서 감괘는 서쪽에 있어 구름이 되고 비가 되는데, 손괘가 서남쪽에 있어 바람으로 구름과 비를 흩트리므로 구름이 서쪽에서 올라가면 비가 내리지 못한다. 오직 양이 동쪽에서 선창하며 서쪽에서 음을 구한 뒤에 비가 내리는 혜택이 이루어진다. '들'이란 넓고 멀어 하늘이 맞닿으므로 수괘(需卦)에서는 "들에서 기다린다"고 하고 동인괘에서는 "사람들과 함께 하기를 들에서 한다"고 한 것이 모두 하늘의 상을 취한 것이다. 그런데 '들'을 서쪽으로 말하면 하늘에 맞닿았으나 서쪽에 있는 것이니, 또한 손괘의 자리이다. 이 괘의 호괘인 몸체로서 태괘인 못은 안에서 막고 리괘인 햇빛은 밖에서 말리니, 못의 기운이 위로 올라가 빽빽하지만 여러 양이 호응하지 못하여 또한 구름만 끼고 비가 오지 않는 상이다. 구씨는 태괘를 서쪽 방위에 배속시켰기 때문에 '서쪽 들'이라고 하였는데, 태괘에 어찌 '들의 상이 있겠는가? 『주역』에서 '서쪽 산西山'이라고 한 것은 간괘의 몸체니, 수괘(隨卦䷐)의 호괘인 간괘 같은 것이 이것이다. 어떤 이는 수괘가 또한 태괘의 몸체라고 말하기 때문에 '서쪽 산'이라고 말한다. 그러나 기제괘는 일찍이 호괘가 태괘가 아닌데도 '서쪽 이웃'이라고 말했으니, '서쪽 이웃'은 감괘이고, '서쪽 산'은 간괘이며, '서쪽 들'은 손괘이다. 주나라가 서쪽에 있기 때문에 서쪽을 주로 하였다.

어떤 이가 물었다: 괘의 몸체에 감괘가 없는데 여기에서 구름과 비를 말한 것은 어째서 입니까?

답하였다: 앞의 여섯 괘가 모두 감괘의 몸체여서 이 괘는 세 딸이 일을 하는 처음이 되지만, 감괘가 됨을 이루지는 못하기 때문에 그 비가 오게 됨을 이루지 못하여 여섯 괘의 감괘의 몸체가 도리어 "빽빽이 구름이 끼는" 상이 됩니다.

이정규(李正奎) 「독역기(讀易記)」

小畜卦辭, 密雲不雨, 窃想, 陽動而陰從, 理之自然也. 然陽有餘而陰不及, 則不能緊畜陽氣, 陽氣散逸, 未得成鬱蒸氣, 故不雨也. 陰有餘而陽不及, 則陰雖緊畜陽氣, 陽氣微殘, 无所成鬱蒸氣, 故亦不雨也. 凡物之生, 无非陰蓄陽而成者. 然陽先陰後一而已, 似未有陽先倡陰先倡之理也, 何也. 陰陽本不相離, 只有陰隨陽而動, 無陰自動之理, 故乾曰資始, 坤曰資生. 然則凡物少而不生育者, 陰不足畜陽故也, 老而不生育者, 陽不足成鬱故也. 然陽先倡陰先倡, 程子之言也, 何敢疑也. 欲存而更究.

소축의 괘사에 "빽빽이 구름이 끼나 비가 오지 않는다"고 한 것을 가만히 생각해보면 양이 움직이고 음이 따르는 것은 이치의 자연스러운 것이다. 그러나 양이 충분한데 음이 여기에 미치지 못하면 양기를 얽어 그치게 할 수 없어서 양기가 흩어지고 사라져 빽빽한 수증기를 이룰 수 없기 때문에 비가 내리지 않는다. 음이 충분한데 양이 여기에 미치지 못하면 음이 비록 양기를 얽어 그치게 하지만 양기가 미미하고 쇠잔하여 빽빽한 수증기가 이루어지지 못하기 때문에 또한 비가 내리지 않는다. 물건의 생겨남은 음이 양을 저지하여 이루는 것이 아님이 없다. 그러나 양이 먼저 하고 음이 뒤에 함은 한결같을 뿐이니, 양이 먼저 부르고 음이 먼저 부르는 이치는 없는 것은 어째서인가? 음과 양이 본래 서로 떨어지지 않지만, 오직 음이 양을 따라서 움직임은 있으나 음이 스스로 움직이는 이치는 없기 때문에, 건괘에서는 "의뢰하여 시작한다(資始)"고 하고 곤괘에서는 "의뢰하여 생겨난다(資生)"고 하였다. 그렇다면 물건이 어려서 낳아 기르지 못하는 것은 음이 충분히 양을 저지하지 못하기 때문이고, 늙어서 낳아 기르지 못하는 것은 양이 충분히 울창함을 이루지 못하기 때문이다. 그러나 양이 먼저 부르고 음이 먼저 부른다고 한 것은 정자의 말인데, 어떻게 감히 의심하겠는가! 놓아두고 더 연구해 보려 한다.

이용구(李容九) 「역주해선(易註解選)」

小畜, 自我西[11]郊, 文王演易於羑里之時也.

소축괘의 "나의 서쪽 들로부터 하기 때문이다"라는 것은 문왕이 유리의 옥에서 『주역』을 지은 때이다.

이병헌(李炳憲) 『역경금문고통론(易經今文考通論)』

坤之六四一陰, 入乾爲小畜. 一陰在五陽之中, 爲卦之主, 與上二卦, 相反而相對. 卦辭中密雲不雨自我西郊, 現指文王之事. 蓋繫辭中文義難通者, 非因文紂之事而求之, 不可解也, 非象辭, 則無得而折衷焉. 象辭之曰志行, 曰施未行者, 亦旣雨旣處之義也. 小稱陰, 京傳曰, 小畜之義在六四, 鄭曰, 畜養也, 本義曰, 尙往, 言畜之未極, 其氣上達也.

곤괘(坤卦☷)의 육사 한 음이 건괘(乾卦☰)로 들어가 소축괘(小畜卦☴)가 된다. 한 음이 다섯 양의 사이에 있어 괘의 주인이 되는데, 앞의 두 괘와는 상반되어 서로 대립한다. 괘사 가운데 "빽빽이 구름이 끼나 비가 오지 않음은 나의 서쪽들로부터 하기 때문이다"라고 한 것은 문왕의 일을 드러내 지적한 것이다. 대체로 「계사전」에서의 문장의 의미가 통하기 어려운 것은 문왕(文王)과 주(紂)의 일에서 그것을 구하지 않으면 풀이할 수 없기 때문이니, 「단전」이 아니면 절충할 수 없다. 「단전」에서 "뜻이 행해진다"거나 "베풀어 행해지지 못한다"는 것도 "이미 비가 내리고 이미 그친다"는 의미이다. '소(小)'는 음을 일컬으니, 경방의 『역전』에서는 "소축의 뜻이 육사에 있다"고 하였고 정씨는 "축(畜)은 기르는 것이다"고 하였으며, 『본의』에서는 "위로 올라감은 저지함이 끝까지 하지 못하여 그 기운이 위로 올라감을 말한다"고 하였다.

---

11) 西: 경학자료집성 DB와 영인본에는 '而'로 되어 있으나, 문맥을 살펴 '西'로 바로잡았다.

象曰, 小畜, 柔得位而上下應之, 曰小畜.

「단전」에서 말하였다: 소축은 부드러운 음이 제자리를 얻고 위아래가 호응하니, 소축이라고 한다.

中國大全

傳

言成卦之義也. 以陰居四, 又處上位, 柔得位也. 上下五陽皆應之, 爲所畜也. 以一陰而畜五陽, 能係而不能固, 是以爲小畜也. 象解成卦之義而加曰字者, 皆重卦名, 文勢當然. 單名卦, 惟革有曰字, 亦文勢然也.

괘가 이루어진 의의를 말하였다. 음으로 사효의 자리에 있고 또 윗자리에 있으니, 부드러운 음이 자리를 얻은 것이다. 위아래 다섯 양이 다 호응하니, 저지하는 바가 된다. 한 음으로 다섯 양을 그치게 하니, 매어 둘 수는 있으나 견고하게 할 수 없으니, 이러한 까닭에 소축이 된다. 「단전」에 괘가 이루어진 의의를 풀이하면서 '왈(曰)'자를 더한 것은 다 괘의 이름이 거듭된 것이니, 글의 형세가 당연하다. 단명(單名)의 괘에는 오직 혁괘에만 '왈'자가 있으니, 또한 글의 형세가 그러한 것이다.

本義

以卦體釋卦名義. 柔得位, 指六居四. 上下, 謂五陽.

괘의 몸체로 괘의 이름과 의의를 풀이하였다. "부드러운 음이 제자리를 얻었다"는 것은 육인 음이 사효의 자리에 있음을 가리킨다. '위아래'는 다섯 양을 말한다.

小註

進齋徐氏曰, 柔得位者, 以六居四也. 上下應者, 五陽應之也. 凡卦一陰五陽則一陰爲之主. 小畜以四爲主而又得位, 故上下五陽皆爲所畜也. 然四得位而不能大有所畜者, 以柔故爾. 此卦之所以爲小畜也.

진재서씨가 말하였다: "부드러운 음이 자리를 얻었다"는 것은 음인 육이 사효의 자리에 있다는 것이다. "위아래가 호응한다"는 것은 다섯 양이 호응하는 것이다. 괘가 하나의 음과 다섯 양이라면 한 음이 그 괘의 주인이 된다. 소축괘는 사효를 주인으로 하는데 또 제자리를 얻었으므로 위아래의 다섯 양이 모두 저지된다. 그러나 사효가 제자리를 얻었으나 크게 저지하는 바를 가질 수 없는 것은 부드러운 음이기 때문이다. 이것이 괘가 소축(小畜)이 되는 까닭이다.

▌韓國大全▌

유정원(柳正源) 『역해참고(易解參攷)』

王氏曰, 六四成卦之義, 體无二陰以分其應, 故上下應之也. 旣得其位而上下應之, 三不能陵, 小畜之義.

왕씨가 말하였다: 육사가 괘를 이루는 의미는 몸체에 호응함을 나누어 가질 두 음이 없기 때문에 위아래가 호응한다. 이미 그 지위를 얻어서 위아래가 호응하니, 하괘의 세 양이 능멸하지 못하는 것이 소축괘의 뜻이다.

김상악(金相岳) 『산천역설(山天易說)』

以卦變釋卦名義. 六四自三而上, 是得位也.

괘의 변화로 괘의 이름과 의미를 풀이하였다. 육사는 삼효에서 위로 갔으니, 제자리를 얻은 것이다.

박문건(朴文健) 『주역연의(周易衍義)』

得位謂六居四, 上下謂五陽, 此以卦體釋卦名.

"제자리를 얻었다"는 것은 음인 육(六)이 사효의 자리에 있음을 말하고, '위아래'는 다섯 양을 말하니, 이는 괘의 몸체로 괘의 명칭을 풀이한 것이다.

〈問, 小畜柔得位, 而上下應之曰小畜. 曰, 小畜之爲卦也, 柔得位而上下俱應, 故曰小畜. 小畜者, 小爲聚止也, 蓋得志而欲進者也.

물었다: "소축은 부드러운 음이 제자리를 얻고 위아래가 호응하니, 소축이라고 한다"는 무슨 뜻입니까?

답하였다: 소축이라는 괘가 된 이유는 부드러운 음이 제자리를 얻고 위아래가 모두 호응하기 때문에 '소축'이라고 한 것입니다. '소축'이란 조금 모여 그치게 된 것이니, 뜻을 얻어 나아가고자 하는 것입니다.〉

〈○ 問, 卦體. 曰, 卦體有二, 體或取主爻, 或取凡爻也.
물었다: 괘의 몸체는 어떻습니까?
답하였다: 괘의 몸체에는 두 가지가 있으니, 몸체가 혹은 주인이 된 효를 취하기도 하고 혹은 일반적인 효를 취하기도 합니다.〉

김기례(金箕澧) 「역요선의강목(易要選義綱目)」

陰得陰位, 居上體, 爲卦主. 上下諸陽皆應, 而一陰畜五陽, 不能大, 有小畜.
음이 음의 자리를 얻고 위의 몸체에 있어 괘의 주인이 된다. 위아래의 여러 양이 모두 호응하고 한 음이 다섯 양을 저지하니, 크게 할 수 없어 조금 저지함이 있다.

최세학(崔世鶴) 주역단전괘변설(周易彖傳卦變說)」

小畜, 乾之一體變也. 四一爻爲主, 故象以柔得位言之. 坤四往居於上體之下, 以陰居陰, 而五陽應之也.
소축괘는 건괘의 한 몸체(효)가 변한 것이다. 사효 자리의 한 효가 주인이 되므로 「단전」에서 "부드러운 음이 제자리를 얻었다"는 것으로 말하였다. 곤괘의 사효가 상체(상괘)의 아랫자리로 가 있고 음으로 음의 자리에 있으니, 다섯 양이 육사에 호응하는 것이다.

박문호(朴文鎬) 「경설(經說)·주역(周易)」

羑里殷獄名. 蓋自殷都觀之, 周爲西方也. 正小畜之時, 指文王此時德盛, 而未得爲君也. 在武王時, 則乃爲大畜矣.
'유리'는 은나라의 옥사 이름이다. 은나라의 수도에서 살펴본다면 주나라는 서쪽 방위가 된다. "바로 소축의 때이다"라는 것은 문왕이 이 때에 덕이 성하였지만 아직 임금이 되지 못한 것을 가리킨다. 무왕의 때에 있어서가 바로 대축(大畜)이 된다.

重卦, 指二字卦也, 與易註中凡云重卦者, 不同.
'중괘(重卦)'는 두 글자로 된 괘를 가리키니, 『주역』의 주석 가운데 '중괘'라고 말한 것과는 같지 않다.[12]

---

12) 『주역·소축괘·단전』:『정전』에 대한 설명이다.

健而巽, 剛中而志行, 乃亨.

굳건하고 공손하며 굳센 양이 가운데 있고 뜻이 행해짐에 이에 형통한 것이다.

║中國大全║

傳

以卦才言也. 內健而外巽, 健而能巽也. 二五居中, 剛中也. 陽性上進, 下復乾體, 志在於行也. 剛居中, 爲剛而得中, 又爲中剛. 言畜陽則以柔巽, 言能亨則由剛中. 以成卦之義言, 則爲陰畜陽, 以卦才言, 則陽爲剛中. 才如是, 故畜雖小而能亨也.

괘의 재질로 말하였다. 안은 굳건하고 밖은 공손하니, 굳건하면서 공손할 수 있다. 이효와 오효가 가운데 있으니, 굳센 양이 가운데 있는 것이다. 양의 성질은 위로 나아가는데 아래가 다시 건의 몸체니, 뜻이 행하는 데 있다. 굳센 양이 가운데 있음은 굳세면서 알맞음[中]을 얻음이 되고, 또 가운데가 굳셈이 된다. 양을 그치게 하는 것을 말하면 부드럽고 공손함 때문이고, 형통할 수 있는 것을 말하면 굳셈이 가운데 있기 때문이다. 괘가 이루어진 의의로 말하면 음이 양을 그치게 하는 것이 되고, 괘의 재질로 말하면 양이 굳세고 가운데 있음이 된다. 재질이 이와 같기 때문에 저지함이 비록 작으나 형통할 수 있다.

本義

以卦德卦體, 而言陽猶可亨也.

괘의 덕과 괘의 몸체로 양이 오히려 형통할 수 있음을 말한 것이다.

小註

進齋徐氏曰, 健而巽, 以二德言. 剛中, 以二五言. 志行, 謂陽之志可以行也, 亦釋亨義.

진재서씨가 말하였다: '굳건하고 공손함'은 두 가지 덕으로 말한 것이다. '굳센 양이 가운데

있음'은 이효와 오효로 말하였다. '뜻이 행해짐'은 양의 뜻이 행해질 수 있음을 말하니, 또한 '형통하다'는 뜻을 푼 것이다.

○ 厚齋馮氏曰, 凡卦一陰五陽, 則一陰爲之主. 此孔子論易之例, 非必包犧文王命卦之本意也. 又曰, 健而巽剛中而志行, 象多言卦材, 此亦孔子之例也. 上九之雨, 豈非亨乎. 天下之理, 未有畜而不亨者, 說者止述孔子之意而文王之志隱矣.

후재풍씨가 말하였다: 괘가 하나의 음과 다섯 양이면 한 음이 그 괘의 주인이 된다. 이는 공자가 『주역』을 논한 예로서 반드시 포희씨나 문왕이 괘를 명명한 본의는 아니다. 또 말하였다: "굳건하고 공손하며 굳센 양이 가운데 있고 뜻이 행해짐"을 「단전」에서는 괘의 재목으로 말한 것이 많은데, 이것 또한 공자의 예이다. 상구에서 비가 내림이 어찌 형통함이 아니겠는가? 천하의 이치는 저지되어 형통하지 못하는 것이 없는데, 설명하는 자가 공자의 뜻만 서술하여 문왕의 뜻이 감추어졌다.

○ 雙湖胡氏曰, 朱子嘗說四聖之易不同. 因論大畜卦辭, 而曰文王說只是占得者爲利貞, 不家食而吉, 利涉大川, 至於剛上尚賢等處, 乃孔子發明卦義, 各有所主. 今厚齋可謂得朱子之心者, 若能如此灼見解經, 則非但文王之指不晦, 而夫子翼易, 又自發胸中所蘊, 不盡同於先聖之意, 亦昭然可見矣. 惜朱子欲以此例更定本義而未能也.

쌍호호씨가 말하였다: 주자는 일찍이 네 성인의 역이 다르다고 하였다. 때문에 대축괘의 괘사를 논하면서 "문왕의 설명은 다만 점쳐 얻은 자가 바르게 하는 것이 이롭고 집에서 밥을 먹지 않아서 길하며 큰 내를 건넘이 이롭다는 것이다. 굳센 양이 위에 있어 현명한 이를 높인다는 등의 구절에 대해서는 공자가 괘의 의미를 밝힘에 각각 주장하는 바가 있다"고 하였다. 이제 후재는 주자의 마음을 얻은 자라고 말할 만하니, 만약 이와 같이 밝게 보고 경을 풀 수 있다면 문왕의 종지가 어두워지지 않을 뿐만 아니라, 공자의 「십익」이 또 가슴속에 간직한 것을 저절로 드러내어 옛 성인의 뜻에 전부 같지는 않음을 또한 확연히 볼 수 있다. 주자가 이러한 예로써 『본의』를 다시 정하려 하였으나 할 수 없었던 것이 애석하다.

▍韓國大全▍

이현익(李顯益) 「주역설(周易說)」

厚齋馮氏謂上九之雨, 豈非亨乎, 又謂天下之理, 未有畜而不亨者, 此與象與朱子之旨
不同. 象以剛中而志行爲亨, 則是以陽之不畜於陰者爲亨, 何嘗以畜於陰者爲亨乎. 此
與上建安丘氏說, 同病也.

후재풍씨가 "상구에서 '비가 내림'이 어찌 형통함이 아니겠는가?"라고 말하고, 또 "천하의
이치가 쌓이고서 형통하지 않는 것이 없다"고 하였으니, 이것은 「단전」 및 주자의 뜻과 같지
않다. 「단전」에서 "굳센 양이 가운데 있고 뜻이 행해짐"으로 형통함을 삼은 것은 바로 양이
음에게 저지되지 않는 것으로 형통함을 삼은 것이니, 어찌 일찍이 음에게 저지되는 것을
형통하다고 한 적이 있겠는가? 이것은 위의 건안구씨의 설명과 병통이 같다.

主卦而言, 則固爲以巽畜乾, 而主爻而言, 則爲以四畜初二三五上矣. 二義自異, 而建
安丘氏雜而言之, 至以四之血去爲初九復自道之故, 五之攣如爲畜二之事, 三之說輻
爲畜於上而然, 非是. 〈四之血去, 以五六助之之故, 五之攣如, 以六四而言, 三之說輻,
以逼四而然. 以爻而言, 則只當如此說, 若以上下二體言者, 則是一義, 當別論也.〉

괘를 주로 하여 말하면 참으로 손괘로써 건괘를 저지하는 것이 되지만, 효를 주로 하여 말하
면 사효가 초효, 이효, 삼효, 오효, 상효를 저지하는 것이 된다. 둘의 의미가 저절로 다른데,
건안구씨가 뒤섞어 말하여 사효의 "피가 사라진다"는 것으로 초구의 "회복함이 도로부터 한
다"는 까닭을 삼고, 오효의 "이끈다"는 것으로 이효를 저지하는 일로 여기며, 삼효의 "바큇살
이 벗겨진다"는 것으로 상효에게 저지되어 그러한 것으로 여기는 데에 이르니, 옳지 않다.
〈사효의 "피가 사라진다"는 것은 오효와 육효가 돕기 때문이며, 오효의 "이끈다"는 것은 육
사로써 말하기 때문이며, 삼효의 "바큇살이 벗겨진다"는 것은 사효에 가까워 그런 것이다.
효로써 말하면 다만 이와 같이 말해야 하며, 위아래의 두 몸체로써 말할 것 같으면 또 하나
의 의미니, 따로 논해야 한다.〉

유정원(柳正源) 『역해참고(易解參攷)』

節齋蔡氏曰, 剛中五也. 志行, 五與四合, 而小畜之志得行也.

절재채씨가 말하였다: "군센 양이 가운데 있음"은 오효이다. "뜻이 행해짐"은 오효가 사효와
합하여 소축괘의 뜻이 행해질 수 있는 것이다.

傳.

『정전』.

案, 傳首本有健而巽三字.

내가 살펴보았다: 『정전』의 첫머리에 본래 '건이손(健而巽)'이라는 세 글자가 있다.

김상악(金相岳) 『산천역설(山天易說)』

以卦德卦體, 而言健而巽, 剛中而志行, 陽猶可亨也. 陰畜陽而其亨未易遽, 故曰志行乃亨, 與大過巽而說行乃亨, 相似.

괘의 덕과 괘의 몸체로써 굳건하고 공손하며 굳센 양이 가운데 있고 뜻이 행해짐에 양이 오히려 형통할 수 있음을 말하였다. 음이 양을 저지하지만 그 형통함은 갑작스럽게 바뀌지 않으므로 "뜻이 행해짐에 이에 형통하다"고 하였으니, 대과괘에서 "공손하고 기쁨으로 행하여 이에 형통하다"는 것과 같다.

김귀주(金龜柱) 『주역차록(周易箚錄)』

本義, 以卦德, 云云.

『본의』에서 말하였다: 괘의 덕으로, 운운.

小註, 厚齋馮氏曰, 凡卦, 云云.

소주에서 후재풍씨가 말하였다: 괘가, 운운.

○ 按, 馮氏此說, 恐未瑩. 凡十翼之與經文不同其例者, 蓋經文之曰亨, 曰利貞, 曰吉, 曰凶者, 皆爲占者說, 而孔子則乃專以義理說, 而如大畜剛上尙賢等語, 又推餘意於本文之外. 此所以義例之, 不能相同也, 朱子之言, 正如此矣. 然象數之中, 必各有一箇義理, 假令有問於文王周公曰, 此卦此爻, 何以有亨貞吉凶之理乎云爾, 則其答辭必與孔子之例無異矣. 況卦之命名, 必有所取, 以此卦言之. 小畜之爲小畜, 若不取一陰畜五陽, 以巽畜健之義, 則更何所取義耶. 馮氏徒知其異, 而不知其所以異也, 雙湖胡氏, 乃以爲得朱子之心, 亦恐誤矣.

내가 살펴보았다: 풍씨의 이 설명은 아마도 분명하지 않은 것 같다. 십익이 경문과 그 예가 같지 않은 것이, 대체로 경문에서 "형통하다"고 하고 "바름이 이롭다"고 하고 "길하다"고 하고 "흉하다"고 한 것은 모두 점치는 자를 위해 말한 것인데, 공자는 전적으로 의리로써 설명하였다. 가령 대축괘에서 "굳센 양이 위에 있어 현명한 이를 높인다" 등과 같은 말은 또

본문 밖의 함축된 뜻을 미루어 말한 것이다. 이것은 의리로써 예를 들어 서로 같을 수 없으니, 주자의 말이 바로 이와 같다. 그러나 상수 가운데 반드시 각각 하나의 의리가 있으니, 가령 문왕과 주공에게 "이 괘와 이 효에 어찌 형통하고 곧으며 길하고 흉한 이치가 있습니까?"라고 묻는다면, 그 대답하는 말은 반드시 공자의 예시와 다름이 없을 것이다. 하물며 괘에 이름을 붙인 것은 반드시 취한 바가 있어 이 소축괘로 말한 것이다. 소축괘가 소축괘가 된 까닭이 만약 하나의 음이 다섯의 양을 저지하고, 손괘의 공손함으로 건괘의 굳건함을 저지하는 뜻을 취하지 않는다면, 다시 어디에서 의리를 취하겠는가? 풍씨는 한갓 그 다른 것만 알고서 그 다르게 된 까닭을 알지 못하였고, 쌍호호씨는 이에 주자의 마음을 안 것으로 생각하였으나, 역시 아마도 잘못된 듯하다.

서유신(徐有臣) 『역의의언(易義擬言)』

柔得位而上下應之曰小畜, 是爲文王與紂之事, 孔子蓋亦有感於文王也.

부드러운 음이 자리를 얻고 위아래가 호응하는 것을 '소축'이라고 하는 것은 문왕과 주(紂)의 일이 되는데, 공자도 또한 문왕에게 느낀 바가 있었던 것이다.

非健未足言畜, 非巽不能爲畜, 惟健而巽, 方可畜也, 又可亨也. 剛中謂五, 志行謂四, 四之志行於五也.

굳건함이 아니면 저지함을 말하지 못하며, 공손함이 아니면 저지할 수 없으니, 오직 굳건하고 공손해야만 저지하고 또 형통할 수 있다. '굳세고 가운데 있음'은 오효를 말하고, '뜻이 행해짐'은 사효를 가리키니, 사효의 뜻이 오효에 행해진다.

강엄(康儼) 『주역(周易)』

小註, 雙湖胡氏說.

소주 쌍호호씨의 설명.

按, 胡氏引朱子論大畜卦, 而稱厚齋說爲得朱子之心. 今以此說求之, 小畜卦, 則本義所謂上巽下乾, 以陰畜陽者, 卽文王之本意也. 又卦惟六四一陰, 上下五陽, 皆爲所畜者, 取畜于象傳之義, 而未必是文[13]王之本意也. 至於小畜之亨, 則凡物畜則止, 止極則行, 天下之理, 未有畜而不亨者, 故小畜有亨, 上六所謂旣雨旣處, 言[14]其亨也, 文[15]

---

13) 文: 경학자료집성 DB와 영인본에는 '又'로 되어 있으나 문맥을 살펴 '文'으로 바로잡았다.

王之意,[16] 本如此.

내가 살펴보았다: 호씨는 주자가 대축괘를 논한 것을 인용하여 후재의 설명이 주자의 마음을 알았다고 일컬었다. 이제 이 설명으로 궁구한다면, 소축괘의 『본의』에서 "위는 손괘이고 아래는 건괘여서 음으로 양을 저지한다"고 말한 것은 바로 문왕의 본래 뜻이다. "또 괘가 오직 육사의 한 음에게 위아래의 다섯 양이 모두 저지당하게 된다"고 한 것은 「단전」의 뜻에서 "저지한다"는 '축(畜)'의 뜻을 취하였지만, 반드시 이것이 문왕의 본래 뜻은 아니다. 소축괘의 '형통함'에 있어서는 물건이 저지되면 그치고 그침이 다하게 되면 행하게 되는 것은 천하의 이치이니, 저지되었는데도 형통하지 않는 것은 없으므로 "소축괘에 형통함이 있다"고 하였고, 상육에서 "이미 비가 내리고 이미 그친다"고 한 것은 그 형통함을 말하니, 문왕의 뜻이 본래 이와 같다.

박문건(朴文健) 『주역연의(周易衍義)』

健而能巽, 其進不窮也. 剛居二五之中而相應, 其志得行也. 此以卦德卦体釋亨義.

굳건하면서 공손할 수 있어서 그 나아감이 무궁하다. 굳센 양이 이효 자리와 오효 자리인 가운데에 있고 서로 호응하니, 그 뜻이 행해짐을 얻었다. 이것은 괘의 덕과 괘의 몸체로 형통하다는 뜻을 풀이한 것이다.

〈問, 此是人事上說, 非主爻上說歟. 曰, 然.

물었다: 이것은 사람의 일에서 설명한 것이지 주인이 된 효에서의 설명은 아닌 것이지요? 답하였다: 그렇습니다.〉

심대윤(沈大允) 『주역상의점법(周易象義占法)』

與大有之傳, 大同. 小畜之文德, 大有之忠恕, 相爲表裡.

대유괘의 『정전』과 대체로 같다. 소축괘의 '문덕(文德)'과 대유괘의 '충서(忠恕)'는 서로 안팎이 된다.

健體而巽行者, 德行也, 健爲而巽入者, 學識也. 二五非正應, 故曰志行. 言未及施爲, 而有其道德, 可以施行也.

굳건한 몸으로 공손하게 행하는 것은 덕행이고, 굳건하게 하고 공손하게 들어가는 것은 학

식이다. 이효와 오효는 바른 호응이 아니기 때문에 "뜻이 행해진다"고 하였다. 베풀어 행하는데 아직 미치지 못하였지만, 그 도덕을 가지고 있어서 베풀어 행해질 수 있다는 말이다.

박문호(朴文鎬) 「경설(經說)・주역(周易)」

剛而得中, 謂剛不至過, 此中言其道也. 中剛, 言其中而且剛, 此中言其地也. 此兩句之義不同, 故其上下之間, 著又字.

'굳세면서 알맞음을 얻음'은 것은 굳셈이 지나치지 않음을 말하니, 여기에서 '알맞음[中]'은 그 도를 말한다. '가운데가 굳셈'은 그것이 가운데 있으면서 또 굳셈을 말하니, 여기에서 '가운데[中]'는 그 자리를 말한다. 이 두 구절의 의미가 같지 않기 때문에, 그 위아래의 사이에 '또[又]'라는 글자를 썼다.

密雲不雨, 尙往也. 自我西郊, 施未行也.

"구름이 빽빽이 끼나 비가 오지 않음"은 오히려 감이고 "나의 서쪽들로부터 함"은 베풀어 행해지지 못함이다.

‖中國大全‖

傳

畜道不能成大, 如密雲而不成雨. 陰陽交而和, 則相固而成雨, 二氣不和, 陽尙往而上, 故不成雨. 蓋自我陰方之氣先倡, 故不和而不能成雨, 其功施未行也. 小畜之不能成大, 猶西郊之雲不能成雨也.

저지하는 도가 크게 이루지 못함은 구름이 빽빽이 끼지만 비를 이루지 못하는 것과 같다. 음과 양이 사귀어 화합하면 서로 견고해져서 비를 이루지만, 두 기운이 화합하지 못하니 양은 오히려 가서 올라가므로 비를 이루지 못한다. 내가 있는 음 방위의 기운으로부터 먼저 부르기 때문에 화합하지 못하여 비를 이룰 수 없으니, 그 공을 베풀어 행하지 못한다. 소축이 크게 이루지 못함은 서쪽들의 구름이 비를 이룰 수 없는 것과 같다.

本義

尙往, 言畜之未極, 其氣猶上進也.

'위로 올라감'은 저지함이 끝까지 하지 못하여 그 기운이 오히려 위로 올라감을 말한다.

小註

朱子曰, 凡雨者, 皆是陰氣盛凝結得密, 方濕潤下降爲雨. 且如飯甑蓋得密了, 氣欝不通, 四畔方有濕汗. 今乾上進, 一陰止他不得, 所以云尙往也, 是指乾欲上進之象, 是陰包住他不得, 陽氣更散做雨不成, 所以尙往也.

주자가 말하였다: 비는 모두 음기가 성대해져 응결함이 빽빽해져야 비로소 축축하게 비가 되어 내리는 것이다. 또한 밥을 찌는 시루와 같이 압력이 높아지고 기운이 막혀서 통하지 않아야 둘레에 따뜻한 수증기가 맺히는 것이다. 지금 건(乾)은 위로 나아가려 하는데 하나의 음에 가로막혀 나아갈 수 없기 때문에 "오히려 간다"고 한 것은 건(乾)이 올라가는 상(象)을 가리키니, 음이 건괘를 감싸 머무르게 할 수 없어 양의 기운이 다시 흩어져 비를 만들지 못하기 때문에 위로 올라가는 것이다.

○ 進齋徐氏曰, 尙往, 陽也, 言陽升而陰不能固止之也. 施未行, 陰也, 言陰未能畜陽, 降而成雨也. 言未行, 則非終不行矣.
진재서씨가 말하였다: '위로 올라감'은 양이니, 양이 올라가는데 음이 양을 견고하게 저지할 수 없음을 말한다. '베풀어 행해지지 못함'은 음이니, 음이 아직 양을 저지하고 내려와 비가 오게 할 수 없음을 말한다. '행해지지 못함'을 말한 것은 끝내 행해지지 못한다는 것은 아니다.

○ 中溪張氏曰, 象旣言志行, 而又言施未行, 何哉. 蓋志行者, 指二五兩陽而言, 謂陽以得行爲亨也. 施未行者, 主六四一陰而言, 謂其未能畜陽而成雨也.
중계장씨가 말하였다: 「단사」에서는 "뜻이 행해진다"고 말했는데, 또 "베풀어 행해지지 못한다"고 말한 것은 어째서인가? "뜻이 행해진다"는 것은 이효와 오효의 두 양을 가리켜 말한 것이니, 양이 행함을 얻는 것으로 형통함을 삼았음을 말한다. "베풀어 행해지지 못한다"는 것은 육사의 한 음을 주로 하여 말한 것이니, 아직은 양을 저지하여 비를 이룰 수 없음을 말한다.

○ 雲峰胡氏曰, 曰剛中而志行, 曰施未行, 兩行字相應. 陽被畜而志猶可行, 陰雖得位而施未可行. 本義兩猶字, 專爲陽言, 亦扶陽抑陰之意也.
운봉호씨가 말하였다: "군센 양이 가운데 있고 뜻이 행해진다"라고 하고 "베풀어 행해지지 못한다"라고 하였는데, "행해진다"는 뜻의 두 '행(行)'자가 서로 호응한다. 양은 저지되더라도 뜻은 오히려 행할 수 있고, 음은 비록 제자리를 얻었더라도 베풀어 행해지지 못함이다. 『본의』에 보이는 두 '유(猶)'자는 전적으로 양만을 위해 말한 것이니, 또한 양을 북돋우고 음을 억누르는 뜻이다.

‖韓國大全‖

홍여하(洪汝河) 「책제(策題):문역(問易)·독서차기(讀書箚記)-주역(周易)」

象傳, 本義, 畜之未極, 其氣猶上進也.
「단전」의 『본의』에서 말하였다: 저지함이 끝까지 하지 못하여 그 기운이 오히려 위로 올라 간다.

陽爲陰所畜. 然猶有亨道而上進也.
양이 음에게 저지되는 바가 된다. 그러나 오히려 형통한 도가 있어 위로 올라간다.

김상악(金相岳) 『산천역설(山天易說)』

以卦變釋卦辭. 尙往謂四也. 雲行雨施, 卽乾之亨而爲陰所畜, 故施未能行也.
괘의 변화로 괘사를 풀이하였다. '위로 올라감'은 사효를 말한다. 구름이 가고 비가 내리는 것은 곧 건괘의 형통함인데, 음에게 저지되므로 베풀어 행해지지 못함이다.

김귀주(金龜柱) 『주역차록(周易箚錄)』

本義, 尙往言, 云云.
『본의』에서 말하였다: 위로 올라감은 ~을 말한다, 운운.

小註, 雲峰胡氏曰, 剛中, 云云.
소주에서 운봉호씨가 말하였다: 굳센 양이 가운데 있고, 운운.

서유신(徐有臣) 『역의의언(易義擬言)』

風雲欝畜, 上往而不下, 故不雨也. 六四自姤初而往於上卦, 是象也. 施未行, 謂雲未布施於四方也.
바람과 구름이 울창하게 쌓여 위로 올라가고 내려오지 못하므로 비가 오지 않는다. 육사는 구괘(姤卦)의 초효로부터 상괘로 간 것이 이 상이다. '베풀어 행해지지 못함'은 구름이 사방 으로 퍼져 베풀어지지 않음을 말한다.

○ 按, 本義両猶字, 雖皆指陽而言, 然意各有主. 其曰陽猶可亨, 固是扶陽抑陰之意, 而如曰其氣猶上進, 則蓋以畜道之未成爲未快也. 上段中溪張氏說得分曉, 胡說卻甚混襍.

내가 살펴보았다: 『본의』에서 두 개의 '유(猶)'자는 비록 모두 양을 가리켜서 말한 것이지만, 뜻에 각각 주로 함이 있다. 그 "양이 아직 형통할 수 있다"고 한 것은 진실로 양을 북돋고 음을 억누르는 뜻이지만, "그 기운이 오히려 위로 올라간다"라고 말한 것은 저지하는 도가 아직 이루어지지 않은 것을 즐겁지 않게 여긴 것이다. 위 단락에서 중계장씨의 설명은 분명하지만, 호씨의 설명은 오히려 매우 뒤섞여 있다.

박문건(朴文健) 『주역연의(周易衍義)』

尚往, 進於上也, 此亦以卦體釋卦辭二句.

'상왕(尚往)'은 위로 올라감이니, 이것 또한 괘의 몸체로 괘사의 두 구절을 풀이하였다.

김기례(金箕澧) 「역요선의강목(易要選義綱目)」

尚往,

위로 올라감이고,

陽升陰降, 然後爲雨. 一陰不能止五陽, 故陽尚往, 則不雨.

양은 올라가고 음은 내려가니, 그런 뒤에 비가 오게 된다. 한 음이 다섯 양을 그치게 할 수 없기 때문에, 양이 오히려 올라가나 비가 오지 않는다.

施未行.

베풀어 행해지지 못한다.

上言志行乃亨, 指二五剛中得位, 陽性上進, 故亨. 此言施未行, 指六四不能畜陽而施雨.

위에서 "뜻이 행해짐에 이에 형통한 것이다"고 말한 것은 이효와 오효의 굳센 양이 가운데 있고 자리를 얻어 양의 성질은 위로 나아가기 때문에 형통함을 가리킨다. 그런데 여기서 "베풀어 행해지지 못한다"고 말한 것은 육사가 양을 저지하여 비를 오게 할 수 없음을 가리킨다.

심대윤(沈大允) 『주역상의점법(周易象義占法)』

尚往, 言貴能有施也. 如雲之所尚, 在雨也, 君子博文而不施, 則亦无所貴之也.

"위로 올라간다"는 것은 베풂이 있을 수 있는 것을 귀하게 여김을 말한다. 가령 구름이 위로 가는 것은 비가 오는 데 있으니, 군자가 문장을 널리 배우더라도 그것을 베풀지 못한다면 또한 귀하게 여길 것이 없다.

이진상(李震相) 『역학관규(易學管窺)』

乾健上進, 而巽之所畜者未固, 故猶往也. 伊川以爲陰自西往, 恐未安. 陰方畜陽, 而其施未行, 豈有往乎.

건괘는 굳건하여 위로 나아가지만 손괘의 저지하는 바가 아직 견고하지 못하기 때문에 그대로 나아가는 것이다. 이천(伊川)은 음이 서쪽으로부터 간다고 생각하였는데, 아마도 타당하지 않은 듯하다. 음이 막 양을 저지하여 베풀어 행해지지 않는데, 어떻게 갈 수 있겠는가?

오치기(吳致箕) 「주역경전증해(周易經傳增解)」

此以主爻卦體釋卦名義, 以卦德卦體釋卦辭亨之義也. 尙往, 言乾陽志在上進也. 尙猶上也. 施未行, 言陰雖得位, 而畜道不成功, 施未行也. 餘見象解.

이것은 주인이 된 효와 괘의 몸체로써 괘의 이름과 의미를 풀이하였고, 괘의 덕과 괘의 몸체로 괘사의 "형통하다"는 뜻을 풀이하였다. "위로 올라간다"는 것은 건괘인 양의 뜻이 위로 나아가는 데 있음을 말한다. '상왕(尙往)'의 '상(尙)'은 '위로'라는 '상(上)'자와 같다. "베풀어 행해지지 못한다"는 것은 음이 비록 제자리를 얻었지만, 저지하는 도가 공을 이루지 못하여 베풀어 행해지지 못함을 말한다. 나머지는 「단전」의 풀이에 나온다.

象曰, 風行天上, 小畜, 君子以, 懿文德.

「상전」에서 말하였다: 바람이 하늘 위에 행함이 소축이니, 군자가 그것을 본받아 문덕을 아름답게 한다.

‖中國大全‖

傳

乾之剛健而爲巽所畜, 夫剛健之性, 惟柔順爲能畜止之. 雖可以畜止之, 然非能固制其剛健也, 但柔順以擾係之耳. 故爲小畜也. 君子觀小畜之義, 以懿美其文德. 畜聚, 爲蘊畜之義. 君子所蘊畜者, 大則道德經綸之業, 小則文章才藝. 君子觀小畜之象, 以懿美其文德. 文德方之道義爲小也.

건괘가 강건한데 손괘에게 저지되니, 강건한 성질은 유순함만이 저지할 수 있다. 비록 저지하여 그치게 할 수는 있으나, 그 강건함을 견고하게 제어하는 것은 아니고, 다만 유순함으로써 길들이고 매어 놓을 뿐이다. 그러므로 소축이 된다. 군자가 소축의 의미를 살펴서 그 문덕을 아름답게 한다. ‘쌓음’은 모으는 것이니, 간직하여 모으는 뜻이 된다. 군자가 간직하여 모으는 것이 큰 것은 도덕과 경륜의 사업이고, 작은 것은 문장과 재예이니, 군자가 소축괘의 상을 살펴 그 문덕을 아름답게 한다. ‘문덕’은 도의에 비교하면 작은 것이 된다.

本義

風有氣而无質, 能畜而不能久, 故爲小畜之象. 懿文德, 言未能厚積而遠施也.

바람은 기운은 있으나 형질이 없으니, 쌓을 수는 있으나 오래갈 수는 없으므로 소축의 상이 된다. ‘문덕을 아름답게 함’은 두텁게 쌓아 멀리 베풀 수 없음을 말한다.

小註

或問, 風行天上, 小畜象義, 如何. 朱子曰, 天在山中大畜. 蓋山是堅剛之物, 故能力畜
其三陽, 風是柔軟之物, 止能小畜之而已.

어떤 이가 물었다: "바람이 하늘 위에 행함이 소축이다"라고 하는 상의 의미는 어떠합니까?
주자가 답하였다: 하늘이 산 속에 있는 것이 대축입니다. 산은 굳고 단단한 물건이므로 힘
이 그 세 양을 저지할 수 있으나, 바람은 유연한 물건이므로 다만 조금 저지할 수 있을
뿐입니다.

○ 君子以懿文德, 言畜他不住, 且只逐些子發泄出來, 只以大畜比之, 便見得. 大畜說
多識前言往行以畜其德, 小畜只是做得這些箇文德, 如威儀文辭之類.

"군자가 그것을 본받아서 문덕을 아름답게 한다"는 말은 양을 저지하지 못하고, 또 다만 조
금 따라서 새어 나옴을 말하니, 다만 대축으로 비교하면 곧 알 수 있다. 대축괘에서는 "이전
의 말과 지나간 행적을 많이 알아서 그 덕을 쌓는다"고 하였고, 소축괘에서는 이러한 하나의
'문덕(文德)'이라고만 할 수 있으니, 위의(威儀)나 문사(文辭) 같은 종류이다.

○ 潛室陳氏曰, 風行天上, 而有取於畜之理, 何也. 蓋風者, 披揚解散之意. 今爲風矣,
而止行於天之上, 是猶有物止畜而未得解散, 所以成畜之小也.

잠실진씨가 말하였다: 바람이 하늘 위에 행하는데, 저지하는 이치를 취함이 있는 것은 어째
서인가? 바람이라는 것은 헤쳐서 흩날리고 풀어 흩뜨리는 뜻을 갖고 있다. 이제 바람이 되어
하늘 위에서 행함은 물건이 그치고 쌓여 아직 풀어 흩뜨려지지 않음이 있기 때문에 저지함
을 이룸이 작음과 같다.

○ 雲峰胡氏曰, 小畜風行天上, 有氣无質, 懿文德者以之. 大畜天在山中, 氣凝於質,
多識前言往行者以之.

운봉호씨가 말하였다: 소축은 바람이 하늘 위에 행하여 기운은 있으나 형질이 없으니, 문덕
을 아름답게 하는 사람이 그것을 본받는다. 대축은 하늘이 산 속에 있어서 기운이 형질에
응결되니, 이전의 말과 지나간 행적을 많이 아는 사람이 그것을 본받는다.

▌韓國大全▌

조호익(曺好益) 『역상설(易象說)』

風者无質, 山者有形. 无質故畜之小, 而天之文見, 有形故畜之大, 而天之文隱. 君子法文之見, 故懿美其文, 法文之隱, 故藏畜其德. 德者, 文之藏於內者也, 文者, 德之見於外者也.

바람은 형질이 없고 산은 형체가 있다. 바람은 형질이 없기 때문에 저지함이 작아서 하늘의 문채가 드러나고, 산은 형질이 있기 때문에 저지함이 커서 하늘의 문채가 숨는다. 군자는 문채가 드러난 것을 본받아서 그 문채를 아름답게 하고, 문채가 숨은 것을 본받아서 그 덕을 감추어 쌓는다. 덕이란 문채가 안으로 감추어진 것이고, 문채란 덕이 밖으로 드러난 것이다.

김장생(金長生) 「주역(周易)」

傳, 擾係.

『정전』에서 말하였다: 길들이고 매어놓는다.

擾, 順也.

'요(擾)'는 순함이다.

이만부(李萬敷) 「역통(易統)・역대상편람(易大象便覽)・잡서변(雜書辨)」

臣謹按, 傳, 以文德作文章才藝, 本義, 亦云未能積厚而遠施. 此象之辭, 若不關係於帝王之學, 而朱子又曰, 文德如威儀文辭之類. 雖是帝王之學, 若全廢其文辭, 則無以資其講明. 此所謂懿文德也.

신이 삼가 살펴보았습니다: 『정전』에서는 문덕을 문장과 재예라고 하였는데, 『본의』에서도 "두텁게 쌓아 멀리 베풀 수 없다"고 말했습니다. 이 「상전」의 말이 제왕의 학문에 관계되지 않는 것 같은데, 주자는 또 "문덕은 위의(威儀)나 문사(文辭)의 부류와 같다"고 하였습니다. 비록 제왕의 학문일지라도 그 문사를 전부 폐지하게 되면, 그 강명(講明)함을 뒷받침할 근거가 없습니다. 이것이 "문덕을 아름답게 한다"는 것입니다.

김도(金濤) 「주역천설(周易淺說)」

愚按, 本義下, 朱子所釋, 惟二條, 陳氏胡氏所釋, 又惟二條, 而皆合於大象之旨矣. 夫文德者, 乃文章才藝之屬, 而所以懿之云者, 只是做得於這裏, 而欲其施用於事爲之間也, 此雖是美好之事, 而譬之於道德, 則抑末也, 本義所謂未能厚積而遠施者, 卽此也. 後之人不達此意, 而惟飾乎言語文字之末, 則不幾於文勝之史乎. 學者苟能自小而求大, 卽末而探本, 則道德經綸之業, 可反於吾身矣, 勉之哉.

내가 살펴보았다: 『본의』 아래에 주자가 풀이한 것이 두 조목이고 진씨와 호씨가 풀이한 것이 또 두 조목인데, 모두 「대상전」의 종지에 부합한다. '문덕(文德)'은 바로 문장과 재예 따위인데, 그것을 아름답게 한다고 말한 것은 다만 문장과 재예에서 행하여 그 일과 행위의 사이에 그 베풂을 쓰고자 함이니, 이것이 비록 아름다운 일이지만 도덕에 비하면 도리어 말단으로 『본의』에서 "두텁게 쌓아 멀리 베풀 수 없다"는 것이 바로 이것이다. 후대의 사람들이 이 뜻을 이해하지 못하고 오직 언어와 문자의 말단만을 꾸미니, 문채가 이기는 겉치레에 가깝지 않겠는가? 배우는 자가 진실로 작은 것에서부터 큰 것을 구하며 말단에 나아가 근본을 탐구할 수 있다면, 도덕과 경륜의 일을 자기 몸에 돌이켜 볼 수 있을 것이니, 힘써야 할 것이다.

유정원(柳正源) 『역해참고(易解參攷)』

正義, 風爲號令, 若風行天下, 則施附於物, 不得云施未行也. 今風在天上, 去物旣遠, 旡所施及, 故曰風行天上.

『정의』에서 말하였다: 바람은 호령이니, 바람이 천하에 불면 베풂이 만물에 닿아 "베풂이 행해지지 않는다"고 말하지 못한다. 이제 바람이 하늘 위에 있어 만물과 이미 멀리 떨어져 베풀어 미치는 바가 없기 때문에 "바람이 하늘 위에 행한다"고 하였다.

○ 龜山楊氏曰, 小畜之時, 以柔畜剛, 故君子以懿文德. 孔子曰, 遠人不服, 修文德以來之, 則畜剛莫尙乎文德也.

구산양씨가 말하였다: '소축의 때'는 부드러운 음으로 굳센 양을 저지하기 때문에 군자가 본받아서 문덕을 아름답게 하는 것이다. 공자는 "멀리 있는 사람이 복종하지 않으면 문덕을 닦아 오게 한다"고 하였으니, 굳센 양을 저지함이 문덕을 숭상하는 것만 한 것이 없다.

○ 廣平游氏曰, 天以剛健, 故其事武, 地以柔順, 故其事文. 風之柔旡所不入, 地類也, 故有文德之象.

광평유씨가 말하였다: 하늘은 강건하기 때문에 그 일이 굳세고, 땅은 유순하기 때문에 그 일이 문채가 난다. 바람의 부드러움이 들어가지 못할 곳이 없고 땅의 종류이기 때문에 문덕의 상이 있다.

○ 雙湖胡氏曰, 此象專主一柔言美文德之事, 難倣他卦兩體竝論.

쌍호호씨가 말하였다: 이 상(象)이 전적으로 부드러운 한 음을 주인으로 하여 문덕을 아름답게 하는 일을 말하였으니, 다른 괘에서 두 몸체를 함께 거론한 것의 준거로 삼기는 어렵다.

本義, 厚積遠施.

『본의』에서 말하였다: 두텁게 쌓아 … 멀리 베푼다.

案, 書曰誕敷文德, 詩曰矢其文德, 文德非不能厚積遠施也, 而添一懿字, 則此專以威儀文辭言也. 君子之德, 但以威儀言語爲美, 則必有文勝滅質之弊. 是如風之有氣无質也, 其何能厚積而遠施乎.

내가 살펴보았다: 『서경』에서 "크게 문덕을 편다"고 하고, 『시경』에서 "그 문덕을 베푼다"[17]고 하였다. 문덕은 두텁게 쌓아서 멀리 베풀 수 없는 것이 아닌데도 "아름답게 한다"는 '의(懿)'자를 덧붙였으니, 이것은 전적으로 위의(威儀)와 문사로써 말한 것이다. 군자의 덕이 다만 위의나 언어로써 아름다움을 삼는다면, 반드시 너무 꾸미게 되어 소박함을 잃어버리는 폐단이 있다. 이것은 바람이 기운은 있는데 형질이 없는 것과 같으니, 그것이 어떻게 두텁게 쌓아 멀리 베풀 수 있는 것이겠는가?

김상악(金相岳) 『산천역설(山天易說)』

懿美也. 文德如威儀文辭之類, 有書契而後有文德, 有文德而後禮有節文. 古者聖人作書契以代結繩, 百官以治萬民, 以察取之于夬, 故小畜曰懿文德, 履曰辨上下定民志, 所以文之德燦然有條理, 於斯爲美.

'의(懿)'는 아름답게 함이다. 문덕은 위의(威儀)나 문사(文辭) 같은 부류이니, 서계(書契)가 있은 뒤에 문덕이 있고, 문덕이 있은 뒤에 예의에 절문(節文)이 있다. 옛날 성인이 서계를 만들어 결승(結繩)[18]을 대신하였고 백관을 두어 만민을 다스리면서 쾌괘(夬卦)에서 살펴 취하였기 때문에 소축괘에서 "문덕을 아름답게 한다"고 하였고, 리괘(履卦)에서는 "위아래를 분변하여 백성의 뜻을 정한다"고 하였으니, 이 때문에 문채의 덕이 찬연히 조리가 있어 이에 아름답게 되었다.

---

17) 『詩經·江漢』.

18) 결승(結繩): 옛적에 글자가 없었던 시대에, 노끈으로 매듭을 맺어서 기억(記憶)의 편리(便利)를 꾀하고 또 서로 뜻을 통(通)하던 것이다.

박윤원(朴胤源) 『경의(經義)·역경차략(易經箚略)·역계차의(易繫箚疑)』

本義, 以爲文德方之道義爲小. 以此觀之, 此言文德, 與舜之誕敷文德之文德, 不同歟.

『본의』[19]에서 "문덕은 도의에 비하면 작은 것이 된다"고 하였다. 이것으로 살펴본다면 여기서 말한 문덕은 "순임금이 문덕을 크게 편다"[20]고 한 문덕과는 같지 않은 듯하다.

김귀주(金龜柱) 『주역차록(周易箚錄)』

本義, 風有氣, 云云.

『본의』에서 말하였다: 바람은 기운은 있으나, 운운.

小註, 潛室陳氏曰, 風行, 云云.

소주에서 잠실진씨가 말하였다: 바람이 행하는데, 운운.

○ 按, 此云有物止畜而未得解散者, 恐非小畜之象, 當以本義所云能畜而不能久爲小畜者爲正.

내가 살펴보았다: 여기서 "물건이 그치고 쌓임은 있으나 아직 풀어지고 흩뜨려지지 않았으니"라고 말한 것은 아마도 소축의 상은 아닌 듯하니, 당연히 『본의』에서 "쌓을 수는 있으나 오래할 수는 없다는 것으로 소축을 삼은 것"이 바르다.

雲峰胡氏曰, 小畜, 云云.

운봉호씨가 말하였다: 소축은, 운운.

○ 按, 本義之言有氣無質, 蓋言風之爲物, 本柔軟也. 風本柔軟, 故所畜者小, 山則堅剛, 故所畜者大. 胡氏乃以天在山中爲氣凝於質者, 未知何謂.

내가 살펴보았다: 『본의』에서 "기운은 있으나 형질이 없다"고 말한 것은 대체로 바람이란 것이 본래 유연함을 말한다. 바람은 본래 유연하기 때문에 쌓이는 것이 작고, 산은 단단하고 굳세기 때문에 쌓인 것이 크다. 호씨는 바로 하늘이 산 안에 있는 것을 기운이 형질에서 엉기는 것으로 보았는데, 무엇을 말하는지 모르겠다.

박제가(朴齊家) 『주역(周易)』

本義, 懿文德, 言未能厚積而遠施也.

『본의』에서 말하였다: '문덕을 아름답게 함'은 두텁게 쌓을 수 없어서 멀리 베풀 수 없는

---

19) 『본의』가 아니라 『정전』의 내용인데, 착오가 있는 듯하다.
20) 『書經·大禹謨』.

것을 말한다.

案, 此專釋畜之小者, 故如此說. 然卦雖小畜, 君子之以之者, 豈可亦小畜乎. 卦之不雨, 君子亦豈自爲密雲耶. 夫風行太空之中, 雖無形色, 其流動造化之妙, 甚大, 亦如人之文德之運用發見耳. 詩云, 矢其文德洽此四國, 如曰舞所以節八音, 而行八風者. 文德雖從外爲言, 亦必充積于中, 而後發見, 恐無不可厚積遠施之理. 大象之義, 正取其宣揚動盪. 如武事則必有剛猛嚴威之質, 文德則乃是無形跡之感化, 賁飾之具耳. 以之而必曰文德, 且經曰風行, 不曰風止, 文固行遠者也. 如傳云, 文德方之道義爲小, 則猶之可也. 但取象各有所指, 非必舍道義之大, 而爲文德之小也. 況卦之二義, 風畜天則爲止, 天畜風則爲行, 畜而不能久, 雖曰象義, 君子何必取畜而不久者爲德耶. 故象言卦義, 大象只取物象, 做自已工夫者, 所以不同.

내가 살펴보았다: 이것은 전적으로 저지함이 작은 것만을 풀이하였기 때문에 이와 같이 말하였다. 그러나 괘가 비록 소축이지만 군자가 그것을 본받는 것이 어찌 또한 작게 쌓는 것이겠는가? 괘에서 "비가 오지 않는다"고 해서 군자가 또한 어찌 스스로를 빽빽이 낀 구름으로 여기겠는가? 바람이 허공에 부는 것이 비록 모양과 빛깔은 없지만, 그 흐르고 움직여서 조화롭게 되는 오묘함은 매우 커서 또한 사람의 문덕이 운용되고 발현되는 것과 같다. 『시경』에서 "그 문덕을 베풀어 이 사방 국가를 윤택하게 한다"고 하였으니, "무(舞)는 팔음(八音)을 조절하여 팔풍(八風)을 행하는 것이다"고 한 것과 같다. '문덕'이 비록 밖으로부터 말한 것이지만, 또한 반드시 안을 채우고 쌓은 뒤에 발현하니, 아마도 두텁게 쌓아 멀리 행할 수 없는 이치는 없을 것이다. 「대상전」의 의미가 바로 그 드러내 떨치고 움직여 크고 넓음을 취하였다. 군대의 일[武事]과 같은 경우엔 반드시 굳세고 용맹하며 위엄이 있는 자질이 있으며, 문덕과 같은 경우엔 바로 형체가 없는 감화이고 꾸미는 도구일 뿐이다. 그것 때문에 반드시 '문덕'이라고 하고 또 「대상전」에서 "바람이 행한다"고 하고 "바람이 그친다"고 하지 않았으니, 문채가 진실로 멀리까지 행하는 것이다. 『정전』에서 "문덕은 도의에 비하면 작은 것이 된다"고 한 것 같은 것은 오히려 괜찮다. 다만 상을 취한 것이 각각 가리키는 바가 있으니, 반드시 도의의 큰 것을 버려야 문덕의 작은 것이 되는 것은 아니다. 하물며 괘의 두 가지 의미는 바람이 하늘에 쌓이면 그치게 되고 하늘이 바람을 쌓으면 행하게 되니, 쌓지만 오래할 수 없는 것이 비록 '「단전」의 뜻'이라고 하지만, 군자가 하필이면 쌓지만 오래갈 수 없는 것을 취하여 덕을 삼겠는가? 그러므로 「단전」에서는 괘의 의미를 말하고 「대상전」에서는 다만 물건의 상을 취하여 자기의 공부로 삼은 것이 이 때문에 같지 않다.

先儒多言, 此卦卦辭爻辭不同. 雲峯胡氏曰, 卦言畜, 取止之義, 爻言復, 取進之義, 不可一例觀. 雙湖胡氏曰, 諸爻各自取義, 無復密雲西郊意, 亦可見爻辭周公作, 故不同.

此皆說不出卦義. 夫行而後止之曰畜. 若初不行, 則初不以畜名矣, 故象之傳曰, 密雲
不雨尙往也, 言雲之尙往. 若不往則止, 止則便雨, 故自初以復爲言曰, 復自道. 自道
者, 陽之性也, 不待敎而能者, 故曰自道, 貴其進, 故曰道, 曰吉. 二之牽復, 與初同道,
故曰牽, 竝進之謂也. 二自中剛, 非牽於初而後進者也, 三始迫於陰, 而行不得, 故謂之
輿說輹. 乾體三陽竝進, 而指接於四者而言, 故謂之夫妻. 內懷不平, 故謂之反目, 皆取
往意而不成雨者. 至四有孚, 而五以隣, 則巽體同力. 上九更無可往而止則雨, 此政小
畜之亨, 而終無施未行之理. 則周公之辭, 初非卦外之旨, 乃所以發明卦義者甚精. 卦
則總言, 故不雨曰小畜, 爻分時, 故知小畜之終雨也.

이전 유학자들이 이 괘의 괘사와 효사가 같지 않다고 많이 말하였다. 운봉호씨는 "괘사에서
'축(畜)'을 말한 것은 '저지한다'는 뜻을 취한 것이고, 효사에서 회복함[復]을 말한 것은 '나아
간다'는 뜻을 취한 것이니, 한 가지 예로 살필 수 없다"고 하였다. 쌍호호씨는 "여러 효가
각기 뜻을 취하여 다시 '빽빽이 구름이 낌'과 '서쪽 들'의 뜻이 없으니, 또한 효사가 주공의
글이기 때문에 같지 않음을 볼 수 있다"고 하였다. 이것들은 모두 괘의 뜻을 말하지 못한
것이다. 행하고 난 뒤에 그치게 함을 '축(畜)'이라고 한다. 만약 애초에 행하지 않았다면 처
음부터 축(畜)으로 이름붙일 수 없기 때문에 「단전」에서 "빽빽이 구름이 끼나 비가 오지
않음은 위로 올라감"이라고 하였으니, 구름이 위로 올라간 것을 말한다. 만약 올라가지 않았
으면 그친 것이고, 그쳤으면 곧 비가 오기 때문에 초효부터 회복함으로 말하여 "회복함이
도로부터 함이니"라고 하였다. '도로부터 함'은 양의 성질이니, 가르치지 않아도 할 수 있는
것이기 때문에 '도로부터 함'이라고 하였고, 그 나아감을 귀하게 여기기 때문에 '도'라고 하고
'길하다'고 하였다. 이효에서 '이끌어 회복함'은 초효와 도가 같기 때문에 "이끈다"고 하였으
니, 함께 나아감을 말한다. 이효 자신은 가운데가 굳센 양이어서 초효에게 이끌린 뒤에 나아
가는 자가 아니며, 삼효는 음에게 막 핍박받아 행할 수 없기 때문에 "수레에 바큇살이 벗겨
진다"고 하였다. 건괘의 몸체인 세 양이 함께 나아가는데, 사효에 인접[接]한 것을 가리켜
말했기 때문에 '부부'라고 하였다. 안으로 불평을 품었기 때문에 '반목한다'라고 하였으니,
모두 가는 뜻을 취하였으나 비를 이루지는 못한 것이다. 사효의 '믿음이 있다'는 것과 오효의
"이웃을 좌지우지 한다"는 것에 이르면 손괘의 몸체에서 힘을 합한다. 상구는 다시 가서 그
칠 것이 없어서 비가 내리니, 이것은 정녕 소축의 형통함이고 끝내 베풀어 행해지지 못하는
이치가 없는 것이다. 그렇다면 주공의 말이 애초에 괘 밖의 뜻은 아니라 괘의 의리를 밝힌
까닭이 매우 정밀한 것이다. 괘는 통틀어서 말했기 때문에 비가 오지 않음을 '소축'이라고
하였고, 효는 나뉘는 때이기 때문에 소축이 마침내 비가 옴을 알 수 있다.

서유신(徐有臣) 『역의의언(易義擬言)』

風行天上, 主於風之辭, 天在山中, 主於天之辭也. 風不能行於天下, 而但行於天上, 風之巽畜也. 風畜故小畜也. 旣畜於上, 則將行於下也. 君子畜德於上, 而敷文於下, 如禹之文明敷于四海也. 文德詞命也, 巽象.

바람이 하늘 위에 행함은 바람을 중심으로 한 말이고, 하늘이 산 안에 있다는 것은 하늘을 중심으로 한 말이다. 바람이 천하에 행할 수 없고 단지 하늘 위에서 행하니, 바람이 가득 쌓이는 것이다. 바람이 쌓이기 때문에 조금 쌓이는 것이다. 위에서 쌓이고 나면 아래에서 행하게 된다. 군자는 위에서 덕을 쌓아 아래로 문채를 펴니, 우임금의 문명이 사해에 펼쳐진 것과 같다. 문덕은 글로 펼치는 명령[詞命]이니, 손괘의 상이다.

박문건(朴文健) 『주역연의(周易衍義)』

文德, 文敎也.

문덕은 문교이다.

〈問, 風行天上, 小畜, 君子以, 懿文德. 曰, 風行天上, 无所礙滯, 故小畜, 小爲聚止, 則其行必不已, 君子以之, 而懿美其文德於天下也. 觀於此, 則可以偃武而休文矣.

물었다: "바람이 하늘 위에 행함이 소축이니, 군자가 그것을 본받아서 문덕을 아름답게 한다"는 무슨 뜻입니까?

답하였다: 바람이 하늘 위에 행하는 것은 걸려 막히는 바가 없기 때문에 소축인데, 조금 모이고 그치게 되면 그 행함이 반드시 그치지 않으니, 군자가 그것을 본받아서 천하에 그 문덕을 아름답게 하는 것입니다. 이것을 보면 무기를 놓아두고 학문을 닦아 나라를 태평하게 할 수 있습니다.[21]〉

이지연(李止淵) 『주역차의(周易箚疑)』

程傳曰, 文德方之道德爲小也, 本義曰, 文德, 言未能厚積而遠施也. 此皆明畜小之義, 而但道德經綸, 非文德而何. 又焉有文德而未能厚積遠施者乎. 蓋文德者, 與武德有間. 武德, 則有發揚蹈厲氣象, 文德, 則有雍容揖遜意思, 此其无跡可見, 風行天上之象也.

『정전』에서는 "문덕은 도덕에 비교하면 작은 것이 된다"고 하였고, 『본의』에서는 "문덕은 두텁게 쌓아 멀리 베풀 수 없음을 말한다[22]"고 하였다. 이것은 모두 소축의 의미를 밝힌

---

21) 『書經·武城』: 偃武而修文.

22) 이 부분의 『본의』 원문은 "懿文德, 言未能厚積而遠施"으로, 「대상전」의 "風行天上, 小畜, 君子以, 懿文

것이고 도덕과 경륜일 뿐이니, 문덕이 아니라면 무엇이겠는가? 또 어찌 문덕은 있는데 두텁게 쌓아 멀리 베풀 수 없는 것이 있겠는가? 대체로 '문덕'은 '무덕(武德)'과 차이가 있다. 무덕은 곧 발양하여 분발하는 기상이 있지만, 문덕은 화락하고 포용하여 겸손한 뜻이 있으니, 이것은 그 문덕의 자취가 없음을 볼 수 있는 것으로 바람이 하늘 위에 행하는 상이다.

舜階之敷文德, 禹服之敷文敎, 使天下之人慕而效之, 如草之必偃也. 然則小畜取象, 只就風行二字而已, 似不帖, 帖於本卦上以陰畜陽之意歟.
순임금이 계단에 서서 문덕을 펴고,[23] 우임금은 천하를 오복(五服)[24]으로 나누어서 문교를 펼쳐[25] 천하의 사람들로 하여금 사모하여 본받게 하니, 바람에 풀이 반드시 눕는 것과 같았다.[26] 그렇다면 소축괘의 상을 취한 것이 단지 "바람이 행한다"는 '풍행(風行)' 두 글자에 나아간 것일 뿐이어서 덧붙일 것이 없을 듯한데, 본 괘에 음으로 양을 저지하는 뜻을 덧붙이겠는가?

卦以畜爲名, 而爻以復爲義, 若相戾, 而復故畜之, 畜故益欲復之也. 復字上, 尤可見畜之之義, 而因以存扶陽之意焉.
괘가 '쌓는다'는 축(畜)으로 이름을 삼고 효가 '회복함[復]'으로 뜻을 삼았으니, 괘와 효가 서로 어긋나는 것 같지만 회복하기 때문에 쌓으며, 쌓기 때문에 더욱 회복하려 하는 것이다. '회복한다'는 '복(復)'자에서 더욱 쌓는 뜻을 볼 수 있으니, 양을 북돋우려는 뜻을 보존해두었기 때문이다.

大有之九二, 曰大車以載, 九二爲大車, 則九三其爲輻乎. 此卦之正對爲豫, 豫之六三亦盱豫, 柔而不中不正者, 剛而不正者, 同一情態也.
대유괘의 구이에서 "큰 수레로 싣는다"고 하였으니, 구이가 '큰 수레'가 되면 구삼은 그 수레바퀴가 된다. 이 소축괘(小畜卦☰)의 음양이 바뀐 괘가 예괘(豫卦☷)가 되는데, 예괘의 육삼이 또한 '올려다보며 기뻐함'이니, 부드러운 음으로 가운데 있지도 않고 바르지도 않은 것과 굳센 양으로 바르지 않은 것은 동일한 실정이다.

德."를 주해한 것이다.
23) 『書經・大禹謨』.
24) 오복(五服): 중국 요순(堯舜) 시대의 제도로 왕기(王畿)를 중심으로 하여 주위를 오백 리씩 순차적으로 나눈 다섯 구역. 상고에는 전복(甸服)・후복(侯服)・수복(綏服)・요복(要服)・황복(荒服)을 오복이라 하였다.
25) 『書經・禹貢』.
26) 『論語・顔淵』: 君子之德風, 小人之德草, 草上之風, 必偃.

自四至二爲互兌, 有中孚之意. 以一柔敵三剛, 豈无傷乎.
사효에서 이효까지는 호괘인 태괘가 되니, 중부괘(中孚卦)의 뜻이 있다. 부드러운 한 음으로 굳센 세 양을 대적하니, 어찌 상함이 없겠는가!

需之上六, 敬之而无咎, 畜之六四, 惕之而无咎, 爲陰之道, 當以處順得正而卑已尊陽爲貴也.
수괘(需卦)의 상육이 공경하여 허물이 없고, 소축괘의 육사가 두려워하여 허물이 없는 것은 음의 도가 되니, 마땅히 순한데 있어 바름을 얻고 자신을 낮추어 양을 높이는 것으로 귀함을 삼는다.

巽有近利市三倍之象, 故曰冨.
손괘(巽卦)에 이익을 추구하여 세 배의 이윤을 남기는 상이 있으므로 '부재冨'라고 하였다.

密雲不雨, 單指六四而言也. 旣雨旣處, 竝指九五上九而言也. 五六二陽與四同體, 則亦爲陽中之陰也. 畜至於上九, 便是以三陰而畜三陽, 故陰陽和合, 下三陽, 亦不能進, 而止於止處, 故云旣雨旣處也.
"빽빽이 구름이 끼나 비가 오지 않음"은 육사만을 가리켜 말한다. "이미 비가 오고 이미 그침"은 구오와 상구를 아울러 가리켜서 말한다. 오효와 육효의 두 양은 사효와 한 몸이니 또한 양 가운데의 음이 된다. 저지함이 상구에 이르면 바로 세 음으로 세 양을 저지하는 것이기 때문에 음과 양이 화합하고, 아래의 세 양이 또한 나아갈 수 없어서 그쳐야 할 곳에서 그치기 때문에 "이미 비가 오고 이미 그침"이라고 하였다.

月指巽體. 君子指下三陽. 坤之上六, 曰陰疑於陽, 必戰, 疑敵也.
'달'은 손괘의 몸체를 가리킨다. '군자'는 아래의 세 양을 가리킨다. 곤괘의 상육에 "음이 양을 의심하면 반드시 싸운다"고 하였으니, 적으로 의심한 것이다.

김기례(金箕澧) 「역요선의강목(易要選義綱目)」

風者, 有氣无質, 況在天上不能畜止乾剛, 故小畜. 君子不能施道德, 故懿文德而已.
바람은 기운이 있지만 형질이 없으니, 하물며 하늘 위에 있어서는 건괘의 굳센 양을 저지하여 그치게 할 수 없기 때문에 소축이다. 군자가 도덕을 베풀 수 없기 때문에 문덕을 아름답게 할 뿐이다.

이항로(李恒老) 「주역전의동이석의(周易傳義同異釋義)」

按, 傳義両釋, 互相發明, 叅看乃好.

내가 살펴보았다: 『정전』과 『본의』의 두 풀이는 서로 밝혀 드러냈으니, 참고하여 보는 것이 좋다.

심대윤(沈大允) 『주역상의점법(周易象義占法)』

風有氣无質, 畜而无形, 故君子象之以懿文德. 文, 文章制度也, 德, 德行也. 〈君子之文, 可以施行而立德, 故曰文德.〉

바람은 기운이 있지만 형질이 없어 쌓이더라도 모양이 없기 때문에 군자가 "문덕을 아름답게 한다"는 것으로 그것을 형상하였다. 문덕에서의 '문(文)'은 문장과 제도이고, '덕(德)'은 덕행이다. 〈군자의 문채는 시행하여 덕을 세울 수 있기 때문에 '문덕'이라고 하였다.〉

오치기(吳致箕) 「주역경전증해(周易經傳增解)」

以陰畜陽, 不若大畜之以陽畜陽, 故爲小畜, 而若言大畜, 則道德義理之實行也. 君子觀風行天上, 有氣无質之象, 懿美其文德, 比之大畜之道義爲小也. 文德如文章才藝也.

음으로 양을 저지함은 대축괘의 양으로 양을 저지하는 것보다는 못하기 때문에 소축괘가 되는데, 만약 대축괘를 말한다면 도덕과 의리가 실행된다. 군자가 바람이 하늘 위에 행함에 기운은 있지만 형질이 없는 상을 보았으니, 그 문덕을 아름답게 함은 대축괘의 도의에 비교하면 작은 것이 된다. 문덕은 문장과 재예와 같다.

이진상(李震相) 『역학관규(易學管窺)』

風行天上, 則施未及於天下也. 風有氣而無質, 故其象爲懿文. 文勝質, 則其不能厚積而遠施, 固宜. 若詩之言矢其文德, 書之言誕敷文德, 質文之相孚者也. 此則懿美之而已, 未及於宣布也. 然而懿之之極, 則積而能施, 上九之旣雨, 是也.

바람이 하늘 위에 행하면 베풀음이 천하에 미치지 못한다. 바람은 기운이 있지만 형질이 없기 때문에 그 상이 문채를 아름답게 함이 된다. 문채가 바탕을 이기면 두텁게 쌓아 멀리 베풀 수가 없는 것이 진실로 마땅하다. 『시』에서 "그 문덕을 널리 편다"고 말하고, 『서경』에서 "그 문덕을 크게 편다"고 말한 것은 바탕과 문채가 서로 조화되는 것이다. 소축괘에서는 문덕을 아름답게 할 뿐, 아직 널리 펴 알리는 데까지는 미치지 않았다. 그러나 아름답게 하기를 지극히 하면 쌓여서 베풀 수 있으니, 상구의 '이미 비가 옴'이 이것이다.

이병헌(李炳憲) 『역경금문고통론(易經今文考通論)』

荀九家曰, 風行天上, 則命令畜而未下.

『순구가역』에서 말하였다: 바람이 하늘 위에 행하면 명령이 저지되어 아래로 내려가지 못한다.

虞曰, 懿美也, 乾爲德.

우번이 말하였다: '의(懿)'는 아름답게 함이고, 건괘는 덕이 된다.

初九, 復自道, 何其咎. 吉.

초구는 회복함이 도로부터 하니, 어찌 허물이겠는가? 길하다.

▌中國大全▌

傳

初九, 陽爻而乾體. 陽在上之物, 又剛健之才, 足以上進而復, 與在上同志, 其進復於上, 乃其道也. 故云復自道. 復旣自道, 何過咎之有. 无咎而又有吉也. 諸爻言无咎者, 如是則无咎矣. 故云无咎者, 善補過也, 雖使爻義本善, 亦不害於不如是, 則有咎之義. 初九乃由其道而行, 无有過咎. 故云何其咎, 无咎之甚明也.

초구는 양효이고 건괘의 몸체이다. 양은 위에 있는 물건이고 또 강건한 재질로 위로 나아가 회복할 수 있어서 위에 있는 사람과 뜻을 같이하니, 그 나아가 위를 회복함이 이에 그 도이다. 그러므로 "회복함이 도로부터 한다"고 하였다. 회복함이 이미 도로부터 하였으니, 무슨 허물이 있겠는가? 허물이 없고 또 길함이 있다. 여러 효에서 "허물이 없다"고 말한 것은 이와 같이 하면 허물이 없다는 것이다. 그러므로 "허물이 없다는 것은 허물을 잘 보완하는 것이다"라고 하였으니, 비록 효의 뜻이 본래 좋더라도 이와 같이 하지 않으면 허물이 있다는 의미로 보아도 무방하다. 초구는 이에 그 도에 따라 행하니, 허물이 없다. 그러므로 "무엇이 허물이겠는가?"라고 하였으니, 허물이 없음이 매우 분명하다.

本義

下卦乾體, 本皆在上之物, 志欲上進而爲陰所畜. 然初九體乾居下, 得正前遠於陰, 雖與四爲正應, 而能自守以正, 不爲所畜. 故有進復自道之象. 占者如是, 則无咎而吉也.

하괘는 건의 몸체로 본래 다 위에 있는 물건이니, 뜻이 위로 나아가려 하나 음에게 저지되는 바가 된다. 그러나 초구는 몸체가 건이고 아래에 있어 바름을 얻었고 앞으로 음과도 머니, 비록 사효와 정응이 되지만 스스로 바름으로써 지킬 수 있어 저지되지 않는다. 그러므로 나아가 회복함이 도로부터 하는 상이 있다. 점치는 자가 이와 같이 하면, 허물이 없고 길하다.

小註

或問, 此爻與四相應, 正爲四所畜者, 乃云復自道, 何耶. 朱子曰, 易有不必泥爻義看者, 如此爻只平看自好. 復自道便吉, 復不自道便凶, 自无可疑者矣. 復自道之復, 與復卦之復不同. 復卦言已前不見了這陽, 如今復在此, 復自道是復他本位, 從那道路上去, 如无往不復之復.

어떤 이가 물었다: 이 효는 사효와 서로 호응하니, 바로 사효에 의해 저지되는 바가 되는데, 이에 "회복함이 도로부터 한다"고 말한 것은 어째서입니까?

주자가 답하였다: 『주역』에는 반드시 효의 의미에 얽매여 볼 필요가 없는 것이 있으니, 가령 이 효를 다만 평범하게 보면 그대로 좋은 것입니다. 회복함이 도로부터 한다면 곧 길하고, 회복함이 도로부터 하지 못하면 곧 흉하니, 본래 의심할 것이 없습니다. "회복함이 도로부터 한다"고 할 때의 회복함은 복괘의 회복함과는 같지 않습니다. 복괘는 이미 전에 이 양을 보지 못하였다가 지금 회복하여 여기에 있는 것과 같음을 말하지만, "회복함이 도로부터 함"은 그 본래의 자리를 회복함이 저 도로로부터 가는 것이어서 "가서 회복하지 않음이 없다"는 회복함과 같습니다.

○ 厚齋馮氏曰, 陽本在上之物, 故自下升上曰復. 此言由其所復之故道也.

후재풍씨가 말하였다: 양은 본래 위에 있는 물건이므로 아래에서 위로 올라감을 '회복함'이라고 한다. 이는 그 회복해야 할 바의 옛 도를 따름을 말한다.

○ 雲峰胡氏曰, 復字, 雖與復卦之復不同, 然復卦惟初與二言復言吉, 小畜惟初與二言復言吉, 復自道, 似不遠復, 二之牽復, 似休復. 休復以其下於初, 牽復以其連於初也. 彼則於六陰已極之時, 喜陽之復生於下, 此則於一陰得位之時, 喜陽之復升於上者也.

운봉호씨가 말하였다: '복(復)'자는 복괘에서의 복과는 같지 않지만 복괘에서는 오직 초효와 이효에서 복을 말하고 길함을 말하였고 소축괘에서는 오직 초효와 이효에서 복을 말하고 길함을 말하였으니, "회복함이 도로부터 함"은 복괘에서 "머지않아 회복한다"와 같으며, 이효에서의 "이끌어 회복함"은 복괘에서 "아름답게 회복함"과 같다. "아름답게 회복함"은 그 초효에게 낮추기 때문이며, "이끌어 회복함"은 그 초효에게 연결하기 때문이다. 복괘는 여섯 음효가 이미 다한 때에 양이 아래에서 회복하여 생겨남을 기뻐하고, 소축괘는 한 음이 제자리를 얻는 때에 양이 위로 회복하여 올라감을 기뻐한다.

▮韓國大全▮

권근(權近) 『주역천견록(周易淺見錄)』

愚按, 小畜, 一陰五陽之卦, 而一陰在外卦之下. 復, 一陽五陰之卦, 而一陽在內卦之下. 復, 五陰在上而陽微, 小畜, 一陰在上而陽盛. 故復有失而後復之象, 小畜自无所失也. 復之初九, 曰不遠復, 言其失不遠, 而又復也. 小畜初九, 曰復自道, 言九居乾體, 本不失其陽, 而其進復自以其道. 九二, 牽復, 亦不自失, 亦者承上之辭, 言初九无[27]失而二亦不失也. 凡言復者, 皆有失而後復, 如訟九四之類, 是也. 此无[28]失而言復者, 以其爲陰所畜, 而疑於有失, 故初九言自道, 九二之象言不自失, 謂雖爲陰所畜止, 而皆不失其爲乾也.

내가 살펴보았다: 소축괘(小畜卦䷈)는 음이 하나에 양이 다섯인 괘로서 한 음이 외괘의 아래에 있다. 복괘(復卦䷗)는 양이 하나에 음이 다섯인 괘로서 한 양이 내괘의 아래에 있다. 복괘는 다섯 음이 위에 있고 양이 미미하지만, 소축괘는 한 음이 위에 있고 양이 왕성하다. 그러므로 복괘는 잃어버린 뒤에 회복하는 상이 있지만, 소축괘는 처음부터 잃는 것이 없다. 복괘의 초구에서 "머지않아 회복한다"고 한 것은 잃어버린 것을 오래지 않아 다시 회복한다는 말이다. 소축괘 초구에서 "회복하기를 도로부터 함"은 구(양)가 건괘의 몸체에 있어 본래 그 양을 잃지 않았고, 나아가 회복함이 도로써 이루어짐을 말한다. 구이의 「상전」에서 "이끌어 회복함이 또한 스스로 잃지 않기 때문이다"이라고 한 것에서 '역(亦)'은 윗 구절을 잇는 말이니, 초구가 잃음이 없을 뿐만 아니라 이효 역시 잃지 않는다는 말이다. '회복한다'고 말한 것은 모두 잃은 뒤에 회복함이 있으니, 송괘(訟卦) 구사와 같은 종류가 그것이다. 소축괘에서 잃은 것이 없는데도 '회복함'을 말한 것은 음에게 저지되는 바가 되어 잃게 될까 의심한 까닭에 초구에서 '도로부터'라고 말하였고, 구이의 「상전」에서 "스스로 잃지 않는다"고 하였으니, 비록 음에게 저지되어 그치는 바가 되지만, 모두 건괘의 됨됨이를 잃지 않는다는 것을 말한다.

조호익(曺好益) 『역상설(易象說)』

傳, 道指道理之道.
『정전』에서의 '도'는 도리의 도를 가리킨다.

---

27) 无: 경학자료집성 DB에는 '元'으로 되어 있으나, 경학자료집성 영인본을 참조하여 '无'로 바로잡았다.
28) 无: 경학자료집성 DB에는 '元'으로 되어 있으나, 경학자료집성 영인본을 참조하여 '无'로 바로잡았다.

송시열(宋時烈) 『역설(易說)』

此爻與六四爲正應者, 往復之意. 我之與四往復, 復[29]是自然之理, 自己之道也, 吉而无咎. 若以卦變言之, 乾錯爲坤, 巽錯爲震, 有地雷復之意, 以復字言之耶.

이 효가 육사와 정응이 되는 것은 갔다가 되돌아오는 뜻이다. 내가 사효와 갔다가 되돌아오니, '회복함'은 자연의 이치이고 또 나로부터 하는 도이니, 길하고 허물이 없다. 만약 괘의 변화로 말할 경우, 건괘가 음양이 바뀌어 곤괘(坤卦)가 되고 손괘가 음양이 바뀌어 진괘(震卦)가 되면 땅과 우레로 이루어진 복괘(復卦)의 뜻이 있으니, '복(復)'이라는 글자로 말한 것 같다.

이익(李瀷) 『역경질서(易經疾書)』

初與四本是正應. 然以陰畜陽, 於理爲背, 旣謂之復, 則其始之不合可知. 四亦始戰而去, 終懼而出, 則初亦復其本, 而爲正應也. 二與五, 非正應. 然乾體同德, 牽連而進, 謂之牽復, 則其始之亦不進可知. 二之牽, 則五之攣也, 非正應, 故必待牽攣而後進也. 以其在中, 故曰亦不自失也.

초효와 사효는 본래 정응이다. 그러나 음으로 양을 저지하여 이치에 위배되는데, 이미 '회복함'을 말하였으니, 그 시작은 부합하지 않음을 알 수 있다. 사효도 처음에는 싸워서 피가 사라지고 끝에는 두려움에서 나왔으니, 초효가 또한 그 근본을 회복하여 정응이 됨이다. 이효와 오효는 정응이 아니다. 그러나 건괘의 몸체로 덕을 같이 하여 이끌어 연합하여 나아감을 "이끌어 회복한다"고 하니, 그 처음이 또한 나아가지 못함을 알 수 있다. 이효의 '이끌음'은 오효의 '이끌림'인데, 정응이 아니기 때문에 반드시 이끌고 이끌림을 기다린 뒤에 나아간다. 그것들이 가운데에 있기 때문에 "또한 스스로 잃지 않는다"라고 하였다.

심조(沈潮) 「역상차론(易象箚論)」

陽爻長似道, 故下道字

양효는 길어서 길과 같으므로 '도(道)'자를 썼다.

박윤원(朴胤源) 『경의(經義)・역경차략(易經箚略)・역계차의(易繫箚疑)』

此復字與剝復之復, 不同. 剝復之復, 陽剝盡而復生於下, 此復字, 陽主進, 故復升於上也.

---

29) 復: 경학자료집성 DB에는 '復'이 없으나, 경학자료집성 영인본을 참조하여 '復'자를 보충하였다.

이 '복(復)'자는 깎였다가 회복한다는 회복의 '복(復)'과는 같지 않다. 깎였다가 회복한다고 할 때의 '복'은 양의 깎임이 다하여 아래에서 다시 생겨나는 것이지만, 여기서의 '복'자는 양이 나아감을 주로 하기 때문에 위를 회복하여 올라감이다.

서유신(徐有臣) 『역의의언(易義擬言)』

姤變爲小畜. 初九來止於下, 故曰復也. 畜姤之陰於四, 而不相應與, 自是陽剛之道也, 故曰何其咎吉也. 乾爲老馬, 老馬知路也.

구괘(姤卦䷫)의 위아래 괘가 바뀌어 소축괘(小畜卦䷈)가 된다. 초구는 구괘의 사효가 아래로 와서 그쳤기 때문에 '회복함'이라고 하였다. 구괘의 음을 사효 자리에서 저지하고 서로 호응하여 관여하지 않음이 이 양의 굳센 도로부터 하기 때문에 "어찌 허물이겠는가? 길하다"라고 하였다. 건괘는 늙은 말이 되니, 늙은 말이 길을 안다.

박문건(朴文健) 『주역연의(周易衍義)』

革其舊習, 故有自道之象. 自道, 言由乎道而不犯上也. 何其咎, 言无咎也.

옛 습관을 바꾸기 때문에 도로부터 하는 상이 있다. '도로부터 함'은 도에 따라 하여 윗사람을 범하지 않음이다. "어찌 허물이겠는가?"라는 말은 허물이 없음을 말한다.

김기례(金箕澧) 「역요선의강목(易要選義綱目)」

復卦, 則一陽復生於下, 故曰不遠復. 小畜, 則乾三陽同志上進, 而初雖應四, 乾本在上之物, 故不爲陰所止, 而以其陽道進復於上, 則何其咎. 若應四而不復, 則有咎, 故曰何其咎.

복괘(復卦䷗)는 한 양이 아래에서 회복하여 생겨나기 때문에 "머지않아 회복한다"고 하였다. 소축괘(小畜卦䷈)에서는 건괘의 세 양이 뜻을 같이하여 위로 나아가고 초효가 비록 사효에 호응하지만, 건괘는 본래 위에 있는 물건이기 때문에 음에게 저지되지 않고 그 양의 도로써 나아가 윗자리를 회복하니, 어찌 허물이겠는가? 만약 사효에 호응하는데도 회복하지 못한다면 허물이 있으므로, "얼마나 허물이겠는가?"라고 하였다.

심대윤(沈大允) 『주역상의점법(周易象義占法)』

小畜之爻位, 居剛自得者也, 居柔從人而得者也.

소축괘의 효의 자리가 굳센 양의 자리에 있으면 스스로 얻는 것이고, 부드러운 음의 자리에 있으면 들어감으로부터 얻는 것이다.

小畜之巽☴. 初九以剛居剛自得. 而巽入以通, 巽行以違, 文博而德聚. 復, 來復也. 復自道, 言吾有所當爲之事, 先爲其可爲之道也. 吾所當爲之事, 隨其時位而不同, 故言自道也. 乾爲復, 巽之對震爲道. 初九有正應, 蓋士農工賈各修其道, 而无外慕也.

소축괘가 손괘(巽卦☴)로 바뀌었다. 초구가 굳센 양으로 굳센 양의 자리에 있는 것은 스스로 얻는 것이다. 그런데 손괘가 들어옴으로써 통하고 손괘가 떠남으로써 어그러지니 문덕(文德)으로 넓히고 모은다. 복(復)은 와서 회복함이다. '회복함이 도로부터 함'은 내게 마땅히 해야 할 바의 일이 있으면 먼저 그 할 수 있는 도리를 하는 것이다. 내가 마땅히 해야 할 바의 일은 그 있는 때의 자리에 따라서 같지 않기 때문에 "도로부터 한다"고 말하였다. 건괘는 '회복함'이 되고 손괘의 음양이 바뀐 진괘(震卦)는 '길[道]'이 된다. 초구에는 바른 호응이 있으니, 사·농·공·상이 각기 그 도리를 닦아서 밖으로 바라는 것이 없다.

오치기(吳致箕) 「주역경전증해(周易經傳增解)」

初九, 剛健得正而居下, 與六四爲正應, 而乾本在上之物, 故志欲進復于上, 自行其道而不爲陰所畜. 然在畜之時, 不欲見畜, 陰陽不和, 宜若有咎, 而以其能自守正道, 故言无其咎而得其吉也.

초구는 강건함이 바름을 얻고 아래에 있어 육사와 정응이 되지만, 건괘는 본래 위에 있는 물건이기 때문에 뜻이 나아가 윗자리를 회복하고자 하니, 스스로 그 도리를 행하여 음에게 저지되지 않는다. 그러나 저지되는 때에도 저지되려 하지 않아서 음과 양이 조화하지 못하니, 마땅히 허물이 있을 것 같지만 그가 바른 도리를 스스로 지킬 수 있기 때문에, 그 허물이 없어 그 길함을 얻는다고 말하였다.

○ 復, 謂自下復上也. 道, 取對體之震爲大塗也.

'회복함'은 아래로부터 위를 회복함을 말한다. '도'는 손괘의 음양이 바뀐 몸체인 진괘(震卦)가 큰 길이 되는 것을 취하였다.

이진상(李震相) 『역학관규(易學管窺)』

陽當在上, 而今在下, 故有進復在道之象. 蓋六四一陰, 能畜其近己之陽, 而遠者則不能畜, 又其正應, 志在相合, 不咎其進復也. 初九剛陽得正, 亦能自守, 而不爲陰所畜,坦然行之, 豈有咎乎.

양은 마땅히 위에 있어야 하는데, 지금 아래에 있기 때문에 나아가 회복함이 도에 있는 상이 있다. 육사의 한 음은 자기에게 가까운 양은 저지할 수 있지만 멀리 있는 것은 저지할 수 없고, 또 그 정응은 뜻이 서로 합함에 있어 그 초효가 나아가 회복하는 것을 탓하지 않는다. 초구는 굳센 양으로 바름을 얻었고, 또 스스로 지킬 수 있어서 음에게 저지되지 않고 편안하게 행하니, 어찌 허물이 있겠는가?

박문호(朴文鎬) 「경설(經說)·주역(周易)」

復與在上, 同志. 在上, 汎指諸陽爻.

'회복함'과 '위에 있다'는 것은 뜻이 같다. '위에 있다'는 것은 대체로 여러 양의 효를 가리킨다.

이병헌(李炳憲) 『역경금문고통론(易經今文考通論)』

荀子〈大略篇文〉曰, 以其能變也, 董子曰, 反道以除咎.〈繁露玉英文〉

순자(荀子)는 〈「대략편」의 글에서〉 "변할 수 있기 때문이다"고 하였고, 동자(董子)는 〈『춘추번로·옥영』의 글에서〉 "도에 돌아가 허물을 제거한다"라고 하였다.

象曰, 復自道, 其義吉也.

「상전」에서 말하였다: "회복함이 도로부터 함"은 의리가 길한 것이다.

‖中國大全‖

傳

陽剛之才, 由其道而復, 其義吉也. 初與四爲正應, 在畜時乃相畜者也.

양의 굳센 재질이 도를 따라 회복하니, 그 의리가 길하다. 초효는 사효와 정응이 되나, 저지하는 때에 있어서는 서로 저지하는 것이 된다.

小註

雲峰胡氏曰, 卦言畜, 取止之義, 爻言復, 取進之義, 爻與卦不可一例觀也. 蓋在下而畜於陰, 勢也, 其不爲所畜而復於上者, 理也. 況初以陽居陽. 雖與四陰爲正應, 而能自守以正, 其進復於上, 乃當然之理, 何咎之有. 其義當吉也.

운봉호씨가 말하였다: 괘사에서 '축(畜)'을 말한 것은 "저지한다"는 뜻을 취했고, 효사에서 회복함[復]을 말한 것은 "나아간다"는 뜻을 취했으니, 효사와 괘사를 한 가지 예로 살필 수 없다. 아래에 있으면서 음에게 저지되는 것은 형세이고, 그것이 저지되지 않고 위를 회복하는 것은 이치이다. 하물며 초효는 양으로서 양의 자리에 있음에야 말해 무엇 하겠는가? 비록 사효인 음과 정응이 되지만 바름으로 스스로 지킬 수 있어 그 나아가 위를 회복함은 이에 당연한 이치이니, 무슨 허물이 있겠는가? 그 의리가 당연히 길하다.

∥韓國大全∥

서유신(徐有臣) 『역의의언(易義擬言)』

初不應四爲義也. 象凡稱義者, 後多倣此.

초효가 사효에 호응하지 않음이 의리가 된다. 「상전」에서 '의리'라고 일컬은 것은 뒤에도 이와 같은 것이 많다.

박문건(朴文健) 『주역연의(周易衍義)』

義卽退而由道之義也.

'의리'는 곧 물러나 도에 따른다는 뜻이다.

오치기(吳致箕) 「주역경전증해(周易經傳增解)」

不爲陰所畜, 而志欲上復, 卽自行陽剛之道, 故其義當吉也.

음에게 저지되지 않고 뜻이 위로 회복하고자 하는 것은 바로 양의 굳센 도리를 스스로 행하는 것이기 때문에 그 의리가 마땅히 길하다.

九二, 牽復, 吉.

구이는 이끌어 회복하니, 길하다.

‖中國大全‖

傳

二以陽居下體之中, 五以陽居上體之中, 皆以陽剛居中, 爲陰所畜, 俱欲上復. 五雖在四上, 而爲其所畜則同, 是同志者也. 夫同患相憂, 二五同志, 故相牽連而復. 二陽竝進, 則陰不能勝, 得遂其復矣, 故吉也. 曰, 遂其復則離畜矣乎. 曰, 凡爻之辭, 皆謂如是則可以如是. 若已然則時已變矣, 尙何敎誠乎. 五爲巽體, 巽畜於乾, 而反與二相牽何也. 曰, 擧二體而言則巽畜乎乾. 全卦而言則一陰畜五陽也. 在易隨時取義, 皆如此也.

이효는 양으로 하체(下體)의 가운데에 있고 오효는 양으로 상체(上體)의 가운데에 있다. 양의 굳셈으로 가운데에 있으나 음에게 저지되니, 같이 위로 올라가 회복하고자 한다. 오효는 비록 사효의 위에 있으나 저지되는 바가 됨은 같으니, 이효와 뜻을 같이하는 자이다. 근심이 같아 서로 걱정하니 이효와 오효는 뜻을 같이 하므로 서로 이끌고 연합하여 회복한다. 두 양이 함께 나아가면 음이 이길 수 없어서 그 회복함을 이룰 수 있으니, 그러므로 길하다.

물었다: 그 회복함을 이루면 소축을 떠날 수 있습니까?

답하였다: 효의 말은 다 이와 같이 하면 이와 같이 할 수 있다고 말합니다. 만약 이미 그렇다면 때가 이미 변한 것이니, 오히려 무엇을 가르치고 경계하겠습니까?

물었다: 오효는 손의 몸체가 되니, 손괘가 건괘를 저지하는 것인데 도리어 이효와 서로 이끄는 것은 어째서입니까?

답하였다: 두 몸체를 들어 말하면 손괘가 건괘를 저지하는 것이고, 괘 전체로 말하면 한 음이 다섯 양을 저지하는 것입니다. 『주역』에서는 때에 따라 의리를 취함이 다 이와 같습니다.

小註

雙湖胡氏曰, 九二以陽剛應五, 五雖剛陽居上, 而體本陰柔, 非制畜之極, 不能逆已之進. 故得牽連而復, 所以得吉者, 居中之故也.

쌍호호씨가 말하였다: 구이가 양의 굳셈으로 오효에 호응함에 오효가 비록 굳센 양으로 위에 있으나 몸체는 본래 음의 부드러움이어서 제어하고 저지함이 지극하지 않으면 이미 나아감을 저지할 수 없다. 그러므로 이끌고 연합하여 회복함을 얻을 수 있는 것은 길함을 얻는 것이 가운데에 있기 때문이다.

○ 東萊呂氏曰, 初九, 復自道, 何其咎, 吉. 九二牽復吉, 九陽也. 陽非久爲陰所畜者也, 故其志皆欲進復於上焉. 然則安於豢養而不復進者, 非可恥耶.

동래여씨가 말하였다: "초구는 회복함이 도로부터 함이니 어찌 허물이겠는가? 길하다"고 하고, "구이는 이끌어 회복하니 길하다"고 하였으니, 구의 양이기 때문이다. 양은 음에게 오래동안 저지되지 않기 때문에 그 뜻이 다 나아가 위를 회복하고자 한다. 그렇다면 기르는 것에 편해 회복하려 나아가지 않는 것은 부끄러울 만한 것이 아니겠는가?

本義

三陽志同, 而九二漸近於陰, 以其剛中, 故能與初九牽連而復, 亦吉道也. 占者如是則吉矣.

세 양은 뜻이 같고, 구이는 점차 음에 가까우나, 굳세고 알맞기 때문에 초구와 함께 이끌고 연합하여 회복할 수 있으니, 또한 길한 도이다. 점치는 자가 이와 같이 하면 길하다.

小註

建安丘氏曰, 九二以陽剛而在下體之中, 亦欲上進, 非六四所能畜, 故與初九陽類牽連而進, 復其本位, 不失其中道, 所以吉也.

건안구씨가 말하였다: 구이가 양의 굳셈으로 하체(下體)의 가운데에 있고 또 위로 나아가고자 함에 육사가 저지할 수 있는 것이 아니므로 초구인 양의 부류와 이끌고 연합하여 나아가서 그 본래의 자리를 회복하고 그 중도를 잃지 않기 때문에 길하다.

○ 雲峰胡氏曰, 初九前遠於陰, 以剛正能復, 九二漸近於陰, 以剛中而能牽復, 亦吉道也. 按, 程傳以爲二與五相牽攣, 本義之說則以爲二與五無應, 二之牽復自係於初, 五之攣如自係於四.

운봉호씨가 말하였다: 초구는 음으로부터 앞으로 멀리 떨어져 있어서 굳세고 바름으로 회복할 수 있으며, 구이는 음에 점차 가까우나 굳세고 알맞아서 이끌어 회복할 수 있으니, 또한 길한 도이다. 생각하건대, 『정전』에서는 이효와 오효가 서로 이끄는 것으로 여겼는데, 『본의』의 설명에서는 이효와 오효가 호응함이 없는 것으로 여겼으니, 이효에서의 '이끌어 회복함'은 저절로 초효에 얽매이고, 오효에서의 '이끎'은 저절로 사효에 얽매인 것이다.

┃韓國大全┃

조호익(曺好益) 『역상설(易象說)』

傳, 謂得遂其復, 則已復矣.

『정전』에서 "그 회복함을 이룰 수 있다"고 하였으니, 이미 회복한 것이다.

김장생(金長生) 「주역(周易)」

傳意, 二與五牽連而復, 義意, 二與初牽連, 二說不同.

『정전』의 뜻은 이효가 오효와 이끌어 연합하여 회복하는 것이고, 『본의』의 뜻은 이효가 초효와 이끌어 연합하는 것이니, 두 설명이 같지 않다.

송시열(宋時烈) 『역설(易說)』

此爻與四非相配之位, 故牽連於四爻之陰而爲往復之道. 我旣有剛中之德, 而牽合陰爻, 亦非自失其道也. 非其配而强引之, 故曰牽也.

이 효는 사효와 서로 짝이 되는 자리가 아니기 때문에 사효의 음과 이끌어 연합하여 가서 회복하는 도가 된다. 내게 이미 굳센 양으로서 알맞은 덕이 있어서 음효를 이끌어 합하니, 또한 스스로 그 도를 잃는 것이 아니다. 그 짝이 아닌데 억지로 잡아당기기 때문에 "이끈다"고 하였다.

심조(沈潮) 「역상차론(易象箚論)」

此與巽相應, 而巽爲繩, 故稱牽. 前有離, 離爲牝牛, 故牽字從牛.

이것은 손괘와 서로 호응하는데, 손괘는 새끼줄[繩]이 되기 때문에 “이끈다”고 하였다. 앞에 리괘(離卦)가 있는데, 리괘는 암소가 되기 때문에 “이끈다”는 ‘견(牽)’자의 부수가 ‘우(牛)’이다.

유정원(柳正源) 『역해참고(易解參攷)』

正義, 牽謂牽連, 復謂反復. 二欲往五, 五非止畜之極, 不閉固於己, 可自牽連反復於上而得吉也.

『정의』에서 말하였다: ‘견(牽)’은 이끌어 연합하는 것이고 ‘복(復)’은 회복하는데 돌아감을 말한다. 이효는 오효 자리로 가려하는데, 오효가 힘을 다해 저지하지 않아서 이효 자신을 막지 못하니, 이효가 스스로 이끌어 연합하여 위를 회복함에 되돌아가 길함을 얻는다.

김상악(金相岳) 『산천역설(山天易說)』

九二, 漸近於陰, 而乾體得中, 牽初而復, 亦吉之道也.

구이는 점차 음에 가까워지지만 건괘의 몸체로 가운데를 얻고 초효를 이끌어서 회복하니, 또한 길한 도이다.

○ 乾巽之交爲姤. 姤初六曰, 柔道牽, 陰之始生也. 小畜九二曰, 牽復吉, 陽之上進也.

건괘와 손괘가 사귀어 구괘(姤卦☴)가 된다. 구괘의 초육에서 “부드러운 음의 도가 나아가기 때문이다”라고 한 것은 음이 처음 생겨남이다. 소축괘의 구이에서 “이끌어서 회복하니 길하다”고 한 것은 양이 위로 나아감이다.

김귀주(金龜柱) 『주역차록(周易劄錄)』

按, 乾體三陽, 固皆有進復之意, 而九二處在陰位, 而漸近於六四, 不能如初九之以剛處剛, 前遠於六四, 而其勢易於上進也. 然惟其有剛中之資, 而與初九相比, 故亦能牽連而復也.

내가 살펴보았다: 건괘 몸체의 세 양은 진실로 모두 나아가 회복하려는 뜻이 있고 구이가 음의 자리에 처해 있어 점차 육사에 가까워지니, 초구가 굳센 양으로 양의 자리에 있고 앞으로 육사와 멀리 떨어져 그 형세가 위로 나아감에 쉬운 것과는 같을 수 없다. 그러나 오직 구이는 굳세고 가운데 있는 자질을 가지고 있어서 초구와 서로 돕기 때문에 또한 이끌어 연합하여 회복할 수 있다.

서유신(徐有臣) 『역의의언(易義擬言)』

初九有正應, 而不肯進, 自止者也. 九二無正應, 而不得進, 有牽掣而止者也. 然時當止而止, 故亦吉也.

초구는 정응이 있어 기꺼이 나아가려고 하지 않으니, 스스로 그치는 자이다. 구이는 정응이 없어 나아가지 못하니, 견제되어 그침이 있는 자이다. 그러나 때가 마땅히 그쳐야 하면 그치기 때문에 또한 길하다.

박문건(朴文健) 『주역연의(周易衍義)』

能進而退, 故有牽復之象. 牽, 前進也.

나아갈 수 있는데도 물러나기 때문에 이끌어 회복하는 상이 있다. '견(牽)'은 앞으로 나아감이다.

〈問, 牽復吉. 曰, 九二有前進之勢, 而所處中正, 故退而不犯上也, 所以吉.

물었다: "이끌어 회복하니, 길하다"는 무슨 뜻입니까?

답하였다: 구이는 앞으로 나아가는 기세가 있는데, 처해 있는 바가 중정하기 때문에 물러나서 윗사람을 범하지 않으니, 이 때문에 길합니다.〉

김기례(金箕澧) 「역요선의강목(易要選義綱目)」

二雖乾體, 漸近四而柔位, 故恐爲陰畜, 牽連初剛, 而能復也. 唯其剛中之道, 故不至自失.

이효가 비록 건괘의 몸체로 점차 사효에 가까워지고 부드러운 음의 자리인 까닭에 음에게 저지될까 두려워하지만, 초효의 굳센 양을 이끌어 연합하니, 회복할 수 있다. 오직 이효가 굳센 양으로 가운데 있는 도인 까닭에 스스로 잃는 데에 이르지는 않는다.

심대윤(沈大允) 『주역상의점법(周易象義占法)』

小畜之家人䷤, 私鄙也. 九二居柔從人, 以得三陽, 同德相朋, 交修有得, 而志在乎四, 故曰牽復, 言牽連以復也. 巽离爲牽, 言從四也. 〈六藝百於類聚而講磨, 家人之義也. 人之才器, 各有所長, 各因其長, 而成器也〉

소축괘가 가인괘(家人卦䷤)로 바뀌었으니, 사사롭게 무리를 짓는 것[私鄙]이다. 구이는 부드러운 음의 자리에서 남을 따름으로써 세 양을 얻으니, 덕을 같이 하여 서로 벗하고 서로 닦아 얻음이 있는데, 뜻이 사효에 있다. 그러므로 "이끌어 회복한다"고 하였으니, 이끌어 연합하여 회복함을 말한다. 손괘(巽卦)와 리괘(離卦)가 '이끌음'이 되니, 사효를 따르는 것을 말한다. 〈육예(六藝)와 온갖 기예를 같은 종류로 모아 갈고 닦는 것이 가인의 뜻이다. 사람의 재주와 그릇은 각자 뛰어난 바가 있으니, 각기 그 뛰어난 것에 따라 그릇을 이루는 것이다.〉

오치기(吳致箕) 「주역경전증해(周易經傳增解)」

九二, 剛健在中, 與初陽同體相比, 而上有九五同德之君, 居相應之地. 故不爲見畜於陰柔, 而志欲牽連同類, 進復于上, 亦不失其道者也. 故占言吉.

구이는 강건함이 가운데 있어 초효의 양과 같은 몸체로 서로 돕는데, 위로 구오인 덕을 같이 하는 임금이 있고 서로 호응하는 자리에 있다. 그러므로 음의 부드러움에 저지되지 않고 뜻이 같은 부류를 이끌어 연합하여 나아가서 위를 회복하고자 하니, 또한 그 도를 잃지 않은 자이다. 그러므로 점에 길함을 말하였다.

○ 牽者, 牽引也. 取對體互艮爲手, 牽引之象也.

'견(牽)'은 이끌음이다. 음양이 바뀐 몸체[豫卦]의 호괘인 간괘가 손[手]이 되는 것을 취하였으니, 이끄는 상이다.

이진상(李震相) 『역학관규(易學管窺)』

九二, 雖較近於陰, 而亦能不失其中道, 故與初相牽而上進以復也. 二應在五, 五非畜止之物. 然五方擧四, 未必其牽二也.

구이가 비록 음에 비교적 가깝지만 또한 그 중도를 잃지 않을 수 있기 때문에 초효와 서로 이끌어서 위로 나아가 회복한다. 이효의 호응은 오효에 있으니, 오효가 저지하여 그치게 하는 것이 아니다. 그러나 오효가 이제 사효를 이끄니, 그것이 반드시 이효를 이끌어야 하는 것은 아니다.

채종식(蔡鍾植) 「주역전의동귀해(周易傳義同歸解)」

小畜九二牽復, 傳云, 二五相牽連而復, 本義云, 二與初九牽連而復, 所指不同也. 蓋程傳取五陽皆爲一陰所畜, 故二五同志而相牽也, 本義以爲巽體三爻同力畜乾, 則五雖爲四所畜, 亦與四同體, 而共畜下三陽者也. 故不取與五相牽, 而乃謂與初相牽也. 然五之助四而畜下三陽者, 特以同體而已也. 其爲陰所畜之由, 則與下三陽無異也. 故其同德相牽之志, 未爲不同也.

소축괘 구이의 '이끌어 회복함'에 대해『정전』은 "이효와 오효는 서로 이끌고 연합하여 회복한다"고 하였는데,『본의』에서는 "이효가 초구와 이끌어 연합하여 회복한다"고 하였으니, 가리키는 바가 같지 않다. 대체로『정전』은 다섯 양이 모두 한 음에게 저지되는 것을 취하였기 때문에 이효와 오효가 뜻을 같이하여 서로 이끄는 것이고,『본의』에서는 손괘의 몸체인 세 효가 힘을 같이하여 건괘를 저지하는 것으로 여겼으니, 오효가 비록 사효에게 저지되지만 또한 사효와 같은 몸체여서 함께 아래의 세 양을 저지하는 것이다. 그러므로 이효가 오효와 서로 이끌음을 취하지 못하고 이에 초효와 서로 이끈다고 말하였다. 그러나 오효가 사효를 도와서 아래의 세 양을 저지하는 것은 다만 몸체가 같기 때문이다. 오효가 음에게 저지되는 이유에 있어서는 아래의 세 양과 다를 것이 없다. 그러므로 그 덕을 같이 하여 서로 이끄는 뜻은 다르지 않다.

박문호(朴文鎬)「경설(經說)·주역(周易)」

畜於乾, 畜乎乾, 於乎二字, 不必泥看, 言畜此乾也.

'축어건(畜於乾)', '축호건(畜乎乾)'에서의 '어(於)'자와 '호(乎)'자에 반드시 사로잡혀 볼 필요가 없으니, 이 건괘를 저지하는 것을 말한다.

이병헌(李炳憲)『역경금문고통론(易經今文考通論)』

牽引也. 巽有反復之義, 故稱牽復. 在道與在輿, 居中則不敗.

'견(牽)'은 이끎이다. 손괘에 회복함에 돌아가는 뜻이 있으므로 '이끌어 회복함'이라고 말했다. 길이나 수레에 있을 때에 가운데에 있으면 잘못되지 않는다.

象曰, 牽復在中, 亦不自失也.

「상전」에서 말하였다: "이끌어 회복함"은 가운데에 있으니, 또한 스스로 잃지 않기 때문이다.

| 中國大全 |

傳

二居中得正者也, 剛柔進退, 不失乎中道也. 陽之復, 其勢必强, 二以處中, 故雖强於進, 亦不至於過剛. 過剛乃自失也. 爻止言牽復而吉之義, 象復發明其在中之美.

이효는 가운데에 있고 바름을 얻었으니, 굳세고 부드러우며 나아가고 물러남에 중도를 잃지 않았다. 양의 회복함은 그 형세가 반드시 강할 것이나, 이효는 중도로 처신하는 까닭에 비록 나아감에 강하나 또한 지나치게 강함에는 이르지 않는다. 지나치게 강함은 이에 스스로 잃는 것이다. 효에서는 이끌어 회복하니 길하다는 뜻만 말하였는데, 「상전」에서 다시 그 가운데에 있는 아름다움을 밝혔다.

本義

亦者, 承上爻義.

'역(亦)'자는 위 효의 뜻을 이어서 말한 것이다.

小註

張子曰, 初反自道, 三爲說輻, 二以彙征在中, 故未爲失.

장자가 말하였다: 초효는 되돌아옴이 도로부터 하고, 삼효는 바퀴살이 벗겨지지만, 이효는 함께 나아감[彙征]이 가운데 있기 때문에 아직 잃음이 되지 않는다.

○ 中溪張氏曰, 復待於牽, 已不如初復之爲易. 然牽而能復, 亦不爲失也.

중계장씨가 말하였다: 구이의 회복함은 이끎을 기다리니, 이미 초효의 회복함이 쉬운 것에 비하면 못하지만, 이끌어서 회복할 수 있어 또한 잃는 것이 되지는 않는다.

‖韓國大全‖

유정원(柳正源) 『역해참고(易解參攷)』

正義, 以其得中, 不被閉固, 亦於己不自有失.

『정의』에서 말하였다: 그 가운데를 얻었기 때문에 막히지[閉固] 않고, 또 자기에 대해서도 스스로 잃는 것을 가지고 있지 않다.

傳, 二居中得正,

『정전』에서 말하였다: 이효는 가운데 있고 바름을 얻었으니,

案, 正會通作中.

내가 살펴보았다: ‘바르다’는 정(正)은 『회통』에서 ‘중(中)’이라고 하였다.

案, 六居二, 以陰居陰, 九居五, 以陽居陽, 然後謂之居中得正. 此爻以陽居陰, 而亦云得正者, 何也. 離之象曰, 柔麗乎中正, 傳曰, 或曰, 二則中正矣, 五以陰居陽, 得爲中正乎. 曰, 離主於所麗, 五中正之位, 乃爲正也. 朱子曰, 六五雖是柔麗乎中而不得其正, 特借中字, 而包正字. 恒九二傳曰, 中則不失正矣. 中重於正, 正不必中也. 大壯九二傳曰, 中則不失正. 合此數說觀之, 則今言居中得正者, 蓋因二得中而帶言正字耳. 又乾九二本義曰, 剛健中正, 坎九二象傳亦曰, 中重於正, 正不必中也. 艮六五象曰, 艮其輔以中正, 傳曰, 以得中爲善, 止之於輔, 使不失中, 乃得正也. 未濟九二象曰, 中而行正也. 此九二居中言正, 亦類此歟.

내가 살펴보았다: 육(六)이 이효의 자리에 있는 것은 음으로 음의 자리에 있는 것이며, 구(九)가 오효의 자리에 있는 것은 양으로 양의 자리에 있는 것이니, 그런 뒤에 가운데 있고 바름을 얻었다고 한다. 이 효는 양으로써 음의 자리에 있는데, 또 “바름을 얻었다”고 말한 것은 무엇 때문인가? 리괘(離卦)의 「단전」에서 “부드러운 음이 중정한 데에 걸렸다”고 하였는데, 『정전』에서 “어떤 이가 ‘이효는 중정하지만 오효는 음으로서 양의 자리에 있는데 중정이 될 수 있습니까’라고 물으니, ‘리괘는 걸리는 바를 주로 한 것이고, 오효는 중정한 자리여

서 이에 바름이 된다'고 대답하였다"라고 하였다. 주자는 "육오는 비록 부드러운 음이 가운데에 걸려있지만 그 바름을 얻지 못하였다"고 하였으니, 특별히 '가운데'라는 중(中)자를 빌어서 '바르다'는 의미의 정(正)자를 포함하였다. 항괘(恒卦) 구이의 『정전』에서는 "가운데 있으면 제자리를 잃지 않는다. '가운데 있다'는 중(中)이 '바르다'는 의미의 정(正)보다 중요하니, 바른 것이 반드시 가운데 있는 것은 아니다"라고 하였다. 대장괘(大壯卦) 구이의 『본의』[30]에서도 "가운데 있으면 바름을 잃지 않는다"고 하였다. 이 몇 가지 설명을 합하여 보면 지금 "가운데 있고 바름을 얻었다"고 말한 것은 대체로 이효가 가운데를 얻은 것으로 인하여 '바르다'는 의미의 정(正)자를 함께 말한 것이다. 또 건괘 구이의 『본의』에서는 "강건하고 중정하다"고 하였고, 감괘(坎卦) 구이의 「상전」에서도 "'가운데 있다'는 중(中)이 '바르다'는 의미의 정(正)보다 중요하니, 바른 것이 반드시 가운데 있는 것은 아니다"고 하였으며, 간괘(艮卦) 육오의 상전에서 "그 광대뼈에 그침은 중정하기 때문이다"라고 한 것에 대해 『정전』에서는 "가운데를 얻은 것으로 선을 삼아 광대뼈에서 그쳐 가운데를 잃지 않게 하면 바름을 얻는다"고 하였다. 미제괘(未濟卦) 구이의 상전에서 "가운데로써 바름을 행한다"고 하였다. 이는 구이가 가운데 있는 것을 바르다고 말한 것이니, 역시 이러한 경우이다.

김상악(金相岳) 『산천역설(山天易說)』

亦者, 承初爻之辭. 初之復, 以其正也. 二之牽, 以其中也. 亦不自失者, 義之與比也.
'또한[亦]'이란 초효의 말을 이은 것이다. 초효의 '회복함'은 그것이 바르기 때문이다. 이효의 '이끌음'은 그것이 가운데 있기 때문이다. "또한 스스로 잃지 않기 때문이다"라는 것은 의리에 따르기 때문이다.

박윤원(朴胤源) 『경의(經義)·역경차략(易經箚略)·역계차의(易繫箚疑)』

象傳曰, 亦不自失也, 觀亦字, 則初九之不自失, 可見也.
「상전」에서 "또한 스스로 잃지 않는다"고 하였으니, '역(亦)'자를 보면 초구가 스스로 잃지 않음을 볼 수 있다.

김귀주(金龜柱) 『주역차록(周易箚錄)』

按, 亦不自失, 承上其義吉而言, 蓋謂亦不失其義也.

내가 살펴보았다: "또한 스스로 잃지 않기 때문이다"라는 것은 위의 "그 의리가 길한 것이다"라는 말을 이어 말한 것이니, 또한 그 의리를 잃지 않음을 말한다.

서유신(徐有臣) 『역의의언(易義擬言)』

牽復, 不若自復. 然復而在中, 亦不其時宜也.
'이끌어 회복함'은 스스로 회복하는 것보다는 못하다. 그러나 회복하여 가운데 있다면 또한 그 때의 마땅함이 아니겠는가?

박문건(朴文健) 『주역연의(周易衍義)』

亦者, 承上爻之義.
'역(亦)'자는 위에 있는 초효의 뜻을 이었다.

이항로(李恒老) 「주역전의동이석의(周易傳義同異釋義)」

按, 二五相應, 每卦同. 然不可於此特曰牽復. 象傳亦字, 承初九復自道而言, 故本義如此.
내가 살펴보았다: 이효와 오효가 서로 호응하는 것은 매 괘가 같다. 그러니 여기에서만 특별히 '이끌어 회복함'이라고 한 것은 옳지 않다. 「상전」의 '역(亦)'자는 초구의 "회복함이 도로부터 한다"는 것을 이어서 말했기 때문에 『본의』가 이와 같다.

심대윤(沈大允) 『주역상의점법(周易象義占法)』

比之六二象, 言不自失, 明其非私陷也, 此明其非私鄰也.
비괘의 육이 「상전」에서 "스스로 잃지 않는다"고 말한 것은 그것이 사사로움에 빠지지 않았음을 밝힌 것이고, 여기 소축괘 구이 「상전」에서는 그것이 사사롭게 무리를 짓지 않았을 밝혔다.

오치기(吳致箕) 「주역경전증해(周易經傳增解)」

居中而牽類, 故亦不失於吉之道也. 亦者, 承初爻義.
가운데 있고 같은 부류를 이끌기 때문에 또한 길한 도를 잃지 않는다. '역(亦)'은 초효의 뜻을 이은 것이다.

九三, 輿說輻, 夫妻反目.

구삼은 수레에 바큇살이 벗겨지며 부부가 반목한다.

‖中國大全‖

傳

三以陽爻居不得中而密比於四, 陰陽之情, 相求也, 又暱比而不中, 爲陰畜制者
也. 故不能前進, 猶車輿說去輪輻, 言不能行也. 夫妻反目, 陰制於陽者也, 今反
制陽, 如夫妻之反目也. 反目, 爲怒目相視, 不順其夫而反制之也. 婦人爲夫寵
惑, 旣而遂反制其夫, 未有夫不失道而妻能制之者也. 故說輻反目, 三自爲也.

삼효는 양효로 거처가 가운데를 얻지 못하였고 사효에 매우 가까우니, 음과 양의 정이 서로 구하고,
또 친하고 가깝지만 가운데 있지 않으니, 음에게 저지되어 제재를 받게 된다. 그러므로 앞으로 나아
갈 수 없음이 수레에 바퀴통이 빠진 것과 같으니, 갈 수 없음을 말한다. ‘부부가 반목함’은, 음이 양에
게 제재를 받는 것인데, 이제 도리어 양을 제재하니, 부부가 반목하는 것과 같다. ‘반목’은 성난 눈으
로 서로 보는 것이니, 그 남편에게 순종하지 않고 도리어 남편을 제재하는 것이다. 부인이 남편의
총애를 의심하다가 마침내 도리어 그 남편을 제재하니, 남편이 도를 잃지 않았는데 아내가 남편을
제재할 수 있는 경우는 없다. 그러므로 바퀴통이 빠지고 반목함은 삼효가 스스로 한 것이다.

本義

九三亦欲上進. 然剛而不中, 迫近於陰而又非正應, 但以陰陽相說而爲所係畜,
不能自進. 故有輿說輻之象. 然以志剛, 故又不能平而與之爭, 故又爲夫妻反目
之象. 戒占者如是, 則不得進而有所爭也.

구삼이 또한 위로 나아가려 한다. 그러나 굳세지만 가운데 있지 않고, 음과 매우 가까우나 또 정응이
아니니, 다만 음과 양이 서로 기뻐하는 것으로 매이고 저지되는 바가 되어 스스로 나아갈 수 없다.
그러므로 수레에 바큇살이 벗겨지는 상이 있다. 그러나 뜻이 굳세기 때문에 또 화평할 수 없고 더불

어 다투므로 또 부부가 반목하는 상이 된다. 점치는 자가 이와 같이 하면 나아감을 얻지 못하고 다투는 바가 있음을 경계한 것이다.

小註

朱子曰, 小畜但能畜得, 九三一爻而已, 九三是迫近他底, 那下兩爻自牽連上來.
주자가 말하였다: 소축이 다만 저지할 수 있음이 구삼 한 효일뿐인 것은 그것이 육사에 가깝고 그 아래 두 효는 이끌고 연합함으로부터 오기 때문이다.

○ 龜山楊氏曰, 輿說輻, 不能有行也. 重剛不中, 切比於四, 爲陰所畜, 則道不行於妻子矣.
구산양씨가 말하였다: '수레에 바큇살이 벗겨짐'은 행함이 있을 수 없는 것이다. 거듭된 굳센 양은 가운데 있지 않고 사효에 매우 가까워 음에게 저지되는 바가 되니, 도가 처자에게도 행해지지 못하는 것이다.

○ 漢上朱氏曰, 初二皆復. 三畜於四而不復者, 比而說之也. 陽无失道, 陰豈能畜之哉.
한상주씨가 말하였다: 초효와 이효는 다 회복함이다. 삼효가 사효에 저지되어 회복하지 못하는 것은 가까워 기뻐하기 때문이다. 양이 도를 잃은 것이 없는데, 음이 어찌 저지할 수 있겠는가!

○ 平菴項氏曰, 輻, 陸氏釋文云, 本亦作輹. 按, 輻, 車轑也, 輹, 車軸轉也. 輻以利輪之轉, 輹以利軸之轉. 然輻无說理, 必輪破轂裂而後可說. 若輹則有說時, 車不行則說之矣. 大畜大壯皆作輹字. 又曰, 九三反目稱妻, 言相敵也. 上九旣雨稱婦, 言相順也.
평암항씨가 말하였다: 복(輻)은 육씨의 석문에 "본래 또한 복(輹)이 된다"고 하였다. 생각하건대, 복(輻)은 수레의 바큇살이고, 복(輹)은 차축이 회전하는 것이다. 바큇살로 수레바퀴가 회전하는 것을 편리하게 하며 복(輹)으로 차축이 회전하는 것을 편리하게 한다. 그러나 복(輻)은 벗겨질 이유가 없으니, 반드시 수레바퀴가 깨지고 바퀴통[轂]이 찢어진 뒤에야 벗겨질 수 있다. 가령 복(輹)이라면 벗겨지는 때가 있으니, 수레가 가지 않으면 벗겨놓는다. 대축괘와 대장괘가 다 '복(輹)'자를 썼다.
또 말하였다: 구삼에서 '반목함'은 아내를 지칭하니, 서로 대적함을 말한다. 상구에서 '이미 비가 옴'은 아내를 지칭하니, 서로 따름을 말한다.

○ 雲峰胡氏曰, 大畜九三曰, 日閑輿衛則利有攸往, 小畜則曰, 輿說輻, 何也. 大畜以

艮畜乾, 小畜以巽畜乾, 大畜九三與艮一陽同德, 故其輿利往, 小畜九三近巽之一陰而
爲其所制, 故其輿不可行. 輿說輻, 陽畜於陰而不得進也. 夫妻反目, 陽不平其畜而與
之爭也.

운봉호씨가 말하였다: 대축괘(大畜卦䷙) 구삼에서 "날로 수레를 몰고 호위함을 익히면 가는
것이 이롭다"고 하였는데 소축괘(小畜卦䷈)에는 "수레에 바큇살이 벗겨진다"고 한 것은 어
째서인가? 대축괘는 간괘로 건괘를 저지하고 소축괘는 손괘로 건괘를 저지하니, 대축괘 구
삼과 간괘의 한 양은 덕을 같이하므로 그 수레가 가는 것이 이로우며, 소축괘 구삼은 손괘의
한 음에 가까워 그에게 제재되는 바가 되므로 그 수레가 행할 수 없다. '수레에 바큇살이
벗겨짐'은 양이 음에게 저지되어 나아가지 못하는 것이다. '부부가 반목함'은 양이 음의 저지
함을 불평하여 아내와 다투는 것이다.

‖韓國大全‖

송시열(宋時烈) 『역설(易說)』

輿者, 乾錯爲坤輿. 互離錯爲坎輪, 故以輿言. 三爻昵比於四爻, 爲其蓄止, 無意上進
者, 若輿之脫輻, 而不爲前進也. 然非其正應, 而脅從爲配, 是夫婦睽乖之象. 互卦爲
火[31]澤睽, 睽者亦從目爲睽, 卽反目之象. 離爲目, 巽多白眼, 反目則多白也. 此不能定
室家之道者也.

'수레[輿]'는 건괘가 음양이 바뀌어 곤괘인 수레가 된 것이다. 호괘인 리괘가 음양이 바뀌어
감괘인 수레바퀴[輪]가 되므로 수레로 말하였다. 삼효는 사효와 친하고 가까워 쌓이고 그침
이 되니, 위로 나아가려는 뜻이 없는 자이니, 마치 수레가 바큇살이 벗겨져 앞으로 나아가
지 못하는 것과 같다. 그러나 그 정응이 아닌데도 위협하고 따르게 하여 짝을 삼으니, 부부
가 눈을 흘기고 어긋나는 상이다. 그 호괘는 화택 규괘(睽卦䷥)가 되는데, '규(睽)'가 또한
목(目)을 부수로 하여 규(睽)가 되니, 바로 반목하는 상이다. 리괘는 눈이 되고 손괘는 흰
자위가 많은 눈이니, 반목하면 곧 흰자위가 많게 된다. 이것이 집안을 안정시킬 수 없는
근원이다.

---

31) 火: 경학자료집성 DB와 영인본에는 '大'로 되어 있으나 문맥을 살펴 '火'으로 바로잡았다.

이익(李瀷) 『역경질서(易經疾書)』

三與四, 陰陽相比, 而陽健陰畜, 有夫妻反目之象. 輿說輻, 不進之謂也. 反目, 白眼也.
삼효와 사효는 음과 양이 서로 가까운데 양은 굳건하고 음은 저지하니 부부가 반목하는 상이 있다. "수레에 바큇살이 벗겨진다"는 것은 나아가지 못함을 말한다. '반목함'은 눈의 흰자위이다.

按, 字書, 眅, 多白眼, 從目反聲, 於字書爲諧聲也. 夫妻反目, 則不獨夫之爲然, 妻亦反目. 巽爲多白眼, 其實妻先而夫後也, 其不能正室, 可見.
내가 살펴보았다: 자전에서 '판(眅)'은 눈의 흰자위가 많음이니, 부수는 '목(目)'이고, '반(反)'은 소리이니, 자전에서 글자의 반은 뜻을 나타내고 반은 음을 나타내는 해성(諧聲)이 된다. '부부가 반목함'은 남편만 그렇게 하는 것이 아니라 아내도 반목하는 것이다. 손괘는 흰자위가 많은 눈으로 실상 아내가 먼저 반목하고 남편이 뒤에 반목하는 것이니, 그 집안을 바르게 할 수 없음을 알 수 있다.

심조(沈潮) 「역상차론(易象箚論)」

乾有車輪之象, 故稱輿輻. 脫字從兌者, 互兌也. 反目之目, 互離也.
건괘에 수레바퀴의 상이 있으므로 '수레의 바큇살'이라고 말하였다. 탈(脫)자가 태(兌)자를 따르는 것은 호괘가 태괘(兌卦)이기 때문이다. '반목한다'고 할 때의 목(目)은 호괘가 리괘(離卦)이기 때문이다.

유정원(柳正源) 『역해참고(易解參攷)』

九三 [至] 反目.
구삼은 … 반목함이다.

正義, 九三欲復而進, 上九固而止之, 不可以行, 故車輿說其輻. 夫妻反目者, 上九體巽爲長女之陰, 今九三之陽, 被長女閉固, 不能自復, 夫妻乖戾, 故反目相視.
『정의』에서 말하였다: 구삼은 회복하려고 나아가지만 상구가 견고하게 그치게 하여 행하지 못하기 때문에 수레에 그 바큇살이 벗겨지는 것이다. '부부가 반목함'은 상구의 몸체가 손괘로 맏딸인 음이 되는데, 지금 구삼의 양이 맏딸에게 꽉 막혀 스스로 회복할 수 없으니, 부부가 어긋나기 때문에 반목하여 서로 보는 것이다.

○ 莆陽張氏曰, 巽爲多白眼, 反目之象.

포양장씨가 말하였다: 손괘는 흰자위가 많은 눈이 되니, 반목의 상이다.

○ 朱子曰, 輿說輻, 夫妻反目, 一爻可謂不好, 然能以剛自守, 則雖得此爻, 而凶不應矣.

주자가 말하였다: '수레에 바퀴살이 벗겨지며 부부가 반목함'은 한 효를 좋지 않다고 말할 수 있으나 굳센 양으로 스스로를 지킬 수 있으면, 비록 이러한 효를 얻더라도 흉함이 호응하지는 않는다.

傳, 婦人 [至] 爲也.

『정전』에서 말하였다: 부인은 … 한 것이다.

案, 此下本有輿音餘三字.

내가 살펴보았다: 이 아래에 본래 '여음여(輿音餘)' 세 글자가 있었다.

晦齋先生曰, 自古柔闇之主, 受制於悍妻, 以亂家國者, 多矣. 如唐之 高宗中宗, 受制於武韋, 晉之惠帝, 受制於賈后, 卒有隕身覆國之禍者, 不足怪也. 至如隋文帝, 創業之君, 受制於獨孤, 唐肅宗, 中興之主, 受制於張后, 何哉. 由自處之不正故耳. 自處不正, 然後妻得制之, 程子之論, 垂戒深矣.

회재선생이 말하였다: 예로부터 유약하고 어두운 군주는 사나운 아내에게 제재를 받아 집과 나라를 어지럽혔던 자가 많았다. 당나라의 고종과 중종은 무후(武后)와 위후(韋后)에게 제재를 받았고, 진(晉)나라의 혜제는 가후(賈后)에게 제재를 받아서 마침내 자신을 몰락시키고 나라가 전복되는 화가 있었던 것이 괴이할 것이 없다. 수나라 문제와 같은 이에 이르러서도 창업의 군주이지만 독고후(獨孤后)에게 제재를 받았고, 당나라 숙종은 중흥의 군주인데도 장후(張后)의 제재를 받았으니, 어째서이겠는가? 스스로 처신함이 바르지 않았기 때문이다. 스스로 처신함이 바르지 않아서 그러한 뒤에 아내가 그를 제재할 수 있었으니, 정자의 논의가 경계를 드리운 것이 깊다.

○ 案, 夫制於妻者, 大抵由夫之柔闇, 妻之强悍, 如晉惠唐高之類, 是也. 而今九三以剛居剛, 過於剛矣, 反爲四所制, 何也. 蓋三本剛健之物, 而位剛志剛, 不得中正之道, 昵比於四, 說之不以其中, 應之不以其正, 則必多虧損其體貌, 蠱惑其心志, 浸浸然不知陷溺. 如漢高之恢廓大度, 猶眷戀於一戚姬, 而欲爲易樹之計, 政所謂尤物移人也. 女之陰邪者, 始畏其過剛, 而百態巧媚, 務悅其耳目, 及其爲夫寵惑, 則反制其夫, 駕御陵轢, 旡所不至, 是豈女之過也. 故傳曰說輻反目, 三自爲也.

내가 살펴보았다: 남편이 아내에게 제재되는 것은 대체로 남편이 유약하고 어두우며 아내가 강하고 사나움에서 연유하니, 진나라 혜제와 당나라 고종과 같은 경우가 그렇다. 지금 구삼은 굳센 양으로 굳센 양의 자리에 있어 지나치게 굳센데도 도리어 사효에게 제약되는 것은 어째서인가? 대체로 삼효는 본래 강건한 물건이어서 자리도 굳세고 뜻도 굳세지만 중정한 도를 얻지 못하고, 사효를 가까이 하여 친하지만 중도로써 기뻐하지도 않고 바름으로 호응하지도 않아서 반드시 체면에 손실이 많고 심지가 흘려 점차 빠져 들어감을 알지 못한다. 한나라의 고조가 도량이 넓고 컸지만 척희(戚姬) 한사람을 간절히 그리워하여 세자를 바꾸려는 계획을 행하려 한 것과 같으니, 바로 뛰어난 미인이 사람의 마음을 미혹시킨다는 것이다. 여인의 음흉하고 사악함은 시작에는 그 지나치게 굳셈을 두려워하지만 온갖 교활한 아첨으로 그 이목을 기쁘게 하려 애를 써서 그 남편이 총애하여 미혹하게 되면 도리어 남편을 제재하여 마음대로 부리고 능멸하여 짓밟아서 이르지 않는 곳이 없으니, 이것이 어찌 여인의 과오이겠는가? 그러므로 『정전』에서 "바큇살이 벗겨지고 반목한다고 한 것은 삼효가 스스로 한 것이다"라고 하였다.

小註, 平庵說車軸轉.
소주에서 평암이 "차축이 회전하는 것이다"라고 한 설명.
案, 說文, 轉作縛.
내가 살펴보았다: 『설문해자』에는 전(轉)자를 박(縛)이라고 하였다.

김상악(金相岳) 『산천역설(山天易說)』

當畜之時, 陽之在下者, 牽連以復, 而九三迫近於陰, 爲四所畜. 乾互兌體, 故有輿說輻之象. 又六四主巽於上, 其相交者, 反爲交爭, 故又爲夫妻反目之象. 所以九三一爻, 爲陰所畜也.

저지되는 때를 당해서 양으로 아래에 있는 것은 이끌어 연합하여 회복하는데, 구삼은 음에 매우 가까워 사효에게 저지된다. 건괘는 호괘인 태괘의 몸체이므로 수레에 바큇살이 벗겨지는 상이 있다. 또 육사는 위에서 손괘를 주관하는데, 서로 사귀는 것이 도리어 서로 다투게 되므로 또 부부가 반목하는 상이 된다. 이 때문에 구삼의 한 효가 음에게 저지된다.

○ 乾之大輿, 遇兌毁折, 輿說輻之象. 小畜之四, 卽姤之初也. 姤曰係于金柅, 柅者止車之物也, 故取象如此. 三之說輻, 爲四所說, 故不能進. 大畜則二之說輹, 二自說之, 故不輕進也. 所以三曰, 日間輿衞利有攸往, 蓋輻與輹不同. 說輻則車不復用, 說輹則車將復行. 詳見項氏說, 三爲乾之陽, 四爲巽之陰, 夫妻之象. 巽多白眼, 反目之象. 反

目則眼白居多也. 九三反目, 稱妻, 言相敵也, 上九旣雨, 稱婦, 言相順也. 蓋四變而女
上男下, 故曰夫妻反目. 三變爲兌, 巽又伏震爲歸妹, 歸妹曰反歸以娣, 二曰眇能視, 取
象相似. 又五六皆言月幾望, 而抗陽與應陽不同, 故吉凶相反. 又三四互爲離兌, 睽之
象. 睽字從目, 說文, 目不相視曰睽. 睽之六三, 與上爲應, 而睽乖難合, 故曰見輿曳,
又曰其人天且劓. 上九則睽極而合, 畜極而成, 故曰遇雨, 曰旣雨者, 陰陽之和也. 所以
象傳於睽曰群疑亡也, 此有君子征凶之戒, 故曰有所疑也.

건괘의 '큰 수레'가 태괘를 만나 부딪쳐 꺾이니, 수레에 바큇살이 벗겨지는 상이다. 소축괘의
사효는 바로 구괘(姤卦)의 초효이다. 구괘에서 "쇠말뚝에 맨다"고 하였는데, '말뚝'은 수레를
멈추게 하는 물건이므로 상을 취한 것이 이와 같다. 소축괘 삼효의 '바큇살이 벗겨짐'은 사효
에 의해 벗겨지는 것이므로 나아갈 수 없다. 대축괘에서는 이효의 "바퀴통이 빠졌다"는 것이
이효 스스로 벗어버리는 것이기 때문에 가볍게 나아가지 못하는 것이다. 이 때문에 삼효에
서 "날마다 수레 타기와 호위를 익히면 가는 것이 이롭다"고 하였는데, 복(輻)과 복(輹)은
같지 않다. 바큇살이 벗겨지면 수레를 다시 쓰지 못하지만, 바퀴통이 빠지면 수레는 다시
쓸 수 있다. 항씨의 설명을 자세히 보면 삼효는 건괘의 양이 되고 사효는 손괘의 음이 되니,
부부의 상이다. 손괘는 흰자위가 많은 눈이니, 반목하는 상이다. 반목하면 눈에 흰자위가
많이 있게 된다. 구삼의 '반목함'은 아내[妻]를 일컬으니 서로 대적함을 말하고, 상구에 '이미
비가 내림'은 아내[婦]를 일컬으니 서로 따름을 말한다. 사효가 변하여 여인이 위에 있고
사내가 아래에 있으므로 "부부가 반목한다"고 하였다. 삼효가 변하여 태괘가 되고 손괘가
또 뒤집혀진 진괘는 귀매괘가 되니, 귀매괘에서 "다시 돌아와 잉첩이 되어야 한다"고 하고,
이효[32]에서 "애꾸눈이 볼 수 있다"고 하였으니, 상을 취한 것이 비슷하다. 또 귀매괘 오효와
소축괘 육효에서 모두 "달이 거의 보름에 가깝다"고 말하였는데, 양에 대항하는 것과 양에
호응하는 것이 같지 않으므로 길하고 흉함이 서로 반대된다. 또 삼효와 사효는 호괘가 리괘
(離卦)와 태괘(兌卦)가 되니, 규괘의 상이다. 규(睽)자는 부수가 목(目)인데, 『설문해자』에
서는 눈이 서로 보지 못하는 것을 '규(睽)'라고 하였다. 규괘의 육삼은 상효와 호응이 되는데
등지고 배반하여 화합하기 어렵기 때문에 "수레가 끌린다"고 하고, 또 "그 사람이 머리를
깎이고 또 코가 베인다"고 하였다. 상구는 어긋남이 다하여 화합하고 저지함이 다하여 이루
어지므로 "비를 만난다"고 하고 "이미 비가 온다"고 한 것은 음양이 화합함이다. 이 때문에
규괘의 「상전」에서 "뭇 의심이 없어진다"고 하였는데, 소축괘의 「상전」에서는 "군자가 가면
흉하다"는 경계가 있으므로, "의심할 바가 있어서이다"라고 하였다.

---

32) 삼효에 관한 내용이 아니라 구이의 내용이므로 바로잡는다.

김규오(金奎五) 「독역기의(讀易記疑)」

九三反目, 傳, 怒目相視, 不順其夫, 而反制之, 謂妻之反目也. 義, 以其志剛, 故不能平而與之爭, 謂夫之反目也. 傳以四之乘九而主於妻, 義以爻之本體而主於夫. 然要之交相反目也. 大抵离爲目, 而巽有眼珠下垂之象, 故巽爲多白眼. 以此反隅, 則兌亦有忤視之象. 此爻上巽, 而互兼兌故云.

구삼의 '반목'에 대해 『정전』에서는 "성난 눈으로 서로 봄이니, 그 남편에게 순종하지 않고 도리어 남편을 제재하는 것이다"라고 하였으니, 아내가 반목함을 말한다. 『본의』에서는 "뜻이 굳세기 때문에 평온할 수 없고 더불어 다툰다"고 하였으니, 남편이 반목함을 말한다. 『정전』은 사효가 구(양)를 탄 것으로 했기 때문으로 아내를 주로 하였고, 『본의』는 효의 본래 몸체로써 했기 때문으로 남편을 주로 하였다. 그러나 요약하면 서로가 반목함이다. 리괘는 눈이 되는데 손괘에 눈동자가 아래로 내려온 상이 있으므로 손괘는 흰자위가 많은 눈이 된다. 이것으로 헤아려 보면 태괘에 또한 흘겨보는 상이 있다. 이 효는 위가 손괘이고 호괘가 태괘를 겸하였으므로 그렇게 말하였다.

박윤원(朴胤源) 『경의(經義)·역경차략(易經箚略)·역계차의(易繫箚疑)』

來易曰, 乾錯坤輿之象. 變兌爲毁折, 脫輻之象也. 中爻離爲目, 巽多白眼, 反目之象也.

래지덕의 『주역집주』에서 말하였다: 건괘의 음양이 바뀐 곤괘가 수레의 상이다. 삼효가 변한 태괘는 부딪쳐 꺾임이 되니, 바퀴살이 벗겨지는 상이다. 가운데 효인 리괘는 눈이 되고 손괘는 흰자위가 많은 눈이니, 반목하는 상이다.

說得巧密.
말이 교묘하고 정밀하다.

서유신(徐有臣) 『역의의언(易義擬言)』

九三, 過剛, 畜道之不中者也. 自畜太剛, 而至於毁車不行也. 畜妻太剛, 而至於反目不和也. 夫妻反目, 豈無悔厲. 疑有闕文也. 乾爲大車, 兌爲毁折, 說輻之象也. 柔乘剛, 妻不順之象也. 互離爲目, 巽爲白, 有白眼之象也. 卦互睽, 故三有反目之失, 上九有征凶之疑也.

구삼이 지나치게 굳셈은 저지하는 도가 알맞지 않은 것이다. 저지함이 지나치게 굳셈으로부터 수레가 훼손되어 가지 못하는 데 이른다. 아내를 저지함이 너무 굳세어 반목하여 화합하지 못하는 데 이르니, 부부가 반목함에 어찌 회한과 염려가 없겠는가? 아마도 빠진 글이 있는 듯하다. 건괘는 큰 수레가 되고 태괘는 부딪쳐 꺾임이 되니, 바큇살이 벗겨지는 상이다. 부드러운 음이 굳센 양을 올라타니, 아내가 따르지 않는 상이다. 호괘인 리괘가 눈이 되고 손괘가 흰 것이 되니, 눈에 흰자위가 있는 상이다. 괘의 호괘가 규괘(睽卦)이므로 삼효에 반목하는 잘못이 있고, 상구에 "가면 흉하다"는 의심이 있다.

박문건(朴文健) 『주역연의(周易衍義)』

往而見敗, 故有說輻之象. 輻輪轑也. 夫謂三也, 妻謂上也. 反目怒目相視, 言黑白相反也.

가서 부서지기 때문에 바큇살이 벗겨지는 상이 있다. '복(輻)'은 수레바퀴의 바큇살이다. '남편'은 삼효를 말하고 '아내'는 상효를 말한다. '반목'은 성난 눈으로 서로 흘겨봄이니, 검은자위와 흰자위가 서로 반대됨을 말한다.

〈問, 輻之取義. 曰, 九三在下體, 故於此取之也. 問, 夫妻之取義. 曰, 易之取義不一, 皆以彊弱取其義. 至於大過, 則盛彊爲老, 微弱爲少. 下則始而生, 故於陰稱妻, 於陽稱夫, 上則窮而變, 故於陽稱婦, 於陰稱夫也.

물었다: 바큇살을 취한 뜻은 무엇입니까?

답하였다: 구삼이 하체에 있으므로 여기에서 취하였습니다.

물었다: 부부를 취한 뜻은 어떻습니까?

답하였다: 『주역』이 취한 뜻이 한결같지 않지만, 모두 강하고 약한 것으로 그 뜻을 취하였습니다. 대과괘에 이르면 무성하고 강하면 늙게 되고, 미미하고 약하면 어리게 됩니다. 아래는 시작하여 생겨나므로 음에서 아내를 일컬었고 양에서 남편을 일컬었으며, 위는 끝까지 다하여 변하기 때문에 양에서 아내를 일컬었고 음에서 남편을 일컬었습니다.〉

김기례(金箕澧) 「역요선의강목(易要選義綱目)」

九三, 輿說輻,

구삼은 수레에 바큇살이 벗겨지며,

三以乾體, 雖欲上進密, 比於四, 爲陰所畜, 不能上行, 則如車脫輻而不行.

삼효는 건괘의 몸체이기 때문에 비록 위로 나아가 빽빽이 되려 하지만, 사효에 가까워 음에게 저지되어 위로 갈 수 없으니, 수레의 바큇살이 벗겨져 가지 못하는 것과 같다.

夫妻反目.

부부가 반목함이다.

巽爲多白眼, 故曰反目.

손괘는 흰자위가 많은 눈이 되므로 '반목함'이라고 하였다.

○ 三雖比四, 本乾體而重剛, 則有欲抑陰上進之計. 然四以畜主得位, 乘剛而制陽, 其勢相敵, 故曰夫妻反目.

삼효가 비록 사효에 가깝지만 본래 건괘의 몸체이고 굳센 양으로 양의 자리에 있으니, 음을 억누르고 위로 나아가려는 생각이 있다. 그러나 사효는 저지하는 주인으로 지위를 얻어 굳센 양을 올라타고서 양을 제재하니, 그 형세가 서로 대적하므로 '부부가 반목함'이라고 하였다.

심대윤(沈大允) 『주역상의점법(周易象義占法)』

小畜之中孚䷼, 信也. 九三, 居剛自得, 而恃其才力, 信其自得. 其所得者, 專而不博, 不可通行于天下, 可以小任而不可大受, 故曰輿說輹. 乾變兌爲說輹, 言不行於廣大也. 九三自以四爲已有, 而四下有正應, 上比於五, 終不爲三用矣, 故爲夫妻反目之象. 自信其小幹, 而欲望其大辦, 則不得矣. 离目, 艮及坎夫, 离妻, 巽离爲白眼.

소축괘가 중부괘(䷼)로 바뀌었으니, 믿는다는 뜻이다. 구삼은 굳센 양의 자리에 있어 스스로 얻고 그 재주와 힘을 믿어 스스로 터득했다고 믿는다. 터득한 것이 한결같지만 넓지가 않아서 천하에 통하여 행해지지 못하니, 작은 것으로 맡길 수는 있지만 크게 쓰일 수 없으므로 "수레에 바큇살이 벗겨진다"라고 하였다. 건괘가 태괘로 바뀌어 바큇살이 벗겨지게 되니, 넓고 크게 행해지지 못함을 말한다. 구삼은 스스로 사효를 자기의 소유로 생각하지만, 사효는 아래로 정응이 있고 위로 오효에 가까워 끝내 삼효의 쓰임이 되지 않으므로 부부가 반목하는 상이 된다. 스스로는 그 조금 관여하는 것을 신뢰하지만, 크게 주관하기를 바라면 얻을 수 없다. 리괘(離卦)는 눈이고 간괘(艮卦)및 감괘(坎卦)는 남편이며 리괘는 아내이고 손괘(巽卦)와 리괘(離卦)는 눈의 흰자위가 된다.

오치기(吳致箕) 「주역경전증해(周易經傳增解)」

九三, 過剛不中, 而逼近於陰, 爲其所止, 不能上往, 故有輿說輹之象. 而三則以剛遇柔, 志在前進, 四則以陰乘陽, 欲爲止遏, 故不能和平, 有夫妻反目之象, 雖不言占, 卽象可知矣.

구삼은 지나치게 굳세고 가운데 있지 않으며 음에 매우 가까워 음에게 저지되는 바가 되어 위로 갈 수 없기 때문에 수레에 바큇살이 벗겨지는 상이 있다. 그런데 삼효는 굳센 양으로 부드러운 음을 만나 뜻이 앞으로 나아가는 데 있고, 사효는 음으로 양을 올라타서 저지하여 막고자 하기 때문에 화평할 수 없어 부부가 반목하는 상이 있으니, 비록 점을 말하지는 않았지만 상에 나아가면 알 수 있다.

○ 對體之坤爲輿, 而說輻則不行矣. 說脫也, 取於互兌, 已見蒙初. 陰爲妻而反在上, 陽爲夫而反在下, 故曰反而目, 取於互離也.

건괘의 상대되는 몸체인 곤괘가 수레가 되는데, 바큇살이 벗겨지면 가지 못한다. '탈(說)'은 '벗겨진다'는 탈(脫)인데, 호괘인 태괘에서 취하였으니, 이미 몽괘 초효에 보인다. 음은 아내가 되는데 도리어 위에 있고 양은 남편이 되는데 도리어 아래에 있기 때문에 "도리어 반목한다[反而目]"라고 하였으니, 호괘인 리괘(離卦)에서 취하였다.

이진상(李震相) 『역학관규(易學管窺)』

易爻取象, 多於乾體上說. 大車輿, 如火天之大車, 山天之輿衛, 雷天之大輿, 蓋取剛健轉運之象. 而其次, 則於坎體中說. 如比之輿尸, 困之金車, 旣未濟之曳輪, 只取外虛中實之象. 其互體, 則賁之舍車, 暌之輿曳, 正合於說卦輿多眚之義. 惟剝卦之得輿, 獨叶於坤大輿之象. 是知周公孔子之取象, 各有異同, 不可强合也. 此卦輿說輻, 雖於乾體上說, 而其云脫輻, 反若敗傷於坎險者. 抑亦以上六卦所經歷, 皆坎故耶. 平[33]庵說車軸轉, 轉當作縛, 見說文參攷. 引張氏說, 釋反目爲巽, 多白眼之象. 然互離, 離正爲目.

『주역』의 효가 상을 취한 것은 대부분 건괘(乾卦)의 몸체에서 설명하였다. '큰 수레'는 이를테면 화천 대유괘의 '큰 수레[大車]'와 산천 대축괘의 '수레 타기와 호위', 뇌천 대장괘의 '큰 수레[大輿]'로 대체로 강건하게 실어 보내는[轉運] 상을 취하였다. 그 다음은 감괘(坎卦)의 몸체에서 설명하였다. 이를테면 비괘(比卦)의 "수레에 시체를 싣는다"는 것과 곤괘(困卦)의 '쇠수레'와 기제괘와 미제괘의 "수레를 끈다"고 한 것은 다만 밖은 텅 비고 안은 꽉 찬 상을 취하였다. 그 호괘인 몸체에서는 비괘(賁卦)의 '수레를 버리고'와 규괘(暌卦)의 "수레가 끌린다"는 것은 바로 「설괘전」에서 "수레에 있어서는 하자가 많다"고 하는 뜻에 부합한다. 오직 박괘(剝卦)에서 "수레를 얻는다"고 한 것만이 곤괘(坤卦)에서 '큰 수레[大輿]'라고 한 상에 부합한다. 주공과 공자가 상을 취한 것이 각각 다르고 같은 점이 있으니, 억지로 합치시켜서는 안 된다. 이 괘의 "수레에 바큇살이 벗겨진다"는 것은 비록 건괘의 몸체에서 설명한 것이지만, 그 "바큇살이 벗겨진다"고 말한 것은 도리어 감괘의 험한 것에게 패하여 상한 것과 같으니, 또한 위로 여섯 괘의 지나온 바가 모두 감괘이기 때문이다. 평암의 "차축이 회전하는 것이다"라는 설명에서 전(轉)은 마땅히 박(縛)으로 써야하니, 『설문해자』를 보고 참고하라. 장씨의 설명을 인용하여 '반목함'이 손괘가 되는 것으로 풀이하였으니, 흰자위가 많은 눈의 상이다. 그러나 호괘가 리괘(離卦)니, 리괘가 바로 눈이 된다.

---

33) 平: 경학자료집성 DB와 영인본에는 '乎'로 되어 있으나, 문맥을 살펴 '平'으로 바로잡았다.

象曰, 夫妻反目, 不能正室也.

「상전」에서 말하였다: "부부가 반목함"은 집안을 바로 할 수 없기 때문이다.

‖中國大全‖

傳

夫妻反目, 蓋由不能正其室家也. 三自處不以道, 故四得制之, 不使進, 猶夫不能正其室家, 故致反目也.

"부부가 반목함"은 그 집안을 바로 할 수 없기 때문이다. 삼효가 스스로 처신하기를 도로써 하지 못했기 때문에 사효가 제재하여 나아가지 못하게 하니, 남편이 그 집안을 바로 할 수 없기 때문에 반목하는 데 이르는 것과 같다.

本義

程子曰, 說輻反目, 三自爲也.

정자가 말하였다: 바퀴살이 벗겨지고 반목함은 삼효가 스스로 한 것이다.

小註

建安丘氏曰, 三雖陽剛, 乃昵於六四不正之陰, 爲其係畜而不能進. 至於反目, 皆三有以自取之也. 夫制於妻, 則其正家之道, 蓋可知矣. 孔子曰, 大車无輗, 小車无軏, 其何以行之哉. 此之謂也.

건안구씨가 말하였다: 삼효가 비록 양으로 굳세지만 이에 육사의 바르지 않은 음과 친숙하여 육사에게 매이고 저지되어 나아갈 수 없게 된다. 반목함에 이르게 됨은 다 삼효에게 그것을 자초한 까닭이 있다. 남편이 아내에게 제재되면 집안을 바르게 하여야 하는 도를 알만하

다. 공자가 "큰 수레에 끌채[輗]가 없고 작은 수레에 끌채[軏]가 없으면, 어떻게 갈 수 있겠는
가"[34]라고 한 것이 이것을 말한다.

○ 雲峰胡氏曰, 非四之能制三, 三剛而不中, 自制於四耳.
운봉호씨가 말하였다: 사효가 삼효를 제재할 수 있는 것이 아니라, 삼효가 굳세지만 가운데
하지 못하여 스스로 사효에 제재되는 것이다.

‖韓國大全‖

김상악(金相岳) 『산천역설(山天易說)』
不能正室, 與家人相反.
집안을 바르게 할 수 없음은 가인괘(家人卦)와 서로 반대된다.

김귀주(金龜柱) 『주역차록(周易箚錄)』
本義, 程子曰, 脫輻, 云云.
『본의』에서 말하였다: 정자가 "바큇살이 벗겨지고", 운운.

小註, 建安丘氏曰, 三雖, 云云.
소주에서 건안구씨가 말하였다: 삼효가 비록, 운운.

○ 按, 大車無輗, 小車無軏, 是孔子言人而無信. 今此引喩, 恐不襯當.
내가 살펴보았다: 큰 수레에 멍에를 매는 끌채[輗]가 없고 작은 수레에 멍에를 매는 끌채[軏]
가 없는 것은 공자가 사람으로서 신의가 없음을 말한 것이다. 이제 여기서 인용하여 비유한
것은 아마도 적당하지 않은 듯하다.

---

34) 『論語 · 爲政』: 子曰, 大車无輗, 小車无軏, 其何以行之哉.

서유신(徐有臣) 『역의의언(易義擬言)』

爲柔所乘, 不能正家之象也.

구삼은 부드러운 음의 올라타는 바가 되니, 집안을 바르게 할 수 없는 상이다.

심대윤(沈大允) 『주역상의점법(周易象義占法)』

非其妻而妻之, 不能正室也. 巽正, 兌室[35].

그 아내가 아닌데도 아내 노릇을 하니, 집안을 바르게 할 수 없다. 손괘는 바르게 하는 것이고, 태괘는 집안이다.

오치기(吳致箕) 「주역경전증해(周易經傳增解)」

夫妻相乖, 何以正其室乎.

부부가 서로 어긋나는데, 어떻게 그 집안을 바르게 하겠는가?

이병헌(李炳憲) 『역경금문고통론(易經今文考通論)』

孟曰, 輹軸縛也. 鄭曰, 輹謂輿下縛木, 與軸相連也. 虞曰, 巽多白眼, 夫妻反目, 妻乘夫而出在外, 不能正室. 〈妻謂六四〉.

맹씨는 "복(輹)은 축(軸)을 묶는 것이다"라고 하였다. 정씨는 "복(輹)은 수레를 아래로 묶는 나무를 말하니, 축(軸)과 서로 연결 된다"고 하였다. 우씨는 "손괘는 흰자위가 많은 눈이며, '부부가 반목함'은 아내가 남편을 올라타고서 밖에 나와 있어 집안을 바르게 할 수 없는 것이다"라고 하였다. 〈아내[妻]는 육사를 말한다.〉

---

35) 室: 경학자료집성 DB와 영인본에는 '窒'로 되어 있으나, 문맥을 살펴 '室'로 바로잡았다.

六四, 有孚, 血去, 惕出, 无咎.

정전 육사는 믿음을 가지면 피가 사라지고 두려움에서 나와 허물이 없다.
본의 육사는 믿음이 있어서 피가 사라지고 두려움에서 나오니, 허물이 없다.

┃中國大全┃

傳

四於畜時, 處近君之位, 畜君者也. 若內有孚誠, 則五志信之, 從其畜也. 卦獨一陰, 畜衆陽者也. 諸陽之志係于四, 四苟欲以力畜之, 則一柔敵衆剛, 必見傷害. 惟盡其孚誠以應之, 則可以感之矣, 故其傷害遠, 其危懼免也. 如此則可以无咎, 不然則不免乎害矣. 此以柔畜剛之道也, 以人君之威嚴而微細之臣, 有能畜止其欲者, 蓋有孚信以感之也.

사효는 저지하는 때에 임금과 가까운 자리에 있어서 임금을 저지하는 자이다. 만약 사효의 안에 믿음과 정성이 있으면 오효의 뜻이 사효를 믿어서 그 저지함을 따른다. 괘에 오직 음이 하나인데, 여러 양을 저지하는 자이다. 여러 양의 뜻이 사효에게 매였으나, 사효가 진실로 힘으로 저지하려 한다면 부드러운 음 하나로 여러 굳센 양을 대적하여 반드시 상해를 당할 것이다. 오직 그 믿음과 정성을 다하여 호응하면 감동시킬 수 있기 때문에 상해가 멀어지고 위태로움과 두려움을 면하게 된다. 이와 같이 하면 허물이 없을 것이고, 그렇지 않으면 해를 면치 못한다. 이는 부드러움으로써 굳셈을 저지하는 도이다. 임금의 위엄을 가지고 있는데 미천한 신하가 임금이 하고자 하는 것을 저지하여 그치게 할 수 있는 것은 믿음과 정성을 가지고 감동시키는 것이다.

本義

以一陰畜衆陽, 本有傷害憂懼, 以其柔順得正, 虛中巽體, 二陽助之, 是有孚而血去惕出之象也. 无咎宜矣, 故戒占者, 亦有其德, 則无咎也.

한 음으로써 여러 양을 저지하여 본래 상해와 근심, 두려움이 있으나, 그 유순함으로써 바름을 얻고 마음을 비우고 몸을 공손히 하여 두 양이 도우니, 이것은 믿음이 있어서 피가 사라지고 두려움에서 나오는 상이다. 허물이 없음이 당연하기 때문에 점치는 자가 또한 이러한 덕이 있으면 허물이 없다고 경계한 것이다.

小註

隆山李氏曰, 需三陽竝進, 九三雖曰致寇, 而六四則曰需于血出自穴. 小畜三陽竝進, 九三雖曰說輻, 而六四亦曰血去惕出. 陰陽相迫, 不能无傷, 聖人必使陰避陽著以爲訓, 雖六四爲一卦之主, 不少假借也. 易之書, 其專戒陰柔之用事者耶.

융산이씨가 말하였다: 수괘(需卦)의 세 양이 함께 나아가는데 구삼에서는 비록 "도적이 옴을 초래한다"고 하였지만, 육사에서는 "피에서 기다리나 구덩이로부터 나온다"고 하였다. 소축괘의 세 양도 함께 나아가는데 구삼에서는 비록 "바큇살이 벗겨진다"고 하였지만, 육사에서는 또한 "피가 사라지고 두려움에서 나온다"고 하였다. 음과 양이 서로 핍박하여 상처가 없을 수 없어 성인은 반드시 음이 피하고 양이 드러나도록 가르침을 삼았으니, 비록 육사가 한 괘의 주인이 되지만 양에게서 빌려 쓴 것이 적지 않다. 『주역』의 글이 부드러운 음이 용사(用事)하는 것을 전적으로 경계한 것이다.

○ 雲峰胡氏曰, 三陽健進, 四强畜之, 三雖說輻, 四亦不能无傷. 故曰血曰惕, 危之也. 必有孚而後血可去惕可出, 乃可无咎, 戒之也. 或曰, 九五陽實曰有孚, 六四陰虛亦曰有孚, 何也. 曰, 中孚二陰居一卦之中, 中虛爲信之本. 二五皆陽居上下卦之中, 中實爲信之質. 小畜四與五皆曰有孚, 亦此意也.

운봉호씨가 말하였다: 세 양이 굳건하게 나아가나 사효가 강제하여 저지하고, 삼효가 비록 바큇살이 벗겨지나 사효도 상처가 없을 수 없다. 그러므로 '피'라고 하고 '두려움'이라고 하였으니, 위태로운 것이다. 반드시 믿음이 있은 뒤에 피가 사라지고 두려움에서 나올 수 있어 이에 허물이 없으니, 경계한 것이다.

어떤 이가 물었다: 구오는 양으로 꽉 차서 "믿음이 있다"고 하였지만, 육사는 음으로 텅 비었는데도 "믿음이 있다"고 한 것은 어째서입니까?

답하였다: 중부괘의 두 음은 한 괘의 가운데에 있어 가운데가 텅 빔은 믿음의 근본이 됩니다. 이효와 오효는 다 양이 위아래 괘의 가운데에 있고 가운데가 꽉 차서 믿음의 바탕이 됩니다. 소축괘의 사효와 오효에서 다 "믿음이 있다"고 한 것도 이 뜻입니다.

┃韓國大全┃

조호익(曺好益) 『역상설(易象說)』

上畜君之欲, 下畜臣之强.

위로 임금의 욕심을 저지하고, 아래로 신하의 강함을 저지한다.

김장생(金長生) 「주역(周易)」

本義, 虛中巽體.

『본의』에서 말하였다: 마음을 비우고 몸을 공손히 한다.

巽何以曰虛中也. 巽之下爻陰也, 通中故曰虛中.

손괘(☴)는 어째서 "마음을 비운대虛中]"고 하였는가? 손괘의 맨 아래 효가 음인데, 가운데와 통하기 때문에 "마음을 비운다"고 하였다.

송시열(宋時烈) 『역설(易說)』

孚血惕三字, 皆以坎象言之. 然坎血已去, 坎惕亦出, 皆免而无咎也. 四與五有孚合之義, 雖非正應, 然五已變如, 四亦近君, 而蓄以君命, 相合上志, 始雖有血惕之患, 而終必無咎. 坎象, 皆以離之錯言之, 離則以坎象言之, 蓋八卦互變相包故也.

믿음[孚], 피[血], 두려움[惕]의 세 글자는 모두 감괘의 상으로 말하였다. 그러나 감괘의 피가 이미 사라지고 감괘의 두려움이 또한 나가니, 모두 그것을 벗어나 허물이 없는 것이다. 사효는 오효와 서로 믿음으로 합하는 뜻이 있는데, 비록 정응은 아니지만 오효가 이미 이끌고 사효도 임금에 가까워서 임금의 명을 마음에 간직하여 윗사람의 뜻과 서로 부합하니, 처음엔 비록 피 흘리고 두려워하는 근심이 있지만 끝엔 반드시 허물이 없다. 감괘의 상은 모두 리괘(離卦)가 음양이 뒤바뀐 것으로 말하였고, 리괘는 감괘(坎卦)의 상으로 말하였으니, 대체로 팔괘가 서로 바뀌어 서로 감싸기 때문이다.

심조(沈潮) 「역상차론(易象箚論)」

血, 兌澤象. 凡有穴然後血出, 而此爻似穴, 故稱血, 又乾有惕象, 而已在乾之外, 故曰惕出. 四爲心位, 故惕字從心.

'피'는 태괘인 못의 상이다. 대체로 구멍이 있고 그런 뒤에 피가 나오는데, 이 효가 구멍과 같으므로 '피'라고 일컬었고, 또 건괘에 두려워하는 상이 있는데 이미 건괘의 밖에 있기 때문에 "두려움에서 나온다"고 하였다. 사효는 마음의 자리가 되므로 척(惕)자의 부수가 마음[心]이다.

유정원(柳正源)『역해참고(易解參攷)』

王氏曰, 夫言血者, 陽犯陰也. 三務於進, 而已隔之, 將懼侵克者也. 上亦惡三而能制焉, 志與上合, 故得血去懼除, 保无咎也

왕씨가 말하였다: '피'라고 말한 것은 양이 음을 범한 것이다. 삼효가 나아가는 데 힘쓰지만 이미 막혔으니, 침해 되고 타격받을까[侵克] 두려워하는 자이다. 상효도 삼효를 싫어하여 제재할 수 있으나, 뜻이 상효와 합하기 때문에 피가 사라지고 두려움이 없어지니, 허물이 없도록 보전한다.

○ 案, 柔敵剛, 則必害, 去害之道, 莫如孚也. 四近君, 則多懼, 除懼之道, 莫如孚也.

내가 살펴보았다: 부드러운 음이 굳센 양에 대적하면 반드시 해를 입으니, 해를 제거하는 방법은 믿음만한 것이 없다. 사효는 임금에 가까워 두려움이 많으니, 두려움을 제거하는 방법은 믿음만한 것이 없다.

김상악(金相岳)『산천역설(山天易說)』

小畜之義, 以陰畜陽, 三雖說輻, 四則以臣畜君, 必見傷害, 惟盡其孚誠以合志, 則可以免血惕, 而得无咎也. 此爻, 卽文王與紂之事, 故曰文王志在明夷, 道在小畜.

소축의 뜻은 음으로 양을 저지하는 것이니, 삼효가 비록 바큇살이 벗겨지지만 사효는 신하로써 임금의 뜻을 저지하다가 반드시 상해를 입게 되니, 오직 그 믿음과 성실함을 다하여 뜻을 합하면 피를 흘리고 두려워함을 면할 수 있어 허물이 없음을 얻는다. 이 효는 바로 문왕과 주임금의 일이므로 "문왕의 뜻은 명이괘에 있었으나, 그 도는 소축괘에 있다"고 하였다.

○ 孚者, 四之中虛也, 巽互兌體, 中孚之象, 故四五皆言孚. 血者, 六之陰也. 惕者, 四之懼也. 小畜, 與乾爭, 四一爻動而之乾, 則乾體剛健, 故曰血去. 乾之夕惕, 在三而四變居外, 故曰惕出. 又小畜之四, 卽履之三, 履有虎咥人之凶, 而三進居四, 故血去惕出而无咎. 所以履之四曰, 愬愬終吉, 而曰志行也. 易旨乾金克巽木, 宜有血惕, 而金又畏離火, 不敢進. 然終能鎔金合土, 成畜之功, 故无咎也. 與渙上九取象相似, 渙則坎水生巽木也.

'믿음'은 사효의 가운데가 비어 있는 것이니, 손괘(巽卦)와 호괘인 태괘(兌卦)의 몸체는 중부괘(中孚卦☲)의 상이므로 사효와 오효에서 모두 '믿음'을 말하였다. '피'는 육인 음이다. '두려움'은 사효가 두려워하는 것이다. 소축괘는 건괘와 다투는데, 네 번째 한 효가 움직여서 건괘로 가면 건괘의 몸체는 강건하기 때문에 "피가 사라진다"고 하였다. 건괘의 "저녁까지 두려워한다"는 것은 삼효에 있는데, 사효가 바뀌어 밖에 있기 때문에 "두려움에서 나온다"고 하였다. 또 소축괘(小畜卦☲)의 사효는 바로 리괘(履卦☲)의 삼효인데, 리괘에 호랑이가 사람을 무는 흉함이 있어서 삼효가 나아가 사효 자리에 있기 때문에 피가 사라지고 두려움에서 나와 허물이 없는 것이다. 이 때문에 리괘(履卦)의 사효에서 "두려워하고 조심하면 마침내 길할 것이다"라고 하였고, 그리고 "뜻이 행해지기 때문이다"라고 하였다. 역의 뜻이 건괘인 금(金)이 손괘인 목(木)을 이기니, 마땅히 피를 흘리고 두려워함이 있지만 오행상의 금이 또 리괘인 화(火)를 두려워하여 감히 나아가지 못한다. 그러나 끝내는 금을 녹여 땅에 합하여 저지하는 공을 이룰 수 있으므로 허물이 없다. 환괘(渙卦☲)의 상구와 상을 취한 것이 서로 같으니, 환괘에서는 감괘인 수(水)가 손괘인 목(木)을 생겨나게 한다.

박윤원(朴胤源) 『경의(經義)·역경차략(易經箚略)·역계차의(易繫箚疑)』

血去, 傷害遠也. 惕出, 憂懼免也. 以陰畜陽而无咎者, 以其柔順得正也.

"피가 사라진다"는 것은 상해가 멀어지는 것이다. "두려움에서 나온다"는 것은 근심과 두려움을 면하는 것이다. 음으로 양을 저지하여 허물이 없는 것은 그 유순함이 바름을 얻었기 때문이다.

서유신(徐有臣) 『역의의언(易義擬言)』

此, 柔得位, 而上下應之者也. 畜止於多懼之地, 而柔巽得正, 九五之志相孚, 故始血而旋去, 先惕而後出, 得以无咎也. 巽塞坎爲血去之象. 在九三乾惕之外, 爲出於惕之象也. 文王當殷之末世, 其德畜而不行, 至有羑里之厄, 而卒免於危禍. 此非散宜生珠玉之力, 紂實孚其忠信, 而不相疑也, 六四似之.

이것은 부드러운 음이 제자리를 얻고 위아래가 사효에게 호응하는 것이다. 두려움이 많은 곳에서 저지하고 그치게 하는데 부드럽고 공손하여 바름을 얻고 구오의 뜻이 서로 믿기 때문에 처음에는 피를 흘리지만 사라지게 하고, 앞에서는 두려워하였지만 뒤엔 벗어나니 허물이 없는 까닭이다. 손괘가 감괘를 막음이 피가 사라지는 상이 된다. 구삼인 건괘가 두려움의 밖에 있어 두려움에서 나오는 상이 된다. 문왕이 은나라의 말세를 당하여 그 덕이 저지되어 행해지지 못하고 유리의 재앙(감옥)에 있는데 이르렀으나 마침내 위태로운 화를 면하였다. 이것은 산의생이 보물을 바친 힘이 아니고 주(紂)임금이 실상 그의 충성하고 신의를 다함을 믿어 의심하지 않았기 때문이니, 육사가 그와 비슷하다.

박문건(朴文健) 『주역연의(周易衍義)』

懼而盡心, 故有有孚之象. 去, 拭, 除其渙體之血也. 惕出, 致兢惕之道, 而出遇也. 或曰, 去惕出, 去其惕懼之心而出也, 亦通.

두려워하여 마음을 다하기 때문에 믿음을 갖는 상이 있다. '거(去)'는 닦음이니, 환괘 몸체의 피를 닦음이다. "두려움에서 나온다"는 것은 경계하고 두려워하여 조심하는 도를 다하여 나옴이다. 어떤 이는 "두려움을 제거하여 냄[去惕出]은 그 경계하고 두려워하는 마음을 제거하여 나오는 것"이라고 하니, 또한 통한다.

〈問, 有孚血去惕出无咎. 曰, 六四, 雖有孚於乾之三陽, 然未免被傷, 而渙體若除其血, 而恐懼出遇, 則无咎也. 此與需四渙上互考, 則可見其義也.

물었다: "믿음이 있어서 피가 사라지고 두려움에서 나오니, 허물이 없다"는 무슨 뜻입니까? 답하였다: 육사는 비록 건괘의 세 양에게 믿음이 있지만 상함을 면치 못하는데, 환괘의 몸체에서 그 피를 제거하고 두려움에서 나온다면 허물이 없습니다. 이것은 수괘(需卦)의 사효와 환괘의 상효와 서로 참고해보면 그 뜻을 알 수 있습니다.〉

김기례(金箕澧) 「역요선의강목(易要選義綱目)」

卦中自三至五, 爲互離, 有中孚象, 故曰有孚.

괘 가운데 삼효에서 오효까지는 호괘인 리괘가 되니, 중부괘의 상이 있으므로 "믿음이 있다"고 하였다.

○ 三陽上進, 一陰拒止, 則其勢必傷, 豈不惕乎. 當開心見誠, 得巽體二陽之助而畜乾, 則避傷而出於憂懼矣.

세 양이 위로 나아가고 한 음이 막아 그치게 하면 그 형세가 반드시 상처 나게 되니, 어찌 두렵지 않겠는가? 마땅히 마음을 열고 정성을 보여야 하니, 손괘 몸체의 두 양의 도움을 얻어서 건괘를 저지하면, 상처가 나는 것을 피하고 근심과 두려움에서 벗어난다.

○ 陰主血, 故曰血去.

음은 피를 주로 하기 때문에 "피가 사라진다"고 하였다.

○ 需六四曰, 需于血, 今曰, 血去, 聖人[36]使陰避陽之訓, 深且切矣.

수괘(需卦)의 육사에서는 "피에서 기다린다"고 하였는데 이제 "피가 사라진다"고 하였으니, 성인이 음으로 하여금 양을 피하게 한 가르침이 깊고도 절실하다.

심대윤(沈大允) 『주역상의점법(周易象義占法)』

小畜之乾䷀. 六四質柔, 而居柔從人以得, 而處乎衆剛之中, 而上從于五, 有强健勉力, 博學而篤信之美, 故曰有孚. 离爲孚, 終得愚明柔强之效, 故曰血去惕出. 离對坎爲血, 血陰柔之物. 离爲惕. 巽行而兌离不見曰去. 震爲出. 〈六四之所畜, 可與天下同其功業, 而不爲身家之計, 有乾廣大无私之義.〉

소축괘가 건괘(䷀)로 바뀌었다. 육사는 바탕이 부드러운 음인데 부드러운 자리에 있어 남을 따름으로써 얻으며, 여러 굳센 양 가운데 있으면서 위로 오효를 따르니, 강건하게 힘쓰고 널리 배워 돈독하게 믿는 아름다움이 있기 때문에 "믿음이 있다"고 하였다. 호괘인 리괘가 '믿음'이 되니, 마침내 어리석은 이가 현명해지고 부드러운 것이 굳세어지는 효험을 얻으므로 "피가 사라지고 두려움에서 나온다"라고 하였다. 리괘의 음양이 바뀐 감괘가 '피'가 되니, 피는 음 가운데 부드러운 물건이다. 리괘는 '두려움'이 된다. 손괘가 행하지만 태괘와 리괘가 드러나지 않으니 "사라진다"고 한다. 손괘의 음양이 바뀐 진괘가 '나옴'이 된다. 〈육사의 저지하는 바가 천하와 더불어 그 공과 일을 한가지로 하여 자기 집안만의 계획이 되지 않으니, 건괘와 같이 넓고 커서 사사로움이 없다는 뜻이 있다.〉

오치기(吳致箕) 「주역경전증해(周易經傳增解)」

六四, 以陰柔欲畜衆陽, 宜若有傷害憂懼而致咎. 然以其柔巽得正, 上承九五之君, 同體而切近, 乃盡其誠信而合其志, 卽以臣畜其君者也. 以柔微之臣, 能使剛嚴之君, 止其欲者, 蓋有誠孚而感之, 是爲畜道之善. 故言去其傷出其憂而能无咎也.

육사는 음의 부드러움으로 여러 양을 저지하려 하니, 마땅히 다치고 근심하여 허물에 이를 듯하다. 그러나 유순하고 공손함으로 바름을 얻고 위로 구오의 임금을 이어 손괘의 몸체를 같이 하며, 구오에 매우 가까워서 이에 그 정성과 믿음을 다하여 그 뜻에 부합하니, 바로 신하로서 그 임금을 저지하는 자이다. 부드럽고 미약한 신하로서 굳세고 근엄한 임금으로 하여금 그 욕심을 그치게 할 수 있는 자는 대체로 정성과 믿음이 있어 감응하게 하니, 이것이 잘 저지하는 도가 된다. 그러므로 그 상처를 사라지게 하고 그 근심에서 벗어나 허물이 없을 수 있다고 하였다.

---

36) 人: 경학자료집성 DB와 영인본에는 '入'으로 되어 있으나, 문맥을 살펴 '人'으로 바로잡았다.

○ 孚取於互離, 有虛中相孚之象. 他卦言孚於離體者, 皆倣此. 血者傷也, 惕者憂也, 皆取於對體互坎也. 去謂遠去也. 出謂免出也.

'믿음'은 호괘인 리괘(離卦)에서 취하였으니, 마음을 비워 서로 믿는 상이 있다. 다른 괘에서 "리괘의 몸체에서 믿는다"고 말한 것은 모두 이와 같다. '피'는 상처가 나는 것이고 '두려움'은 근심하는 것이니, 모두 소축괘의 음양이 바뀐 예괘[豫卦☳]의 호괘인 감괘에서 취하였다. 거(去)는 멀리 감을 말한다. 출(出)은 면하여 나옴을 말한다.

이진상(李震相) 『역학관규(易學管窺)』

此卦, 始離於坎, 需之血, 訟之惕, 至此皆去. 然苟無孚信, 則未易言也.

이 괘가 비로소 감괘에서 벗어나니, 수괘(需卦)의 '피'와 송괘(訟卦)의 '두려움'이 여기에 이르러 모두 사라진다. 그러나 진실로 믿음이 없으면 쉽게 말하지 못한다.

박문호(朴文鎬) 「경설(經說)·주역(周易)」

畜止其欲, 蓋用孟子畜君之說也.

욕심을 저지하여 그치게 함에 있으니, 맹자가 임금의 욕심을 저지한 설명으로 한 것이다.[37]

虛中, 非以位言, 乃以畫言. 蓋其陰隅, 有虛中之象.

"마음을 비운대[虛中]"는 것은 자리로 말한 것이 아니고, 괘를 긋는 획으로 말한 것이다. 음은 짝으로 이루어져 있고 가운데가 비어있으므로 마음을 비우는 상이 있다.

이병헌(李炳憲) 『역경금문고통론(易經今文考通論)』

虞曰, 孚謂五, 惕憂也. 得位承五, 故無咎.

우번이 말하였다: '믿음[孚]'은 오효를 말하고, '두려움[惕]'은 근심함이다. 제자리를 얻어 오효를 이었기 때문에 허물이 없다.

王曰, 血者, 陽犯陰也.

왕필이 말하였다: '피'라고 한 것은 양이 음을 침범하기 때문이다.

---

37) 『孟子·梁惠王』: 畜君何尤, 畜君者好君也.

象曰, 有孚惕出, 上合志也.

정전 「상전」에서 말하였다: "믿음을 가지면 두려움에서 나옴"은 위와 뜻이 합하기 때문이다.

본의 「상전」에서 말하였다: "믿음이 있어서 두려움에서 나옴"은 위와 뜻이 합하기 때문이다.

‖中國大全‖

傳

四旣有孚, 則五信任之, 與之合志, 所以得惕出而无咎也. 惕出則血去可知, 擧其輕者也. 五旣合志, 衆陽皆從之矣.

사효가 이미 믿음을 가지고 있다면 오효가 그를 신임하여 그와 더불어 뜻을 합하는 까닭에 두려움에서 나와 허물이 없을 수 있게 된다. 두려움에서 나오면 피가 사라짐을 알 수 있으니, 그 가벼운 것을 든 것이다. 오효가 뜻을 합하면 여러 양이 다 따른다.

小註

雙湖胡氏曰, 三陽上進, 而六四獨當其鋒, 將拒而止之, 必爲所傷. 然以由中之信, 依附上之二陽, 與之合志而共畜之, 則可以血去惕出而无咎矣.

쌍호호씨가 말하였다: 세 양이 위로 나아가고 육사가 홀로 그 예봉에 대적하여 막아 저지하려 하니, 반드시 상처 나는 바가 된다. 그러나 오효가 믿기 때문에 위의 두 양에 의지하여 뜻을 합하여 함께 저지하면, 피가 제거되고 두려움에서 나와 허물이 없게 된다.

▌韓國大全▐

이익(李瀷) 『역경질서(易經疾書)』

坤文言云, 龍戰于野, 其血玄黃, 血者, 戰傷也, 惕者, 懼而覺也. 血去者, 始戰以去也, 惕出者, 終懼以出也. 其出也由五之在上, 四得近之也, 故曰上合志也. 渙上九, 渙其血去逖出, 傳云, 遠害, 害屬血, 遠屬逖, 亦謂惕出而遠避傷血之害也, 可以相勘.

곤괘 「문언전」[38]에 "용들이 들에서 전쟁을 하니 그 피가 검고 누르다"고 하였으니, '피'는 싸워서 상처가 나는 것이고, '척(惕)'은 두려워서 깨닫는 것이다. "피가 사라진다"는 것은 비로소 싸움에서 떠나는 것이고, "두려움에서 나온다"는 것은 마침내 두려움에서 나오는 것이다. 그 나옴은 오효가 위에 있고 사효가 그것을 가까이 할 수 있기 오효에 가까이 함을 얻는 것으로 말미암기 때문에 "위와 뜻이 합하기 때문이다"라고 하였다. 환괘(渙卦)의 상구에 "흩어짐에 그 피가 제거되고 두려움에서 벗어난다"고 한 것에 대해 『정전』에서 "해로움을 멀리한다"고 하였으니, '해로움'은 '피'에 해당하고 "멀리한다"는 것은 '두려움'에 해당하니, 또한 두려움에서 나와 상처 나고 피 흘리는 해로움을 멀리 피하는 것을 말함이다. 서로 참작해야 한다.

김상악(金相岳) 『산천역설(山天易說)』

上謂五也. 小畜四五爲同體之合, 大畜三上爲同德之合也.

'위[上]'는 오효를 말한다. 소축괘의 사효와 오효는 같은 몸체의 화합이 되며, 대축괘의 삼효와 상효는 같은 덕의 화합이 된다.

김귀주(金龜柱) 『주역차록(周易箚錄)』

按, 上合志, 謂上合於二陽也. 本義之意, 蓋如此.

내가 살펴보았다: "위와 뜻이 합하기 때문이다"라는 것은 위로 두 양에게 합함을 말한다. 『본의』의 뜻이 대체로 이와 같다.

---

38) 이 내용은 문언전의 내용이 아니고, 곤괘 상육 괘사의 내용인데 잘못이 있는 듯하다.

서유신(徐有臣) 『역의의언(易義擬言)』

上謂九五也.

'상(上)'은 구오를 말한다.

박문건(朴文健) 『주역연의(周易衍義)』

上與下而合其志者, 明下不與上而合志也.

윗사람이 아랫사람과 그 뜻을 합한다는 것은 아랫사람이 윗사람과 뜻을 합하지 못함을 밝힌 것이다.

〈問, 上合志. 曰, 此與大畜九三象上合志之義, 不同. 大畜象義, 則言上與己而合其志也.

물었다: "위와 뜻이 합하기 때문이다"는 무슨 뜻입니까?

답하였다: 이것은 대축괘 구삼 「상전」의 "윗사람이 뜻을 합한다"는 뜻과는 같지 않습니다. 대축괘 「상전」의 뜻은 윗사람이 나하고 그 뜻을 합하는 것을 말합니다.〉

김기례(金箕澧) 「역요선의강목(易要選義綱目)」

上合志.

위와 뜻이 합하기 때문이다.

四若有孚, 上二陽助而共畜, 則血去.

사효가 만약 믿음을 가지고 있으면, 위의 두 양이 도와서 함께 저지하니 피가 사라진다.

오치기(吳致箕) 「주역경전증해(周易經傳增解)」

上與九五合志而相信, 故能惕出也. 惕出則血去, 可知矣.

위로 구오와 뜻을 합하여 서로 믿기 때문에 두려움에서 나올 수 있다. 두려움에서 나오면 피가 사라짐을 알 수 있다.

九五, 有孚, 攣如, 富以其鄰.

정전 구오는 믿음을 갖는다. 이끌어서 부(富)를 그 이웃과 함께 한다.
본의 구오는 믿음이 있어 이끌어서 부(富)로써 그 이웃을 좌지우지 한다.

▌中國大全▐

傳

小畜, 衆陽爲陰所畜之時也. 五以中正, 居尊位而有孚信, 則其類皆應之矣, 故曰攣如, 謂牽連相從也. 五必援挽, 與之相濟, 是富以其鄰也. 五以居尊位之勢, 如富者推其才力, 與鄰比共之也. 君子爲小人所困, 正人爲群邪所厄, 則在下者必攀挽於上, 期於同進, 在上者必援引於下, 與之戮力, 非獨推己力, 以及人也, 固資在下之助, 以成其力耳.

소축괘는 여러 양이 음에게 저지되는 때이다. 오효는 중정으로 높은 자리에 있고 믿음이 있으면 그 동류들이 모두 호응하기 때문에 "이끈다"고 하였으니, 이끌고 연합하여 서로 따르는 것을 말한다. 오효가 반드시 끌어당겨 함께 구제하니, 이것이 "부를 그 이웃과 함께 한다"라고 한 것이다. 오효가 높은 자리에 있는 형세가 부유한 자가 그 재력을 미루어 이웃과 함께 하는 것과 같다. 군자가 소인에게 곤궁함을 당하고 올곧은 사람[正人]이 간사한 무리에게 곤액을 당하면, 아래에 있는 자는 반드시 윗사람을 잡아끌어 함께 나아가기를 기약하고, 위에 있는 자는 반드시 아랫사람을 끌어당겨 함께 힘을 다해야 하니, 다만 자신의 힘만을 미루어 남에게 미치게 할 뿐만이 아니라 진실로 아래에 있는 자의 도움에 의지하여 그 힘을 이루는 것이다.

本義

巽體三爻, 同力畜乾, 鄰之象也, 而九五居中處尊, 勢能有爲, 以兼乎上下. 故爲有孚攣固, 用富厚之力, 而以其鄰之象. 以, 猶春秋以某師之以, 言能左右之也. 占者有孚, 則能如是也.

손괘 몸체의 세 효가 힘을 합쳐 건괘를 저지하니 이웃의 상이고, 구오는 가운데 있고 높은 자리에 처하여 세력이 일을 할 수 있어 위아래를 겸한다. 그러므로 믿음이 있고 이끎이 견고하여 부유한 힘을 써서 그 이웃을 좌지우지하는 상이 된다. '이(以)'는 『춘추좌씨전』에서 "아무개의 군대를 거느린다[以]"고 할 때의 '이(以)'자와 같으니, 좌지우지할 수 있음을 말한다. 점치는 자가 믿음이 있으면 이와 같이 할 수 있다.

朱子曰, 富以其鄰與上合志, 是說上面巽體同力畜乾. 鄰, 如東家取箇, 西家取箇, 取上下兩畫也. 此言五居尊位, 便動得那上下底. 攣如, 手把攣住之象.

주자가 말하였다: "부(富)로써 그 이웃을 좌지우지 한다"는 것과 육사 「상전」에서 "위와 뜻이 합하기 때문이다"는 것은 위에 있는 손괘 몸체의 세 효가 힘을 합쳐 건괘를 저지함을 말한다. '이웃'은 동쪽 집에서 하나를 취하고 서쪽 집에서 하나를 취하는 것과 같이 위아래 두 획을 취함이다. 이것은 오효가 높은 자리에 있어 곧 저 위아래의 것들을 움직일 수 있음을 말한다. '연여(攣如)'는 손으로 잡고 있는 상이다.

○ 問, 小畜, 以一陰而畜五陽 而九五乃云, 富以其鄰, 是與六四之陰竝力而畜下三陽. 不知九五何故反助陰邪. 曰, 九五上九, 皆爲陰所畜, 又是同巽之體, 故反助之也.

물었다: 소축괘는 하나의 음으로 다섯 양을 저지하는데, 구오에서 곧 "부(富)로써 그 이웃을 좌지우지한다"라고 한 것은 육사의 '음과 힘을 함께하여 아래의 세 양을 저지하는 것입니다. 구오가 무슨 까닭으로 도리어 음을 도와주는지 모르겠습니다.

답하였다 : 구오와 상구는 모두 음에게 저지되지만, 또 같은 손괘의 몸체이므로 도리어 음을 도와주는 것입니다.

○ 徂徠石氏曰, 上三爻巽體, 皆務畜者也. 六四爲畜之主, 然陰則虛乏. 九五陽爲富, 能推其富以助六四, 共止畜之, 是富以其鄰也.

조래석씨가 말하였다: 위의 세 효는 손괘의 몸체이니, 모두 저지하는 데 힘을 쓰는 자이다. 육사는 소축괘의 주인이 되지만, 음이기 때문에 텅 비어 부족하다. 구오의 양은 부유함이 되니, 그 부유함을 미루어 육사를 도와줄 수 있어서 함께 그치게 하여 저지하니, 이것이 부(富)로써 그 이웃을 좌지우지함이다.

○ 蔡氏淵曰, 以統體言之, 固是以一陰畜五陽. 然就九五而言 則下與四比, 上與上連爲鄰之象, 謂巽三爻同力畜乾, 卻見得自上畜下之意, 分明也.

채연이 말하였다: 괘 전체로 말한다면 진실로 하나의 음이 다섯 양을 저지하는 것이다. 그러나 구오의 입장에서 말하면 아래로 사효와 가깝고, 위로 상효와 연결되어 '이웃'의 상이 되는 것은 손괘의 세 효가 힘을 같이 하여 건괘를 저지하여 도리어 위에서 아래를 저지하는 뜻을 분명히 알 수 있음을 말한다.

○ 雲峰胡氏曰, 攣字與牽字, 皆有相連之義. 初與二皆乾體, 故二連初皆欲上進, 有牽之象. 四與五皆巽體, 故五連四上, 相與畜下之三陽, 有攣之象. 然二與初之占, 皆吉, 五與四上, 皆无占吉之辭, 聖人言外之意, 可見也. 中孚九五, 亦言有孚交如[39], 蓋言交如者, 異體之交也, 攣如者, 同體之合也.

운봉호씨가 말하였다: '연(攣)'자와 '견(牽)'자는 모두 '서로 이어져있다'는 뜻이 있다. 초효와 이효가 모두 건괘의 몸체이기 때문에 이효와 초효가 이어져 있어 모두 위로 나아가고자 하니, 이끄는[牽] 상이 있다. 사효와 오효는 모두 손괘의 몸체이기 때문에 오효는 사효 및 상효와 이어져 있어 함께 아래의 세 양을 저지하니, 이끄는[攣] 상이 있다. 그러나 이효와 초효의 점사는 모두 길한데, 오효와 사효 및 상효에는 모두 길하다는 점사가 없으니, 성인의 말 밖의 숨겨진 뜻을 알 수 있다. 중부괘의 구오에서도 "믿음으로 사귄대[有孚交如]"라고 했으니, '사귄대[交如]'는 서로 다른 몸체[異體]가 사귀는 것이고, '이끌대[攣如]'는 같은 몸체[同體]가 화합하는 것을 말한다.

‖韓國大全‖

송시열(宋時烈) 『역설(易說)』

與四爻既有孚合, 如係攣然. 富者, 巽爲近利市三倍. 隣者, 謂四爻也. 言四五皆巽卦之爻, 而親近蓄之, 此不獨五爻之富, 四爻亦同爲富也. 以女從上之君, 其富可知. 來易, 乾爲金而巽消之, 言乾金皆入于巽, 故云富. 見說卦小註.

사효와 이미 믿어 합하는 것이 매어 이끄는 것처럼 합한다. '부유함[富]'은 손괘가 '이익에 가까이 하여 시세의 세 배가 되어서'이다.[40] '이웃'은 사효를 말한다. 사효와 오효가 모두

---

39) 有孚交如: 경학자료집성 DB와 영인본에는 '有孚交如'로 되어 있으나, 『주역』 원문에 따라 '有孚攣如'로 바로잡아야 할 것이나, 본문에서 '交如'와 '攣如'를 설명하기에 그대로 두었다.

손괘의 효이고 친하고 가까워 저지한다는 말이니, 이것은 오효만이 부유한 것이 아니라 사효도 같이 부유한 것이다. 여성으로 위의 임금을 따르니, 그 부유함을 알 수 있다. 래지덕의 『주역집주』에서 "건괘가 금(金)이 되는데 손괘가 그것을 사라지게 한다"고 한 것은 건괘인 금이 모두 손괘에 들어가므로 '부유하다'고 하였다. 「설괘전」의 소주를 보라.

석지형(石之珩) 『오위귀감(五位龜鑑)』

臣謹按, 小畜之九五, 以富人推財力, 濟其隣類諸人, 君以孚信得衆助. 蓋聚人莫如財, 而財聚則民散, 故明君不以財爲富, 而以得衆爲富, 衆所以牽連而從也. 噫, 合之以財者, 財盡則離, 合之以孚者, 不富而信, 天理人欲淺深之分, 豈特霄壤翅哉, 伏願, 殿下勿求獨富, 而信以及隣焉.

신이 삼가 살펴보았습니다: 소축괘의 구오는 부유한 사람이 재력(財力)을 써서 이웃한 부류의 여러 사람들을 구제하는 것이니, 임금이 믿음으로 무리의 도움을 얻는 것입니다. 대체로 사람을 모으는 것이 재물만 한 것이 없지만, 재물이 왕실에 모이면 백성이 흩어지므로 현명한 임금은 재물로 부유하게 여기지 않고 백성을 얻는 것을 부유하게 여기니, 백성들이 이 때문에 이끌려 함께 따르는 것입니다. 아! 재물로 부합하게 하는 것은 재물이 다하면 흩어지지만, 믿음으로 부합하게 하는 것은 부유하지 않더라도 믿으니, 천리와 인욕의 얇고 깊은 구분이 어찌 다만 하늘과 땅의 차이 뿐이겠습니까? 엎드려 바라건대, 전하께서는 홀로 부유하기를 구하지 마시고 믿음으로써 백성들에게 다가가십시오.

이익(李瀷) 『역경질서(易經疾書)』

九五, 中正之君位, 故必欲牽攣在下之賢者, 卽九二之被牽者, 是也. 與中孚之五同辭, 可以相勘. 隣, 指同德之上九. 雖失位, 畜極而通君, 又牽連賢臣而進, 其惠澤亦及事外之地, 擧遠而包近也.

구오는 중정(中正)한 임금의 자리이므로 반드시 아래에 있는 어진 이를 이끌려는 자이니, 바로 구이가 이끌리는 것이 그러하다. 중부괘(中孚卦)의 오효와 말이 같으니, 서로 헤아려 볼 만하다. '이웃'은 같은 덕의 상구를 가리킨다. 비록 제자리를 잃었으나 저지됨이 끝나서 임금에게 통하고, 또 어진 신하를 이끌어 함께 나아가서 그 혜택이 또한 일 밖의 것에까지 미치니, 먼 데 있는 자를 등용하고 가까이 있는 자를 포용한다.

---

40) 『周易·說卦傳』: 巽爲木, 爲風, 爲長女, … 爲近利市三倍.

유정원(柳正源) 『역해참고(易解參攷)』

林氏栗曰, 易以遠而配爲交如, 近而合爲攣如, 言綢繆固結也.

임율이 말하였다: 『주역』은 멀리 있는 것으로 짝하여 사귀고 가까이 있는 것으로 합하여 이끄니, 꼼꼼히 얽고 묶어 단단하게 맺음을 말한다.

○ 丹陽都氏曰, 六四九五, 近而相得, 與中孚九五同, 故皆言有孚攣如.

단양도씨가 말하였다: 육사와 구오는 가까워서 서로 얻는 것이 중부괘 구오와 같으므로 모두 "믿음이 있어 이끈다"라고 하였다.

○ 厚齋馮氏曰, 一卦唯四五言有孚, 則四五之相孚者, 明矣.

후재풍씨가 말하였다: 한 괘에서 오직 사효와 오효에서만 "믿음이 있다"고 하였으니, 사효와 오효가 서로 돕는 것이 분명하다.

本義, 以某師. 〈春秋桓十四年, 宋人以齊人蔡人衞人陳人, 伐鄭. 胡氏曰師, 而曰以者, 能左右之也〉

『본의』에서 말하였다: "아무개의 군대를 거느린다"〈『춘추』 환공 십 사년에 송나라 사람이 제나라 사람과 채나라 사람과 위나라 사람과 진나라 사람을 거느리고 정나라를 쳤다. 호씨는 '군대'라고 하고 '거느린다[以]'라고 한 것은 좌지우지 할 수 있다는 말이라고 하였다〉

김상악(金相岳) 『산천역설(山天易說)』

六四一爻, 雖兼三陰之卦以畜乾陽, 其力甚微, 不能成畜, 而九五, 巽體居中, 比四而助之, 故爲有孚攣固, 用富厚之力, 而以其鄰之象. 以者, 言能左右之也.

육사의 한 효는 비록 음이 셋인 괘를 겸하여 건괘인 양을 저지하지만, 그 힘이 매우 미미하여 저지함을 이룰 수 없고, 구오는 손괘의 몸체로 가운데에 있어 사효와 가까워서 도우므로 믿음이 있고 견고하게 이끌며 부유하고 넉넉한 힘을 써서 그 이웃을 좌지우지 하는 상이 된다. '이(以)'자는 좌지우지 할 수 있음을 말한다.

○ 小畜之義, 以陰畜陽, 而九五反比陰以助之者, 何也. 巽性入, 又爲進退也, 故本義, 巽體三爻, 同力畜乾. 然畜陽之功, 反在五, 故不言吉, 而上有征凶之戒. 孚者, 五之中實也, 與中孚同象. 中孚曰, 交如, 異體之交也, 小畜曰, 攣如, 同體之合也. 富者, 陽富而陰貧也. 隣者, 陰陽之相比也. 反卦對謙, 謙之爲卦, 艮坤相比, 而六五陰, 故曰不富以其鄰.

소축괘의 뜻이 음으로 양을 저지하는데 구오가 도리어 음을 가까이 하여 사효를 돕는 것은 어째서인가? 손괘의 성질은 들어감이고, 또 나아가고 물러남이 되므로『본의』에서 "손괘의 몸체인 세 효가 힘을 합하여 건괘를 저지한다"고 하였다. 그러나 양을 저지하는 공은 오히려 오효에 있으므로 '길하다'고 말하지 않고 상효에서 "가면 흉하다"고 하는 경계가 있다. '믿음'은 오효가 가운데 있고 꽉 찬 것이니, 중부괘와 상이 같다. 중부괘에서 "사귄다[交如]"[41]는 것은 서로 다른 몸체가 사귀는 것이며, 소축괘에서 "이끈다[攣如]"는 것은 같은 몸체가 합하는 것이다. '부유함'이라고 하였는데, 양은 부유하고 음은 빈한하다. '이웃'은 음과 양이 서로 가까운 것이다. 위아래가 거꾸로 되고 다시 음양이 바뀐 괘가 겸괘(謙卦䷠)인데, 겸괘에서는 간괘와 곤괘가 서로 가까이 하며 육오가 음이므로 "부유하지 않고도 이웃한다"고 하였다.

박윤원(朴胤源)『경의(經義)·역경차략(易經箚略)·역계차의(易繫箚疑)』

富者, 對六四虛之象而言. 鄰是六也.

'부유함'은 육사의 텅 빈 상에 상대하여 말했다. '이웃'은 음인 육이다.

김귀주(金龜柱)『주역차록(周易箚錄)』

本義, 巽體三爻, 云云.

『본의』에서 말하였다: 손괘의 몸체인 세 효는, 운운.

小註, 徂徠石氏曰, 上三爻, 云云.

소주에서 조래석씨가 말하였다: 위 세 효는, 운운.

○ 按, 陰乏陽富, 固有是理. 然只擧六四而謂之以隣, 則意甚單弱, 當以本義兼上下之說爲正. 下臨川吳氏說, 亦準此.

내가 살펴보았다: 음은 궁핍하고 양은 부유함이 진실로 이러한 이치가 있다. 그러나 육사만 들어 이웃으로 말한 것은 곧 뜻이 매우 단조롭고 약하니, 마땅히『본의』에서 "위아래를 겸한다"고 한 설명으로 정론을 삼아야 한다. 아래의 임천오씨의 설명이 또한 이것을 따랐다.

雲峯胡氏曰, 攣字, 云云.

운봉호씨가 말하였다: '이끈다'는 연(攣)자는, 운운.

---

41) 중부괘의 경문에는 '교여(交如)'라는 말이 없다.『주역』에서 '교여(交如)'는 대유괘(大有卦) 육오 효에서만 쓰였다[厥孚交如, 威如, 吉].

○ 按, 聖人言外之意, 卽扶陽抑陰之意, 此說深有意義.

내가 살펴보았다: 성인의 말하지 않은 뜻은 바로 양을 북돋고 음을 억누른다는 뜻이니, 이 설명에 깊은 의미가 있다.

서유신(徐有臣) 『역의의언(易義擬言)』

此, 剛中而志行者也. 自二以上互中孚, 故有孚攣如之辭, 與中孚同也. 兩手交握爲攣, 謂與九二相孚相攣也. 鄰, 九二也. 冨以其鄰, 両冨相益也. 物畜則冨也, 是宜致亨而在畜之時, 故不言也.

이것은 굳센 양이 가운데 있어 뜻이 행해지는 자이다. 이효로부터 이상의 호괘가 중부괘이므로 "믿음이 있어 이끈다"는 말이 있는 것은 중부괘와 같다. 두 손으로 서로 잡아 이끌음이 되니, 구이와 서로 믿고 서로 이끌음을 말한다. '이웃'은 구이이다. "부유함으로 그 이웃을 좌지우지 한다"는 것은 둘의 부유함이 서로 이익이 된다는 것이다. 물건이 쌓이면 부유하니, 이것은 마땅히 형통함을 이루어야 하지만 저지당하는 때에 있으므로 그렇게 말하지 않았다.

박문건(朴文健) 『주역연의(周易衍義)』

行信止敵, 故有攣如之象. 攣, 拘束而使不進也. 隣, 謂九二也.

믿음을 행하고 상대를 그치게 하므로 이끄는 상이 있다. '이끈다'는 것은 구속하여 나아가지 못하게 함이다. '이웃'은 구이를 말한다.

〈問, 有孚攣如, 富以其隣. 曰, 九五有孚而止敵, 故有攣如之象. 致富盛而不至貧乏者, 以其隣之不進也.

물었다: "믿음이 있어 이끌어서 부유함으로 그 이웃을 좌지우지 한다"는 무슨 뜻입니까? 답하였다: 구오에게 믿음이 있고 상대를 그치게 하므로 이끄는 상이 있습니다. 성대하게 부유함을 이루고 가난하고 궁핍한 데에 이르지 않는 것은 그 이웃이 나아가지 못하기 때문입니다.〉

김기례(金箕澧) 「역요선의강목(易要選義綱目)」

六四中虛, 九五中實, 皆有信之質本, 故曰有孚.

육사가 가운데가 텅 비고 구오가 가운데가 꽉 찬 것은 모두 믿음의 바탕과 근본이 있으므로 "믿음이 있다"고 하였다.

○ 五雖陽剛, 爲巽體, 則三爻, 皆陰性也. 況五居中, 同上下二爻結攣畜陽, 如富人之以財取鄰.

오효가 비록 굳센 양이지만 손괘의 몸체가 되니, 세 효가 모두 음의 성질이다. 더욱이 오효는 가운데에 있어 위아래의 두 효와 함께 단단히 이끌어 양을 저지하니, 부유한 사람이 재물로 이웃을 취하는 것과 같다.

심대윤(沈大允) 『주역상의점법(周易象義占法)』

小畜之大畜䷙, 所畜有實德也. 九五以剛中居剛, 自得篤信而无疑, 故曰有孚. 學識得其一事, 其餘鉤連以推得, 德行信乎人, 從而化之者, 鉤連而相及, 故曰攣如. 巽係离麗, 爲攣如. 冨實德也. 學識比類而有得德行自近而遠, 畜之旣大信之者漸衆, 故曰冨以其鄰. 乾爲畜聚坤爲厚, 曰冨. 震爲鄰.

소축괘가 대축괘(大畜卦䷙)로 바뀌었으니, 쌓인 것은 실덕(實德)이 있다. 구오는 굳세고 알맞음으로 굳센 양의 자리에 있어 스스로 독실하게 믿을 수 있어 의심이 없으므로 "믿음이 있다"고 하였다. 한 가지 일을 배워 알면 그 나머지는 연관하여 헤아릴 수 있다. 덕행은 남들에게 미덥고 그에 따라서 변화시키는 자는 연관하여 서로 영향을 미치므로 '이끈다'라고 하였다. 손괘(巽卦)는 묶어 매고 리괘(離卦)는 걸어서 '이끎'이 된다. '부(富)'는 실덕(實德)이다. 돕는 부류를 배우고 알아서 덕행이 가까운 곳으로부터 멀리까지 할 수 있고, 그것을 쌓아서 이미 크게 믿는 자들이 점차 많아지므로 "부유함으로써 그 이웃을 좌지우지 한다"라고 하였다. 건괘가 저지되어 모임이 되고 곤괘가 두터움이 되니, '부유함'이라고 하였다. 진괘는 이웃이 된다.

오치기(吳致箕) 「주역경전증해(周易經傳增解)」

九五, 陽剛中正, 而尊居君位, 卽所謂剛中而志行者也. 在畜之時, 自畜陽剛之德, 欲行其道, 乃以誠信援引在下同德之賢, 與之相資, 如以富厚之力, 推反其鄰, 比而共之也, 卽象而占可知矣. 大義程傳備矣.

구오는 굳센 양으로 중정하여 높이 임금의 자리에 있으니, 이른바 굳센 양으로 알맞아 뜻이 행해지는 자이다. 저지당하는 때에 스스로 양의 굳센 덕을 쌓아 그 도를 행하고자 하는 것은 바로 정성과 믿음으로 아래에 덕이 같은 어진 이를 이끌어서 그와 더불어 서로 의지하는 것이니, 부유하고 넉넉한 힘으로 그 이웃에게 미루어 돌이켜 돕고 함께 하는 것과 같다. 상에서 점을 알 수 있다.

○ 孚之取象, 與四同. 攣者, 援引也. 取爻變之艮爲手, 援引之象也. 巽得位故言富,而巽爲近市利三倍, 卽富之象. 他卦言富者倣此. 以者, 左右之也.

'믿음'의 상을 취한 것이 사효와 같다. '연(攣)'은 이끌음이다. 오효가 변한 간괘가 손[手]이 됨을 취하였으니, 이끄는 상이다. 손괘가 지위를 얻었기 때문에 '부유하다'고 말했지만 손괘는 이익이 세배 가까이 되니, 바로 부유한 상이다. 다른 괘에서 '부유하다'고 말한 것은 이것을 따른다. '이(以)'자는 좌지우지하는 것이다.

이진상(李震相) 『역학관규(易學管窺)』

五爲衆陽之主, 陽體實富之象也. 卦惟一陰與五爲鄰, 而其體虛乏, 故五以誠信固結於四, 推吾富厚之力, 而助其虛乏, 是我不欲獨有其富也. 此卦惟四五, 言有孚, 則可見其體之相孚. 本義以下三陽爲鄰, 蓋上下四陽, 皆五之所能兼也. 四之陰, 志在畜陽, 而群陽之盛, 旣足以資陰, 故五能率之, 使畜於陰. 如是則與四合志同力, 而畜乾鄰也. 〈或謂五陽富也, 四之陰乃鄰也. 如是則是陽畜陰也, 非陰畜陽也. 五雖陽, 屬巽體, 故反助六四, 其爲畜止也.〉

오효는 여러 양의 주인이 되니, 양의 몸체가 실제 부유한 상이다. 괘에서 오직 한 음만이 오효와 이웃이 되지만, 그 몸체가 텅 비어 궁핍하므로 오효가 정성과 믿음으로 사효와 굳게 결합하고, 나(오효)의 부유하고 두터운 힘을 미루어 그(사효)의 텅 비어 궁핍함을 도우니, 이것은 내(오효)가 홀로 그 부유함을 가지려는 것이 아니다. 이 괘는 사효와 오효에서만 "믿음이 있다"고 말했으니, 그 몸체가 서로 믿는 것을 볼 수 있다. 『본의』는 아래의 세 양을 이웃으로 보았는데, 위아래의 네 양을 모두 오효가 겸할 수 있다. 사효의 음은 뜻이 양을 저지하는데 있지만, 여러 양이 왕성하고 이미 음을 도와주기에 충분하므로 오효가 그들을 거느릴 수 있어 음에게 저지되게 한다. 이와 같다면 사효와 뜻을 합하고 힘을 같이하여 이웃인 건괘를 저지한다. 〈어떤 이는 다섯 양이 부유하고, 사효의 음이 바로 이웃이라고 한다. 이와 같다면 이것은 양이 음을 저지하는 것이지, 음이 양을 저지하는 것은 아니다. 오효가 비록 양이지만 손괘의 몸체에 속하므로 도리어 육사를 도와 그가 저지하여 그치게 한다.〉

채종식(蔡鍾植) 「주역전의동귀해(周易傳義同歸解)」

九五攣如富鄰, 傳云, 五與衆陽爲攣鄰也, 本義云, 五與四上爲攣鄰也. 蓋程子之說, 爲同類相援也, 朱子之說, 爲同體相厚也. 同類相援者, 得同志之力, 以濟小人之厄, 揭扶陽之義也. 同體相厚者, 以同巽之體, 畜止三陽於下, 本卦爻之旨也. 然四五爻, 皆當畜陽而猶未至於極也, 故本義解作同體畜陽之義也. 然及至上九, 而畜道已成, 則有君子征凶之戒, 蓋爲君子戒也. 然則自文王周公而已有扶陽之義也, 故曰易爲君子謀不爲

小人謀也. 由是觀之, 則扶陽之義, 亦易卦之本指也, 程子之推說義理, 自不妨於朱子
之本義也.

구오의 "이끌어서 부유함을 그 이웃과 함께 한다"는 것에 대해 『정전』에서는 오효가 여러
양과 이끌어서 이웃이 된다고 하였는데, 『본의』에서는 오효가 사효, 상효와 이끌어서 이웃
이 된다고 하였다. 정자의 설명은 같은 부류가 서로 이끈다는 것이고, 주자의 설명은 같은
몸체가 서로 두텁게 한다는 것이다. "같은 부류가 서로 이끈다"는 것은 뜻을 같이하는 자의
힘을 얻어 소인의 재앙을 구제하니, 양을 북돋는 뜻을 드러낸 것이다. "같은 몸체가 서로
두텁게 한다"는 것은 같은 손괘의 몸체로 아래의 세 양을 저지하여 그치게 하니, 본래 괘사
와 효사의 뜻이다. 그러나 사효와 오효가 모두 양을 저지하여야 하는데, 오히려 아직 지극한
데에는 이르지 않았으므로 『본의』에서 몸체를 같이하여 양을 저지하는 뜻으로 풀이하였다.
그러나 상구에 이르러 저지하는 도가 이미 이루어져서, "군자가 가면 흉하다"는 경계가 있으
니, 군자를 위한 경계이다. 그렇다면 문왕과 주공으로부터 이미 양을 북돋는 뜻이 있었던
것이다. "역은 군자를 위하여 도모하고 소인을 위하여 도모하지 않는다"라고 하였다. 이로부
터 본다면 '양을 북돋는 뜻'이 또한 『주역』 괘의 본래 종지니, 정자가 의리를 미루어 말한
것은 자연히 주자의 『본의』에 방해가 되지 않는다.

박문호(朴文鎬) 「경설(經說)·주역(周易)」

攣, 固爲句, 絶其上爲字, 釋於象下.
'연(攣)'은 진실로 구절이 되니, 그 위를 끊어 글자를 삼고 상 아래에 풀이하였다.

陰畜陽也, 而於陰則但云厲, 於陽則特云凶者, 蓋婦.
음이 양을 저지하지만 음에 대해서는 다만 '위태하다'고 하고, 양에 대해서는 다만 '흉하다'고
한 것은 대체로 아내이기 때문이다.

이병헌(李炳憲) 『역경금문고통론(易經今文考通論)』

攣, 牽引也. 四之誠, 足以孚五, 故五不能獨有其富也.
'연(攣)'은 이끎이다. 사효의 정성은 오효를 믿기에 충분하므로 오효는 홀로 그 부유함을
가질 수 없다.

象曰, 有孚攣如, 不獨富也.

「상전」에서 말하였다: "믿음이 있어 이끎"은 홀로 부유하지 않은 것이다.

‖中國大全‖

傳

有孚攣如, 蓋其鄰類, 皆牽攣而從之, 與衆同欲, 不獨有其富也. 君子之處難厄, 惟其至誠, 故得衆力之助, 而能濟其衆也.

"믿음이 있어 이끎"은 그 이웃한 부류들이 모두 이끌려서 따르는 것이니, 무리와 함께 하고자 하여 혼자 그 부유함을 소유하지 않는 것이다. 군자는 어려움과 곤액에 처하여 오직 지극한 정성으로 하기 때문에 여러 사람들의 도움을 얻어 사람들을 구제할 수 있는 것이다.

小註

臨川吳氏曰, 五之能攣四也, 不獨有富而與四共之也.

임천오씨가 말하였다: 오효가 사효를 이끌 수 있는 것은 홀로 부유함을 소유하지 않고, 사효와 함께 하기 때문이다.

‖韓國大全‖

유정원(柳正源) 『역해참고(易解參攷)』

正義, 所以攀攣於二者, 以其不獨自專固於富, 欲分與二也.

『정의』에서 말하였다: 이효를 당겨 이끄는 것은 구오가 자신만 부유함을 독점하지 않고 이효와 나누고자 하기 때문이다.

○ 案, 富者, 衆之所同欲, 非一己之所獨也. 五則陽, 實而富, 四則陰, 虛而不富. 五之孚信, 攣結於四, 以助其陰乏, 而同其富厚, 是我之不欲獨有其富也.
내가 살펴보았다: '부유함'은 무리가 다 바라는 바이니, 자기 혼자만 바라는 것이 아니다. 오효는 양이니 꽉 차고 부유하며, 사효는 음이니 텅 비어 부유하지 못하다. 오효의 믿음이 사효를 이끌고 단단히 맺으며 그 음효(사효)의 결핍된 것을 도와 그 부유하고 넉넉함을 함께 하니, 이것이 내가 그 부유함을 혼자 가지려고 하지 않는 것이다.

김상악(金相岳)『산천역설(山天易說)』

五之剛實, 與四共之, 故不獨有其富也.
오효는 굳센 양으로 꽉 차서 사효와 함께 하므로 그 부유함을 혼자서만 갖지 않는다.

서유신(徐有臣)『역의의언(易義擬言)』

不獨九五爲富, 九二亦富也, 明其所攣者二也, 又明其兩富相益也.
구오 홀로 부유하게 되지 않고 구이도 부유하니, 그 이끌리는 것이 이효임을 밝힌 것이며, 또 그 둘의 부유함이 서로에게 이익이 됨을 밝힌 것이다.

박문건(朴文健)『주역연의(周易衍義)』

不獨富, 言九二亦不見消而致富盛也.
"혼자만 부유하지 않다"는 것은 구이가 또한 사라지지 않고 성대하게 부유함을 이루는 것을 말한다.

김기례(金箕澧)「역요선의강목(易要選義綱目)」

君子處難, 以信得衆, 如富人取鄰也.
군자가 어려움에 처하여 믿음으로 백성을 얻으니, 부유한 사람이 이웃을 취하는 것과 같다.

심대윤(沈大允)『주역상의점법(周易象義占法)』

實德不薄而厚, 從而信之者, 衆也. 對萃兌坎爲不獨.

실덕(實德)은 얕지 않고 두터워서 따르고 믿는 자가 많다. 괘의 위아래가 바뀌고 다시 음양이 바뀐 취괘(萃卦䷬)와 태괘(兌卦), 감괘(坎卦)는 홀로 하지 않음이다.

오치기(吳致箕) 「주역경전증해(周易經傳增解)」

以誠信而援引同德之鄰者, 乃不獨有其富也.

정성과 믿음으로 덕이 같은 이웃을 이끄는 자는 이에 홀로 그 부유함을 갖지 않는다.

上九, 旣雨旣處, 尙德, 載, 婦貞, 厲.

정전 상구는 이미 비가 오고 이미 그침은 덕을 승상하여 가득 참이니, 아내가 고집하면 위태롭다.

본의 상구는 이미 비가 오고 이미 그침은 덕을 승상하여 가득 참이니, 아내가 곧더라도 위태롭다.

┃中國大全┃

傳

九以巽順之極, 居卦之上, 處畜之終, 從畜而止者也, 爲四所止也. 旣雨和也, 旣處止也. 陰之畜陽, 不和則不能止, 旣和而止, 畜之道成矣. 大畜, 畜之大, 故極而散, 小畜, 畜之小, 故極而成. 尙德載, 四用柔巽之德, 積滿而至於成也. 陰柔之畜剛, 非一朝一夕能成, 由積累而至, 可不戒乎. 載, 積滿也, 詩云, 厥聲載路. 婦貞厲, 婦, 謂陰, 以陰而畜陽, 以柔而制剛, 婦若貞固守此, 危厲之道也. 安有婦制其夫, 臣制其君而能安者乎.

구(九)는 유순하고 공손함[巽順]의 극진함으로써 괘의 맨 위에 있고, 소축괘의 끝에 있어서, 저지함에 따라 멈춘 자이니, 사효에게 저지된 것이다. '이미 비가 옴'은 화합하는 것이고, '이미 그침'은 그침이다. 음이 양을 저지하는데 화합하지 않으면 그치게 할 수 없으니, 이미 화합하여 그침은 저지하는 도가 이루어진 것이다. 대축괘(大畜卦)는 저지함이 크므로 다하는 데에 이르면 흩어지고, 소축괘(小畜卦)는 저지함이 작으므로 다하는 데에 이르면 이루어진다. '덕을 숭상하여 가득 참'은 사효가 부드럽고 공손한 덕을 써서 가득 채워 이루는 데에까지 이른 것이다. 음의 부드러움이 굳센 양을 저지하는 것은 하루아침이나 하루저녁에 이룰 수 있는 것이 아니고, 여러 번 쌓고 포개어 이루어진 것이니, 경계하지 않을 수 있겠는가? '재(載)'는 가득 채움이니, 『시경』에서 "그 소리가 길에 가득하다"라고 하였다. "아내가 고집하면 위태롭다"고 할 때의 '아내'는 음을 말하니, 음으로써 양을 저지하고 부드러움으로써 굳셈을 제어하니, 아내가 만약 굳게 고집하여 이것을 지키면 위태로운 도이다. 어떻게 아내가 남편을 제재하고, 신하가 임금을 제재하고서 편안할 수 있는 자가 있겠는가?

小註

建安丘氏曰, 卦辭言不雨, 未成畜也, 上九言旣雨, 畜道成矣. 此卦爻互辭以見意也. 如履卦不咥人亨, 爻言咥人凶, 亦與此類同.

건안구씨가 말하였다: 괘사에서 "비가 오지 않는다"고 말한 것은 아직 저지함을 이루지 못한 것이며, 상구에서 "이미 비가 오고"라고 말한 것은 저지하는 도가 이루어진 것이다. 이는 괘사와 효사가 서로 각각의 뜻을 나타낸 것이다. 리괘(履卦)의 괘사에서 "사람을 물지 않아 형통하다"라고 한 것과 삼효에서 "사람을 무니 흉하다"라고 한 것 등이 또한 이것과 같은 유형이다.

○ 雙湖胡氏曰, 嘗觀卦爻辭, 多不同, 今小畜諸爻, 各自取義. 無復密雲西郊意, 亦可見爻辭周公作, 故不同也.

쌍호호씨가 말하였다: 일찍이 괘사와 효사를 살펴보니, 같지 않은 것이 많았다. 이제 소축괘의 여러 효가 각기 뜻을 취하여 다시 '빽빽이 구름이 낌'과 '서쪽 들'의 뜻이 없으니, 또한 효사도 주공의 글이기 때문에 같지 않음을 볼 수 있다.

韓國大全

유정원(柳正源) 『역해참고(易解參攷)』

王氏曰, 處小畜之極, 能畜者也. 陽不獲亨, 故旣雨也. 剛不能侵, 故旣處也. 體巽處上, 剛不敢犯, 尚德者也. 爲陰之長, 能畜剛健, 德積載者也. 婦制其夫, 臣制其君, 雖貞近危, 故曰婦貞厲也.

왕씨가 말하였다: 소축괘의 끝에 있어 저지할 수 있는 자이다. 양이 형통함을 얻지 못했으므로 이미 비가 온다. 굳센 양이 침범할 수 없으므로 이미 그친다. 몸체는 손괘로 위에 있는데 하괘인 굳센 양이 감히 범하지 못하니, 덕을 숭상하는 것이다. 음의 맏이가 되어 강건한 양을 저지할 수 있으니, 덕을 채워 가득한 것이다. 아내가 그 남편을 제어하고 신하가 그 임금을 제어하니, 비록 곧더라도 위태로움에 가까우므로 "아내가 곧더라도 위태롭다"고 하였다.

○ 平庵項氏曰, 上居畜極, 畜道旣成, 昔之不雨者, 今旣雨矣, 昔之尚往者, 今旣處矣, 昔之說輻者, 今旣載矣, 昔之反目者, 今爲婦矣.

평암항씨가 말하였다: 상효는 소축괘의 끝에 있어 저지하는 도가 이루어졌으니, 옛날에 비가 오지 않던 것이 이제 비가 내렸으며, 옛날에 위로 올라가던 것이 이제 그쳤으며, 옛날에

바퀏살이 벗겨졌던 것이 이제 수레에 가득하게 실었으며, 옛날에 반목하던 이가 이제 아내가 되었다.

김규오(金奎五) 「독역기의(讀易記疑)」

上九, 陰陽皆不利之象. 正應九三, 反目而婦言厲, 君子言凶, 亦猶反目之專責正室, 實春秋傳, 夫不夫, 則婦不婦之意也.

상구는 음양이 모두 이롭지 않은 상이다. 바로 정응(正應)인 구삼이 반목하여 아내는 "위태롭다"고 말하고 군자는 "흉하다"고 말하는 것은 또한 반목의 책임이 오로지 부인에게 있다고 하는 것과 같으나, 실상 『춘추전』에서 남편이 남편답지 못하면 아내가 아내답지 못하다는 뜻이다.

김귀주(金龜柱) 『주역차록(周易箚錄)』

按, 外卦巽體, 都是陰德也. 自六四而積之至於上九, 則尙而載矣. 旣雨旣處, 言畜道已成. 畜道之成, 乃陰陽之和. 未便是不好底事, 而陰德旣極, 則將與陽敵, 於陰於陽俱爲不利. 故以婦貞厲, 君子征凶, 両戒之.

내가 살펴보았다: 외괘는 손괘의 몸체이니, 모두 음의 덕이다. 육사로부터 쌓여 상구에 이르면 숭상하여 가득하다. "이미 비가 내리고 이미 그침"은 저지하는 도가 이미 이루어졌음을 말한다. 저지하는 도가 이루어졌다는 것은 이미 음양이 화합한 것이다. 좋지 않은 일은 아니지만 음의 덕이 이미 극성하게 되면 양과 대적하여 음에게도 양에게도 다 이롭지 못하게 된다. 그러므로 "아내가 곧더라도 위태롭고, 군자가 가면 흉하다"는 것으로 둘 다 경계하였다.

박제가(朴齊家) 『주역(周易)』

案, 尙德載婦, 載, 載之於輿也, 言尙其柔巽之德而收載之. 此之載, 卽三之輿也. 此之婦, 卽三之妻也. 反目, 故說輻, 尙德, 故載之耳. 傳以下之以載爲句者, 蓋以象傳之德積載也一句而亦言, 此婦之德積耳. 象之發揮, 只一積字, 而若以載復爲滿積, 則是夫子以經之一載字, 反訓自己之積字而止矣.

내가 살펴보았다: '상덕재부(尙德載婦)'에서 '재(載)'는 수레에 싣는 것이니, 부드럽고 공손한 덕을 높아서 모아 싣는 것을 말한다. 여기서의 실음[載]은 바로 삼효의 수레이다. 상구에서의 며느리[婦]는 바로 삼효의 아내[妻]이다. 반목하기 때문에 바퀏살이 벗겨지고 덕을 숭상하기 때문에 수레에 싣는다. 「상전」이하로 '재(載)'에서 구절을 끊은 것은 대체로 「상전」

에서 "덕이 쌓여 가득하다"고 한 구절을 가지고서 또한 말했기 때문인데, 여기에서는 며느리의 덕이 쌓여 가득한 것이다. 「상전」에서 밝힌 것이 다만 '적(積)'자 하나인데, 만약 "싣는다"는 것을 다시 "쌓아 가득하다"는 것으로 여긴다면 이것은 공자가 경문의 '재(載)'자를 도리어 이미 쌓여있다는 의미의 '적(積)'자로 풀이하고만 것이 될 것이다.

김기례(金箕澧) 「역요선의강목(易要選義綱目)」

上九, 旣雨旣處,
상구는 이미 비가 오고 이미 그침은

乾陽, 至上而窮, 則不可復進, 故受畜, 受畜則陰陽和故雨. 畜道極而成, 故旣處, 小畜極則能成, 大畜極則能通.
건괘의 양이 맨 위에 이르러 다하게 되면 다시 나아갈 수 없으므로 저지당하고, 저지당하면 음양이 화합하므로 비가 온다. 저지하는 도가 다하여 이루어지므로 이미 그치니, 소축괘가 다하면 이룰 수 있고 대축괘가 다하면 통할 수 있다.

尙德載,
덕을 숭상해서 가득 참이니,
四, 以巽順尙陰德而載積, 至于成畜.
사효는 공손함으로 음의 덕을 숭상하여 싣고 쌓아서 저지함을 이루는 데에 이른다.

婦貞厲,
아내가 곧더라도 위태하다.
畜道未成, 而相敵, 故九三指陰曰妻. 至上而成畜, 陰陽相順, 故指陰曰婦.
저지하는 도가 이루어지지 않아 서로 대적하므로 구삼에서 음을 가리켜 '아내[妻]'라고 하였다. 상효에 이르러 저지함을 이루어 음양이 서로 따르므로 음을 가리켜 '아내[婦]'라고 하였다.
○ 若貞固制陽則危, 戒臣妾之道, 貞固而危.
만약 곧고 견고하게 양을 제어하면 위태로우니, 신하와 아내의[臣妾]의 도가 고집스럽고 굳으면 위태롭다고 경계하였다.

이진상(李震相) 『역학관규(易學管窺)』

巽體成, 則其氣必轉於西, 而上爻變爲坎體也, 故曰旣雨. 象之言不雨, 自其不變而言也. 至此則昔之不雨者, 今旣雨矣, 昔之尙往者, 今旣處矣, 昔之脫輻者, 今旣載矣, 昔之反目者, 今爲婦矣. 但尊陰之至, 陰雖已和, 而陰盛則敵陽, 漸不可長, 故有貞厲征凶之戒.

손괘의 몸체가 이루어지면 그 기운이 반드시 서쪽에서 움직여 상효가 바뀌어 감괘의 몸체가 되므로 "이미 비가 온다"고 하였다. 「단전」에서 "비가 오지 않는다"고 말한 것은 바뀌지 않는 것으로부터 말한 것인데, 여기에 이르면 전에 비가 오지 않던 것이 이제 이미 비가 오고, 전에 위로 올라가던 것이 이제 이미 그치며, 전에 바큇살이 벗겨진 것이 이제 이미 물건을 실어 찼고, 전에 반목하던 것이 이제 아내의 도리를 따르게 된다. 다만 음을 높이는 것이 지극하여 음이 비록 이미 화합하였지만 음이 왕성하면 양에 대적하여 점차 화합을 오래할 수 없으므로 "곧더라도 위태롭고 가면 흉하다"는 경계가 있다.

박문호(朴文鎬) 「경설(經說)·주역(周易)」

制其夫, 臣制其君, 則婦臣固不吉, 而其爲夫君者之不吉, 尤甚矣.

아내가 그 남편을 제어하고 신하가 그 임금을 제어하는 것은 아내와 신하가 본래 길하지 못한 것이고 그 남편과 임금이 된 자의 불길함은 더욱 심한 것이다.

月幾望, 君子征凶.

달이 보름에 가까우니, 군자가 가면 흉하다.

‖中國大全‖

傳

月望則與日敵矣, 幾望, 言其盛將敵也. 陰已能畜陽, 而云幾望, 何也. 此以柔巽畜其志也, 非力能制也. 然不已則將盛於陽而凶矣, 於幾望而爲之戒曰, 婦將敵矣, 君子動則凶也. 君子謂陽, 征動也. 幾望, 將盈之時, 若已望, 則陽已消矣, 尚何戒乎.

달이 보름이면 해와 대등해지니, "보름에 가깝다"는 것은 달이 왕성하여 대등해지려는 것을 말한다. 음이 이미 양을 저지할 수 있는데 "보름에 가깝다"라고 말한 것은 무엇 때문인가? 이는 부드럽고 공손함으로써 양의 뜻을 저지하는 것이지 힘으로 제어할 수 있는 것이 아니기 때문이다. 그러나 그치지 않으면 양보다 성해져 흉하게 될 것이니, 보름에 가까움에 이를 경계하여 "아내가 대등해질 것이니, 군자가 움직이면 흉하다"라고 하였다. 군자는 양을 말하고, 정(征)은 움직이는 것이다. "보름에 가깝다"는 것은 가득 차려는 때이니, 이미 보름이라면 양은 이미 사라졌을 것이데, 오히려 무엇을 경계하겠는가?

本義

畜極而成, 陰陽和矣. 故爲旣雨旣處之象, 蓋尊尙陰德, 至於積滿而然也. 陰加於陽, 故雖正亦厲. 然陰旣盛而抗陽, 則君子亦不可以有行矣. 其占如此, 爲戒深矣.

저지함이 다하여 이루어지면 음과 양이 화합한다. 그러므로 이미 비가 오고 이미 그치는 상이 되니, 음의 덕을 높이고 숭상하여 가득 참에 이르러 그런 것이다. 음이 양보다 왕성해지므로 비록 바르더라도 또한 위태롭다. 그러나 음이 이미 왕성해져서 양에게 대항하면 군자가 또한 행함을 두어서는 안 된다. 그 점이 이와 같으니, 경계함이 깊다.

小註

朱子曰, 旣雨旣處, 言便做畜得住了, 做得雨後, 這氣畢竟便透出散了. 德積是說陰德, 婦人雖正亦危. 月才滿便虧, 君子到, 此亦行不得, 這是那陰陽皆不利底象. 又曰, 上九 雖是陰畜陽, 至極處和而爲雨, 畢竟陰制陽是不順, 所以雖正亦厲.

주자가 말하였다: '이미 비가 오고 이미 그침'은 곧 저지하고 있어서 비가 오게 한 뒤에 이기(氣)가 필경 다하여 흩어져 버린 것을 말한다. 덕이 쌓임은 음의 덕을 말하니, 부인이 비록 바르더라도 위태롭다. 달이 막 차면 곧 이지러져서 군자가 오더라도 이 또한 행하지 못하니, 이것은 음과 양에 모두 이롭지 못한 상이다.

또 말하였다 : 상구는 비록 음이 양을 저지하여 지극한 곳에서 화합하여 비가 오게 되는 것이지만, 마침내 음이 양을 제재하는 것은 순하지 않는 것이니, 이 때문에 비록 바르더라도 위태로운 것이다.

○ 厚齋馮氏曰, 乾陽至上而窮, 窮則不可復進而受畜矣. 故不雨者今旣雨, 牽復者今旣處. 巽之陰, 於是乎尙德之載. 然使爲婦者, 以是爲貞則厲也, 戒巽也. 巽於是乎爲幾望之月, 使爲君子者, 猶有所征則凶也, 戒乾也. 夫陰雖盛, 豈得加陽? 陽不失道, 豈制於陰. 此易所以兩致其戒, 不使至於極也.

후재풍씨가 말하였다: 건괘인 양이 맨 위에 이르러 다하니, 다하면 다시 나아갈 수 없어서 저지를 받는다. 그러므로 비가 오지 않았던 것이 이제 '이미 비가 오고', '이끌어 회복한다'는 것이 이제 이미 그쳤다. 손괘의 음은 이에 덕을 숭상함이 가득 참이다. 그러나 아내 된 이로 하여금 이것으로 곧음을 삼게 하면 위태로우니, 손괘를 경계한 것이다. 손괘는 이에 보름에 가까운 달이 되어 군자 된 이로 하여금 오히려 가는 바가 있게 하면 흉하니, 건괘를 경계한 것이다. 음이 비록 왕성하지만, 어떻게 양보다 왕성할 수 있겠는가? 양이 도를 잃지 않는데, 어찌 음에게 제재되겠는가? 이는 『주역』이 양쪽으로 다 경계하여 극단에 이르지 않게 한 것이다.

○ 雲峰胡氏曰, 四之畜道, 成於終, 故於終爻示戒. 密雲不雨, 爲陰言也, 今旣雨矣. 剛中志行爲陽言也, 今旣處而不行矣. 尙德載婦貞厲, 又爲陰言, 月幾望君子貞凶, 又爲陽言. 蓋陰畜陽至此已成, 陰雖正亦厲, 陽有動必凶, 陰陽兩不利之象. 坤六陰欲敵陽, 極而陰陽兩傷, 小畜一陰欲畜陽, 極而陰陽兩不利, 爲戒深矣.

운봉호씨가 말하였다: 사효가 저지하는 도는 끝에서 이루어지므로 마지막 효[終爻]에서 경계를 보여주었다. "구름이 빽빽이 끼고 비가 오지 않음"은 음으로 말한 것[陰言]인데, 이제 이미 비가 왔다. "굳센 양이 가운데 있고 뜻이 행해짐"은 양으로 말한 것[陽言]인데, 이제

이미 그쳐서 행해지지 않는다. "덕을 숭상하여 가득 참이니, 아내가 곧더라도 위태롭다"는 것은 또한 음으로 말한 것이며, "달이 보름에 가까우니, 군자가 가면 흉하다"는 것은 또한 양으로 말한 것이다. 음이 양을 저지하여 여기에 이르러 완성되니, 음이 비록 바르더라도 위태로우며, 양에 움직임이 있으면 반드시 흉하여 음과 양 모두에게 이롭지 못한 상이다. 곤괘(坤卦)의 여섯 음이 양에게 대적하려 하여 극한에 이르러 음과 양이 둘 다 상처 나고, 소축괘의 한 음이 양을 저지하려 하여 극한에 이르러 음과 양이 둘 다 이롭지 못하니, 경계함이 깊다.

‖韓國大全‖

권근(權近) 『주역천견록(周易淺見錄)』

愚謂, 幾望, 陰將盛而敵陽之時, 故曰有所疑也. 疑者, 在事未至之前. 若已然, 則无所疑矣. 吳氏因荀孟一行幾作旣, 又引左傳, 庸可幾乎, 幾旣古字通用. 然此爻上文, 已有旣雨旣處之語, 不應一爻之內, 又用通用之字, 以幾作旣也. 況小畜以一陰畜丑陽, 上九居卦之終, 故爲畜極而成之象, 但以柔巽畜而和之爾, 未能便滿而爲旣望之月也. 吳氏又以上文尙德之德, 據京房等著作得. 吳氏解經, 務爲新奇, 以異先儒, 故旁引雜書, 多改經文本字. 如屯九三鹿作麓, 幾作機, 訟上九褫作捈, 及此爻幾作旣之類, 猶存本字, 但曰某作某, 猶爲先儒釋經之例. 至師之象, 丈人作大人, 此爻尙德作得之類, 去某本字而直改之也.

내가 살펴보았다: 달이 거의 보름에 가깝다는 것은 음이 장성하여 양에 대적하는 때이므로 의심하는 것이 있다고 하였다. 의심이란 일이 벌어지기 이전에 존재한다. 만약 이미 벌어졌다면 의심할 것이 없다. 오징은 『맹자』와 『순자』의 구절에 '기(幾)'가 '기(旣)'로 되어 있고, 또 『춘추좌씨전』에서 "어찌 다 점령할 수 있겠는가?"라는 구절을 인용하여 '기(幾)'와 '기(旣)'가 옛날 글자에서는 통용되었다고 본다. 그러나 이 효의 윗글에 이미 "이미 비가 오고 이미 그친다"는 말이 있으므로 동일한 효 가운데 다시 통용되는 글자를 사용하여 '기(幾)'를 '기(旣)'로 쓴다는 것은 합당하지 않다. 하물며 소축은 하나인 음이 다섯 양을 저지하고 상구가 괘의 끝에 자리하고 있어 저지함이 극에 이르러 완성되는 상이 있지만, 부드럽고 겸손하여 저지하되 온화하게 하니, 가득 차서 보름을 넘긴 달이 될 수는 없다. 오씨는 또 윗글

"덕을 숭상한대[尚德]"의 '덕(德)'자를 경방 등의 저작에 근거하여 '득(得)'이라고 하였다. 오씨는 경전을 해석하면서 신기하게 하려고 애써 이전 유학자들과 다르게 해석하려 하였다. 이 때문에 널리 잡서를 인용하여 경문의 본래 글자를 고친 경우가 많았다. 예컨대, 준괘 구삼의 '녹(鹿)'을 '록(麓)'으로, '기(幾)'를 '기(旣)'로 송괘(訟卦) 상구의 '치(褫)'를 '체(摛)'로 고쳤는데, 이 효에서 '기(幾)'를 '기(機)'로 고친 것 등에 있어서는 오히려 본래의 글자를 남겨두고 다만 "어떤 글자는 어떤 글자로 되어 있다"라고 하여 이전 유학자들의 경문 해석 용례를 따르고 있다. 그러나 사괘(師卦)의 「단전」의 '장인(丈人)'을 '대인(大人)'으로, 이 효의 '상덕(尚德)'을 '상득(尚得)'으로 한 것 등은 그 본래의 글자를 제거하고 직접 본문을 고쳐버렸다.

漢儒釋經, 至文理有礙處, 以爲某當作某, 以通其意. 是其晝出於秦灰之後, 而文意亦有不通, 故不得已而爲之. 然亦未嘗去其本字以傳其疑, 愼之也. 此經不爲秦火所厄, 不容多誤, 卽鹿幾望之類, 先聖象傳所釋之意, 最爲明白, 其餘亦皆文從理順, 无可疑者. 不信本經, 反用後人附託之書, 必欲盡改而作之, 何哉. 丈人作大, 尚德作得, 雖有子夏京房等傳爲據, 豈敢以是而輕改經文乎.

한대 유학자들이 경전을 해석하면서 문리에 의심이 가면 "어떤 글자는 어떤 글자가 되어야 한다"고 함으로써 그 의미를 소통시켰다. 이는 그 서적이 진나라의 화를 거친 뒤에 나와 문장의 의미 또한 통하지 않는 부분이 있기 때문에 부득이 그렇게 하였던 것이다. 그러나 그 본래의 글자를 제거한 적이 없었고, 그렇게 함으로써 의심스러운 것을 의심스러운 대로 전하였는데, 이는 신중을 기하기 위해서였다. 이 경전은 진나라의 화를 겪지 않아 오류가 많지 않고, '즉록(卽鹿)', '기망(幾望)' 등의 경우는 앞선 성인이 「상전」에 해석한 의미가 가장 명백하며, 그 밖의 것들도 모두 문맥이 순리로워 의심할 것이 없다. 만약 본래의 경전을 믿지 않고 도리어 후인들이 덧붙인 책을 이용하여 모두 고쳐버린다면 어떻게 되겠는가. '장인(丈人)'의 장(丈)을 '대(大)'로, '상덕(尚德)'의 덕을 '득(得)'으로 고친 것이 자하, 경방 등의 전에 근거하고 있기는 하지만 어찌 이것을 근거로 가벼이 경문을 고칠 수 있겠는가?

子夏京房, 雖云與於易學之傳授, 子夏哭子喪明, 是猶未達死生終始之道. 京房取禍, 尤无足言. 是兩人者, 雖有所自作之書, 猶不敢信彼而疑此. 又況其傳出於後人之手乎. 雖有事證可據, 亦必以義理優劣爲斷.

자하, 경방이 역학의 전수에 관련된 인물이라고는 하지만 '자하는 자식의 상에 곡을 하다가 실명'하였으니, 이는 삶과 죽음, 시작과 마침의 도리를 아직 분명하게 깨닫지 못한 것이다. 경방이 화를 입은 것은 더욱 언급할 가치가 없다. 이 두 사람에게 비록 본인이 저술한 책이 있다고 해도 오히려 그것을 신뢰하고 경전을 의심할 수 없거늘, 하물며 그들의 설이라 전하는 것들이 후인들의 손에서 나온 것임에랴. 비록 근거할 만한 증거가 있더라도 반드시 의리 상에서 우열을 가려 판단해야 한다.

丈人改大, 殊失聖人愼用兵慮後世之意, 以褫爲撅, 未見終凶而可戒之義. 以幾爲旣, 未有將盛而可疑之象. 尙得之說, 尤爲牽强而不通. 九三得六四而尙之, 於上九爻象何開乎. 此類當從經文, 以正彼書之誤也, 反乃以彼而乱此哉.

'장인(丈人)'을 '대인(大人)'으로 고친 것은 성인이 군사를 신중하게 운용하며 후인들을 염려하는 의도를 크게 잃은 것이다. '치(褫)'를 '체(撅)'로 본 것은 끝내는 흉하므로 경계해야 한다는 의미를 드러내지 못한다. '기(幾)'를 '기(旣)'로 본 것은 앞으로 흥성하여 의심받게 될 수 있다는 상을 보이지 못한다. '상득(尙得)'의 설명은 더욱 견강부회하여 통하지 않는다. 구삼이 육사를 얻어 상구의 높임을 받는다는 것이 효의 상과 무슨 관련이 있는가? 이러한 것들은 경문에 따라 그 책들의 오류를 바로잡아야지 오히려 그러한 것을 근거로 경문을 어지럽혀서야 되겠는가?

송시열(宋時烈) 『역설(易說)』

卦本陰陽不和, 而至四五相孚, 然後陰德旣和, 蓄極而成, 有旣雨旣處之象. 密雲沛雨, 陰陽定處, 專尙婦德之積載也. 然以陽貞固處尢高之位, 其道尢厲. 月者, 坎象也. 疑者, 亦坎之義也. 月之幾望, 又將缺意. 此爻如月之缺, 則卦爲坎, 君子常存盈滿之戒, 不爲往從於四爻, 可也. 若往而求之, 不但招疑, 其道終凶.

괘가 본래 음양이 화합하지 못하다가 사효와 오효에 이르러야 서로 믿으니, 그런 뒤에 음의 덕이 화합하고 저지함이 다하여 이루어지니 "이미 비가 내리고 이미 그친다"는 상이 있다. 빽빽한 구름이 세차게 비를 내리고 음과 양이 제자리를 정하니, 오로지 부덕(婦德)이 쌓이고 차는 것을 높인다. 그러나 양의 곧고 굳음으로 지나치게 높은 자리에 있어 그 도가 너무 위태롭다. '달은 감괘의 상이다. "의심한다"는 것은 또한 감괘의 뜻이다. 달이 보름에 가깝다는 것은 또 장차 이지러질 것이라는 뜻이다. 이 효가 달이 이지러지는 것과 같은 것은 감괘가 된 것이니, 군자는 항상 차고 넘치는 것에 경계를 두어 사효를 가서 좇지 않는 것이 좋다. 만약 가서 사효에게 구하면 의심을 부를 뿐 아니라 그 도가 끝내 흉하게 된다.

심조(沈潮) 「역상차론(易象箚論)」

上九, 婦, 月旣望

상구의 "아내"와 "달이 보름에 가까우니",

巽爲長女, 故稱婦. 陽在陰位而極, 故曰月旣望.

손괘는 맏딸이 되므로 아내라고 일컬었다. 양이 음의 자리에 있고 지극히 높기 때문에 "달이 보름에 가깝다"고 하였다.

홍여하(洪汝河) 「책제(策題):문역(問易)·독서차기(讀書箚記)-주역(周易)」

上九, 旣雨旣處, 月幾望.

상구, "이미 비가 내리고 이미 그침은", "달이 거의 보름이다".

上九, 動而爲坎, 故曰旣雨, 又爲月, 又巽辛爲幾[42]望之月.

상구는 움직여서 감괘로 바뀌기 때문에 "이미 비가 내린다"고 하였고 또 '달'이 되며, 또 손괘는 신(辛)으로 기망(旣望)의 달이 된다.

本義 陰加於陽

『본의』에서 말하였다: 음이 양보다 성하다.

巽陰加於乾上

손괘는 음이 건괘의 위에서 성한 것이다.

이익(李瀷) 『역경질서(易經疾書)』

理極則反, 故凡卦吉極反凶, 凶極反吉. 小畜非吉卦, 故畜極而通宜也. 以卦辭言, 則密雲而至於旣雨, 以爻辭言, 則反目而至於旣處. 處者, 處之得其當也. 載者, 如器之盛物, 上天所載, 乃無聲無臭之理也, 坤厚所處, 乃萬物之質也, 其義相似. 德者, 理之總名也, 德非倫常, 卽空名, 德之所載, 五倫, 是也. 以象則旣雨矣, 以事則旣處矣, 然後敦尙德之所載也. 傳只添一積字, 謂非徒尙也, 必積行然後庶幾也. 尙德載者, 承旣處言也. 旣謂婦貞厲, 則在君子貞而不危, 可知. 履九五云, 夬履貞厲, 履者禮也, 禮宜撙節. 若履行太夬, 雖正亦厲, 其義如夬象居德則忌, 德不當夬也. 以此推之, 婦人雖旣處而尙德, 若自恃其處之得貞, 不思柔順之義, 則危, 上九不得中正故也. 候月當在夕月, 在离爲上弦, 則在巽爲幾望, 此於陰道雖善, 君子則征凶. 歸妹之五, 中孚之四, 可以互考.

극에 달하면 되돌아오므로 괘의 길함이 다하면 흉함으로 되돌아오고 흉함이 다하면 길함으로 되돌아온다. 소축괘는 길한 괘가 아니므로 저지힘이 다하여 마땅함에 통하게 된다. 괘사로써 말하면 빽빽이 구름이 끼었지만 이미 비가 내리는 데 이르며, 효사로써 말하면 반목하

---

42) 幾: 경학자료집성 DB와 영인본에는 모두 '旣'로 되어 있으나, 문맥을 살펴 '幾'로 바로잡았다.

지만 이미 그치는 데 이른다. "그쳤다[處]"는 것은 있는 데에서 그 마땅함을 얻은 것이다. "가득 차다[載]"는 그릇에 물건을 가득 채우는 것과 같아서 "하늘의 싣는 바는 바로 소리도 없고 냄새도 없는 이치이다"라는 것과 "곤괘의 두터움이 있게 하는 바는 바로 만물의 바탕이다"라는 것이 그 의미가 서로 같다. '덕'은 이치를 통틀어 한 말이니, 덕은 윤상(倫常)이 아니면 속이 빈 이름이어서 덕이 싣고 있는 것은 오륜이 그런 것이다. 상으로써는 이미 비가 왔고, 일로써는 이미 그쳤으니, 그런 뒤에 덕을 숭상하여 가득 채운 것을 도탑게 한다. 『정전』에서 다만 적(積)자를 첨가한 것은 한갓 숭상하는 것만이 아니어서 반드시 행실을 채운 연후에 그것에 가까워질 수 있음을 말한다. "덕을 숭상하여 가득 찬다"는 것은 "이미 그친다"는 것을 이은 말이다. 이미 "아내가 곧더라도 위태롭다"고 말했으니, 군자는 곧고 위태롭지 않음을 알 수 있다. 리괘(履卦)의 구오에서 "과감하게 결단해서 밟으니 곧더라도 위태롭다"고 한 것에서 "밟는다"는 것은 예(禮)니, 예는 마땅히 알맞게 하여야 한다. 만약 밟아 행하는 것이 지나치게 과감하면 비록 바르더라도 위태로우니, 그 뜻은 쾌괘(夬卦) 「상전」의 "덕에 거하여 금기 사항을 법제화한다"는 것과 같으니, 덕은 과감하게 결정해서는 안 된다. 이것으로 미루어보면 아내가 비록 이미 그치고 덕을 숭상하지만, 그침이 곧음을 얻었다고 스스로 믿어 유순함을 생각하지 않으면 위태로우니, 상구가 중정함을 얻지 못했기 때문이다. 달맞이[候月]는 저녁에 달이 뜬 뒤에 있어야 하니, 리괘가 상현(上弦)이라면 손괘는 보름에 가까운 것으로, 이것은 음의 도에 있어서는 비록 좋지만 군자는 가면 흉하다. 귀매괘의 오효와 중부괘의 사효를 서로 참고 할만하다.

유정원(柳正源) 『역해참고(易解參攷)』

案, 旣雨旣處, 陰陽之和也. 月幾望, 陰盛而抗陽者也. 旣是陰陽和矣, 安有陰盛而抗陽哉. 夫陰之畜陽, 旣和而止, 畜之道成矣. 然而以陰畜陽, 以柔制剛, 畢竟是抗敵者也, 此所以有貞厲征凶之戒也. 以人事言之, 則婦居尊位, 雖使君臣相濟, 上下交泰, 而是陰德之滿也, 豈不殆哉.

내가 살펴보았다: "이미 비가 내리고 이미 그침"은 음양의 화합이다. "달이 보름에 가깝다"는 것은 음이 무성하여 양을 막는 것이다. 이미 음양이 화합하였는데, 어떻게 음이 왕성하여 양을 막음이 있겠는가? 음이 양을 저지하고 이미 화합하여 그치고 저지하는 도가 이루어졌다. 그러나 음으로 양을 저지하고 부드러운 것으로 굳센 것을 제어함으로 필경 막아 대적하는 자이니, 이것이 "곧더라도 위태롭고 가면 흉하다"는 경계가 있는 까닭이다. 사람의 일[人事]로 말하면 아내가 높은 자리에 있어 비록 군신이 서로 돕고 위아래가 서로 조화롭게 하더라도 이것은 음의 덕이 가득 찬 것이니, 어떻게 위태롭지 않겠는가?

김상악(金相岳) 『산천역설(山天易說)』

畜極而成, 不雨者旣雨, 尙往者旣處. 四用柔巽之德, 積滿而至於成也. 然陰加於陽, 豈臣道也, 妻道也. 故婦貞亦厲. 又巽乾互兌爲月幾望之象. 陰盛而抗陽, 則君子亦不可往也, 故征凶.

저지함이 다하여 이루어지니, 오지 않던 비가 이미 내리고, 위로 올라가던 것이 이미 그친다. 사효가 부드럽고 공손한 덕을 써서 차고 넘쳐 이루는 데 이른다. 그러나 음이 양에게 더하는 것이 어찌 신하의 도리이며, 아내의 도리이겠는가? 그러므로 아내가 곧더라도 위태롭다. 또 손괘와 건괘의 호괘인 태괘는 "달이 거의 보름이다"라고 하는 상이 된다. 음이 무성하여 양을 막으면 군자가 또한 갈 수 없으므로 가면 흉하다.

○ 卦曰, 不雨者, 畜之未成也, 爻曰旣雨者, 畜極而通也. 上變爲需, 雲之自西郊者, 上天而爲雨也. 處者, 止也, 巽性旣進而退處之象. 德者, 陰之德也, 陰之德, 莫盛於巽, 而四兼三陰之卦, 各得坤一爻, 厚德載物, 故曰, 德積載. 三之說輻, 至上而載, 如睽三曰曳輿, 上曰載鬼. 貞厲者, 巽之乘乾也. 履五曰貞厲者, 乾之應兌也, 可見反對之義也. 又凡言貞厲者, 有言雖貞猶厲者, 有言貞厲而无咎者, 有言貞則有厲者, 各隨時變而言也. 月幾望者, 巽爲月窟, 而兌爲月之半見, 乾爲月之滿盈, 而兌一變爲乾, 故曰幾望. 故小畜歸妹中孚之取象同, 而有言其將與日敵者, 有言其將盛未極者, 有言其雨陰相敵者. 以剛居上, 君子之象. 三曰夫妻反目, 故上曰婦貞厲, 君子征凶.

괘사에서 "비가 오지 않는다"고 한 것은 저지함이 아직 이루어지지 않은 것이고, 효사에서 "이미 비가 내렸다"는 것은 저지함이 다하여 통한 것이다. 상효가 바뀌어 수괘(需卦)가 되니, "구름이 서쪽들로부터 온다"는 것은 하늘로 올라가 비가 되는 것이다. '처(處)'는 그침이니, 손괘의 성질이 이미 나아갔다가 물러나 그치는 상이다. '덕(德)'은 음의 덕이니, 음의 덕은 손괘보다 왕성[盛]한 것이 없고 사효가 세 음의 괘를 겸하니, 각각 곤괘의 한 효를 얻어 덕을 두텁게 하고 만물을 실으므로 "덕이 차서 가득하다"고 하였다. 삼효의 "바큇살이 벗겨짐"은 상효에 이르러 실어 가득하니, 규괘(睽卦) 삼효에서 "수레가 끌린다"고 하고 상효에서 "귀신을 싣는다"고 한 것과 같다. "곧더라도 위태롭다"는 것은 손괘가 건괘를 타고 있어서이다. 리괘(履卦)의 오효에서 "곧더라도 위태롭다"고 한 것은 건괘가 태괘에 호응함이니, 소축괘와 반대되는 뜻을 볼 수 있다. 또 "곧더라도 위태롭다"고 말한 것은 "비록 곧더라도 오히려 위태롭다"고 말한 것이 있고, "곧아 위태롭지만 허물이 없다"고 말한 것이 있으며, "곧으면 위태로움이 있다"고 말한 것이 있어서 각각 때의 변화에 따라서 말한다. "달이 보름에 가깝다"는 것은 손괘가 달이 있는 굴이 되고 태괘는 달의 반쪽이 드러나는 것이 되며 건괘는 달이 가득 차는 것이 되는데, 태괘의 한 효가 바뀌어 건괘가 되므로 "보름에 가깝다"고 하였다. 그러므로 소축괘, 귀매괘, 중부괘가 상을 취한 것이 같지만, 달이 장차 해와 대적한다고 말한 것이 있고, 달이 장차 왕성하나 아직 극에 달하지 않았다라고 말한 것이 있으며, 비가 내려 음이 서로 대적한다고 말한 것이 있다. 굳센 양으로 위에 있는 것은 군자의 상이다. 삼효에서 "부부가 반목한다"고 하였으므로 상효에서 "아내가 바르더라도 위태롭고 군자가 가면 흉하다"고 하였다.

박윤원(朴胤源) 『경의(經義)·역경차략(易經箚略)·역계차의(易繫箚疑)』

上九, 旣雨旣處, 月旣望,
상구는 이미 비가 오고 이미 그치며, 달이 보름에 가까우니,

○ 巽風也, 而或爲密雲, 或爲雨, 又或爲月. 易之取象, 不一如此.
손괘는 바람의 상이지만 혹은 빽빽이 구름이 낀 상이기도 하고 혹은 비가 내리는 상이기도 하며, 또 혹은 달의 상이 되기도 한다. 『주역』에서 상을 취한 것이 이와 같이 한결같지 않다.

김귀주(金龜柱) 『주역차록(周易箚錄)』

本義, 畜極而成, 云云.
『본의』에서 말하였다: 저지함이 다하여 이루어진다, 운운.
小註, 厚齋馮氏曰, 乾陽, 云云.
소주에서 후재풍씨가 말하였다: 건괘인 양이, 운운.
○ 按, 外三爻, 都是巽體, 不可說乾陽至上而窮矣. 自乾體而言, 則復自道, 牽復, 皆不爲陰所畜也. 自巽體而言, 則旣雨旣處, 爲畜道之成也, 此不可混說. 今乃謂牽復者, 今旣處, 則恐不成義理.
내가 살펴보았다: 밖의 세 효가 모두 손괘의 몸체니, 건괘의 양이 맨 위에 이르러 다했다고 말할 수 없다. 건괘의 몸체에서 말하면 "회복함이 도로부터 한다"고 하고 "이끌어서 회복한다"고 하였으니 모두 음에게 저지당하지 않는 것이다. 손괘의 몸체에서 말하면 "이미 비가 오고 이미 그침"은 저지하는 도가 이루어진 것이니, 이것을 뒤섞어 말해서는 안 된다. 지금 "이끌어서 회복한다"는 것을 이제 "이미 그쳤다"고 말하면 아마도 뜻이 성립되지 못할 듯하다.

雲峯胡氏曰, 四之, 云云.
운봉호씨가 말하였다: 사효가, 운운.

○ 按, 今旣處而不行, 云云, 與厚齋同病.

내가 살펴보았다: 이제 이미 그쳤는데 행하지 못한다고 운운한 것은 후재와 그 병통이 같다.

윤행임(尹行恁) 『신호수필(薪湖隨筆)·역(易)』

五陽一陰, 陰固弱矣. 至上九, 則有婦貞之厲矣, 有月望之幾矣. 君子雖百人, 不能敵一箇小人, 故一小人逐百君子易, 百君子逐一小人難.

양이 다섯인데 음이 하나이니, 음은 진실로 약하다. 상구에 이르면 아내가 곧더라도 위태로움이 있고, 달이 보름에 가까움이 있다. 군자가 비록 백 사람이라도 소인 한 사람을 대적할 수 없기 때문에 소인 한 사람이 군자 백 사람을 쫓아내기는 쉽지만, 군자 백 사람이 소인 한 사람을 쫓아내기는 어렵다.

서유신(徐有臣) 『역의의언(易義擬言)』

畜旣極矣, 風旣行矣, 雲旣布矣, 各得其處矣, 故曰旣雨旣處也. 巽德畜積於上, 而爲乾之所載, 故曰尙德載也. 六四得正, 故曰婦貞也. 互兌月, 上弦之象, 故曰月幾望也. 此皆一卦之象也. 婦雖貞而猶有厲矣. 月不敢抗陽而猶有疑矣, 此時君子不可行也.

저지함이 이미 극한에 이르니, 바람이 이미 불고 구름이 이미 비로 내려서 각각 그 멈추어야 할 곳을 얻었으므로 "이미 비가 내리고 이미 그쳤다"고 하였다. 손괘(巽卦)의 덕이 위에서 쌓이고 가득하여 건괘에 실리므로 "덕을 숭상해서 가득 찬다"고 하였다. 육사가 바름을 얻었기 때문에 "아내가 곧다"고 하였다. 호괘인 태괘는 달이니 상현(上弦)의 상이기 때문에 "달이 보름에 가깝다"고 하였다. 이것은 모두 한 괘의 상이다. 아내가 비록 곧지만 오히려 위태함이 있다. 달이 감히 해를 막지는 못하지만 여전히 의심하고 있으니, 이러한 때에 군자가 가서는 안 된다.

박문건(朴文健) 『주역연의(周易衍義)』

止而氣聚, 故有旣雨之象. 旣雨則聚止而不往也. 德言剛而能柔之道也. 月生於西, 故於下體之應, 取月之象. 幾近辭也.

그쳐서 기가 모이기 때문에 이미 비가 오는 상이 있다. 이미 비가 왔으면 모이고 그쳐서 가지 않는다. '덕(德)'은 굳세면서도 부드러울 수 있는 도를 말한다. 달은 서쪽에서 생기므로 하체의 호응에서 달의 상을 취하였다. '기(幾)'는 가깝다는 말이다.

〈問, 旣雨旣處, 尙德載, 婦貞厲. 曰, 旣雨旣處者, 用柔道而不進逼者也, 故處上而能其德積載也. 婦當用柔而若用剛, 則必危也. 蓋體敵而勢弱, 故於此取婦象. 問, 月幾望, 君子征凶. 曰, 虧而盈者, 月也. 蓋先喪而後得者也. 幾至於望, 則其勢漸盛矣. 君子若釋疑而行, 則致凶也. 蓋以陽處高, 故又取君子之象.

물었다: "이미 비가 오고 이미 그침은 덕을 숭상하여 가득 참이니, 아내가 곧더라도 위태롭다"는 무슨 뜻입니까?

답하였다: "이미 비가 오고 이미 그쳤다"는 것은 부드러운 도를 써서 가까운 데로 나아가지 못하는 자이므로 맨 위에 있어 그 덕을 가득 채울 수 있습니다. 아내는 부드러움을 써야 하는데, 만약 굳셈을 쓰면 반드시 위태롭게 됩니다. 몸체는 대적하지만 형세가 약하므로 여기에서 아내의 상을 취하였습니다.

물었다: "달이 보름에 가까우니, 군자가 가면 흉하다"는 무슨 뜻입니까?

답하였다: 이지러졌다가 차는 것은 달입니다. 앞에서는 상(喪)하였다가 뒤에서는 얻는 것입니다. 거의 보름에 이르면 그 형세가 점차 왕성해집니다. 군자가 만약 의심을 풀고 간다면 흉함에 이르게 됩니다. 대체로 양은 높은 데 있기 때문에 또 군자의 상을 취하였습니다.)

김기례(金箕澧) 「역요선의강목(易要選義綱目)」

月望, 則與日敵, 幾望, 言將敵以巽. 乾至上而旣雨, 則勢已敵, 而曰幾望, 聖人抑陰之意.

달이 보름이면 해와 대적하니, "보름에 가깝다"는 것은 장차 손괘로써 대적함을 말한다. 건괘가 맨 위에 이르러 이미 비가 오면 형세가 이미 대적한 것인데, "보름에 가깝다"고 한 것은 성인이 음을 억누르려는 뜻이다.

戒乾也. 陽不失道, 豈制於陰.

건괘를 경계함이다. 양이 도를 잃지 않았는데, 어찌 음에게 제약되겠는가?

○ 卦義爻辭, 不同.

괘의 뜻과 효사가 같지 않다.

贊曰, 陰先於陽, 雲自西來, 以柔畜剛, 誠難力裁. 非敬曷爲, 非孚曷回. 不行妻子, 其道可哀.

찬하여 말하였다: 음이 양에 앞서니 구름이 서쪽에서 오고, 부드러운 것으로 굳센 것을 저지하려니 진실로 힘으로 제어하기 어렵다. 공경함이 아니면 어찌 할 것이며 믿음이 아니면 어찌 회복하겠는가? 처자에게도 행하지 못하니 그 도가 애처롭다.

심대윤(沈大允)『주역상의점법(周易象義占法)』

小畜之需䷄, 待人也. 居小畜之極, 而有陽剛之才, 成德君子也, 故曰旣雨旣處. 坎兌爲雨, 言旣畜而將施也. 需之對晉, 晉進也. 上居艮位之上爲處, 言德行旣成而尊崇也. 艮爲實德, 坤爲載. 居坤之上, 有施其實德, 而民衆厚載之象, 故曰尙德載, 言所尙在乎施行而成德業也. 以言事業之立于天下, 故取變卦之對也. 君子之學問, 將以需時之用, 而施于天下也, 學而不求用, 則无所貴也, 故曰婦貞厲, 此居柔從人之義也. 月坎象, 巽爲東南. 曰月幾望, 言文德旣盛, 幾敵於德業, 如月之望, 幾敵於日, 夫子之文德, 幾敵于堯舜之德業矣. 上九居无位之地, 故有征凶之戒. 蓋君子求用於世, 而亦當觀時以行, 故旣有婦貞厲, 又有征凶之戒也. 巽行震動, 爲征可爲之時, 而不起應者, 婦貞也. 不可爲之時, 而强求用者, 征凶也. 艮爲君子.

소축괘가 수괘(䷄)로 바뀌었으니, 사람을 기다림이다. 소축의 끝에 있지만 굳센 양의 재질이 있어 덕을 이룬 군자이므로 "이미 비가 오고 이미 그친다"고 하였다. 감괘와 태괘는 비가 되니, 이미 저지하여 베풀게 됨을 말한다. 수괘(需卦䷄)의 음양이 바뀐 괘가 진괘(晉卦䷢)인데, 진괘(晉卦)는 나아감이다. 상구가 간괘의 자리의 윗자리에 있는 것이 '처(處)'가 되니, 덕행이 이미 이루어져서 존숭됨을 말한다. 간괘는 실덕(實德)이 되고 곤괘는 싣는 것이 된다. 곤괘의 위에 있어 그 실덕을 베풀어서 백성들을 두텁게 채우는 상이 있으므로 "덕을 숭상하여 가득 찬다"고 하였으니, 숭상하는 바가 베풀어 행하는 데에 있어서 덕업(德業)을 이룸을 말한다. 사업이 천하에 세워지는 것을 말한 까닭에 바뀐 괘인 수괘(需卦)의 음양이 바뀐 진괘(晉卦)를 취하였다. 군자의 학문은 필요로 하는 때에 쓰일 수 있는 것을 가지고서 천하에 베푸는데, 배우고서 쓰이기를 구하지 않는다면 귀하게 여길 바가 없으므로 "아내가 고집하면 위태롭다"고 하였으니, 이것은 부드러운 음의 자리에 있어 남을 따르는 의미이기 때문이다. 달은 감괘의 상이고 손괘는 동남쪽이 된다. "달이 보름에 가깝다"고 한 것은 문덕(文德)이 이미 왕성하여 거의 덕업에 필적함을 말하니, 달의 보름이 거의 해에 필적하고 공자의 문덕이 거의 요임금과 순임금의 문덕에 필적하는 것과 같다. 상구는 지위가 없는 자리에 있으므로 가면 흉한 경계가 있다. 군자가 세상에 쓰이기를 구하지만, 또한 마땅히 때를 살펴서 행해야하므로 이미 아내가 곧더라도 위태로움이 있고, 또 가면 흉하다는 경계가 있다. 손괘는 행하고 진괘는 움직이니, 가서 할 만한 때가 되었는데도 일어나 호응하지 않는 것이 아내의 고집스러움이다. 할 만한 때가 아닌데도 억지로 쓰이기를 구하는 것이 "가면 흉하다[征凶]"는 것이다. 간괘는 군자가 된다.

오치기(吳致箕) 「주역경전증해(周易經傳增解)」

上九, 居巽之終, 畜之極, 陰陽和而畜道成, 故不雨者旣雨, 不處者旣處. 此乃尊尙巽柔之德, 日久積累而成. 然以陰制陽, 其道可危, 故戒言在婦人之道, 當貞固而惕厲. 且言陰以畜陽, 而其德方盛, 如月之幾望, 君子亦當知懼, 若不存戒, 而有所動行, 則凶之道也.

상구는 손괘의 끝에 있고 저지함이 지극하니, 음양이 화합하여 저지하는 도가 이루어지므로 오지 않던 비가 이미 오고 그치지 않던 것이 이미 그치는 것이다. 이것이 바로 공손하고 부드러운 덕을 높이고 숭상함이니, 오래도록 쌓아 이룬 것이다. 그러나 음으로 양을 제어하니 그 도가 위태로울 만하므로 부인의 도는 마땅히 곧고 견고하지만 두려워하고 위태로움을 경계하여 말하였다. 또 음으로 양을 저지하여 그 덕이 바야흐로 왕성한 것이 달이 보름에 가까운 것과 같다고 말하니, 군자가 또한 마땅히 두려워할 줄 알아야 하는데, 경계를 두지 않고서 움직여 행하는 바가 있으면 흉한 도이다.

○ 變坎爲雨之象. 尙謂尊尙也. 德謂陰柔之德, 而亦取變坎也. 載者積也. 巽爲長女, 故言婦也. 變坎爲月, 互離爲日, 對震爲東, 互兌爲西, 有日月對望之象, 而幾望言陰之方盛也. 若言旣望, 則將消, 故言幾望也. 小畜, 則以陰畜陽, 故始不成畜, 而終乃得成. 大畜, 則以陽畜陽, 故自初已成畜道, 終乃亨通, 此卽畜有大小之分也.

상효가 감괘로 바뀌면 비가 오는 상이 된다. '상(尙)'은 높여 숭상함이다. '덕(德)'은 음의 부드러운 덕인데, 또한 바뀐 감괘를 취하였다. '재(載)'는 쌓는 것이다. 손괘가 맏딸이 되므로 '아내'라고 말했다. 바뀐 감괘는 달이 되고, 호괘인 리괘는 해가 되며, 음양이 바뀐 진괘는 동쪽이 되고 호괘인 태괘는 서쪽이 되니, 해와 달이 서로 바라보는 상이 있는데, "보름에 가깝다"는 것은 음이 막 왕성함을 말한다. 만약 이미 보름이라고 말했다면 장차 사라지기 때문에, "보름에 가깝다"고 말했다. 소축은 음으로 양을 저지하므로 처음엔 저지함을 이루지 못하다가 끝에 가서 이에 저지함을 이룬다. 대축은 양으로 양을 저지하기 때문에 처음부터 이미 저지하는 도를 이루고 끝에 가서 형통하게 된다. 이것이 바로 축괘에 대축괘와 소축괘의 구분이 있는 까닭이다.

이정규(李正奎) 「독역기(讀易記)」

小畜上九, 婦貞厲, 何也. 蓋以柔巽之德畜剛, 積滿至於旣雨旣處, 則婦之德貞則貞矣, 大抵以陰柔畜剛之極, 則不无其厲矣. 月旣畜陽漸成, 則月之道, 非不貞矣, 至於望, 則不无陰盛陽衰之漸, 故又曰月旣望, 君子征凶.

소축괘의 상구에 "아내가 곧더라도 위태롭다"는 것은 어째서인가? 대체로 부드럽고 공손한 덕으로 굳센 양을 저지하여 가득 차서 이미 비가 오고 이미 그치는 데 이르면 아내의 덕이 곧다면 곧은 것이겠지만, 음의 부드러움으로 굳센 양을 끝까지 저지하면 위태롭지 않을 수 없다. 달이 이미 양을 저지하여 점차 이루어지면 달의 도가 곧지 않은 것은 아니지만, 보름에 이르면 음이 점차 왕성하고 양이 점차 쇠잔함이 없을 수 없기 때문에 또 "달이 보름에 가까우니 군자가 가면 흉하다"고 하였다.

이병헌(李炳憲) 『역경금문고통론(易經今文考通論)』

尚上也, 載滿也. 文王行自西郊, 反復于周, 行當有牽連之亂臣, 方當六四之位. 自殷之 三公舊臣而言, 則見九五之君, 使之稱王秉鉞得專征伐, 先囚後用, 顚倒孚攣, 顧瞻風 之在上, 雨邪處邪. 尚德載, 恐九五之君, 無得以臣之. 自文王而言, 則雖固守臣節, 危 且至矣, 如婦貞厲, 如月幾望, 征凶. 觀祖伊之告, 戱著, 非介于石, 不終日之時乎. 所以九三上九, 有說輹征凶之慮也. 小畜大畜, 天在下而多取車象. 夫子因繫辭而作 易, 猶因魯史而制春秋之義也.

'상(尚)'은 위로 하는 것이고, '재(載)'는 가득 채우는 것이다. 문왕이 서쪽들로부터 행하고 다시 주나라로 돌아왔는데, 행함에 마땅히 이끌고 연합하여 어지러운 세상에 천하를 다스릴 만한 신하가 있었으니, 육사의 자리에 해당한다. 은나라의 삼공(三公)과 구신(舊臣)의 입장 에서 말하면 구오의 임금을 보고 그로 하여금 왕이라고 일컫고 병권을 잡아 마음대로 정벌 하도록 하였으니, 먼저는 감옥에 가두었다가 뒤에 등용하여 믿음으로 이끄는 것을 뒤엎고, 바람이 위에서 불어 비가 올까 그칠까를 관망하였다. '덕을 숭상하여 가득 찬 것'은 아마도 구오의 임금이 신하로 삼을 수 없다는 것이다. 문왕으로부터 말하면 비록 신하의 절개를 굳게 지켰지만 위태롭고 또 끝에 이르렀으니, 아내가 곧지만 위태로운 것과 같고 달이 보름 에 가까워 가면 흉한 것과 같다. 조이(祖伊)가 주(紂)임금에게 고한 것을 보면[43] 즐기려는 마음을 이긴 것은 돌같이 굳은 절개로 날이 저물기를 기다리지 않고 떠나야 할 때이기 때문 이 아니겠는가! 그래서 구삼과 상구에 바큇살이 벗겨지고 나아가면 흉한 염려가 있는 것이 다. 소축과 대축은 하늘이 아래에 있어서 수레의 상을 취한 것이 많다. 공자가 「계사」로 인하여 『주역』을 지은 것이 노나라의 역사로 인하여 『춘추』를 지은 뜻과 같다.

---

43) 은의 왕족인 신하 조이(祖伊)가 긴급하게 간언하기를 "하늘이 우리 은나라의 명을 끊어버려 앞날을 보장할 수 없게 되었습니다. 이는 임금께서 음란하고 포악하여 스스로 하늘과의 관계를 끊어버리셨기 때문입니다. 백성들이 하늘은 어찌하여 재앙을 내리지 않는가라고 원망하고 있으니, 이제 왕께서는 어찌하시겠습니까?'라 하였다. 그러 나 주임금은 태연하게 "내가 태어나서 임금이 된 것도 이미 천명이 있기 때문이 아니겠는가?'라고 대꾸하였다.

象曰, 旣雨旣處, 德積載也, 君子征凶, 有所疑也.

「상전」에서 말하였다: "이미 비가 오고 이미 그침"은 덕이 쌓여 가득하기 때문이고, "군자가 가면 흉함"은 의심하는 바가 있기 때문이다.

中國大全

傳

旣雨旣處, 言畜道積滿而成也. 陰將盛極, 君子動則有凶也. 陰敵陽則必消陽, 小人抗君子則必害君子, 安得不疑慮乎? 若前知疑慮而警懼, 求所以制之, 則不至於凶矣.

"이미 비가 오고 이미 그침"이라고 한 것은 저지하는 도가 가득 차서 이루어졌음을 말한다. 음이 장차 왕성하여 극한에 이르니 군자가 움직이면 흉함이 있다. 음이 양에 대적하면 반드시 양을 사라지게 하고, 소인이 군자에게 항거하면 반드시 군자를 해치니, 어떻게 의심하고 염려하지 않을 수 있겠는가? 미리 의심하고 염려할 줄을 알아 경계하고 두려워해서 제재할 방법을 구한다면 흉한 데에까지는 이르지 않는다.

小註

節齋蔡氏曰, 疑, 均敵也. 柔畜旣盛, 必敵剛也.
절재채씨가 말하였다: 의(疑)는 상대방과 대등하게 대적하는 것이다. 부드러운 음이 저지하여 이미 왕성해지면 반드시 굳센 양에 대적한다.

○ 臨川吳氏曰, 此與訟卦九二象傳例同, 全擧爻辭, 下文有所疑也, 四字, 乃並釋其義.
임천오씨가 말하였다: 이는 송괘(訟卦) 구이 「상전」의 예와 같고, 전체 효사를 보면, 아래 글의 '유소의야(有所疑也)' 네 글자는 곧 그 뜻을 아울러 해석한 것이다.

○ 建安丘氏曰, 小畜以巽畜乾, 巽陰卦, 陰小也, 故爲小畜. 在六爻, 上三爻巽爲畜者也, 下三爻乾受畜者也. 初與四應, 未受四之畜, 故初復自道而四有孚血去也. 二與五應, 漸爲五所畜, 故二牽復而五有孚攣如也. 此四爻, 皆未成畜者. 至三與上, 以同德相應, 始爲上所畜, 而不能進焉. 故三言輿說輻, 上言旣雨旣處也, 畜而至此, 畜道成矣.

건안구씨가 말하였다: 소축괘가 손괘로 건괘를 저지함에 손괘는 음괘(陰卦)이고 음은 작으므로 소축괘가 된다. 여섯 효에서 위의 세 효는 손괘로 저지하는 자가 되고, 아래 세 효는 건괘로 저지를 받는 자가 된다. 초효가 사효와 호응함에 아직 사효의 저지를 받지 않으므로 초효는 회복함이 도로부터 하고, 사효는 믿음이 있어 피가 사라지는 것이다. 이효가 오효와 호응함에 점차 오효에게 저지되므로 이효는 이끌어 회복하고, 오효는 믿음이 있어 이끄는 것이다. 이 네 효는 모두 아직 저지함을 이루지 못한 것이다. 삼효와 상효에 이르면 같은 덕으로써 서로 호응함에 처음부터 상효에게 저지되어 나아갈 수 없다. 그러므로 삼효에서는 "수레에 바퀏살이 벗겨진다"라고 했고, 상효에서는 "이미 비가 오고 이미 그침"이라고 말했으니, 저지하여 여기에 이르면 저지하는 도가 이루어진다.

▌韓國大全▌

유정원(柳正源) 『역해참고(易解參攷)』

案, 德陰德也. 上九陽爻而以陰德積滿言, 何也. 一卦之體, 巽上乾下, 以柔畜剛, 陰道積滿, 至於上九, 則上九雖曰陽爻, 爲陰所制, 无所施, 爲積滿之德, 非陰德而何. 猶有陽焉, 畜極而和, 故旣雨旣處.

내가 살펴보았다: 덕은 음의 덕이다. 상구는 양효인데 음의 덕이 차고 넘치는 것으로 말한 것은 무엇 때문인가? 한 괘의 몸체로는 손괘가 위이고 건괘가 아래여서 부드러운 음으로 굳센 양을 저지하며, 음의 도가 차고 넘쳐 상구에 이르면 상구가 비록 양효라고 말하지만 음에게 제어되어 베푸는 바가 없으니, 차고 넘치는 덕이 되는 것이 음덕이 아니라면 무엇이겠는가? 그래도 오히려 양이 있어서 저지함이 다해 화합하기 때문에 이미 비가 오고 이미 그치는 것이다.

김상악(金相岳) 『산천역설(山天易說)』

陰盛則陽消, 君子征則必凶, 故有所疑也. 或曰, 疑者均敵也. 月幾望, 則當與日敵, 坤上六曰, 陰疑於陽, 必戰, 是也.

음이 왕성하면 양이 사라져 군자가 가면 반드시 흉하므로 의심이 있다. 절재채씨는 "의(疑)은 상대방과 대등하게 대적하는 것이다"라고 하였다. 달이 보름에 가까우면 마땅히 해와 대적하니, 곤괘 상육 「문언전」에서 "음이 양을 의심하면 반드시 싸운다"고 한 것이 이러한 것이다.

김귀주(金龜柱) 『주역차록(周易箚錄)』

傳, 旣雨旣處, 云云.

『정전』에서 말하였다: 이미 비가 내리고 이미 그친다, 운운.

小註, 節齋蔡氏曰, 疑均, 云云.

소주에서 절재채씨가 말하였다: '의(疑)'는 대등함이니, 운운.

○ 按, 有所疑之云, 蓋言行有所疑慮也, 非均敵之謂也. 蔡說雖本於坤卦文言, 恐於文義不値.

내가 살펴보았다: "의심하는 바가 있다"는 말은 대체로 행동에 의심하고 염려하는 바가 있다는 말이지, 대등하다는 말은 아니다. 채씨의 설명이 비록 곤괘의 「문언전」에 근본한 것이지만, 아마도 문장의 의미에는 맞지 않는 듯하다.

臨川吳氏曰, 此與, 云云.

임천오씨가 말하였다: 이것은 ~와, 운운,

○ 按, 有所疑也四字, 只屬君子征凶, 竝釋之云, 恐未然.

내가 살펴보았다: "의심하는 바가 있다"는 '유소의야(有所疑也)' 네 글자는 다만 "군자가 가면 흉하다"는 말에 이어진 것인데, '아울러 해석했다'고 말한 것은 옳지 않은 듯하다.

建安丘氏曰, 小畜, 云云.

건안구씨가 말하였다: 소축은, 운운.

○ 按, 此卦六爻, 當分內外看, 於內三爻, 見其陽不爲陰畜之義, 於外三爻, 見其以陰畜陽之象. 陽志之行, 畜道之成, 各是一般道理, 不可以初四二五三上之應, 而牽强混合說去也.

내가 살펴보았다: 이 괘의 여섯 효는 마땅히 안팎으로 나누어 보아야 하니, 안의 세 효는 양이 음에게 저지되지 않는 뜻을 드러내고, 밖의 세 효는 음이 양을 저지하는 상을 드러낸다. 양의 뜻이 행해지고 저지하는 도가 이루어지는 것은 각각 하나의 도리이니, 초효와 사효, 이효와 오효, 삼효와 상효가 호응하는 것으로 견강부회하여 뒤섞어 설명해서는 안 된다.

此卦程傳本義之意, 判然不同, 非如他卦之大同而小異也. 卦辭密雲不雨, 程傳則以爲
陰先陽倡, 故不和, 意蓋惡之也. 本義則以爲陰力柔弱, 不能成畜, 意蓋憂之也. 初九復
自道, 程傳以爲初與四爲正應, 故能復, 而本義則以爲初不爲四畜, 故能復也. 九二牽
復, 程傳以爲二與五相牽, 而本義則以爲二與初相牽. 九五攣如富鄰, 程傳以爲五與上
下四陽相攣, 而本義則以爲五與四上, 以巽體相攣. 上九旣雨旣處, 程傳以爲九陽爲四
陰所畜, 而本義則以爲巽體三爻合成畜道. 此所以爻爻不同也. 大抵程子, 則專主象象
一陰畜五陽之義, 而又以陽之被畜, 專作不好底事. 朱子, 則兼主二體, 巽畜乾之義, 而
於乾三爻, 則以陽不爲陰畜爲吉, 於巽三爻, 則以陰之同力成畜爲善也, 兩夫子說, 各
自爲一義, 而以文王周公之意推之, 恐朱子爲密矣.

이 괘는『정전』과『본의』의 뜻이 확연히 달라서 다른 괘가 큰 틀에서 같고 소소하게 다른
것과는 같지 않다. 괘사의 "빽빽이 구름이 끼나 비가 오지 않는다"는 것에 대해『정전』은
음이 양에 앞서 부르기 때문에 화합하지 못한다고 보았으니, 음이 앞서 부르는 것을 싫어한
다는 뜻이다.『본의』에서는 음의 힘이 유약하여 저지함을 이룰 수 없다고 보았으니, 음의
힘이 유약함을 우려한다는 뜻이다. 초구의 "회복함이 도로부터 한다"는 것에 대해서『정전』
은 초효가 사효와 정응이 되므로 회복할 수 있다고 여겼지만,『본의』는 초효가 사효에게
저지당하지 않으므로 회복할 수 있다고 여겼다. 구이의 "이끌어 회복한다"는 것에 대해서
『정전』은 이효가 오효와 서로 이끄는 것으로 보았는데,『본의』는 이효가 초효와 서로 이끄
는 것으로 보았다. 구오의 "이끌어서 부유함으로써 이웃한다"는 것에 대해서『정전』은 오효
가 위아래의 네 양과 서로 이끄는 것으로 보았는데,『본의』는 오효가 사효, 상효와 함께
손괘의 몸체로서 서로 이끄는 것으로 보았다. 상구의 "이미 비가 오고 이미 그친다"는 것에
대해서『정전』은 구인 양이 사효인 음에게 저지당한다고 보았는데,『본의』는 손괘의 몸체
인 세 효가 화합하여 저지하는 도를 이룬다고 보았다. 이것이 효마다 두 사람이 같지 않은
까닭이다. 대체로 정자는「단전」과「상전」에서 한 음이 다섯 양을 저지하는 뜻만을 주장하
였고, 또 양이 저지당하는 것을 전적으로 좋지 않은 일이라고 하였다. 주자는 두 몸체를
함께 주장하니, 손괘는 건괘를 저지하는 뜻이지만 건괘의 세 효에 대해서는 양이 음에게
저지되지 않는 것을 길하다고 생각하였으며, 손괘의 세 효에 대해서는 음이 힘을 합쳐 저지
함을 이루는 것으로 선을 삼았으니, 두 선생의 설명이 각각 한 가지의 뜻이 되지만, 문왕과
주공의 뜻으로 유추해 보면 아마도 주자가 정밀할 듯하다.

서유신(徐有臣)『역의의언(易義擬言)』

物之多, 則積矣, 畜而成也. 有疑之時, 不可行矣, 畜未通也.

물건이 많으면 쌓이고 차면 이루어진다. 의심이 있을 때에는 행해서는 안 되니, 저지되어

통하지 못하기 때문이다.

심대윤(沈大允) 『주역상의점법(周易象義占法)』

有所疑者, 時之昏明, 未可知也, 故不遽行而需遲也. 小畜之時, 初志于學也, 二同志交修也, 三有畜而未富也, 四博學而明辨也, 五實得旣多也, 六德成而待用也.

의심하는 바가 있는 것은 때의 어둡고 밝음을 아직 알지 못하기 때문에 갑자기 행하지 않고 기다려 천천히 하는 것이다. 소축의 때에 초효는 배움에 뜻을 두는 것이고, 이효는 뜻을 같이 하는 이와 서로 수양하는 것이며, 삼효는 쌓는 것이 있지만 아직 부유하지 않은 것이고, 사효는 널리 배워 밝게 분변하는 것이며, 오효는 실질을 얻는 것이 이미 많은 것이고, 육효는 덕이 이루어져 쓰이기를 기다리는 것이다.

오치기(吳致箕) 「주역경전증해(周易經傳增解)」

畜道之旣成, 乃以柔德之積載也, 君子之征凶, 卽以陰盛而敵陽也. 敵陽則爲疑也.

저지하는 도가 이미 이루어지면 바로 부드러운 덕이 가득 차니, 군자가 가면 흉하다는 것은 곧 음이 왕성하여 양에 대적하게 되는 까닭이다. 양에게 대적하면 의심하게 된다.

이진상(李震相) 『역학관규(易學管窺)』

月亦坎象, 而曰幾望, 則陰之將盛也. 蓋月生於西, 其精固坎而及望, 則反出於東, 似乎日矣. 小人方盛, 擅權用事, 而君子欲行其志, 則必遭其傷, 猶太陽之不可夜出也.

달은 또한 감괘의 상인데 "보름에 가깝다"고 말하면 음이 장차 왕성한 것이다. 달은 서쪽에서 생겨나니, 그 정기(精氣)는 진실로 감괘이지만 보름이 되면 도리어 동쪽에서 나와 해와 비슷하다. 소인이 왕성하여 권력을 제멋대로 하며 일을 하는데, 군자가 그 뜻을 행하려 하면 반드시 그 피해를 당하니, 태양이 밤에 나올 수 없는 것과 같다.

10

리괘

履卦 ䷉

‖中國大全‖

履, 序卦, 物畜然後有禮. 故受之以履. 夫物之聚則有大小之別, 高下之等, 美惡之分, 是物畜然後有禮, 履所以繼畜也. 履, 禮也, 禮, 人之所履也. 爲卦天上澤下, 天而在上, 澤而處下, 上下之分, 尊卑之義, 理之當也, 禮之本也, 常履之道也. 故爲履. 履, 踐也, 藉也, 履物爲踐, 履於物爲藉. 以柔藉剛, 故爲履也. 不曰剛履柔而曰柔履剛者, 剛乘柔, 常理, 不足道. 故易中, 唯言柔乘剛, 不言剛乘柔也. 言履藉於剛, 乃見卑順說應之義.

리괘(履卦)는 「서괘전」에 "만물이 길러지고 나서 예가 있게 된다. 그러므로 리괘로 받았다"고 하였다. 만물이 모이면 크고 작음의 구별과 높고 낮음의 등급과 아름다움과 추함의 구분이 있으니, 이것이 만물이 길러진 뒤에 예가 생겨나며, 리괘가 소축괘의 뒤를 이은 까닭이다. '리(履)'는 예이니, 예는 사람이 실천한다. 괘상은 하늘이 위에 있고 못이 아래에 있는 것은 위아래의 직분과 신분의 높음과 낮음을 뜻하니, 이치의 마땅함이고 예의 근본이며 떳떳이 행해야 할 도이다. 그러므로 '리(履)'라고 하였다. '리(履)'는 밟는 것[踐]이고, 까는 것[藉]이니, 물건을 밟는 것이 '천(踐)'이고 물건 아래에 까는 것이 '자(藉)'이다. 유약한 음이 굳센 양에게 깔리는 것이므로 '리(履)'라고 하였다. "굳센 양이 유약한 음을 밟는다"고 말하지 않고, "유약한 음이 굳센 양에게 밟혔다"고 말한 것은 굳센 양이 유약한 음을 타는 것은 떳떳한 이치이기 때문이니, 굳이 말할 필요가 없다. 그러므로 『주역』에서는 오직 "유약한 음이 굳센 양을 탄다"고 말하며, "굳센 양이 유약한 음을 탄다"고 말하지는 않는다. "굳센 양에게 밟히고 깔린다"고 한 것은 바로 자신을 낮추고 순순히 기뻐하며 응하는 뜻을 나타낸다.

履虎尾, 不咥人, 亨.

호랑이 꼬리를 밟는데도 사람을 물지 않으니, 형통하다.

‖ 中國大全 ‖

傳

履, 人所履之道也. 天在上而澤處下, 以柔履藉於剛, 上下各得其義, 事之至順, 理之至當也. 人之履行, 如此, 雖履至危之地, 亦无所害. 故履虎尾而不見咥噬, 所以能亨也.

리(履)는 사람이 실천하는 도이다. 하늘은 위에 있고 못은 아래에 있으니, 유약한 음이 굳센 양에게 밟히고 깔려서 위아래가 각각 그 뜻을 얻은 것으로, 일은 지극히 순조롭고 이치는 지극히 마땅하다. 사람이 실천하는 것이 이와 같다면 비록 지극히 위험한 상황에 처하더라도 또한 해로움이 없다. 그러므로 호랑이 꼬리를 밟는데도 물리지 않게 되니, 이 때문에 형통하다.

本義

兌, 亦三畫卦之名, 一陰, 見於二陽之上, 故其德爲說, 其象爲澤. 履有所躡而進之義也, 以兌遇乾, 和說以躡剛強之後, 有履虎尾而不見傷之象. 故其卦爲履, 而占如是也. 人能如是, 則處危而不傷矣.

태괘 또한 삼획괘의 이름이니, 한 음이 두 양의 위에 나타났기 때문에 그 덕은 기뻐하는 것이 되고, 그 상은 못이 된다. '리(履)'는 밟아 나아가는 뜻이 있으니, 태괘로서 건괘를 만나 화합하고 기뻐함으로 굳세고 강한 것의 뒤를 밟았으니, 호랑이 꼬리를 밟는데도 상해를 입지 않는 상이다. 그러므로 그 괘가 리괘(履卦)이고, 점이 이와 같다. 사람이 이와 같이 할 수 있다면 위험에 빠져도 상해를 입지 않는다.

小註

朱子曰, 履虎尾言履危而不傷之象. 上乾下兌, 以陰躡陽是隨後躡他, 如踏他脚跡相似. 所以云, 履虎尾, 是隨後履他尾. 故於卦之三四爻發虎尾義, 便是陰去躡他陽背脊後處. 伊川云履藉, 說得生受.

주자가 말하였다: "호랑이 꼬리를 밟는다"는 것은 위험한 것을 밟았는데도 상해를 입지 않은 상을 말한다. 괘의 몸체는 위가 건괘이고 아래가 태괘이며, 음이 양을 밟는 것은 뒤를 따라 다른 것을 밟는 것이니, 마치 뒤 따라 발자취를 밟는 것과 비슷하다. 이런 까닭에 "호랑이 꼬리를 밟는다"라고 말했으니, 이는 뒤를 따라 그 꼬리를 밟는 것이다. 그러므로, 리괘(履卦)의 삼효와 사효에서 "호랑이 꼬리를 밟는다"는 뜻을 제시한 것은 바로 음이 가서 그 양의 뒤쪽을 밟았다는 것이다. 정이천이 "리(履)'는 까는 것[藉]이다"라고 말한 것은 설명이 부자연스럽다.

○ 西溪李氏曰, 履虎尾蹈危機也. 人唯履患難而不爲患難所傷然後, 爲履道之亨.

서계이씨가 말하였다: "호랑이 꼬리를 밟는다"는 것은 위기에 빠지는 것이다. 사람들이 환난을 당하더라도 환난에 상해를 입지 않은 후에야 '리괘(履卦)'의 도리가 형통하게 된다.

○ 潛室陳氏曰, 卦辭之虎尾, 主九四言其正體也, 爻辭之虎尾主九五, 言其變體也. 卦爲正體, 爻多變體, 不可執泥.

잠실진씨가 말하였다 : 괘사의 '호랑이 꼬리[虎尾]'는 구사를 주인으로 하여 그 바른 몸체를 말한 것이고, 효사의 '호랑이 꼬리[虎尾]'는 구오를 주인으로 하여 그 변하는 몸체를 말한 것이다. 괘는 바른 몸체가 되고, 효는 바뀌는 몸체가 되는 경우가 많으니, 한 쪽만 고집해서는 안 된다.

○ 中溪張氏曰, 履虎尾卽書云, 心之憂危若蹈虎尾是也, 履虎尾, 安有不咥人者. 此特寓言, 其履至危而不危之象爾.

중계장씨가 말하였다 : "호랑이 꼬리를 밟는다"는 것은 곧 『서경』에 "마음의 근심과 위태로움이 호랑이 꼬리를 밟고 있는 것과 같다"[1]고 한 말이 이런 것이니, 호랑이 꼬리를 밟는데도 어찌 사람을 물지 않는 경우가 있겠는가? 이는 지극한 위험에 처했는데도 위태롭지 않게 된 상을 비유적으로 말한 것일 뿐이다.

○ 雲峯胡氏曰, 程傳訓履爲踐爲藉, 以上下論也. 本義云, 有所躡而進, 以前後論也, 於尾字爲切. 諸家多以兌爲虎, 本義從程傳, 以乾爲虎, 本夫子象傳意也. 不咥人亨, 小

---

1) 『書經·君牙』: 惟予小子, 嗣守文武成康遺緖, 亦惟先王之臣, 克左右, 亂四方, 心之憂危, 若蹈虎尾, 涉于春冰.

畜之亨在乾, 乾之陽, 能達於一陰之上也. 履之亨在兌, 兌之陰能安於三陽之下也. 大抵人之涉世, 多是危機, 不爲所傷, 乃見所履. 大傳曰, 易之興也, 其當文王與紂之事耶. 是故其辭危, 危莫危於履虎尾之辭矣. 故九卦處憂患, 以履爲首.

운봉호씨가 말하였다: 『정전』에서는 '리(履)'는 밟는 것[踐]이고, 까는 것[藉]으로 해석하여, 위와 아래로 논하였다. 『본의』에서는 밟아 나가는 것으로써 앞과 뒤로 논하고, 꼬리[尾]에서 끊었다. 여러 학자들이 많은 경우 태괘를 호랑이로 삼았는데, 『본의』에서 『정전』을 따라서 건괘를 호랑이로 삼은 것은 공자 「단전」의 뜻에 근본을 둔 것이다. "사람을 물지 않아 형통하다"는 것은 소축괘의 형통함이 건괘에 있으니, 건괘의 양이 한 효의 음 위에서 통달할 수 있는 것이다. 리괘의 형통함은 태괘에 있으니, 태괘의 음은 세 양의 아래에서 편안할 수 있는 것이다. 대체로 사람이 세상을 살아가는데 많은 위기가 있으니, 상해를 입지 않는 데에서 밟아 온 바를 볼 수 있다. 『대전』에 "역(易)의 일어남이 은나라의 말세와 주나라의 덕이 성할 때일 것이다. 문왕(文王)과 주(紂)의 일에 해당될 것이다. 이런 까닭으로 그 말이 위태하다"[2]고 한 '위태로움'은 "호랑이 꼬리를 밟았다"는 말보다 더 한 위태로움은 없다. 그러므로 「계사전(하)」의 아홉 괘에서 우환에 처한 괘는 리괘를 머리로 삼았다.[3]

∥韓國大全∥

조호익(曺好益) 『역상설(易象說)』

虎取乾象, 兌[4]在下有履尾象. 不咥, 取兌說象, 莊子曰, 虎媚養己者順, 是也. 人指巽體, 雙湖曰, 以二體言則二人, 六爻言則六人是也.

호랑이는 건괘의 상을 취한 것이며, 태괘가 아래에 있어 꼬리를 밟는 상이 있는 것이다. "물지 않는다"고 한 것은 태괘의 기뻐하는 상을 취한 것이니, 장자(莊子)가 "호랑이가 자기를 길러 주는 사람에게 잘 보이려는 것은 순종해서이다"[5]라고 한 것이 그것이다. '사람[人]'은 손의 몸체를 가리키니, 쌍호호씨가 "두 개의 몸체로 말하면 두 명이고, 여섯 효로 말하면 여섯 사람이다"라고 한 것이 그것이다.

---

2) 『周易 · 繫辭傳』: 易之興也, 其當殷之末世周之盛德耶. 是故, 其辭, 危, 危者, 使平, 易者, 使傾, 其道, 甚大, 百物, 不廢, 懼以終始, 其要无咎, 此之謂易之道也.

3) 『주역 · 계사전』에서 "리괘는 덕의 터전이대履, 德之基也」"라고 하였다.

4) 兌: 경학자료집성DB와 영인본에 모두 '巽'으로 되어 있으나, 문맥을 살펴 '兌'로 바로잡았다.

5) 『莊子 · 人間世』: 虎之與人異類, 而媚養己者, 順也.

○ 虎取兌象, 初爲首, 三爲尾. 乾乘兌. 有履尾象. 不咥, 乾剛兌弱之象, 如馮婦之徒, 豈有見咥之理. 人指乾體. 或曰, 兌偶畫, 是口象, 有蹲虎之象. 乾在背而躡之, 有履尾象.

호랑이는 태괘의 상을 취한 것이며, 초효는 머리가 되고, 삼효는 꼬리가 된다. 건괘가 태괘를 올라탔으니, 꼬리를 밟는 상이 있다. "물지 않는다"는 것은 건괘의 굳셈과 태괘의 유약한 상인데, 풍부(馮婦)[6]와 같은 무리가 어찌 물릴 리가 있겠는가? '사람[人]'은 건의 몸체를 가리킨다. 어떤 이가 말하였다: 태괘의 우획(偶畫), 즉 세 번째 획은 입의 상으로 호랑이가 웅크리고 앉아 있는 상이다. 건괘가 등 쪽에 있으면서 그것을 밟으니, 꼬리를 밟는 상이 있다.

홍여하(洪汝河) 「책제(策題):문역(問易)·독서차기(讀書箚記)-주역(周易)」[7]

履卦象辭履虎尾. 文王以兌爲虎. 蓋文王後天卦, 始位兌於酉, 酉於天文爲昴畢之野, 白虎之宿, 故以兌爲虎也. 周公繫革五上之辭, 亦以兌屬虎. 獨頤, 以艮爲虎, 荀九家本, 此艮在先天爲奎婁之方, 亦爲白虎之宿也. 或爲艮, 或爲兌, 猶馬之或爲震, 或爲坎也. 六爻相雜, 惟其時物, 此之謂也.

리괘(履卦)『단사』의 '호랑이 꼬리를 밟음'에 대해. 문왕은 태괘를 호랑이로 삼았다. 「문왕후천팔괘도(文王後天八卦圖)」[8]에서 태괘는 처음 시작하는 자리인 유방(酉方)이고, 천문에서 유방(酉方)은 묘성(昴星)과 필성(畢星)의 분야이고, 백호가 머무는 곳이므로 태괘를

---

6) 『맹자·진심(盡心)』에 "진(晉) 나라 사람 풍부(馮婦)가 호랑이를 잘 잡다가 마침내 선량한 선비가 되었는데, 사람들이 호랑이를 쫓다가 호랑이가 산모퉁이를 의지하고 있자 사람들이 감히 달려들지 못하다가 풍부를 보고 달려가 맞이하였다. 풍부가 소매를 걷어붙이고 수레에서 내려오니, 사람들은 모두 이를 좋아하였지만 선비들은 이를 비웃었다"고 하였다. 행실을 고쳐 선량한 사람이 되었는데, 다시 전에 하였던 일을 한다면 풍부의 경우처럼 비웃음을 당할 것이라는 뜻이다.
7) 경학자료집성DB에서는 리괘(履卦) 단전에 해당하는 것으로 분류했으나, 내용에 따라 이 자리로 옮겨 바로잡는다.
8) 「문왕후천팔괘도」

호랑이로 삼았다. 주공은 혁괘(革卦) 오효와 상효에 붙인 문장에서 태괘를 호랑이에 소속시켰다.[9] 유독 육십사괘 가운데 이괘(頤卦)에서만 간괘를 호랑이로 삼았고, 「설괘전(說卦傳)」의 『순구가본(荀九家本)』에도 간괘를 호랑이로 삼았다. 이 간괘는 선천에 있어서는 규성(奎星)과 누성(婁星)의 방위가 되고, 또한 백호가 머무는 곳이다. 혹은 간괘가 되고, 혹은 태괘가 되는 것은 말[馬]이 혹 진괘(震卦)가 되고, 혹 감괘(坎卦)가 되는 것과 같다. 「계사전」에 "육효가 서로 섞임은 오직 그 때와 사물이다"[10]라고 한 것은 이것을 가리킨다.

강석경(姜碩慶) 『역의문답(易疑問答)』

問, 履卦履字有履藉與踐屨之二義, 當何從乎.

물었다: 리괘(履卦☰)의 '리(履)'자에는 "밟고 깐다", "신을 신고 걷는다"는 두 가지 뜻이 있는데, 어떤 뜻을 따라야 합니까?

曰, 履卦乾剛在上, 兌柔在下, 程子見此, 只知自上踐下之爲履, 而不知從後躡前之亦爲履. 有此履藉之說, 可謂生受矣. 卦辭所謂履虎尾, 象辭所謂柔履剛是乃一樣語也. 若作履藉說, 則履虎尾之義, 亦可謂履藉於虎尾乎. 乾剛在前而兌之一陰, 追躡其後, 斯豈非履虎尾, 柔履剛者耶.

답하였다: 리괘(履卦☰)는 굳센 건괘가 위에 있고, 유약한 태괘가 아래에 있는데, 정자(程子)가 이를 보고서는 다만 위로부터 아래로 밟는 것이 '밟음[履]'이라고만 알고, 뒤뒤로부터 앞의 자취를 밟아 가는 것 또한 '밟음[履]'이 된다는 것을 몰랐습니다. 이 "밟히고 깔린다"는 정자의 설명은 부자연스러운 것임을 알 수 있습니다. 괘사에 "호랑이 꼬리를 밟는다"고 하고, 「단전」에 "유약한 음이 굳센 양에게 밟힌다"고 한 것은 곧 같은 말입니다. 만약 "밟히고 깔린다"는 정자의 설명을 따른다면 "호랑이 꼬리를 밟는다"는 뜻을, 또한 호랑이 꼬리에 밟히고 깔린다고 할 수 있겠습니까? 건괘의 굳셈이 앞에 있고, 태괘의 유약한 음이 그 뒤를 밟아 좇아가는 것이 어찌 "호랑이 꼬리를 밟는다", "유약한 음이 굳센 양을 밟는다"는 것이 아니겠습니까?

問, 履之卦辭曰, 履虎尾不咥人亨, 六三之爻曰, 履虎尾咥人凶. 夫爻在卦中, 卦統衆爻 則卦爻吉凶若是相反, 何也. 曰, 卦者事也, 爻者時也. 事同而時異, 則吉凶之異占, 何足怪也. 且卦之得名, 重在成卦之一爻, 而爻與卦義, 善惡俱同, 則卦爻同辭. 如屯卦利

---

9) 『周易·革卦』: 九五, 大人, 虎變, 未占, 有孚. 上六, 君子, 豹變, 小人, 革面, 征, 凶, 居貞, 吉.
10) 『周易·繫辭傳』: 易之爲書也, 原始要終, 以爲質也, 六爻相雜, 唯其時物也.

建侯, 而初亦利建侯也. 卦之得名, 兼以上下之兩體, 而卦與爻義善惡各異, 則卦爻異
辭, 卽履卦不咥亨而六三之咥人凶也. 蓋屯初九履六三爻義各異也.

물었다: 리괘(履卦䷊)의 괘사에 "호랑이 꼬리를 밟는데도, 사람을 물지 않으니 형통하다"고
하고, 육삼의 효에서 "호랑이 꼬리를 밟았는데, 사람을 무니 흉하다"고 했습니다. 효사는
괘 가운데 있고, 괘가 여러 효를 통괄한다면 괘사와 효사의 길흉이 이와 같이 서로 반대되는
것은 무슨 까닭입니까?

답하였다: 괘는 '일(事)'이고, 효는 '때(時)'입니다. '일'은 같은데, '때'가 다르다면 점사가 길
과 흉으로 갈리는 것이 어찌 괴이하겠습니까? 또한 괘가 '리(履)'라는 이름을 얻게 된 중점이
괘를 이루는 한 효에 달려있고, 그 효와 괘의 의미가 선과 악을 모두 같이 한다면 괘사와
효사는 같습니다. 이를테면 준괘(屯卦䷂)의 괘사에서 "제후를 세움이 이롭다"[11]고 했고, 초
효에서도 "제후를 세움이 이롭다"[12]고 한 것과 같은 경우입니다. 괘가 이름을 얻게 된 것이
위아래의 두 몸체를 겸하고, 괘와 효의 의미가 선과 악으로 각각 다르다면 괘사와 효사 역시
다르게 됩니다. 즉, 리괘(履卦)의 괘사에서는 "물리지 않으니 형통하다"고 했고, 육삼에서는
"사람을 무니 흉하다"고 한 것이 그것입니다. 따라서 준괘(屯卦) 초구와 리괘(履卦) 육삼의
뜻은 각각 다릅니다.

問, 履卦之辭, 當重書履字, 而今看經文, 只云履虎尾. 若以履字爲卦名而讀之, 則虎尾
不成說矣. 是何義也. 曰, 履(履)虎尾, 同人于野, 中孚豚魚, 皆是連卦名成文, 是亦經
文太簡之所致, 而前後解經者, 惟履與同人連卦名爲讀, 至於中孚豚魚, 則中孚與豚魚,
各自爲句而不知其不成說話, 可怪也已.

물었다: 리괘(履卦䷊)의 괘사는 '리(履)'자를 마땅히 거듭 써야 하는데, 이제 경문을 보니,
단지 "호랑이 꼬리를 밟았다"고만 했습니다. 만약 '리(履)'자를 괘의 이름으로 삼아 읽는다면
'호랑이 꼬리'는 말이 안 됩니다. 이것은 무슨 뜻입니까?

답하였다: 리괘의 "호랑이 꼬리를 밟는다",[13] 동인괘의 "사람들과 함께하되 들에서 한다",[14]
중부괘의 "돼지와 물고기[豚魚]"[15] 등은 모두 괘명과 연이어져 경문이 이루어 졌는데, 이는
또한 경문이 지나치게 간략해서 그렇게 된 것이지만, 앞뒤로 경문을 해석하는 자들은 오직
리괘(履卦)와 동인괘(同人卦)만 괘명을 연결지어 읽었고, 중부괘(中孚卦)의 "돼지와 물고
기[豚魚]"의 경우, '중부(中孚)'와 "돼지와 물고기[豚魚]"를 각각 독립된 구(句)로 삼으면서

---

11) 『周易·屯卦』: 屯, 元亨利貞, 勿用有攸往, 利建侯.
12) 『周易·屯卦』: 初九, 磐桓, 利居貞, 利建侯.
13) 『周易·履卦』: 履, 履虎尾, 不咥人, 亨.
14) 『周易·同人卦』: 同人于野, 亨, 利涉大川, 利君子貞.
15) 『周易·中孚卦』: 中孚, 豚魚, 吉, 利涉大川, 利貞.

그것이 말도 안 되는 것임을 알지 못했으니, 괴이할 뿐입니다.

이현익(李顯益)「주역설(周易說)」

履卦辭之履虎尾, 以兌乾而言, 則虎尾不但爲九四一爻而已, 爻辭三之虎尾, 是指九四而言. 四之虎尾, 是指九五而言, 則不當以爻之虎尾爲專指九五, 潛室陳氏說非. 是本義於六三曰, 不中不正以履乾, 是以三之虎尾, 亦爲不專指九四. 然乾是虎象而胡氏以上九爲虎之首, 則以九四爲虎之尾, 亦無不可耶.

리괘(履卦☲) 괘사의 "호랑이 꼬리를 밟는다"는 것이 태괘와 건괘로써 말한 것이라면, '호랑이 꼬리'는 구사 한 효만이 아니라 삼효의 '호랑이 꼬리'도 구사를 가리켜 말한 것이다. 그런데 사효의 '호랑이 꼬리'가 구오를 가리켜 말한 것이라면, 각 효사에 나오는 '호랑이 꼬리'를 오로지 구오만을 가리킨다고 하는 것은 부당하니, 잠실진씨의 설[16]은 잘못이다. 이는 『본의』 육삼에서 "가운데 자리에 있지도 않고, 제자리에 있지도 않음으로써 건괘를 밟는다"고 했으니, 이 때문에 삼효의 '호랑이 꼬리'도 또한 구사만을 가리키지 않는다. 그러나 건괘는 호랑이 상이고, 호씨는 상구를 호랑이의 머리로 삼았으니, 구사가 호랑이의 꼬리가 되는 것은 당연하다.

이익(李瀷)『역경질서(易經疾書)』

履之義專在於柔履剛. 兌柔而乾剛也. 若但以六三之柔, 則與爻辭不合也. 以卦則說而應乎乾, 故不咥人, 以爻則位不當, 故咥人, 所以不同也.

리괘(履卦)의 뜻은 전적으로 유약한 음이 굳센 양을 밟는 데 있다. 태괘는 유약하고 건괘는 굳세다. 만약 단지 육삼의 유약함으로만 본다면 효사와는 맞지 않는다. 괘로써 말한다면 기뻐하여 건괘와 호응하는 것이므로 사람을 물지 않은 것이고, 효사로써 말한다면 자리가 부당하기 때문에 사람을 문 것이니, 이 때문에 같지 않다.

유정원(柳正源)『역해참고(易解參攷)』

西溪李氏曰, 虎西方獸也, 兌西方也, 有虎象, 虎尾在三.

서계이씨가 말하였다: 호랑이는 서쪽의 짐승이고, 태괘(兌卦)는 서방이기에 호랑이 상이 있

으니, 삼효가 호랑이 꼬리이다.

○ 雙湖胡氏曰, 以兌爲虎 則有西方白虎之象. 然以三爲尾, 无乃以虎口爲虎尾乎. 革
五上爻虎只當象兌. 兌三爲口則兌初爲尾, 初與四應, 四來應初, 則有履虎尾之象矣.
쌍호호씨가 말하였다: 태괘를 호랑이로 삼으면 서방 백호의 상이다. 그러나 삼효를 꼬리로
삼으면, 호랑이 입을 호랑이 꼬리로 삼는 것이 아니겠는가? 혁괘 오효와 상효의 호랑이는
단지 태괘의 상에 해당된다. 태괘 세 번째 음효를 입[口]으로 한다면 태괘 첫 번째 양효는
꼬리가 되고, 초효와 사효는 호응하니, 사효가 내려와서 초효와 호응하여 호랑이의 꼬리를
밟는 상이 된다.

○ 案, 諸卦類例, 必特揭卦名, 而唯履與同人連下文爲句, 此似可疑. 履字恐當虎尾,
言其象也.
本義躡而進,
내가 살펴보았다: 모든 괘의 유사한 사례는 반드시 단지 괘의 이름만을 내걸어 보여주는데,
오직 리괘(履卦)와 동인(同人)괘는 아래 글에 이어 구로 삼았으니, 이것은 의심할 만하다.
‘리(履)’자는 아마도 호랑이 꼬리에 해당하여 그 상을 말한 것이다. 『본의』에서는 “밟아 나간
다”고 하였다.

案, 詩, 履我發兮, 傳言履躡, 言躡我之迹而相就也.
내가 살펴보았다: 『시경』에는 “나의 발자취를 따라 출발한다”[17]고 했으니, 『정전』에서 “밟
는다”고 한 것은 나의 자취를 밟아 서로 나아감을 말한다.

김상악(金相岳) 『산천역설(山天易說)』

履有踐躡二義. 以兌履乾, 則乾爲兌所躡, 三爲成卦之履. 以乾履兌, 則兌爲乾所踐, 五
爲主卦之履. 以兌遇乾和說, 而躡剛强之後, 故有履虎尾而不見傷之象. 三四兩爻正當
其交, 故履虎同象.
‘리(履)’에는 ‘천(踐)’과 ‘섭(躡)’의 두 가지 뜻이 있다. 태괘가 건괘를 밟는다면 건괘는 태괘에
의해 밟히는 바가 되고, 삼효가 괘를 이루는 리(履)가 된다. 건괘가 태괘를 밟는다면 태괘는
건괘에 의해 밟히는 바가 되고, 오효가 괘의 주인인 리(履)가 된다. 태괘로써 건괘를 만나
화합하고 기뻐하여 굳세고 강한 양의 뒤를 밟기 때문에 “호랑이 꼬리를 밟는데도 상해를 입

---

17) 『詩經·東方之日』: 東方之月兮, 彼姝者子, 在我闥兮, 在我闥兮, 履我發兮.

지 않는" 상이다. 삼효와 사효는 바로 사귐에 해당하므로 호랑이를 밟는 것과 같은 상이다.

○ 虎西方之獸, 兌乾皆居金方爲虎也. 三則以柔躤剛而當兌口, 故咥人而凶. 四則以剛踐柔, 而居其外, 故不咥而吉也. 履虎不咥乃處至危而不見傷之義也. 故繫辭九卦以履爲首.

호랑이는 서방의 금수(禽獸)이고, 태괘와 건괘는 모두 금(金)의 방향에 있기 때문에 호랑이가 된다. 삼효는 유약한 음이 굳센 양을 밟아 태괘(兌卦☱)의 입에 해당하므로 사람을 물어 흉하게 된다. 사효는 굳센 양이 유약한 음을 밟고 밖에 있기 때문에 물지 않아 길하다. 호랑이 꼬리를 밟았는데 물지 않는 것은 곧 지극한 위험이 닥쳐도 상해를 입지 않는다는 뜻이다. 그러므로 「계사전(하)」 아홉 괘에서 리괘(履卦)를 첫머리로 했다.[18]

박윤원(朴胤源)『경의(經義)・역경차략(易經箚略)・역계차의(易繫箚疑)』

文王言履虎尾, 孔子言履帝位, 一主六三, 一主九五.

문왕은 "호랑이 꼬리를 밟는다"고 했고, 공자는 "임금의 자리를 밟는다"고 했는데, 전자는 육삼을 주인으로 하고, 후자는 구오를 주인으로 하였다.

김귀주(金龜柱)『주역차록(周易箚錄)』

本義, 兌亦三畫, 云云.

『본의』에서 말하였다: 태는 또한 삼획괘의, 운운.

小註, 潛室陳氏曰, 卦辭, 云云.

소주(小註)에서 잠실진씨가 말하였다: 괘사, 운운.

○ 按, 卦辭之虎尾, 以上體之乾而言, 非獨指九四也. 爻辭之虎尾, 三則以乾而言, 四則以九五而言也. 陳氏恐未深考, 而正體變體之云, 亦未甚端的.

내가 살펴보았다: 괘사의 '호랑이 꼬리'는 위의 몸체인 건괘로 말한 것으로 구사만을 가리킨 것이 아니다. 효사의 '호랑이 꼬리'인 삼효는 건괘로써 말한 것이고, 사효는 구오로써 말한 것이다. 잠실진씨가 심사숙고하지 않은 것 같고, '정체(正體)'와 '변체(變體)'로써 구분하여 말한 것 또한 전혀 정확하지 않다.

---

18)『주역・계사전』하권 칠장에 아홉 괘를 설명하고 있는데, "리괘(履卦)는 덕의 터전이다履, 德之基也"라고 했다.

서유신(徐有臣)『역의의언(易義擬言)』

履虎尾者, 乾履兌也, 兌西方之卦, 有虎象也. 虎蹲踞則置尾於口前. 故可履而可咥.
六三卽其口而亦其尾也. 乾爲駁馬, 駁能食虎. 故虎畏伏而不敢咥人, 人九四也, 君畏
民, 如虎尾, 民畏義, 如駁馬, 所以致亨也.

"호랑이 꼬리를 밟는다"는 것은 건괘가 태괘를 밟은 것이며, 태괘는 서방의 괘이고 호랑이
상이다. 호랑이가 웅크리고 앉아있으면 입 앞에 꼬리가 놓인다. 그러므로 밟을 수도 있고,
물릴 수도 있다. 육삼은 곧 호랑이 입이면서 또한 꼬리이기도 하다. 건괘는 박마(駁馬)가
되고, 박마는 호랑이를 잡아먹을 수 있다. 그러므로 호랑이가 두려워하여 엎드려 사람을
물으려 들지 않으니, 사람은 구사이다. 임금은 호랑이 꼬리를 밟은 것처럼 백성을 두려워하
고, 백성들은 정의를 두려워하기를 박마처럼 하므로 형통을 이룰 수 있다.

박문건(朴文健)『주역연의(周易衍義)』

用順履剛, 故不見咥噬也.

유순함을 가지고 굳센 양을 밟기 때문에 물리지 않는다.

〈問, 履虎尾之象. 曰乾剛, 故稱虎, 三在其下而履之, 故有履虎尾之象.
물었다: "호랑이 꼬리를 밟는다"는 상은 무슨 뜻입니까?
답하였다: 건괘가 굳센 양이기 때문에 호랑이로 칭하고, 삼효는 그 아래에 있어 호랑이 꼬리
를 밟기 때문에 "호랑이의 꼬리를 밟는" 상이 됩니다.〉

〈問, 亨義. 曰, 進履虎尾, 不見咥噬者, 其道之亨也.
물었다: 형통의 뜻은 무엇입니까?
답하였다: 나아가서 호랑이 꼬리를 밟았는데, 물리지 않는 것은 그 도가 형통하기 때문입
니다.〉

이지연(李止淵)『주역차의(周易箚疑)』

虎屬西, 兌是西方卦, 則以下兌爲虎, 以上乾爲履虎者. 爻則以上乾爲虎, 以下兌爲履
虎者, 各以向內向前取義, 而二者互相發明也.

호랑이는 서방에 속하고 태괘는 서방의 괘이니, 아래의 태괘는 호랑이가 되고, 위의 건괘는
호랑이를 밟은 것이 된다. 효의 경우에는 위에 있는 건괘가 호랑이가 되고, 아래의 태괘는
호랑이 꼬리를 밟은 것이니, 각각 안을 향하고 앞을 향하는 뜻을 취한 것이며, 서로 뜻을
분명하게 해주는 것이다.

윤종섭(尹鍾燮) 『경(經)·역(易)』

履之取象於虎, 兌變爲艮, 而虎者, 剛而文明. 卦象三陽在前爲虎之首, 二陽在後爲尾,
三以偶跨上下, 有足履之象.

"밟는다"는 것을 호랑이에서 상을 취한 것은 태괘가 변해 간괘가 된 것인데, 호랑이는 굳세
고 무늬가 빛난다. 괘상은 세 양이 앞에 있어 호랑이의 머리가 되고, 두 양은 뒤에 있어
꼬리가 되며, 삼효는 짝으로써[19) 위와 아래를 타고 넘어가니, 발로 밟는 상이 있다.

이항로(李恒老) 「주역전의동이석의(周易傳義同異釋義)」

傳, 以柔履藉於剛.
『정전』에서 말하였다: 유약한 음이 굳센 양에게 밟히고 깔린다.

本義, 履有所躡而進之義也.
『본의』에서 말하였다: 리괘(履卦)는 밟아 나아가는 뜻이 있다.

按, 朱子曰, 伊川云, 履藉, 說得生受.
내가 살펴보았다: 주자는 "이천이 '밟히고 깔린다'고 말한 것은 설명이 부자연스럽다"고 했다.

김기례(金箕澧) 「역요선의강목(易要選義綱目)」

履, 禮也. 物畜然後有禮, 上下有等爲履.
리(履)는 예이다. 만물이 길러진 다음에 예가 있게 되고, 위아래의 차등이 있어 리(履)가
되었다.

虎尾不咥人亨. 朱漢上曰, 兌爲虎, 程傳以乾爲虎.
호랑이의 꼬리를 밟는데도 사람을 물지 않으니 형통하다. 주한상(朱漢上)[20)은 "태괘가 호
랑이가 된다"고 했고, 『정전』에서는 건괘를 호랑이로 보았다.

---

19) 짝: 두 발을 의미한다.
20) 주진(朱震, 1072~1138): 남송의 경학자로 호북 형문군(荊門軍)사람이며, 자는 자발(子發)이다. 호가 한상(漢
上)이다. 호안국의 천거로 사훈원외랑(司勳員外郎)이 되었으나 병을 핑계로 나가지 않았다. 후에 한림학사
를 역임하고 사량좌와 교유했으며 정호형제를 사숙하였다. 경학에 조예가 깊었으며 정이의 『역전』을 종주로
삼고 상수학을 계승하였다. 저서로는 『한상역집전(漢上易集傳)』이 있다.

○ 上天下澤, 義分已定, 悅而躡剛. 踐履之道順, 雖危不傷.
하늘이 위에 있고 못이 아래에 있어 의리와 분수가 이미 정해지니, 기쁘게 굳센 양을 밟는다. 밟아가는 도가 유순하여 위태롭지만 상해를 입지 않는다.

○ 兌爲口, 故曰咥.
태괘가 입이 되므로 "문다"고 하였다.

허전(許傳) 「역고(易考)」

乾剛在前, 五爲虎, 四爲虎尾也. 兌柔在後, 說而上進, 有從後躡前之義. 故曰履虎尾也.
굳센 건괘가 앞에 있어 오효가 호랑이가 되니, 사효는 호랑이 꼬리가 된다. 태괘의 유약함이 뒤에 있어 기쁘게 위로 나아가니, 뒤로부터 앞의 자취를 밟아 가는 뜻이 있다. 그러므로 "호랑이의 꼬리를 밟는다"고 하였다.

○ 本義優於程傳.
『본의』의 해석이 『정전』의 해석보다 더 훌륭하다.

심대윤(沈大允)『주역상의점법(周易象義占法)』

乾剛互兌口有虎象. 离爲惕, 乾爲敬. 以兌柔履藉於乾剛, 和悅敬惕而隨其後, 故曰履虎尾. 全卦象虎, 而六三居下卦之上上卦之下, 初二尾也, 而三履之. 外卦爲虎之身而履三, 爲履虎之尾, 而履於虎之義. 卑下恭畏而亦无侮辱, 故曰不咥人. 兌乾爲咥人, 六三爲履之主, 而位居下卦之上, 上卦之下, 尊尊卑卑, 卑下恭畏, 而莊健剛嚴得其中, 而少近於下, 故能大而亨. 凡尊親不失其人, 則乃得中也.
굳센 건괘가 태괘인 입과 뒤섞여 호랑이의 상이다. 리괘(離卦)는 두려움이고, 건괘는 공경이다. 유약한 태괘가 굳센 건괘에게 밟히고 깔려서 조화와 기쁨, 공경과 두려움으로 그 뒤를 따르기 때문에 "호랑이의 꼬리를 밟는다"고 했다. 전체 괘상이 호랑이인데, 육삼이 하괘의 맨 위와 상괘의 아래에 있고 초효와 이효가 꼬리여서 삼효가 그것을 밟고 있다. 외괘가 호랑이의 몸이면서 삼효를 밟고 있는 것이 호랑이의 꼬리를 밟은 것이어서 호랑이를 밟는 뜻이다. 자신을 낮추고 공경하고 두려워하는데도 모욕을 받지 않기 때문에 "사람을 물지 않는다"고 하였다. 태괘와 건괘는 사람을 문 것이 되고, 육삼은 리괘(履卦)의 주인이 된다. 자리가 하괘의 맨 위에 있으면서 상괘의 아래에 있고, 존귀한 이를 높이고 비천한 이를 낮추며, 아랫사람에게 낮추고 공경하는 마음과 두려움으로 튼튼하고 굳세며 장엄하게 그 중을 얻어서 조금 아래에 가까이 하기 때문에 크고 형통할 수 있다. 친한 이를 높여 그 사람을 잃지 않는다면 바로 중을 얻을 수 있다.

오치기(吳致箕)「주역경전증해(周易經傳增解)」

履者踐履也. 人所踐履者, 禮也. 禮辨尊卑而上天下澤, 爲尊卑有序之象. 兌一柔爲成卦之主, 而柔居剛位, 有柔履剛之象. 以兌柔應乾剛, 亦爲柔履之象, 而卽用柔行剛之義也. 禮之用和爲貴, 而和者樂也, 禮樂不可偏廢. 若專尙禮嚴, 而不用樂和, 則離而傷矣. 故以履虎尾不咥人取喩, 言用柔和而行剛嚴, 則爲亨之道也.

'리(履)'는 밟는다는 말이다. 사람들이 밟아야 할 것은 예이다. 예는 높음과 낮음을 분별하는데, "하늘이 위에 있고, 못이 아래에 있는 것"은 높음과 낮음에 차례가 있는 상이 된다. 태괘에서 하나의 유약한 음은 괘를 이루는 주인이 되는데, 유약한 음이 굳센 양의 자리에 있어 유약한 음이 굳센 양을 밟는 상이 있다. 태괘의 유약한 음으로 건괘의 굳센 양과 호응하는 것도 유약한 음이 그것을 밟는 상이 되니, 바로 유약함으로 굳셈을 실천하는 뜻이다. "예의 쓰임은 조화가 귀한 것이다"[21]고 했는데, 조화는 음악이니 예와 음악은 어느 한쪽도 폐지해서는 안 된다. 만약 오로지 예만을 엄격하게 숭상하고 음악과 조화를 쓰지 않으면 백성들은 떠나고 해를 입게 된다. 그러므로 "호랑이 꼬리를 밟는데도 사람을 물지 않는다"는 것으로써 비유한 것은 부드러움으로 조화시켜 엄하고 굳셈을 행하면 형통한 도리가 됨을 말한 것이다.

○ 對體互震爲足, 履之象. 虎取於對艮, 而尾亦艮象也. 兌爲口咥之象, 而言雖以虎之剛, 能用柔道, 故人履其尾而不咥. 蓋假辭而此卦兌一陰爲成卦之主, 故主柔而言也. 兌失正位, 故不言貞, 二五无應, 故不言大亨.

리괘(履卦䷉)의 음양이 바뀐 겸괘(謙卦䷎)의 호괘인 진괘(☳)는 다리로 밟는 상이 된다. 호랑이는 진괘가 거꾸로 된 간괘(艮卦)에서 취하니, 꼬리도 간괘의 상이다. 태괘(☱)는 입으로 무는 상이 되는데, 비록 호랑이의 굳셈으로도 태괘의 유약한 도를 쓸 수 있으므로 사람이 그 꼬리를 밟는데도 물리지 않는다고 말하였다. 가정하여 말한 것이지만, 이 괘는 태괘의 한 음이 괘의 주인이 되므로 유약한 음을 위주로 말했다. 태괘는 바른 자리를 잃었기 때문에 곧다고 말하지 않았고, 이효와 오효는 호응하지 않으므로 크게 형통하다고 말하지 않았다.

21)『論語·學而』: 禮之用, 和爲貴.

이진상(李震相) 『역학관규(易學管窺)』

履虎尾, 先儒多以兌爲虎. 然卦中三四爻, 皆言履虎尾. 兌果是虎, 則三乃虎口, 不可謂之尾. 乾乃履之者, 則四當人足, 正蹈得虎頭義, 皆不通. 而以乾爲虎, 則九五乃虎體, 而三四人位在其下爲蹈尾之象. 夫子釋乾之九五曰, 風從虎者, 是已. 此極言和順之無害也.

"호랑이의 꼬리를 밟는다"는 말에 대해 이전의 유학자들은 대다수가 태괘를 호랑이로 삼았다. 그러나 괘 가운데 삼효와 사효에서만 모두 "호랑이 꼬리를 밟는다"고 했다. 태괘가 과연 호랑이라면 삼효는 곧 호랑이의 입이지, 꼬리라고 할 수는 없다. 건괘가 곧 꼬리를 밟는 것이라고 한다면 사효는 사람의 발에 해당되고, 바로 호랑이의 머리를 밟는다는 뜻이니, 뜻이 모두가 통하지 않는다. 건괘를 호랑이로 삼는다면 구오는 곧 호랑이의 몸체이고, 사람의 자리인 삼효와 사효는 그 아래에 있어 꼬리를 밟는 상이 된다. 공자가 건괘 구오를 "바람이 호랑이를 좇는다[風從虎]"라고 해석한 것이 바로 그것이다. 이는 조화롭고 유순한 것이 해를 입지 않게 된다는 것을 극진하게 말한 것이다.

채종식(蔡鍾植) 「주역전의동귀해(周易傳義同歸解)」

履傳訓藉字. 蓋履物爲踐履於物爲藉, 以柔藉剛之義也. 本義訓蹈字. 蓋隨後踏跡曰蹈, 以柔蹈剛之義也. 訓異而旨同也.

'리(履)'는 『정전』에서는 "깐다[藉]"고 풀이하였다. 대체로 물건을 밟는 것은 "밟는다[踐]"고 하고, 물건에 밟히는 것은 "깔린다[藉]"고 하는 것은 유약한 음이 굳센 양에게 깔리는 것을 의미한다. 『본의』에서는 '밟음[蹈]'으로 풀이하였다. 대체로 "뒤를 따라 밟는다"는 것을 '밟음[蹈]'이라 하니, "유약한 음이 굳센 양을 밟는다"는 뜻이다. 글자를 풀이한 것은 다르지만 뜻은 같다.

박문호(朴文鎬) 「경설(經說)·주역(周易)」

履虎尾, 彖辭則以履之一卦言也, 六三則以其陰爻, 且交祭之會, 故又特言之. 九四則別是一義, 惟取其多懼之意也.

"호랑이 꼬리를 밟는다"고 한 「단사」는 리괘(履卦) 전체로 말한 것인 반면, 육삼은 그 음효로써 서로 만나는 때이므로 또 특별히 말했다. 구사는 또 다른 하나의 뜻이니, 그 두려움이 많은 것을 취했을 뿐이다.

象曰, 履, 柔履剛也,

정전 「단전」에서 말하였다: 리(履)는 유약한 음이 굳센 양에게 밟히니,
본의 「단전」에서 말하였다: 리(履)는 유약한 음이 굳센 양의 뒤를 밟으니,

中國大全

本義

以二體, 釋卦名義.

두 몸체로써 괘의 이름을 해석했다.

小註

雲峯胡氏曰, 本義謂二體, 見得是以兌體之柔, 履乾體之剛, 非指六三以柔而履剛也.

운봉호씨가 말하였다: 『본의』에서 말한 두 몸체는 태괘의 몸체인 유약한 음이 굳센 건괘의 몸체를 밟았다는 것이지, 유약한 육삼이 굳센 양을 밟은 것을 가리킨 것이 아님을 알 수 있다.

韓國大全

김상악(金相岳)『산천역설(山天易說)』

以二體釋卦名義, 以兌之柔躡乾之剛也. 又六三一柔處五剛之中, 自有踐躡二義.

두 몸체로써 괘의 이름을 해석하였으니, 태괘의 유약함이 건괘의 굳셈에게 밟는다. 또 리괘(履卦) 중 유일한 음인 육삼의 유약함이 오효의 굳센 양의 가운데에 있어 스스로 '천(踐)'과

'섭(躡)'이라는 두 의미를 갖는다.

○ 姤之一陰生於五陽之下, 則曰柔遇剛也. 剝之五陰長於一陽之下, 則曰柔變剛也. 履之一陰處於五陽之中, 則曰柔履剛也, 應天以說, 故獨言亨.

구괘(姤卦䷫)의 한 음이 다섯 양의 아래에서 생겨나는 것을 유약한 음이 굳센 양을 만난다고 말했다. 박괘(剝卦䷖)의 다섯 음이 하나의 양 아래에서 자라나는 것은 유약한 음이 굳센 양을 변화시킨다고 말했다. 리괘(履卦䷉)의 유일한 음이 다섯 양 가운데 있는 것은 유약한 음이 굳센 양에게 밟힌 것을 말하니, 기쁨으로써 하늘과 호응하기 때문에 유독 형통하다고 말했다.

서유신(徐有臣)『역의의언(易義擬言)』

夫變爲履, 兌來居下, 承藉於乾, 爲柔履於剛也. 於是乾履兌矣. 曷不曰剛履柔也, 履之爲履, 職由乎下之柔說承應也. 苟曰剛履柔, 則秖見剛之武勝, 未見柔之說應也.

쾌괘(夬卦䷪)의 위아래 괘가 바뀌어 리괘(履卦䷉)가 되었고, 태괘는 위로부터 와서 아래에 있으며, 건괘를 받들어 깔리게 되니, 유약한 음이 굳센 양에게 밟히게 된다. 이에 건괘가 태괘를 밟는다. 그런데 어찌하여 굳센 양이 유약한 음을 밟는다고 말하지 않았는가? 리괘가 밟는다는 뜻이 되는 것은 다만 하괘가 부드러운 기쁨으로 받들어 호응하기 때문이다. 만일 굳센 양이 유약한 음을 밟는다고 한다면 다만 굳센 양의 용맹함이 이기는 것만을 볼 뿐이니, 유약한 음이 기쁘게 호응하는 것을 볼 수 없게 된다.

박문건(朴文健)『주역연의(周易衍義)』

此以體休釋卦名.

여기서 몸체의 아름다움으로써 괘의 이름을 해석하였다.

김기례(金箕澧)「역요선의강목(易要選義綱目)」

兌躡乾後.

태괘가 건괘의 뒤를 밟는다.

허전(許傳)「역고(易考)」

以兌之柔履乾之剛也, 非柔爲剛之所履籍也.

태괘의 유약한 음이 건괘의 굳센 양의 뒤를 밟은 것이지, 유약한 음이 굳센 양에 의해 밟히고 깔린 것이 아니다.

○ 我東諺解誤.
우리 언해가 잘못되었다.

이진상(李震相) 『역학관규(易學管窺)』

履則踐其成迹者也. 乃從後躡跟之象, 非履藉之義. 柔履剛者, 柔躡剛之後也.
"밟는다"는 것은 이루어 놓은 자취를 밟는다는 것이다. 곧 뒤를 따라 밟아 따르는 상이지 밟히고 깔린다는 뜻은 아니다. 유약한 음이 굳센 양을 밟는 것은 유약한 음이 굳센 양의 뒤를 밟는 것이다.

최세학(崔世鶴) 「주역단전괘변설(周易象傳卦變說)」

履乾之一體變也, 三一爻爲主, 故象以柔履剛言之. 坤三來居於下體之上, 而爲兌, 以兌柔爲乾剛所履也.
리괘(履卦䷉)는 건괘의 한 몸체가 변한 것이고, 삼효 한 효가 주인이 되므로 「단전」에서 "유약한 음이 굳센 양에게 밟힌다"는 것으로 말했다. 곤괘의 삼효가 아래 몸체의 위에 와서 있어 태괘가 되고, 태괘의 유약함이 건괘의 굳셈에 의해 밟히게 되었다.

說而應乎乾. 是以履虎尾不咥人亨.

기뻐하며 건과 호응한다. 이 때문에 호랑이 꼬리를 밟아도 사람을 물지 않으니, 형통하다.

中國大全

傳

兌以陰柔, 履藉乾之陽剛, 柔履剛也. 兌以說順, 應乎乾剛而履藉之, 下順乎上, 陰承乎陽, 天下之至理也. 所履如此, 至順至當, 雖履虎尾, 亦不見傷害, 以此履行, 其亨可知.

태괘가 유약한 음으로써 건괘의 굳센 양에게 밟히고 깔리는 것이 "유약한 음이 굳센 양에게 밟히는 것"이다. 태괘가 기뻐하고 순응함으로써 건괘의 굳셈과 호응하며 밟히고 깔리는 것은 아래가 위에 순응하고, 음이 양을 이어 받든 것이니, 천하의 지극한 이치이다. 실천하는 바가 이와 같으면 지극히 순조롭고 지극히 마땅하여, 비록 호랑이의 꼬리를 밟는데도 또한 상해를 입지 않으니, 이것으로써 이행하면 그 형통함을 알 수 있다.

本義

以卦德釋彖辭.

괘의 덕으로써 「단사」를 해석했다.

小註

雷氏曰, 六三進則履乾之後, 履虎尾也. 反不咥人而得亨者, 由說而應乎乾故也.

뇌씨가 말하였다: 육삼이 위로 올라가면 건괘의 뒤를 밟아 호랑이의 꼬리를 밟게 된다. 그런데 도리어 사람을 물지 않아 형통함을 얻게 된 것은 기뻐함으로 말미암아 건괘와 호응했기 때문이다.

○ 平庵項氏曰, 以兌說而應乎乾, 則所行无忤, 履雖危而不傷. 莊周曰, 虎媚養己者, 順也. 唯柔順而說, 則履虎尾而不咥人, 且有能亨之理.

평암항씨가 말하였다: 태괘의 기쁨으로써 건괘와 호응한다면 실천하는 바에 거슬림이 없고, 호랑이 꼬리를 밟는 것이 비록 위태로우나 상해를 입지 않는다. 장주는 "호랑이가 자기를 길러 주는 사람에게 잘 보이려는 것은 순종해서이다"[22]라고 말하였다. 오직 부드럽게 순응하면서 기뻐하면 호랑이 꼬리를 밟아도 사람을 물지 않으니, 또한 형통할 수 있는 이치가 있다.

○ 雲峯胡氏曰, 說而應乎乾, 亦是以下體之兌, 應上體之乾. 若蒙曰, 志應, 師曰剛中而應, 是剛柔兩爻自相應. 比小畜上下應是一爻爲主而衆爻應之.

운봉호씨가 말하였다: 기뻐하여 건괘에 호응하는 것은 또한 하체의 태괘로써 상체의 건괘와 호응한 것이다. 몽괘(蒙卦䷃)에서 "뜻이 서로 호응한다"[23]고 하고, 사괘(師卦䷆)에서 "굳세고 알맞아서 호응한다"[24]고 한 경우는 굳세고 부드러운 두 효가 스스로 호응하는 것이다. 그리고 비괘(比卦䷇)와 소축괘(小畜卦䷈) 에서 "위아래가 서로 호응한다"[25]고 한 것은 하나의 효가 주인이 되고, 다른 여러 효가 거기에 호응한 것이다.

‖韓國大全‖

심조(沈潮) 「역상차론(易象箚論)」

虎尾乾剛也, 兌有咥象, 而互有巽體, 故不咥.

'호랑이 꼬리'는 '굳센 건괘[乾剛]'를 가리키며, 태괘는 '무는[咥]' 상이고, 호괘로 보면 손의 몸체[巽體]가 나타나기 때문에 "물지 않는다"고 했다.

---

22) 『莊子·人間世(四)』: 虎之與人異類, 而媚養己者, 順也.

23) 『周易·蒙卦』: 象曰…匪我求童蒙, 志應也.

24) 『周易·師卦』: 象曰…剛中而應, 行險而順.

25) 『周易·比卦』: 象曰…不寧方來, 上下應. 『周易·小畜卦』: 象曰, 小畜, 柔得位而上下應之.

유정원(柳正源) 『역해참고(易解參攷)』[26]

案, 處患之道, 柔則必取辱, 剛則必取禍, 如冉求之聚斂, 子路之絶纓. 皆不得說應之義
也. 夫以和說應剛强, 唯是順於理當於義也. 上下得其序而无陵援之意, 柔剛相與應,
而无阿諛之態, 和適其氣雍容, 其辭不激不忤, 如明道之於王介甫, 乃可以濟事而亦免
於傷害矣.

내가 살펴보았다: 우환에 대처하는 도리는 유약하면 반드시 욕됨을 받게 되고, 굳세면 반드
시 재앙을 입게 되는데, 이를테면 염구의 '세금을 지나치게 거둔 것'[27]과 자로의 '갓끈이 떨
어진 것'[28]에는 모두 기뻐서 호응하는 뜻이 없다. 조화와 기쁨으로 굳세고 강함에 호응한
것은 오직 이치에 순응하고 의리에 합당한 것이다. 위아랫가 그 차례를 얻어 아랫사람을
업신여기거나 윗사람을 무시하는 뜻이 없고, 유약과 굳셈이 서로 호응하여 아첨하는 태도가
없으며, 그 기상은 온화한 용모로 조화롭고, 그 말은 격하지도 거슬리지도 않아 마치 정명도
가 왕개보[29]에게 한 것[30]처럼 바로 일을 구제하여 또한 상해로부터 면한다.

김상악(金相岳) 『산천역설(山天易說)』

以卦德釋卦辭. 六三爲說之主, 不言柔之應剛, 而曰說而應乾者, 巽兌之卦多以剛中
爲主.

괘의 덕으로써 괘사를 해석하였다. 육삼은 기뻐하는 주인이 되는데, 유약한 음이 굳센 양과
호응한다고 말하지 않고, "기쁘게 건괘와 호응한다"고 한 것은 손괘(巽卦)와 태괘(兌卦)에
굳세고 알맞음을 위주로 하는 괘가 많기 때문이다.

---

26) 경학자료집성DB에서는 리괘(履卦) 괘사에 해당하는 것으로 분류했으나, 내용에 따라 이 자리로 옮겨 바로
    잡는다.
27) 『論語·先進』: 季氏富於周公, 而求也爲之聚斂而附益之, 子曰 非吾徒也, 小子,鳴鼓而攻之可也.
28) 절영(絶纓): 자로가 위(衛) 나라 태자 괴외(蒯聵)의 난리에 싸우다가 갓끈이 떨어지자, 군자(君子)가 갓을
    벗고 죽을 수는 없다고 하면서 갓끈을 손수 고쳐 맸다고 한다.
29) 왕안석(王安石, 1021~1086): 북송의 유학자이자 정치가로 강서성 임천사람이며, 호는 반산(半山)이다. 인종
    경력(慶曆) 2년(1042) 21살 때에 진사에 오른 이래 참지정사(參知政事)를 거쳐 재상이 되었다. 신종의 신임
    을 받아 적극적으로 새로운 변법을 실시하였다. 그러나 반(反) 변법파의 맹렬한 공격으로 희녕 7년(1074)에
    파직되었다. 신종 사후 보수당의 사마광(司馬光)이 집정하면서 변법을 모두 폐지하기에 이르자, 울분을
    참지 못하여 병사하였다. 저서로는 『임천선생문집(臨川先生文集)』이 전해진다.(『역사 따라 배우는 중국문
    학사』, 2010, 다락원.)
30) 『근사록·정사(政事)』에 정명도가 왕개보 학문의 잘못을 오사례(吳師禮)를 통해 지적하는 내용이 있다.

서유신(徐有臣) 『역의의언(易義擬言)』

兌說而應於乾, 爲虎尾之象, 又爲不咥之象也. 履同人之象, 不曰剛健, 而獨曰乾, 取義
不在剛健也.

태괘의 기쁨으로 건괘와 호응하는 것이 호랑이 꼬리의 상이 되고, 또 사람을 물지 않는 상이
된다. 리괘(履卦☲)와 동인괘(同人卦☲)의 「단전」에 '강건(剛健)'이라고 말하지 않고, 유독
'건(乾)'이라고 말한 것은 뜻을 취한 것이 '강건(剛健)'에 있지 않기 때문이다.

박문건(朴文健) 『주역연의(周易衍義)』

此以卦德釋彖辭.

이는 괘의 덕으로써 단사를 해석하였다.

이진상(李震相) 『역학관규(易學管窺)』

兌內剛而外柔, 剛則與乾同德, 柔則應乾, 以順和說而不失其正者也. 乾剛上亢, 若遽以
剛凌犯, 則必取禍, 專用柔悅則必取辱, 惟其所行順乎理, 而當乎義, 故雖危而能亨也.

태괘는 안이 굳세고 밖은 유순하며, 굳셈은 건괘와 같은 덕이고 유순함은 건괘와 호응하는
것이니, 조화와 기쁨으로써 순응하여 그 올바름을 잃지 않는 것이다. 굳센 건괘가 올라가
가장 위에 있어 별안간 굳셈으로써 업신여긴다면 반드시 불행을 맞이하고, 오로지 유약한
기쁨으로만 한다면 반드시 치욕을 받게 되니, 오직 실천하는 것이 도리에 순응하고 의리에
마땅하기 때문에 비록 위태로우나 형통할 수 있다.

박문호(朴文鎬) 「경설(經說)·주역(周易)」

象辭之不咥人亨, 指其卦德也, 六三之咥人凶, 指其爻才也, 履虎尾雖同, 而咥不咥有
不同耳. 柔履剛, 諺釋作柔履於剛是也, 然以履虎尾, 文勢觀之, 雖直作柔履此剛, 亦足
以備一義矣.

단사에서 "사람을 물지 않으니 형통하다"고 한 것은 괘의 덕을 가리키고, 육삼의 "사람을
무니 흉하다"고 한 것은 효의 재질을 가리키니, "호랑이 꼬리를 밟는다"는 것은 비록 같을
지라도, 물고 물지 않는 것의 차이가 있을 뿐이다. "유약한 음이 굳센 양을 밟는다"는 것을
『언해』에서는 "유약한 음이 굳센 양에게 밟힌 것으로 해야 옳다"고 했다. 그러나 "호랑이
꼬리를 밟는다"는 글의 형세를 보면, 비록 바로 유약한 음이 이 굳센 양을 밟는다고 해도
또한 충분히 하나의 뜻이 갖추어진다.

이병헌(李炳憲) 『역경금문고통론(易經今文考通論)』

小畜一轉而爲履, 履爲禮之取象, 禮主戒愼. 夫戒愼之情, 孰過於履虎尾之時乎. 故以履虎尾不咥人象禮, 象經直說到, 履帝位不疚之義, 此孔子特筆也. 戒愼之情, 其達于天德乎. 此六三之所以爲至德也, 非文王其孰能當之. 惟深察象經之旨. 不與六三爻辭相違, 則其義可見. 上九終引六三而履帝位, 故不疚而光明也.

소축괘(小畜☴)가 한번 전환되어 리괘(履卦☱)가 되니,[31] 리괘는 예(禮)를 상으로 취하였다. 예는 경계와 근신을 주로 한다. 경계하고 근신하는 마음 가운데 어느 것이 "호랑이의 꼬리를 밟는" 때보다 더하겠는가? 그러므로 "호랑이의 꼬리를 밟아도 사람을 물지 않는다"는 것으로 예를 상징하였다. 이것을 「단전」에서 바로 "임금의 자리를 밟아 흠이 없다"는 뜻으로 설명하였으니, 이것이 공자의 특별한 글쓰기이다. 경계하고 근신하는 마음은 하늘의 덕에까지 미칠 것이다. 이것이 육삼이 지극한 덕이 되는 까닭이니, 문왕이 아니면 그 누가 감당하겠는가? 오직 「단전」의 뜻을 깊이 관찰해야 한다. 육삼 효사와 더불어 서로 어긋나지 않게 한다면 그 뜻을 알 수 있다. 상구에서 끝내 육삼을 끌어당겨 임금의 자리를 밟기 때문에 흠이 없이 빛나고 밝은 것이다.

---

31) 소축괘의 유일한 음효인 사효가 바로 아래 효인 구삼의 자리로 옮겨가면 리괘(履卦)가 된다.

剛中正, 履帝位, 而不疚, 光明也.

굳센 양이 중정하고 임금의 자리를 밟아 흠이 없으니 빛나고 밝다.

中國大全

傳

九五以陽剛中正, 尊履帝位, 苟无疚病, 得履道之至善光明者也. 疚, 謂疵病, '夬履'是也. 光明, 德盛而輝光也.

구오는 굳센 양으로서 중정하고 높이 임금의 자리를 밟아 진실로 병폐가 없으니, 실천하는 도가 지극히 선하며 빛나고 밝음을 얻은 자이다. '흠[疚]'은 '잘못[疵]'과 '병(病)'을 말하니, "과감하게 결단하여 실천하는 것[夬履]"이 이것이다. "빛나고 밝음"은 덕이 넘쳐 빛나고 밝은 것이다.

本義

又以卦體明之, 指九五也.

또한 괘의 몸체로써 밝히니, 구오를 가리킨다.

小註

臨川吳氏曰, 又以卦體釋彖辭之占. 言占之亨者, 以九五之剛中正履帝位而不疚, 且光明也. 剛而得中得正, 其德之不疚病, 尊居帝位而臨下, 其位之光明顯著也. 不疚光明, 所謂亨也.

임천오씨가 말하였다: 또한 괘의 몸체로써 단사의 점을 해석하였다. "점이 형통하다"는 것은 구오의 굳센 양이 중정하고 임금의 자리를 밟아 흠이 없으니, 또한 빛나고 밝기 때문이다. 굳센 양이 중정하고 그 덕이 흠과 병이 없이 존귀한 임금의 자리에 올라 아래 사람들을 대하니, 그 자리가 빛나고 밝게 드러난다. "흠이 없어 빛나고 밝다"는 것은 형통한 것을 말한다.

○ 雲峯胡氏曰, 釋彖已畢, 又於此專指九五, 以推廣其義, 猶乾坤文言也. 履者, 小畜
之反. 小畜曰, 柔得位, 此則曰, 剛中正履帝位而不疚, 言外之意可見.

운봉호씨가 말하였다: 「단전」 해석을 이미 끝마치고, 또한 이곳에서 구오만을 지칭하여 그
뜻을 미루어 넓힌 것은 건괘와 곤괘의 「문언전」과 같다. 리괘(履卦☰☱)는 소축괘(小畜卦☰☴)
가 거꾸로 된 괘이다. 소축괘에서 "유약한 음이 제자리를 얻었다"고 했는데, 여기서는 "굳센
양이 중정하고, 임금의 자리를 밟아 흠이 없으니, 밝게 빛난다"고 한 것은 말하진 않은 뜻임
을 알 수 있다.

‖韓國大全‖

홍여하(洪汝河) 「책제(策題):문역(問易)·독서차기(讀書箚記)-주역(周易)」

互體爲离, 故曰光明.

호체가 리괘(離卦)가 되기 때문에 빛나고 밝다고 했다.

小象, 韻法, 類否泰

「소상전」의 음운법은 비괘, 태괘와 유사하다.

이현익(李顯益) 「주역설(周易說)」[32]

剛中正履帝位而不疚光明, 雲峯胡氏謂釋彖已畢, 又於此專指九五以推廣其義, 猶乾
坤文言. 臨川吳氏則以此爲釋彖占之亨, 以文言爲比, 固未的, 而以釋亨爲言, 亦未然.
此蓋於釋彖之下, 特言九五, 亦一例也.

"굳센 양이 중정하고 임금의 자리를 밟아 흠이 없으니 빛나고 밝다"라는 말에 대해 운봉호씨
는 "「단전」을 이미 다 해석하고 나서 다시 여기에서 오로지 구오만을 지칭하여 그 뜻을 미루
어 넓힌 것은 건괘와 곤괘의 「문언전」과 같다"고 했다. 임천오씨는 이것으로써 「단전」의
"형통하다"는 점사를 해석했는데, 「문언전」에 견준 것은 본래 정확하지 않고, '형통함'을 해
석한 것으로 말한 것은 여전히 미흡하다. 이는 「단전」을 해석한 아래에 특별히 구오를 말한
것으로 또한 하나의 상례이다.

---

32) 경학자료집성DB에서는 리괘(履卦) 괘사에 해당하는 것으로 분류했으나, 내용에 따라 이 자리로 옮겨 바로잡았다.

傳曰, 疚謂疵病, 夬履是也. 蓋謂疚則爲夬履, 不疚則爲光明, 其能光明以不疚之故也. 臨川吳氏之以剛中正爲不疚, 居帝位爲光明, 不可.

『정전』에서 ""흠[疚]'은 '잘못[疵]'과 '병(病)'을 말하니, '과감하게 결단하여 실천하는 것[夬履]'이 이것이다"라고 하였다. 흠이 생기면 과감하게 결단하고, 흠이 없으면 빛나고 밝게 되니, 그것이 빛나고 밝을 수 있는 것은 흠이 없기 때문이다. 임천오씨가 구오의 굳센 양이 중정한 것을 병들지 않은 것으로 하고, 임금의 자리를 밟는 것을 빛나고 밝은 것으로 한 것은 옳지 않다.

김상악(金相岳) 『산천역설(山天易說)』

又以卦體明之帝位九五也. 五之剛健中正, 德與位稱, 故不疚于心而光明于外也. 此專指九五, 推廣其義, 猶乾坤文言. 履帝位者, 履虎尾也. 不疚者, 不咥人也, 光明者, 亨也.

또한 괘의 몸체로써 임금의 자리인 구오를 밝혔다. 오효는 굳세고 튼튼한 중정의 자리로 덕과 자리를 아울러 일컬은 것이므로 마음에 흠이 없이 밖으로 밝게 빛난다. 이것은 구오만을 가리켜 그 뜻을 미루어 넓힌 것으로 마치 건괘와 곤괘의 「문언전」과 같다. "임금의 자리를 밟는다"고 한 것은 "호랑이 꼬리를 밟음"이고, "흠이 없음"은 "사람을 물지 않는 것"이고, "밝게 빛난다"고 한 것은 "형통함"이다.

김귀주(金龜柱) 『주역차록(周易箚錄)』

按, 以爻辭觀之, 則九五有夬履之厲, 而於此言不疚光明者. 蓋只取其剛中正履帝位而已. 更不計其傷於所恃之弊, 亦隨時取義之例也. 如象辭言不咥人, 而爻辭又言咥人之, 各有攸當耳, 恐不必泥看程傳. 以不疚作苟無疚病之意, 當更商.

내가 살펴보았다: 효사로써 본다면 구오는 "과감하게 결단하여 실천하는 데에 위태로움"이 있는데, 이에 대해 "흠이 없이 빛나고 밝다"고 말한 것은 다만 "굳센 양이 중정하면서 임금의 자리를 밟음"을 취했을 뿐이다. 더 이상 믿었던 것으로부터 상해를 당하는 폐단을 생각하지 않은 것은 또한 상황에 따라 뜻을 취하는 사례이다. 「단전」에 "사람을 물지 않는다"고 하고서 효사에서는 또한 "사람을 문다"라고 한 것과 같이 각각 마땅한 바가 있을 뿐이니, 『정전』에 구애되어 볼 필요는 없을 것이다. "흠이 없다[不疚]"를 "진실로 흠과 병이 없다[苟無疚病]"의 뜻으로 풀이한 것은 마땅히 다시 생각해 봐야 한다.

本義, 又以卦體, 云云,

『본의』에서 말하였다: 또한 괘의 몸체로써, 운운.

小註, 臨川吳氏曰, 又以, 云云.

소주에서 임천오씨가 말하였다: 또한, 운운.

○ 按, 光明亦言其德之光明, 非指其位也. 吳說以不疚貼剛中正, 光明貼履帝位, 恐涉破碎.

내가 살펴보았다: "빛나고 밝음"이란 또한 그 덕이 밝고 빛나는 것을 말하는 것으로 그 자리를 가리키는 것이 아니다. 오씨의 설에서 "흠이 없음"을 "굳센 양이 중정하고"에다 연결시키고, "빛나게 밝음"을 "임금의 자리를 밟는다"에 연결시킨 것은 너무 소소한 문제이다.

서유신(徐有臣) 『역의의언(易義擬言)』

帝位九五也, 疚病也, 帝位而見咥, 則其爲疚, 大矣. 五之不疚, 以其德之光明也, 非直駁馬之威也.

임금의 자리는 구오이고, '흠[疚]'은 '병(病)'이다. 임금의 자리인데 물리게 된다면 그 흠은 크다. 오효가 흠이 없게 된 것은 그 덕이 빛나고 밝기 때문이고, 박마(駁馬)의 위엄 때문만이 아니다.

강엄(康儼) 『주역(周易)』

按, 上面說, 說而應乎乾, 釋卦辭已盡, 而下面又說, 剛中正者, 何也. 蓋君子之處危也, 雖當和說以順[33], 而又當陽剛中正, 內省不疚然後, 可以不至於媚說, 而亦可以免禍. 此象傳所以旣釋卦辭, 而又取九五之剛中正, 以明君子之所履當如是, 而不但主於和說而已, 其旨深哉.

내가 살펴보았다: 윗글에서 "기쁘게 건괘와 호응한다고 말한 것"은 이미 괘사를 철저하게 해석한 것인데, 아래 글에 또 "굳센 양이 중정하다"고 말한 까닭은 무엇인가? 군자가 위험에 처했을 때, 비록 조화와 기쁨으로써 순응해야지만 또한 굳센 양이 중정하여 안으로 흠이 없는 다음에야 아첨해서 기쁘게 하는 데 이르지 않을 수 있으며, 기쁨으로써 또한 화를 면할 수 있다. 이는 「단전」에서 이미 괘사를 해석한 것이며, 또한 구오의 굳센 양이 중정한 것을 취하여 군자의 행할 바는 마땅히 이와 같이하고서 조화와 기쁨만을 주로 하지 않아야 함을 밝혔으니, 그 뜻이 매우 깊다.

---

33) 順: 경학자료집성DB와 영인본에는 글자가 빠져 있으나 문맥을 살펴 '順'으로 보았다.

박문건(朴文健) 『주역연의(周易衍義)』

不疚而致光明者, 五能與二也. 此贊九五所履之善也.

"흠이 없어 빛나고 밝음을 이룬다"는 것은 오효가 이효와 함께 할 수 있다는 것이다. 이것은 구오가 실천하는 선을 찬미한 것이다.

〈問, 不疚. 曰不爲九二之所傷, 故謂之不疚也.

물었다. '흠이 없음'은 무슨 뜻입니까?

답하였다: 구이가 상해를 입지 않도록 하기 때문에 '흠이 없음'이라 했습니다.

曰, 此與周公爻義不同, 何. 曰, 動靜不同, 故取義, 亦自相異也.

물었다: 이는 주공의 효사의 뜻과 다른데 무엇 때문입니까?

답하였다: 움직임[動]과 고요함[靜]이 같지 않기 때문에 뜻을 취한 것이 또한 스스로 서로 다릅니다.

曰, 何謂動靜不同. 曰, 文王取主爻而間取凡爻, 周公取應爻而間取比爻. 文王於一卦觀理一之體, 周公於六爻觀分殊之用, 文王守其常, 而周公從其變也. 此動靜所以不同也. 夫子以文王之志, 故於此言不疚也.

물었다: 무엇을 일러 움직임과 고요함이 다르다고 합니까?

답하였다: 문왕은 주효를 취하면서도 간혹 일반 효를 취하였고, 주공은 호응하는 효를 취하면서도 간혹 가까이 있는 효를 취하였습니다. 문왕은 하나의 괘에서 리일(理一)의 본체를 살폈고 주공은 육효에서 분수(分殊)의 작용을 관찰하였으며, 문왕은 그 항상됨을 지키고 주공은 그 변화를 따랐습니다. 이것이 움직임과 고요함이 다르게 된 까닭입니다. 공자는 문왕의 뜻을 썼기 때문에 이에 대해 "흠이 없다"고 했습니다.〉

김기례(金箕澧) 「역요선의강목(易要選義綱目)」

五君位, 故曰帝. 夬履則疾(疚), 不夬履則光明也.

오효는 임금의 자리이므로 임금이라 했다. 강하게 결단하면 흠이 있고, 강하게 결단하지 않으면 빛나고 밝게 된다.

○ 他卦謂五陽曰中正, 或剛中, 而此云剛中正. 蓋乾體本剛, 五居尊位, 兌又悅應, 則恐涉夬履之病, 故云不疚[34]則光明.

---

34) 疚: 경학자료집성DB와 영인본에 모두 '病'으로 되어 있으나, 문맥을 살펴 '疚'로 바로잡았다.

다른 괘에서는 다섯 번째 양을 중정하다고 하거나 혹은 굳세고 알맞다고 했는데, 여기서는 굳센 양이 중정하다고 했다. 건괘의 몸체는 본래 굳세고 오효는 존귀한 자리인데, 태괘가 또한 기쁨으로 호응하면 아마도 강하게 결단하는 병통과 관련되므로 "흠이 없으면 빛나고 밝을 것이다"고 했다.

심대윤(沈大允)『주역상의점법(周易象義占法)』

應乎乾, 尊敬得其人也. 剛中正言得中也, 履帝位, 言恭畏而尊貴也, 不疚, 言限節而及遠也, 光明, 言文而有耀也. 离爲明, 對坎爲疚, 以九五重釋亨義.

"건괘와 호응한다"는 것은 존경함으로 그 사람을 얻는 것이다. "굳센 양이 중정함"은 중을 얻었음을 말하며, "임금의 자리를 밟는다"는 것은 경외할 만하고 존귀함을 말한다. "흠이 없다[不疚]"는 것은 제한과 절도로써 멀리까지 미침이고, "빛나고 밝다"는 것은 문채가 나서 빛남을 말한다. 리괘(離卦)는 밝음이고, 마주하는 감괘(坎卦)가 흠이 되니, 구오로써 형통하다는 뜻을 거듭 해석했다.

오치기(吳致箕)「주역경전증해(周易經傳增解)」

象曰, 履柔履剛〈卦體〉也, 說〈兌德〉而應乎乾〈乾〉是以履虎尾不咥人亨, 剛中正〈九五〉履帝位而不疚光明也.

「단전」에서 말하였다: 리(履)는 유약한 음이 굳센 양의 뒤를 밟으니〈괘의 몸체이다〉, 기뻐하며〈태괘의 덕이다〉 건과 호응한다. 이 때문에 호랑이 꼬리를 밟아도 사람을 물지 않으니, 형통하다. 굳센 양이 중정하고〈구오(九五)〉 임금의 자리를 밟아 흠이 없으니 빛나고 밝다.

此以卦體釋卦名義, 以卦德釋卦辭. 又以卦體推明九五之義, 而言以陽剛中正履帝位之尊, 苟无疚病, 得履道之善, 則當爲光明也.

이는 괘의 몸체로써 괘의 이름을 해석한 것이며, 괘의 덕으로써 괘사를 해석한 것이다. 또한 괘의 몸체로써 구오의 뜻을 미루어 밝혀서, 굳센 양이 중정하여 "존귀한 임금의 자리를 밟았으니", 진실로 흠이 없어 리괘(履卦)의 도리가 선함을 얻어 마땅히 빛나고 밝게 된다고 말하였다.

○ 蓋以九五剛居剛位, 應比皆剛, 失柔履之義. 故示戒如此, 所以爻辭有夬履貞厲之戒也. 餘見象解.

구오의 굳셈으로써 굳셈의 자리에 있어 호응하고 가까이 있는 것이 모두 굳센 양이기 때문에 부드럽게 밟는 뜻을 잃었으므로 이와 같은 경계를 보여주었다. 그래서 효사에 "굳세게 결단하여 실천하니, 곧더라도 위태롭다"는 경계가 있게 된 것이다. 나머지는 「단전」의 해석을 보라.

象曰, 上天下澤, 履, 君子以, 辯上下, 定民志.

「상전」에서 말하였다: 하늘이 위에 있고 못이 아래에 있는 것이 리괘(履卦)이니, 군자가 그것을 본받아 위아래를 분별하고, 백성의 뜻을 안정시킨다.

‖中國大全‖

傳

天在上, 澤居下, 上下之正理也, 人之所履當如是. 故取其象而爲履. 君子觀履之象, 以辯別上下之分, 以定其民志. 夫上下之分明然後, 民志有定, 民志定然後, 可以言治, 民志不定, 天下不可得而治也. 古之時, 公卿大夫而下位各稱其德, 終身居之, 得其分也. 位未稱德, 則君擧而進之, 士修其學, 學至而君求之, 皆非有預於已也. 農工商賈勤其事而所享有限. 故, 皆有定志而天下之心, 可一. 後世, 自庶士至于公卿, 日志于尊榮, 農工商賈日志于富侈, 億兆之心, 交驚於利, 天下紛然, 如之何其可一也. 欲其不亂, 難矣, 此, 由上下无定志也. 君子觀履之象而分辯上下, 使各當其分, 以定民之心志也.

하늘이 위에 있고 못이 아래에 있는 것은 위아래의 바른 이치이니, 사람이 실천하는 바가 마땅히 이와 같아야 한다. 그러므로 그 상을 취하여 '리(履)'라 하였다. 군자가 '리(履)'의 상을 보고서 위아래의 구분을 변별하여 백성의 마음을 안정시킨다. 위아래의 구분이 분명한 뒤에야 백성의 마음이 안정되고, 백성의 마음이 안정된 뒤에야 다스림을 말할 수 있으니, 백성의 마음이 안정되지 못하면 천하를 다스릴 수 없다. 옛날에 공·경·대부 이하가 각각 그 지위에 걸 맞는 덕을 종신토록 행하였으니, 이는 제 분수를 얻은 것이다. 지위가 덕에 걸맞지 않으면 임금이 승진시켜 주고, 선비가 학문을 닦아 학문이 지극해지면 임금이 그를 구하는 것이니, 모두 선비 자신에게 본래부터 있었던 것이 아니었다. 농·공·상·고(農·工·商·賈)는 자기 일을 부지런히 하되 누리는 것에 제한을 두었기 때문에 모두 안정된 마음을 가지게 되어 천하의 마음을 하나로 통일시킬 수 있었다. 그런데 후세에는 여러 선비들로부터 공·경에 이르기까지 날로 존귀함과 영화로움에 뜻을 두고, 농·공·상·고들은 날로 부자 되고 사치하는 데 뜻을 두어 억조 백성의 마음이 서로 이익에 몰두하여 천하가 어지러워지니, 어떻게 백성의 마음을 통일시키겠는가? 혼란하지 않기를 바라나 어려우니, 이는 윗사람과 아랫사람이 안정된 마음이 없기 때문이다. 군자가 이 상을 보고서 위아래를 분별해서 각각 그 분수에 마땅하게 하여 백성들의 마음을 안정시킨다.

本義

程傳備矣.

『정전』에 갖추어져 있다.

小註

或問, 履如何都做禮字說. 朱子曰, 辯上下定民志, 便也是禮底意思.

어떤 이가 물었다: '밟음(履)'을 어떻게 모두 '예(禮)'자로 말하십니까?

주자가 답하였다 : "위아래를 분별하여 백성의 뜻을 안정시킨다"고 한 것이 곧 또한 예의 뜻입니다.

○ 廣平游氏曰, 天高地下, 禮制行矣. 人之所履禮而已, 故上天下澤有履之象, 君子觀象於此, 則可以辯上下, 上下旣辯則名分立而民志定矣. 此以成卦之體言之.

광평유씨가 말하였다:「악기」에 "하늘은 높고, 땅은 낮아 예와 제도가 행해진다"고 했다. 사람이 밟아 실천하는 것은 예일 뿐이므로 하늘이 위에 있고, 못이 아래에 있는 것이 리괘(履卦)의 상이고, 군자가 이로부터 상을 관찰한다면 위아래를 분별할 수 있고, 위아래가 이미 분별되었다면 명분이 서게 되어 백성의 뜻이 정해진다. 이것은 대성괘(大成卦)의 몸체로써 말한 것이다.

○ 厚齋馮氏曰, 卦本以兌履乾爲義, 正與小畜以巽畜乾對也. 天澤上下, 自是孔子贊象之意. 然市合之取諸噬嗑, 備豫之取諸豫. 古人用字聲同者, 皆通則履之爲禮, 因天澤之象, 亦可兼通. 要之, 立卦之義, 則以踐履之履也.

후재풍씨가 말하였다: 괘는 본래 태괘가 건괘에게 밟히는 것을 뜻으로 삼았으며, 바로 소축괘(小畜卦☴)에서 손괘(☴)로 건괘(☰)를 저지하는 것과 짝을 이룬다. 하늘과 못, 위와 아래는 본래 공자가 상을 지은 뜻이다. 그러나 시장을 여는 것은 서합괘로부터 상을 취하였고, 미리 대비하는 것은 예괘에서 상을 취하였다. 옛 사람들이 글자와 소리를 함께 사용한 것은 모두가 통용되는 것으로 리괘(履卦☰)가 예가 된다는 것은 하늘과 못의 상으로 말미암아 또한 겸하여 통용될 수 있다는 것이다. 요컨대 괘를 세운 뜻은 곧 밟는다는 의미의 '리(履)'이다.

韓國大全

김도(金濤) 「주역천설(周易淺說)」

愚按, 本義下朱子所釋, 惟一條, 游氏馮氏所釋凡二條, 而皆合於大象之旨矣. 然朱子本義曰, 程傳備矣. 所謂備矣者, 惟辯上下定民志之事也, 固善矣. 然學者踐履之事, 則無矣. 大槪以立卦之義, 言之象辭象傳, 皆以踐履爲主, 而所謂踐履之實, 莫功於顔子之四勿. 學者苟能從事於四勿, 而拳拳服膺, 則私可克而禮可復矣. 若使復禮之君子, 得位而行道, 則程傳所備之事, 可從而理之也, 豈不善哉, 豈不休哉.

내가 살펴보았다:『본의』아래 주자가 해석한 곳은 오직 한 곳이고, 광평유씨와 후재풍씨가 해석한 곳은 두 곳으로 모두「대상전」의 뜻과 부합한다. 그러나 주자의『본의』에서『정전』에 갖추어져 있다"고 했다. 이른바 "갖추어져 있다"는 것은 오직 위아래를 분별하여 백성의 뜻을 안정시키는 일이니, 진실로 좋다. 그러나 배우는 사람이 실천해야 하는 일은 없다. 대체로 괘를 세우는 뜻은 단사와「단전」에서 말하였는데, 모두 실천을 위주로 하였다. 그러나 이른바 실천의 실질은 안자(顔子)의 '네 가지 경계[四勿]'[35]보다 긴절한 것은 없다. 배우는 사람이 만일 안자의 네 가지 경계를 따라 한결같은 마음으로 가슴속 깊이 새긴다면 사사로움을 극복하여 예를 회복할 수 있다. 만약 예를 회복한 군자가 지위를 얻어 도를 실천한다면,『정전』에 갖추어져있다는 일을 따라서 다스릴 수 있으니, 어찌 선하지 않겠으며 어찌 아름답지 않겠는가?

이만부(李萬敷) 「역통(易統)·역대상편람(易大象便覽)·잡서변(雜書辨)」

臣謹按, 辨上下者, 卽制數度之事, 民志定者, 以上下已有所辨故也. 程傳所論頗中今日之弊, 伏願執言考事, 毋少忽焉.

신이 삼가 살펴보았습니다: "위아래를 분별하는 것"은 곧 수(數)와 도(度)를 제정하는 일이고,[36] "백성의 뜻을 안정시킨다"는 것은 위아래가 이미 분별되었기 때문입니다.『정전』에서 논한 내용이 금일의 병폐에 거의 맞으니, 엎드려 바라옵건대 말을 받들어 일을 상고하여 조금이라도 소홀히 하는 일이 없도록 하십시오.

---

35) 네 가지 경계[四勿]: 공자가 안연이 인에 대해 질문한 것에 대해 안연에게 "예가 아니면 보지도[視], 듣지도[聽], 말하지도[言], 움직이지도[動] 말라"고 경계한 말이다.(『논어·안연(顔淵)』.)

36)『周易·節卦』: 象曰 澤上有水節, 君子以, 制數度, 議德行.

이익(李瀷) 『역경질서(易經疾書)』[37]

辨上下, 天運於上而澤下注也. 定民志, 澤下注而無復升天之志也.

"위아래를 분별한다"는 것은 하늘이 위에서 운행하고, 못이 아래에서 물을 받아들이는 것이다. "백성의 뜻을 안정시킨다"는 것은 못이 아래에서 물을 받아들이는 것이어서 다시 하늘로 오르는 뜻은 없는 것이다.

심조(沈潮) 「역상차론(易象箚論)」

象, 辨上下, 辨字從言者, 兌也, 辨之在互離也.

「상전」의 "위아래를 분별한다"고 할 때 '변(辨)'자를 '언(言)' 부수에 쓴 것은 '태(兌)'의 뜻이고, 분별하는 것은 호괘인 리괘(離卦)에 달려 있다.

유정원(柳正源) 『역해참고(易解參攷)』[38]

涑水司馬氏曰, 履者, 人之所履也. 民生有欲喜進務得而不可厭者也, 不以禮節之, 則貪侈无窮. 是故先王作爲禮以治之, 使尊卑有等, 長幼有倫, 然後上下各安其分而无覬覦之心. 此先王制世御俗之方也.

속수사마씨가 말하였다: '밟음[履]'은 사람들이 실천하는 것이다. 백성들은 나면서부터 기쁘게 나아가 힘써 얻고자 하나 만족하지 않는 자들이므로, 예로 조절하지 않으면 탐욕과 사치가 끝이 없다. 이런 까닭에 선왕들은 예를 만들어 그들을 다스림으로써 신분이 귀함과 낮은 등급을 있게 하고, 어른과 아이의 차례를 있게 하고, 그런 다음에 위아래가 각각 그 분수를 편안히 하여 규범을 벗어나는 마음을 없게 하였다. 이것이 선왕이 세상을 제도하고 풍속을 다스리는 방도이다.

○ 晦齋先生曰, 君子辨上下定民志, 故妾不可以竝后, 庶不可以加嫡, 臣不可以擬君. 此天地之常經, 古今之大義也.

회재선생이 말하였다: "군자가 위아래를 분별하여 백성의 뜻을 안정시킨다"고 했기 때문에, 첩은 정비(正妃)와 함께 설 수 없고 서자는 정실 소생의 위가 될 수 없으며, 신하는 임금에

---

[37] 경학자료집성DB에서는 리괘(履卦) 괘사에 해당하는 것으로 분류했으나, 내용에 따라 이 자리로 옮겨 바로잡는다.

[38] 경학자료집성DB에서는 리괘(履卦) 괘사에 해당하는 것으로 분류했으나, 내용에 따라 이 자리로 옮겨 바로잡는다.

비길 수 없다. 이것이 하늘과 땅의 변하지 않는 법도이며, 고금에 관통하는 커다란 의리이다.

김상악(金相岳) 『산천역설(山天易說)』

辨上下, 禮之別也, 定民志, 禮之防也. 上下辨則民志定, 而禮義有所措. 辨者, 乾之易知也, 定者, 兌之止水也.

'위아래를 분별함'은 예의 분별이고, '백성의 뜻을 안정시킴'은 예의 방비이다. 위아래가 분별되면 백성의 뜻은 정해져서 예와 의를 적용할 수 있다. '분별하는 것'은 건괘가 평이함으로 주장하는 것이고,[39] '정한다는 것[定]'은 태괘의 고여 있는 물[止水]이다.

박윤원(朴胤源) 『경의(經義)·역경차략(易經箚略)·역계차의(易繫箚疑)』

黃帝之爲文章, 以表貴賤, 卽此象.

황제(黃帝)가 문양과 색깔을 제작하여 귀천을 표시한 것이 바로 이 상이다.

김귀주(金龜柱) 『주역차록(周易箚錄)』

本義程傳備矣.

『본의』에서 말하였다: 『정전』에 갖추어져 있다.

小註, 廣平游氏曰, 天高, 云云.

소주에서 광평유씨가 말하였다: 하늘이 높다, 운운.

○ 按, 上天下澤是於卦辭之外, 別取一義. 此非成卦之體, 成卦之體則乃以柔履剛, 以說應乾之謂也.

내가 살펴보았다: "하늘이 위에 있고 못이 아래에 있다"는 것은 괘사의 밖에서 별도로 하나의 뜻을 취한 것이다. 이는 괘를 이룬 몸체가 아니니, 만약에 괘를 이룬 몸체라면 곧 유약한 음이 굳센 양에게 밟히니, 기쁨으로써 건괘와 호응하는 것을 말한다.

서유신(徐有臣) 『역의의언(易義擬言)』

上天下澤, 尊卑截然之中, 亦有相接之義, 故爲履. 履者, 禮也. 隔絶而已, 則否也. 辨

---

39) 『周易·繫辭傳』: 乾以易知, 坤以簡能.

兌象, 定乾象.

하늘이 위에 있고, 못이 아래에 있는 것은 '높음과 낮음[尊卑]'이 분명하게 나뉘는 가운데에 또한 서로 이어져 있는 뜻이 있으므로 '밟음[履]'이 된다. '밟음[履]'은 예이다. 사이가 끊어져 있을 뿐이라면 '막힘[否]'이 된다. '변(辯)'은 태괘의 상이며, '정(定)'은 건괘의 상이다.

박문건(朴文健)『주역연의(周易衍義)』

上下有等, 民志有分.

위아래에는 등급이 있고, 백성의 뜻에는 분수가 있다.

〈問, 上天下澤履, 曰, 天在上而澤在下, 則是上天履下澤也.

물었다: "하늘이 위에 있고, 못이 아래에 있는 것이 리(履)"는 무슨 뜻입니까?

답하였다: 하늘이 위에 있고, 못이 아래에 있으니, 위에 있는 하늘이 아래에 자리한 못을 밟는다는 것입니다.〉

〈○ 問, 辯上下定民志. 曰, 辯上下者, 觀上天下澤之象也. 辯上下爲定民志之本. 此則人之所履也.

물었다: "위아래를 분별하여 백성의 뜻을 안정시킨다"는 무슨 뜻입니까?

답하였다: 위아래를 분별하는 것은 하늘이 위에 못이 아래에 있는 상을 관찰한다는 것입니다. 위아래를 분별하는 것은 백성의 뜻을 안정시키는 근본이 되니, 이는 사람이 실천하는 것입니다.〉

이지연(李止淵)『주역차의(周易箚疑)』

上下莫如天地, 上乾下坤之卦, 不曰辨上下, 而必於天澤者, 何也. 澤者止水也, 俯而見之, 不見地而但見天影, 此所謂上下天光. 雖曰同是天光, 而在上者, 仰而見之, 在下者, 俯而見之, 辨上下之道, 其在斯乎. 澤之爲卦, 二乾畫在於一止水之下, 此所謂水底天也

'위아래'는 하늘과 땅 만한 것이 없는데, 위가 건괘이고 아래가 곤괘인 괘에서 "위아래를 분별한다"고 말하지 않고, 굳이 하늘과 못에서 하는 까닭은 무엇인가? 못은 고여 있는 물인데, 허리를 구부려 그것을 보면 땅은 보이지 않고 하늘의 그림자만을 보일 뿐이니, 이것을 가리켜 위아래로 하늘의 빛[天光]이 비춘다고 한다. 비록 모두 하늘의 빛일지라도 위에 있는 것은 머리를 들어 우러러 보고, 아래에 있는 것은 허리를 구부려서 보니, 위아래를 구분하는 도가 여기에 있구나! 못[澤]이란 괘는 두 양효[乾畫]가 하나의 물이 그치는 아래에 있는데,

이것이 이른바 물속에 잠긴 하늘이다.

이항로(李恒老) 「주역전의동이석의(周易傳義同異釋義)」

或問, 履爲禮何也.

어떤 이가 물었다: '밟음[履]'을 '예(禮)'라 하는 것은 무엇 때문입니까?

曰, 道與行一也. 由理而言, 則謂之道, 由人而言, 則謂之行. 非道則不得行, 非行則道
无所用, 其實一也. 履與禮, 亦如此. 所謂禮也者, 卽人所履行之節度繩墨也, 乃天道之
當然也. 古今聖賢之所指示也, 天下人物之所共由也. 捨此一路則崎嶇險巇, 更无一足
頓放之地, 更无一步推移之處. 今夫喚履爲禮, 正如喚燭爲明, 認車爲乘也, 何疑之有.

답하였다: 도리와 실천하는 것은 하나입니다. 도리로부터 말하면 도(道)라 하고, 사람으로부
터 말하면 실천하는 것[行]이라고 합니다. 도가 아니면 실천할 수도 없고, 실천이 아니면
도를 쓸 곳이 없으니, 그 실질은 하나입니다. '밟음[履]'과 '예(禮)'도 이와 같습니다. 이른바
예라고 하는 것은 곧 사람들이 실천하는 절도와 법도이고, 곧 천도의 당연함입니다. 고금의
성현들이 몸소 가리켜 보여준 것이며, 천하의 사람과 만물이 함께 따르는 것입니다. 만약
이 길을 버리면 몹시 힘들고 고생스럽게 되니, 다시는 다리 하나도 뻗을 곳이 없고, 한 발자
국도 옮길 곳이 없게 됩니다. 이제 '밟음[履]'을 '예(禮)'라고 한 것은 바로 촛불은 밝다고
하고, 수레는 탈 것으로 여기는 것과 같은데, 더 이상 무슨 의심이 있겠습니까?

曰, 上天下澤爲禮, 則上天下地, 上天下水之類, 皆禮也, 何獨於此而獨謂之禮乎. 曰,
禮者, 人心所具之德, 仁愛發用之節文也. 交際應接之中, 有恭敬辭遜之體, 非上下尊
卑, 判然各立之謂也. 天雖在上而有下濟仁履(覆)之意, 澤雖居下而有承應說樂之意,
此所謂禮之體也. 文言曰, 嘉會足以合禮, 正指此也. 若夫否只見其上下不交之象, 訟
只見其上下相違之象, 何嘗有上應下說之意耶, 故曰上天下澤履, 又曰履也者, 禮也.

물었다: 하늘이 위에 있고 못이 아래에 있는 것이 예가 된다면, 위에는 하늘, 아래는 땅인
것과 위에는 하늘, 아래는 물인 것과 같은 종류가 모두 예인데, 어찌하여 유독 여기에서만
예라고 했습니까?

답하였다: 예는 사람의 마음속에 갖추고 있는 덕이고, 인애(仁愛)가 피어나는 절문(節文)입
니다. 교제하고 응접하는 가운데 공경·사양·겸손의 몸체가 있어서 위와 아래의 높음과
낮음이 판연하게 각각 독립되어 있음을 말하는 것이 아닙니다. 하늘은 비록 위에 있다 해도
아래를 구제하고 인(仁)으로 덮어주는 뜻이 있고, 못은 비록 아래에 있다 해도 위를 이어서
호응하여 기뻐하고 즐거워하는 뜻이 있으니, 이것이 이른바 예의 몸체입니다. 건괘의 「문언

전」에 "아름답게 모이는 것이 충분히 예와 합한다"[40]고 한 것은 바로 이것을 가리킵니다. 비괘(否卦䷋)의 경우는 단지 그 위아래가 교감하지 않는 상을 드러낼 뿐이고, 송괘(訟卦䷅) 는 다만 위아래가 서로 어긋나는 상을 드러낼 뿐이니, 어찌 위로 호응하고 아래로 기쁘게 하는 뜻이 있겠습니까? 그러므로 하늘이 위에 있고, 못이 아래에 있는 것을 리괘(履卦䷉)라 고 했고, 또 "밟음[履]은 예이다"라고 했습니다.

김기례(金箕澧) 「역요선의강목(역요선義綱目)」

天澤高卑, 義分有定. 君臣士庶, 踐履由禮.

하늘과 못은 높고 낮으니, 의리와 분수가 정해진다. 임금과 신하, 관리와 서인은 예에 따라 실천한다.

심대윤(沈大允) 『주역상의점법(周易象義占法)』

親疏得其分, 賢不肖得其職, 天下之志定, 覬覦徼倖之望, 絶矣. 對艮爲上, 巽爲下, 兌辨艮定, 坤爲民志.

친한 것과 소원한 것은 그 분수를 얻고, 현명한 이와 불초한 이는 그에 맞는 직책을 얻어 천하의 뜻이 안정되면, 개유(凱覦)[41]와 요행을 바라는 것이 없어진다. 하괘의 음양이 바뀐 간괘(☶)가 위가 되고 손괘(☴)가 아래가 되며, 태괘(☱)가 분별이 되고 곤괘(☷)가 안정 (定)이 되며, 곤괘가 백성의 뜻이 된다.

이진상(李震相) 『역학관규(易學管窺)』

象, 上天也, 下澤也, 志以位言, 民以陰言. 陽當在上, 陰當在下, 乃其志之各得也.

「상전」에서 위는 하늘이고 아래는 못이며, '뜻[志]'은 지위로써 말하고 '백성'은 음(陰)으로써 말하였다. 양은 당연히 위에 음은 당연히 아래에 있어야 이에 그 뜻을 각각 얻는다.

오치기(吳致箕) 「주역경전증해(周易經傳增解)」

天在上, 澤在下, 爲尊卑之別, 故君子觀其象而辯上下之分, 以定民志也. 程傳已備矣.

하늘은 위에 있고, 못이 아래에 있다고 한 것은 높음과 낮음을 분별한 것이므로 군자가 그

---

40) 『周易·乾卦(文言傳)』: 嘉會足以合禮.
41) 개유(凱覦): 아랫사람으로서 바라서는 아니 될 일을 바라는 것.

상을 보고서 위아래의 직분을 분별하고 백성의 뜻을 안정시켰다. 『본의』에서는 "『정전』에 이미 갖추어져 있다"고 했다.

이정규(李正奎) 「독역기(讀易記)」

履之大象曰, 上天下澤, 履, 君子以, 辯上下, 定民志. 不曰天下有澤, 或澤上有天, 而
曰上天下澤, 則下字之際, 已見辯上下定民志之象矣.
리괘(履卦)의 「대상전」에 "하늘이 위에 있고, 못이 아래에 있는 것이 리괘(履卦☰)이니, 군
자는 그것을 본받아 위아래를 분별하여 백성의 뜻을 안정시킨다"고 하였다. 하늘 아래 못이
있다거나 혹 못 위에 하늘이 있다고 말하지 않고, 위에 하늘, 아래에 못이라고 말하였으니,
그 글을 쓰는 사이에 이미 위아래를 분별하여 백성의 뜻을 안정시키는 상이 이미 드러났다.

初九, 素履, 往, 无咎

정전 초구는 평소의 본분대로 가면 허물이 없을 것이다.

본의 초구는 평소의 본분대로이니 가서 허물이 없을 것이다.

中國大全

傳

履不處者, 行之義. 初處至下, 素在下者也, 而陽剛之才, 可以上進. 安其卑下之素而往, 則无咎矣. 夫人不能自安於貧賤之素, 則其進也, 乃貪躁而動, 求去乎貧賤耳, 非欲有爲也. 旣得其進, 驕溢必矣, 故往則有咎. 賢者則安履其素, 其處也樂, 其進也將有爲也. 故得其進, 則有爲而无不善, 乃守其素履者也.

밟아가서 머무르지 않는 것이 간다는 뜻이다. 초효는 지극히 낮은 곳에 위치해 본래 아래에 있는 자이나, 굳센 양의 재질이어서 위로 나아갈 수 있다. 만약 낮은 자신의신분을 편안히 여기며 나아가면 허물이 없을 것이다. 사람이 빈천한 본분에 스스로 편안하지 못하면, 나아가는 데에 대한 탐욕으로 조급하게 행동하여 빈천을 벗어나기를 구할 뿐 훌륭한 일을 하고자 하지 않는다. 그러니 이미 그 나아감을 얻으면 틀림없이 교만하여 넘칠 것이기 때문에 나아가면 허물이 생겨난다. 현명한 사람은 그 본분을 편안히 이행하여 그 머물러 있을 때는 즐겁고 나아갈 때에는 장차 훌륭한 일을 하고자 한다. 그러므로 그 나아감을 얻으면 훌륭한 일을 하게 되어서 선하지 않음이 없으니, 이는 바로 그 평소의 본분을 지키는 자이다.

本義

以陽在下, 居履之初, 未爲物遷, 率其素履者也. 占者如是, 則往而无咎也.

양으로써 아래에 있고 리괘(履卦☰)의 초효에 있어 외물에 따라 옮겨 가지 않으니, 현재의 본분을 따른 것이다. 점이 이와 같으면 가도 허물이 없을 것이다.

小註

張子曰, 陰累不干, 无應於上, 故其履潔素.

장자(張子)가 말하였다: 음이 얽매어 관여하지 않고, 위와도 호응이 없기 때문에 소박한 본분을 행한다.

○ 東萊呂氏曰, 此最是敎人出門第一步.

동래여씨가 말하였다: 이는 사람이 문을 나서는 첫 걸음을 가르치는 최상의 방법이다.

○ 臨川吳氏曰, 初九陽剛, 安於在下, 不變所守, 素其位而行者也. 舜飯糗茹草, 若將終身, 顏子居於陋巷, 不改其樂, 其斯之謂歟.

임천오씨가 말하였다: 초구는 굳센 양으로서 아래에 편안히 있어 지키는 것을 바꾸지 않고 평소 위치대로 실천하는 자이다. 순임금이 식은 밥과 채소를 먹으면서 마치 죽을 때까지 그렇게 할 듯이 한 것과[42] 안연이 가난한 마을에 살면서도 그 즐거움을 고치지 않은 것이[43] 이를 두고 한 말이 아니겠는가!

○ 雲峯胡氏曰, 初未交於物, 有素象. 按, 本義與蔡氏皆曰, 居履之初, 不爲物遷. 蔡氏則曰, 素者无文之謂. 蓋履禮也. 履初言素禮, 以質爲本也. 賁, 文也, 賁上言白, 文之極反而質也. 白賁无咎, 其卽此之素履往无咎者歟. 本義只未爲物遷一句, 已含此意. 蓋以爲質素, 而未遷可也. 以爲安於貧賤之素而未遷亦可也.

운봉호씨가 말하였다: 초효에 아직 외물과 접촉되기 이전으로 '평소[素]'라는 상이 있다. 내가 살펴 보았다: 주자의 『본의』와 채씨는 모두 초효가 리괘(履卦)의 처음에 위치하여 외물에 끌려서 옮겨 가지 않는다고 말했다. 채씨는 본 바탕이란 무늬가 없는 것을 가리킨다고 하였다. 대체로 실천하는 것은 예이다. 리괘 초효에 '평소의 예[素禮]'라고 한 것은 바탕을 근본으로 하는 것을 말한다. '비(賁)'는 꾸밈이다. 비괘(賁卦) 상효에 '흼[白]'을 말한 것은 꾸밈이 극에 이르러 바탕[質]으로 돌아가는 것이다. 비괘(賁卦) 상효의 "꾸밈을 소박하게 하면 허물이 없다"[44]는 것은 리괘(履卦) 초효의 "평소의 본분대로 가면 허물이 없다"[45]는 것이리라. 『본의』에서 단지 "아직 외물에 따라 옮겨가지 않는다[未爲物遷]"고 한 이 구절은 이미 이런 뜻을 포함한다. 본 바탕대로[素] 행하여 옮기지 않는다고 해도 좋고, 본래 빈천함을 편안함으로 삼아 옮기지 않는다고 해도 좋다.

---

42) 『孟子 · 盡心』: 舜之飯糗茹草也, 若將終身焉.

43) 『論語 · 雍也』: 一簞食, 一瓢飮, 在陋巷, 人不堪其憂. 回也, 不改其樂.

44) 『周易 · 賁卦』: 上九, 白賁, 无咎.

45) 『周易 · 履卦』: 初九, 素履, 往, 无咎.

‖韓國大全‖

조호익(曺好益) 『역상설(易象說)』

傳, 履不處, 行之義者, 履踐履, 指所行也.

『정전(程傳)』의 “밟아서 머물지 않는 것이 간다는 뜻이다”고 한 ‘밟는 것[履]’은 ‘밟아가는 것[踐履]’으로, 실천하는 것을 가리킨다.

송시열(宋時烈) 『역설(易說)』

初九與四爲應, 四互巽之中爻也, 綜又爲巽. 素者, 皆取巽白之義, 不如中庸之素其位也. 素者, 無文無事之謂, 言無應而獨往也.

초구와 구사는 호응하고, 사효는 호괘인 손의 가운데 효이며, 거꾸로 된 괘 또한 손괘가 된다. ‘소(素)’는 모두 손괘의 ‘희다’는 뜻을 취한 것이니, 『중용』의 “군자는 평소의 지위에 따라 행한다”[46]고 한 것과 같지 않다. ‘소(素)’는 꾸밈도 없고 일삼는 바도 없음을 말하는 것으로 호응이 없이 홀로 가는 것을 말한다.

이익(李瀷) 『역경질서(易經疾書)』

履雖踐行之義, 行必用履, 履者屨也. 素者絲之不染也. 素履則素裳, 如黃裳則朱紱.

‘밟는 것[履]’은 비록 밟아 가는 뜻이지만, 움직여 가려면 반드시 신발이 필요하니, ‘밟는 것[履]’은 ‘신[屨]’이기도 하다. ‘흰 것[素]’은 물들이지 않은 실이다. 신발이 희면 치마도 흰데, 이는 마치 치마가 노란색이면 무릎 가리개가 붉은색인 것과 같다.

按, 禮, 素積則素屨與裳同色也. 人之不累於外物, 如服之素履, 故取象焉. 卦以履爲義, 故以履著服也. 服者, 身之章也. 君子心主於內, 章見於外, 皆所以飭躬無闕也.

내가 살펴보았다: 예(禮)에 비단으로 만든 두건[素積]이 희면 신과 치마도 똑같이 흰색으로 한다. 사람이 외물에 얽매이지 않는 것은 마치 물들이지 않은 흰 신발을 신는 것과 같기 때문에 여기에서 상을 취했다. 이 괘에서 ‘밟는 것[履]’을 뜻으로 삼았기 때문에 리괘(履卦)로써 의복의 의미를 드러냈다. 의복은 몸을 빛나게 한다. 군자는 마음이 안으로 중심이 되어 품행

---

46) 『中庸』: 君子素其位而行, 不願乎其外.

이 밖으로 드러나니, 모두 빠짐없이 자신을 단속하려는 까닭이다.

심조(沈潮) 「역상차론(易象箚論)」

素, 與繪事後素之素, 素位而行之素一般, 而在說體, 有無入不自得之意也. 又素者, 兌, 金之色也.

초구의 '소(素)'는 "그림 그리는 일은 흰 비단을 마련하는 것보다 뒤에 하는 것이다"[47]라고 한 '흰 비단[素]'과 『중용』의 "평소의 지위에 따라 행한다"는 '평소[素]'와 같은 의미이면서 '기쁨[說]'의 몸체인 태괘(兌卦)에 있어서 들어가 자득하지 못함이 없다는 뜻이 있다. 또 '흰 바탕[素]'은 태괘이고, 쇠[金]의 색이다.

유정원(柳正源) 『역해참고(易解參攷)』[48]

厚齋馮氏曰, 兌西, 色白素之象.

후재풍씨가 말하였다: 태괘는 방위로는 서쪽이고, 색깔로는 흰 색깔의 상이다.

김상악(金相岳) 『산천역설(山天易說)』

素者, 物之本質也. 陽剛居兌, 无比應之. 私爲素履之象. 以是而往, 无咎之道也.

'본 바탕[素]'은 만물의 본질이다. 굳센 양이 태괘에 있는데 가까이 하고 호응하는 것이 없어서 개인적으로 평소의 본분대로 실천하는 상이 된다. 이렇게 나아가므로 허물이 없는 도가 된다.

○ 素者, 白也, 潔素也, 兌之象. 又物相雜, 謂之文, 而比與應, 皆陽, 故云, 素. 素履卽繪事後素之義也. 甘受和白受采, 忠信之人, 可以學禮是也. 賁者, 人文也, 初九曰, 賁其趾, 舍車而徒, 亦素履而往者也. 所以上九曰, 白賁, 文反乎質也. 陽主進, 又履不處, 故爻曰, 往, 象曰行.

'본 바탕[素]'은 흰색이고, '깨끗한 바탕[潔素]'이며, 태괘의 상이다. 또한 만물이 서로 섞여있는 것을 '꾸밈[文]'이라 하고, '가까이 하는 것[比]'과 '호응하는 것[應]'이 모두 양이므로 본래라는 의미의 '소(素)'라고 한다. "평소의 본분대로 행한다[素履]"는 것은 곧 "그림 그리는 일

---

47) 『論語·八佾』: 子曰, 繪事後素.
48) 경학자료집성DB에서는 리괘(履卦) 괘사에 해당하는 것으로 분류했으나, 내용에 따라 이 자리로 옮겨 바로 잡는다.

은 흰 비단을 마련하는 것보다 뒤에 하는 것이다"라는 의미이다. "단맛은 온갖 맛을 조화시키고, 흰색은 어떤 채색이나 받아들인다. 이와 같이 충실하고 신실한 사람이라야만 예를 배울 수 있다"[49]고 한 것이 그것이다. '꾸밈[賁]'은 '사람의 꾸밈[人文]'이다. 비괘(賁卦) 초구에 "그 발꿈치를 꾸미는 것이니, 수레를 버리고 걷는다"[50]고 한 것 또한 "평소의 본분대로 행한다"는 뜻이다. 비괘(賁卦) 상구에 "희게 꾸민다"고 한 까닭은 '꾸밈[文]'이 바탕으로 되돌아가기 때문이다. 양은 나아가는 것을 주로 하고 또한 밝아 가서 머물지 않기 때문에 효사에서 '감[往]'이라 했고, 「상전」에서는 '행(行)'이라 했다.

박윤원(朴胤源) 『경의(經義)·역경차략(易經箚略)·역계차의(易繫箚疑)』

陽白陰黑, 初與陰相遠, 故曰素. 禮主踐, 故曰, 履. 陽主進, 故曰往.

양은 희고, 음은 검으며, 초효는 음과는 서로 멀리 떨어져 있기 때문에 '흰 바탕[素]'이라 했다. 예는 실천을 주로 하기 때문에 '밟음[履]'이라 했다. 양은 나아가는 것을 주로 하기 때문에 '감[往]'이라 했다.

김귀주(金龜柱) 『주역차록(周易箚錄)』

本義, 以陽在下, 云云.

『본의』에서 말하였다: 양으로써 아래에 있다, 운운.

○ 按, 未爲物遷, 蓋言窮而在下, 未爲時用. 故未有事物之相干者耳, 非謂已不爲物欲所遷動也. 未字與不字, 自別.

내가 살펴보았다: "초구는 아직 외물에 따라 옮겨가지 않는다"고 한 것은 막혀서 아래에 있어 아직 쓸 때가 안 된 것이다. 그러므로 일과 외물이 서로 간여하지 않았을 뿐임을 말하는 것으로 이미 물욕에 이끌리지 않는다는 말이 아니다. '미(未)'자와 '부(不)'자의 의미는 저절로 구별된다.

小註, 雲峰胡氏曰, 初未, 云云.

소주에서 운봉호씨가 말하였다: 초구는 아직, 운운.

○ 按, 素履之素字, 卽雅素, 素位之素, 而質素, 潔素之意, 亦在其中. 今專以質素爲主, 而與白賁無咎, 混看者, 恐偏.

---

49) 『禮記·禮器』: 甘受和, 白受采. 忠信之人可以學禮.

50) 『周易·賁卦』: 初九, 賁其趾, 舍車而徒.

내가 살펴보았다: "평소의 본분대로 행한다[素履]"의 '소(素)'는 곧 '평소의 본분대로[雅素]'의 '소(素)'이고, 『중용』의 '현재 자리[素位]'의 '소(素)'이지만, '순박한 본분대로[質素]'라는 '소(素)'와 '깨끗한 바탕 그대로[潔素]'라는 뜻 또한 그 가운데에 있다. 지금의 경우는 오로지 '순박한 본분대로[質素]'라는 뜻을 위주로 삼았으니, 비괘(賁卦) 상효의 "소박하게 꾸미면 허물이 없다"[51]는 것과 혼동하여 본다면 한쪽으로 치우치게 된다.

傳, 安履其素, 云云,
『정전』에서 말하였다: 현재의 본분을 편안히 행한다, 운운.

서유신(徐有臣) 『역의의언(易義擬言)』

程子曰, 雅素, 張子曰, 潔素. 竊謂, 士之雅素卽潔素也. 在履之初, 雅履, 潔素, 率是以往, 有何咎哉. 往者一向, 無改之意也.

정자는 '평소의 본분[雅素]'이라 했고, 장자(張子)는 '깨끗한 바탕[潔素]'이라 했다. 내가 살펴보았다: 선비의 '평소 본분'은 곧 '소박한 본분'이다. 리괘(履卦)의 초효는 '평소의 본분'과 '소박한 본분'에 있으니, 이를 따라서 가면 무슨 허물이 있겠는가? '감[往]'이란 한결같이 고침이 없다는 뜻이다.

박문건(朴文健) 『주역연의(周易衍義)』

不變所踐, 故有素履之象, 素履, 言素其所履也. 往, 往四也.

실천하는 것을 바꾸지 않으므로 '평소의 본분을 실천하는' 상이 있고, '평소의 본분을 행함'은 실천하는 것을 평소대로 하는 것을 말한다. '감[往往]'은 사효에게로 감을 말한다.

〈問, 素履. 曰, 初在下而弱, 四在上而彊, 故雖不得於上, 然不變其爲下之道, 故終能進遇於上也, 此素其履而不變者也.

물었다: "평소의 본분대로 행한다"는 무슨 뜻입니까?
답하였다: 초효는 아래에 있으면서 유약하고, 사효는 위에 있으면서 굳세어 비록 윗사람의 마음을 얻지 못하지만, 아랫사람 된 도리를 바꾸지 않기 때문에 마침내 나아가 윗사람과 만날 수 있으니, 이것이 평소의 본분을 행하여 변하지 않는 것입니다.〉

---

51) 『周易·賁卦』: 上九, 白賁, 无咎.

김기례(金箕灃) 「역요선의강목(易要選義綱目)」

初九素履往无咎, 素貧賤行乎貧賤底意. 以陽居下, 无應於上, 不爲陰累, 其行潔素.

"초구는 평소의 본분대로 행해 가면 허물이 없다"고 한 것은 "빈천에 있을 때에는 빈천한 대로 행한다"[52]는 뜻이다. 양이 아래에 있어 위와 호응이 없고, 음에 얽매이지 않아 '깨끗한 바탕[潔素]'을 행한다.

○ 呂東萊曰, 最是敎人出門第一步. 獨行願, 无應, 故曰獨.

여동래가 말하였다: 최상은 사람이 문을 나서는 첫 걸음을 가르치는 것이다. 홀로 원하는 것을 실천하는데 호응이 없기 때문에 '홀로[獨]'라고 했다.

○ 不改其樂底意.

"그 즐거움을 고치지 않는다"[53]는 뜻이다.

심대윤(沈大允) 『주역상의점법(周易象義占法)』

初九, 素履, 往, 无咎. 〈人心道心相爭而道心勝是也.〉

초구는 평소의 본분대로 행해 가면 허물이 없다. 〈인심과 도심이 서로 다투어 도심이 이긴다고 한 것이 이것이다.〉

履之爻位, 居剛, 剛毅貞固者也, 居柔, 恭敬謹愼者也. 非剛毅貞固, 不能執禮. 非恭敬謹愼, 不能行禮. 履之訟, 兩心交爭也. 履之初以剛居剛, 能執禮者也. 義與欲相爭而能克己復禮, 節文制中而循其本性之善, 故曰素履往. 素, 本質也. 巽爲素, 言應四也, 离心巽行爲往.

리괘(履卦)의 효의 자리에서 굳센 양의 자리에 있는 것은 과단성이 있고 올곧은 자이며, 부드러운 음의 자리에 있는 것은 공경으로 삼가고 조심하는 자이다. 굳세고 과감하며 바르고 견고함이 아니고서는 예를 지킬 수 없다. 공경하는 마음으로 삼가고 조심하지 않고서는 예를 실천할 수 없다. 리괘(履卦)☱가 송괘(訟卦)☵로 바뀐 것은 두 마음이 서로 다투는 것이다. 리괘(履卦)의 초효는 굳센 양으로서 양의 자리에 있어 예를 지킬 수 있는 자이다. 만약 '의(義)'와 욕심이 서로 다투는데, 자신을 이겨 예를 회복하고 절도 있게 꾸며 중도로 제어하여 그 본성의 선함을 따를 수 있기 때문에 "평소의 본분대로 행한다"고 했다. '소(素)'

---

52) 『中庸』: 素貧賤, 行乎貧賤.
53) 『論語·雍也』: 一簞食, 一瓢飮, 在陋巷, 人不堪其憂. 回也, 不改其樂.

는 본질(本質)이다. 손괘는 현재의 본분이 되니, 사효와 호응한다는 말이다. 리괘의 마음과 손괘의 행함은 '감[往]'이 된다.

오치기(吳致箕) 「주역경전증해(周易經傳增解)」

初九以剛居剛, 而上无應與, 過剛而失柔, 履之義, 宜若有咎. 然在下无位而不願乎外, 固守本素而獨行其志, 故言以此道往而能无咎. 吳臨川曰, 初九陽剛, 安於在下, 不變而守, 素其位而行者也. 胡雲峰曰, 初未交於物, 有素象. 馮厚齋曰, 无應, 故曰獨. 中庸, 君子素其位而行不願乎其外是也.

초구는 굳센 양으로서 굳센 양의 자리에 있으나 위로는 호응하여 함께 하는 것이 없다. 지나치게 강하여 부드러운 음의 성질을 잃고 있으니, 실천한다는 뜻에서 보면 마땅히 허물이 있을 것 같다. 그러나 아래에 있어 지위가 없고 그 밖의 것을 원하지 않으며, 진실로 본래의 본분을 지켜 홀로 원하는 것을 행하기 때문에, 이 도로써 가서 허물이 없다고 말하였다. 오임천이 말하였다: 굳센 양인 초구가 아래 자리에서 편안히 변함없이 그 자리를 지키니, 평소의 본분대로 실천하는 자이다.

호운봉이 말하였다: 초구는 아직 외물과 접촉하기 전이어서 '바탕[素]'이라는 상이 있다. 후재풍씨가 말하였다: 호응이 없기 때문에 '홀로'라고 했다. 『중용』에 "군자는 현재의 지위에 따라 행하고 그 밖의 것을 원하지 않는다"고 한 것이 그것이다.

○ 素者, 本素之謂也. 在下得正而外无係應, 爲本素之象也.
'소(素)'는 본래 바탕을 가리키는 말이다. 아래에서는 올바름을 얻고 밖으로는 얽매어 호응하는 것이 없어서 본바탕의 상이 된다.

이진상(李震相) 『역학관규(易學管窺)』

素履, 只是安本分之意, 如素富貴素貧賤之素. 但物之素者, 乃其本質. 故語曰, 繪事後素, 謂之潔素之履, 固無害也. 厚齋乃以兌西色白釋之, 若爾則賁之白馬, 何關於兌也. 雲峰又以賁之上九謂, 卽此之素履往, 揆之卦變亦不合.

"평소의 본분대로 행한다"는 것은 다만 본분을 편안하게 여긴다는 뜻으로, "부귀하면 부귀한 대로 빈천하면 빈천한 대로"라는 의미의 '평소의 본분대로[素]'와 같다. 다만 만물(萬物)의 '소(素)'란 곧 그 본래의 바탕이다. 그러므로 『논어』에 "그림 그리는 일은 흰 비단을 마련하는 것보다 뒤에 하는 것이다"[54]라고 하였으니, "소박한 본분을 행한다[潔素]"면 진실로 해가 없다는 말이다. 후재(厚齋)가 곧 태괘로써 방위를 서쪽으로, 색깔을 흰색으로 해석하였으

니, 이와 같다면 비괘(賁卦䷕)의 흰말은 태괘와 무슨 관련이 있는가? 운봉이 또 비괘(賁卦
䷕)의 상구로써 말한 것은 이 리괘(履卦䷠)의 본분대로 가서 실천하는 것이라고 했는데,
괘의 변화로 헤아려 보면 맞지 않는다.

박문호(朴文鎬) 「경설(經說)・주역(周易)」

不處者, 行之義, 謂不止於一處者, 必行之義也.

『정전』에 "머무르지 않는다는 것이 간다는 뜻"이라고 한 것은 한 곳에 머물지 않는 자는
반드시 간다는 의미를 말한다.

이용구(李容九) 「역주해선(易註解選)」

履初九,[55] 吳氏曰, 舜之飯糗茹草, 若終身, 顏子居陋巷, 不改其樂, 其素履也.

리괘(履卦) 초구에 대해 오씨가 말하였다: 순임금은 종신토록 마른 밥과 채소를 먹었고,[56]
안자가 누추한 거리에 살아도 그 즐거움을 고치지 않은 것[57] 등이 "평소의 본분대로 행한다"
는 뜻이다.

이병헌(李炳憲) 『역경금문고통론(易經今文考通論)』

王曰, 初爲履之始, 履道惡華, 故素.

왕필이 말하였다: 초효는 리괘(履卦)의 시작인데, 리괘(履卦)의 도는 화려함을 싫어하기 때
문에 '흰 바탕[素]'이라 했다.

---

54) 『論語・八佾』: 子曰, 繪事後素.
55) 初九: 경학자료집성DB와 영인본에 모두 '初六'으로 되어 있으나, 문맥을 살펴 '初九'로 바로잡는다.
56) 『孟子・盡心』: 孟子曰, 舜之飯糗茹草也, 若將終身焉, 及其爲天子也, 被袗衣鼓琴, 二女果, 若固有之.
57) 『論語・雍也』: 一簞食, 一瓢飮, 在陋巷, 人不堪其憂. 回也, 不改其樂.

象曰, 素履之往, 獨行願也.

「상전」에서 말하였다: "평소의 본분대로 감"은 홀로 원하는 바를 행하기 때문이다.

中國大全

傳

安履其素而往者, 非苟利也, 獨行其志願耳. 獨, 專也, 若欲貴之心與行道之心, 交戰於中, 豈能安履其素也.

평소의 본분을 편안히 행하여 간다는 것은 구차히 이익을 추구하는 것이 아니고, 홀로 그 원하는 것을 행할 뿐이다. '독(獨)'은 '오로지'이니, 만일 귀해지고자 하는 마음과 도를 행하고자 하는 마음이 서로 마음속에서 싸운다면, 어떻게 평소의 본분을 편안히 행할 수 있겠는가?

小註

程子曰, 素履者, 雅素之履也. 初九剛陽, 素履已定, 但行其志耳, 故曰獨行願也.

정자가 말하였다: '소리(素履)'는 평소의 본분대로 실천하는 것이다. 초구의 굳센 양은 '현재의 본분'이 이미 정해져 있어서 다만 그 뜻을 행할 뿐이므로 "홀로 원하는 바를 행하기 때문이다"라고 하였다.

○ 厚齋馮氏曰, 无應, 故曰獨. 中庸君子素其位而行不願乎其外是也.

후재풍씨가 말하였다: 호응이 없기 때문에 '홀로[獨]'라 했다. 『중용』에 "군자는 평소의 지위에 따라 행하고, 그 밖의 것은 원하지 않는다"는 것이 이것이다.

‖韓國大全‖

이익(李瀷) 『역경질서(易經疾書)』

傳曰, 獨行願也. 獨屬素, 履行屬往, 願屬心. 添一願字, 更覺周密.

『정전』에서 "홀로 원하는 것을 행한다"고 한 '홀로[獨]'는 '평소[素]'에 속하고, '밟아 감[履行]'은 '감[往]'에 속하며, '원함[願]'은 '마음'에 속한다. '원함[願]'이란 한 글자를 덧붙인 것은 더욱 세밀하게 생각해야 한다.

유정원(柳正源) 『역해참고(易解參攷)』[58]

案, 願者何願也. 安分守正之願也. 貧賤不能移, 富貴不能淫, 威武不能屈. 素其位而行, 不願乎外. 此初九之願也.

내가 살펴보았다: '원함'은 무엇을 원함인가? 자신의 분수를 편안히 여기고 바름을 지키고자 하는 원함이다. 빈천에도 뜻을 바꾸지 않으며, 부귀해도 음란하지 않고, 위엄이나 무력에도 굽히지 않는다.[59] 『중용』에 "군자는 현재의 지위에 따라 행하고, 그 밖의 것은 원하지 않는다"[60]라고 했다. 이것이 초구의 원함이다.

김상악(金相岳) 『산천역설(山天易說)』

君子素其位而行, 不願乎其外, 故曰獨行願也.

군자는 평소 위치대로 행하고 그 밖의 것은 원하지 않기 때문에, "홀로 바라는 것을 행한다"고 말했다.

○ 履之一陰, 復之一陽爲卦之主, 而初九與三不比, 則曰獨行願也. 復六四與初爲應, 則曰中行獨復. 九二比三, 而近則曰中不自亂. 復六五與初相遠, 則曰中以自考, 所以貴陽而賤陰也.

---

58) 경학자료집성DB에서는 리괘(履卦) 괘사에 해당하는 것으로 분류했으나, 내용에 따라 이 자리로 옮겨 바로 잡는다.

59) 『孟子·滕文公』: 居天下之廣居, 立天下之正位, 行天下之大道, 得志, 與民由之, 不得志, 獨行其道, 富貴不能淫, 貧賤不能移, 威武不能屈, 此之謂大丈夫.

60) 『中庸』: 君子素其位而行, 不願乎其外.

리괘(履卦)의 한 음과 복괘의 한 양은 각 괘의 주인이고, 초구와 삼효는 비(比)의 관계가 아니므로 "홀로 바라는 뜻을 행한다"고 했다. 복괘 육사는 초효와 호응하므로 "중도를 행하여 홀로 돌아온다"[61]고 했고, 리괘(履卦)의 구이는 육삼과 비(比)의 관계로 친밀하여서 "중도를 지켜 스스로 어지럽히지 않는다"[62]고 했다. 복괘 육오와 초구는 서로 멀기에 "중도로써 스스로 살핀다"[63]고 하니, 양을 귀하게 여기고 음을 천하게 여긴다.

김귀주(金龜柱) 『주역차록(周易箚錄)』

小註, 厚齋馮氏曰, 無應, 云云.
소주에서 후재풍씨가 말하였다: 호응이 없다, 운운.

○ 按, 在下無應, 固有幽獨之象. 然若以獨行願之獨, 作無應之意, 則恐失象傳之旨. 不願乎外, 亦非行願之義.
내가 살펴보았다: 아래에서 호응이 없는 것은 실로 혼자 깊은 곳에 있는 상이다. 그러나 "홀로 원하는 것을 행한다"고 할 때의 '홀로[獨]'를 호응이 없다는 뜻으로 해석한다면 「상전」의 뜻을 잃게 될 우려가 있다. 『중용』의 "그 밖의 것을 원하지 않는다"[64]고 한 것은 자기가 원하는 바를 실천한다는 뜻이 아니다.

서유신(徐有臣) 『역의의언(易義擬言)』

不與九四相應, 有獨行之象, 乃其素願也.
구사와 더불어 서로 호응하지 않기 때문에 홀로 가는 상이 있으니, 곧 그것은 평소에 원하던 것이다.

박문건(朴文健) 『주역연의(周易衍義)』

獨行願, 言獨行其相遇之願. 獨云者, 以明九四有疑己之道也.
"홀로 원하는 것을 행할 뿐이다"라고 한 것은 홀로 가서 서로가 만나기를 원하는 것을 말한다. '홀로'라고 한 것은 구사(九四)에 초구를 의심하는 도리가 있음을 밝힌 것이다.

---

61) 『周易·復卦』: 六四, 中行, 獨復.
62) 『周易·履卦』: 象曰, 幽人貞吉, 中不自亂也.
63) 『周易·復卦(六五)』: 象曰, 敦復无悔, 中以自考也.
64) 『中庸』: 君子素其位而行, 不願乎其外.

오치기(吳致箕) 「주역경전증해(周易經傳增解)」

素其位而行不願乎外, 卽獨行己之所願者也.

『중용』의 "군자가 현재의 지위에 따라 행하고 그 밖의 것을 원하지 않는다"고 한 것은 곧 홀로 자신이 원하는 바를 실천하는 것이다.

九二, 履道坦坦, 幽人貞吉.

구이는 다니는 길이 평탄하니, 은자[幽人]라야 곧고 길하다.

中國大全

傳

九二居柔, 寬裕得中, 其所履坦坦然平易之道也. 雖所履得坦易之道, 亦必幽靜安恬之人處之, 則能貞固而吉也. 九二, 陽志上進, 故有幽人之戒.

구이는 양으로서 유순한 음의 자리에 있어 너그러움과 관대함으로 중을 얻으니, 그 밟는 바가 평탄하고 평이한 길이다. 비록 밟는 바가 탄탄하고 평이한 길을 얻었으나, 반드시 그윽하고 고요하며 편안한 사람이 자리하여야 곧고 굳세어 길하게 된다. 구이는 양의 뜻이 위로 나아가므로 은자로 경계하였다.

小註

朱子曰, 伊川這一卦說那大象, 竝素履, 履道坦坦處, 卻說得好. 履道, 道卽路也.

주자가 말하였다: 이천이 이 한 괘에서 저 「대상전」과 초효와 이효의 "평소의 본분대로 행한다"와 "다니는 길이 평탄하다"는 것을 함께 아울러 설명한 것은 오히려 좋다. '리도(履道)'의 도(道)는 곧 길이다.

本義

剛中在下, 无應於上. 故爲履道平坦, 幽獨守貞之象, 幽人履道而遇其占, 則貞而吉矣.

굳센 양이 하괘의 가운데 있으면서 위의 구오와 호응하지 않는다. 그러므로 다니는 길이 평탄하고 한적하고 외로우면서도 곧음을 지키는 상이니, 은자가 도를 행하면서 이 점을 만나면 곧고 길할 것이다.

小註

進齋徐氏曰, 上无應與而獨善其身, 日用常行, 坦然平易. 不爲艱難, 阻絶之行, 自守以正, 外物不亂, 故吉.

진재서씨가 말하였다: 위로 호응하는 벗이 없어 오로지 그 자신을 선하게 하여 일상생활이 평탄하고 평이하다. 어려운 일과 막히고 끊기는 행위를 하지 않고, 스스로 올바름으로써 지켜 외물에 흔들리지 않기 때문에 길하다.

○ 雙湖胡氏曰, 九二不正而云貞吉者, 戒之以正則吉也.

쌍호호씨가 말하였다: 구이는 바른 자리에 있지 않은데 곧으며 길하다고 한 것은 바르게 하면 길하다고 경계한 것이다.

○ 雲峯胡氏曰, 本義云, 幽人履道而遇其占, 則貞而吉, 看道字重. 蓋人之所履, 未有不合道而吉者. 小畜初九與六四一陰相應, 而能復自道, 所以吉. 履九二與六三, 一陰相比而自能履道, 所以貞吉也.

운봉호씨가 말하였다: 『본의』에 "은자가 도를 실천하다가 이 점을 만나면 곧 곧고 길하다"고 했는데, '도(道)'자의 중요함을 알 수 있다. 왜냐하면 사람들이 실천하는 것이 도에 부합되지 않는데도 길한 경우는 없기 때문이다. 소축괘 초구는 육사의 유일한 음효와 서로 호응하여 "회복함이 도로부터 한다"[65]고 했기 때문에 길하다. 리괘(履卦)의 구이는 리괘 가운데 유일한 음효인 육삼과 함께 비[比]의 관계이며, 스스로 도를 실천할 수 있기 때문에 곧고 길하다.

○ 建安丘氏曰, 履以陽爻處陰位爲美, 二與四同也, 而二有坦坦之易, 四有愬愬之懼者, 二得中而四不得中也. 二與五各得中位, 二貞吉而五貞厲者, 二以剛居柔, 五以剛居剛也. 故履卦諸爻, 唯九二爲能盡履道之義.

건안구씨가 말하였다: 리괘에서 양효가 음의 자리에 위치한 것을 아름답게 여기는 것은 이효와 사효가 같은데, 이효에 평탄한 쉬움이 있고 사효에 떨리는 두려움이 있게 된 것은 이효는 중을 얻었으나 사효는 중을 얻지 못했기 때문이다. 이효와 오효는 각각 중의 자리를 얻었는데, 이효는 곧으며 길하고 오효는 곧으나 위태로운 것은 이효는 굳셈으로써 유약한 음의 자리에 있고, 오효는 굳셈으로써 굳센 양의 자리에 있기 때문이다. 그러므로 리괘의 모든 효 가운데 오직 구이만이 리괘(履卦)의 도를 충분히 실천할 수 있다는 뜻이다.

---

65) 『周易·小畜卦』: 初九, 復自道, 何其咎, 吉.

韓國大全

송시열(宋時烈) 『역설(易說)』

二爻中正平易, 三履之而若大路之坦坦. 謂之道者, 互巽錯震, 震爲足爲大塗也. 幽人者, 互離錯坎, 坎爲幽, 爻又陰爻, 陰爲幽故也. 歸妹互卦亦爲離, 故云幽人, 亦以錯坎吉也. 蓋中道坦坦, 其道貞正而吉也. 二爻剛陽, 陽過則易亂, 而二爲陰位, 柔以履, 何亂之有.

이효는 중정하고 평이하며, 삼효는 그것을 밟는데 큰 도로가 평탄한 것과 같다. '도(道)'라고 한 것은 호괘가 손괘이고, 손괘의 음양이 바뀐 괘[錯卦]는 진괘(☳)인데, 진괘는 다리이고, 큰 길이기 때문이다. '은자[幽人]'가 되는 것은 호괘가 리괘(離卦)이고 음양이 바뀐 괘는 감괘(坎卦)이며 감괘는 그윽한 것이 되는데, 효가 또 음효이고 음은 그윽하기 때문이다. 귀매괘의 호괘 또한 리괘(☲)가 되므로 '은자[幽人]'라 했는데, 또한 음양이 바뀐 괘인 감괘는 길하기 때문이다. 중도가 평탄한 것은 그 도가 곧고 바르기에 길하다. 이효는 굳센 양이고 양이 지나치면 쉽게 어지러워지지만, 이효는 음의 자리가 되어 부드러운 음으로써 밟으니, 무슨 어지러움이 있겠는가?

이익(李瀷) 『역경질서(易經疾書)』[66]

九二得中而上無正應, 卽士之在山野之間, 而不涉乎世者. 故無住而非坦坦也. 幽者, 明之反, 如書所謂側陋也, 明而揚之在人. 履道坦坦則在己, 故曰, 中不自亂也. 亂則有非分妄求矣.

구이는 알맞음을 얻었으나 위로 정응(正應)이 없으니, 곧 선비가 시골의 산림에 있으면서 세상에 간섭하지 않는 자이다. 그러므로 어디를 가든 평탄하지 않음이 없다. '어두움[幽]'은 '밝음[明]'의 반대로 『서경』에서 '미천한 자[側陋]'[67]와 같으니, 밝혀 드러내는 것은 다른 사람에게 달려 있다. "다니는 길이 평탄하다"고 한 것은 나에게 달려 있기 때문에 "중도를 지켜 스스로 어지럽히지 않는다"고 하였다. 어지러우면 분수를 넘어 함부로 구하려고한다.

---

66) 경학자료집성DB에서는 리괘(履卦)초구 「상전」에 해당하는 것으로 분류했으나, 내용에 따라 이 자리로 옮겨 바로잡는다.

67) 『書經·堯典』: 帝曰咨四岳, 朕在位七十載, 汝能庸命, 巽朕位, 岳曰否德, 忝帝位, 曰明明, 揚側陋.

심조(沈潮) 「역상차론(易象箚論)」

陽爻, 有大道坦坦之象, 人人位, 而上有互巽林下之象, 故稱幽人.

양효는 큰 길이 평탄한 상이고, 사람人은 사람의 자리이고 위로 호괘인 손괘의 숲 아래라는 상이 있기 때문에 '은재幽人'라고 칭하였다.

유정원(柳正源) 『역해참고(易解參攷)』

虞氏翻曰, 二變震爲大塗, 故曰坦道.

우번이 말하였다: 이효가 바뀌면 진괘(震卦)가 되고 큰 길이 되기 때문에 평탄한 길이라 했다.

○ 厚齋馮氏曰, 歸妹下卦, 亦兌. 九二幽人, 其象亦同.

후재풍씨가 말하였다: 귀매괘의 하괘 또한 태괘이다. 구이의 '은재幽人'는 그 상이 또한 같다.

○ 案, 陽爻平易, 故曰坦道, 陰位幽隱, 故曰幽人.

내가 살펴보았다: 양효는 평이하므로 평탄한 길이라고 했고, 음의 자리는 깊이 숨어 있기 때문에 '은재幽人'라고 하였다.

김상악(金相岳) 『산천역설(山天易說)』

九二陽剛得中, 以應乎乾, 爲履道坦坦之象. 雖與三相比, 幽獨守正, 不累於私繫, 故得幽人之貞而吉矣.

구이는 굳센 양으로서 알맞음을 얻고 건괘와 호응함으로써 "다니는 길이 평탄하다"는 상이다. 비록 삼효와 서로 이웃하나 한적하게 홀로 바름을 지켜 사사로운 굴레에 얽매이지 않기 때문에 '은재幽人'의 곧음을 얻어 길하다.

道者, 乾之道也. 卽小畜復自道之道也, 故曰中不自亂, 與小畜之二曰不自失, 相似. 又履道坦坦與大畜上九曰何天之衢互見其象. 二變則大畜之反也. 幽人, 幽靜自守, 不求於世者也. 與歸妹九二同象. 履陽盛, 故貞而吉, 歸妹陰盛, 故利於貞. 二之幽人, 卽不咥人之人, 三之武人, 乃咥人之人也. 履道尙謙, 故以陽處陰者, 皆吉. 二與四皆居柔, 而二坦坦四愬愬者, 二得中而四不中也. 二與五皆得中, 而二貞吉, 五貞厲者, 二居柔而五居剛也.

도란 건괘의 도이다. 즉, 소축괘 초구의 "회복함이 도로부터 한다"[68]는 도이기 때문에 리괘(履卦)의 「상전」에 "중도를 지켜 스스로 어지럽히지 않는다"[69]고 한 것은 소축괘 이효의 "스스로 잃지 않는다"[70]고 한 것과 비슷하다. 또한 "다니는 길이 평탄하다"는 것은 대축괘 상구의 '하늘의 거리'[71]와 그 상을 서로 비교해 볼 수 있다. 이효가 변하면 대축괘가 거꾸로 된 괘가 된다. '은자[幽人]'는 그윽하고 고요히 자신을 지켜서 세상에서 구하지 않는 자로서 귀매괘 구이와 같은 상이다. 리괘(履卦)는 양이 왕성하기 때문에 바르고 길하며, 귀매괘는 음이 왕성하므로 곧게 하는 것이 이롭다. 이효의 '은자[幽人]'는 괘사의 "사람을 물지 않는다"고 할 때의 사람이고, 삼효의 '무인(武人)'은 곧 "사람을 문다"고 할 때의 사람이다. 리괘(履卦)의 도는 겸양을 숭상하므로 양으로서 음의 자리에 있는 것은 모두 길하다. 이효와 사효가 모두 부드러운 음의 자리에 있는데, 이효는 평탄하고 사효는 조심하고 두려워 하는 것은 이효는 알맞음을 얻었으나, 사효는 알맞음을 얻지 못했기 때문이다. 이효와 오효가 모두 알맞음을 얻었는데, 이효는 곧고 길하나 오효는 바르지만 위태롭다고 한 것은 이효는 부드러운 음의 자리에 있으나, 오효는 굳센 양의 자리에 있기 때문이다.

박윤원(朴胤源) 『경의(經義)·역경차략(易經箚略)·역계차의(易繫箚疑)』

初九言往, 而九二不言往者, 何也. 二居漸進之地, 而躁動尤易, 故示戒也.

초구에서는 '감[往]'을 말하고, 구이에서는 '감[往]'을 언급하지 않은 것은 무엇 때문인가? 이효는 점차 나아가는 곳에 있어 조급하게 움직이기가 더욱 쉽기 때문에 경계를 보였다.

김귀주(金龜柱) 『주역차록(周易箚錄)』

按, 初九九二皆剛, 而在下無應於上, 皆有堅確自守下不援上之象. 而初則取本初之

---

[68] 『周易·小畜卦』: 初九, 復自道, 何其咎, 吉.

[69] 『周易·履卦(九二)』: 象曰, 幽人貞吉, 中不自亂也.

[70] 『周易·小畜卦』: 牽復在中, 亦不自失也.

[71] 『周易·大畜卦』: 上九, 何天之衢, 亨.

義, 故謂之素履, 雅素便是本初也. 二則取其寬柔得中之義, 故謂之履道坦坦也. 是皆考槃在澗, 寤寐邁軸者流也歟.

내가 살펴보았다: 초구와 구이는 모두 굳센 양이고 아래에 있으면서 위와 호응이 없어 모두 견고하고 확고하게 스스로 지키며, 아랫사람이 윗사람을 무시하지 않는 상이다. 초효는 근본과 처음이라는 뜻을 취했으므로 "본분대로 간다[素履]"고 했으니, '아(雅)'라고 하고,' 소(素)'라고 하는 것은 곧 근본과 처음이다. 이효는 너그럽고 부드러움으로 알맞음을 얻었다는 뜻을 취했으므로 "다니는 길이 평탄하다"고 했다. 이는 모두 『시경·고반(考槃)』에 "산골짜기 시냇가에서 한가히 소요하고",[72] "한 충신이 자나 깨나 은거한다"고 한 부류일 것이다.

서유신(徐有臣) 『역의의언(易義擬言)』

剛中和行, 所履之道, 坦坦然, 平易也. 兌決開, 有坦道之象也. 履坦道而不妄行, 爲幽人也. 不與六三之比, 而遠從九五之應, 是貞吉也.

굳세고 알맞으며 화합으로 행하니, 다니는 길이 평탄하고도 평이하다. 태괘는 강하게 열어 젖히니, 평탄한 길의 상이 있다. 평탄한 길을 밟는데 함부로 행동을 하지 않아 '은자[幽人]'가 된다. 육삼과 함께 가까이하지 않고 멀리 구오의 호응을 좇으니, 이것이 곧고 길한 것이다.

박문건(朴文健) 『주역연의(周易衍義)』

前无所壅, 故有坦坦之象. 坦坦, 平廣之貌也. 幽人, 幽靜之人, 剛而能柔者也.

앞에 막히는 바가 없으므로 평탄하다는 상이 있다. '평탄[坦坦]'은 평평하고 넓은 모양이다. '은자[幽人]'는 조용하고 고요한 사람이며, 굳세지만 부드러울 수 있는 사람이다.

〈問, 幽人貞吉.

曰, 幽人處而欲柔者也, 故幽人用剛, 則其進不過中也, 所以吉.

물었다: "'은자'라야 곧고 길하다"는 무슨 뜻입니까?

답하였다: '은자'는 거처함에 부드럽고자 하는 자이므로, '은자'가 굳셈을 쓴다면 나아감이 중도를 벗어나지 않아 길하게 됩니다.

曰, 旣云履道坦坦, 而又云, 幽人貞吉, 何.

曰, 所履之道, 雖坦坦然无礙, 然或恃剛而妄進, 則有災, 故許幽人之吉. 若武人當之, 則凶.

---

72) 『詩經·考槃』: 考槃在澗, 碩人之寬, 獨寐寤言, 永矢弗諼.

물었다: 앞에 이미 "다니는 길이 평탄하다"고 말하고서 또 "'은자'라야 곧고 길하다"라고 한 것은 무엇 때문입니까?

답하였다: 다니는 길이 비록 평탄하여 걸림이 없지만, 혹 굳셈을 믿고 함부로 나아간다면 재앙이 따르므로 '은자'라야 길하다고 인정하였습니다. 만약 무인이 이런 상황이라면 흉하게 됩니다.

曰, 何以有坦坦之象. 曰, 志應也.
물었다: 어찌하여 평탄한 상이 있게 되었습니까?
답하였다: 뜻이 응하기 때문입니다.〉

이지연(李止淵) 『주역차의(周易箚疑)』

囂囂然, 樂堯舜之道者, 莘野之幽人也. 寧靜而致遠者, 隆中之幽人也. 貞字之義未詳.
세상에 부러움 없이 요순의 도를 즐기는 자는 신야(莘野)[73]의 '은자[幽人]'이다. 고요한 가운데 평정을 유지하여 멀리까지 이룰 수 있는 자는 융중(隆中)[74]의 '은자'이다. '정(貞)'자의 뜻은 상세하지 않다.

이항로(李恒老) 「주역전의동이석의(周易傳義同異釋義)」

按, 朱子曰, 伊川這一卦說那大象竝素履履道坦坦處, 卻說得好. 程傳, 亦不可不熟玩也.
내가 살펴보았다: 주자가 말하기를, "이천선생의 이 한 괘에 대한 설명에서 저 「대상전」과 초효와 이효의 '평소의 본분대로 행한다', '다니는 길이 평탄하다'는 것을 함께 아울러 설명한 것은 오히려 좋다"고 했다. 『정전』 또한 숙독하여 완미해야 한다.

김기례(金箕澧) 「역요선의강목(易要選義綱目)」

以剛居柔得中, 而无應, 獨善其身, 豈非行道平易者. 但性上進, 又近三陰, 故戒恬靜以貞則吉.
굳센 양이 부드러운 자리에 있어 알맞음을 얻었으나 호응이 없고, 홀로 자신만을 선하게

---

73) 이윤(伊尹): 신야는 유신국(有莘國)의 들로 이윤이 이곳에서 농사지으며 살다가 탕왕(湯王)이 세 차례 정중하게 초빙하자 세상에 나와 상(商)나라를 일으켰다.(한국고전번역원DB.)
74) 융중(隆中): 후한(後漢) 말, 제갈량(諸葛亮)이 남양(南陽) 융중(隆中) 땅에서 초옥(草屋)을 짓고 농사지으며 은거하고 있었던 것을 말한다.(『삼국지(三國志)·제갈량전(諸葛亮傳)』.)

하니, 어찌하여 도를 실천하는 데 평이한 자가 아니겠는가? 다만 본성은 위로 나가고자 하고 또한 삼효의 음과 가까우므로, 편안함과 고요함을 바르게 하면 길하다고 경계하였다.

심대윤(沈大允) 『주역상의점법(周易象義占法)』

履之无妄(䷘), 无不也. 才剛而居柔, 能行禮者也. 動容周旋, 皆中於禮, 故曰履道坦坦. 震爲道, 剛入于坤, 坤爲坦, 言以剛健行卑順也. 幽人能以禮, 自持防閑而和悅者也. 艮爲防閑, 兌爲和悅, 乾爲人.

리괘가 무망괘(无妄卦䷘)로 바뀌었으니, 무(无)는 불(不)과 같다. 재질은 굳센데 유약한 음의 자리에 있어 예를 행할 수 있는 자이다. '동용주선(動容周旋)'[75]이 모두 예에 적중되므로 "다니는 길이 평탄하다"고 말했다. 진괘는 길이 되고, 굳셈이 곤괘로 들어가 곤괘는 평탄함이 되니, 강건(剛健)으로써 낮고 유순함을 실천하는 것을 말한다. '은자[幽人]'는 예로써 세상의 도리를 유지하고 방비하여 화합하고 기뻐하는 자를 말한다. 간괘는 방비하고 막는 것이 되고, 태괘는 화합하고 기뻐함이 되며, 건괘는 사람이다.

오치기(吳致箕) 「주역경전증해(周易經傳增解)」

九二陽剛而得中, 居柔而比柔, 剛柔合宜, 故所履得坦坦之道. 然陽性上行, 又居說體, 恐或耽進而不能固守其中, 故戒言. 若用幽人之安靜, 則可得貞吉也.

구이는 굳센 양으로 알맞음을 얻었고, 부드러운 음의 자리에 있으면서 부드러운 음과 이웃해 있으며, 굳셈과 부드러움이 마땅함에 합하기 때문에 다니는 바에 평탄한 길을 얻는다. 그러나 양의 성질이 위로 가고, 또한 기쁨의 몸체에 있으면서 혹 나아가기를 탐하기만 하여 진실로 그 중도를 지킬 수 없으므로 경계하여 말했다. 만약 '은자[幽人]'의 안정(安靜)을 사용한다면 곧고 길함을 얻을 수 있다.

○ 變震爲大塗, 道之象. 坦坦, 不偏之謂, 而卽在中之象也, 幽人謂幽靜安恬之人也. 對體互坎爲隱伏幽之象, 而人取人位也. 貞吉, 言固守而得吉也.

진괘로 바뀌어 큰 길이 되니, 길의 상이다. '평탄[坦坦]'은 한쪽으로 치우치지 않음을 말하니 곧 가운데 있는 상이며, '은자[幽人]'는 편안하게 조용히 숨어있는 사람이다. 음양이 바뀐 괘인 겸괘(謙卦䷏)의 내호괘인 감괘는 조용히 엎드려 숨어있는 상이 되고, 사람은 사람의

---

75) 동용주선(動容周旋): 몸가짐과 행동의 전체를 일컫는 말로, 동용(動容)은 얼굴 표정 또는 몸가짐의 자세, 주(周)는 원(圓)의 법칙(法則)에 맞게 하는 행동이고, 선(旋)은 방(方)의 법칙에 맞게 하는 행동을 뜻한다.(한국고전번역원 DB.)

자리를 취한 것이다. "곧고 길하다"는 것은 굳게 지켜 길함을 얻는 것을 말한다.

이진상(李震相) 『역학관규(易學管窺)』

虞仲翔曰, 二變震爲大塗, 故曰坦道.

우중상(虞仲翔)이 말하였다: 이효가 바뀌어 된 진괘는 큰 길이 되므로 '평탄한 길'이라고 하였다.

柳三山曰, 陽爻平易, 故曰坦道. 陰位幽隱, 故曰幽人.

유삼산(柳三山)이 말하였다: 양효는 평이하므로 '평탄한 길'이라 하였다. 음의 자리는 조용히 숨어있으므로 '은자[幽人]'라고 하였다.

이정규(李正奎) 「독역기(讀易記)」

九二以剛居柔, 自有履道坦坦之象矣. 然以陽志上進, 則未有幽人之象, 而曰幽人貞吉何也. 或者上旣无應, 則未能出而爲用, 故爲幽人之象歟.

구이는 굳센 양으로서 부드러운 음의 자리에 있어 저절로 "다니는 길이 평탄하다"는 상이 된다. 그러나 양이 위로 나아가는 데 뜻을 둔다면 '은자[幽人]'의 상은 있지 않은데, "'은자'라야 곧고 길하다"라고 한 것은 무엇 때문인가? 아마도 위로 이미 호응이 없다면 나가서 쓸 수 없게 되므로 '은자'의 상이 되는 것 같다.

이병헌(李炳憲) 『역경금문고통론(易經今文考通論)』

履道, 尙謙, 故坦坦. 幽, 隱也.

도를 행한다는 것은 겸양을 숭상하기 때문에 평탄하다고 하였다. '유(幽)'는 '숨음'이다.

象曰, 幽人貞吉, 中不自亂也.

「상전」에서 말하였다: "은자라야 곧고 길함"은 마음속이 스스로 어지럽히지 않기 때문이다.

中國大全

傳

履道在於安靜, 其中恬正, 則所履安裕, 中若躁動, 豈能安其所履. 故必幽人則能堅固而吉. 蓋其中心安靜, 不以利欲自亂也.

실천하는 도는 편안하고 고요한 데 달려 있으니, 마음속이 편안하고 바르면 실천하는 것이 편안하고 여유가 있으나, 마음이 만일 조급하게 움직인다면 어찌 실천하는 바를 편안히 하겠는가? 그러므로 반드시 은자[幽人]라야 굳고 단단하게 해서 길할 수 있다. 왜냐하면 마음속이 안정되어 이욕으로써 스스로를 어지럽히지 않기 때문이다.

小註

張子曰, 中正不累, 无援于上, 故中不自亂, 得幽人之貞也.

장자(張子)가 말하였다: 중정하여 얽매이지 않고 위에서 끌어주는 사람도 없기 때문에, 마음속이 스스로 어지럽히지 않아서 은자[幽人]의 곧음을 얻는다.

○ 進齋徐氏曰, 初二皆陽剛而說體, 故有素履幽人之戒. 又皆无應於上, 故初曰, 獨行願也. 二曰中不自亂也.

진재서씨가 말하였다: 초효와 이효는 모두 굳센 양이며, 기쁨[說]의 상인 태괘에 있기 때문에 '평소의 본분대로 행함'과 '은자[幽人]'의 경계를 두었다. 또한 모두 위와 호응함도 없기 때문에 초효 「상전」에, "홀로 원하는 것을 실천한다"고 했고, 이효에서는 "마음속이 스스로 어지럽히지 않는다"고 하였다.

▌韓國大全▐

김상악(金相岳) 『산천역설(山天易說)』

程傳備矣. 九二象辭, 與否之二曰, 大人否亨不亂群, 相似.

『정전』에 갖추어져있다. 구이의 상전은 비괘(否卦) 이효의 "대인은 비색해야 형통함은 무리들에게 어지럽혀지지 않기 때문이다"고 한 「상전」의 말과 서로 비슷하다.

김귀주(金龜柱) 『주역차록(周易箚錄)』

傳, 履道在於, 云云.

『정전』: 다니는 길이 안정함에 있다, 운운.

小註, 進齋徐氏曰, 初二, 云云.

소주에서 진재서씨가 말하였다: 초효와 이효, 운운.

○ 按, 無應, 故曰獨行願云云, 與厚齋同病.

내가 살펴보았다: 호응이 없기 때문에 "홀로 원함을 행할 뿐이다"고 말한 것은 후재와 똑같은 병통이다.

서유신(徐有臣) 『역의의언(易義擬言)』

以中應, 中不亂於三也.

마음으로써 호응하니, 마음이 삼효에 의해서 어지럽혀지지 않는다.

박문건(朴文健) 『주역연의(周易衍義)』

亂, 迷亂, 惟幽人得剛之中, 故其進有節也.

'어지러움[亂]'은 정신이 헷갈리어 생긴 어지러움이니, '은재[幽人]'만이 알맞은 굳셈을 얻으므로 나아감에 절도가 있게 된다.

오치기(吳致箕) 「주역경전증해(周易經傳增解)」

安靜有守, 則中心不動, 自无利慾之亂也.

안정(安靜)하여 지키면 마음이 움직이지 않으니, 저절로 이욕의 어지러움이 없어진다.

六三, 眇能視, 跛能履. 履虎尾, 咥人, 凶, 武人爲于大君.

육삼은 애꾸눈이 볼 수 있고, 절름발이가 걸을 수 있다. 그러나 호랑이 꼬리를 밟아서 사람이 물리니 흉하고, 무인이 대군이 될 것이다.

中國大全

傳

三, 以陰居陽, 志欲剛而體本陰柔, 安能堅其所履. 故如盲眇之視, 其見不明, 跛躄之履, 其行不遠. 才旣不足而又處不得中, 履非其正, 以柔而務剛, 其履如此, 是履於危地. 故曰履虎尾, 以不善履, 履危地, 必及禍患, 故曰咥人凶. 武人爲于大君, 如武暴之人而居人上, 肆其躁率而已, 非能順履而遠到也. 不中正而志剛, 乃爲群陽所與, 是以剛蹈危而得凶也.

삼효는 음으로서 양의 자리에 있어 뜻은 강하고자 하나 몸체가 본래 유약한 음이니, 어찌 그 실천하는 바를 굳게 지키겠는가? 그러므로 애꾸눈이 보는 것과 같아서 그 보는 것이 분명하지 않고, 절름발이가 걷는 것과 같아서 가는데 멀리 가지 못한다. 재질이 이미 부족하고 또 머무는 데에도 알맞음을 얻지 못했으며, 실천하는 것이 바른 도가 아니고 유약한 것으로써 굳세게 하려고 힘쓰니, 그 실천하는 것이 이와 같다면 이는 위험한 곳을 밟는 것이다. 그러므로 "호랑이의 꼬리를 밟는다"고 했고, 잘 실천하지 못하는 재질로 위험한 곳을 밟으니, 반드시 재앙과 근심이 미칠 것이므로 "사람을 물어 흉하다"고 말하였다. "무인이 대군이 된다"고 한 것은 무력을 행사하는 포악한 사람이 사람들의 위에 있으면서 그 조급함과 경솔함을 부릴 뿐이고, 순순히 행하여 멀리 이를 수 있는 자가 아닌 것과 같다. 중정하지 못하면서 뜻만 강하여 마침내 여러 양과 함께 하는 바가 되니, 이 때문에 억세고 조급함으로 위험한 곳을 밟아서 흉함을 얻었다.

本義

六三, 不中不正, 柔而志剛, 以此履乾, 必見傷害. 故其象如此而占者凶. 又爲剛武之人得志而肆暴之象. 如秦政項籍, 豈能久也.

육삼은 음으로서 가운데 자리에 있지도 않고 바른 자리에 있지도 않으며, 부드러우면서 뜻만 강하여 이로써 건을 밟으니, 반드시 상해를 입는다. 그러므로 그 상이 이와 같고 점친 자는 흉하다. 또 굳세고 무인 기질이 있는 사람이 뜻을 얻어 포악함을 부리는 상이다. 진나라의 정(政)[76]과 항적(項籍)[77] 같은 이가 어찌 오래 갈 수 있겠는가?

小註

朱子曰, 武人爲于大君, 必有此象. 但六三陰柔, 不見得有武人之象.

주자가 말하였다: "무인이 대군이 된다"고 한 것에는 반드시 이 대군(大君)의 상이 있는 것이다. 다만 육삼은 유약한 음이니, '무인의 상'이 있다고 볼 수 없다.

○ 雲峯胡氏曰, 眇能視, 跛能履, 本義以爲不中不正, 柔而志剛之象, 歸妹初與二分言之. 行不中則跛, 歸妹初九, 但曰跛, 不中也. 視不正則眇, 歸妹九二但曰, 眇, 不正也. 易春秋書法, 美惡不嫌同辭. 履六三一爻竝書之者, 惡三不中且不正也. 凡卦辭以爻爲主, 則爻辭與卦同. 如屯卦利建侯而初爻, 亦利建侯. 以卦上下體論, 則爻辭與卦不同. 如此卦云, 履虎尾不咥人, 而六三則, 書曰咥人是也. 卦書不咥人, 兌三爻說體, 自與乾三爻健體相應也. 爻書咥人, 六三一爻與上九一爻, 獨相應, 履虎尾而首應也. 六三眇自以爲能視, 跛自以爲能履, 猶武人而自以爲能有爲於天下者也. 爻之辭曰, 履虎尾咥人凶, 象占具矣. 又繼以武人爲于大君, 須看兩人字. 三, 人位也. 人而不能免人道之患者, 必得志而肆暴之武人也, 其示戒深矣.

운봉호씨가 말하였다: 『본의』에서 "애꾸눈이 볼 수 있고[眇能視], 절름발이가 걸을 수 있다[跛能履]"는 것에 대해 음으로서 가운데 자리에 있지도 않고, 바른 자리에 있지도 않으며, 부드러우나 뜻만 강한 상을 가진 것으로 여겼는데, 귀매괘에서는 초효와 이효로 나누어 말했다. 가려고 하는데 가운데로 가지 못하는 것이 '절름발이'인데, 귀매괘 초구에서 다만 '절름발이'[78]라고 한 것은 가운데 있지 않기 때문이다. 바르지 않은데 보려고 한다면 '애꾸눈'인데, 귀매괘 구이에 다만 '애꾸눈'[79]이라 한 것은 바르지 않기 때문이다. 『주역』이나 『춘추』의 서법은 아름답거나 추악하거나를 따지지 않고 같은 글에 넣는 것을 꺼려하지 않는다.

---

76) 진정(秦政, B.C259~B.C210): 진시황을 가리키며, 조국(趙國)의 수도(首都)인 한단(邯鄲))에서 태어났고, 이름이 영정(嬴政)이고, 별호는 진왕정(秦王政), 시황제(始皇帝), 조룡(祖龍) 등이다. 그는 장양왕(莊襄王)의 아들로 13세에 왕위에 오르고, 진(秦)나라의 강성함을 이용해 육국을 통일하고 39세에 황제라 칭하였다.

77) 항적(項籍, B.C232~B.C202): 자는 우(羽)이다. 진시황이 세운 진제국을 초나라의 강성함을 이용해 멸하고 패자(覇者)가 되었다가 한고조에게 패하여 자살하였다.

78) 『周易·歸妹卦』: 初九, 歸妹以娣, 跛能履, 征, 吉.

79) 『周易·歸妹卦』: 九二, 眇能視, 利幽人之貞.

리괘(履卦) 육삼 한 효에서 이 두 가지를 아울러 쓴 것은 삼효가 가운데 자리에 있지 않으며 또한 바른 자리에도 있지 않은 것을 좋지 않게 생각했기 때문이다. 괘사에서 효를 주인으로 삼으면 효사와 괘사가 같다. 마치 준괘(屯卦) 괘사와 초효에서 각각 "제후를 세움이 이롭다"[80]고 한 것과 같다. 괘로써 상체와 하체를 논하면 효사와 괘사는 같지 않다. 가령 리괘 괘사에서 "호랑이 꼬리를 밟는데도 사람을 물지 않았다"고 했는데, 육삼에서는 "사람을 물었다"고 한 것 등이 그것이다. 괘사에 '사람을 물지 않음'이라 했고, 태괘의 세 효는 기뻐하는 몸체이며, 스스로 건괘 삼효의 건체(健體)와 상응한다. 효사에 '사람을 물음'이라 한 것은 육삼 한 효가 상구 한 효와 더불어 홀로 상응하니, '호랑이 꼬리를 밟아서' 머리가 호응하여 물린 것이다. 육삼의 '애꾸눈'이 스스로 볼 수 있다 여기고, '절름발이'가 스스로 걸을 수 있다고 여긴 것은 마치 무인이 스스로 천하에서 일을 할 수 있다고 여긴 것과 같다. 육삼에 "호랑이 꼬리를 밟아 사람이 물리니 흉하다"고 한 것은 상(象)과 점(占)이 다 갖추어져 있다. 또한 이어서 "무인이 대군이 된다"고 한 것은 반드시 두 개의 '인(人)'자를 보아야 한다. 육삼은 사람의 자리이니, 사람으로 인도(人道)의 우환을 면할 수 없는 자는 반드시 뜻이 방자하고 난폭한 짓을 하는 무인이니, 경계를 보여 줌이 깊다.

○ 瓜山潘氏曰, 以六居三, 質柔志剛, 不量己力, 妄欲有爲, 應上九, 而履群陽, 如眇欲視, 跛欲履, 武人欲爲君, 其凶宜矣.
과산반씨가 말하였다: 음이 양인 삼효의 자리에 있음으로 바탕이 유약한데, 뜻만 강하여 자신의 역량을 생각하지 않고 함부로 큰일을 하며 상구와 호응하여 여러 양들을 밟고자 하니, 마치 애꾸눈이 보려 하고 절름발이가 걸으려 하며 무인이 대군이 되고자 하는 것과 같다. 흉함이 당연하다.

○ 雙湖胡氏曰, 武人陰象, 以一柔爲成卦之主而統五陽有武人爲大君之象. 大陽也. 或者, 謂六三陰柔, 非武人之象, 不知陽類多是寬和仁厚底人, 陰類多是勇敢强暴之人. 陽主生, 陰主殺, 陽之氣, 溫厚, 陰之氣, 嚴凝也.
쌍호호씨가 말하였다: 무인은 음의 상인데, 하나의 유약한 음[六三]을 괘를 이루는 주인으로 삼아 다섯 양을 거느리는 것에는 무인이 대군이 되는 상이 있다. '대(大)'는 양이다. 어떤 이는 "육삼은 유약한 음이니, 무인의 상이 아니다"라고 하는데, 양에 속하는 사람들은 다수가 너그럽고 조화로우며 인후한 사람들이고, 음에 속하는 사람들은 용감하고 강포한 사람들이라는 것을 잘 모르기 때문이다. 양은 '살리는 것[生]'을 위주로 하고, 음은 '죽이는 것[殺]'을 위주로 하며, 양의 기운은 온후하고, 음의 기운은 매우 춥다.

---

80) 『周易·屯卦』: 屯, 元亨利貞, 勿用有攸往, 利建侯. 『周易·屯卦』: 初九, 磐桓, 利居貞, 利建侯.

▎韓國大全▎

권근(權近) 『주역천견록(周易淺見錄)』

武夫〈夫當作人.〉爲于大君, 三以陰居陽, 才弱志剛而妄動, 如武人而爲大君. 吳氏謂爲猶虞書汝爲之爲, 效使令也. 大爲陽, 乾爲君. 六三在乾之下, 而應上九, 爲以力而效用於大君也. 咥人之象, 其占固凶, 又有此象, 不皆凶也. 愚嘗, 觀此爻疑其爲于之于, 以不可直訓其爲大君也, 謂是才弱志剛, 妄有作爲於大君之位. 如少一目者之能視, 其見偏而不遍, 蹩一足者之能行其步, 蹇而難進. 蓋爲其所不能爲者也, 故蹈險而必凶如蹈虎而見咥, 今觀吳說, 亦就于字上得其說, 以上乾爲大君, 而以三爲效用於大君, 又言凶在其上, 故以爲以臣見用於君而不爲凶也然此爻之象, 才弱志剛履非其正欲爲其所不能爲而致凶者也. 上下一意, 非有彼凶而此無也. 但主重者而言, 故言凶在咥人之下, 此凶之已然, 而武人之凶, 未然者爾, 非无凶也. 況效用於君, 用舍在君, 非己所得與也. 此則妄自有爲於其位者也, 其終无凶乎.

"무인이 대군이 된다"〈무부(武夫)의 부(夫)는 마땅히 인(人)으로 써야 한다.〉는 것은 삼효가 음으로써 양의 자리에 있으면서 재질은 약하면서 뜻만 강건하여 함부로 움직이는 것이 마치 무인이 대군이 된 것과 같다.

오징은 다음과 같이 말했다: '위(爲)'는 『서경·우서(虞書)』에서 "너희들이 시행하라[汝爲]"고 했을 때의 '위(爲)'와 같으니 명령에 따른다는 의미이다. '대(大)'는 양이고 건은 '임금'이다. 육삼이 건괘의 아래에 있으면서 상구에 호응하므로 힘 때문에 대군에게 쓰임이 있게 된다. '사람을 무는' 상이고, 그 점괘가 정말 흉하지만, 또 이러한 상(象)이 있으므로 모두 흉하지는 않다.

내가 전에 이 효를 보면서 '위우(爲于)'의 '우'를 곧바로 대군이 되는 것으로 풀이해서는 안 된다고 의심하고, 이 효는 재질은 약하면서 뜻만 강건하여 함부로 대군의 지위에 있으면서 행동하는 것을 가리키는 것으로 보았다. 이것은 마치 눈 하나가 없는 이도 걸을 수 있지만 한 쪽으로 치우쳐 균형 있게 볼 수 없고, 한 발을 저는 사람도 걸을 수 있지만 발걸음이 절룩거려 나아가기 어려운 것과 같다. 할 수 없는 것을 하기 때문에 험난함에 처하여 반드시 흉하게 되는 것이 마치 호랑이를 밟아 물리게 되는 것과 같다. 이제 오징의 설을 보니 '우(于)'자를 가지고 자기의 주장을 하고 있다. 즉, 위에 있는 건을 대군으로 보고, 삼효를 대군에게 쓰이는 것으로 보고, 또 흉함은 위에 있으므로 신하가 임금에 의해 등용되는 것은 흉하지 않다고 본 것이다. 그러나 이 효의 상(象)은 재질은 약하면서 뜻만 강하여 바른 도리가 아닌 것을 실행하면서 할 수 없는 일을 하고자 하여 흉함을 초래한다. 위아래가 같은 뜻이니, 저것은 흉하고 이것은 흉하지 않은 것이 아니다. 다만 중요한 것을 주로 하여 말하였으므로 '흉함'이 '사람이 물리니'의 밑에 있다고 하였으니, 이것의 흉함은 이미 드러난 것이고, 무인의 흉함은 아직 드러나지 않았을 뿐으로 흉이 없는 것은 아니다. 하물며 임금에게 쓰이게 되었다면 쓰고 버리는 것은 임금에게 달린 것이어서 자기가 관여할 수 있는 것이 아니다. 이 무인은 자신의 지위에서 함부로 무언가를 하려는 자이니, 끝내 흉함이 없겠는가?

조호익(曺好益) 『역상설(易象說)』

眇能視, 眇, 離目象. 雲峯胡氏曰, 三不正, 視不正則眇. 能視應上象. 跛能履, 跛, 巽股象. 雲峯曰, 三, 不中, 行不中則跛. 能履乘二象. 履虎尾, 履, 指三, 比四象. 虎乾象, 尾象四乾體之下. 咥人凶, 咥, 兌口象. 人, 三, 人位, 自三至五, 兌之反體, 三當其口也. 雲峯曰, 三應上, 其首應之之象. 武人爲于大君, 雙湖曰, 武人陰象, 大陽也. 以一柔爲成卦之主, 統五陽之象.

'애꾸눈이 볼 수 있고[眇能視]'의 '애꾸눈[眇]'은 「설괘전」에서 "리괘(離卦)는 눈[目]을 상징한다"[81]고 할 때의 눈[目]의 상(象)이다. 운봉호씨가 "육삼은 가운데에 있는 것이 아니니, 보는 것이 바르지 않으면 애꾸눈이다"고 말하였다. "볼 수 있다[能視]"는 상구와 호응하는 상이다. "절름발이가 걸을 수 있다[跛能履]"에서 '절름발이[跛]'는 「설괘전」에서 "손괘(巽卦)는 다리[股]를 상징한다"고 할 때의 다리의 상과 같다. 운봉호씨가 "육삼은 가운데 있는 것이 아니니, 가는 것이 가운데가 아니면 절름발이다"고 말하였다. "걸을 수 있다"는 구이를 타는 상이다. "호랑이 꼬리를 밟다[履虎尾]"에서 '밟다[履]'는 육삼을 가리키는 것으로, 구사와 비(比)의 관계에 있는 상이다. '호랑이'는 건(乾)의 상이며, '꼬리'는 구사가 건의 몸체의 맨 아래에 있음을 형상한 것이다. "사람이 물리니 흉하다[咥人凶]"에서 '물리다[咥]'는 「설괘전」에서 "태괘(兌卦)는 입[口]을 상징한다"고 할 때의 입[口]의 상이다. '사람(人)'은 육삼이 사람의 자리이고 삼효에서 오효까지가 태(☱)의 위아래를 뒤집은 손괘(☴)이며, 육삼은 그 입[口]에 해당한다. 운봉호씨는 "육삼은 상구와 호응하니, 그 머리가 호응하는 상이다"고 말하였다. "무인이 대군이 된다"는 말에 대해서 쌍호호씨는 "무인은 음의 상이며, 대(大)는 양(陽)이다. 하나의 부드러운 음이 괘를 이루는 주인이 되어 다섯 양을 거느리는 상이다"고 말하였다.

○ 眇, 取離目象, 跛, 取巽股象. 三, 不正, 視不正則眇. 三, 不中, 行不中則跛. 應上故能視, 乘二故能履. 虎取兌象, 尾取三象. 以下體言, 初爲始, 三爲終. 咥, 取兌口象. 人

---

81) 『周易 · 說卦傳』: 離爲目.

指三, 三卽人位. 武人取三陰象, 以文武言, 文爲陽, 武爲陰, 以生殺言, 陽主生, 陰主殺. 大君, 大, 陽也, 三在下之上, 有君象.

'묘'는 「설괘전」에서 "리괘(離卦)는 눈을 상징한다"고 할 때의 '눈[目]'의 상이고, '파(跛)'는 같은 곳에서 "손괘(巽卦)는 고(股)를 상징한다"고 할 때의 '고(股)'의 상을 취하였다. 육삼은 가운데에 있는 것이 아니니, 보는 것이 바르지 않으면 애꾸눈이다. 그리고 육삼은 가운데 있는 것이 아니니, 가는 것이 가운데가 아니면 절름발이다. 상구와 호응하므로 볼 수 있고, 구이를 타므로 밟을 수가 있다. '호랑이'는 태(兌)의 상을 취하였고, '꼬리'는 육삼의 상을 취하였다. 하체로써 말하면 초구는 시작이 되고, 육삼은 끝이 된다. '무는 것'은 「설괘전」에서 "태괘(兌卦)는 입[口]을 상징한다"[82]고 할 때의 '입[口]'의 상이다.

'인(人)'은 삼효를 가리키는데, 삼효는 바로 사람의 자리이다. '무인'은 육삼의 음의 상을 취하였는데, 문무로써 말하면 '문(文)'은 양이 되고 '무(武)'는 음이 되며, 생살(生殺)로써 말하면 양은 '생(生)'을 주장하고 음은 '살(殺)'을 주장한다. 대군(大君)의 '대(大)'는 양이고, 육삼이 하체의 맨 위에 있으니, 임금의 상이다.

송시열(宋時烈) 『역설(易說)』

六三, 眇者, 目之迷眇也, 跛者, 足之跛蹇也. 來云, 兌爲眇爲跛, 未詳何謂. 蓋離震之象, 謂眇謂跛, 離爲目, 震爲足. 歸妹初二爻, 亦云眇跛, 而此則巽錯震. 否三爻, 陰柔不得位, 無明辨之知果剛之行. 如眇者, 跛者, 亦能視能履, 而爲某卦主故也. 象云, 不咥而此云咥人者, 以卦之全體吉, 則兌說巽順〈說見上〉, 此則三爲陽位, 又兌說之義將窮, 與乾剛相過有剛果之意, 故其道威猛, 將咥人而傷害也. 武人者, 剛毅之人也. 大君者, 指九五也. 巽之初爻亦言武人之貞, 而無暴字意, 此亦只以剛武之人看, 如何. 詩, 武人東征, 亦以將師言, 無暴字意.

육삼의 '애꾸눈[眇]'은 눈이 미혹한 것을 애꾸눈이라 하고, '절름발이[跛]'는 다리를 절뚝거리며 걷는 것이다. 래지덕은 "태괘가 애꾸눈이 되고 절름발이가 된다"고 말했는데, 무슨 말인지 상세하지 않다. 리괘와 진괘의 상을 가리켜 애꾸눈이라 하고 절름발이라고 하니, 리괘(☲)는 눈이고, 진괘(☳)는 다리이다. 귀매괘 초효와 이효에서도 '애꾸눈과 절름발이'를 말했는데, 이는 손괘(☴)의 음양이 바뀐 괘가 진괘(☳)이기 때문이다. 비괘(否卦)의 삼효는 유약한 음이어서 바른 자리를 얻지 못하여 밝게 분별하는 지혜와 과감하고 굳센 행동이 없다. 애꾸눈과 절름발이도 볼 수 있고 걸을 수 있는 것은 어떤 괘의 주인이 되기 때문이다. 「단전」에서는 "물지 않는다"고 하고, 삼효에서는 "사람을 문다"고 한 것은, 괘의 전체로는 길하

---

82) 『周易·說卦傳』: 兌爲口.

니 태괘가 기쁨이고 태괘의 거꾸로 된 괘인 손괘가 순종하는 것인데,〈설명이 위에 보인다
.〉[83] 여기의 육삼은 삼효가 양의 자리이면서 또한 태괘의 기쁘다는 뜻이 앞으로 다하게 되
어 굳센 건괘가 함께 서로 지나치는 데 과감한 뜻이 있으므로 그 도가 맹위를 떨치게 되어
사람을 물어 상해를 입히게 될 것이기 때문이다. 무인은 굳세고 의연한 사람이다. 대군은
구오를 가리킨다. 손괘(巽卦☴)의 초효에서도 '무인의 바름'[84]을 말했으나, 사납다는 뜻은
없으니, 여기 삼효에서도 굳세고 용맹한 사람으로 보는 것이 어떠할까? 『시경』에 "무인이
동쪽을 정벌한다"[85]고 한 것 또한 장수로써 말한 것인데, 사납다는 뜻은 없다.

이익(李瀷) 『역경질서(易經疾書)』

眇者, 一目盲也, 跛者, 一足短也. 與立無跛相照, 履必先視, 則主履而言也, 皆偏側不
正. 履者, 所以行也. 兌有悅從之義, 悅從則履行在中, 視與履相須. 書曰若跣不視地
厥足用傷是也. 此與歸妹之初二同辭. 以卦言則兌陰而乾震陽也. 陰先悅從, 有眇跛之
義. 以爻言則乾純陽, 故六三悅從, 震多陰, 故初九九二悅從. 此乃歸妹所以分著於兩
爻, 而視必先於履, 近則視, 遠則履也. 履之三, 最近於陽, 而同在一爻, 故先言視而後
言履. 歸妹之初二分在兩爻, 故近陽者言視, 遠陽者言履, 其義均也. 旣眇跛而視履, 以
此履虎其有不咥乎. 卦辭之帝位, 爻辭之大君, 皆指九五也. 六三安有此象. 不中不正,
以柔處剛, 有武人妄犯君上之象也. 爲者, 承履字說, 言爲履也. 詩云, 白圭之玷, 尙可
磨也, 斯言之玷, 不可爲也, 其所謂爲者, 亦承磨字說, 言爲磨也, 語脉相類. 古文蓋多
此類也. 此爲字, 只合作履字看也. 兌悅履乾剛, 有履虎尾之象, 故爲武人妄犯君上之
譬. 況三非九五之正應而居剛妄動, 尤可爲戒也.

애꾸눈은 한쪽 눈이 안보이고 절름발이는 한쪽다리가 짧다. 함께 서 있으면 서로 비교할
수 있는 짧은 발이 없고 밟으려면 반드시 먼저 보아야 하니, 이는 밟는 것을 주로 하여 말한
것이지만, 모두 치우치고 기울어서 바르지 않다. 밟는다는 것은 다니는 것이다. 태괘에는
기쁘게 쫓아가는 뜻이 있는데, 기쁘게 쫓아간다면 밟아 가는 것은 그 가운데 있고, 보는
것과 밟는 것은 서로 필요하니, 『서경』에 "만약 발이 땅을 살피지 않으면 발이 상할 것이
다"[86]라고 한 것이 그것이다. 이는 귀매괘의 초효, 이효와 같은 말이다. 괘로써 말한다면
태괘는 음이고, 건괘와 진괘는 양이다. 음이 앞서 기쁘게 쫓으니, 애꾸눈과 절름발이의 뜻이
있다. 효사로써 말한다면 건괘는 순전한 양이므로 육삼이 기쁘게 따르고, 진괘는 음이 많으

---

83) 이 구절은 내용상 주석으로 보인다.
84) 『周易·巽卦』: 初六, 進退, 利武人之貞.
85) 『詩經·漸漸之石』: 武人東征, 不遑朝矣.
86) 『書經·說命』: 若藥, 弗瞑眩, 厥疾, 弗瘳. 若跣, 弗視地, 厥足, 用傷.

므로 초구와 구이가 기쁘게 따른다. 이것이 귀매괘에서 두 개의 효사로 나누어 드러나고 보는 것이 반드시 밟는 것보다 먼저 하고 가까우면 보고 멀면 밟는 까닭이다. 리괘(履卦)의 삼효는 양과 가장 가까우며, 똑같이 한 효사에 있으므로 먼저 보는 것을 말하고, 밟는 것을 뒤에 말했다. 귀매괘의 초효와 이효는 두 개의 효사로 나뉘어 있으므로 양에 가까운 것은 보는 것을 말하고 양에 먼 것은 밟는 것을 말했는데, 그 뜻은 같다. 이미 애꾸눈과 절름발이 인데 보고 밟는 것이니, 이것으로써 호랑이를 밟는데 물리지 않을 수 있겠는가? 괘사에서 '임금의 자리'라고 한 것과 효사의 '대군'은 모두 구오를 가리킨다. 육삼에 어찌하여 이 상이 있겠는가? 가운데 있지도 않고, 바른 자리에 있지도 않고 유약한 음으로써 굳센 양의 자리에 있어 무인이 함부로 임금을 욕보이는 상이다. '위(爲)'자는 '리(履)'자를 이어 설명한 것이니, "밟는다[履]"는 것이 됨을 말하였다. 『시경』에 "백규(白圭)의 흠은 오히려 갈아 없앨 수 있거 니와 이 말의 결함은 다스릴 수가 없느니라"[87]고 한 "다스린대[爲]"는 것은 또한 "간다[磨]" 는 글자의 설명을 이어서 "간다[磨]"가 됨을 말하니, 말의 맥락이 서로 유사하다. 고문에 대 체로 이러한 종류가 많다. 그러니 이 '위(爲)'자는 "밟다[履]"는 글자와 합해서 보아야 한다. 태괘는 기쁨으로 굳센 건괘를 밟아 "호랑이의 꼬리를 밟는다"는 상이 있기 때문에, 무인이 임금[君上]을 함부로 욕보이는 비유가 된다. 하물며 삼효는 구오와 정응도 아니면서 굳센 양의 자리에 있어 함부로 움직이니, 더욱 경계가 될 법하다.

又按, 書云, 若涉春冰, 若蹈虎尾. 子曰暴虎憑河, 恐履之六三及泰之九二之辭, 同一句 法, 何也. 暴古作虣, 卽武人履虎之義, 與若蹈虎尾相符, 馮從冰, 從馬, 在六書爲會意 也. 馮河者, 卽驅馬河冰, 懼陷之義, 與若涉春冰相符. 馮之意, 本如此, 與凭物之凭不 同. 六藝之學書居一焉, 後世都廢其旨, 不明卦義. 乃柔履剛, 履之者, 柔也. 九四有虎 尾之象, 履之者, 非四也.

또 내가 살펴보았다: 『서경』에 "봄에 살얼음을 건너는 듯하고, 호랑이의 꼬리를 밟는 듯하 다"[88]고 했고, 공자는 "맨손으로 호랑이를 잡으려 하고 맨몸으로 강을 건넌다"[89]고 했는데, 리괘(履卦) 육삼 및 태괘(泰卦) 구이의 말을 같은 형식으로 한 것은 무엇 때문인가? '포(暴)' 라는 글자는 옛날에 '포(虣)'로 썼는데, 곧 무인이 호랑이를 밟는 뜻이어서 『서경』의 "호랑이 꼬리를 밟는 듯하다"는 것과 서로 부합하고, 빙(馮)은 빙(冰) 부수에 마(馬) 자를 합한 것으 로 육서(六書) 가운데 회의 문자이다. '빙하(馮河)'는 살얼음이 언 강으로 말을 몰아 달려갈 때 빠지는 것에 대한 두려움의 뜻이니, "봄에 살얼음을 건너는 듯하다"와 서로 부합한다.

---

87) 『詩經·抑』: 白圭之玷, 尙可磨也, 斯言之玷, 不可爲也.
88) 『書經·君牙』: 若蹈虎尾, 畏其噬, 若涉春冰, 畏其陷, 言憂危之至, 以見求助之切也.
89) 『論語·述而』: 子曰, 暴虎馮河, 死而無悔者, 吾不與也, 必也臨事而懼, 好謀而成者也.

빙(馮)의 뜻이 본래 이와 같으니 사물에 기댄대[凭物]고 할 때의 기대는 것과는 다르다. 육예의 학문 가운데 글쓰기가 그 하나를 차지하는데 후세에 그 뜻이 모두 없어져 괘의 뜻을 분명하게 하지 못하였다. 바로 유약한 음이 굳센 양을 밟으니, 밟는 것은 유약한 음이다. 구사는 호랑이 꼬리의 상이니, 밟는 것은 사효가 아니다.

심조(沈潮) 「역상차론(易象箚論)」

眇視, 互離也, 跛履, 互巽也. 又眇而跛, 才之柔也, 能視能履, 志之剛也. 文陽而武陰, 故此稱武人. 蓋陰主殺伐也. 又離爲甲冑介胄之士也. 三在下之上, 而爲成卦之主, 故曰爲于大君.

"애꾸눈[眇]이 본다"는 것은 호괘가 리괘(離卦)이기 때문이고, "절름발이가 간다[跛]"고 한 것은 호괘가 손괘(巽卦)이기 때문이다. 또 '애꾸눈과 절름발이'는 재질이 유약한 것이고, 볼 수 있고 걸을 수 있는 것은 뜻이 굳센 것이다. '문(文)'은 양이고, '무(武)'는 음이므로, 여기 삼효에서는 '무인(武人)'이라 하였다. 음은 '죽이고[殺]', '치는 것[伐]'을 주로 한다. 또 리괘(離卦)는 갑옷이 되고 무사가 된다. 삼효는 하괘의 맨 위에 있으면서 괘를 이루는 주인이 되므로 "대군이 된다"고 하였다.

유정원(柳正源) 『역해참고(易解參攷)』

古爲徐氏曰, 卦有兌, 互體有巽離. 離爲目, 巽爲多白眼, 故有眇能視象. 巽爲股, 兌爲毁折, 故有跛能履象.

고위서씨가 말하였다: 리괘(履卦)의 하괘가 태괘이고, 호체로 손괘와 리괘(離卦)가 있다. 리괘(離卦)는 눈이 되고, 손괘는 눈에 흰자위가 많은 것이 되므로 애꾸눈이 보려하는 상이다. 손괘(☴)는 넓적다리가 되고, 태괘(☱)는 상하고 꺾어져 있는 것이 되므로 절름발이가 가려는 상이다.

○ 息齋余氏曰, 兌每有眇跛之象者, 以有毁折歟. 履言於三, 三爲兌主, 故兼之. 歸妹言於初二, 初二, 非主也, 故分之. 初在下, 故言跛, 二在上, 故言眇.

식재여씨가 말하였다: 태괘에서 매번 애꾸눈과 절름발이의 상이 있다고 한 것은 상하고 꺾임이 있기 때문이다. 삼효에서 밟는다고 말하고, 삼효는 태괘의 주인이므로 같이 말했다. 귀매괘는 초효와 이효에서 말했는데, 주효가 아니므로 나누어 말했다. 초효는 하괘의 맨 아래에 있으므로 '절름발이'로 말했고, 이효는 초효의 위에 있으므로 '애꾸눈'이라고 말했다.[90]

김상악(金相岳) 『산천역설(山天易說)』

六三, 以不正中之陰, 居兌之上, 比二四, 互離巽, 故有眇能視, 跛能履之象. 以柔躡剛, 又爲履虎尾咥人之象, 必見傷害而凶. 又以武人而爲于大君, 何能有爲乎.

육삼은 음으로서 바른 자리에 있지도 않고 가운데 있지도 않으며, 태괘의 맨 위(삼효)에 있어 이효와 사효와는 비(比)의 관계이고, 호괘가 리괘(☲)와 손괘(☴)이므로 애꾸눈이 볼 수 있고 절름발이가 갈 수 있는 상이다. 유약한 음이 굳센 양을 밟기 때문에 또한 호랑이 꼬리를 밟아 사람을 무는 상이 되니, 반드시 상해를 입어 흉하게 된다. 또 무인으로써 대군이 되는데, 무엇을 할 수 있겠는가?

○ 上履字取踐義, 下履字取躡義. 離目巽股, 遇兌毁折, 眇跛之象. 能視能履者, 强所不能也. 歸妹亦震兌互離, 故初二分. 此二象而陽之得正得中者, 能視履而吉也. 履虎尾咥人, 見卦辭, 革兌居上, 故五六言虎豹, 履兌在下, 故三四皆言虎尾. 三居人位而得離之戈兵甲冑武人之象. 三變則爲乾, 乾之九三人之陽也, 故稱君子. 履之六三人之陰也, 故稱武人. 又夬者, 履之交也, 故其卦辭曰不利卽戎, 戎卽剛武也.

위의 '리(履)'자는 '천(踐)'이라는 뜻을 취하고, 아래의 '리(履)'자는 '섭(躡)'이라는 뜻을 취했다. 리괘(☲)는 눈이고, 손괘(☴)는 넓적다리인데, 태괘를 만나 훼손되고 꺾어져 애꾸눈과 절름발이의 상이 되었다. 보려 하고 걸으려 하는 것은 할 수 없는 것을 억지로 하는 것이다. 귀매괘 또한 진괘와 태괘이고, 호괘가 리괘(離卦)이므로 초효와 이효로 나누었다. 이 두 개의 상과 양이 중정을 얻었다는 것은 볼 수 있고 갈 수 있어 길하다. "호랑이 꼬리를 밟았는데 사람을 물었다"고 한 것은 괘사를 볼 때, 혁괘(革卦䷰)는 태괘가 위에 있으므로 오효와 육효에서 호랑이와 표범을 말했고, 리괘(履卦䷉)는 태괘가 아래에 있으므로 삼효와 사효에서 호랑이 꼬리를 말했다. 삼효는 사람의 자리에 있어 리괘(☲)의 창과 병기가 되고, 갑옷과 투구 등 무인의 상을 얻었다. 삼효가 변하면 건괘(☰)가 되고, 건괘의 구삼은 사람의 양이므로 '군자(君子)'라 했다. 리괘(履卦䷉)의 육삼은 사람의 음이므로 '무인(武人)'이라 했다.[91] 또 쾌괘(夬卦䷪)는 리괘(履卦䷉)의 위아래 괘를 바꾼 것이므로 그 괘사에서 "전쟁에 나아감을 이롭게 여기지 않는다"[92]고 했으니, 전쟁은 곧 굳세고 용맹[剛武]한 것이다.

---

90) 유정원은 식재여씨의 말을 인용하여, 리괘(履卦)는 삼효에서 애꾸눈과 절름발이를 함께 말했는데, 리괘와 달리 귀매괘는 초효와 이효에서 말하게 된 까닭은 리괘는 주효가 삼효이기 때문이고, 귀매괘는 초효와 이효가 주효가 아니기 때문이라고 설명하고 있다.

91) 김상악(金相岳)이 건괘와 리괘의 삼효 자리에 관해 설명하고 있다. 즉 건괘의 삼효는 사람의 자리로써 '군자'라고 한다면, 리괘(履卦)의 삼효는 같은 사람의 자리이지만 음효이기 때문에 '무인(武人)'이라고 해석한다.

92) 『周易·夬卦』: 夬, 揚于王庭, 孚號有厲, 告自邑, 不利卽戎, 利有攸往.

蓋履者, 禮也. 禮以得人爲貴, 經文之事, 豈緯武者, 所能也. 故曰苟非其人, 道不虛行. 大君謂五也, 九五剛中正履帝位, 而又以三爲君, 則是一卦中, 有二君, 豈尊无二上之義乎. 故不曰爲而曰爲于者, 其義可見也. 兌反則與復爲對, 武人爲于大君, 則必以國君而凶也.

밟음(履)은 예(禮)로, 예는 사람을 얻는 것을 귀하게 여긴다. 문(文)을 날줄[經]로 하는 일에 무(武)를 씨줄[緯]로 하는 것은 가능하다. 그러므로 「계사전」에서 "그 사람이 아니면 도는 헛되이 행해지지 않는다"[93]고 했다. 대군은 오효를 가리키니, 구오는 굳센 양으로서 가운데 있고, 바른 자리에 있어 임금의 자리를 밟는다고 했으며, 또한 삼효에서 '대군(大君)'이라 한 것은 한 괘에 두 임금이 있게 되는데, 어찌하여 지존에 두 임금이 없다는 뜻이겠는가? 그러므로 '위(爲)'라고 말하지 않고, '위우(爲于)'라고 했으니, 그 뜻을 알 수 있다. 태괘(☱)의 음양이 바뀐 괘는 간괘(☶)인데, 복괘(䷗)와 더불어 대응이 되고,[94] 무인이 대군이 된다면 반드시 임금으로서 흉하다.

김규오(金奎五) 「독역기의(讀易記疑)」

六三互离, 故眇能視, 歸妹九二, 亦交离體, 故云眇能視. 然此爻不中不正, 柔而志剛, 故其辭凶. 歸妹剛而得中, 故其辭善.

육삼의 호괘가 리괘(離卦)이므로 "애꾸눈이 볼 수 있다"고 하였으며, 귀매괘(歸妹卦䷵) 구이도 또한 리괘의 몸체와 교제하므로 "애꾸눈이 볼 수 있다"고 했다. 그러나 삼효는 가운데에 있지도 않고 바른 자리에 있지도 않으며, 유약하면서 뜻만 강하므로 그 말이 흉하다. 귀매괘는 굳세고 알맞음을 얻었으므로 그 말은 괜찮다.

박윤원(朴胤源) 『경의(經義)・역경차략(易經箚略)・역계차의(易繫箚疑)』

眇跛之象, 來易詳矣. 但跛履, 則以此卦是履故言, 而視則帶說歟. 目到其地, 然後足踐其處, 故竝言視與履歟. 爲虎所咥, 眇跛故也. 武人爲于大君, 朱子以爲未必有此象, 而胡雙湖曰, 武人是陰象. 六三爲陰, 成卦之主統五陽, 卽武夫爲大君之象, 此說似得之.

'애꾸눈과 절름발이'의 상은 래지덕의 『주역집주』에 자세하다. 단지 절름발이가 걷는 것은 이 괘가 리괘(履卦)이므로 말한 것이고, '본다'는 것은 짝지어 설명한 말이다. 눈이 땅을 본 다음에 다리가 그곳을 밟아 가기 때문에 '보는 것과 걷는 것'을 함께 말하였다. 호랑이에게 물리는 것은 애꾸눈과 절름발이기 때문이다. '무인이 대군이 되는 것'에 대해 주자는 반드시

---

93) 『周易・繫辭傳』: 初率其辭而揆其方, 旣有典常, 苟非其人, 道不虛行.

94) 리괘(䷞)의 하괘인 태괘(☱)가 음양이 바뀌면 돈괘(䷠)가 되고, 돈괘가 음양이 바뀐 괘는 림괘(䷒)가 된다.

이러한 상이 있지는 않을 것이라고 여겼지만, 쌍호호씨가 "무인은 음의 상이다. 육삼이 음으로 괘를 이루는 주인이 되어 다섯 양을 통솔하는 것이 곧 무인이 대군이 되는 상이다"라고 한 이 설은 그럴 듯하다.

서유신(徐有臣) 『역의의언(易義擬言)』

互離爲目, 互巽爲股, 兌爲毁折, 故曰眇, 曰跛也. 六三陰柔不中, 其於比應, 無能相助, 譬如眇者之視而不足有明, 跛者之履而不足與行也. 蹈虎尾而犯虎口, 故爲咥人之凶也. 居剛應剛, 志尙勇決, 故曰武人也. 武人爲此暴虎之事於大君之役, 衽金革死而不厭也. 三殊有此象也.

호괘인 리괘(䷝)는 눈이 되고, 호괘인 손괘(䷸)는 넓적다리가 되며, 태괘(䷹)는 상하여 꺾어지므로 '애꾸눈'이라 하고, '절름발이'라고 했다. 육삼은 유약한 음으로 알맞음을 얻지 못하고, 그 비(比)와 응(應)의 관계에서 서로 도와 줄 수도 없어, 마치 애꾸눈이 보는데 밝지 못하고, 절름발이가 걷는데 함께 가지 못하는 것과 같다. 호랑이 꼬리를 밟아 호랑이 입을 범(犯)하므로 사람이 물리는 흉이 된다. 굳센 자리에 있어 굳센 양과 호응하여 용감하게 결단하는 데 뜻을 두므로 '무인'이라고 하였다. 대군의 일에 무인이 호랑이를 맨손으로 쳐 죽이는 무모한 행동을 하게 되는데, 『중용』에서는 "갑옷과 병기를 깔고 죽어도 싫어하지 않는다"[95]고 했다. 삼효는 특별히 다른 효와 달리 이러한 상을 갖는다.

김귀주(金龜柱) 『주역차록(周易箚錄)』

按, 六三兼其所承所乘, 而以互體觀之, 則乃爲離也. 離爲目, 故有眇視之象. 又爲甲胄爲戈兵而本爻居在人位, 故有武人之象, 以一陰而欲統衆陽故歟. 朱子嘗曰, 有大君之象也. 六三陰柔不見得有武人之象, 此固然矣. 但以文對言, 則文陽而武陰也, 小註雙湖胡氏, 所云陰類多是勇敢强暴之人者, 亦恐有理.

내가 살펴보았다: 육삼은 계승하는 것과 타는 것을 겸하고, 호체로써 본다면 곧 리괘(離卦)가 된다. 리괘(䷝)는 눈이므로 애꾸눈이 보는 상이다. 또한 갑옷과 투구가 되고, 창과 병기가 되는데 본 효가 사람의 자리에 있으므로 무인의 상이니, 하나의 음으로써 여러 양들을 거느리려고 하기 때문이다. 주자가 일찍이 "대군의 상이 있다. 다만 육삼은 유약한 음이어서 무인의 상이 됨을 볼 수 없다"고 말했는데, 이는 진실로 그러하다. 단지 문(文)과 짝지어 말한다면 '문(文)'은 양이고 '무(武)'는 음이니, 소주에서 쌍호호씨가 "음의 종류는 대부분

---

95) 『中庸』: 衽金革, 死而不厭, 北方之强也, 而强者居之.

용감하고, 강포한 사람이다"고 했는데, 일리가 있는 말이다.

○ 眇能視, 跛能履, 兩能字, 是自以爲能, 而實不能之意.
"육삼은 애꾸눈이 볼 수 있고, 절름발이가 걸을 수 있다"의 "~할 수 있다"는 스스로는 할 수 있다고 여기나 실제로는 할 수 없다는 뜻이다.

박제가(朴齊家) 『주역(周易)』

六三, 武人爲于大君, 傳本義略自可通. 但于字可疑, 朱子亦以爲六三陰柔, 不見得武人之象, 非特象也. 卽以文義推之, 多一語助, 象傳多簡略本爻之辭, 而此語助一字獨存. 蓋爻之此一句, 非本爻之象, 乃指四而恐之之辭耳. 其曰爲于大君者, 言志剛之猛夫, 將以效力於君, 則殺人可畏猶虎之咥人也. 夫三處乎尾, 而咥之者, 四也. 非本爻有虎, 君者, 五也. 效力於五者, 卽四也, 非本爻有武人也. 然則經必下一語助者, 嫌於三之自爲君也, 則此爲字當作去聲讀. 或曰, 四之恩恩危懼者, 安能肆其凶暴耶. 然則此虎咥亦不敢矣.

"육삼의 무인이 대군이 된다"는 것은 『정전』과 『본의』의 설명이 대략 그대로 통한다. 그러나 '우(于)'자는 의심스럽고, 주자 또한 육삼인 유약한 음을 무인의 상으로 이해하지 않았으니, 특별한 상은 아니다. 글의 뜻으로써 미루어 보면, 어조사 '우(于)' 한 글자가 많고, 「상전」에서도 본 효의 뜻을 간략하게 줄여서 쓴 말이 많은데, 여기서는 어조사 한 글자가 남는다. 효사의 이 한 구절은 본 효의 상이 아니라 사효를 가리켜서 두려워한다는 말일 뿐이다. "대군이 된다"고 한 것은 뜻이 굳센 용맹한 사람이 앞으로 임금에게 힘을 다한다면, 사람 죽이기를 두려워하는 것을 호랑이가 사람을 무는 것처럼 두려워한다고 말하는 것과 같다. 삼효는 꼬리이고, 무는 것은 사효이다. 본 효에는 호랑이가 없고, 임금은 오효이다. 오효에게 힘을 바치는 것은 곧 사효이니, 본 효에는 무인이 없다. 그렇다면 경문에서 반드시 어조사를 쓴 것은 삼효가 스스로 임금이 되는 것을 꺼린 것이니, 이 '위(爲)'자는 거성으로 읽어야 한다. 어떤 이가 말하기를, "사효가 두려워하고 조심한다는 것이 어찌 그 흉포함을 맘대로 할 수 있다는 말인가?"라고 하였으니, 그렇다면 호랑이가 무는 것 또한 감히 할 수 없다.

박문건(朴文健) 『주역연의(周易衍義)』

逼而見傷, 故有眇跛之象. 虎尾謂乾之三陽也, 武人柔而能剛者也.
가까이 하여 상해를 입으므로 애꾸눈과 절름발이라는 상이 있다. '호랑이 꼬리'는 건괘의 세 양을 가리키고, '무인'은 뜻이 유약하면서도 굳셈을 행하려는 자이다.

〈問, 眇跛之取象. 曰兌之二陽決一陰, 故於兌體取之. 眇一目盲也, 跛一足廢也. 眇跛者, 卽咥人之意也, 視履者卽爲君之意也.

물었다: 애꾸눈과 절름발이라는 상을 취한 것이 어떠합니까?

답하였다: 태괘의 두 양이 하나의 음을 결단하므로 태괘의 몸체로부터 취한 것입니다. 애꾸눈은 한 눈이 먼 것이고, 절름발이는 한 다리를 못쓰는 것입니다. '애꾸눈과 절름발이'는 곧 사람을 문다는 뜻이고, '보는 것과 걷는 것'은 임금이 된다는 뜻입니다.〉

〈○ 問, 爲于大君. 曰, 武人柔而能剛者也. 故逼三陽而取之也.

물었다: "대군이 된다"는 무슨 뜻입니까?

답하였다: 무인은 뜻이 유약하나 굳셀 수 있는 자입니다. 그러므로 세 양에 가까운 것을 취한 것입니다.

曰, 履之爻, 剛者多, 而六三能爲君, 何. 曰, 六三柔而善剛故也.

물었다: 리괘의 효는 굳센 양이 많은데도, 육삼이 임금이 될 수 있었던 것은 무엇 때문입니까?

답하였다: 육삼이 유약한데도 굳센 양을 잘 다스릴 수 있기 때문입니다.〉

이지연(李止淵) 『주역차의(周易箚疑)』

兌爲口而陰爲血象, 故曰咥. 三者人位也, 二三四爲互離, 離爲目, 故曰視. 三四五爲互巽, 巽爲股, 故曰跛. 兌爲白虎, 白虎屬武, 履終是躪踏之意. 以剛躪柔之時, 躪者雖以正道, 而見躪者, 得无憾乎.

태괘는 입이 되고, 음은 '피[血]'를 상징하므로 '문다'고 했다. 삼효는 사람의 자리이고, 이·삼·사효의 호괘가 리괘(☲)가 되며, 리괘(☲)는 눈이 되므로 '본다'고 했다. 삼·사·오효의 호괘가 손괘(☴)가 되니, 손괘는 넓적다리이므로 '절름발이'라고 했다. 태괘(☱)는 백호가 되고, 백호는 무(武)에 속하며, 리괘(履卦)는 마침내 밟고 다닌다는 뜻이다. 굳센 양으로써 유약한 음을 짓밟고 다니는 때에 짓밟는 자는 비록 바른 도리로써 한다고 해도 짓밟히는 자가 유감이 없을 수 있겠는가?

윤종섭(尹鍾燮) 『경-역(經-易)』

三之武人爲于大君, 互巽而風, 主號令有武人之象. 巽之利武人之貞, 是也

삼효의 "무인이 대군이 된다"는 것은 호괘인 손괘가 바람이어서 호령(號令)을 주장하는 무인의 상이기 때문이다. 손괘(☴)에서 "무인의 정도에 이롭다"[96]고 한 것이 이것이다.

김기례(金箕澧) 「역요선의강목(易要選義綱目)」

卦辭曰, 不咥人, 下體悅而順上體之健, 故不見傷. 六三則一爻獨應无位之上九. 才柔位剛, 妄履衆陽, 旣不中正, 自謂之能, 故履危見傷.

괘사에서 "사람을 물지 않는다"고 한 것은 하체가 기쁘게 상체의 굳센 양과 순응하므로 상해를 입지 않는 것이다. 육삼 한 효는 지위가 없는 상구와 홀로 호응한다. 재질은 유약하나 자리가 굳세어 함부로 여러 양을 밟고, 이미 굳센 양으로써 가운데 자리에 있지도 바른 자리에 있지도 않은데, "스스로 할 수 있다"고 하므로 위험을 밟아 상해를 입는다.

武人爲于人君.
무인이 대군이 된다.

爻中二人字, 指三爲人位. 易中以陽爲大, 陰居陽位, 則武人指陰, 大君指陽.
효사 가운데 두 개의 '인(人)' 자는 삼효가 사람의 자리가 됨을 가리킨다. 『주역』에서 양은 큰 것인데, 음이 양의 자리에 있으니, '무인'은 음을 가리키고, '대군'은 양을 가리킨다.

○ 凡陽道好生, 陰道好殺, 如武人爲大君而肆虐.
'양의 도'는 살리는 것을 좋아하고 '음의 도'는 죽이기를 좋아하는 것은 마치 무인이 대군이 되어 포악을 저지르는 것과 같다.

이항로(李恒老) 「주역전의동이석의(周易傳義同異釋義)」

或問, 眇視跛履之義, 傳義已備, 而武人爲大君之象, 何以見之. 曰陽屬文, 陰屬武. 三居下卦之上, 以陰居陽, 質柔志剛. 又爲上下五陽之所與, 卽武人爲大君之象也.
어떤 이가 물었다: 애꾸눈이 보고 절름발이가 가는 뜻을 『전의』와 『본의』에서 이미 설명했는데, "무인이 대군이 된다"는 상은 어떻게 이해해야 합니까?
답하였다: 양은 '문(文)'에 속하고 음은 '무(武)'에 속합니다. 삼효는 하괘의 맨 위에 있는데, 음으로써 양의 자리에 있어 바탕은 유약한데 뜻이 강합니다. 또 위아래 다섯 양에게 주는 것이 되니, 무인이 대군이 되는 상입니다.

---

96) 『周易·巽卦』: 初六, 進退, 利武人之貞.

심대윤(沈大允)『주역상의점법(周易象義占法)』

履之乾䷀. 六三以柔居剛而不中, 執禮太固拘束而不能行, 如眇之視而不快, 跛之履而未行. 离目巽股, 互兌傷爲眇爲跛, 過恭而太執, 有侮辱拘束之患, 故曰履虎尾咥人凶. 武人离乾象, 拘束於法律節制, 惟將所令, 而不得自用, 以喩三之束於禮律也. 离對坎爲大艮爲君, 言三之拘束如此, 而欲望人之尊己, 故取對也. 剛於自執, 有乾之義. 象通言全體而言, 三爲成卦之主也, 爻單主三而言, 故不同也.

리괘가 건괘(乾卦䷀)로 바뀌었다. 육삼은 유약한 음이 굳센 양의 자리에 있어 알맞지 않고, 예를 지키는 것이 너무 고집스러워 구속되어 갈 수 없는 것이 마치 애꾸눈이 보려하지만 분명하지 않으며, 절름발이가 걸어가고자 하나 아직 가지 못하는 것과 같다. 리괘(☲)는 눈이고 손괘(☴)는 넓적다리이며, 호괘인 태괘(☱)는 상해이고 애꾸눈이고 절름발이가 되는데, 공손이 지나쳐 크게 집착하는 것에는 모욕과 구속의 근심이 있으므로 "호랑이 꼬리를 밟아 사람을 무니 흉하다"고 했다. 무인은 리괘(☲)와 건괘(☰)의 상이니, 법률과 절제에 구속되고, 오직 장수의 명령에 따라 스스로 하지 못하는 것으로 삼효가 예의와 법률에 의해 구속되는 것을 비유하였다. 리괘(☲)의 음양이 바뀐 감괘(☵)는 큰 간괘[大艮]가 되고 임금이 되니, 말하자면 삼효의 구속이 이와 같은데도 다른 사람이 자신을 존중해주기를 바라므로 음양이 바뀐 괘를 취했다. 스스로 잡는데 굳센 데에 건괘의 뜻이 있다. 「단전」은 괘 전체를 대략적으로 한 말이며, 삼효는 리괘를 이루는 주인이 되는 효인데, 효사에서 삼효를 단독으로 주인으로 삼아 말했으므로 같지 않다.

오치기(吳致箕)「주역경전증해(周易經傳增解)」

六三, 陰柔不中不正, 居剛而應剛, 承乘皆剛, 卽反失其柔而過于剛者也. 故眇不明而自謂能視, 跛不行而自謂能履, 涉乎危而自致其凶. 以武人而欲爲大君之事, 是皆處剛而妄動, 大失柔履之義, 故其辭如此.

육삼은 유약한 음으로 가운데 있지도 않고 바른 자리도 아니며, 굳센 양의 자리에 있으면서 굳센 양과 호응하고 받들고 올라타는 것은 모두 굳센 양이므로, 도리어 그 유약함을 잃고 지나치게 강하다. 그러므로 애꾸눈은 밝지 못한데 스스로 볼 수 있다고 말하고, 절름발이는 가지 못하는데 스스로는 걸을 수 있다고 하여 위험을 건너 스스로 그 흉을 초래한다. 무인으로서 대군이 되고자 하는 일은 모두 굳센 양의 자리에 있으면서 함부로 행동하여 유약한 음이 밟는 의리를 크게 잃기 때문에 그 말이 이와 같다.

○ 互離爲目, 對體互震爲足, 本兌爲口, 而居不得正, 故爲眇爲跛爲咥也. 虎尾取象與象同. 才柔而志剛曰武人. 取於互巽, 而巽一陰在下爲才柔之象, 二陽在上爲志剛之象也. 象則取全卦名義爲辭, 故言履虎尾不咥人亨. 爻則取本爻時象爲辭, 故言咥人之凶. 此所以卦爻之辭不同也.

호괘인 리괘는 눈이고, 하괘의 음양이 바뀐 진괘는 다리가 되며 본래 태괘는 입이 되는데, 있는 곳에서 바름을 얻지 못했기 때문에 애꾸눈이 되고 절름발이가 되며 물리게 된다. "호랑이 꼬리를 밟는다"라는 상을 취한 것은 「단전」과 같다. 재질은 유약하나 뜻이 굳세어 '무인'이라고 한다. 호괘인 손괘로부터 취하고, 손괘의 한 음은 아래에 있어 재질이 유약한 상이 되고, 두 양은 위에 있어 뜻이 굳센 상이 된다. 「단전」은 전체 괘의 이름과 뜻을 취하여 말하였기 때문에 "호랑이 꼬리를 밟아도 사람을 물지 않으니, 형통하다"고 말했다. 효의 경우, 본래 효의 때에서 상을 취하여 말하였기 때문에 "사람을 무니 흉하다"고 하였다. 이것이 괘사와 효사의 내용이 같지 않게 된 까닭이다.

이진상(李震相) 『역학관규(易學管窺)』

上互巽而巽爲多白眼, 下互離而離明爲目, 故曰眇能視. 又巽爲服, 兌爲毁折, 故曰跛能履. 然眇何足以爲明, 跛何足以與行乎.

위 호괘는[97] 손괘인데 손괘는 눈에 흰자위가 많은 것이 되고, 아래 호괘는[98] 리괘인데 리괘는 밝음이고 눈이 되므로 "애꾸눈이 본다"고 하였다. 또 손괘는 의복이 되고 태괘는 상해 꺾어짐이 되므로 "절름발이가 걷는다"고 했다. 그러나 어떻게 애꾸눈이 분명하게 볼 수 있으며, 어떻게 절름발이와 함께 걸을 수 있겠는가?

○ 卦惟一陰爲剛陽所貪, 而六三不中不正, 失其所以和悅之道, 故乾虎回顧, 而兌口反爲虎用, 所以見咥也.

리괘(履卦)에서 한 음만이 굳센 양이 탐하는 바가 되며, 육삼은 가운데 있지도 않고 바른 자리에 있지도 않아 조화롭고 기쁜 도가 됨을 잃기 때문에, 건괘인 호랑이가 뒤돌아보고 태괘의 입이 도리어 호랑이 입이 되어 물리게 된다.

○ 武人爲于大君, 恐非自爲大君也. 蓋武人明不足以知道, 行不足以適道, 而躁暴妄動, 反有作爲以犯上者也. 大君卽上九, 六三應於上九, 而上九不與之應, 六三反肆, 麤暴干犯, 以取禍, 此其象也.

---

97) 위 호괘: 삼효, 사효, 오효로 이루어진 괘를 말한다.
98) 아래 호괘: 이효, 삼효, 사효로 이루어진 괘를 말한다.

"무인이 대군이 된다"고 한 것은 아마도 스스로 대군이 되는 것은 아닌 듯하다. 무인의 현명함은 도를 알기에 부족하고, 행동은 도를 따르기에 부족하며, 조급하고 사나우며 멋대로 행동하여 도리어 윗사람을 범한다. 대군은 곧 상구이고 육삼은 상구에 호응하지만, 상구는 육삼에 호응하지 않아 육삼이 도리어 윗사람을 제멋대로 사납게 범하여 재앙을 취한 것이 바로 이 상이다.

박문호(朴文鎬) 「경설(經說)·주역(周易)」

爲于大君, 此于字之所用, 又一例也. 凡語辭中, 于字之用最廣.

"(무인이) 대군이 되다[爲于大君]"에서 이 '우(于)'자의 쓰임은 또한 하나의 예이다. 어조사 가운데 '우(于)'자의 쓰임이 가장 광범위하다.

이정규(李正奎) 「독역기(讀易記)」

善形容也. 人以柔弱之質, 暗昧之才, 空自志强而好動, 則其不爲六三者鮮矣. 歷數古今, 狼狽者, 皆如此.

육삼의 효사는 잘 형용하였다. 사람이 유약한 바탕과 어둡고 애매한 재주로써 공연히 스스로 뜻만 강하게 하여 움직이길 좋아하면 육삼이 되지 않는 자가 드물다. 고금을 두루 살펴보면, 낭패한 자들이 모두 이와 같다.

이용구(李容九) 「역주해선(易註解選)」

六三, 武人爲大君, 如秦政項籍.

육삼의 "무인이 대군이 된다"는 것은 진시황이나 항적(項籍)과 같은 사람이다.

이병헌(李炳憲) 『역경금문고통론(易經今文考通論)』

眇少目, 跛行不正也. 六三爲履之主, 卦辭言不咥人, 而爻辭言咥人凶, 何也. 據象經言, 說而應乎乾者, 照應爻辭中武人爲于大君之義. 大君者, 指上九也. 上九視而考旋, 故三當見咥而不咥也. 易中三稱大君, 似在時王以上之位, 而實指上爻, 卽古之明堂文祖之例也, 有神閟的意味, 又見戒陽保陰之義.

애꾸눈은 눈 하나가 없는 사람이고, 절름발이는 걷는 것이 바르지 않은 것이다. 육삼은 리괘의 주인이라 괘사에서 "사람을 물지 않는다"[99]고 했는데, 효사에서 "사람을 무니 흉하다"[100]

고 한 것은 무엇 때문인가?「단경(彖經)」[101]을 근거로 말하면, 기쁘게 건과 호응한 것은 효사 가운데 "무인이 대군이 된다"는 뜻에 조응하는 것이다. 대군은 상구를 가리킨다. 상구가 보아 두루 상고하기 때문에 삼효가 물려야 하는데도 물리지 않는 것이다. 『주역』에서 세 번 '대군(大君)'이라고 말한 곳[102]은 당시의 임금 이상의 지위에 있는 것과 같아 실제로는 상효 곧 옛날의 명당(明堂)[103]과 문조(文祖)[104]를 가리키는 사례로 신령하다는 의미가 있으니, 또한 양을 경계하여 음을 보호하는 뜻을 알 수 있다.

---

99) 『周易·履卦』: 履, 履虎尾, 不咥人, 亨.

100) 『周易·履卦』: 六三, 眇能視, 跛能履, 履虎尾, 咥人, 凶, 武人爲于大君.

101) 단경(彖經): 일반적으로 단경(彖經)은 단사(彖辭), 또는 괘사(卦辭)를 가리킨다. 그런데 여기 이병헌(李炳憲)이 주장한 '단경(彖經)'은 「단전」이다.

102) 『주역』에 '대군(大君)'이라고 한 곳은 총 세 곳인데, 첫 번째, 지수사괘, "上六, 大君有命, 開國承家, 小人勿用", 두 번째, 천택리괘, "六三, 眇能視, 跛能履, 履虎尾, 咥人凶, 武人爲于大君", 세 번째, 지택림괘, "六五, 知臨, 大君之宜, 吉" 등이다.

103) 『孟子·梁惠王』: 夫明堂者, 王者之堂也.

104) 『書經·舜典』: 正月上日, 受終于文祖.

象曰, 眇能視, 不足以有明也, 跛能履, 不足以與行也.

「상전」에서 말하였다: "애꾸눈이 볼 수 있음"은 분명하게 보기에는 부족하고, "절름발이가 걸을 수 있음"은 더불어 가기에 부족하다.

中國大全

傳

陰柔之人, 其才不足, 視不能明, 行不能遠, 而乃務剛, 所履如此, 其能免於害乎.

음으로서 유약한 사람은 그 재질이 부족하여 밝게 볼 수 없고 멀리 갈 수 없는데도 굳셈에 힘써 실천하는 바가 이와 같으면 해로움을 벗어날 수 있겠는가?

小註

建安丘氏曰, 眇跛爻柔也. 能視能履, 位剛也. 但眇者之視, 則明不足以燭遠, 跛者之履, 則行不足以致遠也.

건안구씨가 말하였다: 애꾸눈과 절름발이는 효가 유약하기 때문이다. 볼 수 있고 걸을 수 있는 것은 원래 자리가 굳센 양이기 때문이다. 다만 애꾸눈이 보는 것은 밝기가 멀리까지 비추기에 부족하고, 절름발이가 가는 것은 먼 곳까지 이르기에는 부족하다.

咥人之凶, 位不當也, 武人爲于大君, 志剛也.

"사람을 물어 흉함"은 자리가 마땅하지 않기 때문이고 "무인이 대군이 됨"은 뜻이 강하기 때문이다.

中國大全

傳

以柔居三, 履非其正, 所以致禍害, 被咥而凶也. 以武人爲喩者, 以其處陽, 才弱而志剛也. 志剛則妄動, 所履不由其道, 如武人而爲大君也.

유약한 음이 삼효에 있는데 실천하는 것이 바르지 않으니, 이 때문에 재앙과 상해를 불러일으켜 호랑이에게 물려 흉하다. '무인(武人)'으로 비유한 것은 육삼이 양의 자리에 있어 재질은 약하면서 뜻만 강하기 때문이다. 뜻이 강하면 함부로 움직여 실천하는 바가 도에 어긋나니, 이는 마치 무인이 대군이 된 것과 같다.

小註

雲峯胡氏曰, 爻以位爲志, 三志剛所以觸禍, 四志行所以避禍.

운봉호씨가 말하였다: 효는 위치로써 뜻을 삼으니, 삼효는 뜻만 굳세어 재앙을 불러일으키고, 사효는 뜻이 행해져 불행을 피할 수 있다.

韓國大全

김상악(金相岳) 『산천역설(山天易說)』

日月爲明而眇, 故不足以爲明, 彳丁爲行而跛, 故不足以爲行, 居陽爲志剛也.

해[日]와 달[月]은 밝음[明]이 되지만 애꾸눈이므로 별로 밝지 않고, '척(彳)'과 '촉(亍)'은 '걸음[行]'이 되지만 절름발이므로 걷기에 부족하며, 양의 자리에 있어 뜻이 굳세다.

서유신(徐有臣) 『역의의언(易義擬言)』

眇能視者, 不足以有明之謂也, 跛能履者, 不足以與行之謂也. 以柔居剛, 所履不當也, 居剛應剛, 其志之剛也.

애꾸눈이 볼 수 있다는 것은 분명하게 볼 수 없는 것을 말하고, 절름발이가 갈 수 있다는 것은 더불어 갈 수가 없는 것을 말한다. 유약한 음이 굳센 양의 자리에 있으니 밟는 것이 부당하고, 굳센 양의 자리에서 굳센 양과 호응하니 그 뜻이 굳세다.

박문건(朴文健) 『주역연의(周易衍義)』

不足明, 譏其眇而能視也, 不足行, 譏其跛而能履也.

밝음이 부족하다는 것은 애꾸눈이면서 볼 수 있는 것을 기롱하는 것이고, 걷기에 부족하다는 것은 절름발이면서 걸을 수 있는 것을 기롱하는 것이다.

오치기(吳致箕) 「주역경전증해(周易經傳增解)」

不正而妄動, 旡位而自專, 皆致禍害之道也.

바른 자리에 있지 않는데 함부로 움직이고 지위가 없는데도 제멋대로 하면, 모두 재앙과 상해를 함께 불러들이는 길이다.

九四, 履虎尾, 愬愬, 終吉.

구사는 호랑이 꼬리를 밟으나, 두려워하고 조심하면 마침내 길할 것이다.

中國大全

傳

九四陽剛而乾體, 雖居四, 剛勝者也. 在近君多懼之地, 无相得之義, 五復剛決之過, 故爲履虎尾. 愬愬, 畏懼之貌, 若能畏懼則當終吉. 蓋九雖剛而志柔, 四雖近而不處, 故能兢愼畏懼, 則終免於危而獲吉也.

구사는 굳센 양이면서 건괘의 몸체에 있으니, 비록 사효에 위치하였으나 굳셈이 우세한 자이다. 임금의 자리와 가까워 두려움이 많은 자리에 있어서 서로 뜻이 맞는 경우가 없고, 오효가 다시 과감하게 결단[剛決]하는 것이 넘치므로 호랑이 꼬리를 밟음이 된다. '삭삭(愬愬)'은 두려워하는 모양이니, 만일 두려워하면 마침내는 길하게 된다. 양이 비록 굳세나 뜻은 유순하고, 사효가 비록 가까우나 머물지 않기 때문에 조심하고 두려워할 수 있으면 마침내 위태로움에서 벗어나 길함을 얻을 수 있다.

本義

九四亦以不中不正, 履九五之剛. 然以剛居柔, 故能戒懼而得終吉.

구사는 또한 가운데 있지도 않으며, 바른 자리에 있지도 못하고, 구오의 굳센 양을 밟는다. 그러나 굳센 양이 유약한 음의 자리에 있기 때문에 경계하고 두려워하여 마침내 길함을 얻는다.

小註

朱子曰, 履三四爻, 正是躡他虎尾處, 陽是進底物事, 四又上躡五, 亦爲虎尾之象.

주자가 말하였다: 리괘(履卦) 삼효와 사효는 바로 호랑이 꼬리를 밟은 것이고, 양(陽)은 나아가는 성질이며, 사효는 또 위로 오효를 밟은 것이니, 역시 호랑이 꼬리의 상이다.

○ 雲峯胡氏曰, 三履虎尾, 四亦言之者, 承三而言也. 但本義於三之履虎尾, 曰不中不正以履乾, 是以乾爲虎, 而三在其後也. 於四之履虎尾, 則曰亦以不中不正, 履九五之剛, 是以九五爲虎 而四在其後也. 大抵以兌說視乾剛 則乾爲虎, 自乾之三爻, 視之, 唯五以剛居剛, 謂五爲虎亦可也. 然三四皆不中正而占有不同者, 三多凶, 履之三, 以柔居剛, 其凶也宜, 四多懼, 履之四, 以剛居柔, 愬愬然, 所以終吉.

운봉호씨가 말하였다: 삼효의 '호랑이 꼬리를 밟음'을 사효에서 또 말하게 된 것은 삼효를 이어서 말한 것이다. 다만 『본의』에서는 삼효의 "호랑이 꼬리를 밟는다"는 말에 대해 가운데 있지도 않고 바른 자리에도 있지 않음으로써 건괘를 밟은 것이라고 말했으니, 이는 건괘가 호랑이가 되고 삼효가 그 뒤에 있기 때문이다. 사효의 "호랑이 꼬리를 밟는다"는 말에 대해 또한 가운데 있지도 않고 바른 자리에도 있지 않음으로써 구오의 굳센 양을 밟은 것이라고 말했으니, 이는 구오가 호랑이가 되고 사효는 그 뒤에 있기 때문이다. 태괘의 기쁨으로써 건괘의 굳셈을 본다면 건은 호랑이가 되고, 건괘의 삼효로부터 보면 오효만이 굳센 양이 굳센 양의 자리에 위치함으로써 오효를 호랑이라고 말해도 역시 괜찮다. 그러나 삼효와 사효가 모두 가운데 있지도 않고 바른 자리에도 있지 않아서 점사가 다르게 된 것은, 삼효는 흉이 많은 자리로[105] 리괘(履卦)의 삼효는 유약한 음으로 굳센 양에 위치하여 마땅히 흉하고, 사효는 두려움이 많은 자리로[106] 리괘(履卦) 사효는 굳센 양으로 유약한 음에 위치하여 조심하고 두려워하나 마침내는 길하다.

○ 胡氏曰, 卦象爻之辭, 言履虎尾者凡四. 以卦象言, 則兌以和說履乾剛之後, 非決行不顧者, 故不咥人亨. 以爻言, 三正當兌口, 以柔爻而蹈剛位, 和說之體不具, 所以咥人凶. 四位雖不正, 然, 以剛履柔, 剛不至於强暴, 所以能戒懼而終吉. 故不言咥人也.

호씨가 말하였다: 괘사·단전·효사에서 "호랑이 꼬리를 밟았다"고 말한 곳은 모두 네 곳이다. 괘사와 「단전」으로 말하면 태괘의 조화와 기쁨으로써 굳센 건괘의 뒤를 밟아 과감하게 결단하여 돌보지 않은 것은 아니므로 사람을 물지 않아 형통한 것이다. 효로 말하면 삼효는 음효로서 바로 태괘의 입[口]에 해당하고, 유순한 효로서 굳센 양의 자리를 밟아서 조화와 기쁨의 몸체가 갖추어지지 않았기 때문에 사람을 물어 흉하게 되었다. 사효의 위치가 비록 바른 자리는 아니지만 굳센 양으로써 유약한 음을 밟아 굳센 양이 강포함에까지는 이르지 않았기 때문에 경계와 두려워 할 수 있기에 마침내 길하다. 그러므로 "사람을 문다"고 말하지 않았다.

---

105) 『周易·繫辭傳』: 三多凶, 五多功, 貴賤之等也.
106) 『周易·繫辭傳』: 四多懼, 近也, 柔之爲道, 不利遠者, 其要无咎, 其用, 柔中也.

▌韓國大全▐

김장생(金長生) 『주역(周易)』

履九四, 傳雖近不處, 不處履有行之意故.

『정전』에서 "리괘 구사는 오효와 비록 가까우나 머물지 않는다"고 했는데, '머물지 않음'은 리괘(履卦)에 간대行는 뜻이 있기 때문이다.

송시열(宋時烈) 『역설(易說)』

四處近君之位, 位本危厲之地, 而況履兌之上, 而兌錯艮有虎尾之履象耶. 二之坦坦, 得中道也, 四之愬愬不得中也. 丘說盡矣. 言戒懼則終有吉也.

사(四)는 임금의 자리와 가까워 그 자리가 본래 위험하고 위태로운 곳인데, 하물며 태괘(☱)의 맨 위를 밟고 있으며 태괘의 음양이 바뀐 괘인 간괘(☶)에는 호랑이 꼬리를 밟는 상이 있음에랴! 이효는 평탄하고 중도를 얻었고, 사효의 '조심하고 두려워함愬愬'은 알맞음을 얻지 못하였다. 구건안(邱建安)[107]의 설명이 극진하다. 경계와 두려움으로 하면 마침내 길함이 있을 것이라는 말이다.

권만 (權萬) 「역설(易說)」

九四, 愬, 或作虩, 亦作覻.

구사의 '삭(愬)'은 혹 '혁(虩)'으로 하거나 '혁(覻)'으로 되어있다.

심조(沈潮) 「역상차론(易象箚論)」

九四當乾之下, 故稱尾, 在乾體, 故有惕厲象. 蓋互有巽, 巽爲股, 故三四二爻, 皆稱履虎尾. 又乾爲虎, 巽爲風, 虎嘯風生之象也.

구사는 건괘의 아래에 있으므로 '꼬리'라고 하고, 건괘의 몸체에 있으므로 두려워하는 상이다고 하였다. 호괘로는 손괘(☴)가 있는데, 손괘는 넓적다리이므로 삼효와 사효, 두 효에서 모두 "호랑이 꼬리를 밟는다"고 하였다. 또 건괘(☰)는 호랑이가 되고, 손괘(☴)는 바람이 되어 호랑이가 울어 바람이 부는 상이다.

---

107) 구건안(邱建安): 송말원초의 역학자인 구부국(邱富國)이다.

유정원(柳正源) 『역해참고(易解參攷)』

正義, 逼近五之尊位, 是履虎尾近其危也. 以陽承陽, 處嫌隙之地, 故愬愬危懼也. 以陽居陰, 意得謙退, 故終得其吉也.

『정의』에서 말하였다: 사효는 오효의 존귀한 자리와 가까우니, 호랑이 꼬리를 밟아 그 위험에 가까이 왔다는 말이다. 굳센 양으로서 굳센 양을 잇고 틈새가 있는 지경에 처하므로 매우 위험하고 두렵다. 굳센 양이 유약한 음의 자리에 있어 겸손하고 물러나는 데 뜻을 두므로 마침내는 그 길함을 얻는다.

김상악(金相岳) 『산천역설(山天易說)』

九四居乾之初, 乘兌之三, 故有履虎尾之象. 然陽進而已上, 則不見咥, 居柔而不處, 則志可行, 而外內使知懼, 故得終吉也.

구사는 건괘의 초효에 있어 태괘의 삼효를 올라탔기 때문에 호랑이 꼬리를 밟는 상이다. 그러나 양이 이미 나아가 위에 있으면 물리지 않고, 유약한 음의 자리에 있으면서 머무르지 않는다면, 뜻은 행해져 밖과 안에 두려움을 알게 하므로 마침내 길함을 얻는다.

○ 以四履三而謂之尾者, 三居上體之下也. 愬愬畏懼貌, 四居心位, 故從心. 履之愬愬, 馬融, 作虩虩, 震之虩虩. 荀爽作愬愬. 此謂履虎尾, 恐懼之心, 如當震來之時也. 三曰咥人凶, 四曰愬愬終吉, 卽畏隣戒之意也. 九四躡五之剛, 而不以虎尾言者, 尊君之義也. 又乾自有虎象, 則五爲虎身, 而三爲尾也. 四處兩間, 能愬愬而志行, 則與五相合, 故獲終吉也.

사효로써 삼효를 밟았는데 꼬리라고 말한 것은 삼효가 상체의 아래에 있기 때문이다. '삭삭(愬愬)'은 두려워하고 조심하는 모양인데, 사효는 심장[마음]의 자리이므로 마음 심(心) 변에 썼다. 리괘의 '삭삭(愬愬)'을 마융(馬融)은 '두려워하는 모양[虩虩]'으로 해석했고, 진괘(䷲)의 '혁혁(虩虩)'[108]을 순상(荀爽)은 '삭삭(愬愬)'으로 해석했다. 여기에서 "호랑이의 꼬리를 밟는다"고 말한 것은 두려워하는 마음을 마치 우레가 치는 때를 당해 두려워하는 것과 같이 하라는 말이다. 삼효에서 "사람을 무니 흉하다"고 했고, 사효에서는 "조심하고 두려워하면 마침내 길하다"고 한 것은 이웃을 두려워하고 경계하는 뜻이다. 구사가 굳센 오효를 밟았는데도 호랑이 꼬리라고 말하지 않은 것은 임금의 뜻을 높인 것이다. 또 건괘는 스스로 호랑이 상이고, 오효는 호랑이의 몸이며 삼효는 꼬리가 된다. 사효는 삼효와 오효의 사이에

---

108) 『정전』에서는 혁혁(虩虩)을 돌아보고 생각하여 편안히 여기지 않는 모양으로 해석했다.(진괘 「단전」에 대한 정전의 해석.)

있어 조심하고 두려워하면서 뜻을 행할 수 있다면, 오효와 함께 서로 합할 수 있으므로 마침내 길함을 얻는다.

박윤원(朴胤源) 『경의(經義)·역경차략(易經箚略)·역계차의(易繫箚疑)』

旣曰終吉, 則始危可知.

이미 "마침내 길하다"고 했으니, 처음에 위태롭다는 것을 알 수 있다.

서유신(徐有臣) 『역의의언(易義擬言)』

九四, 近履六三履虎尾者也. 履虎尾者, 可無戒懼之心乎. 四爲心位, 有愬愬之象也. 三四異體, 無相與之義, 故終與初九相應而吉也.

구사는 가까이서 밟으니, 육삼이 호랑이 꼬리를 밟고 있기 때문이다. 호랑이 꼬리를 밟은 사람이 경계하고 두려워하는 마음이 없을 수 있겠는가? 사효는 심장의 자리에 해당하니, '삭삭(愬愬)'의 상이다. 삼효와 사효는 몸체가 달라 서로 함께하는 뜻이 없으므로 마침내는 초구와 함께 서로 호응하여 길하다.

김귀주(金龜柱) 『주역차록(周易箚錄)』

本義, 九四亦以不中, 云云.

『본의』에서 말하였다: 구사는 가운데 있지도 않다, 운운.

小註, 胡氏曰, 卦象, 云云.

소주에서 호씨가 말하였다: 괘사와 단사, 운운.

○ 按, 凡四之四字, 恐三字之誤.

내가 살펴보았다: 사효의 '사(四)'자는 '삼(三)'자를 잘못 표기한 듯하다.

윤행임(尹行恁) 『신호수필(薪湖隨筆)·역(易)』

虎者, 善咥人, 人履其尾, 可謂危矣. 若能愬愬然, 恐懼謹畏, 則其終也吉. 郭子儀功, 蓋一世位極人臣, 而能保其終者, 恐懼也, 謹畏也. 履之九四, 郭子儀有之.

호랑이는 사람을 잘 무니, 사람들이 그 꼬리를 밟으면 위태롭다 하겠다. 만약 두려워하고 조심하여 두려움으로 삼가면, 그 끝에 가서는 길하다. 곽자의(郭子儀)[109]의 공은 한 시대를 뒤덮고, 지위가 신하로서 최고의 지위에 이르렀는데도 그 끝을 보존할 수 있었던 것은 두려워하고 삼갔기 때문이다. 리괘(履卦) 구사의 뜻을 곽자의가 갖고 있었다.

심대윤(沈大允) 『주역상의점법(周易象義占法)』

履之中孚(■). 九四以剛居柔, 行禮者也. 愬愬恭畏而上下信之, 故曰履虎尾愬愬. 三四居虎之下, 尾之上, 故言履虎尾. 四之時, 三命滋恭, 而人莫敢侮, 故曰終吉.

리괘가 중부괘(中孚卦■)로 바뀌었다. 구사는 굳센 양이 유약한 음의 자리에 있어 예를 실천하는 자이다. 두려워하고 조심하며 공경하고 경외하여 위아래가 믿게 되므로 "호랑이의 꼬리를 밟으니, 두려워하고 조심한다"고 했다. 삼효와 사효는 호랑이의 아래이며, 꼬리의 위이므로 "호랑이의 꼬리를 밟았다"고 했다. 사효의 때에는 벼슬이 올라갈수록 더욱 공경하여[110] 사람들이 감히 모멸하는 뜻이 없게 하므로 마침내 길하다고 하였다.

오치기(吳致箕) 「주역경전증해(周易經傳增解)」

九四剛健而不中不正, 不无應與, 而上承剛健之君, 其危如履虎尾. 然居柔而比柔, 不至過剛. 故能以愬愬戒懼之心, 從于上而行其志, 所以占言始雖危, 而終得其吉也.

구사는 굳세고 튼튼하나 가운데 있지도 않고 바른 자리에 있지도 않아 함께 호응할 수 있는 효가 없고, 위로 굳세고 튼튼한 임금을 받드는데, 그 위태로움이 마치 호랑이 꼬리를 밟은 것과 같다. 그러나 구사는 유약한 음의 자리에 있고 부드러운 삼효와 친밀하니, 지나치게 강한 데에 이르지 않는다. 그러므로 두려워하고 조심하며 경계하는 마음으로써 위를 따라 그 뜻을 행할 수 있으니, 점사에서 시작은 비록 위태로울지라도 마침내 길하게 된다고 말하는 까닭이다.

○ 爻變互艮爲虎爲尾之象. 愬愬, 戒懼貌而字從心, 取於互離也. 三四兩爻居剛柔二體之間, 故皆言履虎尾, 而吉凶之不同, 以爻之時義異也.

---

109) 곽자의(郭子儀, 697~781): 당나라 하남성 사람으로 분양왕(汾陽王)에 봉해져서 곽분양(郭汾陽)이라고도 한다. 무예로 천거되어 천덕군사겸구원태수(天德軍使兼九原太守)가 되었다. 현종(玄宗) 때 삭방절도사(朔方節度使)가 되어 안사의 난과 번진 반란의 평정에 막대한 공을 세워 현종 이하 4대 황제에 걸쳐 국가의 동량으로 인정받으면서 천하에 권세를 떨친 인물이다. 시호는 충무(忠武)이다.

110) 작위가 높아질수록 매우 황공하여 어쩔 줄 모르는 모습이다. 공자(孔子)의 선조인 정고보(正考父)의 사당에 있는 정(鼎)에 새겨진 명(銘)에 "처음 벼슬을 받자 머리를 숙였고, 두 번째 벼슬을 받자 몸을 굽혔고, 세 번째 벼슬을 받자 허리를 굽히고는 길 가운데를 피해 담장을 따라서 달아났다〔一命而僂, 再命而傴, 三命而俯, 循牆而走〕"고 하였다.(『춘추좌씨전(春秋左氏傳)·소공(昭公)』.)

효가 바뀐 호괘로서 간괘(☶)는 호랑이가 되고 꼬리가 되는 상이다. '삭삭'은 경계하고 두려워하는 모양인데, 글자는 마음 심(心) 변을 따랐고, 호괘인 리괘(☲)로부터 취했다. 삼효와 사효는 굳센 양과 유약한 음이라는 두 몸체의 사이에 있으므로, 모두 "호랑이 꼬리를 밟는다"고 말하였는데, 길과 흉이 같지 않은 것은 효의 때와 뜻이 다르기 때문이다.

박문건(朴文健) 『주역연의(周易衍義)』

進而能懼, 故有終吉之象. 虎尾謂初九也, 愬愬恐懼之貌也.

앞으로 나아가면서도 조심할 줄 알기 때문에 마침내 길한 상이 있다. 호랑이 꼬리는 초구를 가리키고, '삭삭(愬愬)'은 두려워하고 조심하는 모양이다.

〈問, 履虎尾愬愬終吉. 曰, 九四進初九而致恐懼之道, 則終必相信而吉, 言不見傷害而其志得行也.

물었다: "호랑이 꼬리를 밟으니, 조심하고 두려워하면 마침내 길하다"는 무슨 뜻입니까? 답하였다: 구사는 초구로 나아가되 두려워 조심하는 도를 이룬다면 마침내는 서로 믿게 되어 길하니, 이는 상해를 입지 않아 그 뜻이 행해지는 것을 말합니다.〉

이항로(李恒老) 「주역전의동이석의(周易傳義同異釋義)」

按, 傳, 四雖近而不處者, 履以行進爲義, 故云不處也, 本義, 履九五之剛, 履以躡乾爲義, 則九四, 乃乾體也. 无爲見履虎之義, 故釋以履九五之剛也.

내가 살펴보았다: 『정전』에서 "사효가 비록 삼효와 가까우나 머물지 않는다"고 한 것은 리괘가 위로 나아가는 것을 뜻으로 삼기 때문에 머물지 않는다고 했다. 『본의』에서 "구오의 굳센 양을 밟는다"고 한 것은 건괘를 밟는 것을 리괘(履卦)의 뜻으로 삼은 것이니, 구사는 바로 건괘의 몸체이어서 "호랑이를 밟는다"는 뜻을 볼 수 없기 때문에, "구오의 굳센 양을 밟는다"고 해석하였다.

김기례(金箕澧) 「역요선의강목(易要選義綱目)」

以一卦論, 則兌視乾爲虎, 以外卦論, 則五爲虎四居柔. 況在多懼之地, 近君而无相得. 故戒懼而順行, 則豈不終善.

한 괘로써 말한다면 태괘는 봄[視]이 되고 건괘는 호랑이이며, 밖의 괘로써 논한다면 오효는 호랑이이고, 사효는 유약한 음의 자리에 있다. 하물며 두려움이 많은 자리에 있어서 임금의 자리와 가깝지만 서로 도와줄 수 없음에 있어서이겠는가? 그러므로 경계와 두려움으로 순조롭게 행한다면 어찌 마침내 선하지 않겠는가?

이진상(李震相) 『역학관규(易學管窺)』

三稍間而不懼, 故見咥. 四逼近而知懼, 故終吉. 用剛用柔之異也. 雲峰謂志行所以避禍, 乃程傳志於行而不處之義. 然躪虎後者退避而去, 則虎必反噬. 惟心存戒懼而徐徐進去, 則虎自退避而可免於危. 況此九四, 乾體終是進底物事. 故朱子曰, 只是說進將去.

삼효는 구오와 약간의 간격이 있어 두려워하지 않기 때문에 물리게 된다. 사효는 오효와 가까워 두려워할 줄 알기 때문에 마침내 길하다. 굳센 양을 쓰느냐, 유약한 음을 쓰는가의 차이다. 호운봉이 "뜻이 행해지기 때문에 재앙을 피할 수 있는 것"이라 말한 것은 바로 『정전』에서 "행하고 머물지 않는 데에 뜻이 있다"고[111] 한 것이다. 그러나 호랑이의 뒤를 밟는 자가 뒤로 물러나서 피해 간다면 호랑이는 반드시 도리어 물게 된다. 오직 마음에 경계와 두려움을 두고 서서히 앞으로 나간다면 호랑이는 스스로 물러나게 되어 위험으로부터 벗어날 수 있다. 하물며 이 구사는 건의 몸체로서 끝내 나아가는 것임에 있어서이겠는가? 그러므로 주자는 "단지 앞으로 나아가는 것을 말한다"고 했다.

박문호(朴文鎬) 「경설(經說)·주역(周易)」

以其處陽之其, 指柔也. 蓋蒙其上以柔居三之文, 而變柔作其耳.

"그것이 양의 자리에 있다以其處陽"의 '그것'은 '유약한 음'을 가리킨다. 그 위에서 "유약한 음이 삼효에 있다"는 말을 이어서 '유약한 음'을 '그것'으로 바꾸어 쓴 것일 뿐이다.

이병헌(李炳憲) 『역경금문고통론(易經今文考通論)』

九四履虎尾, 虩虩, 終吉. 虩虩古文作愬愬.

구사에서 "호랑이 꼬리를 밟으니 두려워하고 조심하면 마침내 길하다"고 했는데, "혁혁(虩虩)"을 고문에서는 '삭삭(愬愬)'이라 하였다.

---

111) 『程傳·履卦』: 能愬愬畏懼, 則終得其吉者, 志在於行而不處也.

象曰, 愬愬終吉, 志行也.

「상전」에서 말하였다:“두려워하고 조심하면 마침내 길함”은 뜻이 행해지기 때문이다.

中國大全

傳

能愬愬畏懼則終得其吉者, 志在於行而不處也, 去危則獲吉矣. 陽剛, 能行者也, 居柔, 以順自處者也.

‘두려워하고 조심하면[愬愬]’ 마침내 길함을 얻게 되는 것은 뜻이 행하고 머물지 않음에 있으니, 위험한 곳을 떠나면 길함을 얻는다. 굳센 양은 갈 수 있는 자이고, 부드러운 음의 자리에 있어서 순함으로써 자처하는 자이다.

小註

龜山楊氏曰, 以剛承陽, 處多懼之地, 履虎尾之象也. 然體剛而志柔, 知愬愬戒懼, 順以從上, 故志行而終吉矣.

구산양씨가 말하였다: 굳센 양으로서 오효의 양을 받들고 있어 두려움이 많은 곳에 있으니, “호랑이 꼬리를 밟는” 상이다. 그러나 몸은 굳세지만 뜻은 유약하여 두려움과 경계함으로 유순하게 위를 좇아야 한다는 것을 알기 때문에 뜻이 행해져 마침내 길하다.

○ 朱子曰, 志行也, 只是說進將去.

주자가 말하였다: “뜻이 행해진다”는 것은 단지 앞으로 나아가는 것을 말할 뿐이다.

‖韓國大全‖

김상악(金相岳) 『산천역설(山天易說)』

始危而終吉者, 以其志行而不處也. 陽剛能行者也, 豈如跛者之不行. 履以和行, 故三志欲剛, 而凶, 四志能行而吉也.

처음은 위태롭지만 마침내 길하다는 것은 그 뜻이 행해져 머뭇거리지 않기 때문이다. 군센 양이 갈 수 있는 것이니, 어찌 절름발이가 가지 못하는 것과 같겠는가? 밟는 것이 조화롭게 가는 것이기 때문에 삼효는 뜻이 군세고자 하여 흉하고, 사효는 뜻이 행해질 수 있어 길하다.

○ 三爻言位不當, 則四爻多以志行言, 皆陽爻也. 履否豫睽未濟是也. 故象傳於小畜曰剛中而志行, 豫曰剛應而志行, 巽曰剛巽于中正而志行, 升曰南征吉志行, 亦謂九二也.

삼효에서 자리가 부당하다고 말하고, 사효에서 대부분 뜻이 행해진다고 말한 것은 모두 양효이다. 리괘(履卦)·비괘(否卦)·예괘(豫卦)·규괘(睽卦)·미제괘(未濟)가 해당된다. 그러므로 소축괘의 「단전」에서 "군센 양으로서 가운데 있어 뜻이 행해진다"[112]고 하고, 예괘에서 "군센 양이 호응하여 뜻이 행해진다"[113]고 하며, 손괘(巽卦)에서 "군센 양으로서 가운데 있고, 바른 자리에 있어 뜻이 행해진다"[114]고 하며, 승괘(升卦)에서 "남쪽으로 가면 길하고, 뜻이 행해진다"[115]고 한 것 등은 구이를 지칭한 말들이다.

김규오(金奎五) 「독역기의(讀易記疑)」

九四, 志行. 傳, 志在於行而不處. 蓋慮有避去之意.

구사의 「상전」에서는 "뜻이 행해진다"고 하였다. 『정전』에서는 "뜻이 행하고 머물지 않음에 있다"고 하였다. '려(慮)'에 피해서 가는 뜻이 있다.

---

112) 『周易·小畜卦』: 象曰, 健而巽, 剛中而志行, 乃亨.
113) 『周易·豫卦』: 象曰, 剛應而志行, 順以動, 豫.
114) 『周易·巽卦』: 象曰, 剛, 巽于中正而志行, 柔, 皆順乎剛.
115) 『周易·升卦』: 象曰, 柔, 以時升 … 南征吉, 志行.

김귀주(金龜柱) 『주역차록(周易箚錄)』

按, 志行謂其志終得行也. 欲行之志, 三四一也. 而三則才柔而志剛, 故其志不行. 四則才剛而志柔, 故其志得行, 是知處危途, 而欲行其志者, 當以柔順爲主也.

내가 살펴보았다: "뜻이 행해진다"고 한 것은 그 뜻이 마침내 행해지는 것이다. 뜻을 행하고자 하는 뜻은 삼효와 사효가 같다. 그러나 삼효는 재질은 유약하면서 뜻만 강하므로 그 뜻이 행해지지 못한다. 사효는 재질은 굳세고 뜻은 부드럽기 때문에 그 뜻이 행해 질 수 있으니, 위험한 길에 처했음을 알아 그 뜻을 행하려는 자는 마땅히 유순한 것을 위주로 해야 한다는 것이다.

서유신(徐有臣) 『역의의언(易義擬言)』

應與之志得行也. 履不處, 故初四皆稱行也.

'호응'이란 함께 뜻을 얻어 가는 것이다. 가고 머물지 않으므로 초효와 사효에서 '감行'이라고 했다.

허전(許傳) 「역고(易考)」

象曰, 愬愬終吉은 志行也ㄹ식니라

「상전」에서 말하였다: "두려워하고 조심하면 마침내 길하다"고 한 것은 뜻이 행해지기 때문이다.

愬愬終吉은 行에 志홀식니라.

"두려워하고 조심하면 마침내 길하다"고 한 것은 행함에 뜻을 두기 때문이다.

심대윤(沈大允) 『주역상의점법(周易象義占法)』

身屈而志行也.

몸을 굽혀 뜻을 행한다.

오치기(吳致箕) 「주역경전증해(周易經傳增解)」

能知戒懼而從上, 故終能行其志而得吉也.

경계하고 두려워 할 줄 알아 위를 따를 수 있기 때문에 그 뜻을 행할 수 있어 길함을 얻는다.

이진상(李震相) 『역학관규(易學管窺)』

象言志行, 凡四卦而皆在九四, 皆乘六三. 蓋才剛志柔而下値和順之卦, 不見凌逼, 然後其志得行. 又必在乾離卦中, 乾德上進離性矣. 上有以舊其柔志, 而可以有行陰志, 易於趨下故也. 但亦有下行處, 如睽之遇元夫, 未濟之伐鬼方, 是也.

「상전」에서 "뜻이 행해진다[志行]"고 말한 것은 모두 네 개의 괘인데,[116] 모두 구사의 자리에 있고, 육삼을 올라타고 있다. 재질은 굳세고 뜻은 유약하나 아래로 화순한 괘를 만나니, 능멸과 핍박을 당하지 않은 후에 그 뜻이 행해진다. 또 반드시 건괘(☰)와 리괘(☲)의 가운데 있어 건괘의 덕이 위로 나아가는 것은 리괘(履卦)의 본성이다. 위로 옛날의 유약한 뜻을 가지고 있어 음의 뜻을 행할 수 있으니, 낮은 곳으로 쉽게 가는 까닭이다. 다만 아래로 가는 것도 있으니, 규괘(睽卦)의 "착한 남편을 만나다[遇元夫]",[117] 미제괘의 "귀방을 벌하다[伐鬼方]"[118]와 같은 것이 그것이다.

이병헌(李炳憲) 『역경금문고통론(易經今文考通論)』

孟曰, 虩虩, 恐懼也.

맹씨가 말하였다: '혁혁(虩虩)'은 두려워 조심하는 것이다.

高誘曰, 畏懼戒愼, 如履虎尾, 終必吉也.

고유(高誘)가 말하였다: 두려워 경계하고 삼가기를 호랑이 꼬리를 밟은 듯이 하면 마침내 반드시 길할 것이다.

---

116) 『주역』에서 사효에서 뜻이 행해진다고 말한 곳은 총 네 괘이다. 1) 천택리괘, "象曰, 愬愬終吉, 志行也", 2) 천지비괘, "象曰, 有命无咎, 志行也", 3) 화택규괘, "象曰, 交孚无咎, 志行也", 4) 화수미제괘, "象曰, 貞吉悔亡, 志行也" 등이다.

117) 『周易 · 睽卦』: 九四, 睽孤, 遇元夫, 交孚, 厲, 无咎.

118) 『周易 · 未濟卦』: 九四, 貞吉悔亡, 震用伐鬼方, 三年, 有賞于大國.

九五, 夬履, 貞厲.

구오는 과감하게 결단하여 실행하니, 곧게 하더라도 위태롭다.

| 中國大全 |

傳

夬, 剛決也. 五以陽剛乾體, 居至尊之位, 任其剛決而行者也. 如此則雖得正, 猶危厲也. 古之聖人, 居天下之尊, 明足以照, 剛足以決, 勢足以專, 然而未嘗不盡天下之議, 雖芻蕘之微, 必取, 乃其所以爲聖也, 履帝位而光明者也. 若自任剛明, 決行不顧, 雖使得正, 亦危道也, 可固守乎. 有剛明之才, 苟專自任, 猶爲危道, 況剛明不足者乎? 易中云貞厲, 義各不同, 隨卦可見.

쾌(夬)는 과감하게 결단하는 것이다. 오효는 굳센 양인 건괘의 몸체로 지극히 높은 지위에 있어 마음대로 과감하게 결단하고 실행하는 자이다. 이와 같이하면 비록 바름[正]을 얻더라도 오히려 위태롭다. 옛 성인이 천하의 높은 지위에 자리하여, 밝음은 비추기에 충분하고, 굳셈은 결단하기에 충분하고, 세력은 마음대로 할 수 있었으나, 일찍이 천하의 의논을 다 받아들이지 않은 적이 없어서 비록 꼴 베고 나무하는 미천한 자라도 반드시 그 의견을 취했으니, 이것이 성인이 된 이유이고, 임금의 자리에 올라 빛나고 밝은 자이다. 만일 빛나고 밝음을 자임하지만 과감하게 실천하는 것을 돌보지 않는다면, 비록 바름[正]을 얻었다 하더라도 위험한 방도이니, 굳게 지킬 수 있겠는가? 굳세고 밝은 재주가 있더라도 오로지 자임하기만 하면 오히려 위험한 방도가 되는데, 하물며 굳세고 밝음이 부족한 자에 있어서랴? 『주역』 가운데 '정려(貞厲)'라고 한 것은 뜻이 각각 다르니, 괘에 따라 보아야 한다.

本義

九五以剛中正, 履帝位, 而下以兌說應之. 凡事必行, 无所疑礙. 故其象, 爲夬決其履. 雖使得正, 亦危道也. 故其占, 爲雖正而危, 爲戒深矣.

구오는 굳센 양으로서 중정하고 임금의 자리를 밟고 있는데 아래에서 태괘의 즐거움으로써 호응하니, 모든 일을 반드시 실행하여 의심하고 거리끼는 것이 없다. 그러므로 그 상(象)은 "행동을 과감하게 결단하는 것"이 된다. 비록 바름을 얻었다 하더라도 또한 위험한 도이다. 그러므로 그 점사가 비록 바르더라도 위태롭다고 한 것은 그 경계함이 깊다.

小註

或問, 象言剛中正履帝位而不疚, 正指九五而言, 而九五爻辭乃曰, 夬履貞厲. 有危象焉何也. 朱子曰, 夬決也. 九五以剛中正履帝位, 而下又以和說應之, 故其所行果決, 自爲无所疑礙, 所以雖正, 亦厲. 蓋曰雖使得正, 亦危道也, 爲戒深矣.

어떤 이가 물었다: 「단전」에 "굳센 양이 중정하고, 임금의 자리를 밟아도 흠이 없다"고 한 것은 바로 구오를 가리켜 말한 것인데, 구오의 효사에서 곧 "과감하게 결단하여 실행하니, 곧게 하더라도 위태롭다"고 하였습니다. 그런데 위태로운 상이 있는 것은 무엇 때문입니까? 주자가 말하였다: 쾌는 결단입니다. 구오는 굳센 양이 중정하고 임금의 자리를 밟으며, 아래에서 조화와 기쁨으로써 호응하므로 그 실행하는 바가 과감하고 결단이 있어 스스로 의심하고 거리끼는 것이 없기 때문에 바르다 해도 또한 위태롭습니다. 비록 바름을 얻게 되어도 또한 도를 위태롭게 한다고 말하니, 경계함이 깊습니다.

又曰, 夬履, 是做得忒快. 雖合履底, 也有危厲, 正東坡所謂, 憂治世而危明主也.

또 말하였다: "과감하게 결단하여 실행한다"는 것은 틀린데도 빨리 할 수 있는 것입니다. 부합하여 실행해도 또한 위태로우니, 바로 소동파가 "치세에도 근심하고 밝은 임금에 대해서도 위태롭게 여긴다"[119]고 한 것입니다.

○ 雲峯胡氏曰, 九五剛中正履帝位, 而下以兌說應之, 凡事必行, 何不可者. 而聖人猶以夬履爲戒. 蓋處順境愈不可不戒懼也. 在下者, 不患其不憂, 患其不能樂, 故喜其履坦. 在上者, 不患其不樂, 患其不能憂, 故戒其夬履. 二之坦, 則正而吉, 喜之也. 五之夬, 則雖正而危, 戒之也.

운봉호씨가 말하였다: 구오는 굳센 양이 중정하고 임금의 자리를 밟고 있는데, 아래 태괘의 즐거움으로써 호응하니, 모든 일을 반드시 실행함에 무엇인들 불가할 것인가? 그런데 성인은 오히려 빠르게 실천하는 것을 경계로 삼는다. 순조로움에 처하면 더욱 더 경계하고 두려

---

119) 소식(蘇軾)의 『전표성주의서(田表聖奏議序)』에 "옛날의 임금은 반드시 치세에도 근심하고, 밝은 임금에 대해서도 위태롭게 생각했다"고 하였다.

위하지 않을 수 없다. 아래에 있는 자는 근심하지 않을 것을 근심하지 않고 즐기지 못할 것을 근심하기 때문에 그 평탄함을 실천하는 것을 기뻐한다. 위에 있는 자는 즐기지 못할 것을 근심하지 않고 근심할 수 없는 것을 근심하기 때문에 과감하게 결단하는 것을 경계하였다. 이효의 평탄함은 바르고 길하여 기뻐하고, 오효의 결단은 비록 바르다고 하더라도 위태로워 경계하였다.

韓國大全

권근(權近) 『주역천견록(周易淺見錄)』

吳氏曰, 夬五剛決去一柔之卦. 履亦五剛一柔之卦, 但上下互易耳. 六三以不中不正之柔, 下履九二之剛, 小人之乘君子也. 九五與九二德同, 位應決去六三, 故曰夬履. 然陽之不能无陰, 天地之常道, 君子之不能无小人, 亦古今之常理. 小人値當去之時, 有可去之勢, 固所必去苟時勢. 或有未然, 則姑且容之而已. 夬之一柔乘五剛, 此當去之時, 可去之勢也, 故決而去之爲宜. 履之六三, 雖乘九二之剛, 然和悅以應上出力以奉君. 彼自不中不正耳, 非能敵陽者也. 共鯀驩兜與稷契皐夔同處, 堯朝何損於堯之治. 必欲決去則反危矣. 危謂於時未宜, 於勢未易也.

오징이 말하였다: 쾌괘(夬卦䷪)는 다섯 개의 굳센 양이 하나의 유약한 음을 결연하게 제거하려는 괘이다. 리괘(履卦䷉)도 굳센 양이 다섯 개에 유약한 음이 하나인 괘이지만, 아래위의 괘가 뒤바뀌었을 뿐이다. 육삼은 중정(中正)하지도 않은 음으로서 아래로 굳센 양인 구이를 밟고 있으니, 소인이 군자를 능멸하는 형국이다. 구오와 구이는 덕이 같고 자리가 호응하면서 결연하게 육삼을 제거하므로 "과감하게 결단한다"고 하였다. 그러나 양이 음을 없앨 수 없는 것은 천지의 항상 있는 도리이고, 군자가 소인을 없앨 수 없는 것 또한 고금의 항상 있는 원리이다. 소인은 제거되어야 할 때에 놓여 있고, 제거할 수 있는 세력이 있다면 반드시 제거될 것이다. 그러나 때나 세력이 혹 그렇지 못한 경우라면 일시적으로 받아들일 뿐이다. 쾌괘에서 하나의 유약한 음이 다섯 개의 굳센 양을 타고 있으니, 이는 마땅히 제거해야 할 시기이고, 제거할 수 있는 형세이므로 결연하게 제거하는 것이 마땅하다. 리괘(履卦)의 육삼은 굳센 양인 구이를 타고 있기는 하지만 조화와 기쁨으로 상구에 호응하고 힘을 내서 임금을 받들고 있다. 저 자신이 중정한 자리에 있지도 않아 양에 대적할 수 있는 자가 아니

다. 공공(共工)·곤(鯀)·환도(驩兜)가 직(稷)·설(契)·고요(皐陶)·기(夔)와 요의 조정에 함께 있다한들, 요의 통치에 무슨 손해날 것이 있겠는가? 반드시 결연하게 제거하려 한다면 도리어 위험하다. '위험'이란 때가 마땅치 않고, 형세가 쉽지 않다는 뜻이다.

愚按, 此卦大象, 朱子謂, 程傳備矣. 愚亦敢謂夬履之意, 其說盡矣. 夫君子於小人, 有不必去者, 有不能去者. 革面從順, 則不必去也, 姑惟敎之以竢其化, 仁也. 勢盛黨衆, 則不能去也, 姑且容之以待其時, 智也. 不可恃其位之正, 才之剛, 輕動而致危也.
내가 살펴보았다: 이 괘의 「대상전」에 대하여 주자는 "『정전』에 완비되어 있다"고 하였다. 나도 감히 "과감하게 결행한다"는 말의 의미는 그 설명이 극진하다고 생각한다. 군자가 소인에 대해서 반드시 제거할 필요가 없는 경우가 있고, 제거할 수 없는 경우도 있다. 소인이 "얼굴색을 바꾸어 순종하면" 제거할 필요가 없으니, 잠시 가르쳐 교화되기를 기다리니, 이것이 어짊이다. 세력이 강성하고 무리가 많다면 제거할 수 없으니, 잠시 그들을 용납하고 때를 기다리는 것이 지혜이다. 처지의 바름과 재주의 강함을 믿고 가볍게 움직여 도리어 위험을 초래해서는 안 된다.

송시열(宋時烈)『역설(易說)』

九五, 以乾剛居君位, 剛決明夬, 有澤天之象. 此貞正之道而出, 有過剛之危, 故云厲戒之也.
구오는 굳센 건괘가 임금의 자리에 있어 과감하게 결단하여 명쾌하게 되니, 못과 하늘의 상이다. 이는 곧고 바른 도로부터 나왔지만 지나치게 굳센 위험이 있으므로 위태롭다는 말로써 경계하였다.

석지형(石之珩)『오위귀감(五位龜鑑)』

臣謹按, 履之九五, 剛中正履帝位, 履道之最善者也. 猶曰貞厲者, 何也. 天下之患, 莫甚於夬決. 五在乾體, 又居尊位, 若自任剛明, 擊斷不顧, 則雖使得正, 猶爲危道. 況未出於正乎. 宋太祖所以乘快, 有誤而不樂, 蘇軾所謂憂治世危明主者爲此故也. 伏願殿下, 遇事當斷, 母忘危厲焉.
신이 삼가 살펴보았습니다: 리괘(履卦)의 구오는 굳센 양이 중정하고 임금의 자리를 밟으니, 리괘의 도 가운데 가장 훌륭한 자입니다. 그런데 오히려 "곧지만 위태롭다"고 한 것은 무엇을 말하겠습니까? 천하의 근심은 강하게 결단하는 것보다 더 심한 것은 없습니다. 오효가 건괘의 몸체에 있고 또 높은 자리에 있지만, 만약 굳세고 밝음을 자임하여 결단하여 돌아보지 않는다면, 비록 바름을 얻게 되더라도 위태로운 도가 되는 것과 같습니다. 하물며 바름으로부터 나온 것이 아님에 있어서이겠습니까? 송태조가 "빨리 결단하여 실수하여 못마땅해 했다"고[120] 한 것과 소식이 "치세에도 근심하고 밝은 임금에 대해서도 위태롭게 여긴다"고 한 것은 다 이 때문입니다. 삼가 원하옵건대, 전하께서는 일을 당해 결단을 내리실 적에 위태로움을 잊으셔서는 안 됩니다.

홍여하(洪汝河) 「책제(策題):문역(問易)‧독서차기(讀書箚記)-주역(周易)」[121]

九五夬履, 卦類夬, 故曰夬履, 猶益之上, 立心勿恒, 推恒之義而立言也.

구오의 '쾌리(夬履)'는 괘가 쾌괘(夬卦)와 유사하기 때문에 "과감하게 결단하여 실천한대夬履]"고 했으며, 익괘(益卦)의 상효에 "마음가짐이 항상 하지 않는다"[122]고 한 것은 항괘(恒卦)의 뜻을 미루어 말한 것이다.

이현석(李玄錫) 「역의규반(易義窺斑)」

九五以陽剛乾體, 中正得位, 明足以照, 剛足以決, 勢足以專, 更無危厲之憂, 而有此戒者, 何也. 以下卦之兌以說應之故也.

구오는 건괘의 몸체에 있는 굳센 양이 중정하고 지위를 얻어 '밝음[明]'은 비추기에 충분하고, 굳셈은 결단하기에 충분하며, 형세는 마음대로 하기에 충분하여 다시는 위태로움에 대한 근심이 없는데, 이와 같은 경계를 하는 까닭은 무엇인가? 하괘인 태괘(☱)가 기쁘게 호응하기 때문이다.

或曰, 君闇有過失, 而下以諂媚說之, 則信可危也. 今九五以剛明之君, 夬斷於上, 而兌以和說奉承於下, 眞所謂君臣相說也, 有何可戒之厲乎.

어떤 이가 말하였다: 임금이 어리석어서 과실이 있는데 아래 사람들이 아첨으로 기쁘게 한다면 진실로 위태롭습니다. 이제 구오가 굳세고 밝은 임금으로 위에서 강하게 결단하고, 태괘가 조화와 기쁨으로써 아래에서 받드니, 참으로 이른바 임금과 신하가 서로 기뻐하는 것입니다. 어찌 경계할 만한 위태로움이 있겠습니까?

---

120) 채근담(採根譚)에 "유쾌함에 들떠서 일을 많이 만들지 말라[不可乘快而多事]"고 하였는데, 송태조는 "아침 일찍 일어나서 빨리 결단하여 한 가지 일을 그르쳤다"고 하면서 소회(所懷)한 바 있다.
121) 경학자료집성DB에서는 리괘(履卦) 단전에 해당하는 것으로 분류했으나, 내용에 따라 이 자리에 옮겨 바로 잡는다.
122) 『周易‧益卦』: 上九, 莫益之, 或擊之, 立心勿恒, 凶.

曰, 德莫盛於大舜, 而其臣之進言者, 猶曰兢兢業業, 一日二日, 萬幾.

답하였다: 덕은 순임금보다 성대한 이가 없는데도, 신하들이 진언하기를, "삼가고 두려워하소서, 하루 이틀 사이에도 기미가 만 가지나 됩니다"[123]라고 하였습니다.

又曰, 毋若丹朱傲, 且乃都兪吁咈,[124] 相與論謨, 行一事, 必先咨訪, 用一人, 必詢臣隣. 君未嘗獨任剛明, 遇事專決, 臣未嘗只事趨迎, 唯諾贊美而已. 是故剛明之君, 尤急骨鯁之臣, 遠慮之士, 益憂淸平之世. 夫履貞厲之戒, 可見聖人用心之功至矣.

또 답하였다: 『서경』에 "요임금의 아들 단주처럼 거만하지 마십시오"[125]라고 하였고, 또한 요임금이 신하들과 정사를 개진할 때 찬성과 반대 의견을 서로 논의하여 한 가지 일을 실천하는 데 반드시 먼저 신하들과 상의하였고, 한 사람을 쓰는 데도 반드시 곁의 신하에게 자문을 구했습니다. 임금은 오로지 굳센 밝음을 자임하여 일에 나아가 오로지 결행한 적이 없고, 신하들은 다만 앞으로 달려 나아가 '예예'하고 찬미하는 것을 일삼지 않았습니다. 이렇기 때문에 굳센 밝음을 가진 임금이 더욱 강직한 신하를 급히 구하고, 깊은 식견과 원대한 생각이 있는 선비들은 더욱 맑고 태평한 시대를 근심합니다. "과감하게 결단하여 실행하니, 곧게 하더라도 위태롭다"는 경계에서 성인의 마음 씀이 얼마나 지극한지를 알 수 있습니다.

김상악(金相岳) 『산천역설(山天易說)』

九五陽剛居尊, 无履虎之危, 有兌說之應, 爲夬履之象. 行无所疑, 雖使得正, 亦危道也.

구오는 굳센 양이 존귀한 자리에 있어 호랑이를 밟는 위험은 없고, 기뻐하는 태괘의 호응이 있어 강하게 결단하는 상이 된다. 실천하는 것에 의심이 없어서 비록 바름을 얻는다 하더라도 또한 위험한 도가 된다.

○ 夬者, 卦名, 履之交也. 曰夬履者, 在履而當夬位也. 兌之五則孚剝, 在上, 故直曰有厲, 履則履虎在三, 故曰夬履貞厲, 而皆以位正當釋象. 二與五得中同而二貞吉, 五貞厲者, 剛柔之異位也. 與大壯三四相類, 爻辭與象辭不同者, 何也. 象辭者, 卦之靜也, 爻辭者, 爻之動也. 見其靜者, 則有剛中正之象, 見其動者, 則有夬履貞厲之象. 蓋

---

123) 『書經·皐陶謨』: 無敎逸欲有邦, 兢兢業業, 一日二日, 萬幾, 無曠庶官, 天工, 人其代之.

124) 도유우불(都兪吁咈): '도유(都兪)'는 찬성, '우불(吁咈)'은 반대를 뜻하는 말로, 요(堯) 임금이 신하들과 정사를 토론할 때 찬성과 반대의 의견을 기탄없이 개진하였던 데서 유래한다. 일반적으로 밝은 임금과 어진 신하가 서로 뜻이 맞아 정사(政事)를 토론하는 것을 뜻한다.

125) 『書經·益稷』: 無若丹朱傲, 惟慢遊, 是好, 傲虐, 是作, 罔晝夜頟頟, 罔水行舟, 朋淫于家, 用殄厥世, 予創若時, 娶于塗山, 辛壬癸甲, 啓呱呱而泣."

卦爻象象, 只一理互相發明, 而或以爲, 四聖之易不同, 文王自爲爻辭, 必與卦合者, 恐未然. 易之爲道, 不可爲典要, 惟變所適. 若以一語蹈襲, 亦何以爲易乎.

쾌(夬)는 괘의 이름이고, 리괘(履卦☲)의 위아래가 바뀐 괘이다. "과감하게 결단하여 밟아 실천한다"고 말한 것은 밟으면서 결정하는 자리에 있기 때문이다. 태괘(☱) 오효의 "깎는데도 믿음이 있다"[126]는 것은 위에 있으므로 바로 "위태로움이 있다"고 한 것이고, 리괘에 "호랑이 꼬리를 밟았다"는 말이 세 곳에 있기 때문에 "강하게 결단하여 밟아 실천하니, 곧게 하더라도 위태롭다"고 말한 것이니, 모두가 "자리가 정당하다"는 것으로 「상전」을 해석한 것이다. 이효와 오효는 가운데 자리를 얻었다는 점에서 같은데, 이효에서는 "바르고 길하다"고 하고, 오효에서는 "곧게 하더라도 위태롭다"고 다르게 말한 것은 굳셈과 유약함의 자리가 다르기 때문이다. 대장괘의 삼효["바르더라도 위태롭다"], 사효["바르고 길하다"]와 서로 유사한데,[127] 효사와 단사가 다른 것은 무엇 때문인가? 단사는 괘의 고요함이고, 효사는 효의 움직임이다. 그 고요함을 볼 경우에는 굳센 양이 알맞음과 바름을 얻은 상이 있고, 그 움직임을 볼 경우에는 "과감하게 결단하여 밟아 실천하여 곧게 하더라도 위태롭다"는 상이 있다. 괘·효·단·상은 하나의 이치를 서로 밝힌 것인데, 어떤 사람이 "네 성인의 역이 같지 않은데, 문왕이 스스로 효사를 지어 괘와 부합했다"고 말하는 것은 아마도 그렇지 않은 것 같다. "역의 도는 정해진 준칙을 삼을 수 없고 오직 변화하여 나아가는 것이다"[128]라고 하였다. 한 마디 말을 따른다면, 또한 어떻게 역이라 하겠는가?

박윤원(朴胤源) 『경의(經義)·역경차략(易經箚略)·역계차의(易繫箚疑)』

卦辭則履位不疚, 爻辭則夬履貞厲, 休咎不同, 易之不可爲典要, 如此.

괘사는 "임금의 자리를 밟아 흠이 없다"고 하고, 효사는 "과감하게 결단하여 밟아 실행하니, 곧게 하더라도 위태롭다"고 하여 아름다움과 허물이 다르니, "역은 정해진 준칙을 삼을 수 없다"는 것이 이와 같다.

김귀주(金龜柱) 『주역차록(周易箚錄)』

按, 九五之剛中正履帝位, 非不善矣, 而其有貞厲之戒者, 下有兌說應之故也. 人君若

---

126) 『周易·兌卦』: 九五, 孚于剝, 有厲.
127) 『周易·大壯卦』: 九三, 小人, 用壯, 君子, 用罔, 貞, 厲, 羝羊, 觸藩, 羸其角. 九四, 貞, 吉, 悔亡, 藩決不羸, 壯于大輿之輹.
128) 『周易·繫辭傳』: 易之爲書也, 不可遠, 爲道也, 屢遷, 變動不居, 周流六虛, 上下无常, 剛柔相易, 不可爲典要, 唯變所適."

一任其剛決, 而下無爭臣, 則鮮不危矣. 故堯舜之世, 尙有吁咈之義, 武王造槧器, 諫者十人, 所以不至於危也. 有君無臣, 亦不可不深戒也.

내가 살펴보았다: 구오의 굳센 양이 가운데 자리하고 바른 자리를 얻어 선한데, 곧더라도 위태롭다는 경계가 있는 것은 아래에서 태괘가 기쁨으로 호응하기 때문이다. 임금이 만일 과감하게 결단하는 것을 자임하여 아래에 다투는 신하가 없다면, 위태롭지 않은 경우가 드물게 된다. 그러므로 요순의 시대에는 오히려 논란하는 뜻이 있었고, 무왕이 참기(槧器)를 만들어 간한 자가 열 사람이었기 때문에 위태로움에 이르지 않게 되었다. 임금이 있는데 신하가 없다는 것은 또한 깊은 경계가 아닐 수 없다.

或曰, 初九九二, 皆在下之賢, 而九二則又是正應, 豈專爲柔悅承順之臣乎. 曰, 以二體言之, 則上乾下兌, 爲以悅承剛者矣. 以爻義言之, 則初與二, 皆幽獨守正, 無援上之意, 而九五, 又自任剛明, 不求在下之賢. 二雖在正應之位, 而亦無相與之義. 反不如蒙之六五, 以童蒙自處, 而一聽於人也, 故不免於危厲耳.

어떤 이가 말하였다: 초구와 구이는 모두 아래에 있는 현인이고 구이는 또한 정응(正應)인데, 어찌하여 오로지 유약한 기쁨으로 순하게 받드는 신하가 될 수 있습니까?

답하였다: 두 몸체로써 말한다면 위는 건괘이고 아래는 태괘이니, 기쁨으로써 굳센 양을 계승하는 것입니다. 효의 뜻으로 말한다면 초효와 이효는 모두 그윽하게 오로지 바름을 지켜 윗사람에게 매달리는 뜻이 없고, 구오는 또한 스스로 굳세고 밝은 임금으로 자임하여 아래에 있는 현인을 구하지 않습니다. 이효가 비록 정응의 자리에 있으나 또한 서로 호응하는 뜻은 없습니다. 도리어 몽괘 육오의 무지한 어린이[童蒙]로 자처하여 다른 사람의 말에 한결같이 따르는 것만 같지 못하므로 위태로움을 면하지 못합니다.

本義, 九五以剛, 云云,

『본의』에서 말하였다: 구오는 굳센 양으로써, 운운.

小註, 雲峰胡氏曰, 九五, 云云.

소주에서 운봉호씨가 말하였다: 구오, 운운.

○ 按, 在下者, 不患其不憂, 在上者, 不患其不樂云云, 語甚支離.

내가 살펴보았다: "아래에 있는 자는 근심하지 않을 것을 근심하지 않고, 위에 있는 자는 즐기지 못할 것을 근심하지 않고" 운운한 것은 말이 매우 번쇄하다.

서유신(徐有臣) 『역의의언(易義擬言)』

夫變爲履, 而乾履夬, 故曰夬履. 此卽履帝位者也. 其所履異於凡爻而夬斷果行, 無所難愼, 雖得正亦危厲也.

쾌괘(夬卦☰)가 리괘(履卦☰)로 바뀌어 건괘가 쾌괘를 밟으므로 "과감하게 결단하여 실행한다"고 했다. 이것은 곧 임금의 자리를 밟는 것이다. 그 밟는 바가 다른 효들과 달라서 과감하게 결단하여 실행하여 어렵게 여기고 삼가는 것이 없으니, 비록 바름을 얻었다 해도 또한 위태롭다.

박문건(朴文健) 『주역연의(周易衍義)』

決行不顧, 故有夬履之象. 夬履, 言果決其所履也.

과감하게 결행하여 돌아보지 않기 때문에 과감하게 결단하여 실행하는 상이 있다. "과감하게 결단하여 실행한다"는 것은 과감하게 그 실천하는 바를 결단하는 것을 말한다.

〈問, 夬履貞厲. 曰九五決行不顧, 故所以致下民之疑也. 若用剛貞則危厲也.

물었다: "과감하게 결단하여 밟아 실행하니, 곧게 하더라도 위태롭다"는 무슨 뜻입니까? 답하였다: 구오는 결단하여 실행하고 돌아보지 않기 때문에 아래 백성들의 의혹을 초래하는 것입니다. 만약 굳세고 곧음을 쓴다면 위태롭게 됩니다.〉

이항로(李恒老) 「주역전의동이석의(周易傳義同異釋義)」

或問, 履, 禮也. 履禮則吉无不利. 且九五以剛中正履帝位, 而下以兌說應之則吉, 孰大焉. 而猶有貞厲之危, 何也. 曰禮者, 恐懼戒愼之體. 履虎尾蹈春冰, 卽其象也. 九五乃帝位也, 爲天下所畏, 而我无所畏, 爲億兆所尊而我无所尊. 惟其言而莫之違, 惟其求而无不獲, 此乃所以孔危極艱之地也. 是以以堯之大聖, 履帝位而允恭克讓, 舜夔夔齊栗, 恭己南面, 而禹猶以无若丹朱傲戒之, 禹, 不自滿假而聞昌言則拜, 湯昧爽丕顯, 如恐不及, 日躋于聖敬, 武王踐祚之初, 受丹書之訓于師尙父, 訪洪範之說于箕子, 召公述旅獒以規之. 其位之艱危可知已, 後世人君, 知此道者, 或鮮矣.

어떤 이가 물었다: 밟음[履]은 예(禮)입니다. 예를 실천하면 길하여 이롭지 않음이 없습니다. 또한 구오의 굳센 양이 중정하고 임금의 자리를 밟으며, 아래로 태괘의 기쁨으로써 호응하면 길합니다. 누가 이보다 더 길할 수가 있겠습니까? 그런데 오히려 '곧게 하더라도 위태로운' 위험이 있다고 한 것은 무슨 뜻입니까?

답하였다: 예는 공구계신(恐懼戒愼)의 몸체입니다. "호랑이 꼬리를 밟았다"고 하며, "봄에 얇은 얼음 위를 건너가듯 한다"는 것은 곧 상입니다. 구오는 임금의 자리이니, 천하 사람들이 두려워하는 바가 되고 내가 두려워 할 바가 없으니, 많은 백성들이 높여 주지만 내가 스스로 높일 수는 없습니다. 오직 그가 말하면 어길 사람이 없고, 오직 그가 구하면 구하지 못할

것이 없으니, 이것이 바로 큰 위태로움이며 지극히 어려운 처지가 되는 까닭입니다. 그러므로 요임금은 큰 성인인데도 임금의 자리를 밟아 진실로 공손하게 겸양할 수 있었고,[129] 순임금은 "조심하고 두려워[夔夔]하여 공경하고 두려워하는 것"[130]으로 자기를 낮추어 정사를 펼쳤는데도[131] 우가 단주처럼 오만하지 말라는 말로 경계하였고,[132] 우임금은 스스로 만족하지 않고 좋은 말을 들으면 절하기를 즐겨하였으며,[133] 탕임금은 새벽부터 크게 덕을 밝혀[134] 미치지 못할까 두려워하여 성경(誠敬)이 날로 진전되었으며, 무왕은 왕위에 오른 초창기에 스승인 여상(呂尙)으로부터 단서(丹書)[135]의 가르침을 받고 기자를 방문하여 홍범의 설을 받았으며, 소공[136]은 「여오편(旅獒篇)」을 지어 경계하였습니다. 이로써 그 자리의 어려움과 위태로움을 알 수 있는데, 후세 임금 가운데 이 도를 아는 이는 드물었습니다.

漢高之入關中也, 恐懼之心少弛, 若无樊·張還軍灞上之言, 則幾不免項籍之魚肉矣. 入彭城也, 恐懼之心少懈而置酒高會, 倖免爲睢水魚腹之魂矣. 對壘廣武也, 恐懼之心少釋而纔開口數羽十罪, 則强弩已中其胸, 其危果何如也. 晉武纔平吳亂, 羊車忘危, 而北胡已充拓于中國矣. 唐太宗魏徵十漸之疏, 纔絶于耳, 而安市之箭, 已中其目, 天下之不亡亦幸矣. 以此觀之, 後之居此位者, 其可畏, 豈止蹈虎履冰而已乎. 故曰夬履貞厲. 又曰視履考祥其旋元吉. 言君子匪禮不履終始如一, 則自天佑之, 吉无不利也. 聖人爲後世慮, 至深遠矣.

한고조(漢高祖)가 관중(關中)[137]을 평정하고[138] 두려워하는 마음이 약간 늦추어졌으니, 장량(張良)과 번쾌(樊噲)[139]의 간언이 없었다면 항적(項籍)[140]의 어육이 되는 것을 면하지

129) 『書經·堯典』: 曰若稽古帝堯, 曰放勳, 欽明文思安安, 允恭克讓.

130) 『書經·大禹謨』: 夔夔齋慄, 瞽亦允若.

131) 『論語·衛靈公』: 子曰, 無爲而治者, 其舜也與. 夫何爲哉. 恭己正南面而已矣.

132) 『書經·益稷』: 無若丹朱傲.

133) 『書經·大禹謨』: 禹拜昌言曰, 兪.

134) 『書經·太甲』: 伊尹乃言曰, 先王昧爽丕顯, 坐以待旦.

135) 단서(丹書): 중국 고대의 황제(皇帝)와 전욱(顓頊)의 도(道)가 기재되어 있다는 적작(赤雀)이 물고 온 글.

136) 소공: 주(周)의 공후(公侯)로, 이름은 석(奭)이며, 시호는 강(康)이다. 문왕의 서자(庶子)로, 소백(召伯)으로도 불린다. 무왕을 도와 주(紂)를 멸하고 북연(北燕)에 봉해졌다. 성왕(成王) 때 주공과 함께 삼공(三公)이 되어 섬(陝) 이서(以西)의 땅을 다스렸으며, 선정을 베풀었다고 한다.

137) 관중(關中): 중국 섬서성 중부(中部)의 위수(渭水) 유역(流域)에 있는 평야(平野)를 일컫는다.

138) 옛 한고조가 관중(關中)에 들어가자, 소하(蕭何)가 홀로 먼저 들어가서 승상부(丞相府)의 도적(圖籍)을 거둔 일.

139) 장량과 번쾌의 간언: 한나라 원년 10월 유방(劉邦)이 진왕(秦王) 자영(子嬰)의 항복을 받고 함양(咸陽)에 들어가서 진궁(秦宮)에 거하려고 하자 번쾌(樊噲)가 간(諫)을 했는데도 듣지를 않았는데, 장량(張良)이 "진왕이 무도(無道)했기 때문에 공이 이곳에 들어올 수가 있었는데, 지금 들어오자마자 진궁에서 편안히

못했을 것입니다. 그리고 항우가 제(齊)나라를 정벌하러 간 틈을 타서 먼 길을 달려 항우의 도읍인 팽성(彭城)으로 쳐들어갔을 때, 두려워하는 마음이 약간 해이해져 그 보화와 미녀들을 차지하여 날마다 주연을 성대하게 베풀었는데도, 요행히 수수(睢水)에서 물고기 밥이 되는 것을 면하였습니다.[141] 한왕과 항왕(項王)이 광무(廣武)의 사이에 대치하였는데, 두려워하는 마음이 약간 풀려서 겨우 입을 열어 한왕이 항우의 열 가지 죄를 열거하자, 항우가 크게 노하여 궁수를 매복시켜 한왕을 쏘아 맞혔으니,[142] 과연 그 위태로움은 어떠한 것이었겠습니까? 진 무제(晉武帝)가 막 오(吳)의 난을 평정하였는데, 액정양거(掖庭羊車)[143]는 위태로움을 잊게 하여 북쪽의 오랑캐가 이미 중국에 채워지고 확장되었습니다. 당(唐)나라 태종(太宗)이 매와 개를 바치도록 조서(詔書)를 내렸을 때, 위징(魏徵)이 십점의 상소十漸之疏[144]를 올린 것이 들리지 않자 바로 안시성에서의 화살이 이미 눈을 적중시키니, 천하가 망하지 않은 것이 또한 다행입니다. 이로써 본다면 후세에 이 자리에 있고자 하는 자는 두려워할만 하니, 어찌 다만 호랑이를 밟고 얼음 위를 밟는 것에 그치겠습니까? 그러므로 "강하게 결단하여 실행하니 곧게 하더라도 위태롭다"고 했습니다. 또 "밟아 온 것을 보아 길흉을 상고하되 두루 하면 크게 길할 것이다"라고 했습니다. 군자가 예가 아니면 행하지 않고, 마침과 시작을 한결같이 하면 하늘로부터 도와주어 길하여 이롭지 않음이 없다는 말입니다. 성인이 후세를 위한 염려가 지극히 깊고 먼 것입니다.

김기례(金箕澧) 「역요선의강목(易要選義綱目)」

剛居尊位, 自恃夬斷, 兌又悅應不爭, 則非不疚之明也. 雖正豈不危. 位正當, 戒夬

지내려 한다면 이것은 걸을 도와 포학하게 구는 것[助桀爲虐]이다"라고 곡진하게 말을 하자 유방이 비로소 진 나라의 부고(府庫)를 봉하고 패상(霸上)으로 군대를 돌렸다. (『史記』 卷55.)

140) 항적(項籍): 진(秦) 나라 말기 하상(下相) 사람. 자(字)는 우(羽). 진말에 진승(陳勝)과 오광(吳廣)이 거병(擧兵)하자 숙부 양(梁)과 오중(吳中)에서 병사를 일으켜 진군(秦軍)을 격파하고 스스로 서초(西楚)의 패왕(霸王)이라 일컬음. 한고조(漢高祖)와 천하를 다투다가 해하(垓下)에서 패사(敗死)하였음.(네이버, 지식백과.)

141) 한(漢)나라 고조(高祖)가 수수(睢水)에서 고난을 겪은 고사이다. 즉 한나라 고조가 수수(睢水)에서 항우(項羽)에게 크게 패하여 10만 명의 군사가 죽으니, 수수가 흘러내리지 못할 지경에 이르렀으며, 고조도 초(楚)나라 군사에게 완전히 포위당해 위급한 형편에 놓이게 되었는데, 마침 대풍(大風)이 불어 나무가 뽑히고 사석(砂石)이 나는 틈을 타서 도망하여 죽음을 모면한 고사이다.

142) 『사기·고조본기(高祖本紀)』.

143) 액정양거(掖庭羊車): 진 무제는 본디 검소하였으나, 오(吳)를 평정하여 삼국을 통일한 뒤에는 액정(掖庭: 후궁, 궁녀)이 거의 1만 명이나 되고 총애하는 자도 매우 많았다. 그래서 양이 끄는 수레를 타고 양이 끄는 대로 가서 자니, 궁인들이 댓잎을 문에 꽂고 소금물을 땅에 뿌려 양을 유인하여 임금의 수레가 오게 하였다.(『진서(晉書)·호귀빈전(胡貴嬪傳)』.)

144) 십점지소(十漸之疏): 위징(魏徵, 580~643)이 당 태종에게 올린 상소이다. 황제가 수신과 정치에 점차 태만이 생길 때, 10개 조를 들어 경계했다.

履也.

군센 양이 높은 자리에 있어 스스로 믿어 결단하고, 태괘가 또한 기쁘게 호응하여 다툼이 일어나지 않는 것은 흠이 없는 밝음은 아니다. 비록 바르다 할지라도 어찌 자리가 위태롭지 않겠는가? "자리가 정당하다"는 것은 "과감하게 결단하여 실행하는" 것을 경계한 것이다.

심대윤(沈大允) 『주역상의점법(周易象義占法)』

履之睽䷥, 立異也. 九五剛中居剛, 執禮者也. 禮儀閑習无所疑慮, 剛毅自守而介然不隨乎世俗, 少敬慎顧問之意, 人亦莫敢難議, 此雖貞而危道也. 詩云, 周爰咨詢, 子入太廟每事問曰, 是禮也. 故曰夬履貞厲. 夬明決也, 离兌象.

리괘가 규괘(睽卦䷥)로 바뀌었으니, 다름[異]을 세운 것이다.[145] 구오는 군센 양이 알맞음을 얻어 군센 양의 자리에 있어 예를 실천하는 자이다. 예의가 익숙해져 의심스러운 생각이 없어지고, 군세고 강하게 스스로 지켜 확고하게 세속을 따르지 않으며, 조금이라도 공경하고 삼가며 돌아보고 묻는 뜻이 적어 사람들도 또한 감히 힐난하여 의논하기 어려우니, 이것이 비록 곧게 하더라도 위태로운 도이다. 『시경』에 "두루 물어보고 두루 자문한다"[146]고 했고, 『논어』에서는 "공자가 태묘에 들어가 매사를 물어본 것이 예이다"[147]라고 하였다. 그러므로 "과감하게 결단하여 실행하니, 곧게 하더라도 위태롭다"고 하였다. '쾌(夬)'는 분명하게 결단하는 것이니, 리괘와 태괘의 상이다.

오치기(吳致箕) 「주역경전증해(周易經傳增解)」

九五, 剛健中正, 而居尊爲履之君, 以剛居剛, 而无應與, 故恐或恃其位德而无所疑礙. 傷於過剛而身自獨斷所踐履者, 專用果決, 故戒言若是夬於履, 則雖使得正, 而亦危道也. 程傳, 已備矣.

구오는 강건하고 중정함으로 높은 자리에 있어 리괘(履卦)의 임금이 되고, 군센 양으로써 군센 양의 자리에 있어 호응이 없기 때문에 혹은 그 자리의 덕을 믿어서 의심과 걸림이 없다. 군센 양이 지나쳐 생기는 상해를 몸에 입어 스스로 독단하여 실천하는 자는 오로지 과감한 결단만을 하기 때문에, 만약 밟는 것을 과감하게 결단한다면 비록 올바름을 얻더라도 또한 위태로운 도라고 경계하여 말하였다. 『정전』에 이미 갖추어져 있다.

---

145) 규괘(睽卦)의 「대상전」이 '동이이(同而異)'이다.
146) 『詩經·皇皇者華』: 我馬維駰, 六轡旣均, 載馳載驅, 周爰咨詢.
147) 『論語·八佾』: 子入大廟, 每事問.

○ 夬者, 決也. 言任其剛而決行也.

쾌(夬)는 결단하는 것이다. 그 굳셈을 자임하여 과감하게 결단하여 실행하는 것을 말한다.

이진상(李震相) 『역학관규(易學管窺)』

陽本悅陰, 交陰而上之, 則天道下際, 澤氣上升, 變而爲夬, 故有夬履之象. 蓋因其剛決之性, 而取其悅陰之義也. 然三非正應, 五乃說之, 亦危道也. 豈非自恃之過乎.

양은 본래 음을 기쁘게 하는데, 음과 사귀어 위로 가면 천도는 아래로 내려오고 못의 기운은 위로 올라가 변하여 쾌괘(夬卦䷪)가 되므로 "과감하게 결단하여 밟아 실천한다"는 상이 있게 된다. 과감하게 결단하는 성품으로 인해서 음을 기쁘게 하는 뜻을 취하였다. 그러나 삼효는 정응이 아닌데 오효가 기쁘게 하는 것은 또한 위태로운 도이다. 어찌 스스로 믿는 바가 지나친 잘못이 아니겠는가?

박문호(朴文鎬) 「경설(經說)・주역(周易)」

九五之夬履, 有過剛之嫌, 故象傳特以不疚戒之, 而程傳所謂夬履是也者, 是也. 此註之引光明, 亦如不疚註之引夬履. 程子之於註經, 其叅互詳密, 如此.

구오의 "과감하게 결단하여 실행한다"는 것에 지나치게 굳세다는 혐의가 있기 때문에, 특별히 「단전」에서 "흠이 없다"는 것으로써 경계하였으니, 『정전』에서는 "과감하게 결단하여 밟아 실행하는 것이 이것이다"고 한 것이 그것이다. 이 구오의 주석에서 "빛나고 밝다"는 것을 인용한 것은 "흠이 없다"는 말에 대한 주석에서 "과감하게 결단하여 밟아 실천한다"는 것을 인용한 것과 같다. 정자가 경문을 주석한 것에서 서로 참고하여 자세하고 세밀하게 한 것이 이와 같다.

象曰, 夬履貞厲, 位正當也.

「상전」에서 말하였다:"과감하게 결단하여 실천하니 곧게 하더라도 위태로움"은 자리가 정당하기 때문이다.

中國大全

傳

戒夬履者, 以其正當尊位也. 居至尊之位, 據能專之勢, 而自任剛決, 不復畏懼, 雖使得正, 亦危道也.

'결단하여 밟음'을 경계한 것은 바로 높은 자리에 올랐기 때문이다. 지극히 높은 지위에 있고, 오로지 할 수 있는 권세를 점거하여 과감하게 결단하는 것을 자임하고 다시 두려워하지 않는다면, 비록 바름(正)을 얻었다 하더라도 위험한 방도이다.

本義

傷於所恃.

믿는 바에 상한다.

小註

雲峯胡氏曰, 或恃其聰明, 或恃其勢位, 惟其自恃, 所以自決.
운봉호씨가 말하였다: 혹은 그 총명함을 믿고 혹은 그 권세와 지위를 믿으며, 오직 스스로 믿고 스스로 결단한다.

∥韓國大全∥

이익(李瀷)『역경질서(易經疾書)』

九五, 位正當, 故其履行, 或不免太夬, 雖貞亦厲. 蓋人自視, 無纖毫愧怍, 則反恃此, 而驕吝之心萌焉, 是位正當, 反爲其機括也, 此戒之也, 非贊辭也, 與夫象, 居德則忌, 相照. 此義吾得之素隱翁.

구오의 자리가 정당하기 때문에 밟아 실행하는 것이 혹 너무 빠름을 면하지 못하여 비록 곧더라도 위태롭다. 사람들이 스스로를 털끝만한 부끄러움도 없는 것으로 본다면, 도리어 이 것을 믿어 교만과 인색한 마음이 싹트니, 정당한 자리인데 도리어 관건이 된다. 이것은 경계한 것이지 찬미한 말이 아니니, 쾌괘의「대상전」에 "덕에 자리하여 꺼린다"[148]고 한 것과 서로 비추어 보아야 한다. 이 뜻은 내가 종형(從兄)인 소은옹(素隱翁)[149]으로부터 배웠다.

김상악(金相岳)『산천역설(山天易說)』

本義, 傷於所恃. 位卽履帝位之位也. 夬履則有疚, 而不得光明也. 凡言位正當者, 皆在九五, 否與中孚, 則幸之也, 履與兌則危之也.

『본의』에서는 "믿는 바에 의해 상해를 입는다"고 했다. 자리[位]는 곧 임금의 자리이다. 과감하게 결단하여 실행하니, 흠이 생겨 빛나고 밝음을 얻을 수 없다. "자리가 정당하다"는 말은 모두 구오에 있는데, 비괘(否卦)와 중부괘에서는 다행으로 여겼고, 리괘(履卦)와 태괘(兌卦)에서는 위험하게 여겼다.

서유신(徐有臣)『역의의언(易義擬言)』

下體兌說, 無所違咈, 以民言之, 則誠爲順從之美, 以臣言之, 則得不爲媚佞乎. 然則夬履之厲, 亦由乎其恃其尊位, 無所嚴憚也. 故曰位正當也, 謂其位貞厲也.

하체인 태괘는 기쁨이어서 어긋나는 것이 없으며, 백성으로써 말한다면 진실로 순종하는 아름다움이 되지만, 신하로써 말한다면 아첨하지 않을 수 있을까? 그렇다면 강하게 결단하여 실행하는 위태로움은 또한 그 높은 지위를 믿고 꺼려하는 바가 없는 데에 연유한다. 그러므로 "자리가 정당하다"고 한 것은 그 자리가 곧더라도 위태로울 수 있다고 말한 것이다.

---

148)『周易·夬卦』: 象曰, 澤上於天, 夬, 君子以, 施祿及下, 居德則忌.
149) 소은옹(素隱翁): 이진(李濟)이고, 양계선생(良溪先生)이라고도 했다.

박문건(朴文健) 『주역연의(周易衍義)』

位正當, 言剛得天位而自用也.

"자리가 정당하다"는 것은 굳센 양이 하늘의 자리를 얻어 스스로의 생각을 쓰는 것을 말한다.

오치기(吳致箕) 「주역경전증해(周易經傳增解)」

居尊而位當, 故尤戒其有恃而任剛也.

높은 자리에 있어 자리가 합당하므로 믿음을 가지고 굳셈을 자임하는 것을 더욱 경계하였다.

이병헌(李炳憲) 『역경금문고통론(易經今文考通論)』

程傳曰, 戒夬履者, 以其正當尊位也.

『정전』: "과감하게 결단하여 밟아 실천하는 것을 경계한다"고 한 것은 정당하게 높은 자리이기 때문이다.

按, 凡言位正當者, 必戒.

내가 살펴보았다: "자리가 정당하다"는 것은 반드시 경계해야 함을 말한 것이다.

上九, 視履考祥, 其旋元吉.

상구는 밟아 온 것을 보아 상서로운 것을 상고하되, 두루 하면 크게 길할 것이다.

║中國大全║

傳

上處履之終, 於其終, 視其所履行, 以考其善惡禍福, 若其旋, 則善且吉也. 旋, 謂周旋完備, 无不至也. 人之所履考視其終, 若終始周完无疚, 善之至也. 是以元吉. 人之吉凶, 係其所履, 善惡之多寡, 吉凶之小大也.

상효는 리괘(履卦)의 맨 끝에 있으니, 그 종말에 밟아 온 바를 살펴보아 선악과 화복을 상고하되, 만일 그 주선하는 것이 완벽하면 선하고 또 길하게 된다. "두루 한다[旋]"는 것은 두루 갖추어져 완비되어 지극하지 않음이 없는 것을 말한다. 사람이 밟아 온 것을 그 마지막에 상고하여 보아서 만일 끝과 시작이 두루 완벽하여 하자가 없다면 선이 지극한 것이다. 이 때문에 크게 선하고 길하다. 사람의 길흉은 그 밟아 온 바에 달려 있으니, 선악의 많고 적음은 바로 길흉의 작고 큼이다.

小註

程子曰, 視履考祥, 居履之終, 反觀吉凶之祥, 周至則善吉也, 故曰其旋元吉.

정자가 말하였다: "밟아 온 것을 보아 상서로움을 상고한다"고 한 것은 리괘의 맨 끝에 위치하여 길흉의 상서로움을 반조하고 관찰한 것이며, 두루 이르면 선하고 길하기 때문에 "두루 하면 크게 길할 것이다"라고 말했다.

本義

視履之終, 以考其祥, 周旋无虧, 則得元吉. 占者禍福, 視其所履而未定也.

밟아 온 것의 끝을 보아 그 상서로움을 상고하되 주선함에 이지러짐이 없으면 '크게 길함'을 얻을 것이다. 점치는 자의 화복은 그 밟아 온 것을 살펴보아야 하니, 아직 정해지지 않았다.

小註

朱子曰, 視履考祥, 居履之終, 視其所履而考其祥, 做得周備底, 則大吉. 若只是半截時, 无由考得其祥, 後面半截, 卻不好, 未可知. 旋, 是那團旋來, 卻到那起頭處.

주자가 말하였다: "밟아 온 것을 보아 상서로움을 상고한다"고 한 것은 리괘(履卦)의 끝에 위치하여 그 실행하는 바를 보아 그 상서로움을 상고하여 두루 갖춤을 얻는다면 크게 길하다는 것이다. 만약 단지 앞부분의 반에서 그 상서로움을 상고할 만한 것이 없다면, 뒷부분의 반이 도리어 좋지 않은지를 아직 알 수 없다. '선(旋)'은 빙 돌아서 처음 시작하였던 곳에 도달하는 것이다.

○ 漢上朱氏曰, 吉事有祥, 祥生於所履者也. 視我所履, 則吉可考而知矣.

한상주씨가 말하였다: 길한 일에는 상서로운 징조가 나타나고,[150] 상서로움은 실천하는 데에서 생겨난다. 내가 밟아 실천하는 바를 본다면 길함은 상고하여 알 수 있다.

○ 進齋徐氏曰, 履至上九, 履道成矣. 降祥在天, 不必考之於天, 唯視吾之所履何如耳. 使其動容周旋之際, 无不合禮則必獲元吉.

진재서씨가 말하였다: 리괘 상구에 이르러 리괘(履卦)의 도가 완성되었다. 상서로움이 하늘로부터 내리지만 하늘에 반드시 상고할 필요는 없으며, 오직 내가 실천하는 바가 어떠한가를 볼 뿐이다. 그 기거동작의 사이에도 예에 합치되게 한다면 반드시 큰 길함을 얻는다.

○ 雲峯胡氏曰, 小畜履上九, 皆不取本爻義. 小畜取畜之終, 履取履之終, 但小畜之終, 專從六四一陰說來故曰凶, 履之終統從諸爻說來故曰其旋元吉. 凡事善而或一事之未善, 一事中九分善而或一分之未善, 皆未旋也, 皆非大善而吉也. 故本義云, 占者, 禍福視其所履而未定也.

운봉호씨가 말하였다: 소축괘와 리괘(履卦)의 상구는 모두 본 효의 뜻을 취하지 않았다. 소축괘는 소축의 마침을, 리괘는 리괘의 마침을 취하였는데, 다만 소축의 마침은 오로지 육사인 음효로부터 말했기 때문에 '흉'이라 했고, 리괘의 마침은 여러 효를 거느림으로부터 말했기 때문에 "두루 하면 크게 길할 것이다"라고 말했다. 다른 일은 선한데 혹 하나의 일이 아직 선하지 않거나, 하나의 일 가운데 열에 아홉은 선한데, 혹 하나가 선하지 않은 것은

---

150) 『周易 · 繫辭傳』: 是故, 變化云爲, 吉事有祥.

모두 두루 하는 것이 아니며, 모두 큰 선이나 길한 것이 아니다. 그러므로『본의』에 "점치는 자의 화복은 그 실천하는 바를 보아야 하니, 아직 정해지지 않았다"고 말했다.

┃韓國大全┃

권근(權近)『주역천견록(周易淺見錄)』

諸卦言元吉, 或在初二三四五之爻, 猶有始雖元吉, 終則未然之意. 若履則言元吉在上九. 是視其所履之事, 自始至終, 周旋完備, 大善而吉, 故象曰元吉在上 大有慶也. 吳氏以考祥其旋爲句, 謂父喪之終. 雖其盡禮愼終爲可嘉也, 亦子職之當然, 豈可以父喪方終, 遽謂之元吉, 又爲大有慶乎.

여러 괘 가운데 "크게 길하다"고 한 것이 초(初)·이(二)·삼(三)·사(四)·오(五)효일 경우, 처음에는 크게 길하지만 끝내는 그렇지 않다는 의미가 포함되어 있다. 리괘(履卦)는 상구에서 "크게 길하다"고 하였다. 이는 그가 밟아 온 일들이 처음부터 끝까지 두루 완비하여 크게 선하고 길하기 때문에 「상전」에서 "크게 길함이 위에 있으니, 크게 경사가 있다"고 하였다. 오징은 '고상기선(考祥其旋)'을 구절로 보고 아버지에 대한 상을 마친 것으로 풀이하였다. 비록 예를 다하여 상례를 치르는 것이 가상하기는 하지만, 또한 자식으로서 당연히 해야 할 일이니, 어찌 아버지의 상이 끝나자마자 바로 크게 길하다거나 크게 경사가 있다고 할 수 있겠는가?

조호익(曺好益)『역상설(易象說)』

視, 上九在離巽二體上, 離爲目, 巽爲眼, 故取象.

'시(視)'는, 상구가 리괘(離卦)와 손괘(巽卦)의 두 몸체의 맨 위에 있는데, 리괘가 눈[目]이 되고 손괘가 눈[眼]이 되므로 그 상을 취하였다.

或曰, 自三至五, 似體巽, 故取象.

어떤 이가 말하였다: 삼효에서 오효까지는 그 몸체가 손괘와 흡사하므로 그 상을 취하였다.

祥, 王輔嗣曰, 以陽處陰位, 謙也.

'상(祥)'에 대해 왕보사(王輔嗣)가 말하였다: 양으로서 음의 자리에 있으니, 겸손하다.

謙, 以制禮履道之至善, 故取象. 祥, 取乾天象, 降祥自天, 書曰, 作善降百祥.

겸(謙)은 예를 제정하고 도를 실천하는 지극한 선이므로 그 상을 취하였다. '상(祥)'은 건괘의 하늘의 상을 취한 것인데, '상서(祥瑞)'는 하늘로부터 내리니, 『서경』에서는 "착한 일을 하면 온갖 상서로움이 내려진다"[151]고 하였다.

或曰, 陰陽和則致祥. 以陽爻居陰位故取象. 旋, 取天行象. 朱子曰, 旋是團旋來, 卻到那起頭處, 是天行之象.

어떤 이가 말하였다: 음과 양이 조화로우면 상서로움을 불러온다. 양효(陽爻)로서 음의 자리에 있으므로 그 상을 취하였다. '선(旋)'은 하늘이 운행하는 상을 취한 것이다. 주자가 "선(旋)은 둥글게 돌아서 처음 시작하였던 곳에 도달하는 것이다"라고 했는데, 이것이 바로 하늘이 운행하는 상이다.

김장생(金長生) 『주역(周易)』

上九, 本義, 未定.

『본의』에서는 상구에 대해 "아직 확정되지 않았다"고 하였다.

時未分善惡, 乃未定也.

때가 아직 선악으로 나뉘지 않았으므로 아직 확정되지 않았다.

송시열(宋時烈) 『역설(易說)』

上九, 居最高之位, 下視諸爻之所履, 考其祥與不祥也, 然其旋者, 非謂諸爻之周旋也, 乃上九之周旋也. 蓋言視上九之所履, 考上九之爲祥, 則爻處剛極, 窮而反下. 若周旋折旋, 自抑其强, 而以柔下之道自處, 則雖在上位, 元吉而大慶也.

상구는 최고의 자리에 있어 아래로 모든 효가 밟아 온 바를 보아 그 길함과 길하지 않음을 상고하나, 그 "두루 한다"는 것은 모든 효가 두루 한다는 것이 아니라, 곧 상구가 두루 한다는 것이다. 상구가 밟아 온 바를 보고 상구가 길함이 됨을 상고하는 것을 말하니, 효는 굳센

---

151) 『書經·伊訓』: 상제는 일정하지 않으시어 선행을 하면 온갖 상서(祥瑞)를 내리고 불선(不善)을 하면 온갖 재앙(災殃)을 내려 주십니다.[惟上帝不常, 作善降之百祥, 作不善降之百殃.]

양에 있어 궁극에 다다르면 아래로 돌이키는 것이다. 만약 두루 하여 스스로 그 강함을 억제하여 부드럽게 자신을 낮추는 도로써 자처한다면, 비록 윗자리에 있다 해도 크게 길하여 큰 경사가 있다.

이익(李瀷) 『역경질서(易經疾書)』

凡事極必反, 故上九旣視明而後, 履行也, 與眇視跛履異矣. 考者如復五之自考, 究其終也. 祥者災之反也. 六三以後, 災害之甚, 故至此自考, 則非災伊祥. 旋者, 亦災極反祥之義.

일이 극한에 이르면 반드시 돌이키므로 상구에서 이미 본 것이 밝은 후에 밟아 나간다고 했으니, 애꾸눈, 절름발이와는 다르다. "상고한다"는 것은 복괘 오효의 "스스로 상고한다"[152]는 것과 같이 그 마침을 궁구하는 것이다. '상서로움'은 재앙의 반대이다. 육삼 이후에 재해가 심하므로 상효에 이르러 스스로 상고해보면, 재앙이 아니면 저 상서로움이다. '돈대[旋]'는 것은 또한 재앙이 극에 이르면 상서로움으로 돌이킨다는 뜻이다.

심조(沈潮) 「역상차론(易象箚論)」

視祥二字之從衣者, 乾爲衣也. 視之從見者, 與互離相應也. 祥之從羊者, 與兌應也. 乾爲父, 故下考字, 乾主旋, 故下旋字.

'시(視)'와 '상(祥)'이라는 두 글자가 글자의 부수가 '의(衣)'인 것은 건괘가 옷이 되기 때문이다. '시(視)'자에 '견(見)'이 있는 것은 호괘인 리괘(離卦)와 서로 호응하기 때문이다. '상(祥)'자에 '양(羊)'이 있는 것은 태괘와 호응하기 때문이다. 건괘는 아버지가 되므로 '고(考)'자를 썼고, 건괘는 '도는 것[旋]'을 주로 하므로 '선(旋)'자를 썼다.

유정원(柳正源) 『역해참고(易解參攷)』

鄭氏曰, 履道之終, 考正詳備.

정씨가 말하였다: 리도(履道)의 마침은 올바름을 상고하여 자세히 갖추는 것이다.

○ 王氏曰, 禍福之祥, 生于所履, 處履之極, 履道成矣, 故可視履而考祥也. 居極應說, 高而不危, 視其旋也. 履道大成, 故元吉也.

---

152) 『周易·復卦(六五)』: 象曰, 敦復无悔, 中以自考也.

왕필이 말하였다: 화복의 징조는 밟아 온 것에서 생겨나니, 리괘의 끝에 있어 리괘의 도가 완성되었으므로 밟아 온 것을 보아서 상서로움을 상고할 수 있다. 극에 있어 기쁨과 호응하여 높은데도 위태롭지 않은 것이 그 도는 것을 보는 것이다. 리괘의 도가 완성되므로 크게 길하다.

○ 厚齋馮氏曰, 相視所履, 以驗休咎之象. 祥者, 吉凶之兆也, 讀禎祥之祥.

후재풍씨가 말하였다: 서로 밟아 온 바를 보아 아름다움과 허물을 징험하는 상이다. '상(祥)'은 길흉의 조짐이니, '정상(禎祥)'의 '상'으로 읽어야 한다.

김상악(金相岳)『산천역설(山天易說)』

視履者, 明視而正履也. 居乾之上與三爲應, 三互離體, 故有視履考祥之象. 能周旋无虧, 則大善而吉矣.

"밟아 온 것을 본다"는 것은 밝게 보고 바르게 실천하는 것이다. 건괘의 맨 위에 있어 삼효와 호응하고, 삼효는 호괘인 리괘의 몸체이므로 "밟아 온 것을 보아 상서로움을 상고한다"는 상이 있게 되었다. 두루 하여 이지러짐이 없으면 크게 선하고 길하다.

○ 詩云, 周道如砥, 其直如矢, 君子所履, 小人所視, 卽視履之義也. 故九二曰, 履道坦坦. 如六三之眇跛, 非能視而能履者也. 蓋履者禮也. 離之一陰, 得乾之中, 文明之德甚盛, 而亦能節陽之過, 无氣質之偏, 所以合於天理之節文, 而上九以陽居陰, 得履道之善者, 故取象如此. 考者, 成也, 吉生於祥者也, 變化云爲吉事有祥, 是也. 下卦兌反, 則與復對, 復之五曰, 敦復. 自考復道之成也, 履之上曰視履考祥, 履道之成也. 旋卽周旋折旋之旋也. 乾居兌上, 是天運之西轉也. 天之運行一日一周, 能用乾之德, 其所視履, 從容回旋中規, 中矩則可以考祥而吉矣. 蓋三之一陰, 主卦於下, 有履虎之象. 故二四之爲比者, 有戒懼之意, 而上之爲應得元吉者, 不取本爻之義, 而取互體之象. 所以雜物, 撰德, 非中爻不備也.

『시경』에 "주나라의 도가 숫돌처럼 판판하니, 그 곧음은 화살과 같도다. 군자가 실천하는 바이고 소인이 보는 바이다"[153]라고 한 것이 곧 "밟아 온 것을 본다"는 뜻이다. 그러므로 구이에 "다니는 길이 평탄하다"고 했다. 만약 육삼에 나오는 애꾸눈과 절름발이라고 한다면, 볼 수 없고 갈 수도 없다. '리(履)'는 예이다. 리괘의 한 음이 건괘의 가운데를 얻었으니, 문명(文明)의 덕이 매우 왕성하여 양이 넘치는 것을 조절하고 기질의 치우침이 없어 천리의

---

153)『詩經·大東』: 周道如砥, 其直如矢. 君子所履, 小人所視.

절문과 부합할 수 있고, 상구가 양으로서 음의 자리에 있어 리도의 선함을 얻었으므로 상을 취한 것이 이와 같다. "상고한다"는 것은 이루는 것이니, 길함은 상서로움으로부터 생겨나는데, 「계사전」에 "변(變)하고 화(化)하며 말하고 행함에 길한 일은 상서로움이 있다"[154]고 한 것이 이것이다. 하괘인 태괘를 거꾸로 하고 음양을 모두 바꾸면 복괘(復卦䷗)가 되는데, 복괘의 육오에 "돌아옴을 돈독히 한다"[155]고 하였으니, 회복하는 도의 완성을 스스로 상고한다. 리괘의 상효에 "밟아 온 것을 보아 상서로움을 상고한다"고 하였으니, 리괘의 도가 완성됨이다. '돈다[旋]'는 것은 '두루 도는 것[周旋]'과 '굽어 도는 것[折旋]'의 '돎[旋]'이다. 건괘가 태괘의 위에 있는 것은 하늘의 운행이 서쪽으로 도는 것이다. 하늘의 운행은 하루에 한 번 도는데, 건괘의 덕을 사용하여 그 실천하는 바를 보아 자연스럽게 돌아서 법도에 맞을 수 있으니, 법도에 맞는다면 상서로움을 상고할 수 있어 길하다. 삼효인 하나의 음은 하괘의 주인이 되어 호랑이 꼬리를 밟는 상이 있다. 그러므로 이효와 사효가 비의 관계가 된다고 하는 것은 두려움을 경계한 뜻이고, 상효와 호응하여 크게 길함을 얻는다고 한 것은 본 효의 뜻을 취한 것이 아니고, 호체의 상을 취한 것이다. 그래서 「계사전」에서 "사물을 섞음과 덕(德)을 가려냄과 옳음과 그름을 분별함은 가운데의 효(爻)가 아니면 갖춰지지 않을 것이다"[156]라고 했다.

박윤원(朴胤源) 『경의(經義)・역경차략(易經箚略)・역계차의(易繫箚疑)』

其旋, 來易, 作周旋中規, 折旋中矩之義, 蓋主履之爲禮而言.

그 도는 것[旋]을 래지덕(來知德)의 『주역집주』에서는 빙 도는 것이 둥근 자에 맞고 꺾어 도는 것이 곧은 자에 맞는다는 뜻으로 풀이했으니, 리괘가 예가 되는 것을 주로 하여 말했다.

김귀주(金龜柱) 『주역차록(周易箚錄)』

按, 上九履之終也. 履者, 行也. 行之終, 則必卻顧反視, 點檢其所經歷, 爻有此象, 故曰視履考祥.

내가 살펴보았다: 상구는 리괘의 마침[終]이다. 리(履)는 실천한다는 말이다. 실천하는 것의 끝에 가서는 반드시 되돌아보아 지나 온 이력을 점검하게 되니, 여기 효에는 이 상이 있으므로 "밟아 온 것을 보아 상서로움을 상고한다"고 하였다.

---

154) 『周易・繫辭傳』: 是故, 變化云爲, 吉事有祥, 象事, 知器, 占事, 知來.
155) 『周易・復卦』: 六五, 敦復, 无悔.
156) 『周易・繫辭傳』: 若夫雜物, 撰德, 辨是與非, 則非其中爻, 不備.

本義, 視履之終, 云云.
『본의』에서 말하였다: 실천하는 것의 마침을 본다, 운운.

小註, 漢上朱氏, 曰吉事, 云云.
소주에서 한상주씨가 말하였다: 길한 일이다, 운운.

○ 按, 祥字, 猶言徵兆, 吉凶未分之稱. 上註程子所謂, 觀其吉凶之祥者, 然也. 朱說專以吉言, 恐少偏.
내가 살펴보았다: '상(祥)'자는 징조라고 말하는 것과 같으니, 길흉이 아직 구분되지 않은 것을 말한다. 위의 정자의 주석에서 "그 길흉의 상서로움을 살피는 자"라고 한 것이 그러한 경우이다. 주자의 설은 전적으로 길함으로써 말하였는데, 조금 치우치지 않았나 한다.

進齋徐氏曰, 履至, 云云.
진재서씨가 말하였다: 리괘 상구에 이르러 운운.

○ 按, 程傳本義, 所云周旋, 蓋言所行周至也. 若以動容周旋之周旋言之, 則意恐不倫.
내가 살펴보았다: 『정전』과 『본의』에서 말한 '주선'은 행동이 두루 이르는 것을 말한다. 만약 '동용주선'의 '주선'으로 말한다면 뜻이 어긋난 듯하다.

雲峰胡氏曰, 小畜, 云云.
운봉 호씨가 말하였다: 소축괘, 운운.

○ 按, 小畜未嘗不取爻義. 蓋外三爻, 皆是巽體, 則上九雖陽, 亦便是陰爻也, 故謂之尙德載. 本義之意, 恐亦如此, 胡說未精.
내가 살펴보았다: 소축괘는 효의 뜻을 취하지 않을 수 없다. 외괘 삼효가 모두 손괘의 몸체라면 상구가 비록 양이라도 또한 곧 음효이므로 "덕을 숭상하여 가득찬다"[157]고 하였다. 『본의』의 뜻도 이와 같은데, 호씨의 설은 정밀하지 않다.

本義, 若得元吉, 云云.
『본의』에서 말하였다: 만약 크게 길함을 얻는다면, 운운.

小註, 建安丘氏曰, 履以, 云云.
소주에서 건안구씨가 말하였다: 리괘는, 운운.

○ 按, 一進一反之云, 似其旋之旋字, 爲反旋之義, 恐未安. 此卦履者, 禮也. 禮者, 體嚴而用和. 以爻言之, 才爲體而志爲用, 剛爲嚴, 而柔爲和也. 如六三之才柔志剛者, 固爲反常而凶, 而如九五之才剛志剛者, 亦未得爲至善, 故有貞厲之戒. 九四九二, 才剛

---

157) 『周易·小畜卦』: 上九, 旣雨旣處, 尙德載.

志柔, 有以合乎禮之體用. 故其占皆吉, 而四則不得中, 故猶有愬愬之懼. 若二之履道坦坦, 乃其盡義者也.

내가 살펴보았다: 한 번 나아가고 한 번 돌아온다고 말하는 것은 그 '돈다'는 의미의 '선(旋)' 자와 유사한데, 돌이키는 뜻으로 여기는 것은 타당하지 않은 듯하다. 이 괘의 리(履)는 예이니, 예는 몸체가 엄하고 작용은 조화롭다. 효로써 말하면 재질은 몸체가 되고 뜻은 작용이 되며, 굳셈은 엄격함이 되고, 부드러움은 조화가 된다. 예를 들어 재질이 부드럽고 뜻이 굳센 육삼은 본래 항상스러운 도를 거꾸로 하여 흉하고, 재질도 굳세고 뜻도 굳센 구오는 지극한 선이 되지 못하므로 곧더라도 위태롭다는 경계를 했다. 구사와 구이는 재질이 굳세나 뜻이 유약하므로 예의 몸체와 작용에 부합된다. 그러므로 그 점사는 모두 길하고, 사효는 가운데를 얻지 못하였으므로 조심하고 두려워하는 마음이 있다. 이효의 "다니는 길이 평탄하다"고 한 것이 그 뜻을 다 표현했다.

윤행임(尹行恁)『신호수필(薪湖隨筆)・역(易)』

靡不有初, 鮮克有終, 故九四言終吉. 上九言考祥者, 貴其令終也. 視其所履, 周旋無缺, 福祿來遹, 室家均慶, 漢之石中涓近之.

『시경』에 "처음에는 선(善)하지 않은 이가 없으나, 선으로 마치는 이가 적다"[158]고 하였으므로 구사에서는 마침내 길하다고 하였다. 상구에 "상서로움을 상고한다"고 한 것은 그 아름답게 마치는 것을 귀하게 여기는 것이다. 밟아 온 바를 보고, 두루 하여 빠짐이 없으면, 복록이 모여들고 집안이 모두 경사가 있으니, 청결과 위생을 담당하는 시종 관원이었던 한(漢)나라의 석분(石奮)[159]이 거기에 가깝다.

서유신(徐有臣)『역의의언(易義擬言)』

履之終, 故視其履而考其祥, 如事終而考績也. 上九乾體之終, 天行周環之象, 故曰旋也. 居終而旋, 其履之健而不息也. 履不處, 故有此象也.

리괘의 마침[終]이므로 "밟아 온 것을 보아 상서로움을 상고한다"는 것은 일을 마치고 나서 실적을 상고하는 것과 같다. 상구는 건괘 몸체의 끝으로 하늘의 운행이 한 바퀴 빙 도는

---

158) 『詩經・蕩』, "靡不有初, 鮮克有終"
159) 석분(石奮): 한 나라 온현(溫縣) 사람으로, 15세부터 소리(小吏)가 되어 고조(高祖)를 섬겼으며, 태중대부(太中大夫)를 거쳐 경제(景帝) 때에는 구경(九卿)이 되었다. 그리고 아들이 네 명인데, 맏아들이 건(建)이고, 둘째 아들은 갑(甲), 셋째 아들은 을(乙), 막내아들은 경(慶)이다. 네 아들과 함께 모두 관직이 태수가 되었으므로 만석군(萬石君)으로 불리었다.(『사기(史記)・만석장숙열전(萬石張叔列傳)』.)

상이므로 '돈다[旋]'라고 했다. 끝머리에 있다가 다시 도는 것은 그 밟아 온 것이 굳건하여 쉬지 않기 때문이다. 가고 머물지 않으므로 이 상을 갖게 된다.

박문건(朴文健)『주역연의(周易衍義)』

謹於自守, 故有視履之象. 祥吉, 善也.

근신으로 자신을 지키기 때문에 실천하는 것을 보는 상이 있다. 상서로움과 길함은 선이다.

〈問, 視履考祥, 其旋元吉. 曰, 上九視其自履, 而考其吉善之有否. 常若不足於道. 故周旋而不進也, 所以大吉.

물었다: 밟아 온 것을 보아 상서로움을 상고하되 두루 하는 것이 크게 길하다고 한 것은 무엇입니까?

답하였다: 상구는 스스로 밟아 온 것을 보고서 그 길하고 선한 것이 있는지 없는지에 대한 여부를 상고합니다. 항상 도 앞에서는 늘 부족한 듯 처신하여 빙빙 돌기만 하고 나아가지 않으므로 크게 길합니다.〉

김기례(金箕澧)「역요선의강목(易要選義綱目)」

禮至此而成矣. 人何能每事盡善. 反觀善惡之行, 周旋合道, 則有初而克終, 故吉.

예는 상구에 이르러 완성된다. 사람들이 어떻게 매사에 선을 다 할 수 있겠는가? 선악의 행동을 돌이켜보아 두루 도리에 합한다면, 처음에 시작이 있고 끝도 잘 마칠 수 있으므로 길하다.

○ 剛履柔則吉, 柔履剛則凶, 剛腹剛則厲, 蓋陽居陰位者, 美矣.

굳센 양이 유약한 음을 밟으면 길하고, 유약한 음이 굳센 양을 밟으면 흉하며, 굳센 양이 굳센 양을 밟으면 위태로우니, 양이 음의 자리에 있는 것이 좋다.

贊曰, 素位而行, 行且匪虧, 以剛居柔, 履道合宜. 上天下澤, 禮前尊卑, 履虎以何, 順則不危.

찬하여 말하였다: 현재의 지위에 따라 행하니, 행함에 또한 이지러지지 않고, 굳센 양으로서 유약한 음의 자리에 있으니, 리괘의 도리가 마땅하다. 위가 하늘이고 아래가 못인 것은 예로 높이고 낮추는 것이니, 호랑이 꼬리를 밟은들 어쩌겠는가? 순리대로 한다면 위태롭지 않다.

박종영(朴宗永) 『경지몽해·주역(經旨蒙解·周易)』[160]

履之上九曰, 視履考祥, 其旋元吉. 程傳曰, 旋謂周旋完備, 人之所履, 考視其終, 周完无疚[161], 善之至也, 是以元吉, 人之吉凶, 係其所履, 善惡之多寡, 吉凶之小大也. 詩曰, 靡不有初鮮克有終, 人之行事, 當視其終, 若終始完脩無虧, 則可得吉慶也. 是以初九曰素履往无咎. 程傳曰, 夫人不能自安於貧賤之素, 則其進也, 乃貪躁而動求去乎貧賤, 非欲有爲也, 旣得其進驕溢必矣, 故往則有咎. 賢者則安履其素, 其處也樂, 其進也將有爲也. 故得其進, 則有爲而無不善, 乃守其素履者也. 蓋其才陽剛, 而安於在下, 不變所守, 如大舜之飯糗茹草, 若將終身, 顔子之居於陋巷, 不改其樂, 卽所謂素履而及其往也, 得君行道. 窮則獨善其身, 達則兼善天下, 如伊傅者足以當之. 九二曰, 履道坦坦, 幽人貞吉, 象曰, 幽人貞吉, 中不自亂也. 程子[162]釋之曰, 九二居柔寬裕得中, 其所履坦坦然平易, 雖所履得坦易之道, 亦必幽貞安恬之人處之, 則能貞固而吉也. 中若躁動豈能安其所履, 故必幽人, 則中心安靜, 不以利欲自亂也. 九四曰, 履虎尾, 愬愬終吉, 象曰, 愬愬終吉志行也. 程傳曰, 在近君多懼之地, 故爲履虎尾愬愬畏懼之貌, 則當終吉. 蓋九雖剛而志柔, 四雖近而不處, 故能兢愼畏懼, 則終免於危而獲吉也. 此乃視履考祥其旋元吉之義也. 春秋劉子之言曰, 人受天地之中以生, 所謂命也. 能者養之以福, 不能者敗以取禍, 視其履, 可以知其祥矣, 是以上九之象曰, 元吉在上大有慶也. 程子釋之曰, 上, 履之終也. 人之所履, 至其終周旋无虧, 乃大有福慶之人也, 人之行貴乎有終. 嗚呼, 凡百君子, 其勉旃於所履, 戒愼乎克終哉.

리괘 상구의 "밟아 온 것을 보아 상서로운 것을 상고하되, 두루 하면 크게 길할 것이다"고 한 것을 『정전』에서 "두루 한다는 것은 두루 갖추어져 완비하여 지극하지 않음이 없는 것을 말한다. 사람이 밟아 온 것을 그 마지막에 상고하여 보아서 두루 하고 완벽하여 하자가 없다면 선이 지극하니, 이 때문에 크게 선하고 길하다. 사람의 길흉은 그 밟아 온 바에 달려 있으니, 선악의 많고 적음은 바로 길흉의 작고 큼이다"라고 해석하였다. 『시경』에서는 "처음에는 선하지 않은 이가 없으나, 선으로 마치는 이가 적다"고 하였다. 사람이 일을 할 때에는 마땅히 그 마지막을 보아야 하니, 만약 처음부터 끝까지 완벽하여 흠이 없다면 큰 경사와 복이 있다. 이 때문에 초구에서 "평소의 본분대로 행해 가면 허물이 없다"고 하였다. 『정전』에서는 "사람이 빈천한 본분에 스스로 편안하지 못하면 그 나아감에 탐욕으로 조급하게 행동하여 빈천에서 떠나기를 구할 뿐이고, 훌륭한 일을 하고자 하는 것이 아니니, 이미 그

---

160) 경학자료집성DB에서는 비괘(比卦) 상육에 해당하는 것으로 분류했으나, 내용에 따라 이 자리로 옮겨 바로 잡는다.

161) 疚: 경학자료집성DB와 영인본에 모두 '咎'로 되어 있으나, 『주역전의대전』을 참조하여 '疚'로 바로잡았다.

162) 子: 경학자료집성DB와 영인본에 모두 '于'으로 되어 있으나, 문맥을 살펴 '子'로 바로잡았다.

나아가는 것을 얻으면 틀림없이 교만하고 넘칠 것이다. 그러므로 나아가면 허물이 있게 된다. 현자는 그 본분을 편안히 행하여 그 거처함에 즐겁고 그 나아감은 장차 훌륭한 일을 하려 해서이다. 그러므로 그 나아감을 얻으면 훌륭한 일을 하게 되어서 선하지 않음이 없으니, 이는 바로 그 평소의 본분을 지키는 자이다"라고 하였다. 그 재질이 군센 양으로서 아래에 편안히 있어 평소 그 위치를 지키는 바를 변함이 없이 행하니, 순임금이 마른 밥과 채소를 먹으면서 마치 장차 죽을 때까지 그렇게 할 듯이 한 것과 안연이 누추한 거리에 거처하여도 그 즐거움을 고치지 않은 것이 곧 "평소의 본분대로 행한다"는 것이고, 그 '가는 것[往]'에 이르러 임금을 얻어 도를 실천할 수 있다고 말한다. 곤궁해지면 자신만이라도 선하게 하고, 뜻을 펴면 천하에 선을 함께 나누니, 이윤과 부열 같은 이가 해당된다. 구이에 "다니는 길이 평탄하니, 은자라야 바르고 길하다"고 하였고,「상전」에서는 "은자가 곧고 길하다고 한 것은 중도를 지켜 스스로 어지럽히지 않기 때문이다"163)라고 하였다. 정자는 "구이는 양으로서 유순한 음의 자리에 있어 너그러움과 관대함으로 중을 얻었으니, 그 다니는 길이 평탄하고 평이한 도이다. 비록 실천하는 바에 평이한 도를 얻었으나, 또한 반드시 그윽하고 고요하며 편안한 사람이 자리하여야 바르고 군어 길하다"고 해석하였다. 중간에 만약 조급하게 움직인다면 어찌 그 밟는 바가 편안할 수 있겠는가? 그러므로 반드시 은자라면 마음속이 편안하고 고요하여 이욕으로 스스로를 어지럽히지 않는다. 구사는 "호랑이 꼬리를 밟으니, 두려워하고 조심하면 마침내 길하다"고 하였고,「상전」에는 "두려워하고 조심하면 마침내 길하다고 한 것은 뜻이 행해지기 때문이다"164)라고 하였다.『정전』에서는 "임금의 자리와 가깝고, 두려움이 많은 자리에 있기 때문에 호랑이 꼬리를 밟는 것이 되고, '삭삭(愬愬)'은 두려워하는 모양이니, 만약 두려워하면 마침내는 길하게 된다"고 해석하였다. '구(九)'는 비록 군세나 뜻은 유약하고, '사(四)'는 비록 오효와 가깝지만 자처하지 않기 때문에 전전긍긍하고 삼가며 두려워한다면 마침내 위태로움에서 벗어나 길함을 얻을 것이다. 이것이 곧 상구에서 "밟아 온 것을 보아 상서로운 것을 상고하되 두루 하면 크게 길할 것이다"라고 한 뜻이다.『춘추좌씨전』에서 유자(劉子)는 "사람은 천지의 이치를 받아서 태어나니, 이른바 명이다. 그러므로 동작, 예의, 위의의 법칙이 있어 그것으로 명을 안정시킨다. 잘하는 자는 수양하여 복을 받고, 잘하지 못하는 자는 패하여 화를 받는다"165)고 하였다. 그 밟는 바를 보아 그 상서로움을 알 수 있기 때문에 상구의「상전」에서 "크게 길한 것이 위에 있다는 것은 크게 경사가 있는 것이다"라고 하였다. 정자는 이것을 "상효는 리괘의 맨 마지막이다. 사람이 밟아

---

163)『周易·履卦』: 九二, 履道坦坦, 幽人, 貞吉. 象曰, 幽人貞吉, 中不自亂也.
164)『周易·履卦』: 九四, 履虎尾, 愬愬, 終吉. 象曰, 愬愬終吉, 志行也.
165)『春秋左氏傳·成公』: 民受天地之中以生, 所謂命也, 是以有動作禮義威儀之, 則以定命也, 能者養之以福, 不能者敗以取禍.

실천하는 것이 그 마지막에 이르러 두루 갖추어져 완비되어 흠이 없으면 이는 크게 복과 경사가 있는 사람이니, 사람의 행실은 유종의 미를 거두는 것을 귀하게 여긴다"고 해석하였다. 오호라, 세상의 모든 군자들이여! 실천하는 것을 힘쓰고, 마치는 것을 경계하고 삼가자!

심대윤(沈大允) 『주역상의점법(周易象義占法)』

履之兌䷹. 上九以剛居柔, 恭謹行禮, 而居履之極, 安安恭讓, 藹然和矣. 人之所視而爲則象也, 故曰視履, 言容止可觀也, 詩云, 君子所履, 小人所視, 离爲視考令也. 視聽言動, 從容中禮, 其周旋令善而祥光, 故曰考祥其旋. 巽爲考, 兌對艮爲祥, 乾爲旋元吉, 不用力, 而大吉也. 〈無矩繩無檢束而矩繩檢束, 在其中矣. 禮得中則和, 禮樂致一也. 中和而上下之情通, 乃爲泰也.〉

리괘가 태괘(兌卦䷹)로 바뀌었다. 상구는 굳센 양으로서 유약한 음의 자리에 있어 공경과 삼가는 마음으로 예를 실천한다. 그리고 리괘의 끝에 있으면서 자연스럽고 공손하며 사양하니,[166] 성품이 온화하여 조화롭다. 사람이 보고서 실천하는 상이므로 "밟아 온 것을 살핀다"고 한 것은 기거동작을 살필 만하다는 말로 『시경』에 "군자가 실천하는 바이고, 소인들이 우러러 본다"[167]고 한 것이니, 리괘는 봄[視]이 되어 영(令)을 상고하는 것이다. '시청언동(視聽言動)'이 자연스럽게 예에 적중되어 그것이 두루 선하여 상서로움이 빛나므로 "상서로움을 상고하되 두루 하였다"고 하였다. 손괘(巽卦)가 '상고함[考]'이 되고, 태괘가 음양이 바뀐 간괘가 '상서로움[祥]'이 되며, 건괘가 '두루함[旋]'이 된다. "크게 길하다"고 한 것은 힘을 쓰지 않아도 크게 길한 것이다. 〈법칙과 검속이 있고 없는 것은 그 가운데 있다. 예가 중도를 얻으면 조화가 되어 예와 음악이 하나가 된다. 중화를 이루면 위아래의 감정이 통하여 곧 태평함이 된다.〉

오치기(吳致箕) 「주역경전증해(周易經傳增解)」

上九, 以剛健之質, 居柔而應柔, 剛柔合節而處履之終, 故所視之明, 所履之正, 皆成其善. 自始至終, 其所周旋完備而无虧, 故言大善而吉

상구는 강건한 자질로서 유약한 음에 있으면서 유약한 음과 호응하고, 굳셈과 유약함이 부절처럼 합하여 리괘의 끝에 있으므로 보는 바가 밝고 실천하는 바가 옳아서 모두 그 선을 이루었다. 처음부터 마침에 이르기까지 그 두루 하는 바가 완비되어 이지러짐이 없으므로 크게 선하며 길하다고 말하였다.

---

166) 『書經 · 堯典』: 曰若稽古帝堯曰, 放勳, 欽明文思, 安安, 允恭克讓, 光被四表, 格于上下.
167) 『詩經 · 大東』: 周道如砥, 其直如矢, 君子所履, 小人所視.

○ 視, 取於應體互離, 而六三則失於志剛, 故眇視跛履而凶. 上九則得於行柔, 故所視所履, 皆善也. 考者成也, 在履之終, 故言成也. 祥謂善而善則致吉祥, 故以祥言也. 旋謂周旋而取象於乾爲圜也.

'봄[視]'은 호응하는 몸체인 호괘 리괘(離卦)로부터 취했는데, 육삼은 뜻만 것이 잘못이므로 애꾸눈이 보고 절름발이가 걷는 형국이니 흉하다. 상구는 부드러움을 실천하는 것으로부터 얻었으므로 보는 바와 실천하는 바가 모두 선하다. '상고한다[考]'는 것은 이루어짐이니, 리괘의 끝에 있으므로 이루어짐이라고 했다. '상서롭다[祥]'는 것은 선을 말하고, 선은 길함과 상서로움을 가져오므로 '상서롭다[祥]'고 말했다. '돈다[旋]'는 것은 두루 도는 것을 말하고, 건괘가 '둥긂[圜]'이 되는 데에서 상을 취하였다.

이진상(李震相) 『역학관규(易學管窺)』

上與三爲正應, 而三當離體, 故有視履之象. 考其交應之祥, 而反之於高明之道, 所以元吉也. 旋取乾象.

상효와 삼효는 정응이 되고, 삼효는 리괘의 몸체이므로 밟아 온 것을 보는 상이 있다. 그 사귀어 호응하는 상서로움을 상고하여 높고 밝은 도리를 돌이키므로 크게 길하게 되었다. 두루 하는 것은 건괘의 상을 취했다.

박문호(朴文鎬) 「경설(經說)・주역(周易)」

善惡之多寡, 吉凶之大小, 言吉凶之大小, 由於善惡之多寡也.

선악의 많고 적음과 길흉의 크고 작음은 길흉의 크고 작음이 선악의 많고 적음으로부터 유래되는 것임을 말한다.

이병헌(李炳憲) 『역경금문고통론(易經今文考通論)』

虞曰, 應在三, 考稽祥善也.

우번이 말하였다: 삼효와 호응하니, 상서로움과 선을 상고하고 헤아린다.

姚曰, 視履, 鑒三也, 言在上明也.

요신이 말하였다: 밟아 온 것을 본다는 것은 삼효를 살피는 것이니, 상효의 밝음에 달려있다는 말이다.

履之爲卦, 上而天險不可升, 下而澤坎易陷, 聖人塡塡中立, 以示保世長民之意也. 小畜履爲一對, 其策各二百有四, 合四百有八, 與師比二卦作反比例. 自乾坤始交以後至此, 世宙組織, 成一段落. 夫乾元一氣, 無所不包, 又不害各自爲對, 故坤乃承乾, 以成此天地. 旣有一卦, 不能無對. 旣有一對, 則卦以相承, 對以相應. 六十四卦, 三十二對如環無端, 如水不息渾成天地之爐鞴.

리괘는 위로는 하늘이 험하여 오를 수가 없고, 아래로는 연못과 구덩이여서 빠지기 쉬운데, 성인은 느긋하게 중립하여 세상을 보호하고 백성을 교도하는 뜻을 보여주었다. 소축괘(小畜卦䷈)와 리괘(履卦䷉)는 서로 거꾸로 된 괘이고 음이 하나이며, 그 책수는 각각 이백사로, 합하여 사백팔 책수가 되는데, 사괘(師卦䷆)와 비괘(比卦䷇)가 서로 거꾸로 된 괘이고 양이 하나인 것과 같다. 건괘(乾卦䷀)와 곤괘(坤卦䷁)가 처음으로 사귄 이후부터 여기에 이르기까지 우주가 조직되어 한 단락을 이루었다. 건원(乾元)의 한 기는 포용하지 않음이 없으며, 또한 각자 상대가 되는 것을 방해하지 않으므로 곤괘(坤卦)가 곧 건괘를 이어서 이 천지를 완성했다. 이미 한 괘가 있으니, 상대가 없을 수 없다. 이미 하나의 상대가 있다면 괘로써 서로 이어서 육십사괘와 삼십이괘가 마치 끝이 없는 고리와 같고, 물이 쉬지 않고 유유히 흘러가듯 하며, 천지의 화로와 풀무를 이룬다.

惟自乾至履十卦, 五對則陰陽之化, 因水氣而流行. 蒙之初筮, 以剛中也, 比之原筮, 亦以剛中也. 在人爲腦知, 在坎爲孚心. 亨人而潔淨無黷, 元永貞則神乃告矣. 易之筮告者, 卽坎之心, 坎之心, 卽天地之心, 故大人未占有孚, 此神之不可黷也. 衆所同需, 則必訴于訟, 師旅旣息, 則必建國, 畜文德, 則必定民志. 雖世宙起滅經幾週, 開闢必所履行而不可避之軌途也, 此理之不可諉者也. 屯則雷在坎下, 而宣揚陽氣. 蒙則山在坎上, 而凝止精神. 所需者在上, 則民知仰食, 而剛險者 在下則易以相違. 地中之水, 擬於畜師, 而地上之水, 比於建侯, 風行天上, 則畜以文德, 如履虎尾, 則懼以定志. 十卦上下有坎而無離, 此象之已著者也. 三百六十爲策之中數, 惟此十卦, 自乾坤以下, 每對之策. 陰數過則陽數不及, 陽數過則陰數不及. 陰數太過, 則陽數太不及, 陽數太過, 則陰數太不及. 至于五對, 陰陽之策均齊五, 其三百六十, 而合爲一千八百. 此數之已撰者也, 自此至下篇, 皆倣此.

건괘(乾卦䷀)부터 리괘(履卦䷉)까지 열 개의 괘는 다섯 짝으로 음양의 조화가 수기(水氣)로 인해 흘러간다. 몽괘(蒙卦䷃)에서 "처음 점치거든 알려주는 것은 굳센 양의 알맞음으로써 한다"[168]고 했고, 비괘(比卦䷇)에서 "근원을 살핀다는 것 역시 굳센 양의 알맞음으로써 한다"[169]고 했는데, 사람에서는 뇌가 되고 감괘에서는 믿는 마음이 된다. 사람을 형통하게

---

168) 『周易·蒙卦』: 彖曰, 筮告, 以剛中也.

하고 정결하여 더럽힘이 없는 크고 영원한 바름이라면 신이 곧 알려준다. 『주역』이 처음 점친 자에게 알려 준다는 것은 곧 감괘의 마음이고, 감괘의 마음은 곧 천지의 마음이므로, 대인은 점을 치지 않고도 믿음이 있으니, 이는 신도 더럽힐 수 없기 때문이다. 사람들이 똑같이 필요로 한다면 반드시 소송에서 알리고, 군사가 이미 쉬었다면 반드시 나라를 세울 수 있으며, 문덕을 기른다면 반드시 백성의 뜻을 안정시킨다. 비록 우주가 생겨났다가 없어진 것이 몇 번이 되더라도 개벽은 반드시 행해지는 것이어서 피할 수 없는 궤도이니, 이 이치는 속일 수 없다. 준괘(屯卦䷂)는 우레가 감괘의 아래에 있어 양기를 널리 떨치게 한다. 몽괘(蒙卦䷃)는 산이 감괘의 위에 있어 정신을 집중하여 그치게 한다. 필요로 하는 것이 위에 있다면 백성들은 먹을 수 있지만, 굳세고 험한 것이 아래에 있다면 쉬이 서로 어긋나게 된다. 땅속의 물은 군대를 기르는 것에 비길 수 있고, 지상의 물은 제후를 세우는 것에 비길 수 있다. 바람이 하늘 위에서 분다면 문덕(文德)으로써 기르는 것인데, 마치 호랑이 꼬리를 밟았을 때 두려움으로써 뜻을 정한 것과 같다. 열 개의 괘는 위아래에 감괘가 있지만 리괘(履卦)에는 없으니, 이것은 상이 이미 드러난 것이다. 삼백육십은 책수의 가운데 수인데, 오직 이 열 개의 괘는 건괘와 곤괘 이하 매 짝이 되는 책수로 음수가 넘치면 양수가 미치지 않고, 양수가 넘치면 음수가 미치지 못하며, 음수가 많이 넘치면 양수는 많이 미치지 못하고, 양수가 많이 넘치면 음수는 많이 미치지 못하는 것이다. 다섯 개의 짝에 이르러 음양의 책수가 고르게 다섯이어서 삼백육십이 되고, 합하여 천팔백이 된다. 이것은 수가 이미 갖추어진 것이니, 여기서부터 하편에 이르기까지 모두 이와 같다.

---

169) 『周易·比卦』: 象曰, 筮元永貞无咎, 以剛中也 .

象曰, 元吉在上, 大有慶也.

「상전」에서 말하였다: "크게 길함"이 위에 있는 것은 큰 경사가 있는 것이다.

中國大全

傳

上, 履之終也. 人之所履善而吉, 至其終, 周旋无虧, 乃大有福慶之人也, 人之行, 貴乎有終.

상효는 리괘(履卦)의 맨 끝이다. 사람이 실천하는 것이 선하여 길하고, 그 끝에 이르러 두루 갖추어져 완비되어 흠이 없으면 이는 크게 복과 경사가 있는 사람이니, 사람의 행실은 끝이 있음을 귀하게 여긴다.

本義

若得元吉, 則大有福慶也.

만약 크게 길함을 얻게 되면 큰 복이 있을 것이다.

小註

雲峯胡氏曰, 吉所以爲慶, 元所以爲大.

운봉호씨가 말하였다: '길'은 경사(慶事)가 되고, '원(元)'은 큼[大]이 된다.

○ 建安丘氏曰, 履以上天下澤爲象, 則履者, 禮也. 象言履虎尾, 踐履之象也, 在六爻則皆主踐履之義言之. 初上履之始終也. 初言往, 上言旋, 一進一反而履之象見矣. 中四爻, 以剛履柔者吉, 以柔履剛者凶, 以剛履剛者厲. 以剛履柔者, 能行而不輕於行, 九二之幽人貞吉, 九四之愬愬終吉, 是也. 以柔履剛者, 不能行而强於行, 六三之跛履, 是也. 以剛履剛者, 能行而果決於行, 九五之夬履, 是也. 王輔嗣曰, 陽爻處陰位, 謙也, 故, 此一卦, 皆以陽處陰爲善.

건안구씨가 말하였다: 리괘는 위의 하늘과 아래의 못으로 상을 삼으니, '리(履)'는 예(禮)이다. 「단전」의 '호랑이 꼬리를 밟음'은 실천하는 상을 말한다. 여섯 효는 모두가 주로 실천하는 뜻으로 말했다. 초효와 상효는 리괘의 처음과 마침이다. 초효는 '감往'을 말했고, 상효는 '두류[旋]'를 말했으니, 한번 나아가고, 한번 돌이켜서 리괘(履卦䷉)의 상이 나타난다. 그리고 가운데 네 개의 효에서 굳셈으로서 부드러움을 밟은 것은 길하고, 부드러움으로서 굳셈을 밟은 것은 흉하며, 굳셈으로서 굳셈을 밟은 것은 위태롭다. 굳셈으로서 부드러움을 밟은 것은 행할 수 있으나, 행함에 대해 가볍게 여기지 않으니, 구이의 "은자[幽人]가 바르고 길함"과 구사의 "경계하고 두려워하여 마침내 길하다"는 것이 그것이다. 유약한 음으로서 굳센 양을 밟은 것은 행할 수 없는데도 억지로 행하는 것이니, 육삼의 "절름발이가 걸을 수 있다"는 것이 그것이다. 굳셈으로서 굳센 양을 밟는 것은 실천할 수 있어서 실천하는 것에 대하여 과단성 있게 결단하니, 구오의 "과감하게 결단하여 실행한다"고 한 것이 그것이다.

왕보사(王輔嗣)[170)가 말하였다: 양효가 음의 자리에 있는 것은 겸손한 것이므로 이 괘는 모두 양이 음에 있는 것으로 선을 삼았다.

┃韓國大全┃

김상악(金相岳) 『산천역설(山天易說)』

大者元也, 慶卽吉也. 凡言有慶者, 卽君臣相遇之慶也. 故不在五則在比應, 所以大畜晉睽豐, 皆在六五, 困在九二, 兌在九四, 履頤在上九. 象傳則於益升言之, 亦二五之應也. 蓋陰以得賢爲慶, 陽以得君爲慶, 而履頤則五之君能尙賢, 故其慶更大.

'대(大)'는 큼[元]이며, 경사는 곧 길함이다. 일반적으로 경사가 있다는 말은 곧 임금과 신하가 만나는 경사를 가리킨다. 그러므로 경사가 있다는 말이 오효에 있지 않다면 비(比)나 호응하는 데에 있으니, 대축(大畜)·진괘(晉卦)·규괘(睽卦)·풍괘(豐卦)는 모두 육오에

---

170) 왕보사(王輔嗣, 226~249): 삼국시대 위나라 왕필의 자(字)이다. 왕필은 약관의 나이에 주역과 노자의 사상을 풀어내어 천하에 명성을 떨쳤는데, 하안(何晏), 하후현(夏侯玄), 혜강(嵇康), 완적(阮籍) 등이 그의 영향을 받았다.

있고, 곤괘(困卦)는 구이, 태괘(兌卦)는 구사, 리괘(履卦)와 이괘(頤卦)는 상구에 있다. 「단전」은 익괘(益卦)와 승괘(升卦)에서 말했으며, 이효와 오효는 호응한다. 음은 어진 이를 얻는 것을 경사로 여기고, 양은 임금을 얻는 것을 경사로 여기는데, 리괘(履卦)와 이괘(頤卦)는 오효의 임금이 어진 이를 숭상할 수 있으므로 그 경사가 더욱 크다.

서유신(徐有臣) 『역의의언(易義擬言)』

稱在上者, 見其以陽德終其履也. 若陰柔, 則是不克終者也. 以元吉在上, 而六三說而應之, 故曰大有慶也.

"위에 있다"고 말한 것은 양의 덕으로서 그 밟아 온 것을 잘 마무리한 것을 드러낸 것이다. 만약 유약한 음이라면 잘 마칠 수 없다. 크게 길함으로 위에 있어서 육삼이 기쁘게 호응하기 때문에 "크게 경사가 있다"고 하였다.

박문건(朴文健) 『주역연의(周易衍義)』

慶, 言不見害於六三也.

'경사[慶事]'는 육삼으로부터 상해를 입지 않음을 말한다.

오치기(吳致箕) 「주역경전증해(周易經傳增解)」

得其元吉, 故大有福慶也.

크게 길함을 얻었으므로 크게 복과 경사가 있다.

박문호(朴文鎬) 「경설(經說)·주역(周易)」

程傳視本義, 似爲長矣.

『정전』이 『본의』보다 더 나은 것 같다.

11

태괘
泰卦䷊

┃中國大全┃

傳

泰, 序卦, 履而泰然後, 安, 故, 受之以泰. 履得其所則舒泰, 泰則安矣, 泰所以
次履也. 爲卦坤陰在上, 乾陽居下, 天地陰陽之氣相交而和, 則萬物生成, 故爲
通泰.

태괘는 「서괘전」에 "실천하여 태평하게 된 뒤에 편안해지기 때문에 태괘로 받았다"[1]고 하였다. 실천
한 것이 제자리를 얻으면 여유로워 태평해지며 태평하면 편안하니, 리괘(履卦) 다음에 태괘가 오게
되었다. 태괘는 유순한 곤의 몸체가 위에 있고 굳센 건의 몸체가 아래에 있으니, 천지음양의 기운이
서로 사귀어 조화되면 만물이 생성되므로 통하여 태평한 것이 된다.

小註

誠齋楊氏曰, 乾坤天地之泰初, 屯蒙人物之泰初. 有物此有養, 故需以養之. 養者, 生之
源, 亦爭之端, 爭一生焉, 小者訟, 大者戰. 師以除其惡, 比以附其善, 畜以生聚, 履以
辯治而後致泰. 豈一手一足之力哉. 故曰, 古之无聖人, 則人之類滅久矣.

성재양씨가 말하였다: 건괘와 곤괘는 천지의 태초이며, 준괘와 몽괘는 사람과 만물의 태초
이다. 만물이 있으면 여기에 '기름[養]'이 있으므로 수괘(需卦)로써 기른다. '기름'은 생의 근
원이며 또한 다툼의 단서인데, 다툼이 한번 일어나면 작은 것은 쟁송이고 큰 것은 전쟁이다.
사괘로 악을 제거하고 비괘로 선을 더하고 그 선함을 따라 소축괘(小畜卦)로 백성을 기르
며, 재물을 모으고 리괘(履卦)로 변론하여 다스린 후에 태평함을 이룬다. 어찌 단 한번 손으
로 움직이고 단 한번 발로 움직이는 힘으로 가능한 것이겠는가? 그러므로 옛날에 성인이
없었다면 인류는 소멸된 지 오래되었을 것이라고 말하였다.

---

1) 『周易 · 序卦傳』: 履而泰然後, 安, 故, 受之以泰.

泰, 小往大來, 吉亨

태괘는 작은 것이 가고 큰 것이 오니, 길하고 형통하다.

|中國大全|

傳

小, 謂陰, 大, 謂陽, 往, 往之於外也, 來, 來居於內也. 陽氣下降, 陰氣上交也, 陰陽和暢, 則萬物生遂, 天地之泰也. 以人事言之, 大則君上, 小則臣下, 君推誠以任下, 臣盡誠以事君, 上下之志通, 朝廷之泰也. 陽爲君子, 陰爲小人, 君子來處於內, 小人往處於外, 是君子得位, 小人在下, 天下之泰也. 泰之道, 吉而且亨也, 不云元吉元亨者, 時有汚隆, 治有小大, 雖泰, 豈一槪哉. 言吉亨則可包矣.

'작은 것'은 음을 말하고 '큰 것'은 양을 말하며, '왕(往)'은 밖으로 가는 것이고 '래(來)'는 밖에서 와서 안에 있는 것이다. 양기는 아래로 내려오고 음기는 위로 올라가 사귀어 음양이 화창하면 만물이 생성되니, 이는 천지의 기운이 통한 것이다. 사람의 일로 말하면 '대(大)'는 '임금'이며, 소(小)'는 '신하'이니, 임금은 정성스러운 뜻을 미루어 아랫사람에게 맡기고 신하는 정성을 다하여 임금을 섬김으로써 위아래의 뜻이 통하니, 조정이 태평하다. 양은 군자가 되고 음은 소인이 되는데, 군자가 와서 안에 위치하고 소인이 가서 밖에 거처하니, 군자가 지위를 얻고 소인이 낮은 자리에 있으므로 천하가 태평하다. 태괘의 도는 길하고 또 형통하나, "크게 길하다", "크게 형통하다"고 말하지 않은 것은 때에는 혼란스러운 때와 융성한 때가 있고 다스림엔 크고 작은 것이 있기 때문이니, 비록 태평하더라도 어찌 한결같겠는가? '길형(吉亨)'이라고 말했으면, 이 모두를 포함한 것이다.

小註

隆山李氏曰, 天位乎上, 地位乎下, 此乾坤之體也. 天氣下降, 地氣上騰, 此乾坤之用也. 當泰通之世, 陽來于內, 陰往于外, 來者爲主, 故大者吉而亨. 蓋在內而實則吉, 氣騰而爲亨也. 又曰, 凡易中陽爲明, 陰爲闇, 陽爲實, 陰爲虛, 陽爲富, 陰爲貧, 陽爲貴, 陰爲賤, 陽爲大, 陰爲小, 諸卦可例推. 作易者, 尊陽而卑陰, 蓋如此.

융산이씨가 말하였다: 하늘은 위에 자리하고 땅은 아래에 자리하는 것이 건괘와 곤괘의 몸체이다. 천기는 아래로 내려오고 지기는 위로 올라가는 것은 건괘와 곤괘의 작용이다. 태평한 시대를 맞아 양은 안으로 오고 음은 밖으로 가는데, 오는 자를 위주로 하기 때문에 큰 것은 길하고 형통하다. 안에 있어서 신실하니 길하고, 기는 올라가서 형통하게 된다.

또 말하였다: 『주역』 가운데 양은 밝음이 되고 음은 어둠이 되며, 양은 차 있는 것이 되고 음은 비어있는 것이 되며, 양은 부유함이 되고 음은 가난함이 되며, 양은 귀함이 되고 음은 천함이 되며, 양은 큼이 되고 음은 작음이 되니, 모든 괘는 이러한 예로 미루어 볼 수 있다. 『주역』을 지은 이가 양을 높이고 음을 낮춤이 이와 같았다.

本義

泰, 通也. 爲卦天地交而二氣通, 故爲泰, 正月之卦也. 小, 謂陰, 大, 謂陽, 言坤往居外, 乾來居內. 又自歸妹來, 則六往居四, 九來居三也. 占者有剛陽之德, 則吉而亨矣.

태는 통하는 것이다. 태괘는 천지가 사귀어 음양의 두 기운이 통하였기 때문에 태라고 하였으니, 정월의 괘이다. '작은 것[小]'은 음을 말하고 '큰 것[大]'은 양을 말하니, 곤괘는 위로 가서 밖에 있고 건괘는 아래로 내려와서 안에 있는 것을 가리킨다. 또 귀매괘(歸妹䷵)로부터 왔으니, 육은 올라가서 태괘(泰卦䷊)의 사효에 자리하고 귀매괘의 구는 내려와서 태괘의 삼효에 자리하였다. 점치는 자가 굳센 양의 덕을 가지고 있으면 길하여 형통하다.

小註

節齋蔡氏曰, 坤本在下之物, 自下而上, 故曰往, 乾本在上之物, 自上而下, 故曰來. 往者已去, 則來者當時. 大來, 則陽當時用, 故吉亨.

절재채씨가 말하였다: 곤은 본래 아래에 위치하는 것으로 아래로부터 위로 가기 때문에 '왕(往)'이라 하였고, 건은 본래 위에 있는 것으로 위로부터 아래로 내려오기 때문에 '래(來)'라고 하였다. '왕(往)'이 이미 간 것이라면, '래(來)'는 바로 그 때이다. 큰 것이 오면 양이 바로 그 때의 쓰임에 마땅하기 때문에 길하고 형통하다.

○ 雙湖胡氏曰, 小往大來, 卦變也. 泰自否來, 三陰往居於外, 三陽來居於內, 而成泰也. 伏羲畫卦陰陽一時俱定, 卦中爻畫, 无能上下往來之理, 唯卜筮遇九六, 則有本卦之卦以爲占. 文王觀象而係卦, 見此卦有自彼卦來之象, 寓於往來數字間, 卦體始爲之活動矣. 上經可推, 僅四卦, 非揲蓍求卦之義也.

쌍호호씨가 말하였다: 작은 것이 가고 큰 것이 오는 것은 괘의 변화이다. 태괘는 비괘(否卦)로부터 온 것이며, 세 음이 아래에서 위로 올라가서 밖에 있고 세 양은 위에서 아래로 내려가서 안에 있어 태괘(泰卦)를 이루었다. 복희씨가 괘를 그을 때, 음양은 일시에 함께 정해졌지만, 괘 가운데의 획에는 위아래를 왕래하는 이치가 없었고 오직 복서에서 노음・노양을 만났을 경우, 본 괘의 괘를 점으로 여겼다. 문왕이 상을 살펴 괘에 연계시키면서 이 괘가 저 괘로부터 온 상임을 알아서 '가괴往' '온대來'는 글자 사이에 붙이니, 괘의 몸체가 처음으로 활동하게 되었다. 「상경」에서 미루어 볼 수 있는 것은 겨우 네 괘뿐이니, 시초를 세어 괘를 구하는 뜻은 아니다.

○ 雲峯胡氏曰, 三陽來而居內, 三陰往而居外, 陰陽之正. 唯泰卦爲然. 自乾坤至履, 陽三十畫, 陰三十畫, 陰陽之數, 適相等然後, 爲三陰三陽之泰, 泰豈偶然哉. 三陰三陽, 往來之卦, 凡二十而泰否適居其先, 故卦辭獨以往來言. 又曰, 按, 辟卦乾四月卦, 坤十月卦, 本義於乾坤不言, 獨自泰正月以下言之何也. 蓋嘗思之, 自乾坤二卦外, 上經泰否臨觀剝復六卦三十六畫, 而陰之多於陽者, 十二. 下經遯大壯夬姤四卦, 二十四畫而陽之多於陰者, 十二. 又上經自泰正月而臨十二月, 而復十一月, 陽月順數已往, 自否七月而觀八月, 而剝九月, 陰月逆推未來. 下經自遯六月, 而姤五月陰月順數, 旣往, 自大壯二月, 而夬三月陽月逆推方來. 以上必皆除乾坤然後, 見其多寡逆順, 自然之序, 此本義所以斷自泰正月首言之也. 至若乾不言四月, 而言之於下經之姤, 坤不言十月而言之於上經之復. 蓋先天圓圖, 剝復之間, 自有坤. 後天復次剝, 剝復, 又自有坤下坤上. 此坤十月之卦, 本義所以不言於坤, 而言於復也. 先天姤夬之間, 自有乾, 後天姤次夬, 夬姤, 又自有乾上乾下. 此乾四月之卦, 本義所以不言於乾而言於姤也. 天地乾坤陰陽之極, 剝復夬姤陰陽消長之際也. 讀本義者, 不可以不知.

운봉호씨가 말하였다: 세 양이 위에서 아래로 내려와 안에 위치하고 세 음은 밑에서 위로 올라가 밖에 위치하는 것이 음양의 올바른 위치이다. 오직 태괘(泰卦)만이 그렇다. 건괘와 곤괘로부터 리괘(履卦)에 이르기까지 양과 음은 각각 삼십획이고, 음양의 수가 서로 비슷하게 된 뒤에 세 음과 세 양으로 구성된 태괘가 되니, 리괘(履卦) 다음에 태괘가 되는 것이 어찌 우연한 일이겠는가? 세 음과 세 양이 왕래한 괘는 이십 괘이고[2] 태괘와 비괘가 「상경」

---

2) 64괘 가운데 음・양효가 각각 세 개씩 구성된 괘는 다음과 같다. 1-태괘(泰卦䷊), 2-비괘(否卦䷋), 3-수괘(隨卦䷐), 4-고괘(蠱卦䷑), 5-서합괘(噬嗑卦䷔), 6-비괘(賁卦䷕), 7-함괘(咸卦䷞), 8-항괘(恒卦䷟), 9-손괘(損卦䷨), 10-익괘(益卦䷩), 11-곤괘(困卦䷮), 12-정괘(井卦䷯), 13-점괘(漸卦䷴), 14-귀매괘(歸妹卦䷵), 15-풍괘(豊卦䷶), 16-려괘(旅卦䷷), 17-환괘(渙卦䷺), 18-절괘(節卦䷻), 19-기제괘(旣濟卦䷾), 20-미제괘(未濟卦䷿).

에 위치하기 때문에 괘사에서 유독 '왕래(往來)'로써 말하였다.

또 말하였다: 내가 살펴보니 십이벽괘[3]에서 건괘는 사월괘이고 곤괘는 시월괘인데, 『본의』에서는 건괘와 곤괘에 대해서 말하지 않고 유독 태괘 정월 이하로부터 그것을 말한 것은 왜인가? 일찍이 생각해 보건대, 건괘와 곤괘 두 괘를 제외하고 「상경」의 태 · 비 · 임 · 관 · 박 · 복괘까지 여섯 괘가 삼십육획인데, 음이 양보다 많은 것은 십이획이다. 「하경」의 돈 · 대장 · 쾌 · 구 등 네 괘는 이십사획인데, 양이 음보다 많은 것이 십이획이다. 또 「상경」은 태괘 정월로부터 림괘 십이월 복괘 십일월까지 '양월(陽月)'로서 순서대로 셈하여(順數) 이미 지나갔고 비괘(否卦) 칠월로부터 관괘(觀卦) 팔월 박괘(剝卦) 구월은 '음월(陰月)'로서 미래를 거슬러 미루어 나갔다. 「하경」에서는 돈괘(遯卦) 유월로부터 구괘(姤卦) 오월은 음월로서 순서대로 셈하여 이미 지나갔고 대장괘 이월로부터 쾌괘(夬卦) 삼월은 양월(陽月)로서 미래를 거슬러 미루어 나갔다. 이상은 반드시 모두 건괘와 곤괘를 제외한 연후에 그 역순의 다과와 자연의 순서를 볼 수 있다. 이것이 『본의』에서 단적으로 태괘 정월부터 첫머리에 말하게 된 까닭이다. 건괘에서 사월을 말하지 않고 「하경」의 구괘(姤卦)에서 말하며, 곤괘(坤卦)에서 시월을 말하지 않고 「상경」의 복괘(復卦)에서 말하게 된 것은 다음과 같은 이유이다. 「선천원도(先天圓圖)」에는 박괘와 복괘의 사이에 저절로 곤괘(坤卦)가 있다. 「후천원도」에서는 복괘가 박괘 다음에 있는데, 박(剝) · 복(復)괘 가운데 곤괘(☷)가 아래에 있는 것이 박괘(䷖)이고 위에 있는 것은 복괘(䷗)이다. 이것이 곤괘가 시월의 괘인데도 『본의』에서 곤괘(坤卦)를 말하지 않고 복괘(復卦)에서 말하게 된 까닭이다. 「선천도」에는 구괘와 쾌괘의 사이에 저절로 건괘가 있고 「후천도」에는 구괘가 쾌괘 다음에 있는데, 쾌괘(夬卦)와 구괘(姤卦) 가운데 건괘가 아래에 있는 것이 쾌괘(夬卦䷪)이고 위에 있는 것은 구괘(姤卦䷫)이다. 이것이 건괘가 사월의 괘인데도 『본의』에서는 건괘에서 말하지 않고 구괘(姤卦)에서 말하게 된 까닭이다. 천지 · 건곤은 음양의 극이고 박 · 복 · 쾌 · 구괘는 음양이 소멸하고 자라는 사이이다. 『본의』를 읽는 자는 몰라서는 안 된다.

3) 십이벽괘(十二辟卦)는 아래의 도표와 같다.

월(月)	괘상(卦象)	괘명(卦名)	월(月)	괘상(卦象)	괘명(卦名)
11월	䷗	지뢰복(地雷復)	5월	䷫	천풍구(天風姤)
12월	䷒	지택림(地澤臨)	6월	䷠	천산돈(天山遯)
1월	䷊	지천태(地天泰)	7월	䷋	천지비(天地否)
2월	䷡	뇌천대장(雷天大壯)	8월	䷓	풍지관(風地觀)
3월	䷪	택천쾌(澤天夬)	9월	䷖	산지박(山地剝)
4월	䷀	중천건(重天乾)	10월	䷁	중지곤(重地坤)

韓國大全

이현익(李顯益) 「주역설(周易說)」

節齋蔡氏謂太極理也, 乾者太極之動, 故釋象不言陰陽剛柔. 坤主質, 故以剛柔言. 此
不然. 以乾爲太極之動, 則坤非太極之靜乎. 然則乾之不言陰陽剛柔, 非以乾爲太極之
動故也. 節齋蔡氏謂天地之道, 以氣形全體言, 專以氣形言, 未是. 朱子之說, 固亦有以
氣化言者. 然又嘗曰萬物本自有此理, 若非聖人裁成, 不能如此齊整. 又曰, 如君臣父
子兄弟夫婦, 聖人便爲之制下許多禮數倫序. 此則以理言也.

절재채씨는 "태극은 리(理)이며, 건은 태극의 움직임이므로 「단전」에서 해석할 때, 음양과
강유를 함께 말하지 않았다. 곤은 바탕을 주로 하기 때문에 강유로써 말했다"고 했는데, 이
것은 그렇지 않다. 건을 태극의 움직임으로 삼는다면 곤은 태극의 고요함이 아니겠는가?
그렇다면 건에서 음양과 강유를 말하지 않은 것은 건을 태극의 움직임으로 삼았기 때문이
아니다. 절재채씨는 "천지의 도는 기의 형체와 온전한 본체로 말해야 하니, 오로지 기의 형
체로써만 말하면 옳지 않다"고 하였다. 주자의 설에도 기화의 설로 말한 것이 있다. 그러나
일찍이 "만물은 본래 스스로 이 이치를 가지고 있으니, 만약 성인이 '마름질하여 완성한 것'
이 아니라면 이와 같이 가지런하게 정리할 수 없다"고 했다. 또 "예를 들어 군신·부자·형
제·부부 관계에 대해 성인이 곧 제도를 만들어 허다한 예와 질서를 유지하는데, 이것이
이치로써 말한 것이다"라고 하였다.

유정원(柳正源) 『역해참고(易解參攷)』

泰, 小 [至] 吉亨.
태는 작은 것이 … 길하고 형통하다.

國語, 晉公子歸, 曰臣筮得泰之八, 曰是謂天地配亨, 小往大來. 〈陽下陰升, 故曰配亨.
小謂子圉, 大謂文公.〉
『국어』에서 진공자[4]가 나라로 돌아오자 동인[董因]이 말하였다: 신[董因]이 진공자(晉公

子)를 위해 점을 쳐서 태괘(泰卦)가 수괘(隨卦)로 바뀐 것을 얻은 것은 천지를 배형(配亨)하는 것을 말합니다. 작은 것이 가고 큰 것이 온다는 것입니다. 〈양은 아래로 내려오고 음은 위로 올라가므로 '배형(配亨)'이라 하였다. 소(小)는 자어(子圉)이고 대(大)는 문공(文公)을 말한다.〉

○ 北史趙輔和傳, 有人筮父疾遇泰. 輔和云, 乾下坤, 父入土矣. 案, 此與卦辭不相應, 胡雙湖所謂, 法外意. 後多倣此.
『북사(北史)·조보화전(趙輔和傳)』에 어떤 사람이 아버지가 병들어 점을 쳤는데 태괘가 나왔다. 조보화가 건괘가 곤괘의 아래에 있으니, '아버지가 돌아가신다[入土]'고 했다.
내가 살펴보았다: 이것은 괘사와 서로 호응하지 않으니, 쌍호호씨가 말한 규범 이외의 뜻이다. 뒤에도 대부분 이와 같다.

○ 正義, 陽主生息, 故稱大, 陰主消耗, 故稱小. 此卦四德不具者, 物旣泰通, 多失其節, 故不得以爲元始而利貞也.
『정의』에서 말하였다: 양은 번식을 주로 하므로 '크다[大]'고 하였고 음은 소모하는 것을 주로 하므로 '작다[小]'고 하였다. 이 괘에 사덕이 갖추어지지 않은 것은 만물이 이미 통하였지만, 그 절도를 많이 잃었기 때문에 크게 시작하여 이롭고 곧음이 되지 못한다.

○ 隆山李氏曰, 嘗反觀之一身, 陽孚于上而不降, 陰涸于下而不升. 上陽下陰, 兩不通暢, 如是者, 病必繼起. 要須陰陽二氣, 往來升降乎一身之中, 然後血氣流通, 四體健固, 而風雨寒暑之氣, 有不能入. 故陽氣, 自上而下, 能使下體, 溫固者, 一身之交泰也. 于以贊天地化育, 使之絪縕相接, 于以通君臣上下之情, 使之誠意交孚. 蓋旡適而不可.
융산이씨가 말하였다: 일찍이 일신상에서 반성하여 관찰해 보니, 양은 위에 떠서 내려오지 않고 음은 아래에서 말라 오르지 못하였다. 위가 양이고 아래가 음이면, 이 두 음양이 통하여 화창하지 않게 되니, 이와 같으면 병통이 반드시 계속하여 생겨난다. 반드시 음양의 두 기운이 한 몸의 속에 왕래·승강해야 혈기가 유통하여 사지[四體]가 건강하고 풍우·한서의 기운이 들어올 수 없다. 그러므로 양의 기운은 위로부터 아래로 내려와 하체로 하여금 온화하고 견고하게 하는 것이 한 몸속에서 교류되어 편안해진다. 이에 천지의 화육을 도움으로써 그것으로 하여금 엉기고 얽힘이 서로 이어지게 하니, 이에 임금과 신하의 위아래가 감정이 통하며, 그들로 하여금 정성스러운 뜻으로 서로 믿게 한다. 어느 곳인들 불가한 곳이 없다.

맹세합니다"라고 하고는 그 구슬을 황하에 던졌다.(『좌전(左傳) 희공(僖公)24년』.)

本義, 小註, 雲峯說辟卦.
『본의』 밑의 소주에서 운봉이 벽괘를 말했다.
案, 辟, 主也, 君也.
내가 살펴보았다: 벽(辟)은 주인이며, 임금이다.

○ 後天 [至] 乾下.
후천 … 건괘의 아래.
案, 此言後天者, 卽上經剝之後, 卽繼以復, 而剝之下卦坤, 復之上卦坤也. 下經夬之後, 卽繼以姤而夬之下卦乾, 姤之上卦乾也.
내가 살펴보았다: 여기에서 '후천'이라고 말한 것은 곧 「상경」 박괘의 뒤를 복괘가 이었는데, 박괘의 아래 괘가 곤괘이고 복괘의 상괘가 곤괘이며, 「하경」 쾌괘의 뒤를 구괘(䷫)가 이었는데, 쾌괘의 아래괘가 건괘이며, 구괘의 상괘가 건괘이기 때문이다.

김상악(金相岳) 『산천역설(山天易說)』

小謂陰, 大謂陽. 小往大來者, 坤往居外, 乾來居內也. 又以卦變言, 六往居四, 九來居三也. 小往而大來, 故吉亨.
작은 것은 음이고 큰 것은 양이다. "작은 것이 가고 큰 것이 온다"는 것은 곤괘는 가서 밖에 있고 건괘는 와서 안에 있는 것이다. 또한 괘의 변화로써 말하면 육(六)이 가서 사(四)에 있고 구(九)는 와서 삼(三)에 있다. 작은 것이 가고 큰 것이 오므로 길하여 형통하다.

김귀주(金龜柱) 『주역차록(周易箚錄)』

傳, 小謂陰, 云云.
『정전』에서 말하였다: 작은 것이 음이다, 운운.
小註, 隆山李氏曰, 天位, 云云.
소주에서 융산이씨가 말하였다: 하늘의 자리, 운운.
○ 按, 吉, 氣騰而爲亨, 語未安.
내가 살펴보았다: 길함은 기가 올라가 형통하게 되는 것이라는 말은 타당하지 않은 듯하다.

本義, 泰, 通也, 云云.
『본의』에서 말하였다: 태(泰)는 통하는 것이다, 운운.
小註, 雙湖胡氏曰, 小往, 云云.

소주에서 쌍호호씨가 말하였다: 작은 것이 간다, 운운.

○ 按, 上經可推, 菫四卦云云, 未知指何卦. 蓋上經中, 言卦變者, 訟泰否隨蠱噬嗑賁無妄大畜, 九卦也. 若必以象辭往來字爲準, 則泰否二卦外, 又初無往來字, 何謂可推者四卦耶.

내가 살펴보았다: "「상경」에서 미룰 수 있는 것은 겨우 네 개의 괘라고 하였는데, 무슨 괘를 가리키는지 알지 못하겠다. 「상경」 가운데 괘의 변화를 말한 괘는 송괘(訟卦)·태괘(泰卦)·비괘(否卦)·수괘(隨卦)·고괘(蠱卦)·서합괘(噬嗑卦)·비괘(賁卦)·무망괘(无妄卦)·대축괘(大畜卦) 등 아홉 개의 괘이다. 반드시 단사의 '왕래'라는 글자를 준칙으로 삼는다면, 태괘(泰卦)와 비괘(否卦) 이외에는 또한 초효에 '왕래'라는 글자가 없는데, 어찌 미루어 볼 수 있는 것은 네 개의 괘라고 말할 수 있겠는가?

雲峰胡氏曰, 三陽, 云云.

운봉호씨가 말하였다: 세 양, 운운.

○ 按, 泰否兩卦, 正好見乾坤二氣之互相上下, 故以往來言. 未必以三陰三陽, 卦變之首而特言之也. 至於以卦配月, 則自無可疑, 而乾坤二卦, 則取義至大, 故未暇言四月十月卦, 而至姤復始推本言之耳. 今謂除乾坤然後, 見其多寡逆順之序, 及剝復自有坤上坤下, 姤夬自有乾上乾下云云者, 皆牽合附會, 不成義理. 且上經之必陽順數陰逆數, 下經之必陰順數陽逆數者, 有何至理而如是互換耶. 未可知也.

내가 살펴보았다: 태괘와 비괘 두 괘는 건곤 두 기운이 서로 위아래로 교차하는 것을 바로 보므로 '왕래'로써 말하였다. 세 음과 세 양으로써 괘 변화의 머리가 된다고 특별히 말할 필요는 없다. 괘를 달[月]과 짝짓는 데에도 스스로 의심할 필요가 없고 건괘와 곤괘의 두 괘가 그 뜻을 취한 것이 지극히 크므로 사월과 시월 괘를 말할 필요조차 없고 구괘와 복괘에 이르러 비로소 근본을 미루어 말하였을 뿐이다. 이제 "건괘와 곤괘를 제외한 연후에 다과와 순역의 순서를 볼 수 있고 박괘와 복괘는 곤괘가 위아래에 있고 쾌괘와 구괘는 건괘가 위아래에 있다"고 운운한 것은 모두 견강부회한 것이고 의리상으로도 맞지 않는다. 또한 「상경」은 반드시 양은 순수(順數)이고 음은 역수(逆數)이며, 「하경」은 반드시 음은 순수이고 양은 역수인 것은 무슨 지극한 이치가 있어서 이와 같이 바뀌었는가? 알 수 없다.

서유신(徐有臣) 『역의의언(易義擬言)』

小者, 陰也, 小人也. 往者, 屈也, 消也. 大者, 陽也, 君子也. 來者, 伸也, 長也. 天地萬物皆吉而亨, 所以爲泰通也.

작은 것은 음이고 소인이다. 가는 것은 굽히는 것이고 사라지는 것이다. 큰 것은 양이며,

군자이다. 오는 것은 폄이며 자람이다. 천지만물은 모두 길하고 형통하니, 크게 통하는 것이 된다.

강엄(康儼) 『주역(周易)』

本義, 占者有剛陽之德, 則吉而亨.
『본의』에서 말하였다: 점에 굳센 양의 덕이 나오면 길하고 형통하다.

按, 程傳, 釋卦辭以天地之泰, 朝廷之泰, 天下之泰言之. 本義則卻以占者之泰言之. 蓋必如是而後, 易之道无時不用, 无人不用. 若如程傳, 則此卦之辭, 專係時世與他人, 而吾身之泰, 无以見也. 若本義, 則所謂天地交二氣通者, 已包程傳三者之泰, 而小往大來吉亨, 專就占者而言之. 蓋天下雖泰而我无剛陽之德, 則吾身之否, 固自若也. 天下雖否而我有剛陽之德, 則吾身之泰, 固民在也. 此乃聖人作易敎人之意, 而本義得之, 先儒所謂本天地矣. 不可无易, 有易矣, 不可無本義者, 信矣.
내가 살펴보았다: 『정전』에서 괘사는 천지의 태평함과 조정의 태평함, 그리고 천하의 태평함으로 해석하여 말했다. 『본의』에서는 도리어 점치는 자의 태평함으로 말했다. 반드시 이와 같이 한 후에 역의 도는 쓰이지 않는 때가 없고 쓰지 않는 사람이 없다. 만약 『정전』처럼 해석한다면 이 괘사는 오로지 시세(時世)와 타인에게만 관계하지 자신의 태평한 것에 대해서는 드러낸 것이 없다. 『본의』와 같이 해석한다면 하늘과 땅이 사귀어 음양 두 기가 통하는 것은 이미 『정전』의 세 가지 태평함을 포함하고 있으며, "작은 것은 가고 큰 것은 오니, 길하여 형통하다"는 것은 오로지 점치는 자에 따라 말했다. 천하가 비록 태평하더라도 나에게 굳센 양의 덕이 없다면 내 몸이 막히는 것은 그대로이다. 천하가 비록 막혔다 해도 나에게 굳센 양의 덕이 있다면 내 몸의 태평함은 백성에게 있다. 이것이 곧 성인이 역을 짓고 사람들을 가르친 뜻인데, 『본의』가 잘 이해하였으니, 이전의 유학자가 천지를 근본으로 한다고 말한 것이다. 역은 없을 수 없고 역이 있다면 『본의』가 없을 수 없다는 것은 참으로 그렇다.

박문건(朴文健) 『주역연의(周易衍義)』

往來, 進退也. 小往者, 恐其相忤也, 大來者, 欲其相信也.
왕래는 진퇴이다. "작은 것이 간다"는 것은 서로 거슬리는 것을 두려워하는 것이고 "큰 것이 온다"는 것은 서로 믿고자 하는 것이다.
〈問, 小往大來吉亨. 曰, 乾陽在下而方長. 故小進者, 恐其忤也, 大退者, 欲其信也. 如此而後, 能進而相交, 故吉而亨也.

물었다: "작은 것이 가고 큰 것이 오니, 길하여 형통하다"는 무슨 뜻입니까?

답하였다: 건괘의 양이 아래에 있어 막 자라나고 있습니다. 그러므로 작은 것이 나아가는 것은 거슬릴까 두려워하는 것이고, 큰 것이 물러나는 것은 그것을 믿고자 하는 것입니다. 이와 같이 한 후에 나아가 서로 사귈 수 있기 때문에 길하여 형통합니다.〉

이지연(李止淵) 『주역차의(周易箚疑)』

復則陽之始來, 故云亨, 臨則陽之方來, 故云元亨利貞, 泰則陽之大來, 故曰吉亨. 大未嘗不好而有盛滿之戒, 故其吉也. 雖差勝於復而不如臨之大亨而正也.

복괘(復卦)는 양이 처음으로 오는 것이므로 괘사에 "형통하다"[5)고 했고 림괘(臨卦)는 양이 막 오기 때문에 "크게 형통하고 곧게 함이 이롭다"[6)고 했으며, 태괘는 양이 크게 왔으므로 "길하여 형통하다"고 했다. '크다'는 것은 좋아하지 않음이 없어 가득 참이 있음을 경계한 것이므로 길하다. 비록 복괘보다 조금 좋더라도 림괘의 "크게 형통하여 바르다"[7)고 한 것 보다는 못하다.

윤종섭(尹鍾燮) 『경(經)·역(易)』

泰, 陰坤在上, 曰小往, 陽乾在內, 曰大來. 初爻取象於茅, 變巽有茅象, 否之初亦曰茅. 卦體爲巽, 大過之白茅, 亦取巽焉.

태괘는 음인 곤괘가 위에 있어 "작은 것이 간다"고 했고 양인 건괘가 아래에 있어 "큰 것이 온다"고 했다. 초효는 '띠풀[茅]'에서 상을 취하였으니, 초효가 바뀐 손괘(☴)에 이 '띠풀'의 상이 있고 비괘(否卦) 초효에도 또한 '띠풀'이라고 하였다. 괘의 몸체는 손괘가 되는데, 대과 괘의 '흰 띠풀[白茅]'[8)도 손괘를 취하였다.

김기례(金箕澧) 「역요선의강목(易要選義綱目)」

泰, 正月卦. 自乾坤至履, 陰陽十變十成, 一周而各爲三十畫, 而後爲泰. 蓋乾坤不言四十月, 自泰正月而十朔皆有卦次, 則乾坤純陽純陰, 有著於夬姤之間, 而自有四月卦,

---

5) 『周易·復卦』: 復, 亨, 出入无疾, 朋來无咎.
6) 『周易·臨卦』: 臨, 元亨利貞, 至于八月, 有凶.
7) 『周易·臨卦』: 大亨以正, 天之道也.
8) 『周易·大過卦』: 初六, 藉用白茅, 无咎.

剝復之間, 而自有十月卦.

태괘는 정월괘이다. 건괘와 곤괘로부터 리괘에 이르기까지 음양이 열 번 변하고 열 번 이루어지는 것을 하나의 주기로 하여 각각 삼십획이 된 후에 태괘가 되었다. 건괘와 곤괘를 사월괘와 시월괘로 말하지 않은 것은 태괘 정월로부터 십개월은 모두 괘의 차례가 있어서 건괘와 곤괘의 순양(純陽)과 순음(純陰)이 쾌괘(夬卦䷪)와 구괘(姤卦䷫)의 사이에 드러나 저절로 사월괘가 있고, 박괘(剝卦䷖)와 복괘(復卦䷗)의 사이에 저절로 시월괘가 있기 때문이다.

○ 泰, 通也. 履得其所, 則舒泰, 二氣交而萬物生成, 小往大來吉亨. 坤本在下之物, 而往居上, 乾本在上之物, 而來居下, 陰升陽降化成萬物. 如親賢遠姦, 邪正有分, 故吉亨.

태는 통함이다. 알맞은 자리를 밟는다면 펴지고 통하니, 음양 두 기운이 사귀어 만물이 태어나고 자라서 작은 것이 가고 큰 것이 오니 길하여 형통하다. 곤괘는 본래 아래에 있는데 위에 가서 있고 건괘는 본래 위에 있는데 아래에 와서 있으니, 음은 올라가고 양은 내려와서 만물을 교화하여 변화시킨다. 현명한 이들은 가까이 하고 간사한 이들은 멀리하며, 사악함과 올바름의 구분이 있기 때문에 길하여 형통한 것과 같다.

심대윤(沈大允) 『주역상의점법(周易象義占法)』

陽大陰小, 陽長而陰消, 故曰小往大來, 先小往而後大來. 以陰之自去爲辭, 言非逼於陽, 而自當去也. 否之大往小來, 以陽之自去爲辭, 言非陰之所可逼也. 泰之義, 固可吉亨, 而上下相交, 以恩愛爲主, 而无禮法分義則亂, 故不言利貞. 乾坤合體, 故取坎离震巽之象. 乾孕于坤而爲坎, 坤麗于乾, 而爲离. 乾至震而逢坤, 坤至巽而遇乾. 坎大离小, 巽离爲往, 震离爲來, 陰陽相麗, 故多取离象.

양은 크고 음은 작으며, 양은 자라고 음은 사라지므로 "작은 것이 가고 큰 것이 온다"고 했으니, 먼저 작은 것이 가고 뒤에 큰 것이 온다. 거기에서 음이 스스로 간다고 말한 것은 양에게 핍박받는 것이 아니라 스스로 마땅히 가야 하는 것을 말한 것이다. 비괘의 "큰 것이 가고 작은 것이 온다"는 데서 양이 스스로 간다고 말한 것은 음에게 핍박받는 바가 아님을 말한 것이다. 태괘의 뜻은 진실로 길하고 형통하며, 위아래가 서로 사귀어 은혜를 위주로 하나 예법과 분명한 의리가 없다면 혼란스럽기 때문에 "이롭고 곧다"고 말하지 않았다. 건괘와 곤괘가 몸체를 합한 까닭에 감(坎)·리(離)·진(震)·손(巽)의 상을 취했다. 건괘가 곤괘를 품어 감괘가 되고 곤괘는 건괘에 걸리어 리괘(☲)가 되었다. 건괘는 진괘(☳)에 이르러 곤괘를 만나고 곤괘는 손괘에 이르러 건괘를 만난다. 감괘(☵)는 크고 리괘는 작으며, 손괘와 리괘는 가는 것이 되고 진괘(☳)와 리괘(☲)는 오는 것이 되어서 음양이 서로 걸리는 까닭에 대부분 리괘(☲)의 상을 취했다.

오치기(吳致箕) 「주역경전증해(周易經傳增解)」

馮厚齊曰, 泰否之象, 以大進明人事. 泰者通也. 天地陰陽相交然後, 萬物生成, 故三陽
自上而下降, 三陰自下而上升, 爲天地交泰之象, 而卽否之反也. 陽大陰小, 而由內之
外曰往, 自外之內曰, 來. 陽剛在內, 陰柔在外, 爲君子道, 泰之象也. 卦已有亨通之義,
而旣主人事言, 故先言吉, 後言亨.

풍후재가 말하였다: 태괘와 비괘의 「단전」은 크게 나아가는 것으로써 인사를 밝혔다. 태
(泰)는 통함이다. 천지·음양이 서로 사귄 후에 만물이 생성되므로 세 양은 위에서 아래로
내려가고 세 음은 아래에서 위로 올라가 천지가 사귀어 태평해지는 상이 되는데, 곧 비괘(否
卦)의 반대이다. 양은 크고 음은 작으며, 안으로부터 밖으로 가는 것을 '간다(往)'고 했고
밖으로부터 안으로 가는 것을 '온다(來)'고 했다. 굳센 양이 안에 있고 유약한 음이 밖에 있는
것이 군자의 도이니, 태괘의 상이다. 괘에 이미 형통한 뜻이 있고 인사를 주로 말했기 때문
에 먼저 길함을 말하고 뒤에 형통함을 말하였다.

○ 在泰之時, 卦位失正, 故不言貞. 陰陽有消長之理, 泰極必否, 故不言[9]大亨.

태괘의 때에는 괘의 자리가 바름을 잃게 되므로 '곧음(貞)'이라 말하지 않았다. 음양은 소멸
하고 자라는 이치가 있으니, 태평함이 극에 달하면 반드시 막히게 되므로 크게 형통하다고
말하지 않았다.

이진상(李震相) 『역학관규(易學管窺)』

卦體, 陰陽旣互相往來, 則全體大用, 亦當交相對待, 故此以泰否繼之. 且屯蒙互坤, 需
訟體乾, 師比體坤, 小畜履又是體乾. 乾坤之體, 互相往來, 故此於流行之用, 尋得對待
之體, 以著其交不交之妙焉. 此乃乾坤升降之機, 而造化之闕振也. 六子旣備, 始言乾
坤之交氣. 蓋以明六子之生, 皆其相交而成者也. 卦互震兌, 自長男至少女, 卽其生育
之始終也.

괘의 몸체는 음양이 이미 서로 왕래한다면 온전한 본체와 큰 작용이 또한 마땅히 서로 사귀
고 마주 대해야 하기 때문에 여기에서 태괘와 비괘로써 이어갔다. 또한 준괘와 몽괘는 호괘
가 곤괘이며, 수괘와 송괘는 건괘를 몸체로 하고 사괘와 비괘는 곤괘를 몸체로 하였으며,
소축괘와 리괘는 또한 건괘를 몸체로 하였다. 건괘와 곤괘의 몸체가 서로 왕래하기 때문에
유행하는 작용에서 마주 대하는 본체를 찾아 얻어 그 사귐과 사귀지 않음의 묘함을 드러내
었다. 이것이 곧 건괘와 곤괘가 승강하는 기틀이고 조화의 핵심이다. 여섯 자녀가 이미 갖추

---

9) 言: 경학자료집성DB와 영인본에 모두 '亨'으로 되어 있으나, 문맥을 살펴 '言'으로 바로잡았다.

어지니, 처음으로 건곤이 기를 교제하는 것을 말하였다. 여섯 자녀의 탄생이 모두 천지가 서로 교제하여 완성한 것임을 밝힌 것이다. 괘로는 호괘인 진괘와 태괘가 맏아들부터 막내 딸에 이르기까지 그 생육의 시작과 마침이다.

박문호(朴文鎬) 「경설(經說)·주역(周易)」

小往大來, 本義以卦變備其餘意者, 以經文有往來二字故也. 凡諸卦有往來字處, 必以卦變言之. "작은 것이 가고 큰 것이 온다"는 것을 『본의』에서 괘의 변화로써 그 나머지 뜻을 갖추었다고 한 것은 경문에 '왕래' 두 글자가 있기 때문이다. 모든 괘에서 '왕래'라는 글자가 있는 곳에서는 반드시 괘의 변화로써 말했다.

이용구(李容九) 「역주해선(易註解選)」

楊誠齋曰, 乾坤開闢之世乎, 屯蒙洪荒之世乎, 需養結繩之世乎, 訟師阪泉涿鹿之世乎, 畜履書契大法之世乎, 泰通堯舜雍熙之世乎.

양성재가 말하였다: 건곤은 개벽의 세계이고 준괘와 몽괘는 개벽 직후의 혼돈과 질박한 태고의 세계이며, 수괘는 결승(結繩)을 만들어 쓰던 시대이고 송괘와 사괘는 염제와 황제가 싸우던 들판[阪泉]과 황제가 치우와 싸운 벌판[涿鹿]의 세계이며, 소축괘와 리괘(履卦)는 서계(書契)를 만들어 쓰던 대법(大法)의 세계이고, 태괘는 요순시대와 같은 태평의 세계[雍熙]를 표상한다.

象曰, 泰, 小往大來, 吉亨, 則是天地交而萬物通也, 上下交
而其志同也.

「단전」에서 말하였다:“태(泰)는 작은 것이 가고 큰 것이 오니, 길하고 형통함”은 천지가 사귀어
만물이 형통하고 위아래가 사귀어 그 뜻이 같아지는 것이다.

‖中國大全‖

傳

小往大來, 陰往而陽來也, 則是天地陰陽之氣相交, 而萬物得遂其通泰也. 在人
則上下之情交通, 而其志意同也.

“작은 것이 가고 큰 것이 온다”는 것은 음은 가고 양은 오니, 이는 천지·음양의 기운이 서로 사귀어
만물이 태평함을 이룬 것이다. 사람에게 있어서는 위아래의 정이 서로 통하여 그 뜻이 같아진다.

‖韓國大全‖

김상악(金相岳) 『산천역설(山天易說)』

天地定位而所可交者, 惟氣也. 以氣交而化生萬物之氣无不通. 上下有分而所可交者,
惟志也. 以志交而興道致治之志, 无不同也. 故泰運開之自天地, 而泰和啓之自君臣
也. 陰陽以氣言, 健順以德言, 君子小人以類言. 內外釋往來之義, 陰陽健順, 君子小
人, 釋大小之義.

천지가 제자리를 잡아 사귈 수 있는 것은 오직 기뿐이다. 기로써 사귀기 때문에 만물을 화생
시키는 기는 통하지 않음이 없다. 위아래로 나뉘어졌지만 사귈 수 있도록 하는 것은 오직

뜻뿐이다. 뜻으로 사귀기 때문에 도를 일으키고 다스리는 뜻은 같지 않을 수가 없다. 그러므로 태괘의 운행은 천지로부터 시작하고, 태괘의 조화는 군신으로부터 시작된다. 음양은 기로써 말하고 건순(健順)은 덕으로써 말했으며, 군자와 소인은 무리로써 말하였다. 안과 밖은 오고 간다는 뜻으로 해석하였고, 음양과 건순(健順), 그리고 군자와 소인은 크고 작다는 뜻으로 해석하였다.

○ 乾坤初爻之象, 始言陰陽, 泰否象傳又言之者, 二卦具乾坤之體也. 故九三曰天地際也. 卦辭先小而後大, 自上而下也. 象傳先陽而後陰, 自下而上也. 所以消長之機, 九三之陽爲長之終, 六四之陰爲消之始, 否則反是.
건괘와 곤괘 초효의 상에서 처음으로 음양을 말했고, 그 다음은 태괘와 비괘 「단전」에서 또 음양을 말한 것은 두 괘가 건곤의 몸체를 갖추었기 때문이다. 그러므로 구삼의 「상전」에서 "천지가 사귄다"[10]고 하였다. 괘사에서 먼저 '소(小)'를 말하고 뒤에 '대(大)'를 말한 것은 위로부터 아래로 내려오기 때문이다. 「단전」에서는 먼저 양을 말하고 뒤에 음을 말한 것은 아래로부터 위로 올라가기 때문이다. 사라지고 자라나는 기미는 구삼인 양효는 자라남의 끝이 되고 육사인 음은 사라지는 처음이 되는데, 비괘(否卦)는 이와 반대이다.

서유신(徐有臣) 『역의의언(易義擬言)』

泰, 小往大來吉亨, 則是天地交而萬物通也, 上下交而其志同也.
"태괘는 작은 것이 가고 큰 것이 오니 길하여 형통하다"고 한 것은 천지가 사귀어 만물이 형통하고 위아래가 사귀어 그 뜻이 같아진다는 것이다.

此釋泰之義也. 天地交者, 乾坤合也, 以氣言也. 上下交者, 二五應也, 以情言也.
이는 태괘의 뜻을 해석한 것이다. "천지가 사귄다"는 것은 건곤이 합해지는 것으로 기로써 말하였다. 위아래가 사귄다는 것은 이효와 오효가 정응이니, 뜻[情]으로써 말하였다.

강엄(康儼) 『주역(周易)』

象曰, 泰, 小往大來 [止] 小人道消也.
「단전」에 말하였다: 태는 작은 것이 가고 큰 것이 온다 … 소인의 도는 사라진다.

---

10) 『周易·否卦』: 象曰, 无往不復, 天地際也.

按, 象傳, 天地交, 上下交, 二句似釋卦名之義. 內陽而外陰以下四句, 似釋小往大來吉亨之義.

내가 살펴보았다: 「단전」에서 "천지가 사귄다", "위아래가 사귄다"는 두 구문은 태괘의 이름의 뜻을 해석한 것 같다. "양이 안에 있고, 음이 밖에 있다"고 한 이하의 네 구문은 "작은 것은 가고 큰 것은 오니, 길하여 형통하다"고 한 뜻을 해석한 것 같다.

박문건(朴文健)『주역연의(周易衍義)』

上一節, 釋小往大來之義, 下一節, 釋吉亨之義.

위 일절은 "작은 것이 가고 큰 것이 온다"는 뜻을 해석한 것이고, 아래 일절은 "길하여 형통하다"는 뜻을 해석한 것이다.

〈問, 天地交而萬物通, 上下交而其志同. 曰陽退陰下者, 感而相與合, 故能小往大來. 惟其如此, 故天與地相合, 而萬物開通, 上與下相合而其志和同也. 此上下, 非據卦體之上下而言也.

물었다: "천지가 사귀어 만물이 통하고 위아래가 사귀어 그 뜻이 같아진다"는 무슨 뜻입니까?

답하였다: 양이 물러나고 음이 낮추는 것은 감응하여 서로 합하므로 작은 것이 가고 큰 것이 온다고 할 수 있습니다. 오직 이와 같기 때문에 하늘과 땅이 서로 합해져 만물이 통하게 되고 위아래가 서로 합하여 그 뜻을 하나로 조화시킵니다. 이러한 '위아래'는 괘의 몸체의 '위아래'를 근거로 말한 것이 아닙니다.〉

이지연(李止淵)『주역차의(周易箚疑)』

統而論之, 初應於四, 二應於五, 三應於六, 所謂志同. 分而論之, 一二三以同體之陽, 其志同也. 통괄하여 논하면 초효는 사효와 호응하고 이효는 오효와 호응하며 삼효는 상효와 호응하니, 뜻이 같아진다고 말한다. 나누어 말하면 일·이·삼효는 같은 몸체로서의 양이고 그 뜻은 같다.

內陽而外陰, 內健而外順. 內君子而外小人, 君子道長, 小人
道消也.

양이 안에 있고 음이 밖에 있으니, 안으로는 강건하고 밖으로는 유순하다. 군자가 안에 있고 소인이
밖에 있으니, 군자의 도는 자라나고 소인의 도는 사라진다.

┃中國大全┃

傳

陽來居內, 陰往居外, 陽進而陰退也. 乾健在內, 坤順在外, 爲內健而外順, 君子
之道也. 君子在內, 小人在外, 是君子道長, 小人道消, 所以爲泰也. 旣取陰陽交
和, 又取君子道長, 陰陽交和, 乃君子之道長也.

양이 와서 안에 있고 음이 가서 밖에 있음은 양은 나아가고 음은 물러간 것이다. 건괘의 굳셈[乾健]
이 안에 있고 곤괘의 유순함[坤順]이 밖에 있어서 안으로는 굳세고[健] 밖으로는 순(順)하게 되니,
군자의 도이다. 군자가 안에 있고 소인이 밖에 있음은 군자의 도가 자라나고 소인의 도가 사라지니,
이 때문에 태괘가 되었다. 이미 음양이 사귀어 조화로움을 취하였고 또 군자의 도가 자라남을 취하였
으니, 음양이 사귀어 조화롭기에 군자의 도가 자라난다.

小註

朱子曰, 易之陰陽, 以天地自然之氣論之, 則不可相无, 以君子小人之象言之, 則聖人
之意, 未嘗不欲天下之盡爲君子, 而无小人也.

주자가 말하였다: 역의 음양을 천지자연의 기로써 논한다면 서로 근본이 될 수 없고, 군자와
소인의 상으로써 말한다면 성인의 뜻은 일찍이 천하 사람들이 모두 군자가 되고 소인이 없
기를 바라지 않은 적이 없었다.

○ 聖人作易, 以立人極, 其義以君子爲主, 故爲君子謀, 不爲小人謀. 觀泰否剝復名,
卦之意可見矣.

성인이 역을 지음에 사람의 표준을 세우고 그 뜻은 군자를 주인으로 삼았기 때문에, 역은 군자를 위해 도모하고 소인을 위해 도모하지 않는다. 태괘·비괘·박괘·복괘의 괘 이름을 살펴보면 괘의 뜻을 알 수 있다.

○ 論陰陽, 有一半, 聖人於泰否, 只爲陽說道理. 看來聖人出來做, 須有一箇道理, 使得天下皆爲君子. 世間人多言君子小人常相半, 不可太去治他, 急廹之卻爲害. 不然如舜湯擧皐陶伊尹, 不仁者遠, 自是小人皆不敢爲非, 被君子夾持得, 皆革面做好人了.
음양을 논하면 각각 절반씩이지만, 성인은 태괘와 비괘에서는 단지 양을 위주로 도리를 말했다. 살펴보건대 성인이 나와서 반드시 하나의 도리가 있게 하여 천하 사람들로 하여금 모두 군자가 되게 하였다. 세상 사람들은 군자와 소인이 항상 서로 반반씩이라 말하는데, 소인을 너무 갑자기 다스려서는 안 되니, 급박하게 하는 것은 오히려 해가 되기 때문이다. 그렇게 하지 않고 순과 탕임금이 고요와 이윤을 등용한 것과 같이 하면 어질지 못한 자가 저절로 멀어져 소인들이 감히 나쁜 짓을 하지 못하게 될 것이니, 소인들은 군자의 위엄에 눌려 모두가 낯빛을 바꾸어 좋은 사람 노릇을 하게 된다.

○ 節齋蔡氏曰, 太極理也, 陰陽氣也, 剛柔質也, 健順德也. 乾者, 太極之動, 故釋彖不言陰陽剛柔. 坤主質, 故以剛柔言. 泰否交不交氣也. 各具乾坤之體, 故皆以陰陽言. 否不交則質著, 故彖以剛柔言. 餘卦各滯乎物, 故不言陰陽, 止言剛柔健順. 又曰, 上下指君臣, 言天地君臣其位已定, 所交通者, 其氣與志耳.
절재채씨가 말하였다: 태극은 리이고 음양은 기이며, 강유(剛柔)는 질이고 건순(健順)은 덕이다. 건은 태극의 움직임이므로 「단전」의 해석에서 '음양의 강유'를 말하지 않았다. 곤은 바탕[質]을 주로 하기 때문에 강유(剛柔)로 말했다. 태괘와 비괘에서 음양이 사귀고 사귀지 않는 것은 기(氣)에 의한 것이다. 각각 건곤의 몸체를 갖추고 있으므로 모두가 음양으로 말했다. 천지가 비색하여 사귀지 않으면 질로써 굳어지기 때문에 비괘(否卦)에서는 강유(剛柔)를 겸하여 말했다. 그 나머지 괘들은 각각 형체화 된 사물로 머물기 때문에 음양이라 하지 않고 강유(剛柔)와 건순(健順)만을 말하게 되었다.
또 말하였다: '위아래'는 임금과 신하를 가리키니, 하늘과 땅, 임금과 신하의 자리가 정해짐에 따라 서로 소통하게 되는데, 천지는 그 기운으로 소통하고 임금과 신하는 그 뜻으로 소통한다.

○ 建安丘氏曰, 天地之形不可交, 而以氣交, 氣交而物通者, 天地之泰也. 上下之分不可交, 而以心交, 心交而志同者, 人事之泰也. 陰陽以氣言, 健順以德言, 君子小人以類言, 內外, 釋往來之義. 陰陽健順君子小人, 釋小大之義.
건안구씨가 말하였다: 형체가 있는 천지는 사귈 수 없어 기로 사귀며, 기로 사귀어서 만물이

소통하는 것은 천지의 태평함이다. 위아래로 나뉘어 있으면 사귈 수 없어 마음으로 사귀며, 마음으로 사귀어 뜻을 같이 하는 것은 인사의 태평함이다. 음양은 기로 말하고 건순(健順)은 덕으로 말했으며, 군자와 소인은 무리로써 말하고 안팎은 왕래한다는 의미를 푼 것이니, 음양과 건순, 군자와 소인은 작고 크다는 의미를 풀이한 것이다.

○ 厚齋馮氏曰, 泰否之象, 歸宿在君子小人之消長, 故曰, 易以天道明人事.
후재풍씨가 말하였다: 태괘와 비괘「단전」의 귀착점은 군자와 소인이 사라지고 자라남에 있기 때문에 『주역』은 천도로써 인사를 밝힌다고 했다.

‖韓國大全‖

유정원(柳正源) 『역해참고(易解參攷)』[11]

內陽 [至] 消也.
안에 양 … 사라진다.

正義, 內陽外陰據其象, 內健外順明其性, 陰陽言爻, 健順言卦.
『정의』에서 말하였다: 안에 양, 밖에 음은 상을 근거로 한 것이고 안에 굳셈, 밖에 유순함은 그 본성을 밝힌 것이며, 음양은 효를 말한 것이고 굳셈과 유순함은 괘를 말한 것이다.

○ 隆山李氏曰, 泰之世, 君子固泰矣. 小人在外, 亦不至窮而旡歸. 蓋君子小人, 其情亦自相通, 以小人而順君子之健, 故君子道長, 日加益而不知, 小人道消, 如火消膏而亦不自覺. 君子小人兩不相傷, 此其所以爲吉亨也.
융산이씨가 말하였다: 태평한 세대에 군자는 진실로 태평하다. 소인은 밖에 있으며, 곤궁에 이르지 않아도 돌아갈 곳이 없다. 군자와 소인은 그 감정 또한 저절로 서로 통하는데, 소인으로서 군자의 굳셈과 순응하므로 군자의 도가 자라나는 것은 날로 더 자라는데도 알지 못하고, 소인의 도가 사라지는 것은 마치 불이 기름을 사그라지게 만드는데 스스로 알지 못하는

---

11) 경학자료집성DB에서는 태괘(泰卦) 괘사에 해당하는 것으로 분류했으나, 내용에 따라 이 자리로 옮겨 바로잡는다.

것과 같다. 군자와 소인은 서로 해를 입히지 않는데, 이것이 길하여 형통하게 되는 까닭이다.

김귀주(金龜柱) 『주역차록(周易箚錄)』

內陽而外陰, 云云.

안은 양이고 밖은 음이다, 운운.

○ 按, 上文, 天地交, 上下交, 只言彼此交和之理, 其於陰陽之間, 無所偏主. 此云內陽外陰以下, 始明內外主賓之別, 而極言消長之義也.

내가 살펴보았다: 윗글에서 "하늘과 땅이 사귄다", "위아래가 사귄다"고 한 것은 단지 이것과 저것이 사귀어 조화되는 이치가 음과 양의 어느 한쪽으로 치우쳐 주장하고 있지 않음을 말한다. 여기서 "안에 양이 있고 밖에 음이 있다"고 말한 이하에서는 처음으로 '안과 밖', '주인과 객'의 구별을 밝히고 '사라지고 자라나는' 뜻을 극진하게 말하였다.

○ 內陽外陰以下三句, 各有所指. 上一句以天道言, 陽進於內, 陰退於外, 則是春元夏亨, 生育萬物之事也. 中一句就人身上言, 健以主於內, 順以行於外, 則是仁體義用存心制事之方也. 下一句就朝廷言, 君子在內小人在外, 則是擧直錯枉, 能使枉者直之道也.

"안에 양이 있고 밖에 음이 있다"고 한 이하의 세 구문은 각각 가리키는 내용이 있다. 위의 한 구문은 천도로써 말하였는데, 양이 안으로 나아가고 음이 밖으로 물러나니, 이는 봄의 원(元)과 여름의 형(亨)이 만물을 생육하는 일이다. 가운데 한 구문은 사람의 몸을 가지고 말하였는데, '굳건함[健]'은 안에서 주인이 되고 '유순함[順]'은 밖에서 행하니, 이는 인(仁)이 본체가 되고 의(義)가 작용이 되어 마음을 보존하고 일을 조절하는 것이다. 아래 한 구문은 조정의 일로써 말하였는데, 군자는 안에 있고 소인이 밖에 있으니, 곧은 것을 들어 굽은 것 위에 놓아 굽은 것을 곧게 할 수 있는 도리가 된다.

傳, 陽來居內, 云云.

『정전』에서 말하였다: 양이 와서 안에 있다, 운운.

○ 按, 陰陽交和, 乃君子道長, 此說當玩味看. 蓋陰陽交和, 是二者之不可相無也, 君子道長, 是除卻陰一截耳, 兩說似不同. 然以朝廷言之君道下濟, 臣道上行, 乃君子道長之時. 若君道主亢臣道主卑, 則必是小人道長之時也.

내가 살펴보았다: 음양이 사귀어 조화된 것이 곧 군자의 도가 자라난 것이니, 이 설은 완미해서 보아야 한다. 음과 양이 사귀어 조화된 것은 음양이 서로 없을 수 없다는 것이며, 군자의 도가 자란다는 것은 음을 제거하는 하나의 일 뿐이니, 두 가지 설은 부합되지 않는 것처럼 보인다. 그러나 조정으로 말하면, 임금의 도리는 아래로 내려오고 신하의 도리는 위로 올라가는 것이 곧 군자의 도가 자라는 때이다. 만약 임금의 도리가 오르는 것을 주로 하고

신하의 도리가 낮추는 것을 주로 한다면, 분명 소인의 도가 자라나게 되는 때가 된다.

小註, 節齋蔡氏曰, 太極, 云云.
소주에서 절재 채씨가 말하였다: 태극, 운운.
○ 按, 易中之或以陰陽言, 或以健順言, 或以剛柔言者, 各視其文理語勢之攸當而言. 至於乾卦則以統體說, 故不言陰陽剛柔, 而陰陽剛柔實無所不包矣. 若以太極之動而不言, 則是太極之動, 別自爲一物, 而在於陰陽剛柔之外矣, 其可乎. 且旣以乾爲太極之動, 則坤當爲太極之靜, 而乃言剛柔何耶. 動不言陰陽剛柔, 而靜獨言剛柔, 又何說耶. 否不交則質著, 餘卦各滯於物等語, 皆穿鑿橫拗, 不足多卞.
내가 살펴보았다: 『주역』 가운데에 혹은 '음양'으로써 말하고 혹은 '건순'으로써 말하며, 혹은 '강유'로써 말한 것은 각각 문리와 어세(語勢)의 마땅한 것에 비추어 말한 것이다. 건괘는 통괄하는 몸체로써 말하기 때문에 음양과 강유를 말하지 않았지만, 음양과 강유는 실제로 포함하지 않는 것이 없다. 만약 태극의 움직임으로써 말하지 않는다면, 태극의 움직임은 별도로 하나의 물건이 되고 음양과 강유의 밖이 되는데 가능하겠는가? 또 이미 건을 태극의 움직임으로 여긴다면 곤은 태극의 고요함이 되는데, 강유를 말한 것은 어째서인가? 움직임[動]에 대해서 음양과 강유로 말하지 않고 고요함[靜]에 대해서만 강유로 말한다면 무슨 말이겠는가? "천지가 막히어 사귀지 않으면 질로써 굳어지기 때문에", "그 나머지 괘들은 각각 형체화 된 사물로 머물기 때문에"라는 등의 말은 모두가 천착하거나 왜곡된 것이니, 더 변론할 것도 없다.

建安丘氏曰, 天地, 云云.
건안구씨가 말하였다: 천지, 운운.
○ 按, 象傳, 天地交, 上下交, 正釋卦辭, 小往大來吉亨之義. 內陽外陰, 二叚, 又以卦體卦德, 極言賓主消長之分. 丘說內外釋往來之義以下, 語極未瑩.
내가 살펴보았다: 「단전」에서 말한 "천지가 사귄다", "위아래가 사귄다"고 한 것은 바로 괘사의 "작은 것이 가고 큰 것이 오니, 길하여 형통하다"는 뜻을 해석한 것이다. "안에 양이 있고 밖에 음이 있다"고 한 그 이하의 두 단락은 또한 괘의 몸체와 괘의 덕으로써 빈주(賓主)와 소장(消長)의 분별을 극진히 말했다. 구씨의 설에서 "안팎은 왕래한다는 의미를 푼 것이니"라고 한 이하의 말은 전혀 분명하지 않다.

서유신(徐有臣) 『역의의언(易義擬言)』

內陽而外陰, 內健而外順. 內君子而外小人, 君子道長, 小人道消也.

양이 안에 있고 음이 밖에 있으니, 안으로는 굳건하고 밖으로는 유순하다. 군자가 안에 있고 소인이 밖에 있으니, 군자의 도는 자라나고 소인의 도는 사라진다.

此釋小往大來也. 內陽者, 主也, 外陰者, 客也. 內健者, 德行也, 外順者, 聽命也. 內君子者, 當路也, 外小人者, 斥去也. 君子道者, 陽道也, 小人道者, 陰道也.

이는 "작은 것이 가고 큰 것이 온다"는 뜻을 해석한 것이다. "양이 안에 있다"는 것은 주인이고 "음이 밖에 있다"는 것은 손님이다. "안으로는 굳건하다"고 한 것은 덕행이고 "밖으로 유순하다"고 한 것은 명령을 듣는 것이다. "군자가 안에 있다"는 것은 벼슬을 담당하는 것이고 "밖에 소인이 있다"는 것은 배척하여 떠나는 것이다. 군자의 도란 양의 도이고 소인의 도란 음의 도이다.

오치기(吳致箕) 「주역경전증해(周易經傳增解)」

此以卦象卦反, 釋卦名義及卦辭. 又以卦體卦德, 推廣卦義. 而否泰反其類, 故取卦反而其義, 尤明也. 天地以象言而指萬物之生, 上下以位言而指君臣之分, 陰陽以氣言, 健順以德言, 君子小人以類言, 而釋小大之義也. 餘見上.

이는 괘상과 괘의 반대괘를 가지고서 괘의 이름 및 괘사를 해석하였다. 또한 괘의 몸체와 괘의 덕으로써 괘의 뜻을 확대시켰다. 그리고 「잡괘전」에 "비괘와 태괘는 그 부류를 뒤집어 놓은 것이다"[12]라고 하였으므로, 괘의 반대괘를 취하여 그 뜻이 더욱 분명해졌다. '천지'는 상(象)으로써 말한 것인데 만물의 탄생을 가리키고, '위아래'는 자리로써 말한 것인데 임금과 신하로 나뉘는 것을 가리키며, '음양은 기로써 말한 것이고, 건순은 덕으로써 말한 것이며, 군자와 소인은 무리로써 말한 것이니, 작고 큼의 뜻을 풀이하였다. 나머지는 앞에 보인다.

이진상(李震相) 『역학관규(易學管窺)』

彖, 三陰爲小, 自下而往居上, 三陽爲大, 自上而來居下, 乾坤之交也. 大而來, 則內君子矣. 小而往, 則外小人矣. 此卽文王所論卦變之意, 而兌互歸妹, 六往居四, 九來居三, 亦得小往大來之義. 但由泰而變歸妹, 固有其理, 而歸妹變爲泰, 未可曉也. 否之於漸亦肰.

「단전」에 세 음이 작다고 한 것은 아래로부터 가서 맨 위에 있는 것이고, 세 양이 크다고 한 것은 맨 위로부터 내려와서 아래에 있는 것이니, 건괘와 곤괘의 사귐이다. "크고 온다"는

---

12) 『周易・雜卦傳』: 否泰, 反其類也.

것은 군자가 안에 있는 것이다. "작고 간다"는 것은 소인이 밖에 있는 것이다. 이는 곧 문왕이 괘의 변화를 논한 뜻이고 태괘의 호괘인 귀매(䷵)는 육(六)이 가서 사(四)의 자리에 있고 구(九)는 와서 삼(三)의 자리에 있으니, 또한 "작은 것이 가고 큰 것이 온다"는 뜻이다. 다만 태괘(泰卦䷊)로부터 귀매괘(歸妹卦䷵)로 바뀐 경우는 참으로 그러한 이치가 있으나, 귀매괘가 변하여 태괘가 된 것은 분명하지 않다. 비괘(否卦䷋)와 점괘(漸卦䷴)의 관계도 또한 그렇다.

박문호(朴文鎬) 「경설(經說)·주역(周易)」

陰陽交和, 與君小消長, 其義似相反. 故程子又合而一之曰, 陰陽交和乃君子之道長也.

음양이 사귀어 화창하다는 것과 군자와 소인의 도가 사라지고 자라난다는 것은 그 뜻이 서로 상반되는 것 같다. 그러므로 정자는 또한 합하여 하나로 해서 "음양이 사귀어 화창한 것이 곧 군자의 도가 자라나는 것이다"고 했다.

이병헌(李炳憲) 『역경금문고통론(易經今文考通論)』

鄭曰, 泰, 通也.

정현이 말하였다: 태(泰)는 통하는 것이다.

虞曰, 坤陰詘外爲小往, 乾陽信內, 稱[13]大來.

우번이 말하였다: 음인 곤은 굽히고 밖에 있어 작은 것이 간다고 했고, 양인 건은 펴고 안에 있어 큰 것이 온다고 했다.

按, 乾坤相交而爲泰. 凡卦自外入內者, 謂之來, 自內出外者, 謂之往. 此通下卦與乾坤, 俱以辟卦而爲綱領. 凡三陰三陽之卦, 亦可謂自泰否而來. 從泰否來者, 卽自乾坤而來也. 後凡往來一轉者, 倣此.

내가 살펴보았다: 건·곤이 서로 사귀어 태평함이 되었다. 괘는 밖으로부터 안으로 들어가는 것을 '온다[來]'고 하고 안으로부터 밖으로 나가는 것을 '간다[往]'고 한다. 이는 하괘와 건·곤괘를 통틀어 모두 벽괘(辟卦)로써 갖추어 강령으로 삼았다. 세 양과 세 음으로 된 괘는 태·비괘로부터 왔다고 말할 수 있다. 태괘(泰卦䷊)와 비괘(否卦䷋)로부터 왔다는 것은 곧 건괘(☰)와 곤괘(☷)로부터 왔다는 말이다. 이후 대체로 왕래하여 한번 바뀐 것은 이와 같다.

---

13) 稱: 경학자료집성DB와 영인본에 모두 '爲'로 되어 있으나, 문맥을 살펴 '稱'으로 바로잡았다.

象曰, 天地交, 泰, 后以, 財成天地之道, 輔相天地之宜, 以左右民

「상전」에서 말하였다: 천지가 서로 사귀는 것이 태(泰)이니, 임금이 그것을 본받아 천지의 도를 마름질하여 이루며, 천지의 마땅함을 도와서 백성을 돕는다.

‖中國大全‖

傳

天地交而陰陽和, 則萬物茂遂, 所以泰也. 人君, 當體天地通泰之象, 而以財成天地之道, 輔相天地之宜, 以左右生民也. 財成謂體天地交泰之道, 而財制成其施爲之方也. 輔相天地之宜, 天地通泰, 則萬物茂遂, 人君體之而爲法制, 使民用天時, 因地利, 輔助化育之功, 成其豊美之利也. 如春氣發生萬物, 則爲播植之法, 秋氣成實萬物, 則爲收斂之法, 乃輔相天地之宜, 以左右輔助于民也. 民之生, 必賴君上爲之法制, 以教率輔翼之, 乃得遂其生養, 是左右之也.

천지가 사귀어 음양이 조화되면 만물이 무성하게 이루어져서 태괘가 된다. 임금은 천지가 태평한 상을 몸소 본받아 천지의 도를 마름질하여 완성하고 천지의 마땅함을 보필하여 백성을 돕는다. '재성(財成)'은 천지가 서로 사귀어 태평하게 되는 도리를 체득해서 조절하여 천지가 베푸는 방법을 이룬 것이다. "천지의 마땅함을 보필함"은 천지가 태평하면 만물이 무성하게 이루어지니, 임금이 이것을 몸소 실천하여 법제를 만들어서 백성들로 하여금 천시(天時)를 이용하고 지세의 이로움[地利]을 따르게 하여 천지가 만물을 화육하는 일을 도와서 그 이로움을 풍성하고 아름답게 이루는 것이다. 마치 봄 기운이 만물을 피어나게 하면 파종하고 심는 법을 행하고 가을 기운이 만물을 영글게 하면 수렴하는 법을 행하는 것과 같으니, 이것이 바로 천지의 도를 보필하여 백성들을 돕는 것이다. 백성들의 삶은 반드시 임금이 백성들을 위해 법제를 만들어서 가르치고 인도하고 도와주는 것을 바탕으로 하여야 비로소 낳고 기름을 이루니, 이것이 임금이 백성을 도와주는 길이다.

小註

或問, 財成天地之道, 輔相天地之宜, 如何. 程子曰, 天地之道不能自成, 須聖人財成輔相之. 如歲有四時, 聖人春則敎民播種, 秋則敎民收穫, 是裁成也. 敎民鋤耘灌漑, 是輔相也.

어떤 이가 물었다: "천지의 도를 마름질하여 이루고 천지의 마땅함을 도와서 백성을 돕는다"고 한 것은 무슨 말입니까?

정자가 말하였다: 천지의 도는 저절로 이루어질 수 없으니, 반드시 성인이 마름질하여 완성하고 보필하여야만 합니다. 마치 일 년에 사계절이 있어서 성인이 봄이 되면 백성들에게 파종을 가르치고 가을이 되면 수확하는 방법을 가르치는 것과 같으니, 이것을 마름질하여 완성하는 것이라 합니다. 백성들에게 호미로 김매고 물대는 방법을 가르치는 것을 도와주는 것이라 합니다.

又問, 以左右民如何. 曰, 古之盛時, 未嘗不敎民, 故立之君師, 設官以治之. 周公師保萬民, 與此言左右民, 皆是也. 後世未嘗敎民, 任其自生自育, 只治其闕而已.

또 물었다: 백성을 도와준다는 것은 무슨 뜻입니까?

답하였다: 옛날 성대한 때에는 백성들을 가르치지 않은 적이 없었으므로 임금과 스승을 세우고 관청을 설치하여 다스렸습니다. 주공이 "임금을 보좌하여 만민을 가르친 것"과 여기에서 "백성을 돕는다"고 말한 것 등이 모두 이와 같은 경우입니다. 후세에는 백성들을 가르치지 않고 스스로 낳고 스스로 양육하도록 내버려두고 다만 그 부족한 것을 보충해 줄 뿐이었습니다.

本義

財成以制其過, 輔相以補其不及.

"마름질하여 완성한다"는 것은 지나침을 막는 것이고, "돕는다"는 것은 미치지 못한 것을 보충하는 것이다.

小註

朱子曰, 財成, 猶裁截成就之也, 裁成者, 所以輔相也. 且如君臣父子兄弟夫婦, 聖人便爲制下許多禮數倫序, 只此便是裁成處. 至大至小之事皆是. 固是萬物本自有此理, 若非聖人裁成, 亦不能如此齊整. 所謂贊天地之化育而與之參也.

주자가 말하였다: '재성(財成)'은 마름질하여 완성하는 일이며, 마름질하여 완성한다고 하는 것은 미치지 못한 부분을 보충해 주는 것이다. 마치 군신·부자·형제·부부에 대해 성인이 곧 제도를 만들어 허다한 예와 질서를 유지하고 수많은 신분에 의한 각기 다른 예로 대우하는데, 이것이 곧 마름질하여 완성하는 것이다. 지극히 크고 지극히 작은 일이 모두 이에 해당한다. 진실로 만물은 본래 스스로 이 이치를 갖는데, 만약에 성인이 마름질하여 완성하는 것이 아니라면 또한 이처럼 가지런하게 정리할 수 없다. 『중용』에서는 "천지의 화육을 도와 천지와 더불어 참여 한다"[14]고 했다.

又曰, 裁成是截做叚子底, 輔相是佐助他底. 天地之化儦侗相續下來, 聖人便截作叚子. 如氣化一年一周, 聖人與他截做春夏秋冬四時.

또 말하였다: "마름질하여 완성한다"는 것은 단계적으로 하는 것이고 "돕는다"는 것은 그것을 도와주는 것이다. 천지의 화육은 변화무쌍하게 계속되어 왔고 성인은 단계를 마련하였다. 기의 운화가 일 년을 일주기로 하듯이 성인은 그것을 춘하추동의 사계절로 나누었다.

問, 財成輔相, 无時不當然, 何獨於泰時言之. 曰, 泰時, 則萬物各遂其理, 方始有裁成輔相處. 若否塞不通, 一齊都无理會了, 如何裁成輔相得.

물었다: "마름질하여 완성하고 서로 도와줌"은 항상 당연한 것인데, 어찌하여 유독 태평한 때에만 말합니까?

답하였다: 태평한 때에는 만물이 각각 그 이치를 따라야만 마름질하여 이루고 서로 도와줄 만한 곳이 있습니다. 그런데 만약 막히고 통하지 않아 하나같이 도무지 이해할 수 없게 된다면, 어찌 마름질하여 완성하고 도와줌을 얻을 수 있겠습니까?

○ 節齋蔡氏曰, 天地之道, 以氣形全體言, 天地之宜, 以時勢所適言. 財成者, 因其全體而裁制其節使不過. 輔相者, 隨其所宜而贊助其不及. 如氣化流行, 儦統相續, 聖人則爲之裁制, 以分春夏秋冬之節. 地形廣邈, 經緯交錯, 聖人則爲之裁制, 以分東西南北之限. 此裁成天地之道也. 春生秋殺, 此時運之自然. 高黍下稻亦地勢之所宜, 聖人則輔相之. 使當春而耕, 當秋而斂, 高者種黍, 下者種稻, 此輔相天地之宜也.

절재채씨가 말하였다: '천지의 도'는 기 형체의 전체로써 말한 것이고 '천지의 마땅함'은 시세에 적절한 바로 말한 것이다. '마름질하여 완성함'은 그 전체를 따라 그 마디를 넘치지 않도

---

14) 『中庸』: 唯天下至誠, 爲能盡其性, 能盡其性則能盡人之性, 能盡人之性則能盡物之性, 能盡物之性則可以贊天地之化育, 可以贊天地之化育則可以與天地參矣.

록 재단하여 처리하는 것이다. '서로 도와준다'는 것은 그 마땅한 바를 따라 그들이 미치지 못하는 바를 도와주는 것이다. 예를 들어 기화의 유행이 분명하지 못한 채로 계속 이어지면 성인은 그것을 제재하여 춘하추동 네 절기로 나누었다. 지형이 넓고 넓으며 경위가 교착되어 있으면 성인은 그것을 제재하여 동서남북으로 경계를 구분하였다. 이것이 천지의 도를 마름질하여 완성하는 것이다. 봄에 살리고 가을에 수렴시키는 것은 시운(時運)의 자연스러움이다. 높은 지역에 기장을 심고 낮은 지역에 벼를 심는 것 또한 지세의 마땅한 바이며, 성인은 그것을 도와서 봄이 되어서는 밭을 갈고 가을이 되면 수확하게 하며, 높은 곳에는 기장을 심게 하고 낮은 곳에는 벼를 심게 하니, 이것이 천지의 마땅함을 돕는 것이다.

○ 雲峯胡氏曰, 乾坤而後, 陰陽各三十畫然後爲泰, 是泰由於陰陽无過无不及者也. 旣泰之後, 制其過, 補其不及, 所以保泰也.
운봉호씨가 말하였다: 건괘와 곤괘 이후에 음양이 각각 삼십획이 된 연후에 태괘(泰卦)가 되고 이 태괘는 음양의 지나침도 없고 미치지 못함도 없다. 이미 태괘가 된 이후에 그 넘침을 조절하고 그 미치지 못함을 보충하여 태평함을 지킬 수 있다.

| 韓國大全 |

조호익(曺好益) 『역상설(易象說)』

按, 蔡氏說, 極分曉. 愚謂道之在物, 物各有宜, 群然相處, 莫知其則. 聖人爲之制君臣父子兄弟夫婦之倫而裁成之, 又爲之設仁敬慈孝友恭義順之敎而輔相之. 君之仁, 父之慈, 兄之友, 夫之義, 法天之交於地, 臣之敬, 子之孝, 弟之恭, 婦之順, 法地之交於天. 不然則天地閉, 而人道息矣. 獨於泰卦言之者, 天地交泰, 正君君臣臣父父子子兄兄弟弟夫夫婦婦之時也. 或曰, 泰者正月之卦, 正生長收藏之始. 又卦體自二至四爲兌, 兌正秋也, 自三至五爲震, 震東方也. 有出乎震, 說乎兌之象.
내가 살펴보았다: 절재채씨의 주장은 아주 분명하여 쉽게 알 수 있다. 내가 생각해 보건대, 도는 사물에 있으며 사물에는 각각의 마땅함이 있는데, 서로 뒤섞여 있어서 그 법칙을 알 수 없다. 성인이 이를 위하여 군신·부자·형제·부부의 윤리를 제정해 마름질하여 완성하고 또 이를 위하여 인(仁)·경(敬)·자(慈)·효(孝)·우(友)·공(恭)·의(義)·순(順)의 가르침을 베풀어서 도왔다. 임금의 어짊, 아버지의 자애로움, 형의 우애로움, 남편의 의로움은

하늘이 땅과 사람을 본받은 것이고, 신하의 공경, 자식의 효성스러움, 아우의 공손함, 아내의 순함은 땅이 하늘과 사람을 본받은 것이다. 그렇지 않다면 천지가 닫히고 인도가 종식될 것이다. 유독 태괘(泰卦)에서만 이를 말한 것은 천지가 사귀어서 편안함은 바로 임금은 임금답고 신하는 신하답고 아버지는 아버지답고 아들은 아들답고 형은 형답고 아우는 아우답고 남편은 남편답고 아내는 아내다운 때이기 때문이다.[15] 어떤 이는 "태괘는 정월의 괘로, 바로 낳고 기르고 거두고 저장하는 시초이다"고 말한다. 또 괘의 몸체가 이효에서 사효까지는 태괘(兌卦☱)가 되는데 태괘는 가을이고,[16] 삼효에서 오효까지는 진괘(震卦☳)가 되는데 진괘는 동방이다.[17] 진괘에서 만물이 나오고 태괘에 기뻐하는 상이 있다.[18]

김도(金濤) 「주역천설(周易淺說)」

愚按, 程傳下, 程子所釋惟一條, 本義下, 朱子所釋又一條. 諸儒所釋, 凡二條而皆合於大象之旨矣. 蓋財成輔相, 皆是聖王之事, 而與天地合德者也. 天地以生物爲心, 而不能以自成, 故必須聖人之財輔然後, 民物皆遂其生矣. 若无聖人財輔之敎, 則生民之道有闕而義理必至於晦塞矣. 義理晦塞, 則倫序有所不明而則近於禽獸矣. 故聖人設爲法制, 輔之翼之, 俾遂其生養之道, 得免乎禽獸之歸, 則聖人制度之意, 浩浩其天也, 後世則未嘗有敎, 而只治其闕, 可哀也哉.

내가 살펴보았다: 『정전』아래에서 정자가 해석한 곳은 한 조목이고, 『본의』아래에서 주자가 해석한 곳도 한 조목이다. 여러 학자들이 해석한 것은 두 조목인데, 모두 「대상전」의 뜻과 일치한다. 마름질하여 완성하고 보필하여 돕는 것은 성왕들의 일이고, 천지와 더불어 덕을 같이 할 수 있는 대인이다.[19] 천지는 만물을 낳는 것을 마음으로 삼는데, 스스로 완성할 수 없기 때문에 반드시 성인의 마름질과 도움을 받은 후에 백성들과 만물은 그 생을 완성할 수 있다. 만약 성인의 마름질하고 돕는 가르침이 없다면, 백성을 살리는 도에 결여되어 그 의리가 반드시 어둡고 막히는 데 이른다. 의리가 어둡고 막히게 된다면 인륜의 차례가 분명하지 않게 되어 금수와 가깝게 된다. 그러므로 성인이 법과 제도를 베풀어 도와서 그 낳아 기르는 도리를 이루어 금수로 돌아감을 면하게 하였으니, 성인이 제도를 만든 뜻이 드넓고 넓은 하늘과 같은데, 후세에는 가르침이 전해지지 않고 단지 그 부족한 것만 보충해 주고 있으니, 슬프도다!

---

15) 『周易·家人卦』: 父父子子, 兄兄弟弟, 夫夫婦婦而家道正, 正家而天下定矣.

16) 『周易·說卦傳』: 兌, 正秋也, 萬物之所說也, 故, 曰說言乎兌.

17) 『周易·說卦傳』: 萬物, 出乎震, 震, 東方也.

18) 『周易·說卦傳』: 萬物, 出乎震 … 說言乎兌.

19) 『周易·乾卦』: 夫大人者, 如天地合其德.

심조(沈潮) 「역상차론(易象箚論)」

泰, 象, 裁成輔相.

태괘 「대상전」에서 말하였다: 마름질하여 완성하고 돕는다.

裁成, 乾兌也. 金氣能斷制也. 輔相, 坤震也, 坤爲輿. 故輔字從車, 震爲木, 故相字從木.

"마름질하여 완성한다"는 것은 건괘(☰)와 태괘(☱)이다. 쇠의 기운[金氣]은 끊을 수 있다. "돕는다"고 한 것은 곤괘(☷)와 진괘(☳)이다. 곤괘는 수레가 된다. 그러므로 '보(輔)'자는 부수가 수레 거(車)이고, 진괘는 나무이므로 '상(相)'자는 나무 목[木] 부수에 눈 목(目)자를 합한 것이다.

유정원(柳正源) 『역해참고(易解參攷)』[20]

天地 [至] 右民.

천지 … 백성을 돕는다.

正義, 不兼公卿大夫, 故不云君子. 兼通諸侯, 故不言先王. 欲見天子諸侯, 俱是南面之君, 故特言后.

『정의』에서 말하였다: 공경과 대부를 겸하지 않으므로 군자라고 말하지 않았다. 제후를 겸할 수 있으므로 선왕이라고 말하지 않았다. 천자와 제후는 둘 다 정사를 돌보는 임금이라는 것을 드러내고자 하여 특별히 '후(后)'라고 말했다.

○ 廣平游氏曰, 財者, 節其過, 猶言範圍. 成者, 補其虧, 猶言彌綸.

광평유씨가 말하였다: 재물은 그 지나침을 조절해야 하는데, '범위(範圍)'[21]라고 말하는 것과 같다. '이룸[成]'이란 그 줄어든 것을 보충하는 것으로 '미륜(彌綸)'[22]이라고 하는 것과 같다.

○ 朱子曰, 天只生得許多人物, 與你許多道理, 然天卻自做不得. 所以必得聖人爲之脩道立敎, 以敎化百姓, 所謂財成輔相也. 蓋天做不得底, 須聖人爲他做也.

주자가 말하였다: 하늘은 다만 허다한 인물을 낳아 놓음과 함께 수많은 도리를 주었으나,

---

20) 경학자료집성DB에서는 태괘(泰卦) 괘사에 해당하는 것으로 분류했으나, 내용에 따라 이 자리로 옮겨 바로 잡는다.

21) 『周易·繫辭傳』: 範圍天地之化而不過, 曲成萬物而不遺, 通乎晝夜之道而知, 故, 神无方而易无體.

22) 『周易·繫辭傳』: 易, 與天地準, 故, 能彌綸天地之道.

하늘은 도리어 스스로 하지 못한다. 그래서 반드시 성인은 하늘을 대신하여 그들을 위해 도를 닦고 가르침을 세워서 백성들을 가르쳐 변화시키니, 마름질을 하여 이루어 도와준다는 뜻이다. 하늘이 할 수 없는 것이기 때문에 반드시 성인이 하늘을 대신해서 해야 한다.

○ 問, 乾健坤順, 如何得有過不及之差. 曰乾坤者, 一氣運於无心, 不能无過不及之差. 聖人有心以爲之主, 故无過不及之失. 所以天地之功, 必有待於聖人.
물었다: 건은 굳세고 곤은 유순한데, 어떻게 과불급의 차이가 있습니까?
답하였다: 건곤은 하나의 기가 무심하게 운행하니, 과불급의 차이가 없을 수 없습니다. 성인은 마음을 가져 그 주인이 되기 때문에 과불급의 잘못이 없습니다. 이 때문에 천지의 공은 반드시 성인을 기다려야 합니다.

○ 問, 輔相財成, 學者日用處有否. 曰, 飢食渴飮, 冬裘夏葛, 耒耜網罟, 皆是.
물었다: "도와서 마름질하여 이룬다"는 것이 배우는 자가 날마다 쓰는 곳에 있습니까?
답하였다: 굶주리면 밥을 먹고 목이 마르면 물을 마시며, 겨울에는 가죽으로 만든 옷을 입고 여름에는 갈포로 만든 옷을 입으며, 쟁기로 밭을 갈고 그물로 고기를 잡는 것이 모두 그것입니다.

김상악(金相岳) 『산천역설(山天易說)』

財成者, 因其全體而裁制使不過也. 輔相者, 隨其所宜而贊助其不及也. 財成法天之資始, 輔相法地之資生. 左右者, 陽左而陰右也.
"마름질하여 완성한다"는 것은 그 전체를 따라서 조절하여 넘치지 않도록 하는 것이다. "돕는다"고 한 것은 그 마땅한 것을 따라서 미치지 못한 것을 도와주는 것이다. "마름질하여 완성한다"는 것은 하늘이 바탕이 되어 만물이 시작하는 것을 본받는 것이고, "돕는다"고 한 것은 땅이 바탕이 되어 만물이 생겨나는 것을 본받는 것이다. 좌우(左右)에서 '좌(左)'는 양이고 '우(右)'는 음이다.

김귀주(金龜柱) 『주역차록(周易箚錄)』

傳, 天地交而, 云云.
『정전』에서 말하였다: 천지가 사귀어, 운운.

小註, 或問財成, 云云.

소주에서 어떤 이가 "천지의 도를 마름질하여 완성한다", 운운.

○ 按, 傳以播種收斂爲輔相, 此以播種收斂爲財成, 似不同. 然財成輔相, 只是一事, 如此說也得, 如彼說也得.

내가 살펴보았다:『정전』에서는 씨를 뿌려 열매를 거두어들이는 것을 돕는 것으로 말했고 여기서는 씨를 뿌려 열매를 거두어들이는 것을 마름질하여 완성한다고 하니, 부합하지 않는 듯하다. 그러나 마름질하여 완성한다고 한 것과 돕는 것은 한 가지 일일 뿐이니, 이렇게 말해도 괜찮고 저렇게 말해도 또한 괜찮다.

윤행임(尹行恁)『신호수필(薪湖隨筆)·역(易)』

天地交而泰, 君臣交而治. 治泰之時, 人情易於狃安, 故以无平不陂, 無往不復, 丁寧告戒. 如唐玄宗開元之世, 不知有天寶者. 可以知警, 而姚宋彙征則泰, 楊李彙征則否. 故又以君子小人消長之幾申言之. 爲天下國家者, 只觀泰之九三, 則於爲政何有哉. 其所謂天地際之際者, 卽幾也. 平陂往復, 不過一幾字, 審其幾, 則可以制未然矣.

천지가 사귀어 태평하고 임금과 신하가 사귀어 잘 다스려진다. 태평한 때에 사람의 마음은 쉽게 안일해지므로 "평평한 것은 기울지 않는 것이 없고 가서 돌아오지 않는 것이 없다"[23]고 하여 간곡하게 경계하여 알려 주었다. 마치 당 현종(玄宗) 개원(開元)의 시대에 천보(天寶)의 난리가 있게 될 줄을 알지 못한 것과 같다. 경계할 줄 알아서 당 현종의 명재상인 요숭(姚崇)과 송경(宋璟) 같은 사람이 띠의 뿌리 같이 연결된다면 태평해지고 이림보(李林甫)와 양국충(楊國忠) 같은 사람이 띠의 뿌리 같이 연결된다면 막힌다. 그러므로 군자와 소인이 자라고 사라지는 기미를 거듭 말했다. 천하국가를 위하는 자가 다만 태괘의 구삼을 살핀다면, 정사를 돌보는 데에 무슨 어려움이 있겠는가? 태괘 삼효「상전」의 "하늘과 땅이 사귄다"고 할 때의 "사귄다"고 한 것은 곧 기미이다. 평평함과 기울어짐, 감과 돌아옴은 하나의 기미라는 글자에 불과하니, 그 기미를 살핀다면 아직 생기지 않은 것을 조절할 수 있다.

서유신(徐有臣)『역의의언(易義擬言)』

財成輔相而左右其民, 人君之泰也. 財成如天之播氣, 輔相如地之承天, 左右陰陽象.

마름질하여 완성하여 백성들을 돕는 것은 임금의 태평함이다. 마름질하여 이룬다고 한 것은 하늘이 기를 퍼뜨리는 것과 같고, 돕는다고 한 것은 땅이 하늘을 이어 받는 것과 같으며, 도움은 음양의 상이다.

---

23)『周易·泰卦』: 九三, 无平不陂, 无往不復, 艱貞无咎, 勿恤其孚, 于食有福.

박문건(朴文健) 『주역연의(周易衍義)』

財成輔相, 所以成治泰之功.

"마름질하여 완성하여 돕는다"고 한 것은 다스려 태평하게 하는 공로를 이루는 것이다.

이지연(李止淵) 『주역차의(周易箚疑)』

宜者, 義也, 在物爲道, 處物爲義.

마땅함[宜]은 의(義)이니, 만물에 있으면 도리가 되고 만물에 대처하는 것이 의(義)이다.

김기례(金箕澧) 「역요선의강목(易要選義綱目)」

裁輔天地之宜, 惟王者事故曰后.

"천지의 도를 마름질하고 천지의 마땅함을 돕는다"는 것은 오직 임금의 일이기 때문에 '후(后)'라고 하였다.

○ 天地之道, 不能自成, 待聖人敎民稼穡, 而後歲功成. 至若立官設敎, 置閏協時, 皆所以代天工左右民也.

천지의 도는 스스로 이루어 질 수 없으니, 성인이 백성들에게 농사짓는 법을 가르치기를 기다린 이후에 세공(歲功)이 이루어진다. 관직을 세우고 가르침을 베풀며, 윤달을 두어 시간을 조절하는 데 이르기까지는 모두 하늘의 일을 대신하여 백성들을 도와주는 것이다.

심대윤(沈大允) 『주역상의점법(周易象義占法)』

財成, 上之事也, 象乾之接于下也. 兌爲財, 坎离爲成. 輔相, 下之事也, 象坤之進于上也. 坎离爲比, 麗曰輔. 君之財成, 臣之輔相, 皆體天地生成之道言, 后以而蒙于輔相者, 明君之統臣也.

"마름질하여 완성한다"는 것은 윗사람의 일이고 건괘가 아래와 접하는 상이다. 태괘(☱)는 재물이 되고 감괘(☵)와 리괘(☲)는 이룸[成]이 된다. "돕는다"고 한 것은 아래 사람의 일이고 곤괘가 위로 나아가는 상이다. 감괘(坎卦)와 리괘(離卦)는 비(比)가 되고 리(麗)는 돕는 것[輔]이다. 임금이 마름질하여 완성하고 신하가 돕는 일 등은 모두 천지가 만물을 낳아 이루는 도를 체득하여 말한 것이고, 왕후가 본받아서 도움을 받는 것은 임금이 신하를 통솔하는 것을 밝힌 것이다.

오치기(吳致箕) 「주역경전증해(周易經傳增解)」

天地交而陰陽和, 則萬物茂遂, 故人君觀其象, 財制而成其施爲, 輔助而遂其生養. 此皆左右其民而治其泰者也. 程傳已備矣.

천지가 서로 사귀어 음양이 화창하면 만물이 무성하게 자라므로 임금이 그 상을 보고 재물을 조절하여 그 베풂을 이루며, 도와서 백성들을 낳고 기른다. 이것이 모두 백성들을 도와 그 태평함을 이루는 것이다. 『정전』에 이미 설명되어 있다.

이진상(李震相) 『역학관규(易學管窺)』

乾坤平等, 而三陽在下不爲過, 三陰在上, 不爲不及, 故取財成輔相之象. 左右民, 上下其陰之象.

건곤은 평등한데, 세 양이 아래에 있으면서 넘치지 않고 세 음이 위에 있으면서 미치지 못하지 않기 때문에 "마름질하여 완성한다"와 "돕는다"는 상을 취하였다. "백성을 돕는다"는 것은 위아래에 있는 음의 상이다.

박문호(朴文鎬) 「경설(經說)・주역(周易)」

大象, 本義只就財輔二字, 以斷其過不及之義, 視程傳, 尤密矣.

「대상전」에 대해 『본의』에서는 '재(財)'와 '보(輔)' 두 글자만을 취하여 넘침과 미치지 못한 뜻을 단정하였는데, 『정전』보다 더욱 자세하다.

이용구(李容九) 「역주해선(易註解選)」[24]

泰象, 程子曰, 周公師保萬民, 與此言左右民, 是.

태괘 「대상전」을 해석한 정전 밑의 소주에서 정자(程子)는 주공이 임금을 보좌하여 만민을 가르친 것과 여기에서 백성을 돕는다고 말한 것은 모두 이와 같은 경우라고 하였다.

이병헌(李炳憲) 『역경금문고통론(易經今文考通論)』

荀曰, 乾氣下降, 以成地道, 坤氣上升, 以成天道. 財本作裁. 鄭曰, 左右, 助也.

순상(荀爽)이 말하였다: 건의 기운은 하강하여 지도(地道)를 이루고 곤의 기운은 상승하여 천도(天道)를 이룬다. 재(財)는 본래 재(裁)의 의미로 썼다. 정현(鄭玄)은 좌우(左右)를 돕는다[助]고 풀이하였다.

---

24) 경학자료집성DB에서 태괘(泰卦) 괘사에 해당하는 것으로 분류했으나, 내용에 따라 이 자리로 옮겨 바로잡았다.

初九, 拔茅茹. 以其彙征, 吉.

정전 초구는 띠풀의 뿌리를 뽑는다. 그 무리로써 가니 길하다.

初九, 拔茅茹, 以其彙, 征吉.

본의 초구는 띠풀의 뿌리를 뽑으니, 그 무리로써 하면 가는 것이 길하다.

中國大全

傳

初以陽爻居下, 是有剛明之才而在下者也. 時之否, 則君子退而窮處, 時旣泰則志在上進也. 君子之進, 必與其朋類相牽援, 如茅之根然, 拔其一則牽連而起矣. 茹, 根之相牽連者, 故以爲象. 彙, 類也, 賢者以其類進, 同志以行其道, 是以吉也. 君子之進, 必以其類, 不唯志在相先, 樂於與善, 實乃相賴以濟. 故君子小人, 未有能獨立不賴朋類之助者也. 自古君子得位, 則天下之賢, 萃於朝廷, 同志協力, 以成天下之泰, 小人在位, 則不肖者竝進然後, 其黨勝而天下否矣, 蓋各從其類也.

초효가 양효로서 아래에 있으니, 이는 굳세고 밝은 재질이 있으면서 아랫자리에 있는 자이다. 때가 비색하면 군자가 물러나 곤궁에 빠져 있으나 때가 이미 태평해지면 뜻은 위로 나아가는데 있다. 군자가 나아갈 때에는 반드시 동류들과 서로 끌어당기는데, 마치 띠의 뿌리처럼 하나를 뽑으면 연결되어 일어나는 것과 같다. '여(茹)'는 뿌리가 서로 연결된 것이므로 상으로 삼았다. '휘(彙)'는 동류이고, 현자가 동류들을 데리고 나아가서 뜻을 함께 하여 도를 행하니, 이 때문에 길하다. 군자가 나아갈 때에는 반드시 동류들을 데리고 가니, 다만 서로 먼저 하여 함께 선을 행하는 것을 즐기는 데에 뜻을 둘 뿐만 아니라, 실로 서로 의지하여 이룬다. 그러므로 군자와 소인이 홀로 서서 붕우의 도움에 의지하지 않는 자가 없다. 예로부터 군자가 제자리를 얻으면 천하의 현자가 조정에 모여서 마음을 함께 하고 힘을 합하여 천하의 태평함을 이루지만, 소인이 지위에 있으면 불초한 자가 함께 나온 뒤에 그 무리들이 득세하여 천하가 비색해지니, 각각 그 무리를 따른다.

本義

三陽在下, 相連而進, 拔茅連茹之象, 征行之吉也. 占者陽剛, 則其征吉矣. 郭璞洞林, 讀至彙字絶句, 下卦放此.

세 양이 아래에 있어 서로 연결하여 나아가니, 띠의 엉켜 있는 뿌리를 뽑는 상이고 정벌하러 가면 길하다. 점친 자가 양으로서 굳세면 정벌하러 가면 길할 것이다. 곽박(郭璞)의 『동림(洞林)』에는 휘자(彙字)에서 구절을 끊어 읽으니, 아래의 비괘(否卦)도 이와 같다.

小註

朱子曰, 以其彙, 屬上文. 嘗見郭璞易林, 如此做句, 便是那時人已自恁地讀了. 蓋拔茅連茹者, 物象也, 以其彙者, 人也.

주자가 말하였다: "그 무리로써 간다"는 것은 윗글에 속한다. 곽박의 『역림』에도 이와 같이 구문을 끊었음을 볼 수 있으니, 곧 당시의 사람들은 이처럼 읽었던 것이다. "띠풀의 엉켜 있는 뿌리를 뽑는다"는 것은 물상(物象)이고 "그 무리와 함께한다"고 한 것은 사람이다.

○ 臨川吳氏曰, 三陽爲類, 茅雖不共本, 拔之則其根相連而起. 初之以其類同進, 似之.

임천오씨가 말하였다: 세 양은 같은 종류가 되니, 띠가 비록 몸체를 함께 하지 않으나 뽑으면 그 뿌리는 서로 이어져 일어난다. 초효에 그 무리들과 함께 나간다고 하는 것과 유사하다.

○ 梅巖袁氏曰, 不謂之往吉, 而謂之征吉, 蓋凡言征者, 必以正行之.

매엄원씨가 말하였다: '왕길(往吉)'이라고 말하지 않고 '정길(征吉)'고 한 것은 일반적으로 '정(征)'이란 반드시 옳음으로써 행해야 하기 때문이다.

○ 隆山李氏曰, 卦以氣交, 自上而下也. 爻, 以位升, 自下而上也.

융산이씨가 말하였다: 괘는 기로써 교감되는데 위로부터 아래로 교감한다. 효는 위치로써 올라가는데 아래로부터 위로 올라간다.

○ 雲峯胡氏曰, 拔茅茹, 在物爲相連之象, 以其彙, 在人爲相連而進之占. 初曰, 以其彙, 君子與君子爲類也. 三陽欲進而以之者, 在初. 四曰以其隣, 小人與小人爲類也. 三陰欲復而以之者在四, 四不曰吉, 初曰征吉者, 易爲君子謀也.

운봉호씨가 말하였다: "띠의 뿌리를 뽑는다"는 것은 사물에게 있어서는 서로 연결되어 있는 상이고, "그 무리로써 간다"는 것은 사람들에게 있어서는 서로 연결되어 나아가는 점사이다.

초효의 "그 무리로써 간다"는 것은 군자가 군자와 동류가 됨을 말한다. 세 양이 나가고자 하여 함께 나간 것은 초효에 있다. 사효의 "그들과 이웃한다"는 것은 소인이 소인과 동류가 됨을 말한다. 세 음이 다시 돌아오고자 하여 함께 돌아온 것이 사효에 있고, 사효에서 "길하다"고 말하지 않고 초효에서 "가면 길하다"고 한 것은 『주역』은 군자를 위해 도모하기 때문이다.

‖韓國大全‖

조호익(曺好益) 『역상설(易象說)』

茅有三脊爲陽物, 以其柔, 故亦象陰爻. 三脊見左氏杜註, 如石六稜, 花五出之義. 茹初象. 拔取進義. 彙指三陽.

'띠[茅]'는 줄기에 세 모서리가 있어서 양에 속하는 사물인데, 그 성질이 부드러우므로 역시 음효를 형상한다. 띠의 세 모서리는 『춘추좌전』 두예의 주석에 나오는데,[25] 돌의 여섯 모서리나 꽃의 다섯 이파리라는 뜻과 같다. '여(茹)'는 초효의 상이다. '발(拔)'은 나아간다는 뜻을 취한 것이다. '휘(彙)'는 세 개의 양효를 가리킨다.

송시열(宋時烈) 『역설(易說)』

初九, 此乾卦也. 變爲巽, 然後可以取象. 巽爲茅, 亦見大過初六. 茅之爲物, 根蒂相連, 拔一根, 則牽連而起. 繫辭所謂薄而用貴也, 言在野之賢, 以其彙類而進, 故取象然也. 六四爲正應, 故征吉者, 往則吉也. 小象, 志在外, 是也.

초구는 건괘인데, 초효가 바뀌어 손괘(巽卦)가 된 이후에 상을 취할 수 있다. 손괘는 띠풀이 되는데, 대과괘 초육에서도 '흰 띠풀[26]'이라 하였다. 띠풀은 뿌리와 꼭지가 서로 이어져 있어 뿌리 하나를 뽑으면 나머지 뿌리도 함께 연결되어 뽑힌다. 「계사전」에서는 "띠풀이란 물건은 하찮으나 쓰임은 소중히 여길 만하다[27]"고 하였으니, 재야의 어진 이들이 동류가 되어 함께 나아가기 때문에 상을 취한 것이 그러하다는 말이다. 육사가 정응이 되므로 나가면 길하다고 하였으니 가면 길하다. 「소상전」에 "뜻이 밖에 있기 때문이다[28]"라고 한 것이 그것이다.

---

25) 『春秋左氏傳·僖公』: 江淮之間, 一茅三脊.
26) 『周易·大過卦』: 初六, 藉用白茅, 无咎.
27) 『周易·繫辭傳』: 夫茅之爲物, 薄而用可重也.

권거(權榘) 「독역쇄의(讀易瑣義)·역중기의(易中記疑)·역괘취상(易卦取象)」

泰初, 否初.

태괘 초효와 비괘(否卦) 초효.

泰初否初, 皆以一辭係之. 其爲君子則同, 而只以征與貞別之, 卦爻初終之義大. 而君子進退之節於否泰之時尤重. 故於此不取本爻義, 只取初終之義, 而以君子處否泰之道言之. 他卦如師初上, 履上九之類, 亦此也. 〈君子當否時, 固守其節, 而不進者, 非忘君也, 以時不可. 故象特言之.〉

태괘의 초효와 비괘의 초효는 모두 동일한 말로 쓰여 있다. 그것이 군자가 되는 점에서는 같지만 '정(征)'과 '정(貞)'이 구별되니, 괘효의 '처음[初]'과 '마침[終]'의 뜻이 크다. 그리고 군자가 나아가고 물러나는 절도는 비괘(否卦)와 태괘(泰卦)의 때가 더욱 중요하다. 그러므로 여기에서는 본래 효의 뜻을 취하지 않았고, 단지 '처음[初]'과 '마침[終]'의 뜻을 취하여 군자가 비괘(否卦)와 태괘(泰卦)의 도에 대처하는 것을 말하였다. 다른 괘의 경우, 사괘의 초효와 상효, 그리고 리괘(履卦)의 상구와 같은 것들이 또한 이 경우이다. 〈군자가 비색한 때를 당해서는 굳게 그 절개를 지키고 출사하지 않는 것은 때가 불가해서이지 임금을 잊은 것이 아니다. 그러므로 「상전」에서 특별히 말하였다.〉

심조(沈潮) 「역상차론(易象箚論)」

初九, 拔茅茹, 彙征.

초구는 띠의 뿌리를 뽑으니, 무리로 나간다.

彙字, 從果者, 乾爲木果也. 茅字, 從矛者, 矛乃金器也.

휘(彙)자가 과(果)자를 포함하는 것은 건괘는 나무의 과실이 되기 때문이다. '모(茅)'자가 '모(矛)'자를 포함하는 것은 창은 곧 쇠로 만든 기물이기 때문이다.

유정원(柳正源) 『역해참고(易解參攷)』

初九 [至] 征吉.

초구 … 나가면 길하다.

開封耿氏曰, 茹, 如茹葷之茹, 謂茅之始生, 其秀可茹也.

---

28) 『周易·泰卦』: 象曰, 拔茅貞吉, 志在外也.

개봉경씨가 말하였다: '여(茹)'는 '여훈(茹葷)'이라고 할 때의 '여(茹)'와 같으니, 띠풀이 처음으로 생겨나올 때, 그 피는 것을 먹을 수 있는 것을 말한다.

○ 隆山李氏曰, 卦言來者, 謂天氣之下降, 爻言征者, 謂君子之上亨.

융산이씨가 말하였다: 괘사에서 '온다[來]'고 한 것은 하늘의 기운이 하강하는 것을 말하고 효사에서 '나간다[征]'고 한 것은 군자가 위로 통할 수 있는 것을 말한다.

○ 雙湖胡氏曰, 易取茅象凡三, 泰取陽爻, 否大過取陰爻. 泰否以全體取, 亦以有互體, 震巽也. 震爲蕃鮮, 巽爲草木. 泰互震爲茅, 三陽爲根, 否互巽爲茅, 三陰爲根. 故拔茹而彙聯, 初不以陰陽爻拘.

쌍호호씨가 말하였다: 『주역』에서 띠의 상을 취한 곳은 모두 세 곳이다. 태괘(泰卦)에서는 양효를 취하고 비괘(否卦)와 대과괘(大過卦)에서는 음효를 취하였다. 태괘와 비괘는 전체로 취했는데, 또한 호체를 가지고 있으니, 진괘(震卦)와 손괘(巽卦)이다. 진괘는 번성하고 고움이 되며,[29] 손괘는 초목이 된다. 태괘의 호괘인 진괘는 띠풀이 되고 세 양은 뿌리가 되며, 비괘의 호괘인 손괘는 띠풀이 되고 세 음은 뿌리가 된다. 그러므로 뿌리를 뽑아 무리로 연결되니, 애초에 음효와 양효에 구애받지 않았다.

傳, 朋友.

『정전』에서 말하였다: 붕우.

案, 友一作類.

내가 살펴보았다: '우(友)'를 다른 판본에서는 '류(類)'로 기록했다.

本義, 小註朱子說, 易林.

『본의』 밑의 소주에서 주자가 『역림』이라고 설명하였다.

案, 當作洞林. 易林, 是焦贛所著.

내가 살펴보았다: 마땅히 『동림(洞林)』으로 써야 한다. 『역림(易林)』은 초공(焦贛)의 저서이다.

김상악(金相岳) 『산천역설(山天易說)』

初九, 居乾之下, 三陽牽連以進, 爲拔茅以彙之象. 與四爲應而志在於外, 故征吉.

초구는 건괘의 아래에 있으며 세 양이 함께 어우러져 나아가 무리로써 띠풀이 뿌리를 뽑는 상이다. 사효와 호응하며, 뜻이 밖에 있기 때문에 나가면 길하다.

---

29) 『周易·說卦傳』: 震爲蕃鮮.

○ 拔茅者, 物象也. 以彙者, 人事也. 茅之爲物, 其根相連, 拔其一, 則必牽連而起也. 乾求於坤而得巽, 巽爲陰木, 茅茹之象. 大過初六曰藉用白茅, 是也. 變而爲巽, 則地中生木爲升. 升初六曰, 允升, 亦相連以進之象也. 或曰茅茹, 三陰相連之象, 拔之所以疏治其荒穢也. 泰之三陰, 四在下而初爲應, 故曰拔茅茹. 否則與泰反類, 故初爲茅茹, 而拔之者四, 亦通.

"띠풀의 뿌리를 뽑는 것"은 물상(物象)이고 "무리로써 한다"는 것은 인사(人事)이다. 띠는 그 뿌리가 서로 이어져 있어 뿌리 하나만을 뽑아도 반드시 그 나머지 뿌리도 같이 뽑힌다. 건괘는 곤괘에서 구하여 손괘를 얻고 손괘는 음(陰)인 목(木)이 되니, 띠풀의 뿌리가 서로 얽혀있는 상이다. 대과괘 초육에 "까는데 흰 띠풀을 사용한다"[30]고 한 것이 바로 그것이다. 초효가 바뀌어 손괘가 되면 "땅속에서 나무가 나오는 것"[31]이 승괘(升卦)가 된다. 승괘 초육에 "믿어서 자라난다"[32]고 한 것 또한 서로 이어져 나가는 상이다. 어떤 이가 "띠풀의 뿌리는 세 음이 서로 연결되어 있는 상인데, 그것을 뽑는 것은 황무지를 개간하기 위해서이다. 태괘의 세 음에서 사효가 아래에 있고 초효가 호응하므로 띠풀의 뿌리를 뽑는다고 했다. 비괘의 경우, 태괘와 반대되는 종류이므로 초효가 띠풀의 뿌리가 되고 뽑는 자는 사효이다"라고 하니, 이 또한 그 뜻이 통한다.

김규오(金奎五) 「독역기의(讀易記疑)」

初九義, 征行之吉也, 非以征爲行之吉也. 蓋謂往行之吉也.

초구의 뜻은 나가서 행하는 길함이고 '나가는 것[征]'을 행동의 길함으로 삼은 것이 아니다. 가서 행한 길함을 말한다.

서유신(徐有臣) 『역의의언(易義擬言)』

拔茅茹者, 類聚群分之象. 唯泰否有此象也. 初九有以其彙, 類竝進之象, 故曰征也. 三陽彙進, 故吉也.

"띠풀의 뿌리를 뽑는다"는 것은 종류로써 모으고 무리로써 나누는 상이다. 오직 태괘와 비괘에만 이 상이 있다. 초구의 "그 무리로써 한다"는 것은 무리로써 함께 나아가는 상이므로 '간다[征]'고 말했다. 세 양이 무리로 나아가기 때문에 길하다.

---

30) 『周易·大過卦』: 初六, 藉用白茅, 无咎.
31) 『周易·升卦』: 象曰, 地中生木, 升, 君子以, 順德, 積小以高大.
32) 『周易·升卦』: 初六, 允升, 大吉.

박문건(朴文健) 『주역연의(周易衍義)』

進以其類, 故有拔茅之象. 茹根, 彙類也. 〈問, 茅茹之取象. 曰, 茅者, 承藉之物, 故於下爻取之. 茹亦取在下之義.〉

무리로써 나아가기 때문에 띠의 뿌리를 뽑는 상이 있다. 띠풀의 뿌리는 무리지어 있다. 〈물었다: 띠풀의 뿌리가 취한 상은 무엇입니까?

답하였다: 띠풀은 받들고 밑에 까는 것이므로 아래 효에서 취하였습니다. 뿌리 또한 아래에 있다는 뜻입니다.〉

〈○ 問, 拔茅茹, 以其彙, 征吉. 曰, 初九與在上二陽竝進, 故有拔茅根, 而以其類之象, 征則能相遇而吉.

물었다: "띠풀의 뿌리를 뽑으니 그 무리로써 하면 가는 것이 길하다"는 무슨 뜻입니까?

답하였다: 초구와 위에 있는 두 양[구이와 구삼]이 함께 나아가기 때문에 띠풀의 뿌리를 뽑아 그 무리로써 가는 상이 있으니, 나가면 서로 만나 길하게 됩니다〉.

이지연(李止淵) 『주역차의(周易箚疑)』

大過之初, 以一陰下於四陽, 而曰藉用白茅. 此則直於三陽畫之下曰拔茅茹. 又於否卦三陰畫之下曰, 拔茅茹. 或於陽言之, 或於陰言之, 模捉不得. 大抵易之取象, 如詩之比以彼物比此物. 非必本卦中, 皆有如此之象而言之也.

대과괘 초육에서는 하나의 음이 네 양의 아래에 있어서 "까는데 흰 띠풀을 쓴다"[33]고 하였다. 여기에서는 세 양의 획 바로 아래에 있어서 "띠풀의 뿌리를 뽑는다"고 하였다. 또 비괘(否卦) 세 음의 획 아래에 있어서 "띠풀의 뿌리를 뽑는다"고 하였다. 혹은 양으로부터 말하고 혹은 음으로부터 말하니, 종잡을 수가 없다. 『주역』에서 상을 취한 것은 『시경·종사(螽斯)』의 "저 물건을 가지고 이 물건을 비유한다"는 것과 같다. 반드시 본괘 가운데 모두가 이와 같은 상이 있다고 말하는 것은 아니다.

김기례(金箕澧) 「역요선의강목(易要選義綱目)」

陽性上進而時泰才剛, 以其類竝進, 如茅雖不共本, 拔一則根相連而起.

양의 성질은 위로 나아가며 때는 태평하고 재질은 굳세어 그 무리와 함께 나아가니, 띠풀이 비록 몸체는 함께 하지 않는다 하더라도 하나를 뽑으면 뿌리가 서로 이어져 뽑히게 되는

---

33) 『周易·大過卦』: 初六, 藉用白茅, 无咎.

것과 같다.

○ 指君子在明時, 自下而以其類竝進也.
군자가 밝은 곳에 있을 때, 아래로부터 그 무리로써 함께 간 것을 가리킨다.

○ 正己而往, 故曰征.
나를 바르게 하고 간 것이므로 '간대[征]'고 말하였다.

심대윤(沈大允) 『주역상의점법(周易象義占法)』

泰之爻位, 居剛求泰不已者也, 居柔安於泰者也.
태괘 효의 자리는 굳센 양에 있으면서 태평함을 구하기를 그만두지 않는 자이고, 유약한 음의 자리에 있으면서 태평함을 편안하게 여기는 자이다.

泰之升䷭. 初九居剛求泰, 三陽同升, 有拔茅連茹之象. 君子彙進, 以天下自任也. 否泰之陰陽, 各以類居, 故言彙. 茹, 根也, 居巽下曰茅茹. 艮震, 執而出之曰拔. 對无妄初居艮震〈巽震爲征〉.
태괘가 승괘(升卦䷭)로 바뀌었다. 초구가 굳센 양의 자리에서 태평함을 구하고 세 양이 함께 오르니, 띠풀의 뿌리를 뽑는 데에 뿌리가 연결되어 있는 상이 있다. 군자가 천하를 자임하여 무리지어 나아간다. 비괘와 태괘의 음양은 각각 부류별로 자리하기 때문에 '무리[彙]'라고 말하였다. '여(茹)'는 뿌리[根]이니, 손괘 아래에 있는 것을 띠풀의 뿌리가 서로 붙어 이어져 있다고 말하였다. 간괘(☶)가 거꾸로 된 진괘(☳)에서 잡아 나오게 하는 것을 "뽑는다[拔]"고 말하였다. 승괘(升卦䷭)의 음양이 바뀐 무망괘(无妄卦䷘) 초효는 간괘가 거꾸로 된 진괘(☳)에 있다. 〈손괘(☴)의 음양이 바뀐 진괘(☳)는 '감[征]'이 된다.〉

오치기(吳致箕) 「주역경전증해(周易經傳增解)」

初九剛健得正而居下, 在泰之初, 與同德之君子, 相與牽引, 如拔茅茹連類而起, 可以竝進而行其道, 爲泰世之用, 故占言吉.
강건한 초구가 바른 자리를 얻어 아래에 있고, 태괘 초효에 있으면서 같은 덕을 가지고 있는 군자와 서로 함께 끌어 당겨주는 것이 마치 띠풀의 뿌리를 뽑음에 뿌리가 연이어져 뽑혀 나오는 것과 같으니, 함께 나아가서 그 도를 행하여 태평한 때의 쓰임이 되므로 점사에서 길하다고 말하였다.

○ 拔, 謂挑根也. 變巽爲陰木茅草之象. 茹, 謂根, 而在下故言根也. 彙者, 類也. 茅拔
一根則衆根相連而起, 故取喩也.

'발(拔)'은 뿌리를 뽑는 것[挑根]을 말한다. 하괘가 음으로 바뀌면 손괘(☴)가 되고 손괘는
음(陰)의 목(木)인 띠의 상이다. 여(茹)는 뿌리를 말하는데, 아래에 있으므로 '뿌리[根]'라
하였다. 휘(彙)는 무리이다. 띠풀은 한 뿌리만 뽑아도 여러 뿌리가 서로 이어져 뽑히므로
비유로 취하였다.

이진상(李震相) 『역학관규(易學管窺)』

爻變爲巽, 巽爲陰木. 上有互震, 震爲蕃鮮. 三陽爲根, 故有連茹之象. 乾, 健, 震, 動,
故言征.

초효가 바뀌면 손괘가 되니,[34] 손괘는 음(陰)인 목(木)이다. 위에는 호괘인 진괘가 있는데,
진괘는 번성하고 고움이 된다. 세 양은 뿌리가 되므로 뿌리가 서로 이어져 있는 상이다.
건괘는 굳건하고 진괘는 움직이기 때문에 "나간다[征]"고 말하였다.

박문호(朴文鎬) 「경설(經說)·주역(周易)」

凡草木根最在下, 而初九居其最下, 亦其一象也. 否之初六, 視此.

초목의 뿌리는 맨 아래에 있고 초구는 맨 아래에 있으니 똑같은 상이다. 비괘(否卦) 초육도
이와 같다.

不惟二字, 釋於相先下, 志在相先, 言欲先也.

'불유(不惟)'라고 하는 두 글자는 "서로 먼저 한다[相先]"고 한 이하를 풀어준 것이고 '뜻이
서로 먼저 하는데[相先] 있는 것'은 먼저 하고자 한다는 말이다.

이병헌(李炳憲) 『역경금문고통론(易經今文考通論)』

鄭曰, 彙類也, 茹, 牽引也. 茅喩君有潔白之德, 臣下引其類而仕之.

정현이 말하였다: 휘(彙)는 무리[類]이고 여(茹)는 끌어당기는 것이다. 띠풀[茅]은 임금이 결
백한 덕을 가지고 신하가 그 무리들을 이끌어 벼슬하게 하는 것을 비유한 것이다.

---

34) 태괘(䷊)의 하괘인 건괘(☰)의 초구가 바뀌면 손괘(☴)가 된다.

姚曰, 茅叢生, 故否泰初, 皆取象焉.

요신이 말하였다: 띠풀은 촘촘하게 나므로 비괘와 태괘 초효에서 모두 상을 취하였다.

按, 外爲上卦, 志孚, 故從.〈依鄭注, 讀拔茅句, 茹以其彙句. 或云, 茹茹蕙蒨草也, 或云, 彙古偉字, 美也. 當與否初參觀.〉

내가 살펴보았다: 밖은 상괘가 되고 뜻이 미더우므로 따른다.〈정현의 주에 의거하면, '발모 (拔茅)'에서 구절을 끊고 '여이기휘(茹以其彙)'에서 구절을 끊는다. 어떤 이는 "여여(茹茹) 는 꼭두서니 풀이다"고 하고 또 어떤 이는 "휘(彙)는 옛 위(偉)자이니, '아름답다'는 말이다" 고 했다. 반드시 비괘 초효와 함께 참고해 보아야 한다.〉

象曰, 拔茅征吉, 志在外也.

「상전」에서 말하였다: "띠풀의 뿌리를 뽑으니 가는 것이 길함"은 뜻이 밖에 있기 때문이다.

傳

時將泰, 則群賢皆欲上進, 三陽之志欲進, 同也. 故取茅茹彙征之象. 志在外, 上進也.

때가 장차 태평하게 되면 여러 현자가 모두 위로 나아가고자 하는데, 세 양의 뜻이 나아가고자 하는 것과 같다. 그러므로 띠풀의 엉켜있는 뿌리처럼 동류들이 함께 나아가는 상을 취하였다. "뜻이 밖에 있다"고 한 것은 위로 나아가는 것이다.

小註

誠齋楊氏曰, 君子之志, 在天下, 不在一身, 故曰志在外.

성재양씨가 말하였다: 군자의 뜻은 천하에 있지 한 몸에 있지 않기 때문에 "뜻이 밖에 있다"고 하였다.

‖韓國大全‖

김상악(金相岳) 『산천역설(山天易說)』

外者, 外卦也.

'밖[外]'은 외괘이다.

서유신(徐有臣) 『역의의언(易義擬言)』

外, 外卦也. 象所謂, 其志同也.

'밖[外]'은 외괘이다. 「단전」에서 그 뜻이 같아진다고 한 말을 뜻한다.

박문건(朴文健) 『주역연의(周易衍義)』

外, 謂六四也.
'밖[外]'은 육사를 말한다.

김기례(金箕澧) 「역요선의강목(易要選義綱目)」

志在外.
뜻이 밖에 있기 때문이다.

陽在下, 而當泰時, 欲上進.
양은 아래에 있지만 태괘의 때를 만나서 위로 나아가려고 한다.

심대윤(沈大允) 『주역상의점법(周易象義占法)』

志在天下而不在身也.
뜻은 천하에 있었지 자신에게 있지 않았다.

오치기(吳致箕) 「주역경전증해(周易經傳增解)」

時將泰矣, 群賢之志, 皆在出外而從君也.
때가 장차 태평해지려 하니, 여러 현인들의 뜻이 모두 밖으로 나가 임금을 따르는 데 있었다.

이진상(李震相) 『역학관규(易學管窺)』

象, 志在外.
「상전」에서 말하였다: 뜻이 밖에 있다.

此與渙咸俱說, 志在外, 皆以陽志趨上, 而言之於位陽之爻.
초효와 환괘(渙卦)와 함괘(咸卦)에서도 "뜻이 밖에 있다"[35]고 말한 것은 모두 양의 뜻이 위로 나아가려고 하므로 양의 자리에 있는 효에서 말하였다.

---

35) 『周易·渙卦』: 象曰, 渙其躬, 志在外也. 『周易·咸卦』: 象曰, 咸其拇, 志在外也.

九二, 包荒, 用馮河, 不遐遺, 朋亡, 得尙于中行.

정전 거친 것을 포용해 주고 황하를 맨몸으로 건너는 용맹을 쓰며, 멀리 있는 사람을 버리지 않고 붕당을 없애면 중도를 실천하는 사람과 짝을 이룰 수 있을 것이다.

본의 거친 것을 포용해 주면서도 황하를 맨몸으로 건너는 용맹을 쓰며, 멀리 있는 사람을 버리지 않으면서도 붕당을 없애면, 중도를 실천하는 사람과 짝을 이룰 수 있을 것이다.

┃中國大全┃

傳

二以陽剛得中, 上應於五, 五以柔順得中, 下應於二, 君臣同德, 是以剛中之才, 爲上所專任. 故二雖居臣位, 主治泰者也, 所謂上下交而其志同也. 故治泰之道, 主二而言. 包荒, 用馮河, 不遐遺, 朋亡四者, 處泰之道也. 人情安肆, 則政舒緩而法度廢弛, 庶事无節. 治之之道, 必有包含荒穢之量, 則其施爲寬裕詳密, 弊革事理而人安之. 若无含弘之度, 有忿疾之心, 則无深遠之慮, 有暴擾之患, 深弊未去而近患已生矣. 故在包荒也. 用馮河, 泰寧之世, 人情習於久安, 安於守常, 惰於因循, 憚於更變, 非有馮河之勇, 不能有爲於斯時也. 馮河, 謂其剛果足, 以濟深越險也. 自古泰治之世, 必漸至於衰替, 蓋由狃習安逸, 因循而然, 自非剛斷之君, 英烈之輔, 不能挺特奮發, 以革其弊也, 故曰用馮河. 或疑上云包荒, 則是包含寬容, 此云用馮河, 則是奮發改革, 似相反也, 不知以含容之量, 施剛果之用, 乃聖賢之爲也. 不遐遺, 泰寧之時, 人心狃於泰, 則苟安逸而已, 惡能復深思遠慮, 及於遐遠之事哉. 治夫泰者, 當周及庶事, 雖遐遠, 不可遺, 若事之微隱, 賢才之在僻陋 皆遐遠者也, 時泰則固遺之矣. 朋亡, 夫時之旣泰, 則人習於安, 其情肆而失節, 將約而正之, 非絶去其朋與之私, 則不能也, 故云朋亡. 自古立法制事, 牽於人情, 卒不能行者多矣. 若夫禁奢侈則害於近戚, 限田産則妨於貴家, 如此之類, 旣不能斷以大公而必行, 則是牽於朋比也, 治泰, 不能朋亡, 則爲之難矣. 治泰之道 有此四者, 則能合於九二之德, 故曰得尙于中行, 言能配合中行之義也. 尚, 配也.

구이는 굳센 양으로 가운데 자리를 얻어 위로 오효와 호응하고 오효는 유순함으로 가운데 자리를 얻어 아래로 구이와 호응하여 임금과 신하가 덕을 함께 하니, 이러한 까닭으로 굳세며 알맞은 재질로 윗사람에게 전적으로 신임을 받는다. 그러므로 구이가 비록 신하의 자리에 위치하였으나 태평함을 주관하여 다스리니, "위아래가 사귀어 그 뜻이 같아진다"는 뜻이다. 그러므로 태평함을 다스리는 도는 구이를 주인으로 하여 말하였다. "거친 것을 포용함[包荒]", "황하를 맨몸으로 건너는 용맹을 씀[用馮河]", "멀리 있는 사람을 버리지 않음[不遐遺]", "붕당을 없앰[朋亡]" 등 이 네 가지는 태평함에 대처하는 도리이다. 인정(人情)은 편안하고 방자하면 정사가 느슨해져서 법도가 폐지되고 해이하여 모든 일에 절도가 없게 된다. 이것을 다스리는 방법은 반드시 거칠고 더러움을 포용해 주는 도량이 있다면 그 시행함이 너그럽고 관대하고 매우 자세하여 폐단이 고쳐지며 일이 다스려져서 사람들이 편안해진다. 만일 포용해주는 큰 도량이 없어서 분노하고 미워하는 마음이 있다면 심원한 생각이 없고 갑자기 소요하는 근심이 생기나니, 깊은 폐단을 제거하기 전에 가까운 근심이 벌써 생겨난다. 그러므로 거침을 포용하는데 달려있다. "황하를 맨몸으로 건너는 용맹을 쓴다"고 하는 것은 태평한 세상에서는 인정이 오랫동안 편안함에 익숙하고 일상을 지키는데 편안하여 그대로 따르는 것에 타성이 젖어 변경하는 것을 꺼리니, 황하를 맨몸으로 건너는 용맹이 없으면 이러한 때에 큰일을 하지 못한다. "황하를 맨몸으로 건넘"은 굳셈과 과단성으로 깊은 곳을 건널 수 있고 험한 곳을 뛰어넘을 수 있음을 말한다. 예로부터 편안히 다스려지는 세상은 반드시 점점 쇠하여 침체하기에 이르니, 이는 안일함에 익숙하여 옛날의 습관에 따라서 생겨난 것이며, 강단이 있는 임금과 뛰어나고 밝은 보필이 아니면 뛰쳐나와 분발해서 그 병폐를 개혁하지 못하기 때문에 "황하를 맨몸으로 건너는 용맹을 쓴다"고 했다. 어떤 이는 의심하기를 "위에서 말한 '포황(包荒)'은 포함해 주고 너그럽게 용용해 주는 것이고 여기에서 말한 '용빙하(用馮河)'는 분발하여 개혁하는 것이니, 상반된 듯하다"고 하니, 이는 속에 넣어둔 도량으로 굳센 과단성으로 베푸는 것이 바로 성현의 행위임을 알지 못한 것이다. "멀리 있는 사람을 버리지 않음[不遐遺]"은 태평한 시기에 인심이 편안함에 익숙하게 되면 구차하고 안일하게 될 뿐이니, 어찌 다시 깊이 생각하고 멀리 생각하여 먼 일에까지 미칠 수 있겠는가? '태(泰)'를 다스리는 자는 마땅히 여러 일에 두루 미쳐 비록 멀리 있는 사람이라도 버려서는 안 되니, 일이 은미한 것과 어진 재주를 가진 이가 미천한 곳에 있음은 모두 멀리 있는 사람이니, 때가 편안하면 진실로 이것을 버리게 된다. "붕당을 없앰[朋亡]"은 때가 이미 편안하면 사람들이 편안함에 익숙하여 감정이 방자해져서 절도를 잃으니, 장차 이것을 묶어 바로잡으려 한다면, 무리들의 사사로움을 끊어버리지 않으면 불가능하기 때문에 "붕당을 없앤다[朋亡]"고 했다. 예로부터 법을 세우고 일을 제정함에 있어서 인정에 끌려 끝내 행하지 못한 경우가 많았다. 예를 들어 사치를 금하면 가까운 친척에 해롭고 토지와 재산을 제한하면 귀한 집에 해로우니, 이와 같은 것들을 이미 크게 공정함으로 결단하여 기필코 시행하지 못한다면, 이는 붕당에 끌려 다니는 것이니, 태평함을 이루려 할 때에 붕당을 없애지 못하면 다스리기 어렵다. 태평함을 다스리는 도에 이 네 가지가 있다면 구이(九二)의 덕(德)과 합하기 때문에 "중도를 실천하는 사람과 짝을 이룬다"고 하였으니, 중도를 실천하는 뜻에 짝할 수 있음을 말하였다. '상(尚)'은 짝함이다.

本義

九二以剛居柔, 在下之中, 上有六五之應, 主乎泰而得中道者也. 占者能包容荒
穢而果斷剛決, 不遺遐遠而不昵朋比, 則合乎此爻中行之道矣.

구이는 굳센 양으로 부드러운 음의 자리에 있어 하괘의 가운데에 자리하고 위로 육오와 호응하니,
태평함을 주관하여 중도를 얻은 자이다. 점치는 자가 거칢과 더러움을 포용해 주면서도 과단성이
있고 굳세게 결단하며, 멀리 있는 사람을 버리지 않으면서도 붕당을 지어 자기편을 두둔하는 이들과
사사로이 친애하지 않는다면, 이 효가 중도를 실천하는 도에 합할 수 있다.

小註

雲峯胡氏曰, 陰爻雜有荒穢象. 包之者, 二柔虛也. 用馮河, 又見九之爲剛. 陰在外, 有
遐遠象. 不遺之者, 九剛大也. 朋亡, 又見二之爲中. 大槪泰卦上下三爻得陰陽之中,
五二兩爻, 又各適陰陽之中. 只九二一爻, 亦自有中行之象. 若有包容而无斷制, 非剛
柔相濟之中也. 必包容荒穢, 而又果斷剛決, 則合乎中矣. 雖不遺遐遠, 而或自私於吾
之黨類, 則易至偏重, 非輕重不偏之中也. 唯不遺遐遠而又不昵朋比, 是不忘遠, 又不
泄邇, 合乎中矣. 本義兩而字, 當細玩.

운봉호씨가 말하였다: 음효는 거칠고 더러움을 섞어 가진 상이다. "포용한다"는 것은 이효의
유약함과 비어있음을 포용하는 것이다. "황하를 맨몸으로 건너는 용맹을 쓴다"고 한 것은
또한 양九이 굳센 것임을 드러낸 것이다. 음은 밖에 있어 "멀대遐遠]"는 상이 있다. "버리
지 않는다"고 한 것은 굳센 양의 큼이다. "붕당을 없앰"은 이효가 가운데에 있음을 드러낸
것이다. 태괘의 위아래 각 세 효는 각각 음양의 알맞음을 얻으니, 오효와 이효 또한 각각
음양의 알맞음을 얻었다. 다만 구이만이 스스로 중도를 실천하는 상을 가지고 있다. 만약
포용만 하고 단호하게 억제하지 못한다면, 굳셈과 부드러움이 서로 도와주는 중도가 아니
다. 반드시 거칠고 더러움을 포용하되 또한 과단성으로 강하게 결단한다면 중(中)과 합할
수 있다. 비록 멀리 있는 사람을 버리지 않더라도 혹 스스로 사사롭게 나의 당류라고 한다면
쉽게 편중에 빠지니, 가벼움과 무거움이 한쪽으로 치우치지 않은 중(中)이 아니다. 오직 멀
리 있는 사람을 버리지 않고 또한 붕당을 지어 아부하는 이를 사사로이 친애하지 않는 것이
"멀리 있는 사람을 잊지 않고 가까운 사람을 지나치게 가까이 하지 않아"[36] 중도와 짝한다.
『본의』에 나오는 두 개의 '이(而)'자는 마땅히 세밀하게 살펴야 한다.

---

36) 『孟子·離婁』: 武王, 不泄邇, 不忘遠.

‖韓國大全‖

송시열(宋時烈) 『역설(易說)』

九二, 亦巽, 包象. 荒者, 荒遠之處也. 此爻變則爲離, 互有坎象而爲河. 爻本剛陽, 故以馮河之勇言之. 不遐遺者, 野無遺賢之意也. 朋亡者, 朋黨之小人, 皆消亡也. 二旣處中正之位, 故曰得尙于中行也. 來云, 坤爲朋. 朋亡者, 坤之消亡也.

구이는 또한 손괘(巽卦)이니,[37] 포용하는 상이다. “거칠대荒]”는 것은 거칠고 먼 곳이다. 구이가 바꿔면 리괘(☲)가 되고 호괘에는 감괘(☵)의 상이 있어서 황하가 된다. 효는 본래 굳센 양이기 때문에 맨몸으로 황하를 건너는 용맹으로써 말하였다. “멀리 있는 사람을 버리지 않는다”는 것은 초야에 남겨진 현인이 없다는 뜻이다. “붕당을 없앤다”는 것은 붕당을 짓는 소인들이 모두 사라진 것이다. 이효는 이미 중정의 자리에 있기 때문에 “중도를 실천하는 사람과 짝을 이룰 수 있을 것이다”라고 말하였다. 래지덕은 “곤괘는 붕우이다”라고 하였다. “붕당을 없앤다”고 한 것은 곤을 없앤다는 말이다.

이익(李瀷) 『역경질서(易經疾書)』

荒者, 草覆之也, 覆蓋爲荒. 禮云, 帷荒, 詩云, 遂荒大東之類, 是也. 與否之包承相照. 乾荒而坤承也. 又與下遐字相應, 謂不擇遐邇親疏貴賤, 而包蓋之也. 若曰不擇君子小人則不然. 卦以大小來往爲戒, 豈有容保小人之理. 包荒以度量言, 用馮河以存心言, 不遐遺以處事言, 朋亡以功效言. 將治之際, 爲人上者, 必須恢廓均覆無愛憎之偏, 不然, 近昵者用事矣. 馮河卽戰兢臨履之義, 詳在履卦. 旣包荒而不戒懼, 則小人間之矣. 不遐遺, 謂不以遐遠而棄之, 不遐遺則君子之疏遠者進矣. 若曰遠棄永棄之義則不然, 苟其當棄, 必放流而不與同中國, 可矣. 凡黨禍每患近昵得志, 疏遠者廢棄, 爲人上者, 防小人, 戰兢如馮河, 進君子, 不擇疏遠, 則朋黨之跡, 必將亡滅而無痕. 我之所處, 方得其中行. 書所謂蕩蕩平平無反無側, 是也. 此爲破朋之節度也. 九三漸近於陰, 故申言馮河之實也. 然朋亡之, 故由於上三者, 而三者之施, 又由於在己者中行. 中行又不可徒得, 由其智慮之光明而弘大. 不然, 三者之行, 不免於疑貳乖舛, 不得爲出治之基本矣.

“거칠다”고 한 것은 풀이 뒤덮음을 말하니, 덮는 것은 황(荒)이 된다. 『예기』에서 ‘관을 가리는 유(帷)와 황(荒)’[38]이라고 말하고, 『시경』에서 “마침내 동쪽 끝까지 뒤덮었다”[39]고 한

---

37) 호괘인 태괘(☱)를 거꾸로 한 괘가 손괘(☴)이다.

부류가 그것이다. 비괘(否卦) 육이의 "포용하여 잇는대[包承]"고 한 것과 서로 그 뜻을 드러 낸다. 건은 거칠지만 곤이 잇는다. 또한 아래의 '하(遐)'자와 상응하는데, 원근·친소·귀천을 가리지 않고 포용하여 덮는 것을 말한다. 만약 군자와 소인을 가리지 않는다고 말한다면 그것은 그렇지 않다. 괘사에서 '대소와 왕래'로써 경계하였는데, 어찌 소인을 받아들일 리가 있겠는가? "거친 것을 포용한다"는 것은 도량으로써 말한 것이고, "맨몸으로 황하를 건너는 용맹을 쓴다"는 것은 마음을 보존하는 것으로써 말한 것이며, "멀리 있는 사람을 버리지 않는다"고 한 것은 일에 대처하는 것으로써 말한 것이고, "붕당을 없앤다"는 것은 공효로써 말한 것이다. 장차 다스려지려는 때에 사람들의 어른이 된 자는 반드시 널리 고르게 덮어서 애증의 치우침이 없어야 하는데, 그렇지 않다면 가깝고 친하게 지내는 사람들이 권세를 마음대로 부리게 된다. "맨몸으로 황하를 건넌다"는 것은 곧 전전긍긍하여 언제나 조심한다는 뜻으로, 리괘에 자세히 나온다. 이미 거친 것을 포용하였는데도 경계하고 두려워하지 않는다면 소인들이 이간질하게 된다. "멀리 있다고 하여 버리지 않는다"는 것은 멀리 있기 때문에 포기하지 않음을 말하니, 멀리 있다고 하여 버리지 않는다면 소원한 군자들도 나아가게 된다. "멀리 버리고 영원히 버린다"는 뜻은 그렇지 않으니, 마땅히 버려야 할 것이라면 중국에서 함께 하지 않도록 하는 것이 좋다. 당화(黨禍)에서는 가까이에서 곁눈질하는 자들이 뜻을 얻고 소원(疏遠)한 자는 버려지는 것을 매양 근심하니, 남의 윗사람이 된 자들이 소인을 막는데 황하를 건너는 것처럼 전전긍긍하고 군자를 나아오게 하는데 친소를 가리지 않는다면, 붕당의 자취는 반드시 없어져 흔적이 없을 것이다. 이처럼 해야만 내가 대처하는 것도 중도를 얻게 된다. 『서경』에서 "탕탕(蕩蕩)하고 평평(平平)하며 상도(常道)에 위배됨이 없고 기울어짐이 없다"[40]고 한 것이 이것이다. 이것은 붕당을 없애는 절도가 된다. 구삼은 점차 음에 가까워지므로 거듭 맨몸으로 황하를 건넌다는 실질을 말하였다. 그러나 붕당이 없어지는 까닭은 위의 세 가지를 따르는 데에서 비롯되고, 세 가지를 베푸는 것은 또한 나에게 있는 중도를 실천하는 것으로부터 비롯된다. 중도를 실천하는 것 또한 쉽게 얻을 수 있는 것이 아니니, 그 슬기로운 생각이 빛나고 넓고 큼으로부터 비롯된다. 그렇지 않으면 세 가지의 행동도 의심과 어그러짐을 면할 수 없으니, 다스리는 방도를 내는 기본이 될 수 없다.

심조(沈潮) 「역상차론(易象箚論)」

九二, 包荒, 馮河, 中行.

구이의 포황(包荒), 빙하(馮河), 중행(中行)에 대하여.

---

38)『禮記·喪大記』: 士布帷, 布荒, 一池. 揄絞, 纁紐二, 緇紐二, 齊三采, 一貝, 畫翣二, 皆戴綏.

39)『詩經·閟宮』: 奄有龜蒙, 遂荒大東.

40)『書經·洪範』: 無偏無黨, 王道蕩蕩, 無黨無偏, 王道平平, 無反無側.

天包外, 故下包字. 乾爲馬, 故馮字從馬. 河, 互兌也. 中行, 中爻也.

하늘은 널리 밖을 포용하기 때문에 '포(包)'자를 썼다. 건괘는 말[馬]이 되므로 빙(馮)은 마(馬) 부수를 따랐다. 하(河)는 호괘인 태괘(☱)이다. 중행(中行)은 중효이다.

유정원(柳正源) 『역해참고(易解參攷)』

九二 [至] 中行.

구이는 … 중도를 실천한다.

縉雲馮氏曰, 初比二爲未用, 猶賢者之荒遠. 三比二, 則材過於剛. 二獨居中, 後則包初以進, 前則用三以行. 位在內而志應於外, 爲不遐遺. 已應五而初應四, 三應上, 同類, 各從其應, 爲朋亡.

진운풍씨가 말하였다: 초효는 이효와 가까우나 아직 쓰이지 못하니, 현명한 사람이 거칠고 먼 데 있는 것과 같다. 삼효는 이효와 가까우니 재질이 지나치게 굳세다. 이효만이 홀로 가운데에 있어서, 뒤로는 초효를 포용하여 앞으로 나아가고 앞으로는 삼효를 써서 행한다. 자리는 안에 있는데 뜻은 밖과 호응하여, 멀리 있는 사람을 버리지 않게 된다. 이미 오효와 호응하고 초효는 사효와 호응하며, 삼효는 상효와 호응하는 것이 같은 종류이니, 각각 그 호응하는 것을 따라 붕당을 없애는 것이 된다.

○ 雙湖胡氏曰, 初在地下, 有荒野象. 三剛前互兌澤, 有馮河象. 本爻材剛位中, 故能包後用前, 以進而成泰道. 所謂不遺遐遠, 不昵朋比, 上合乎中行之主者也.

쌍호호씨가 말하였다: 초효는 땅 아래에 있으니 거친 들판의 상이 있다. 세 개의 굳센 양효 앞에 있고 호괘가 태괘이므로, 맨몸으로 황하를 건너는 상이 있다. 본효의 재질은 굳세고 자리는 한 가운데이므로 뒤를 포용하고 앞을 쓸 수 있으니, 나아가 태괘의 도리를 완성한다. 이른바 "멀리 있는 사람을 버리지 않는다", "붕당을 지어 아부하는 이를 사사롭게 가까이 하지 않는다"고 한 것은 위로 중도를 실천하는 주인과 합하는 것이다.

○ 廬陵龍氏曰, 按, 泰否皆言包, 泰之包荒, 包容夫在外者也. 否之包承包羞, 包藏夫在內者也. 此君子小人之辨.

여릉용씨가 말하였다: 살펴보니, 태괘와 비괘에서 모두 '포(包)'자를 사용하였다. 태괘의 "거친 것을 포용한다"는 것은 밖에 있는 것을 포용하는 것이다. 비괘(否卦)의 "포용하고 받든다", "품고 있는 것이 부끄럽다"는 것은 안에 있는 것을 품어 간직하는 것이다. 이것이 군자와 소인의 분변이다.

김상악(金相岳) 『산천역설(山天易說)』

九二, 處乾之中, 以統群陰, 任治泰之功者也. 包荒者, 包乎初也. 用馮河者, 越三四而應五也. 不遐遺者, 上六居卦之外而不以遐遠而遺之也. 朋亡者, 三陽同體而无所私昵也. 能如是則與五相合, 得尙于中行也.

구이는 건괘의 가운데 있어 여러 음들을 통솔함으로써 태평함을 다스리는 일을 맡은 자이다. "거친 것을 포용한다"는 것은 처음을 포용하는 것이다. "황하를 맨몸으로 건너는 용맹을 쓴다"는 것은 삼효와 사효를 넘어 오효와 호응한다는 말이다. "멀리 있는 사람을 버리지 않는다"는 것은 상육이 괘의 밖에 있지만 멀다고 하여 버리지 않는 것이다. "붕당을 없앤다"는 것은 세 양이 같은 몸체이지만 사사로이 친하지 않는 것이다. 이와 같이 할 수 있다면 오효와 더불어 서로 합하여 중도를 실천하는 사람과 짝을 이룰 수 있을 것이다.

○ 包者, 居上而包下也. 荒者, 初之茅茹也, 馮河猶徒涉也. 乾之德健而知險, 故曰用馮河. 不遐遺者, 天之无所不包也. 泰自臨而成. 臨之初二曰, 咸臨, 故此曰不遐遺. 朋, 陽朋也, 復曰朋來, 所以致泰也. 泰曰朋亡, 所以保泰也. 蓋包荒仁之事也, 用馮河勇之事也, 不遐遺智之事也. 然不昵於私黨而後, 可以治泰, 故曰朋亡也. 得尙于中行者, 二之中德與五相合也, 故五曰中以行願也, 所以上下交而爲泰也. 又二之與五, 得中于上下, 故皆言中. 與師之二五相似, 所以中重於正也. 蓋陽之長得中爲善, 泰之二居下之中, 復之四居卦之中, 夬之五居上之中, 故皆言中行.

'포용한다는 것'은 위에 있으면서 아래를 포용하는 것이다. '거칢'은 초효의 '띠의 뿌리'이고 "황하를 건넌다"는 것은 맨몸으로 건너는 것이다. 건괘의 덕은 굳건하고 위험을 알기 때문에 "맨몸으로 황하를 건너는 용맹을 쓴다"고 하였다. "멀리 있는 사람을 버리지 않는다"는 것은 하늘이 포용하지 않는 바가 없는 것이다. 태괘(泰卦䷊)는 림괘(臨卦䷒)로부터 이루어졌다. 림괘의 초효와 이효에서 "감동하여 임한다[咸臨]"[41]고 하였기 때문에 여기에서 "멀리 있는 사람을 버리지 않는다"고 말하였다. '붕(朋)'은 양붕(陽朋)이니, 복괘에서 "벗이 온다"[42]고 한 것은 태평함을 이루게 하는 방법이고 태괘에 "붕당을 없앤다"고 한 것은 태평함을 보존하는 방법이다. "거친 것을 포용한다"는 것은 인(仁)의 일이고 "황하를 맨몸으로 건너는 용맹을 쓴다"는 것은 용맹의 일이며, "멀리 있는 사람을 버리지 않는다"는 것은 지혜의 일이다. 그러나 사적인 무리들과 가까이 하지 않은 후에야 태평함을 이룰 수 있기 때문에 "붕당을 없앤다"고 하였다. "중도를 실천하는 사람과 짝을 이룰 수 있을 것이다"라고 한 것은 이효의 중덕(中德)이 오효와 서로 부합하기 때문에 오효에서 "중도(中道)로써 원하는 것을 실천하기 때문이

---

41) 『周易·臨卦』: 初九, 咸臨, 貞, 吉.
42) 『周易·復卦』: 復, 亨, 出入无疾, 朋來, 无咎.

다"고 하였으니, 위아래가 교제하여 태평함을 이루게 된다. 또 이효와 오효는 위아래에서 알맞음을 얻었기 때문에 모두 '중(中)'을 말하였다. 사괘(師卦)의 이효와 오효는 이와 서로 유사하니, 가운데[中]가 바름[正]보다 귀중하기 때문이다. 양이 자라는 것은 가운데[中]를 얻는 것을 좋은 것으로 여기니, 태괘의 이효는 하괘의 가운데이고 복괘의 사효는 괘의 가운데이며, 쾌괘의 오효는 상괘의 가운데이므로 모두 "중도를 실천한다[中行]"[43]고 말하였다.

서유신(徐有臣) 『역의의언(易義擬言)』

包荒爲句, 朋亡爲句, 荒亡行協韻也. 用之義, 通三事也. 包者, 天包地, 陽包陰也. 荒喩群陰也. 河乾有川象也. 遐上六也, 朋亦群陰也. 九二當路之君子也. 泰寧之時, 包容群小是爲致亂之術也. 然用能奮剛果慮遐遠破淫朋, 故亂萌可杜, 泰運可保, 而得庶幾於中行之道也.

"거친 것을 포용한다[包荒]"는 것은 하나의 구가 되고 "붕당을 없앤다[朋亡]"고 한 것도 하나의 구가 되니, '황(荒)'과 '망(亡)'은 운을 맞춘 것이다. '용(用)'의 뜻은 세 가지 일에 통용된다. "포용한다"는 것은 하늘이 땅을 포용하고 양이 음을 포용하는 것이다. '거친 것[荒]'은 여러 음을 의미한다. '황하'는 건괘에 '내[川]'라는 상이 있다. "멀다[遐]"는 것은 상육이고 '벗[朋]'은 또한 여러 음이다. 구이는 벼슬을 담당한 군자이다. 태평하고 평안할 때에 여러 소인들을 포용하는 것은 혼란에 이르게 되는 까닭이다. 그러나 분발하여 굳세고 과감하게 할 수 있고 멀리 있는 이들을 배려하며 음흉한 친구들을 없애기 때문에, 혼란의 싹을 막을 수 있으니, 태평한 기운을 보존할 수 있어 거의 중도를 실천하는 도리를 얻을 수 있다.

강엄(康儼) 『주역(周易)』

九二, 包荒 [止] 中行.

구이는 거친 것을 포용한다 … 중도를 실천한다.

本義, 占者, 能包容 [止] 中行之道矣.

『본의』에서 말하였다: 점치는 자가 포용할 수 있다 … 중도를 실천한다.

按, 本義於蒙九二包蒙, 納婦, 克家三者, 皆以象言之. 此爻則包荒以下四者, 皆作占

---

43) 『周易·師卦』: 象曰, 長子帥師, 中行也.
   『周易·泰卦』: 象曰, 包荒得尙于中行, 以光大也.
   『周易·復卦』: 中行獨復, 以從道也.
   『周易·夬卦』: 象曰, 中行无咎, 中未光也.

辭, 何也. 妄謂, 此爻之辭, 若以吉與旡咎等字結之, 則本義當以上四者, 皆作象, 而吉
與旡咎等字, 作占辭矣. 今旡此數字, 而四句之下, 繼之以得尙于中行一句, 則其意若
曰, 能是四者, 則合乎中行之道云爾, 本義安得不依此釋之乎. 然言占而不言象者, 象
在占中. 本義所謂, 以剛居柔, 自有包荒馮河之象矣. 上應六五而得中道, 自有不遐遺
朋亡之象矣.

내가 살펴보았다:『본의』에서 몽괘 구이의 “몽매함을 포용한다”, “부인을 들인다”, “집안을
잘 다스린다”[44] 등 이 세 가지를 모두 상으로써 말하였다. 그런데 여기 이효의 “거친 것을
포용한다”고 한 이하 네 가지를 모두 점사로 한 것은 왜인가? 이 효의 효사가 “길하다”, “허물
이 없다”는 글자 등과 결부 된다면,『본의』에서는 마땅히 이상의 네 가지를 모두 상으로
삼았을 것이고, “길하다”, “허물이 없다” 등은 점사로 여겼을 것이다. 이제 이러한 몇 가지가
없지만 네 개의 구(句) 아래 “중도를 실천함에 떳떳함을 얻는다”는 구절을 이어 쓴다면, 그
뜻은 마치 이 네 가지를 할 수 있다면 중도를 실천하는 도와 부합한다고 말하는 것과 같을
뿐이니,『본의』가 어찌 이것에 의거하여 풀이하지 않을 수 있겠는가? 그러나 점을 말하고
상을 말하지 않은 것은 상이 점 가운데 있기 때문이다. 예컨대『본의』에서 “구이는 굳센
양으로서 부드러운 음의 자리에 있어 스스로 거친 것을 포용하고 황하를 맨몸으로 건너는
상을 갖는다”고 하였다. 위로는 육오와 호응하여 중도를 얻어 저절로 “멀리 있는 사람을 버
리지 않고, 붕당을 없애는” 상을 갖는다.

박문건(朴文健)『주역연의(周易衍義)』

見屈忍辱, 故有包荒之象. 包荒, 包藏其荒大之度也.

굴욕을 당하면 욕됨을 참아내므로 거친 것을 포용하는 상이 있다. “거친 것을 포용한다”는
것은 크게 거친 것을 포용하여 간직하는 도량이다.

〈問, 馮河之取義. 曰, 二之進五, 甚有危難, 故取此義也.

물었다: “황하를 건넌다”는 것이 취한 뜻은 무엇입니까?

답하였다: 이효가 오효에 나가는 데 깊은 위험과 환난이 있기 때문에 이 뜻을 취한 것입
니다.〉

〈○ 問, 用馮河以下. 曰, 九二用馮河之力, 而不爲所遐棄, 亡其朋類之比, 而能得乎其
上者, 以其用中道故也.

물었다: “맨몸으로 황하를 건너는 용맹을 쓴다”고 한 이하는 무슨 뜻입니까?

---

44)『周易·蒙卦』: 九二, 包蒙, 吉, 納婦, 吉, 子克家.

답하였다: 구이는 맨몸으로 황하를 건너는 용맹을 써서, 멀다고 버리지 않고, 붕류(朋類)의 친함을 없애서 그 위에 있는 육오를 얻을 수 있는 자이니, 중도를 쓸 수 있기 때문입니다.〉

〈○ 問, 初以彙而吉, 二朋亡而得, 其義何. 曰, 初之志相信, 故以彙, 二之志相疑, 故朋亡也.
물었다: 초효에서는 "무리로써 길하다"고 하고 이효에서는 "붕당을 없애서 얻는다"고 하니, 그 뜻은 무엇입니까?
답하였다: 초효의 뜻은 서로 믿기 때문에 "무리로써 길하다"고 하였고 이효의 뜻은 서로 의심하기 때문에 "붕당을 없앤다"고 하였습니다.〉

이지연(李止淵) 『주역차의(周易箚疑)』

包荒, 不遐遺, 仁也, 用馮河, 勇也. 朋亡者, 辨其是非, 而不黨於邪, 卽知也. 中, 故有此三達德.
含弘者, 必以光大稱之, 質雖陽而位則陰故也.
"거친 것을 포용한다", "멀리 있는 사람을 버리지 않는다"는 것은 인(仁)이고 "맨몸으로 황하를 건너는 용맹을 쓴다"는 것은 용맹이다. "붕당을 없앤다"는 것은 그 시비를 가려 사악한 이들과 무리를 짓지 않으니, 곧 지(知)이다. 가운데 자리에 있기 때문에 세 가지의 덕을 가지고 있다. 포함하는 것이 넓은 것을 반드시 빛나고 크다고 칭한 것은 '바탕[質]'은 비록 양이지만 자리가 음이기 때문이다.

윤종섭(尹鍾燮) 『경(經)·역(易)』

得尙于中行, 泰是財成輔相之時, 而二以陽剛得中正之位, 應乎五君, 有時中之道. 互震兌爲歸妹.
"중도를 실천하는 사람과 짝을 이룰 수 있을 것이다"라고 한 것은 태괘가 마름질하여 완성하고 서로 돕는 때이고, 이효는 굳센 양으로서 중정한 자리를 얻어 임금인 오효와 호응하여 시중의 도를 가지고 있기 때문이다. 호괘인 진괘(☳)와 태괘(☱)가 합쳐서 귀매괘가 된다.

이항로(李恒老) 「주역전의동이석의(周易傳義同異釋義)」

按, 傳極推衍, 義又精當. 雲峯指出两而字无餘蘊. 蓋包荒二柔之象, 憑河九剛之象, 不遐遺指上群陰, 朋亡指下群陽.

내가 살펴보았다: 『정전』에서 지극하게 미루어 부연하니, 뜻이 또한 정밀하고 합당하다. 운봉호씨는 두 개의 '이(而)'자를 지적하여 남은 뜻이 없게 하였다. 거친 것을 포용한다는 것은 부드러운 음의 상이고, 맨몸으로 황하를 건넌다는 것은 굳센 양의 상이며, 멀리 있는 사람을 버리지 않는다는 것은 상괘의 여러 음을 가리키고, 붕당을 없앤다는 것은 하괘의 여러 양을 가리킨다.

김기례(金箕澧) 「역요선의강목(易要選義綱目)」

九二, 包荒.

구이는 거친 것을 포용한다.

君子之遠抱, 非俗觀也. 中正居下, 應六五順君, 惠施遠及, 有包荒之象.

군자가 멀리까지 끌어안는 것은 세속에서 보는 것이 아니다. 중정으로 아래에 있으면서 유순한 임금인 육오와 호응하여 은혜가 멀리까지 미치니, 거친 것을 포용하는 상이 있다.

○ 乾爲圜, 故曰包. 胡雲峯曰, 外陰爻雜, 而有荒象.

건괘는 둥근 것이 되므로 포용한다고 말했다. 호운봉은 "밖의 음효는 섞이어 거친 상이 있다"고 했다.

用馮河.

맨몸으로 황하를 건너는 용맹을 쓴다.

果斷有馮河之勇.

과단성이 있어서 맨몸으로 황하를 건너는 용맹을 갖고 있다.

○ 二陰位中虛, 故曰馮河.

이효는 음의 자리라서 가운데가 비었으므로 "맨몸으로 황하를 건너는 용맹"이라고 하였다.

不遐遺.

멀리 있는 사람을 버리지 않는다.

柔遠則可揚側陋.

부드러운데 멀리 있으면 미천한 이라도 올려서 쓸 수 있다.

○ 外陰有遐遠象.

밖의 음은 멀다는 상이 있다.

朋亡.

붕당을 없앤다.

〈時泰人安, 貴戚蹂制, 大公斷之, 無牽於朋比, 以及難也.

시대는 태평하고 사람들은 편안하며, 부귀한 사람들은 예제에 지나치니, 크게 공평함으로 결단하여 붕당에 끌려서 어려움에 이르지 않아야 한다.〉

○ 旣不遐遺, 又不泄邇.

이미 멀리 있는 사람을 버리지 않으며, 또한 가까운 이를 지나치게 가까이 하지 않는다.

得尙于中行.

중도를 실천하는 사람과 짝을 이룰 것이다.

非中正之道, 不能行此四者.

중정의 도가 아니면 이 네 가지를 행할 수 없다.

심대윤(沈大允) 『주역상의점법(周易象義占法)』

泰之明夷䷣, 晦其明也. 九二以剛才居柔, 安於泰而不强求進. 上應六五中順之君, 而隔于三, 爲不極其意之象. 當上下情志, 交通之時, 不能含包容忍, 則明燭情狀, 而苛察隱微, 民无容身之地矣. 古語云, 察見淵中魚不祥, 故曰包荒, 包徧, 包含容也. 乾爲包荒, 荒雜也. 坤爲荒, 言應坤也. 易以拘於人情, 而不能果斷, 以二之剛中, 故曰用憑河. 坎爲河, 言剛中果行也. 易以妮於親近, 而蔽於疏遠, 故曰不遐遺. 乾爲遐, 兌互震爲動而喪失曰遺, 言二之不遺二陽也. 應五而隔三, 故曰朋亡, 言二之不妮於親近也. 下情上通, 易有此四者之過, 而二皆无之也. 九二之時, 泰之道已爲過中而極, 過乎是, 則亂之端兆矣, 故曰得尙于中行, 言得其所尙于極盡也. 凡言中行者, 皆言其道之極也, 如寒暑之極, 謂之中也.

태괘가 명이괘(明夷䷣)로 바뀌었으니, 그 밝음을 감춘다.[45] 구이는 굳센 재질로서 부드러운 자리에 있어 태평함에 편안히 하여 억지로 나아가길 구하지 않는다. 위로 육오의 알맞고 유순한 임금과 호응하지만, 삼효에 의해 육오와 떨어지게 되어 그 뜻을 다하지 않는 상이 된다. 위아래의 정과 뜻이 교통하는 때에 인내를 받아들일 수 없어서 등불로 정상(情狀)을 환하게 밝히고 은미한 곳까지 자세히 관찰한다면 백성들이 몸 둘 바가 없게 된다. 옛말에 "연못 속의 물고기를 자세히 살피는 것처럼 하는 것은 상서롭지 못한 일이다"라고 하였다. 그러므로 "거친 것을 포용한다", "두루 미침을 포용한다", "머금고 받아들이는 것을 포함해주고 관용해준다"고 하였다. 건괘는 거친 것을 포용하는 것이 되고 '황(荒)'은 섞여 있는 것이며, 곤괘가 거친 것이 된다는 것은 곤괘와 호응하는 것을 말한다. 쉽게 인정(人情)에 구애되

---

45) 『周易·明夷卦』: 象曰…利艱貞 晦其明也.

기 때문에 과감하게 끊을 수 없지만, 이효가 굳세고 알맞기 때문에 "맨몸으로 황하를 건너는 용맹을 쓴다"고 하였다. 감괘는 강(河)이 되니, 굳세고 알맞아 과감히 행한다고 말하였다. 쉽게 친근한 데에 빠지고 소원함에 가리게 되므로 "멀리 있는 사람을 버리지 않는다"고 하였다. 건괘는 넓이 되고 태괘(泰卦䷊)의 호괘는 진괘(☳)로 움직임이 되어 상실하므로 버린다고 하니, 이효는 두 양을 버리지 않는다는 말이다. 오효와 호응하고 삼효에게 막히므로 "붕당을 없앤다"고 하니, 이효가 친근한 데에 빠지지 않는 것을 말한다. 아랫사람의 마음이 위로 통하는 데에서 이 네 가지에 대한 잘못이 쉽게 있을 수 있지만, 이효에는 모두 이것이 없다. 구이의 때는 태괘의 도가 이미 가운데를 지나서 지극하게 되니, 여기를 지나게 되면 혼란의 단서가 조짐으로 나타나므로 "중도를 실천하는 사람과 짝을 이룰 것이다"고 하였으니, 그 숭상하는 바를 극진한 데에서 얻는다는 것을 말한다. "중도를 실천한다"고 말한 것은 모두 도의 극진함을 말한 것인데, 마치 지극히 춥고 더운 것을 "추운 가운데", "더운 가운데"라고 말하는 것과 같다.

오치기(吳致箕) 「주역경전증해(周易經傳增解)」

九二剛健得中, 爲六五柔中之君所專任, 而主治泰者也. 故言其德能以陽下陰而有包荒之量, 以健濟時而有馮河之勇, 在內應外而有不遐遺之明, 連引陽類而无朋比之私, 是以能得六五中行之配, 而可以保泰也.

구이는 강건함으로 알맞음을 얻어 육오의 부드럽고 알맞은 임금이 전적으로 맡겨서, 태평함을 다스리는 것을 주관하는 자이다. 그러므로 그 덕은 양으로서 음에게 낮출 수 있어 거친 것을 포용하는 도량이 있고, 굳건함으로 건너갈 때에 맨몸으로 황하를 건너는 용맹이 있으며, 안에 있어 밖으로 호응하여 멀리 있는 자를 버리지 않는 현명함이 있고, 양의 부류들을 연이어 이끌어도 붕당을 지어 사사로이 하는 일이 없으니, 중도를 실천하는 육오라는 짝을 얻어 태평함을 보전할 수 있다고 말하였다.

○ 包, 謂包容也, 荒, 謂穢也. 徒涉曰馮, 而河取於爻變之互坎, 變離爲明照及遠之象, 故言不遐遺也. 朋, 謂私黨而在中无偏, 故爲朋亡也. 剛柔之相應相比曰得, 而二之剛應五之柔, 故言得也. 尙者, 配也. 中指六五之相應, 而行取於互震也.

'포(包)'는 포용을 말하고 '황(荒)'은 더러움(穢)을 말한다. 맨몸으로 건너가는 것을 '빙(馮)'이라 하고 '하(河)'는 효가 바뀐 호괘인 감괘(☵)에서 취했으며, 바뀐 리괘(☲)는 밝게 비추어 멀리까지 가는 상이 되기 때문에 "멀리 있는 사람을 버리지 않는다"고 말하였다. '붕(朋)'은 사사로이 당류를 만들었지만 속에 치우침이 없기 때문에 붕당을 없애는 것이 된다. 굳셈과 부드러움이 서로 호응하고 서로 가까이 하는 것을 '얻음(得)'이라 하니, 이효의 굳셈이 오효의 부드러움과 호응하기 때문에 '얻음[得]'이라 하였다. '상(尙)'은 짝이다. '가운데[中]'는 육오와 상응하는 것을 가리키고, '행(行)'은 호괘인 진괘(☳)괘에서 취했다.

이진상(李震相) 『역학관규(易學管窺)』

九二, 包荒 [至] 中行.

구이는 거친 것을 포용한다 … 중도를 실천한다.

天包地, 陽包陰, 以氣而包, 故此取包象. 而荒者, 外三陰之雜穢也. 互震爲蕃, 鮮荒也. 乾體剛健而變坎大川, 故用馮河. 三陰在外, 遐而易遺, 二陽在內, 朋而易昵, 故曰不遐遺朋亡. 又遐坤象, 朋兌象, 行亦乾健而進者也. 正應在五, 坤有含弘光大之德, 而此爻變離, 故象又以光大言之.

하늘은 땅을 포용하고 양은 음을 포용하는데, 기로써 포용하기 때문에 포용한다는 상을 취하였다. 그리고 '거친 것'은 외괘 세 음이 잡되고 더러운 것이다. 호괘인 진괘는 번성한 것이 되니, 거친 것이 드물다. 건의 몸체는 강건하지만 감괘로 바뀌어 대천(大川)이 되므로 맨몸으로 황하를 건너는 용맹을 쓴다. 세 음은 밖에 있어 멀어서 버리기 쉽고 두 양은 안에 있어 벗으로서 친해지기 쉽기 때문에 "멀리 있는 사람을 버리지 않는다", "붕당을 없앤다"고 하였다. 또한 멀리 있는 사람은 곤괘(☷)의 상이고 붕당은 태괘(☱)의 상이며, 행하는 것은 또한 건괘가 굳건하게 나아가는 것이다. 오효와 정응이고 곤괘(坤卦)는 넓게 포함하고 크게 빛나는 덕이 있으며, 이 효가 바뀌면 리괘(☲)가 되므로 「상전」에서 또 "빛나고 크다"고 말하였다.

박문호(朴文鎬) 「경설(經說)·주역(周易)」

尙于中行之尙, 旣訓配, 則此中行六五宜當之, 而此不取五中者, 爲其以柔居中, 其中不足道故也.

"중도를 실천하는 사람과 짝을 이룬다[尙于中行]"고 하는 '상(尙)'을 이미 "짝한다[配]"라고 풀었다면 "중도를 실천한다"고 하는 것은 육오가 마땅히 여기에 해당하는데, 여기에서 오효의 중(中)을 취하지 않은 것은 그것이 부드러움으로써 가운데 있어서 그 가운데라고 말하기에는 충분하지 않기 때문이다.

이병헌(李炳憲) 『역경금문고통론(易經今文考通論)』

孟曰, 宄, 水廣也.

맹희가 말하였다: '황(宄)'은 물이 넓은 것[水廣]이다.

虞曰, 冘, 大川也.
우번이 말하였다: ‘황(冘)’은 큰 내[大川]이다.

荀曰, 二尙五, 則坤朋亡而下. 中謂五.
순상이 말하였다: 이효가 오효를 숭상한다면 곤은 친구가 없어져 아래로 내려온다. 가운데
는 오효를 말한다.

本義曰, 能包容, 果決, 不遺遐遠, 不昵朋比, 則合于中行之道.
『본의』에서 말하였다: 거침과 더러움을 포용해 주면서 과단성 있게 결단하며 멀리 있는 사
람을 버리지 않으면서도, 붕당을 지어 자기 편을 두둔하는 이들과 사사로이 친하지 않는다
면, 이 효가 중도를 실천하는 도에 합할 수 있다.

象曰, 包荒, 得尚于中行, 以光大也.

「상전」에서 말하였다:"거친 것을 포용해 주고 중도를 실천하는 사람과 짝을 이룰 수 있음"은 빛나고 크기 때문이다.

中國大全

傳

象, 擧包荒一句, 而通解四者之義, 言如此則能配合中行之德, 而其道光明顯大也.

「상전」은 '포황(包荒)' 한 구(句)를 들어 네 가지의 뜻을 통틀어 해석하였으니, 이와 같이 하면 중도를 실천하는 덕과 짝하여 그 도가 빛나고 밝으며[光明] 크게 드러나는 것[顯大]을 말하였다.

小註

或問, 包荒得尚于中行, 以光大也, 以九二剛中有光大之德, 乃能包荒邪. 爲是包荒得尚于中行, 所以光大邪. 朱子曰, 易上如說以中正也, 皆是以其中正, 方能如此. 此處, 也只得做以其光大說. 若不是一箇心胸明濶底, 如何做得.

어떤 이가 물었다: "'거친 것을 포용해 주고 중도를 실천하는 사람과 짝을 이룰 수 있음'은 빛나고 크기 때문이다"고 한 말은 구이의 굳세고 알맞음으로써 광대한 덕을 가져서 곧 거칢을 포용할 수 있는 것입니까? 거친 것을 포용하고 중도를 실천하는 사람과 짝을 이루기 때문에 빛나고 큰 것입니까?

주자가 답하였다: 『주역』에서 "가운데 있고 바른 자리에 있기 때문이다"고 한 것은 모두 그 가운데 있고 바른 자리에 있음으로써 이와 같이 할 수 있기 때문입니다. 여기에서도 또한 그 빛나고 큰 것으로써 말하면 됩니다. 만약에 마음속이 밝고 넓지 않다면 어떻게 그럴 수 있겠습니까?

韓國大全

권근(權近) 『주역천견록(周易淺見錄)』

泰九二, 象曰, 包荒得尙于中行, 以光大也. 言九二有包荒以下四者之德, 而能配合中行之義者, 以其陽則居中而有光明顯大之德也. 蓋陽爲大而光明者也. 程傳謂, 包荒, 故有大之德, 恐未安. 否之匪人, 不利君子貞. 大往小來, 本義或疑之匪人三字衍文. 愚謂, 泰卦主言陰陽消長之理, 故卦辭直解小往大來, 以陽之將長, 可言之也. 否陰之將盛, 不欲言之, 故且就人事以戒之曰, 否之匪人. 否之者, 言人自否之也.

태괘 구이의 「상전」에 "'거친 것을 포용해 주고 중도를 실천하는 사람과 짝을 이룰 수 있음'은 빛나고 크기 때문이다"라고 하였다. 구이가 "거친 것을 포용한다"고 한 것은 이하의 네 가지 덕을 가지고 중도를 실천하는 의리에 합당할 수 있는 사람이니, 굳센 양으로 가운데에 자리하면서도 광명하고 크게 드러난 덕을 가지고 있기 때문이라는 말이다. 양은 크고 광명한 것이다. 『정전』에서 "거친 것을 포용함으로 광대한 덕을 가진다"고 하였는데 타당치 않은 듯하다. "비(否)는 올바른 사람이 아니니[否之匪人], 군자의 곧음이 이롭지 않다. 큰 것이 가고 작은 것이 온다"[46]는 말에 대해서 『본의』는 "'지비인(之匪人)' 세 글자는 연문(衍文)인 듯하다"라고 하였다. 내가 생각하기에, 태괘에서는 주로 음양이 사라지고 자라는 이치를 말했으므로, 괘사의 "작은 것이 가고 큰 것이 온다"는 말을 곧바로 양이 성장하려는 것으로 말할 수 있었다. 비(否)는 음이 성대해지려 하는 것이지만, 그렇게는 말하고 싶지 않으므로 사람 일에 나아가 "막는 것은 사람이 아니다"고 경계하여 말했다. '비지(否之)'라는 것은 사람 스스로가 막는 것을 의미한다.

김상악(金相岳) 『산천역설(山天易說)』

只擧包荒者, 猶元包四德也.

단지 "거친 것을 포용한다"는 말을 든 것은 마치 원(元)의 덕이 사덕을 포함하는 것과 같다.

서유신(徐有臣) 『역의의언(易義擬言)』

雖包荒之失於寬, 而以乾德光大, 故能馮河, 不遐遺, 朋亡, 而得尙于中行也.

---

46) 『周易·否卦』: 否之匪人, 不利君子貞, 大往小來.

비록 "거친 것을 포용하는 것"이 관대함에서 잘못될 수 있지만, 건의 덕이 빛나고 크기 때문에 황하를 맨몸으로 건너고 멀리 있는 사람을 버리지 않으며, 붕당을 없애고 중도를 실천하는 사람과 짝을 이룰 수 있다.

박문건(朴文健) 『주역연의(周易衍義)』

〈問, 以光大. 曰, 如此者, 其道所以光大故也. 光大卽中行上說.
물었다: "빛나고 크기 때문이다"는 무슨 뜻입니까?
답하였다: 이와 같이 하는 자는 그 도가 빛나고 크기 때문입니다. "빛나고 크다"는 것은 곧 '중행(中行)'에 대해 설명한 것입니다.〉

김기례(金箕澧) 「역요선의강목(易要選義綱目)」

以光大.
빛나고 크기 때문이다.

易中多以陽爲光爲大, 指光大之德合中道也.
『주역』 가운데 대부분 양은 빛이 되고 큼이 되니, 광대한 덕이 중도와 합해지는 것을 가리킨다.

심대윤(沈大允) 『주역상의점법(周易象義占法)』

擧上下二句, 而通釋之也.
위아래 두 구절을 들어서 통틀어 풀이하였다.

오치기(吳致箕) 「주역경전증해(周易經傳增解)」

擧上下二句, 而通解三者之義. 言其能如此者, 以其陽剛之德, 光明正大也.
위아래 두 구절을 들어서 세 가지의 뜻을 통틀어 풀이하였다. 이와 같이 할 수 있는 것은 굳센 양의 덕으로써 광명하고 정대하기 때문이라는 말이다.

九三, 无平不陂, 无往不復, 艱貞, 无咎, 勿恤其孚, 于食有福.

정전 구삼은 평평한 것은 기울지 않는 것이 없으며, 가서 돌아오지 않는 것은 없으니, 어려워도 곧게 하면 허물이 없어서 근심하지 않더라도 미덥기 때문에 먹는 데 복이 있다.

본의 구삼은 평평한 것은 기울지 않는 것이 없으며, 가서 돌아오지 않는 것은 없으니, 어려워도 곧게 하면 허물이 없고 그 믿음을 근심하지 않으면 먹는 데 복이 있다.

‖中國大全‖

傳

三居泰之中, 在諸陽之上, 泰之盛也. 物理如循環, 在下者必升, 居上者必降, 泰久而必否. 故於泰之盛與陽之將進, 而爲之戒曰, 无常安平而不險陂者, 謂无常泰也, 无常往而不返者, 謂陰當復也. 平者陂, 往者復, 則爲否矣, 當知天理之必然, 方泰之時, 不敢安逸, 常艱危其思慮, 正固其施爲, 如是則可以无咎. 處泰之道, 旣能艱貞, 則可常保其泰, 不勞憂恤, 得其所求也. 不失所期爲孚, 如是則於其祿食, 有福益也. 祿食, 謂福祉, 善處泰者, 其福可食也. 蓋德善日積, 則福祿日臻, 德踰於祿, 則雖盛而非滿. 自古隆盛, 未有不失道而喪敗者也.

삼효는 태괘의 가운데에 있고 여러 양의 위에 있으니, 태평함이 넘친다. 만물의 이치는 고리를 따라 도는 것과 같아서 아래에 있는 것은 반드시 위로 올라가고 위에 있는 것은 반드시 아래로 내려오니, 태평함이 오래되면 반드시 비색해진다. 그러므로 태평함이 넘치고 양이 장차 나가려 할 때에 경계하기를 "항상 평안하기만 하고 험하며 기울지 않는 것은 없다"고 한 것은 항상 편안할 수는 없음을 말하고, "항상 가기만 하고 돌아오지 않는 것은 없다"고 한 것은 음이 마땅히 돌아올 것을 가리킨다. 평평한 것이 기울어지고 갔던 것이 돌아오면 비(否)가 되니, 천리의 필연을 알아서 태평한 때에는 감히 안일하지 않고 항상 신중하게 생각하며 실제로 곧고 바르게 베풀면 허물이 없게 된다. 태평함에 대처하는 도는 이미 어려운 가운데서도 곧음을 지키면 항상 그 편안함을 보존하여 걱정하고 근심하여 애태우지 않더라도 구하는 바를 얻을 수 있다. 기대하는 바를 잃지 않는 것이 '부(孚)'이니, 이와 같으면 봉록과 음식에 복과 유익함이 생긴다. 봉록과 음식은 '복지(福祉)'를 가리키니, 태평함에 잘 대처하는 자는 그 복을 누릴 수 있다. 덕(德)과 선(善)이 날로 쌓이면 복록(福祿)이 나날이 이르고, 덕(德)이 녹(祿)보다 더 많으면 아무리 많더라도 가득차지 않는다. 예로부터 융성한 시대에는 도를 잃지 않았는데도 실패한 자는 없었다.

本義

將過于中, 泰將極而否欲來之時也. 恤, 憂也, 孚, 所期之信也. 戒占者艱難守貞,
則无咎而有福.

이제 막 태괘의 가운데를 지나니, 태평함이 다해서 비색함이 오려고 하는 때이다. '휼(恤)'은 근심이
고 '부(孚)'는 기약한 것에 대한 믿음이다. 점치는 사람이 어려운 가운데서도 곧음을 지키면 허물이
없게 되고 복(福)이 있을 것이라고 경계하였다.

小註

雲峯胡氏曰, 陽居於內爲平, 往而外則爲陂. 陰出於外爲往, 返而內亦爲復. 陽之平也,
已有陂之幾, 陰之往也, 已有復之幾. 況九三將過乎中, 其陂其復, 此天運之必至而有
孚者也. 能存艱苦貞固之心, 不必憂天運之必至, 則泰之福可長享矣.
운봉 호씨가 말하였다: 양이 안에 있는 것이 '평평함[平]'이 되고 양이 가서 밖에 있는 것이
'기울어짐[陂]'이 된다. 음이 밖으로 나가는 것이 '가는 것[往]'이 되고 돌아와 안에 있는 것이
'회복[復]'이 된다. 양의 평평함에는 이미 기우는 조짐이 있고 음이 가는 것에는 이미 되돌아
올 조짐이 있다. 더구나 구삼이 막 가운데를 지났으니, '기울어짐[陂]'과 '회복됨[復]'은 하늘
의 운행이 반드시 도래할 것으로서 미더운 것이다. 어렵고 고통스러울 때 곧고 바른 마음을
보존할 수 있다면, 천운이 반드시 이를 것에 대해 굳이 걱정할 필요가 없을 것이니, 태평한
복을 오래도록 누릴 수 있을 것이다.

○ 節齋蔡氏曰, 孚者, 信然之謂. 勿恤其孚, 謂不可以陰之必復而動其心也.
절재채씨가 말하였다: '믿음[孚]'이란 참으로 그렇다는 것을 말한다. "믿음을 근심하지 않는
다"는 것은 음이 반드시 되돌아와 회복되더라도 그 마음을 움직일 수 없음을 말한다.

○ 建安丘氏曰, 孚, 指六四不誡以孚之孚. 不以三陰之復, 而動其慮, 唯嚴於自守以防
之, 則庶幾長享所有之福矣.
건안구씨가 말하였다: '믿음[孚]'은 육사의 "경계하지 않더라도 믿음이 있다"[47]고 할 때의 믿
음을 가리킨다. 세 음이 되돌아온다고 해도 그 생각을 움직이지 않고, 스스로를 엄격하게

지켜서 그것을 막는다면 소유한 복을 오래도록 누릴 수 있을 것이다.

○ 古爲徐氏曰, 或曰, 陰陽交運, 否泰相仍, 時勢然也. 雖艱貞勿恤, 如之何. 曰, 平陂往復者, 天運之不能无. 艱貞勿恤者, 人事之所當盡. 天人有交勝之理, 處其交, 履其會者, 必有變化持守之道. 若一諉之天運以爲无預於人事, 則聖人之易, 可无作也.
고위서씨가 말하였다: 어떤 이는 "음양이 번갈아 운행하여 비괘와 태괘가 서로 이어지는 것은 때의 형세가 그러합니다. 비록 어렵지만 곧게 하여 근심하지 않는 것은 어째서 입니까?"라고 한다. 답하자면 평평함과 기울어짐, 감과 회복됨은 하늘이 운행하는데 없을 수 없다. 어려워도 곧게 하여 근심하지 않음은 인사에서 마땅히 다해야 할 바이다. 이전의 학자들은 하늘과 사람이 서로 승부하는 이치가 있다고 했는데, 사귐에 처하고 회합에 있게 되면 반드시 그 변화에 따라 지켜가는 방법이 있기 마련이다. 그런데 만약 한결같이 천운으로 돌리고 인사와 서로 연결시키지 않는다면, 성인이 『주역』을 짓지 않았을 것이다.

‖韓國大全‖

송시열(宋時烈) 『역설(易說)』

陽無長平之理, 陰之陂僻將至. 陰氣消往, 陽無不復之理, 自三以上, 有復象. 無平不陂, 以把道言, 無往不復, 以天道言. 處之以艱難貞固之道則无咎, 不以憂恤而其道相孚也. 于食者, 兌爲口食也. 有福者, 有吉慶之理也. 恤與孚, 似是坎象, 而取象實難. 但與上六相應, 其志相合看之耶.
양은 오래도록 평평할 이치가 없으니, 음이 기울고 치우침이 오게 된다. 음의 기운이 사라져 가는데 양은 회복되지 않을 이치가 없으니, 삼효로부터 그 이상의 효에 회복되는 상이 있다. 평평한 것은 기울지 않을 수 없다는 것은 잡는 도리로 말하였고, 가서 돌아오지 않는 것은 없다는 것은 천도로써 말하였다. 어려운 가운데에서도 곧고 굳게 지키는 도리로 대처해 간다면 허물이 없어서 근심과 걱정을 하지 않아도 그 도는 서로 믿게 된다. '먹는 데'라고 한 것은 태괘(☱)가 입이고 먹는 것이 된다. '복이 있다'고 한 것은 길함과 경사의 이치가 있다.

---

47) 『周易·泰卦』: 六四, 翩翩, 不富以其隣, 不戒以孚.

걱정과 믿음은 감괘(☵)의 상인 듯한데, 상을 취하기가 실제로 어렵다. 다만 상육과 함께 호응하여 그 뜻이 서로 합해지는 것으로 보아야 할 것 같다.

이익(李瀷) 『역경질서(易經疾書)』

九三逼近衆陰, 故有平陂往復之戒, 謂不可恃泰而爲安也. 朋亡之蕩平將成, 陂側而其小往者, 又來復也. 朋亡則蕩且平矣. 不然則反側而不得中行. 陂者, 反側之謂也. 勤貞亦與馮河相照, 艱難守貞, 方得無咎也. 食者祿位也. 勿恤, 承艱字說, 謂雖艱難而勿恤也. 其孚, 承貞字說, 謂貞或不能誠信, 故勉其孚信然後, 祿食可保也. 至六四則已不富, 富與食相照.

구삼은 위의 여러 음에 가깝기 때문에 평평한 것은 기울어지고 간 것은 돌아온다는 경계가 있으니, 태평함을 믿고서 편안히 해서는 안 된다는 말이다. 붕당을 없애는 탕평이 장차 이루어지려고 할 때에 기울어지고 치우쳐서 이미 간 소인이 또한 회복되어 온다. 붕당을 없애면 탕탕하고 평평하게 된다. 그렇지 않으면 옆으로 기울어져 중도를 실천할 수 없다. 기울어짐은 옆으로 기울어진다는 뜻이다. 부지런함과 곧음은 또한 "맨몸으로 황하를 건너는 것"과 서로 그 뜻을 드러내니, 어려운 가운데에서도 곧음을 지켜야 허물이 없다. "먹는다"는 것은 녹봉과 지위이다. "근심하지 않는다"는 것은 '간(艱)'자를 이어서 설명한 것이니, 비록 어렵다 해도 근심하지 않는 것을 말한다. 그 믿음이란 '정(貞)'자를 이어서 설명한 것이니, "곧게 한다[貞]"는 것은 혹 진실로 믿을 수 없기 때문에 힘써 믿은 다음에야 봉록과 먹는 것을 보존할 수 있다. 육사에 이르면 이미 부유하지 않으니, 부유함과 먹는 것은 서로 관련이 있다.

심조(沈潮) 「역상차론(易象箚論)」

九三, 平陂, 食福.

구삼은 평평함과 기울어짐, 먹는 것과 복.

陽爻平, 故稱平. 在下之上, 故稱陂. 食, 互兌爲口也. 福字從衣者, 乾爲衣也.

양효는 평평하므로 평평하다고 말했다. 하괘의 맨 위에 있으므로 기울었다고 하였다. 먹는 것은 호괘인 태괘(☱)가 입이 되기 때문이다. '복(福)'자가 '옷 의(衣)' 부수를 따른 것은 건괘가 윗옷이 되기 때문이다.

유정원(柳正源) 『역해참고(易解參攷)』

九三 [至] 有福.

구삼은 … 복이 있다.

正義, 孚信先以誠著, 故不須憂其孚信也. 信義自明, 故於食祿之道, 自有福慶也.
『정의』에서 말하였다: 믿음은 먼저 정성으로 드러나므로 그 믿는 바를 근심할 것이 없다. 믿음과 의리는 저절로 분명하므로 봉록과 먹는 것의 도리에 저절로 복과 경사가 있다.

○ 饒州李氏曰, 將近小人, 故其辭危. 天人有期變而能通, 故治亂有可易之理. 大哉, 人謀, 與天地相終始乎.
요주이씨가 말하였다: 장차 소인과 가까이 할 것이기 때문에 그 효사가 위태롭다. 하늘과 사람은 변화하여 통하는 것을 기대할 수 있기 때문에 다스림과 어지러움에 바뀔 수 있는 이치가 있다. 크도다, 사람이 도모함이여! 천지와 더불어 서로 마치고 시작하는구나!

○ 朱子曰, 勿恤其孚, 只作一句讀. 孚, 只是信, 此言勿恤後來信與不信.
주자가 말하였다: "그 믿음을 근심하지 않는 것[勿恤其孚]"은 단지 한 구절로 읽어야 한다. '부(孚)'는 '믿음'이니, 이는 뒤에 오는 믿음과 믿지 않음을 근심하지 않는다는 말이다.
〈案, 此謂艱難守貞, 可以旡咎. 勿憂其後來天運之必信與否也.
내가 살펴보았다: 이는 어려운 가운데에서도 곧음을 지켜 허물이 없을 수 있다는 말이다. 그 뒤에 오는 천운이 반드시 내가 기대한 것과 같은지 그렇지 않은 지에 대해서는 근심하지 않는다.〉

○ 古爲徐氏曰, 小人之所以勝君子者, 非乘其怠, 則攻其隙. 艱則旡怠之可乘, 貞則旡隙之可攻, 如此則可以旡咎.
고위서씨가 말하였다: 소인이 군자를 이기는 까닭은 그 게으름을 틈타지 않으면 그 틈을 공격하기 때문이다. 어렵게 여기면 틈탈 수 있는 게으름이 없고, 곧게 처신하면 공격할 수 있는 틈이 없을 것이니, 이와 같이 하면 허물이 없게 된다.

○ 雙湖胡氏曰, 平, 陽畫橫平象, 陂, 陰畫中斷險陷象. 往復卦變也, 言三陰自否上往以成泰, 又將自泰下復成否也.
쌍호호씨가 말하였다: '평평함'은 양획이 가로로 평평한 상이다. '기울어짐[陂]'은 음획의 가운데가 끊어져 험하고 빠지는 상이다. 왕복은 괘의 변화이니, 세 음이 비괘(否卦)의 위로 올라가서 태괘를 이루고, 또한 장차 태괘가 아래로 돌아가 비괘(否卦)를 이룰 것을 말한다.

김상악(金相岳) 『산천역설(山天易說)』

平陂往復, 皆天運也. 能知艱而貞則无咎. 泰交於中而陰陽相比, 故勿恤而往孚, 則于食有福. 蓋三當消長之際, 故勉戒備至.

"평평한 것이 기울어지고 간 것이 돌아옴"은 모두 하늘의 운행이다. 어려움을 알고서 곧게 할 수 있으면 허물이 없다. 태괘는 가운데에서 사귀고 음양이 서로 친밀하기 때문에 근심하지 않고 가서 믿으면 먹는 데에 복이 있다. 삼효는 사라지고 자라는 사이에 해당되므로 권면하고 경계한 것이 지극히 갖추어졌다.

○ 陂者, 地之險也. 平本奇象, 變則爲陂也. 往者, 陽往于外也, 復者, 陽反于內也. 无平不陂者, 地道之變盈也. 无往不復者, 天道之下濟也. 平陂往復, 兼言否泰之循環, 而象傳止曰无往不復, 天地際也者, 主泰而言也. 若以陂復來往, 專屬於否, 則時已變矣, 尙何艱貞而无咎乎. 艱貞者, 知否之艱而守泰之貞也. 孚卽六四不戒以孚之孚. 食, 猶食邑之食, 互兌承坤之象. 福, 陽長之福也. 凡言祉福者, 皆五行相生也. 坤土生乾金, 故三曰有福, 五曰以祉, 否之四曰疇離祉. 十二辟卦乾坤爲首, 乾上九曰亢龍有悔, 故坤上六曰龍戰于野. 泰九三无平不陂无往不復, 故否上九曰先否後喜. 臨初二曰咸臨吉, 故觀五上曰君子无咎. 剝初六曰蔑貞凶, 故復初九曰不遠復无祇悔. 遯九四曰君子好遯小人否, 故大壯九三曰小人用壯君子用罔. 夬九五曰莧陸夬夬, 故姤九五曰以杞包瓜. 皆以待對爲序.

'기울어짐'은 땅의 험난함이다. '평평함'은 본래 기수(奇數)인 양의 상인데, 변하면 기울어지게 된다. '감[往]'은 양이 밖으로 가는 것이고 '돌아옴'은 양이 안으로 돌이키는 것이다. "평평한 것은 기울어지지 않는 것이 없다"는 것은 지도(地道)가 가득 차 변한 것이다. "가서 돌아오지 않는 것은 없다"고 한 것은 천도(天道)가 아래로 내려와 이루어진 것이다. 평평한 것은 기울어지고 간 것이 돌아옴은 비괘와 태괘의 순환을 겸하여 말한 것이지만, 「상전」에서 단지 "가서 돌아오지 않은 것은 없다는 것은 천지가 사귀기 때문이다"라고 한 것은 태괘를 주로 하여 말한 것이다. 만약 기울어짐, 돌아옴, 왕복을 전적으로 비색한 때로 소속시킨다면, 때가 이미 변하였는데 오히려 어찌 어려운 가운데서도 곧게 하여 허물이 없기를 바라겠는가? 어려운 가운데서도 곧게 하는 것은 비괘(否卦)의 어려움을 알고 태괘의 곧음을 지키는 것이다. '믿음[孚]'은 육사의 "경계하지 않아도 믿는다"[48]고 할 때의 믿음이다. 복지(福祉)는 모두 오행의 상생을 말한다. 곤괘에 속하는 토(土)는 건괘에 속하는 금(金)을 낳으므로 삼효에 "복이 있다"고 하였고, 오효에서는 '복[祉]'이라 했으며, 비괘의 사효에서는 "짝이 복

---

48) 『周易·泰卦』: 六四, 翩翩, 不富以其隣, 不戒以孚.

을 받을 것이다"[49]라고 하였다. 십이벽괘에서 건괘와 곤괘를 머리로 삼았고, 건괘 상구에 "높이 올라간 용이니 후회가 있을 것이다"[50]라고 했기 때문에, 곤괘 상육에 "용이 들에서 싸운다"[51]고 하였다. 태괘 구삼에 "평평한 것은 기울어지지 않는 것이 없고 가서 돌아오지 않는 것은 없다"[52]고 했기 때문에 비괘(否卦) 상구에 "먼저는 비색하고 뒤에는 기뻐한다"[53]고 하였다. 림괘(臨卦) 초효와 이효에 "감동하여 임하니, 길하다"[54]고 했기 때문에 관괘(觀卦) 오효와 상효에 "군자는 허물이 없다"[55]고 하였다. 박괘(剝卦) 초육에 "곧음을 업신여기면 흉하다"[56]고 했기 때문에 복괘(復卦) 초구에 "멀리 가지 않고서 돌아오기 때문에 후회함에 이르지 않는다"[57]고 하였다. 돈괘(遯卦) 구사에 "군자는 좋아하면서도 도피하니, 소인은 비색하다"[58]고 했기 때문에 대장괘(大壯) 구삼에 "소인은 장성함을 사용하고 군자는 멸시함을 사용한다"[59]고 하였다. 쾌괘(夬卦) 구오에 "비름나물을 결단하듯이 결단한다"[60]고 했기 때문에 구괘(姤卦) 구오에 "박달나무 잎으로 오이를 싼다"[61]고 하였다. 모두 대대(待對)로써 순서를 삼았다.

김귀주(金龜柱) 『주역차록(周易箚錄)』

九三, 無平不陂, 云云.

구삼은 평평한 것은 기울어지지 않는 것이 없다, 운운.

○ 按, 勿恤其孚, 勿恤字當細玩. 蓋謂勿患天運之必至, 惟患人力之未盡. 若不艱難守貞, 而徒惴惴然, 懷必至之憂, 則亦難保其有福也. 本義之意, 竊恐如此.

내가 살펴보았다: "그 믿음을 근심하지 않는다[勿恤其孚]"는 말에서 '물휼(勿恤)'이라는 글자를 자세하게 완미해야 한다. 하늘의 운행이 반드시 올 것을 근심하지 않는다고 말하는 것은 오직 사람의 힘이 미진함을 근심하는 것이다. 만약 어려운 가운데서도 곧음을 지키지

---

49) 『周易·否卦』: 九四, 有命无咎, 疇離祉.
50) 『周易·乾卦』: 上九, 亢龍, 有悔.
51) 『周易·坤卦』: 上六, 龍戰于野, 其血玄黃.
52) 『周易·泰卦』: 九三, 无平不陂, 无往不復.
53) 『周易·否卦』: 傾否, 先否, 後喜.
54) 『周易·臨卦』: 初九, 咸臨, 貞吉. 九二, 咸臨, 吉无不利.
55) 『周易·觀卦』: 九五, 觀我生, 君子, 无咎. 上九, 觀其生, 君子, 无咎.
56) 『周易·剝卦』: 初六, 剝牀以足, 蔑貞, 凶.
57) 『周易·復卦』: 初九, 不遠復, 无祗悔, 元吉.
58) 『周易·遯卦』: 九四, 好遯, 君子, 吉, 小人, 否.
59) 『周易·大壯卦』: 九三, 小人, 用壯, 君子, 罔也.
60) 『周易·夬卦』: 九五, 莧陸夬夬, 中行, 无咎.
61) 『周易·姤卦』: 九五, 以杞包瓜, 含章, 有隕自天.

않고서 한갓 근심하고 두려워하기만 하여 반드시 이르게 되리라는 근심을 품고 있다면, 또한 그 복을 보존하기가 어렵다. 『본의』의 뜻도 아마 이와 같은 듯하다.

本義, 將過于中, 云云.
『본의』에서 말하였다: 장차 가운데를 지날 것이다, 운운.
○ 按, 以內卦而言, 則九三爲已過乎中, 而通兩體而言, 則姑未過乎中. 但內陽旣終, 外陰將繼, 故爲將過乎中. 而六四則乃是已過乎中耳.
내가 살펴보았다: 내괘로써 말한다면 구삼은 이미 가운데를 지났고, 두 몸체를 통틀어 말한다면 아직 가운데를 지나지 않았다. 다만 내괘의 양은 이미 끝났고 외괘의 음이 장차 이어질 것이기 때문에 가운데를 지나게 될 것이다. 그리고 육사는 이미 가운데를 지났다.

윤행임(尹行恁)『신호수필(薪湖隨筆)・역(易)』

泰爲戒盈之時, 故內三爻雖是純陽, 亦無純吉之意, 蓋戒之也. 初九茅茹, 彙征則吉, 不彙征不吉. 九二包荒馮河不遐遺, 則尙于中行, 不包荒馮河而遐遺, 不得尙于中行. 九三卽平陂往復之際, 故艱難守貞而後, 始可以无咎而有福, 此所謂患生於安樂也.
태괘는 가득 차 있는 때를 경계한 것이므로 내괘 세 효가 비록 순양이라 해도 또한 순수한 길이라는 뜻은 없으니, 경계한 것이다. 초구에 "띠의 뿌리가 무리로 나아가면 길하다"고 하였으니, 무리로 나아가지 않으면 길하지 않다. 구이에 "거친 것을 포용하고 맨몸으로 황하를 건너고 멀리 있는 사람을 버리지 않는다면, 중도를 실천하는 사람과 짝을 이룬다"고 하였는데, 거친 것을 포용하지 않고 맨몸으로 황하를 건너지 않으며 멀리 있는 사람을 버리면, 중도를 실천하는 사람과 짝을 이루지 못한다. 구삼은 곧 평평한 것이 기울어지고 간 것이 돌아오는 때이니, 어려운 가운데서도 곧음을 지킨 후에 비로소 허물이 없어 복이 있으니, 이것이 우환은 안락에서 생긴다는 말이다.

서유신(徐有臣)『역의의언(易義擬言)』

平陂, 地勢象, 往復, 天行象. 在內爲平爲復, 在外爲陂爲往. 无平不陂, 小無不往也, 无往不復, 大無不來也. 向平而今陂, 向往而今復, 向否而今泰也. 保有泰運, 祈天永命. 不容奇術, 其惟口, 艱貞而已. 艱則戒謹兢業, 不敢驕侈, 貞則遵道循理, 不違於天, 不咈於民. 雖泰之盛, 亦何咎之有哉. 三有乾惕象, 又得正艱貞, 蓋三之所自有也. 泰亨可願而非可憂, 故曰勿恤也. 交孚于坤而致養焉, 故曰其孚于食也, 奚但无咎, 又有福慶也.

'평평함과 기울어짐'은 땅 형세의 상이고, '왕복'은 하늘이 운행하는 상이다. 안에 있는 것이 평평함과 돌아오는 것이 되며, 밖에 있는 것이 기울어짐과 가는 것이 된다. "평평한 것은 기울지 않는 것이 없다"는 것은 작은 것이 가지 않음이 없다는 것이고, "가서 돌아오지 않는 것은 없다"는 것은 큰 것이 오지 않음이 없다는 것이다. 저번에는 평평했지만 이제 막 기울어지고 저번에는 갔지만 이제 돌아오기 시작하며 저번에는 막혔지만 이제 태평하다. 태평의 운세가 보존되기를 "국가의 운세가 영원하도록 하늘에 기원한다"[62]고 하였다. 기괴한 방술을 용납하지 않고 오로지 "어려운 가운데서도 곧음을 지킬 뿐이다"라고 하였다. 어려운 가운데 있으면 순임금이 경계하고 삼가 전전긍긍한 것처럼 하여 교만과 사치를 부리지 않고, 곧음을 지키면 도를 따르고 이치를 좇아 하늘의 뜻을 어기지 않으며 백성들의 소망을 어기지 않는다. 비록 태평함이 극성할지라도 또한 무슨 허물이 있겠는가? 삼효에는 건괘의 두려워하는 상이 있고, 또한 곧음을 얻고 어려운 가운데서도 곧음을 지키는 것은 삼효가 스스로 가지고 있는 바이다. 태괘의 형통은 원할 수 있으나 근심할 만한 것이 아니기 때문에 "근심하지 말라"고 하였다. 곤을 서로 믿어 양육을 이루기 때문에 밥 먹는 데 믿음이 있다고 한 것인데, 어찌 허물이 없을 뿐이겠는가? 또한 복과 경사가 있다.

박문건(朴文健) 『주역연의(周易衍義)』

戒其用剛, 故有艱貞之象. 艱貞, 言難其貞而不用也.

굳셈을 쓰는 것을 경계하기 때문에 '간정(艱貞)'의 상이 있게 되었다. '간정(艱貞)'은 그 곧음을 어렵게 여겨 쓰지 않는 것을 말한다.

〈問, 无平不陂无往不復艱貞无咎. 曰, 地道雖平, 有時而傾陂, 天道雖往, 有時而來復. 吉凶屈伸, 理之常也. 是以陽不可以慢陰, 陰不可以慢陽, 故艱其貞而不妄進, 則无咎. 九三, 接坤體三陰, 故竝取天地之義也.

물었다: "평평한 것은 기울지 않는 것이 없으며, 가서 돌아오지 않은 것은 없으니, 곧음을 어렵게 여기면 허물이 없다"는 무슨 뜻입니까?

답하였다: 지도(地道)는 비록 평평한 때라 하더라도 때에 따라 기울어지며, 천도는 비록 가더라도 때에 따라 와서 회복됩니다. 길과 흉, 굽힘과 폄은 항상된 도리입니다. 따라서 양은 음을 업신여겨서는 안 되고 음도 양을 업신여겨서는 안 되기 때문에, 그 곧음을 어렵게 여겨 함부로 나가지 않으면 허물이 없습니다. 구삼은 곤괘의 몸체인 세 음과 접해있기 때문에 천지의 뜻을 함께 취하였습니다.〉

〈問, 勿恤其孚于食有福. 曰, 九三勿憂, 在上之三陰, 而但用相孚, 則終必進食而有福也. 此食字, 與剝上明夷初不食之食義同也. 曰, 孚而反食, 何. 曰, 有有孚而取敵者, 革之九四, 是也. 有罔孚而保己者, 晉之初六, 是也. 故知時之義, 則可以看易矣.

물었다: "근심하지 않으면 먹는 데 복이 있다"는 무슨 뜻입니까?

답하였다: 구삼의 "근심하지 않는다"고 한 것은 맨 위의 세 음이니, 다만 "서로 믿는다"면 마침내 반드시 먹는 데 나아가 복이 있습니다. 여기 '식(食)'자는 박괘 상효와 명이괘 초효의 "먹지 않는다[不食]"의 '식(食)'자와 같은 뜻입니다.

물었다: 믿는데 도리어 밥을 먹는다고 한 것은 왜입니까?

답하였다: 믿음을 가지고서 적을 취한 것은 혁괘(革卦)의 구사가 그것입니다.[63] 믿음이 없는데도 자신을 보전하는 것은 진괘(晉卦) 초육이 그것입니다.[64] 그러므로 때의 뜻을 안다면 『주역』을 알 수 있습니다.〉

이항로(李恒老) 「주역전의동이석의(周易傳義同異釋義)」

傳, 不勞憂恤, 得其所求也, 不失所期爲孚.

『정전』에서 말하였다: 걱정하고 근심하여 애태우지 않더라도 구하는 바를 얻을 수 있으니, 기대하는 바를 잃지 않는 것이 믿음이다.

本義, 孚, 所期之信也.

『본의』에서 말하였다: '부(孚)'은 기약한 것에 대한 믿음이다.

按, 以雲峯胡氏, 建安丘氏, 古爲徐氏諸說觀之, 則本義所以釋孚者, 與傳不同也. 蓋人道以理言, 天運以氣言. 平陂往復, 天運之孚也. 不問平陂往復, 盡其心盡其理者, 人道之正也. 无往而不失[65]其正, 則常吉在我而自天佑之矣, 是所謂于食有福也.

내가 살펴보았다: 운봉호씨·건안구씨·고위서씨 등의 설을 살펴보면, 『본의』에서 해석한 '믿음[孚]'은 『정전』과 같지 않다. 인도는 도리로써 말하고, 하늘의 운행은 기로써 말하였다. "평평함과 기울어짐", "감과 돌아옴"은 하늘의 운행에 대한 믿음이다. "평평함과 기울어짐", "감과 돌아옴"을 묻지 않고, 그 마음을 다하고 그 도리를 다하는 것이 인도의 바름이다. 가는 곳마다 그 바름을 잃지 않는다면 항상된 길함이 나에게 있어 하늘로부터 도움을 받으니, 이를 "먹는 데 복이 있다"고 하였다.

---

63) 『周易·革卦』: 悔亡, 有孚, 改命, 吉.
64) 『周易·晉卦』: 晉如摧如, 貞吉, 罔孚, 裕, 无咎.
65) 失: 경학자료집성DB에 '矢'로 되어 있으나, 경학자료집성 영인본을 참조하여 '失'로 바로잡았다.

김기례(金箕澧) 「역요선의강목(易要選義綱目)」

平極則險, 往盡則返, 理之常也. 三居泰之半, 則當慮[66]陰將復, 泰將否之理, 无逸而艱貞, 則不憂而泰福長享, 不可以陰復爲憂. 當嚴防而不動, 慮於六四之不戒以孚. 平, 指內陽, 陂, 指外陰. 往, 指陰出外, 復謂陰返內.

평평함이 다하면 험하게 되고 '가는 것[往]'이 다하면 되돌아오는 것이 항상된 이치이다. 삼효는 태괘의 중간이므로 마땅히 음이 장차 회복되고 태평함이 장차 비색하게 되는 이치를 생각하여 안일함이 없이 어려운 가운데서도 곧음을 지킨다면 근심하지 않더라도 태평과 복을 오래도록 누릴 수 있으니, 음이 다시 회복되는 것을 근심해서는 안 된다. 엄격히 방어하여 움직이지 못하게 하여 육사의 "경계하지 않아도 믿음이 있다"[67]고 한데에 거처해야 한다. '평평함[平]'은 안의 양을 가리키고, '기울어짐[陂]'은 밖의 음을 가리킨다. '감[往]'은 음이 밖으로 나간 것을 가리키고, '돌아옴[復]'은 음이 안으로 되돌아온 것을 가리킨다.

○ 食, 如訟三食舊德之食, 言福祿也.

식(食)은 송괘(訟卦) 삼효의 "옛날의 덕택으로 먹는대[食舊德]"[68]고 한 식(食)이니, 복록을 말한다.

심대윤(沈大允) 『주역상의점법(周易象義占法)』

泰之臨䷒, 下接也. 九三當內乾之極, 外坤之際. 夫衰亂之端, 必始於隆盛之時, 而隱而不見. 平陂往復循環不止者, 天之數也. 坤爲平, 互兌爲陂, 离巽爲往. 乾自兌爲离, 對遜全爲巽, 乾爲復. 三以剛居剛, 而求泰甚力, 戒懼太甚, 安而以爲危, 治而以爲亂, 雖爲過中而无咎也. 故曰艱貞无咎. 坎爲艱, 取下卦之對也. 坤爲貞, 三陰爲已有, 而以二陽之逼, 有疑懼之意, 故曰勿恤其孚. 坎爲恤爲孚, 三之孚與恤, 有彼此于其心, 而外人未有變動, 故只取內卦之對, 而不變外卦也. 夫懷疑懼之心, 欲以一人之耳目, 察天下之幾微, 亦已難矣, 莫如以誠心待天下, 而自无叛怨者. 雖或有之, 悅服者既衆, 可以取之矣. 坎爲食, 艮爲福.

태괘가 림괘(臨卦䷒)로 바뀌었으니, 아래로 접하는 것이다. 구삼은 내괘인 건괘의 끝이고 외괘인 곤괘와 맞닿아 있다. 쇠약해져 혼란스럽게 되는 단서는 반드시 처음 융성할 때에 시작하여 숨어서 드러나지 않는다. "평평함과 기울어짐", "감과 돌아옴"이 순환하여 그치지

---

66) 慮: 경학자료집성DB와 영인본에 '爐'로 되어 있으나, 문맥을 살펴 '慮'로 바로잡았다.

67) 『周易·泰卦』: 六四, 翩翩, 不富以其隣, 不戒以孚.

68) 『周易·訟卦』: 六三, 食舊德, 貞厲, 終吉, 或從王事, 无成.

않는 것은 하늘의 수(數)이다. 곤은 평평함이고 호괘인 태괘는 기울어짐이고, 리괘(☲)와 손괘(☴)는 감[往]이다. 건괘는 태괘(☱)로부터 리괘(☲)가 되고 태괘(泰卦䷊)의 음양이 바뀐 괘는 비괘(否卦䷋)인데, 이 비괘의 삼효가 변한 둔괘(遯卦䷠)는 큰 손괘(巽卦)가 되고 건괘는 돌아옴[復]이 된다. 삼효는 굳센 양으로서 굳센 자리에 있어, 깊이 힘써 태평함을 구하며 경계와 두려움이 매우 심하여 편안해도 위태하게 여기고, 다스려져도 어지럽다고 여기니, 비록 가운데를 지났다 하더라도 허물은 없다. 그러므로 "어려워도 곧게 하면 허물이 없다"고 하였다. 감괘는 어려움으로 하괘의 이효가 변한 괘를 취하였다. 곤괘는 곧음이고 세 음이 이미 있고 두 양의 위협으로 의심과 두려움의 뜻이 있기 때문에 "근심하지 않더라도 믿음이 있다"고 하였다. 감괘는 근심이 되고 믿음이 되는데, 삼효의 믿음과 근심에는 그 마음에 피차라는 구별이 있으나 밖의 사람들은 변동하지 않기 때문에 다만 내괘의 이효가 변한 괘를 취했고 외괘는 변하지 않았다. 의심하고 두려워하는 마음은 한 사람의 이목으로써 천하의 기미를 살피고자 하니 또한 어려운 일이고, 성심으로써 천하를 기다려 스스로 배반과 원망을 없게 하는 것만 못하다. 비록 혹 그런 것이 있더라도 기쁘게 복종하는 이가 이미 여럿이면 취할 수 있다. 감괘(☵)는 먹을 것[食]이 되고 간괘(☶)는 복이 된다.

오치기(吳致箕) 「주역경전증해(周易經傳增解)」

九三剛健過中而在衆陽之上, 當泰盛之時, 故戒言. 平者必陂, 往者必復, 卽天理之常也. 當艱守正固之道, 然後可以无過盛之咎, 亦不至於否來之憂, 而上下以誠信相交, 當於祿食有永享之福也.

강건한 구삼이 중도를 지나 여러 양의 맨 위에 있으니, 태평함이 극성한 때에 해당되므로 경계하여 말하였다. 평평한 것은 반드시 기울고 간 것은 반드시 돌아오는 것이 천리의 변함 없는 도리이다. 어려움을 당해 바르고 견고한 도를 지킨 이후에 지나치게 넘치는 허물이 없고 또 비색한 때가 오는 근심에 이르지 않아서 위아래가 정성과 신뢰로써 서로 사귀니, 녹봉을 먹는 것을 영원히 누릴 수 있는 행복에 해당된다.

○ 平, 謂平地. 陂, 謂高地而取於應坤. 恤, 謂憂也. 孚, 取於坤土之屬信也. 食取互兌爲口食之象也. 此爻在剛柔之際, 故其戒之. 丁寧反復如此, 爲君子謀也.

평평함은 평지를 말한다. 기울어짐은 높은 지대를 말하는데 호응인 곤괘에서 취하였다. '휼(恤)'은 근심하는 것을 말한다. 믿음은 오행상의 곤(坤)인 '토(土)'가 믿음[信]에 속하는 데에서 취하였다. 먹는 것은 호괘인 태괘가 입으로 먹는 상이 되는 것에서 취하였다. 이 효는 굳셈과 부드러움의 사이에 있기 때문에 경계하였다. 간곡하게 이와 같이 반복하는 것은 군자를 위해 도모함이다.

이진상(李震相) 『역학관규(易學管窺)』

九三, 无平 [至] 有福.

구삼은 평평함이 … 복이 있다.

平乾象, 陂坤象. 往者, 乾將出外也, 復者, 坤必復下也. 平而陂, 往而復, 則六來居三, 九往居四, 而坎體成焉, 故兩爻皆言孚也. 苟其相孚, 則爲婦主饋, 又以獲福也. 陽入陰中之謂孚, 孚則成坎, 坎則有食, 索坤成男, 乃終有慶也. 象傳但釋上兩句而不及其下, 則其非本象可知. 朕功近三陰, 陰必親陽, 彼來孚我, 自有饋食之理.

평평함은 건괘의 상이고 기울어짐은 곤괘의 상이다. '감[往]'은 건이 밖으로 나가려는 것이고 "돌아온다"는 것은 곤이 반드시 아래로 돌아옴이다. "평평함과 기울어짐", "감과 돌아옴"은 음이 와서 삼효에 있고 양은 가서 사효에 있어서 감괘의 몸체가 이루어지므로 두 효에서 모두 믿음[孚]을 말하였다. 참으로 서로 믿는다면 음식을 대접하는 안주인이 되고 또 복을 얻는다. 양이 음 속으로 들어가는 것을 믿음[孚]이라 하고 믿음[孚]은 감괘를 이루며, 감괘는 밥 등의 먹을 것이니, 곤괘의 성격을 다하여 남자를 이루어 곧 마침내 경사가 있다. 「상전」에서는 다만 위 두 구절만을 해석하고 그 아래까지 해석하지 않았으니, 그것이 본래의 상이 아님을 알 수 있다. 그러나 세 음과 매우 가깝고 음은 반드시 양과 친하며, 저들이 와서 나를 믿으니, 저절로 먹여주고 먹는 이치가 있다.

채종식(蔡鍾植) 「주역전의동귀해(周易傳義同歸解)」

泰九三勿恤其孚, 傳云, 不勞憂恤, 得其所求. 蓋言處泰之道, 既能艱貞, 則不勞憂恤, 而得其所求之福, 如孚期也. 此言處泰者之孚也. 本義解作勿恤其否運之必至. 蓋言占者, 能存艱貞之心, 而勿以否運之如期必至爲憂恤也. 此言天運之孚也. 然筮泰者, 能艱難守貞, 而勿以否運之如期爲憂, 則不勞憂恤, 而可得其所期之福也. 合兩說而爻義尤備也.

태괘 구삼의 "근심하지 않더라도 믿는다"고 한 것을 『정전』에서는 "근심 걱정을 하지 않더라도 그 구하는 바를 얻을 것이다"고 하였다. 이는 태평함에 거처하는 도가 이미 어려운 가운데서도 곧음을 지킬 수 있다면, 근심 걱정을 하지 않더라도 믿고 기약한 대로 그 구하는 복을 얻을 것이라는 말이다. 이것은 태평함에 거처하는 사람의 믿음을 말한다. 『본의』에서는 그 비색한 운이 반드시 도래할 것이라고 해석하였다. 점치는 사람이 어려운 가운데서도 곧음을 지키는 마음을 보존할 수 있어서 비색한 운이 반드시 올 것이라고 근심하고 걱정하지 않는다는 말이다. 이것은 천운에 대한 믿음을 말한다. 그러나 태평함을 점치는 자는 어려운 가운데서도 곧음을 지켜 비색한 운이 기약한 것처럼 근심이 되지 않게 한다면 근심 걱정을 하지 않아도 기대하는 복을 얻을 수 있다. 두 설을 합하면 효의 뜻이 더욱 상세해진다.

박문호(朴文鎬) 「경설(經說)·주역(周易)」

時泰, 則固遺之. 此申言泰時狃泰之弊也. 固字, 非與之之辭也.

시대가 태평하면 본래 지키던 것을 잃게 된다. 이는 태평한 때에 태평함에 익숙해지는 병폐를 거듭 말하였다. '고(固)'자는 준 것이 아니라는 말이다.

이병헌(李炳憲) 『역경금문고통론(易經今文考通論)』

虞曰, 平, 謂天地分, 陂, 傾, 謂否上也.

우번이 말하였다: 평평함은 천지가 나누어지는 지평선을 말하고 '파(陂)'는 기울어짐[傾]이니, 비괘(否卦) 상효를 가리킨다.

姚曰, 于食有福, 食, 君祿也.

요신이 말하였다: "먹는 데에 복이 있다"고 할 때의 '먹는 것[食]'은 임금이 주는 녹봉이다.

宋曰, 位在乾極, 應在坤極, 天地之際也. 地平極則險陂, 天行極則還復, 故言旡平不陂無往不復也.

송충이 말하였다: 자리가 건괘의 끝에 있어 호응이 곤괘의 끝에 있으니, 천지가 사귄다. 땅의 평평함이 극에 달하면 험하여 기울어지며, 하늘의 운행이 극에 달하면 돌아오기 때문에, "평평한 것은 기울지 않는 것이 없고 가서 돌아오지 않는 것은 없다"고 말하였다.

象曰, 无往不復, 天地際也.

「상전」에서 말하였다: "가서 돌아오지 않는 것은 없음"은 하늘과 땅이 사귀기 때문이다.

│中國大全│

傳

无往不復, 言天地之交際也. 陽降于下, 必復于上, 陰升于上, 必復于下, 屈伸往來之常理也. 因天地交際之道, 明否泰不常之理, 以爲戒也.

"가서 돌아오지 않는 것은 없다"는 것은 하늘과 땅이 사귀는 것을 말한다. 양이 아래로 내려오면 반드시 위로 회복되어 돌아가고 음이 위로 올라가면 반드시 아래로 회복되어 돌아오니, 이는 굴신과 왕래의 변함없는 이치이다. 천지가 교제하는 도로 인하여 막힘[否]과 통함[泰]이 일정하지 않은 이치를 밝혀서 경계로 삼았다.

小註

雲峯胡氏曰, 此一際字, 天地否泰之會, 陰陽消長之交.

운봉호씨가 말하였다: 이 '제(際)'자는 천지가 막히고 통하는 만남이고 음양이 사라지고 자라나는 사귐이다.

○ 東萊呂氏曰, 无平不陂, 天地際也, 今本作无往不復. 晁氏云, 宋襄本作无平不陂, 无往不復.

동래여씨는 말하였다: "평평한 것이 기울어지지 않음이 없는 것은 하늘과 땅이 교제했기 때문이다"고 한 것에 대해 오늘날 통행본에서는 "가서 돌아오지 않는 것은 없다"고 했다. 조씨는 "『송양본』에서는 평평한 것은 기울어지지 않는 것이 없으며, 가서 돌아오지 않는 것은 없다고 기록하였다"고 했다.

○ 鄱陽董氏曰, 按, 程傳仍今本, 本義從古易. 然先儒間兩存之, 今不敢輒改, 姑從程傳云.

파양동씨가 말하였다: 내가 생각하기에 『정전』은 여전히 오늘날의 통행본과 같은데, 『본의』
는 고역(古易)을 따랐다. 그러나 이전의 유학자들 사이에 두 가지 판본이 존재했으니, 이제
와서 감히 갑자기 고칠 수 없으므로 일단 『정전』을 따른다.

韓國大全

유정원(柳正源) 『역해참고(易解參攷)』

旡往 [至] 際也.

가서 … 사귄다.

正義, 天體將上, 地體將下. 故往者, 將復, 平者, 將陂.

『정의』에서 말하였다: 천체(天體)는 올라갈 것이고 지체(地體)는 내려올 것이다. 그러므로
가는 것은 장차 돌아올 것이고 평평한 것은 장차 기울어질 것이다.

○ 案, 本義, 作旡平不陂, 天地際也.

내가 살펴보았다: 『본의』에서는 "평평한 것은 기울어지지 않음이 없다는 것은 천지가 사귀
기 때문이다"고 하였다.

김상악(金相岳) 『산천역설(山天易說)』

際, 交際也.

'제(際)'는 교제이다.

김규오(金奎五) 「독역기의(讀易記疑)」

九三, 象, 『宋衷本』以完好. 董氏不敢輒改之云, 蓋從宋本, 今當依宋本讀之.

구삼의 「상전」에 대한 『송충본』의 설명이 아주 좋다. 동씨가 갑작스럽게 고칠 수가 없어서
『송본(宋本)』을 따른다고 하니, 이제 『송본』에 의거하여 읽어야 한다.

서유신(徐有臣) 『역의의언(易義擬言)』

无平不陂, 坤象不屬於九三, 故特取无往不復也. 三陽皆復而乾下坤上, 爲天地交際之象也.

"평평한 것은 기울어지지 않는 것이 없다"는 것은 곤괘의 상이 구삼에 속하지 않기 때문에 특별히 "가서 돌아오지 않는 것이 없다"는 것을 취하였다. 세 양은 모두 회복되고 건괘가 아래 곤괘는 위에 있어 천지가 사귀는 상이 된다.

박문건(朴文健) 『주역연의(周易衍義)』

於此一爻, 兼言地道者, 天地相接之故也.

이 한 효에서 지도(地道)를 겸하여 말한 것은 천지가 서로 이어져 있기 때문이다.

〈問, 竝存兩句如何. 曰, 只用古本, 无害於義也.

물었다: 두 구절을 아울러 보존해 둔 것은 어떻습니까?

답하였다: 다만 『고본』을 따를 것이니, 뜻을 이해하는 데 지장이 되지 않습니다.〉

김기례(金箕澧) 「역요선의강목(易要選義綱目)」

天地際也.

하늘과 땅이 사귐이다.

〈天地否泰之交際也.

천지가 막히고 통하는 교제이다.〉

심대윤(沈大允) 『주역상의점법(周易象義占法)』

消長, 翻覆之際也.

사라지고 자라며 뒤집히고 엎어지는 역동적인 사이이다.

오치기(吳致箕) 「주역경전증해(周易經傳增解)」

三居上下之間, 故因天地相交之際, 以戒泰否之无常也.

삼효가 위아래의 사이에 있기 때문에 천지가 서로 사귐으로 인하여 막히고 통함이 일정하지 않음을 경계하였다.

六四, 翩翩, 不富以其鄰, 不戒以孚.

육사는 휠휠 날아 내려오니, 부유하지 않으면서도 이웃과 함께하여 경계하지 않아도 믿음이 있을 것이다.

∥中國大全∥

傳

六四, 處泰之過中, 以陰在上, 志在下復, 上二陰亦志在趨下. 翩翩, 疾飛之貌, 四翩翩就下, 與其鄰同也. 鄰, 其類也, 謂五與上. 夫人富而其類從者, 爲利也, 不富而從者, 其志同也. 三陰皆在下之物, 居上, 乃失其實, 其志皆欲下行. 故不富而相從, 不待戒告而誠意相合也. 夫陰陽之升降, 乃時運之否泰, 或交或散, 理之常也. 泰旣過中, 則將變矣. 聖人於三, 尙云艱貞則有福, 蓋三爲將中, 知戒則可保, 四已過中矣, 理必變也, 故專言始終反復之道. 五, 泰之主, 則復言處泰之義.

육사는 태평함이 가운데를 지난 곳에 있고 음으로서 위에 있으니, 뜻이 아래로 회복되는 데에 있으며, 위의 두 음[69] 또한 뜻이 아래로 내려가는 데에 있다. '편편(翩翩)'은 빨리 나는 모습이니, 육사가 휠휠 날아 아래로 가서 그 이웃과 함께 한다. '이웃[鄰]'은 그 동류이니, 육오와 상육을 가리킨다. 사람이 부유한데 그 무리가 따르는 것은 이익 때문이고 부유하지 않은데도 따르는 것은 뜻을 같이 하기 때문이다. 세 음이 모두 아래에 있는 것인데도 위에 거처하니, 그 실질을 잃은 것이어서 그 뜻이 모두 아래로 가고자 한다. 그러므로 부유하지 않은데도 서로 따르니, 굳이 경계하여 알려주지 않더라도 정성스런 뜻이 서로 합할 수 있다. 음과 양이 오르고 내림은 바로 시운이 막히고 뚫림이니, 혹은 사귀고 혹은 흩어지는 것은 떳떳한 이치이다. 태평함이 이미 가운데를 지나면 장차 변하게 된다. 성인이 삼효에서는 오히려 "어려운 가운데서도 곧음을 지키면 복이 있다"고 말하였으니, 삼효는 장차 중간이 되므로 경계할 줄을 알면 보존할 수 있지만, 사효는 이미 중간을 지났으니, 이치상 반드시 변하므로 오로지 시종 반복하는 도를 말하였다. 오효는 태괘의 주인이기에 다시 태평함에 대처하는 의리를 말하였다.

---

69) 두 음: 육오와 상육을 가리킨다.

本義

已過乎中, 泰已極矣. 故三陰, 翩然而下復, 不待富而其類從之, 不待戒令而信也. 其占, 爲有小人合交, 以害正道, 君子所當戒也. 陰虛陽實, 故凡言不富者, 皆陰爻也.

이미 가운데를 지났으니, 태평함이 이미 극에 이르렀다. 그러므로 세 음이 훨훨 날아 아래로 되돌아오고 부유하기를 기다리지 않고도 동류들이 따라오니, 굳이 경계하고 명령하지 않아도 믿는다. 그 점(占)은 소인들이 모여 교제함에 정도를 해치니, 군자가 마땅히 경계해야 한다. 음은 비어있고 양은 가득 차있으므로 "부유하지 않다"고 말한 것은 모두 음효이다.

小註

朱子曰, 不富以其鄰, 言不待富厚之力, 而能用其鄰也.
주자가 말하였다: "부유하지 않으면서도 이웃과 함께한다"고 한 것은 부유한 힘을 기다리지 않고서도 그 이웃을 쓸 수 있음을 말한다.

○ 雲峯胡氏曰, 三陰翩翩然下來, 不待富而其類從之, 必來者, 小人之勢也. 不待戒令而自相從, 期於必來者, 小人之心也. 其來也, 必不利君子之貞矣. 三將過乎中, 且以艱貞爲君子之戒. 四已過乎中, 君子所當戒, 固不待言也.
운봉호씨가 말하였다: 세 음이 훨훨 날아 아래로 내려와 부유함을 기다리지 않고서 그 무리를 좇으니, 반드시 오는 것은 소인의 형세이다. 경계와 명령을 기다리지 않고서 저절로 서로 따르니, 올 것을 기약하는 것은 소인들의 마음이다. 소인이 오는 것은 반드시 군자의 곧은 도에 이롭지 않다. 구삼이 장차 가운데를 지나가려하니, 또 어려운 가운데서도 곧음을 지켜야 하는 것을 군자의 경계로 삼았다. 육사가 이미 가운데를 지나 군자가 마땅히 경계해야 할 바이니, 진실로 말을 기다리지 않는다.

○ 中溪張氏曰, 陽之進曰拔茅, 以其自下而上, 升之難也. 陰之返曰翩翩, 以其自上而下, 復之易也.
중계장씨가 말하였다: 양이 나아감을 "띠의 뿌리를 뽑음"이라 했는데, 아래로부터 위로 올라가기 때문이니, 올라가는 것은 어렵다. 음이 되돌아오는 것을 "훨훨 날아 내려옴"이라 했는데, 위로부터 아래로 되돌아오기 때문이니, 회복은 쉽다.

║韓國大全║

송시열(宋時烈) 『역설(易說)』

六四翩翩, 翩爪不安之貌. 若巽則爲富, 見小蓄九五. 而此則以震居互卦, 且無與君位相與之意, 故此則不富其隣也. 蓋隣者, 指六五而五非陽爻, 故小象云失實也. 四旣不安於位, 翩翩反側, 皆失諸爻之陽, 不待告戒之言而願合初九, 故小象曰中心願也. 若陰柔之女, 口不能發, 然而其心則願與其應相合也. 二三雖陽, 非我應也. 五爻陰柔, 故上下, 皆失陽實也.

육사의 '편편(翩翩)'은 뒤집어지고 기울어져 불안한 모양이다. 손괘(巽卦)와 같은 경우는 부유한 것이 되는데, 소축괘 구오에서 볼 수 있다. 이것은 진괘(☳)가 호괘로 있어 임금의 자리와 더불어 서로 함께 하는 뜻이 없기 때문에 이는 그 이웃을 부유하지 않게 하는 것이다. 이웃은 육오를 가리키는데, 오효는 양효가 아니기 때문에 「소상전」에서 "실질을 잃는다"고 하였다. 사효가 자리에서 이미 불안하니, 훨훨 날아 내려오고 이리저리 뒤척이는 것은 모두 여러 효의 양을 잃어 경계와 경고하는 말을 기다리지 않고도 초구와 합하기를 원하기 때문에 「소상전」에서 "마음속에서 원한다"고 말하였다. 부드러운 음인 여자가 입으로는 말할 수 없지만 그 마음은 호응과 서로 합하기를 원하는 것과 같다. 이효와 삼효가 비록 양이더라도 나의 호응이 아니다. 오효는 부드러운 음이기 때문에 위아래가 모두 양의 실질을 잃었다.

이익(李瀷) 『역경질서(易經疾書)』

翩翩, 飛往之貌. 不富以其隣爲句. 傳云皆失實言, 皆則非獨飛也. 實, 如蒙之遠實, 指陽也. 與五同德, 飛往而與在下之陽相失也. 不富以其隣, 謂不以其隣而有自富之志也. 泰爲小往而外, 小人之卦, 此事之得正也. 若小人反欲居內而得富, 則害矣. 不戒以孚, 謂其心本如是誠信, 不待敎戒也. 卦以泰爲義. 故于斯時也, 小人自知分願, 不敢有富以其隣之志, 故曰中心願也. 實當去聲讀, 方是韵叶, 與蒙四五互參. 泰與謙皆坤在上, 故其辭同. 易擧正, 失作反. 孔文擧曰, 小畜德之小, 則曰富以其隣, 在泰與謙, 則道之大者也, 皆曰不富以其隣. 道有餘者, 不假於富, 德不足者, 須富行之, 此可備一說.

'편편(翩翩)'은 날아가는 모양이다. "이웃과 함께 부유해지지 않는다"는 것을 구(句)로 삼았다. 『정전』에서는 모두 "실질을 잃은 것"으로 말하였는데, 모두가 홀로 나는 것은 아니다. 실질은 몽괘의 "실질에서 멀다"[70]고 할 때의 실질인데, 양을 가리킨다. 오효와 같은 덕인데,

날아가서 아래에 있는 양과 함께하니 서로 잃는다. "이웃과 함께 부유해지지 않는다"는 것은 이웃과 함께 하지 않고 스스로 부유하게 되려는 뜻을 갖고 있다는 것을 말한다. 태괘는 작은 것이 가서 밖에 있어 소인의 괘가 되니, 이것은 일이 바름을 얻는다는 뜻이다. 만약 소인이 돌이켜 안에 있고자 하여 부유함을 얻으면 해가 된다. "경계하지 않아도 믿는다"는 것은 마음이 이와 같이 성실하고 미덥기 때문에 굳이 가르침과 경계를 기다리지 않는다는 말이다. 괘는 태평함을 뜻으로 삼았다. 그러므로 이때에 소인은 스스로 분수와 원함을 알아 감히 그 이웃과 함께 부유하려는 뜻을 갖지 않기 때문에 "마음속에서 원한다"고 말하였다. '실(實)'은 거성으로 읽어야 운이 맞으니, 몽괘 사효와 오효를 서로 참고해 보아야 한다. 태괘와 겸괘는 모두 곤괘가 위에 있기 때문에 그 말이 같다. 『역거정』에서는 실(失)을 반(反)으로 해석하였다. 송의 공문거가 "소축괘는 덕이 작으니 '이웃과 함께 부유해진다'고 말하였고, 태괘와 겸괘는 도가 크니 모두 '이웃과 함께 부유해지지 않는다'고 말하였다. 도에 남음이 있는 자는 부유함을 빌리지 않고, 덕이 부족한 자는 반드시 부유함으로 행한다"고 말하였으니, 이것도 하나의 설이 될 만하다.

심조(沈潮) 「역상차론(易象箚論)」

六四, 翩翩.

육사는 훨훨 내려오는.

翩字, 從羽者. 陰爻有兩翅之象.

'편(翩)'자는 깃 우(羽)를 부수로 한다. 음효에는 두 날개라는 상이 있다.

유정원(柳正源) 『역해참고(易解參攷)』

六四 [至] 以孚.

육사 … 믿는다.

〈○ 厚齋馮氏曰, 翩, 同偏. 詩, 偏偏者, 雛飛相繼斜飛貌.

후재풍씨가 말하였다: '편(翩)'은 '편(偏)'과 같다. 『시경』의 '편편(偏偏)'[71]은 산비둘기가 서로 무리를 지어 나란히 날아가고 있는 모양이다.〉

進齋徐氏曰, 先儒有言, 從善如登, 從惡如崩, 言爲善之難, 而從惡之易也. 善, 陽也,

---

70) 『周易·蒙卦』: 象曰, 困蒙之吝, 獨遠實也.
71) 『詩經·四牡』: 翩翩者雕, 載飛載下, 集于苞栩, 王事靡盬, 不遑將父.

惡, 陰也. 陽性固升, 亦必引翼扶持而後進. 若陰本下, 不待招麾呼號而相與就下, 已有不可禦之勢矣.

진재서씨가 말하였다: 이전의 유학자가 선을 따르는 것은 높은 곳에 오르는 것과 같고 악을 따르는 것은 산이 무너져 내리는 것과 같다고 하였으니, 선을 행하는 것은 어렵고 악을 따르는 것은 쉽다는 뜻이다. 선은 양이고 악은 음이다. 양의 성질은 오르는 것이니, 또한 인도하여 돕고 붙들어 유지한 후에 나간다. 음의 경우에는 아래를 근본으로 하는데, 굳이 손짓하여 부르고 소리침을 기다리지 않아도 서로 함께 아래로 나아가니, 이미 막을 수 없는 형세를 가지고 있다.

○ 案, 富然後, 能以鄰, 而不富而鄰, 戒然後能以孚, 而不戒而孚, 從惡之易也. 如此, 可不懼哉.

내가 살펴보았다: 부유한 연후에 이웃과 함께할 수 있는데 부유하지 않아도 이웃과 함께하고, 경계를 한 이후에 믿을 수 있는데 경계하지 않아도 믿으니, 이것은 악을 쉽게 쫓는 것이다. 이처럼 한다면 두려워하지 않을 수 있겠는가?

本義, 過乎中.

『본의』에서 말하였다: 가운데를 지났다.

案, 中字指一卦之中半, 否之四過中, 亦然.

내가 살펴보았다: '중(中)'자는 한 괘 가운데 반을 가리키니, 비괘(否卦)의 사효가 가운데를 지났다고 한 것도 또한 그렇다.

김상악(金相岳) 『산천역설(山天易說)』

不富, 謂三陰, 隣, 指三陽也. 六四以坤乘乾, 應初比三, 三互震體, 故翩然就下. 不富而從其隣, 不戒而信於陽, 所以交泰之願, 出於中心也.

"부유하지 않다"는 것은 세 음을 말하고, 이웃은 세 양을 가리킨다. 육사는 곤괘로써 건괘를 타서 초효와 호응하고 삼효와는 비(比)의 관계이며, 삼효는 호괘인 진괘의 몸체이므로 훨훨 날아 아래로 날아간다. 부유하지 않아도 그 이웃을 따르고 경계하지 않아도 양에게 믿음을 받으니, 사귀어 태평해지고자 하는 바람이 마음속에서 나오게 된다.

○ 陰本在下, 而乘震之動, 翩翩之象. 不富, 陰之失實也. 凡言不富皆坤之在上者, 而坤北乾南, 故曰不富以其隣. 謙六五居坤而比艮, 故與泰同象. 小畜之五則以陽居上, 巽乾相比, 故曰富以其隣. 戒於心爲戒, 四居心位, 故曰不戒以孚. 三四皆有正應, 而專取其孚於比者, 何也. 交泰之道, 遠不如近, 而三四皆處卦之中, 爲成泰之主, 故取交孚之義. 不言吉凶者, 陰方向內, 否將來矣, 固不可以言吉, 上下交而其志同, 泰未變矣, 亦不可以言凶. 易之時, 正在于此.

음이 본래 아래에 있으면서 우레의 움직임에 올라타니, 훨훨 나는 상이다. "부유하지 않다"고 한 것은 음이 실질을 잃은 것이다. "부유하지 않다"고 한 말은 모두 곤괘가 위에 있는 것인데, 「복희팔괘도(伏羲八卦圖)」[72]상에서는 곤괘는 북쪽 건괘는 남쪽이기 때문에 "부유하지 않아도 그 이웃과 함께 한다"라고 말하였다. 겸괘 육오는 곤괘에 있고 아래에 간괘가 있기 때문에 태괘(泰卦)와 같은 상이다. 소축괘의 오효는 양으로서 위에 있고 손괘와 건괘가 서로 가깝기 때문에 "부유함으로써 그 이웃과 함께 한다"고 하였다. 경계는 마음에서 경계를 삼고 사효는 마음의 자리이기 때문에 "경계하지 않아도 믿는다"고 하였다. 삼효와 사효는 모두 정응인데, 가까운 데서 믿음을 취한 것은 무엇 때문인가? 사귀어 편해지는 도는 멀리 있는 사람이 가까운 것만 못하니, 삼효와 사효는 모두 괘의 가운데에 있어서 태괘를 이루는 주인이 되기 때문에 사귀어 믿는 뜻을 취하였다. 길흉이라고 말하지 않은 것은 음이 막 안으로 향하니, 비색함이 오게 되어 길함을 말할 수 없고, 위아래가 사귀어 그 뜻이 같아서 태평함이 아직 변하지 않으니, 또한 흉함을 말할 수 없다. 역의 때가 바로 여기에 있다.

김규오(金奎五) 「독역기의(讀易記疑)」

六四, 翩翩.

육사, 훨훨 날아 내려온다.

以象見之, 亦似有群飛之義.

상으로써 본 것이니, 또한 여러 마리의 새가 나는 뜻인 것 같다.

○ 不富以其鄰, 實小畜九五文法也. 小註亦以用其鄰解之. 而本義只以其類從之爲言, 何也. 下文不戒之孚, 自是同欲, 故以五上爲主而云其類也. 然亦從其所, 左右之也, 大

---

72) 「복희팔괘도」.

抵泰否初爻之以其彙, 四爻之以其鄰, 疇離祉, 皆有左右之之意. 又如謙之六五, 亦言
能以其鄰, 則以之爲左右之意, 隨處可見, 特不欲隨處瀆言之耳.

"부유하지 않아도 그 이웃과 함께한다"는 것은 실제 소축괘 구오의 문장과 같다. 소주에서도
또한 그 이웃이란 말을 사용하여 해석하였다. 그런데『본의』에서는 다만 그 무리를 따른다
는 것으로 말하였는데 무엇 때문인가? 아래 글 "경계하지 않아도 믿는다"는 것은 스스로
함께 하고자 하는 것이므로 오효와 상효를 주인으로 삼아 그 무리라고 말하였다. 그러나
또한 그 있는 곳을 따라 돕는 것이니, 태괘와 비괘 초효의 "그 무리로써 한다", 사효의 "그
이웃으로써 한다", "짝이 복을 받는다"고 한 것 등에는 모두 돕는다는 뜻이 있다. 또한 예를
들어 겸괘의 육오도 "그 이웃과 함께 할 수 있다"[73]고 했으니, 이것을 가지고 돕는다는 뜻으
로 삼은 것을 곳에 따라 볼 수 있지만, 곳곳마다 이것을 반복하여 말하지 않았을 뿐이다.

김귀주(金龜柱)『주역차록(周易箚錄)』

本義, 已過乎中, 云云.
『본의』에서 말하였다: 이미 가운데를 지났다, 운운.

小註, 中溪張氏曰, 陽之, 云云.
소주에서 중계장씨가 말하였다: 양이, 운운.

○ 按, 拔茅翩翩, 不必以難易對言. 觀於否之初六, 亦以拔茅言者, 可知也.
내가 살펴보았다: "띠의 뿌리를 뽑는 것"과 "훨훨 날아 내려오는 것"은 어려움과 쉬움을 상대
적으로 말한 것으로 볼 필요는 없다. 비괘의 초육을 살펴보면, 또한 "띠풀의 뿌리를 뽑는다"
고 말하고 있음을 알 수 있다.

윤행임(尹行恁)『신호수필(薪湖隨筆)·역(易)』

不義之富貴, 於我如浮雲, 則齊田, 魯桓, 雖極泰而否矣. 簞瓢陋巷, 不改其樂, 則顔氏
之子, 雖極否而泰矣. 不以身之否泰, 改其心之否泰, 則斯可謂君子.
"불의로 얻은 부귀는 나에게 뜬구름과 같다"[74]고 여긴다면, 제나라의 전씨(田氏)와 노나라
의 삼환(三桓)과 같은 권신들은 비록 태평함이 극에 달하더라도 비색해지게 된다. 한 대그

---

73)『周易·謙卦』: 六五, 不富以其隣, 利用侵伐, 无不利.
74)『論語·述而』: 子曰, 飯疏食飮水, 曲肱而枕之, 樂亦在其中矣, 不義而富且貴, 於我如浮雲.

룻 밥과 한 표주박 물로 누추한 시골구석에서 살아도 그 즐거움을 고치지 않는 안연과 같은 이는 비록 비색함이 극에 달하더라도 태평해지게 된다. 몸의 막힘과 편안으로써 그 마음의 막힘과 편안함을 고치지 않는다면 이를 군자라고 부를 수 있다.

서유신(徐有臣) 『역의의언(易義擬言)』

三陰聯翩而皆不富. 無所相資, 秖益不富, 是故不待戒告, 而自然交孚於正應之陽也. 此所以爲泰也. 以其鄰, 疑衍文.

세 음이 나란히 훨훨 날지만 모두 부유하지 않다. 서로 의뢰하지 않아 다만 부유하지 않음을 더해 주니, 이 때문에 굳이 경계하고 경고할 필요도 없이 자연히 정응인 양과 사귀어 믿는다. 이것이 태평함이 되는 이유이다. "그 이웃과 함께한다[以其鄰]"는 문장은 잘못 들어간 글이 아닌지 의심스럽다.

박문건(朴文健) 『주역연의(周易衍義)』

懼而欲制, 故有翩翩之象. 翩翩, 往來不絶之貌也. 隣, 謂初九也.

두려워서 재제하고자 하기 때문에 끊임없이 왕래하는 상이 있다. '편편(翩翩)'은 왕래가 끊이지 않는 모양이다. 이웃은 초구를 말한다.

〈問, 翩翩不富以其隣, 不戒以孚. 曰, 六四翩翩, 故所以見逼於隣而致不富也. 不當戒懼而用孚信, 則相遇也必矣.

물었다: "끊임없이 왕래하여 부유하지 않아도 그 이웃과 함께 하니, 경계하지 않아도 믿는다"는 무슨 뜻입니까?

답하였다: 육사가 끊임없이 왕래하기 때문에 이웃에게 핍박당하여 부유하지 못하게 됩니다. 두려움과 경계를 당하지 않아도 믿어 신뢰한다면, 반드시 서로 만나게 됩니다.〉

김기례(金箕澧) 「역요선의강목(易要選義綱目)」

泰過半則理變將矣, 群陰乘時, 下復之心, 非若富力之取人. 而自有同類, 不待相戒而自有孚應君子, 當知消長之機而爲戒也.

태평함이 반을 지나면 이치가 장차 변하는데, 여러 음이 때를 타서 아래로 되돌아가려는 마음이 부유한 힘으로 사람을 불러 모으는 것만 못하다. 그런데 자연히 함께하려는 무리가 있어서 굳이 서로 경계하지 않아도 스스로 믿어 군자와 호응하니, 마땅히 소장의 기틀을 알아 경계로 삼아야 한다.

○ 陰主富, 故曰不富, 三陰, 同志, 故曰其鄰.

음은 부유함을 주로 하기 때문에 부유하지 않다고 말했고, 세 음은 뜻이 같기 때문에 그 이웃이라고 하였다.

심대윤(沈大允) 『주역상의점법(周易象義占法)』

泰之大壯䷡, 有不實之義. 翩翩, 華而不實之貌. 四以柔才居柔處, 泰之過中, 向衰之時. 少誠實求進之心, 而尚禮儀文采之餙, 治象甚壯而實則衰也. 以陰虛, 處三陽之上, 亦爲无實之義. 三陽皆悅而好之, 自近而遠, 靡然從之, 故曰不富以其鄰. 不富, 不實也, 言文華自近而遠也. 不戒以孚, 言不待敎戒而自然信而化之矣. 震爲鄰, 兌爲戒, 离爲信. 乾之變自兌而离, 以言天下之變化, 故取變也. 夫文華勝而質實亡, 巧僞生而禍患作矣. 歷觀古今, 亦有不然者乎.

태괘가 대장괘(大壯卦䷡)로 바뀌었으니, 내실이 없다는 뜻이 있다. 훨훨 날아 내려오는 것은 화려하지만 내실이 없는 모습이다. 사효는 유약한 재질로써 유약한 자리에 있고 태평함이 가운데를 지나 쇠약해져 가는 때이다. 성실함으로 나아가려는 마음이 없고 예의와 문채로써 아름답게 꾸미는 것을 숭상하여 모양을 꾸미는 것은 매우 장대한 것 같은데 실제로는 쇠약하다. 텅 빈 음으로서 세 양의 위에 있으니, 또한 내실이 없다는 뜻이 된다. 세 양이 모두 기뻐하여 좋아하고 가까운 곳으로부터 멀리까지 휩쓸려 따라가기 때문에 "부유하지 않아도 그 이웃과 함께 한다"고 하였다. 부유하지 않음은 내실이 없는 것이니, 또한 수식하고 꾸밈이 가까운 곳으로부터 먼 곳까지 화려하게 꾸민다는 말이다. "경계하지 않아도 믿는다"는 것은 가르침과 경계를 기다릴 것도 없이 자연히 믿어서 변화시키는 것을 말한다. 진괘는 이웃이 되고 태괘는 경계가 되며 리괘(離卦)는 믿음이 된다. 건괘는 태괘(兌)로부터 리괘(離)로 변화하니, 천하의 변화로써 말했기 때문에 변화를 취하였다. 화려하게 꾸미는 것이 우세하여 내실이 없어지니, 기교와 작위가 생겨나 화와 근심이 일어난다. 고금을 통해 보면 또한 그렇지 않은 것이 있었던가?

오치기(吳致箕) 「주역경전증해(周易經傳增解)」

六四柔順得正, 而下有初九之應. 在陰陽交泰之時, 衆陰翩然連類, 同心從陽. 雖不以富相及, 而其鄰之來, 如趨富利, 不待告戒, 而誠心相交, 得其所願, 故其辭如此.

육사는 유순하여 올바름을 얻었고 아래에 초구의 호응이 있다. 음양이 사귀어 편안해지는 때에 있어 여러 음이 훨훨 날아 아래로 내려오니, 무리지어 함께 한 마음으로 양을 좇는다. 비록 부유함으로 서로 영향을 미치지 않더라도 그 이웃이 오니, 부와 이익에 마음을 기울이는 것처럼 경고와 경계를 기다릴 필요도 없이 진실한 마음으로 서로 사귀어 그 원하는 바를 얻기 때문에 그 효사가 이와 같다.

○ 翩翩, 衆來貌. 富取於對體互巽, 已見小畜九五. 鄰指陰類也, 互兌爲口, 戒言之象. 孚取於坤也. 此爻在剛柔之際, 故特言群陰, 同心下趨之象, 亦戒以无往不復之義, 所以不言占也.
'편편(翩翩)'은 무리가 오는 모양이다. 부유함은 태괘(泰卦䷊)의 음양이 바뀐 괘인 비괘(否卦䷋)의 호괘인 손괘에서 취하였는데, 소축괘 구오에서 이미 나타났다. 이웃은 음의 무리를 가리키고 호괘인 태괘(☱)는 입이 되는데, 말을 경계하는 상이다. 믿음은 곤괘(☷)에서 취하였다. 이 사효는 굳센 양과 부드러운 음 사이에 있기 때문에 특별히 여러 음이 한 마음으로 아래로 향하는 상을 말하였다. 또한 "가서 돌아오지 않는 것은 없다"는 뜻으로 경계하였기 때문에 점을 말하지 않았다.

이진상(李震相)『역학관규(易學管窺)』

六四, 翩翩 [至] 有孚.
육사는 훨훨 날아 내려오니 … 믿음을 갖는다.

翩翩, 廻翔欲集之貌. 陰爻下垂有兩翼之象, 故震爲鵠也. 不當陰之虛乏坤象也, 以其鄰三陰同志故也. 孚亦變坎之體, 而曰不戒以孚, 則四與初孚, 五與二孚, 上與三孚, 不待告戒而皆有中心之願也. 象言失實亦陰虛象.
'편편(翩翩)'은 돌며 날면서 모여드는 모양이다. 음효는 아래로 곧게 드리워진 두 날개가 있는 상이므로 진괘는 '고니[鵠]'가 된다. 음이 비어있고 결핍된 것을 곤괘의 상으로 보면 안 되는 것은 "그 이웃으로써 한다"는 것이 세 음이 같은 뜻이기 때문이다. '믿음[孚]'은 또한 감괘가 변한 몸체이고 "경계하지 않아도 믿는다"고 말한 것은 사효와 초효가 믿음이고 오효와 이효가 믿음이며, 상효와 삼효가 믿음이므로 굳이 경계와 경고를 기다릴 필요도 없이 모두 마음속으로 원함이 있기 때문이다. 「상전」에서 "실질을 잃는다"는 것 또한 음이 비어있는 상이다.

박문호(朴文鎬)「경설(經說)・주역(周易)」

以一卦言之, 則三四爲中, 又甚言之, 則三四之間爲中. 故本義, 於三則云將, 於四則云已. 否之九四註, 亦然.

한 괘로써 말한다면 삼효와 사효는 가운데가 되는데, 더 구체적으로 말한다면 삼효와 사효의 사이가 가운데가 된다. 그러므로 『본의』는 삼효에서 '장차[將]'라고 말했고 사효에서는 '이미[已]'라고 했다. 비괘(否卦) 구사의 주석 또한 그렇다.

理當然, 釋失實句也. 衆所同, 釋心願句也. 理當然, 以其在下言也.
『본의』에서 '이치의 당연함'이라고 한 것은 "실질을 잃었다"는 구(句)를 해석한 것이다. '여러 사람이 함께 하는 것'이란 "마음속으로 원한다"는 구(句)를 해석한 것이다. '이치의 당연함'이란 그것이 아래에 있어야 함을 말한다.

이병헌(李炳憲)『역경금문고통론(易經今文考通論)』

翩翩, 往來貌.
편편(翩翩)은 왕래하는 모습이다.

虞曰, 坤虛無陽, 故不富. 信來〈謂二〉孚邑, 故不戒以孚與比邑人不誡同. 〈戒, 誡同. 二升五, 四得承之〉.
우번이 말하였다: 곤괘는 비고 양이 없기 때문에 부유하지 않다. 미덥게 하여 마을 사람들이 신뢰하므로〈이효를 말한다〉 "경계하지 않아도 믿는다"고 했는데, 비괘(比卦)의 "읍 사람이 경계하지 않는다"[75]는 말과 같다. 〈계(戒)는 계(誡)와 같다. 이효가 오효로 올라가는데 사효가 그것을 잇는다.〉

宋曰, 陰虛陽實, 坤今居上, 故言失實.
송충이 말하였다: 음은 비어 있고 양은 가득 차 있는데, 곤괘가 지금 위에 있기 때문에 실질을 잃었다.

荀九家曰, 陰得承陽, 心之所願也.
『순구가역』에서 말하였다: 음이 양을 받들고자 하는 것은 마음이 원하는 바이다.

---

75) 『周易·比卦』: 九五, 顯比, 王用三驅, 失前禽, 邑人不誡, 吉.

象曰, 翩翩不富, 皆失實也, 不戒以孚中心願也.

「상전」에서 말하였다: "훨훨 날아 내려오니 부유하지 않음"은 모두가 실질을 잃었기 때문이고 "경계하지 않아도 믿음"은 마음속에서 원하기 때문이다.

▌中國大全▌

傳

翩翩, 下往之疾. 不待富而鄰從者, 以三陰在上, 皆失其實故也. 陰本在下之物, 今乃居上, 是失實也. 不待告戒而誠意相與者, 蓋其中心所願故也. 理當然者, 天也, 衆所同者, 時也.

'편편'은 아래로 내려가기를 빠르게 하는 것이다. 부유하기를 기다리지 않고도 이웃들이 따르는 것은 세 음이 위에 있어서 모두 실질을 잃었기 때문이다. 음은 본래 아래에 있는 것인데, 이제 위에 위치하니, 이는 실질을 잃은 것이다. 예고하고 경계하기를 기다리지 않고도 성의로 함께 하는 것은 마음속으로 서로 원하는 바이기 때문이다. 이치가 당연한 것은 천리이고 여러 사람이 함께 하는 것은 시운(時運)이다.

本義

本義陰本居下, 在上爲失實.

음은 본래 아래에 위치해야 하는데 위에 있기 때문에 실질을 잃었다.

小註

雲峯胡氏曰, 以德言, 則凡陽爲實, 陰爲不實. 以位言, 凡陰在上, 皆爲失實也.

운봉호씨가 말하였다: 덕으로써 말하면 양은 실질이 되고 음은 부실(不實)이 된다. 자리로써 말하면 음이 위에 있어서 모두 실질을 잃은 것이 된다.

‖韓國大全‖

김상악(金相岳) 『산천역설(山天易說)』

陰之在上, 爲失實也. 中心願, 出於孚字, 故與中孚九二同辭.

음이 위에 있어 실질을 잃었다. "마음으로 원한다"는 말은 '믿음[孚]'이라는 글자에서 나왔기 때문에 중부괘 구이[76]의 효사와 같다.

김귀주(金龜柱) 『주역차록(周易箚錄)』

傳, 翩翩下往, 云云.

『정전』에서 말하였다: 훨훨 날아 아래로 내려간다, 운운.

○ 按, 理當然, 貼失實而言, 衆所同, 貼中心願而言.

내가 살펴보았다: "이치가 당연하다"는 것은 실질을 잃은 것과 관련지어 말하였고 "무리가 같이 하는 것"은 "마음속으로 원한다"는 것과 관련지어 말하였다.

서유신(徐有臣) 『역의의언(易義擬言)』

皆者, 釋翩翩也, 失實, 釋不富也. 四爲心位, 故曰中心也. 孚出於中心, 不由乎戒告也. 願者, 交泰之願也.

'모두[皆]'는 "훨훨 날아 내려옴"을 해석한 것이고 '실질을 잃음[失實]'은 부유하지 않음을 해석한 것이다. 사효는 마음의 자리이므로 '마음속[中心]'이라고 했다. 믿음은 마음속에서 나오고 경계와 경고함으로부터 나오지 않는다. '원함[願]'은 사귀어 편안해지기를 원함이다.

박문건(朴文健) 『주역연의(周易衍義)』

〈問, 翩翩不富皆失實也. 曰, 翩翩者, 以上而欲制其下也. 不富者, 以上而反受其下之害也. 是上下俱失其相信之道也. 問, 不戒以孚, 中心願也. 曰, 不相戒懼, 反用相信, 則中心之所願也, 更何求哉.

물었다: "훨훨 날아 내려옴과 부유하지 않음은 모두 실질을 잃었다"는 무슨 뜻입니까?

---

76) 『周易·中孚卦』: 九二, 鳴鶴在陰, 其子和之, 我有好爵, 吾與爾靡之.

답하였다: "훨훨 날아 내려옴"은 위에서 그 아래를 재제하고자 하는 것입니다. "부유하지 않음"은 위에서 도리어 그 아래의 위해를 받는 것입니다. 이는 위아래가 모두 서로 믿는 그 도를 잃은 것입니다.

물었다: "경계하지 않아도 믿는 것은 마음속으로 원하기 때문이다"는 무슨 뜻입니까?

답하였다: 서로가 경계하거나 두려워하지 않고 도리어 서로 믿는다면 이는 마음속에서 원하는 바이니, 다시 무엇을 구하겠습니까?〉

오치기(吳致箕) 「주역경전증해(周易經傳增解)」

陽實陰虛, 而三陰之象皆虛, 故曰失實, 而失實, 故欲爲從陽也. 陰與陽交, 自有誠心, 而不待勉強, 故曰中心願也.

양은 가득 차고 음은 비어 있는데, 세 음의 상은 모두 비어 있기 때문에 실질을 잃었고, 실질을 잃었기 때문에 양을 따르고자 하였다. 음과 양이 사귀니 자연히 진실한 마음이 생기고, 억지로 힘씀을 기대하지 않기 때문에 마음속으로 원한다고 말하였다.

六五, 帝乙歸妹, 以祉元吉.

육오는 제을이 여동생을 시집보내니, 복이 있고 크게 길할 것이다.

中國大全

傳

史謂湯爲天乙, 厥後, 有帝祖乙, 亦賢王也, 後又有帝乙. 多士曰, 自成湯至于帝乙, 罔不明德恤祀, 稱帝乙者, 未知誰是, 以爻義觀之, 帝乙, 制王姬下嫁之禮法者也. 自古帝女雖皆下嫁, 至帝乙然後, 制爲禮法, 使降其尊貴, 以順從其夫也. 六五以陰柔居君位, 下應於九二剛明之賢, 五能倚任其賢臣而順從之, 如帝乙之歸妹然, 降其尊而順從於陽, 則以之受祉, 且元吉也. 元吉, 大吉而盡善者也, 謂成治泰之功也.

『사책(史册)』에 탕임금을 일러 천을(天乙)이라 하였고 그 뒤에 제(帝) 조을(祖乙)이 있었으니, 또한 어진 임금이었으며, 뒤에 또 제을(帝乙)이 있었다. 『서경 · 다사(多士)』에 이르기를 "성탕으로부터 제을에 이르기까지 덕을 밝히고 제사를 공경히 받들지 않은 이가 없었다"[77]고 하였으니, '제을'이라 칭한 이가 누구인지 알 수 없으나, 효의 뜻으로 살펴보면, 제을은 임금의 딸을 시집보내는 예법을 제정한 분일 것이다. 예로부터 제왕의 딸을 비록 모두 하가시켰으나, 제을 때부터 예법을 제정해서 그 존귀함을 낮추어 남편에게 순종하게 하였다. 육오가 부드러운 음으로서 임금의 자리에 있어 아래로 구이의 굳세고 밝은 현자에게 호응하니, 오효가 어진 신하에게 의지하고 신임하여 순종하기를 제을이 여동생을 시집보내듯이 하여, 그 높음을 낮추어 양에게 순종하게 하면 복을 받고 또 크게 길할 것이다. '원길(元吉)'은 크게 길하여 지극히 선하니, 태평함을 다스리는 공을 이루었음을 말한다.

小註

建安丘氏曰, 商之君以天干甲乙丙丁爲次. 帝乙, 乃制王姬下嫁之禮者也. 歸者, 嫁也.

---

77) 『書經 · 多士』: 自成湯, 至于帝乙, 罔不明德恤祀.

歸帝之妹則陰雖貴而必下降以就於陽, 乃泰之義. 以此受祉斯獲元吉.

건안구씨가 말하였다: 상나라의 임금은 천간의 '갑을병정'으로 차례를 삼았다. 제을은 곧 임금의 딸을 시집보내는 예를 제정한 사람이다. '귀(歸)'는 시집간다는 말이다. 임금의 여동생을 시집보내는 일은 음이 비록 귀하다하더라도 반드시 아래로 내려와 양에게 나아가니, 곧 태괘의 뜻이다. 이로써 복을 받아 크게 길함을 얻는다.

○ 厚齋馮氏曰, 福祉自天, 泰之時, 天道下濟, 故多以福祉言之.

후재풍씨가 말하였다: '복[福祉]'은 하늘로부터 내려오니, 태평의 때에 천도가 아래로 내려오기 때문에 대부분 '복지(福祉)'로써 말하였다.

本義

以陰居尊, 爲泰之主, 柔中虛己, 下應九二, 吉之道也. 而帝乙歸妹之時, 亦嘗占得此爻, 占者, 如是則有祉而元吉矣. 凡經以古人爲言, 如高宗箕子之類者, 皆放此.

음으로서 높은 위치에 있어 태괘의 주인이 되고 부드럽고 알맞음으로 자기 마음을 겸허히 하여 아래로 구이와 호응하니, 길한 도이다. 제을이 여동생을 시집보낼 때에도 일찍이 점을 쳐서 이 효를 얻으니, 점치는 자가 이와 같이 하면 복이 있어서 크게 길할 것이다. 경문에서 '고인(古人)'을 예로 들어 말했으니, 고종(高宗)과 기자(箕子) 같은 종류도 모두 이와 같다.

小註

朱子曰, 帝乙歸妹, 今人只做道理譬喩推說. 看來須是帝乙嫁妹時, 占得此爻.

주자가 말하였다: '제을귀매'를 지금 사람들은 도리를 비유한 말로 해석해 왔다. 살펴보건대 제을이 여동생을 시집보낼 때 점쳐서 이 효를 얻은 것으로 보아야 한다.

○ 左傳哀公九年, 晉趙鞅卜救鄭. 陽虎以周易筮之, 遇泰之需. 曰宋方吉, 不可與也. 微子, 帝乙之元子也. 宋鄭甥舅也. 祉, 祿也. 若帝乙之元子, 歸妹而有吉祿, 我安得吉焉. 乃止.

『춘추좌전·애공』 9년에 진나라 조앙(趙鞅)이 송나라가 정나라를 정벌하였을 때 정나라를 구할 것인가의 문제와 관련하여 거북점을 쳤다. 사관마다 각각 다르게 해석하므로 양호가 다시 『주역』으로써 점을 쳐서 태괘(泰卦)가 수괘(需卦)로 바뀐 점사를 얻었다. 양호가 "송나라가 바야흐로 길하니, 함께하기가 불가하다. 미자는 제을의 맏아들이다. 송나라와 정나라는 장인과 사위의 나라이다. '지(祉)'는 녹(祿)이다. 만약 제을의 맏아들이 여동생을 시집을 보내 길함과 복이 생겼다면, 우리가 어찌 길함을 얻을 수 있겠는가?"라고 하자 이에 곧 그쳤다.

○ 臨川吳氏曰, 六五以柔中, 應在下之剛中, 帝女下嫁從夫之象. 泰卦互體及卦變皆成歸妹卦, 故以歸妹爲辭. 按, 京房傳載湯歸妹之辭曰, 无以天子之尊而乘諸侯, 无以天子之富而驕諸侯, 陰之從陽, 女之順夫, 天地之義也. 往事爾夫, 必以禮義. 其辭雖善, 要是後世好事者, 假托爲之, 或乃因是遂指帝乙爲湯, 而謂非受辛之父者, 惑矣.
임천오씨가 말하였다: 육오는 부드럽고 알맞음으로 아래의 굳세고 알맞음과 호응하니, 임금이 딸을 시집보내 남편을 따르게 하는 상이다. 태괘의 호체 및 괘의 변화가 모두 귀매괘를 이루므로 귀매를 말로 삼았다. 내가 살펴보건대, 『경방전』에 실려 있는 탕임금이 딸을 시집보낸 말에, "천자의 존엄으로 제후를 업신여기지 말고 천자의 부유함으로 제후를 무례히 대하지 말 것이니, 음이 양을 따르며, 아내가 남편을 따르는 것이 본래 천지의 뜻이다. 가서 너희 남편을 섬기는데 반드시 예의로써 하라"[78]고 하였다. 그 말이 비록 좋더라도 요컨대 후세 호사자들이 가탁하거나 혹은 곧 이로 인하여 마침내 제을을 탕임금으로 지목하고 은나라 마지막 임금인 수(受), 즉 신(辛)의 아버지가 아니라고 말하니, 잘못이다.

○ 雙湖胡氏曰, 證以京房傳, 則帝乙爲湯, 證以陽虎之言, 則帝乙爲紂父. 姑兩存之, 以備參考. 然其爲嫁妹之辭則一耳.
쌍호호씨가 말하였다: 『경방전』에 의하면 제을은 탕임금이고, 양호(陽虎)의 말을 근거로 보면 제을은 주(紂)의 아버지가 된다. 우선 두 가지 설을 보존해 두어 참고하도록 한다. 그러나 여동생을 시집보냈다는 말은 같을 뿐이다.

---

78) 『한상역전』.

韓國大全

송시열(宋時烈) 『역설(易說)』

六五互震兌爲歸妹之象. 六五下嫁於九二, 程傳詳矣. 言以福祉而大吉也. 小象中以行願者, 言居中正之位, 能行其所願也. 所以爲以祉元吉, 占, 亦如之.

육오는 호괘인 진괘(☳)와 태괘(☱)가 귀매(䷵)의 상이 된다. 육오가 구이에게 시집가니, 『정전』에 자세히 나온다. '복[福祉]'을 받아 크게 길함을 말하였다. 「소상전」의 "마음으로 원하는 바를 실천한다"는 것은 중정의 자리에 있어 그 원하는 바를 실천할 수 있는 것을 말한다. 그래서 복을 받아 크게 길한 것이 되니, 점사 또한 그와 같다.

석지형(石之珩) 『오위귀감(五位龜鑑)』

臣謹按, 泰之六五, 蓋以歸妹爲卦. 兌下震上, 而泰之互, 亦兌下震上. 泰之三四相易, 則又爲兌下震上, 故取歸妹之義. 五是王位, 故取王姬下嫁之禮. 而若言其大致, 則陰柔之君, 下應剛明之臣, 共成治泰之功, 以受福祉之象也. 伏願殿下, 內而釐降, 外而任賢, 兼省厥義, 而兩盡其道焉.

신이 삼가 살펴보았습니다: 태괘의 육오는 귀매를 괘로 삼았습니다. 태괘는 아래에 있고 진괘는 위에 있으며, 또한 태괘(䷊)의 호괘는 태괘(☱)가 아래에 있고 진괘(☳)가 위에 있습니다. 태괘의 삼효와 사효가 서로 바뀌면 또한 태괘가 아래에 있고 진괘가 위에 있기 때문에 귀매의 뜻을 취하였습니다. 오효는 임금의 자리이므로 임금의 딸을 시집보내는 예를 취하였습니다. 만약 '크게 이룸[大致]'을 말하자면 육오의 부드럽고 유순한 임금이 아래로 구이의 굳세고 밝은 신하에게 호응하여 태평함을 다스리는 공을 함께 완성함으로써 복을 받는 상입니다. 바라옵건대, 전하께서는 안으로 공주를 이강(釐降)하고 밖으로 어진 이에게 정치를 맡겨서 그 뜻을 함께 살피시어, 양쪽으로 그 도리를 다하시길 바랍니다.

이익(李瀷) 『역경질서(易經疾書)』

婚姻者, 男先於女, 女因而歸也. 堯降二女舜乃尚見, 帝館甥貳室, 意者, 此時禮猶未備. 夏后娶于塗山, 辛壬癸甲則猶未聞女歸之義. 殷制未有考, 至周納采問名納吉納徵請期親迎, 六禮成具. 周監二代, 漸文而郁郁, 則歸妹之禮, 其必至殷略備也. 帝乙殷王也. 據左傳, 微子·帝乙之元子, 是也.

혼인은 남자가 여자보다 앞서니, 여자는 따라서 시집을 간다. 요임금이 두 딸을 순에게 시집 보내자 순이 요임금을 뵈었는데, 사위인 순을 별궁인 이실(貳室)에 머물게 한 것은[79] 생각 하건대 이때까지도 예가 아직 갖추어지지 않았음을 볼 수 있다. 하후가 도산(塗山)에 장가 들었을 때, "신·임·계·갑(辛·壬·癸·甲)을 지냈다"[80]고 한다면 아직도 "여자가 시집 간다"는 뜻을 듣지 못한 것이다. 은나라 예제는 아직 상고할 수 없지만, 주나라에 이르러 납채(納采)·문명(問名)·납길(納吉)·납징(納徵)·청기(請期)·친영(親迎) 등 육례가 다 갖추어졌다. 주나라가 이대(二代)를 거울삼아서 문질(文質)이 점차 빛나고 빛났다면, 귀매 의 예는 반드시 은나라에서도 대략 갖추어졌을 것이다. 제을은 은나라 임금이다. 『좌전』에 서 "미자가 제을의 맏아들이다"라고 한 것이 바로 그 증거이다.

制禮自王者始而周公從之, 故曰帝乙歸妹. 妹者少女也, 詳著本卦, 當互考.
예를 제정하는 일은 임금으로부터 시작하는데, 주공이 그것을 따랐기 때문에 제을이 여동생 을 시집보낸다고 말하였다. 누이는 막내인데, 본괘에서 자세한 것이 드러나니, 마땅히 서로 고찰해야 한다.

심조(沈潮) 「역상차론(易象箚論)」

帝, 君位也, 乙, 震在乙地也. 妹, 陰也, 從未者, 坤在未地也. 大抵上三爻, 皆陰之下復, 帝乙歸妹, 亦是陰之下來. 以尊柔應卑剛, 其義妙哉.
'제'는 임금의 자리이며, '을'은 진(震)이 '을'에 속하는 땅에 있는 것이다. 누이는 음이고 '미 (未)'를 붙인 것은 곤이 '미'에 속하는 땅에 있기 때문이다. 상효와 삼효는 모두 음의 아래로 돌아온 것이고 "제을이 여동생을 시집보낸다"고 한 것 또한 음이 아래로 돌아온 것이다. 존 귀하고 부드러운 음이 낮고 굳센 양과 호응하니, 그 뜻이 오묘하도다!

유정원(柳正源) 『역해참고(易解參攷)』

六五 [至] 元吉.
육오 … 크게 길하다.

王氏曰, 婦人謂嫁曰歸. 泰者, 陰陽交泰之時也. 女處尊位, 履中居順, 降身應二. 感以相

---

79) 『孟子·萬章』: 舜尙見帝, 帝館甥于貳室.
80) 『書經·益稷』: 予創若時, 娶于塗山, 辛壬癸甲, 啓呱呱而泣, 予弗子, 惟荒度土功.

與, 用中行願, 不失其禮. 帝乙歸妹誠合斯義. 履順居中, 盡夫陰陽交配之義, 故元吉也.

왕필이 말하였다: 부인이 시집가는 것을 가리켜 '귀(歸)'라고 한다. 태괘는 음양이 사귀어 태평한 때이다. 여자가 존귀한 자리에서 알맞음을 실천하고 순하게 있으면서 몸을 낮추어 이효와 호응한다. 오효와 이효가 감응하여 서로 함께하니, 마음으로 원하는 바를 행하여 그 예를 잃지 않는다. 제을이 여동생을 시집보낸다는 말이 진실로 이 뜻과 부합한다. 유순함을 실천하고 가운데 있으면서 음양이 사귀어 짝하는 뜻을 다하기 때문에 "크게 길하다"고 하였다.

○ 雙湖胡氏曰, 泰中四爻, 固互歸妹, 而三四爻易位, 亦成歸妹. 歸妹三四爻, 互復爲泰, 泰五卽歸妹之五, 歸妹五卽泰之五, 故其辭同.

쌍호호씨가 말하였다: 태괘의 가운데 네 효는 본래 호괘가 귀매괘인데, 삼효와 사효가 그 자리를 바꾸면 또한 귀매괘가 된다. 귀매괘의 삼효와 사효가 각각 바뀌면 다시 태괘(泰卦䷊)가 되고 태괘 오효는 곧 귀매괘 오효이며, 귀매괘 오효는 곧 태괘 오효이므로 그 효사가 같다.

案, 歸妹三四爻, 復爲泰者, 據卦變自歸妹來而言, 此互字, 非互卦之互.

내가 살펴보았다: 귀매괘 삼효[음효, --]와 사효[양효, -]가 다시 태괘가 된다는 것은 괘의 변화가 귀매괘로부터 온 것에 근거하여 말한 것이니, '호(互)'자는 호괘(互卦)의 호(互)자가 아니다.

김상악(金相岳) 『산천역설(山天易說)』

六五與二爲應, 互爲震兌, 爲帝乙歸妹之象. 降其尊而順於陽, 故以祉而元吉.

육오와 구이는 호응이 되고 호괘는 진괘와 태괘가 되니, 제을이 여동생을 시집보내는 상이 된다. 그 존귀함을 낮추어 양에게 순응하기 때문에 복을 받아 크게 길하다.

○ 帝乙如高宗箕子之類. 帝出于震, 兌爲少女. 而卦變自歸妹而來, 故帝乙歸妹同象. 泰爲帝乙之歸其妹, 歸妹自爲帝乙之妹, 君道婦道之異也. 泰六爻, 雖相應而交, 二五處, 非其位, 故歸妹以祉之吉, 反不如大人休否之吉.

제을도 고종(高宗)과 기자와 같은 무리이다. 임금[帝]은 진으로부터 나오고 태괘는 막내딸이 된다. 괘의 변화가 귀매괘로부터 왔기 때문에 제을이 여동생을 시집보내는 상과 같다. 태괘는 제을이 그 여동생을 시집보내는 것이며, 귀매는 저절로 제을의 여동생이 되니, 임금의 도리와 부녀자의 도리가 다르다. 태괘 여섯 효가 비록 서로 호응하고 사귄다 하더라도 이효와 오효가 맞는 자리가 아니기 때문에 "여동생을 시집보내어 복을 받아 길하다"고 한 것은 오히려 비괘(否卦)의 "비색한 것을 그치게 하니, 대인이 길하다"[81]고 한 것만 못하다.

김규오(金奎五) 「독역기의(讀易記疑)」

六五義, 亦嘗占得此爻. 按, 以卦變則泰之六五, 卽歸妹之六五. 以互卦則泰便是歸妹, 以反對, 則未濟之九四, 實旣濟之九三也. 帝乙高宗筮而得此, 則一之足矣, 不必再筮. 假使再筮, 亦豈必再値本爻, 如是之巧耶. 此深可疑, 无亦此爻自有此象, 故爻辭如彼耶.
육오의 뜻은 또한 점을 쳐서 이 효를 얻은 것이다. 살펴보니 괘의 변화로써 본다면 태괘의 육오는 곧 귀매의 육오이다. 호괘로 본다면 태괘는 곧 귀매괘이고 거꾸로 된 괘로써 보면 미제괘(未濟卦)의 구사(九四)는 실제로는 기제괘(旣濟卦)의 구삼(九三)이다. 제을과 고종이 점을 쳐서 이 효를 얻었다면 한 번으로도 충분하니, 다시 점을 칠 필요가 없다. 가령 두 번 점을 치더라도 어찌 반드시 두 번씩이나 이처럼 교묘하게 본 효를 만나겠는가? 이는 깊이 의심할 만한 하니, 또한 이 효가 저절로 이 상을 가지고 있기 때문에 효사가 저와 같지 않겠는가?

윤행임(尹行恁) 『신호수필(薪湖隨筆)·역(易)』

文王以前, 有爻而無象彖, 則帝乙歸妹之時, 占得泰之六五, 而有何決疑之辭耶. 周禮三易與連山歸藏, 其卦皆八, 則其有繫可知.
문왕 이전에 효만 있었고 「단전」과 「상전」이 없었으니, 제을이 여동생을 시집보내는 때에 점을 쳐서 태괘의 육오를 얻었더라도 어떻게 의심나는 것을 결정하는 말이 있을 수 있겠는가? 『주례』에서 삼역의 하나인 『주역』은 『연산역』, 『귀장역』과 함께 그 괘가 모두 여덟이라고 했으니,[82] 거기에 설명하는 말이 있었음을 알 수 있다.

서유신(徐有臣) 『역의의언(易義擬言)』

二五互歸妹, 故取歸妹象也. 兌爲少女, 然九二非妹, 妹歸於九二也. 夫帝女下嫁, 降屈之象, 貳室館甥, 交孚之象, 備此道者帝乙也. 人君下交賢士而忘其尊貴, 禮洽而情摯者, 宜莫若帝乙歸妹之象矣, 故曰帝乙歸妹以祉也, 兼以福祿歸之也. 此皆喩五與二相交通泰之象, 故元吉也.

---

81) 『周易·否卦』: 休否, 大人, 吉.
82) 『周禮·太卜』: 掌三易之法, 一曰連山, 二曰歸藏, 三曰周易.

이효부터 오효까지의 호괘가 귀매괘이므로 귀매의 상을 취하였다. 태괘는 막내딸이 되나 구이는 여동생이 아니며, 여동생이 구이에게 시집간다. 임금의 딸을 시집보내는 것은 낮추고 굽히는 상이고, 요임금이 사위인 순을 이실이라는 별궁에 머물게 한 것은 사귀어 믿는 상이니, 이 도리를 갖추고 있는 임금은 제을이다. 임금이 아래로 어진 선비들과 사귀어 자신의 존귀함을 잊고 예절이 흡족하여 정이 두터워지는 것은 마땅히 제을이 여동생을 시집보내는 상만 한 것이 없다. 그러므로 "제을이 여동생을 시집보내어 복을 받는다"고 하였고, 겸하여 봉록과 먹을 것을 그에 돌린 것이다. 이것은 모두 오효와 이효가 서로 사귀어 통하는 상을 비유한 것이기 때문에 "크게 길하다"고 하였다.

박문건(朴文健) 『주역연의(周易衍義)』

以柔從剛, 故有婦妹之象. 以祉, 言在中相信, 而用福祉也.

부드러운 음으로서 굳센 양을 따르므로 여동생을 시집보내는 상이 있다. "복이 있다"는 것은 마음으로 서로 믿어 복을 쓰는 것을 말한다.

〈問, 帝乙歸妹, 以祉元吉. 曰, 帝乙殷季世之君. 蓋帝乙歸妹而用泰之五, 歸妹之五, 故周公必取之也. 帝乙歸其妹而以其祉者, 用中故也, 所以大吉.

물었다: "제을이 여동생을 시집보내니, 복이 있어 크게 길할 것이다"는 무슨 뜻입니까? 답하였다: 제을은 은나라 말기의 임금입니다. 제을이 여동생을 시집보내는데 태괘의 오효와 귀매괘의 오효를 썼기 때문에 주공이 반드시 취하였습니다. 제을이 여동생을 시집보내어 복이 있다고 한 것은 알맞음을 쓰기 때문이니, 크게 길하게 된 까닭입니다.〉

이지연(李止淵) 『주역차의(周易箚疑)』

歸妹元吉, 與黃裳元吉, 同.

귀매의 "크게 길하다"는 말은 곤괘(坤卦)의 "노란 치마가 크게 길하다"[83]는 말과 같은 뜻이다.

이항로(李恒老) 「주역전의동이석의(周易傳義同異釋義)」

傳, 帝乙制王姬下嫁之禮法者也.

『정전』에서 말하였다: 제을은 임금의 딸을 시집보내는 예법을 제정한 분일 것이다.

---

83) 『周易·坤卦』: 六五, 黃裳, 元吉.

本義, 帝乙歸妹之時, 亦嘗占得此爻.
『본의』에서 말하였다: 제을이 여동생을 시집보낼 때, 또한 점을 쳐서 이 효를 얻었다.

按, 帝女下嫁, 自古已然. 以堯釐降二女推之, 亦必有禮, 似非帝乙之始制也. 左傳又言帝乙歸妹之占, 故本義徵而爲釋如此.
내가 살펴보았다: 임금의 딸을 시집보내는 것이 예로부터 이미 그러하였다. 요임금이 두 딸을 순에게 시집보내는 것을 미루어 보아도 반드시 예가 있었으니, 제을이 처음으로 제정한 것은 아닌 것 같다. 『좌전』에도 제을이 여동생을 시집보내는 점(占)을 말하고 있기 때문에 『본의』에서 징험하고 이와 같이 해석하였다.

김기례(金箕澧)「역요선의강목(易要選義綱目)」

坤道成女, 故曰歸妹.
곤도(坤道)가 여자를 이루기 때문에 '귀매(歸妹)'라고 하였다.

○ 陰居君位, 下應九二, 倚任順從以成泰道. 如帝乙以妹下嫁, 獲福而行願. 故元吉.
부드러운 음이 임금의 자리에 있어 아래로 구이와 호응하고, 맡기고 순종하여 태평의 도를 이룬다. 마치 제을이 여동생을 시집보내어 복을 얻고 원하는 것을 행하는 것과 같다. 그러므로 크게 길하다.

심대윤(沈大允)『주역상의점법(周易象義占法)』

泰之需䷄, 待人也. 六五以柔居剛求治, 下應於九二, 逸於任賢. 以貴從下, 以陰從陽, 有帝女下降之象. 故曰帝乙歸妹. 祉, 福之址也. 坤艮爲祉, 坤一變爲艮, 以尊貴變爲卑順, 故取變也. 以祉, 言用安順之道, 則元吉也〈舜之恭己, 成康之刑措, 是也〉.
태괘가 수괘(需卦䷄)로 바뀌었으니, 사람을 기다린다. 육오는 부드러운 음으로 굳센 양의 자리에 있어 다스려지는 방도를 구하니, 아래로 구이와 호응하여 어진 이에게 맡겨 편안해 한다. 귀함으로써 아래를 따르고 음으로써 양을 따르니, 임금의 딸이 아래로 내려오는 상이 있다. 그러므로 "제을이 여동생을 시집보낸다"고 하였다. '지(祉)'는 복의 터이다. 곤괘와 간괘는 복이 되는데, 곤괘 삼효가 바뀌면 간괘가 되고 높고 귀함이 바뀌어 낮고 유순함이 되기 때문에 변화를 취하였다. "복이 있다"는 것은 편안하고 순한 도리를 쓰면 "크게 길하게 된다"는 말이다. 〈순임금은 자신을 공손히 하고 성왕과 강왕이 형벌을 쓰지 않았다고 한 것이 이것이다.〉

오치기(吳致箕) 「주역경전증해(周易經傳增解)」

六五柔順得中而居尊, 下有九二剛中之應. 以在上之柔, 交在下之剛, 有帝乙歸妹, 而王姬下嫁之象. 卽泰之善者也, 故言以之受祉, 大善而吉也.

육오는 유순함으로 알맞음을 얻었고 존귀한 자리에 있으면서 아래로 구이의 굳세고 알맞음과 호응한다. 위의 부드러움으로 아래의 굳센 양을 사귀어 제을이 여동생을 시집보내고 임금의 딸이 시집가는 상이 있다. 태괘의 선한 자이기 때문에 그것으로써 복을 받으니, 큰 선이고 길하다고 말하였다.

○ 帝乙, 殷之先王, 始制王姬下嫁之禮者, 故取以爲喩. 而亦以互震互兌, 成歸妹之卦也.

제을은 은나라의 선왕이고 처음 임금의 딸을 시집보내는 예를 제정한 자이므로 비유로써 취하였다.

이진상(李震相) 『역학관규(易學管窺)』

泰互歸妹而三四易, 惟五不易, 故於此言之. 九二居卑而陽健, 六五居上而陰順, 故爲王姬下嫁之象.

태괘의 호괘는 귀매괘인데 삼효와 사효가 바뀌고 오직 오효만 바뀌지 않았기 때문에 여기에서 말하였다. 구이는 낮은데 있지만 양의 강건함이며, 육오는 위에 있지만 음의 유순함이기 때문에 임금의 딸이 시집가는 상이 된다.

박문호(朴文鎬) 「경설(經說)·주역(周易)」

帝乙高宗箕子之占得此爻, 容有此理. 然程傳以貴下賤之義, 亦不可廢也.

제을, 고종, 기자의 점에서 이 효를 얻었다고 하니, 그런 이치가 있을 수 있다. 그러나 『정전』의 귀한 이가 천한 이에게 낮춘다는 뜻 또한 폐할 수 없다.

이병헌(李炳憲) 『역경금문고통론(易經今文考通論)』

孔子曰, 成湯爲帝乙. 〈乾鑿度上〉
공자가 말하였다: 성탕은 제을이다. 〈『건착도(乾鑿度)』상(上)〉

凉傳湯嫁妹之辭曰, 陰之從陽, 女之順夫, 本天地之大義也.
「양전(凉傳)」에서 탕임금이 여동생을 시집보내며 말하였다: 음이 양을 따르고 여자가 남편을 따르는 것은 본래 천지의 대의이다.

虞曰, 祉, 福也.
우번이 말하였다: 지(祉)는 복이다.

荀九家曰, 五下於二, 而得中正, 故曰中以行願也.
『순구가역』에서 말하였다: 오효가 이효보다 낮추고 중정을 얻었기 때문에 마음속으로 원하는 바를 실천한다.

象曰, 以祉元吉, 中以行願也.

「상전」에서 말하였다: "복이 있고 크게 길함"은 마음으로 원하는 바를 실천하기 때문이다.

‖中國大全‖

傳

所以能獲祉福且元吉者, 由其以中道合而行其志願也. 有中德, 所以能任剛中之賢, 所聽從者皆其志願也. 非其所欲, 能從之乎.

복을 얻고 또 크게 길한 까닭은 중도로써 합하여 그 뜻이 원하는 것을 실천하기 때문이다. 중덕(中德)이 있어서 굳세고 알맞은 현자에게 맡길 수 있으니, 듣고 따라가는 것이 모두 그 뜻이 원하기 때문이다. 하고자 하는 바가 아니면 따를 수 있겠는가?

小註

進齋徐氏曰, 中以行願, 居中應二, 行其志願, 非勉强也.

진재서씨가 말하였다: "마음으로 원하는 것을 실천하는 것"은 가운데에 있어 이효와 호응하는 것이며, "그 뜻이 원하는 것을 실천한다"는 것은 억지로 힘쓰는 것이 아니다.

‖韓國大全‖

김상악(金相岳) 『산천역설(山天易說)』

陰陽交泰, 得中而行願也. 四之心, 行之未見也, 五之行, 心之已發也.

음양이 사귀어 태평하니 알맞음을 얻어 원하는 것을 실천한다. 사효의 마음은 행해도 아직 밖으로 드러나지 않았고, 오효의 행함은 마음이 이미 발로되었다.

서유신(徐有臣)『역의의언(易義擬言)』

五中以行願, 故二得尙于中行也.

오효는 마음으로써 원하는 것을 실천하는 것이므로 이효에서 "중도를 실천하는 사람과 짝을 이룰 수 있다"고 하였다.

박문건(朴文健)『주역연의(周易衍義)』

〈問, 中以行願. 曰, 用[84]中德而行受祉之願也.

물었다: "마음으로 원하는 것을 실천한다"는 무슨 뜻입니까?

답하였다: 알맞은 덕을 써서 복을 받을 원함을 실천하는 것입니다.〉

심대윤(沈大允)『주역상의점법(周易象義占法)』

六五, 有堯舜傳輝之象.

육오에는 요임금과 순임금이 천자의 자리를 주고받는 상이 있다.

오치기(吳致箕)「주역경전증해(周易經傳增解)」

所以受祉能大善而吉者, 以其中德相合, 而行志願也.

복을 받아 크게 선하고 길하다고 한 것은 그 알맞은 덕으로써 서로 합하여 뜻이 원하는 것을 실천하기 때문이다.

---

84) 用: 경학자료집성DB에 '川'으로 되어있으나, 경학자료집성 영인본을 참조하여 '用'으로 바로잡았다.

上六, 城復于隍, 勿用師, 自邑告命, 貞吝.

상육은 성이 무너져 해자로 돌아온다. 군대를 쓰지 말고 읍으로부터 명을 고하니 곧더라도 부끄러울 것이다.

中國大全

傳

掘隍土, 積累以成城, 如治道積累以成泰, 及泰之終, 將反於否, 如城土頹圮, 復反于隍也. 上, 泰之終, 六以小人處之, 行將否矣. 勿用師, 君之所以能用其衆者, 上下之情通而心從也, 今泰之將終, 失泰之道, 上下之情不通矣, 民心離散, 不從其上, 豈可用也. 用之則亂. 衆旣不可用, 方自其親近而告命之, 雖使所告命者得其正, 亦可羞吝. 邑, 所居謂親近, 大率告命, 必自近始. 凡貞凶, 貞吝, 有二義, 有貞固守此則凶吝者, 有雖得正亦凶者. 此不云貞凶而云貞吝者, 將否而方告命, 爲可羞吝, 否不由於告命也.

해자를 판 흙이 여러 번 쌓여 성(城)을 이루는 것은 다스리는 도가 누적되어 태평한 때를 만드는 것과 같고, 태평한 때의 마지막에 장차 비색한 데로 돌아가는 것은 성의 흙이 무너져 다시 해자로 돌아오는 것과 같다. 상육은 태괘의 끝인데, 음이 소인으로 여기에 있으니, 행함이 장차 비색하게 될 것이다. "군대를 쓰지 말라"는 것은 임금이 무리를 쓸 수 있는 까닭은 위아래의 정이 통하여 마음으로 따르기 때문인데, 이제 태평한 때가 장차 끝나 가는데 태평한 도리를 잃어 위아래의 정이 통하지 못하고 민심이 떠나고 흩어져 윗사람을 따르지 않으니, 어찌 쓸 수 있겠는가? 쓰면 혼란해진다. 무리를 이미 쓸 수 없다면 가까운 곳으로부터 명을 고해야 하니, 비록 가까운 것이 올바름을 얻더라도 또한 부끄러운 일이다. '읍(邑)'은 거주하는 곳으로 친근한 데를 말하니, 대체로 명을 고함은 반드시 가까운 곳에서부터 시작하여야 한다. '정흉(貞凶)'과 '정린(貞吝)'은 두 가지 뜻이 있으니, 곧고 굳게 지키면 흉하거나 부끄러운 경우가 있고 비록 바른 도리를 얻더라도 또한 흉하거나 부끄러운 경우가 있다. 여기에서 '정흉(貞凶)'이라고 말하지 않고 '정린(貞吝)'이라고 말한 것은 장차 비색해질 때에야 비로소 명을 고하는 것이 부끄러울 만하기 때문이니, 비색함이 명을 고하는 것으로 말미암은 것은 아니다.

本義

泰極而否, 城復于隍之象. 戒占者, 不可力爭, 但可自守, 雖得其貞, 亦不免於羞吝也.

태평함이 다하여 비색해지는 것은 성이 무너져 해자로 돌아가는 상이다. 점치는 자에게 힘으로 다투지 말고 다만 스스로 지켜야 하니, 비록 곧음을 얻더라도 부끄러움을 면하지 못할 것이라고 경계하였다.

小註

朱子曰, 方泰極之時, 只得自治其邑. 程先生說, 民心離散, 自其親近者, 而告命之, 雖正亦吝然. 此時, 只得如此, 雖吝卻未至於凶.

주자가 말하였다: 태평함이 극치에 달할 때에는 다만 그 읍을 스스로 다스릴 수 있다. 정이천은 "민심이 떠나 흩어져 그 가까운 자로부터 명을 고하니, 비록 올바르더라도 또한 부끄럽다"고 말했다. 이러한 때에는 다만 이렇게 하면 되니, 비록 부끄러우나 도리어 흉함에는 이르지 않는다.

○ 建安丘氏曰, 泰過九二, 則曰无平不陂, 過六五, 則曰城復于隍. 泰以二五爲中, 不可過也, 過則否矣. 坤土本在下之物, 在上則有傾頹之理. 復于隍者, 反其本也. 坤上爲泰, 坤下爲否, 此特以陰陽之氣言爾.

건안구씨가 말하였다: 태괘가 구이를 넘어서면 "평평한 것이 기울지 않는 것이 없다"고 했고 육오를 넘어서면 "성이 해자로 돌아간다"고 하였다. 태괘는 이효와 오효를 알맞음으로 삼아 넘어서면 안 되는데 넘어서면 막히게 된다. 곤괘인 토는 본래 아래에 있는 것인데, 위에 있게 되면 기울고 무너지는 이치가 있다. "해자로 돌아간다"고 한 것은 그 근본으로 돌아가는 것이다. 곤괘가 위에 있는 것이 태괘(泰卦)이고 곤괘가 아래에 있는 것은 비괘(否卦)다. 이는 특별히 음양의 기로써 말한 것일 뿐이다.

○ 進齋徐氏曰, 古之人君, 有處泰之時, 忽安逸而不戒, 馴至於喪師敗國, 窮守一邑, 而播告之修, 不能及遠. 雖貞固自保, 卒貽千古之羞者, 蓋不知此爻之義也.

진재서씨가 말하였다: 옛날의 임금이 태평한 시기일 때, 문득 안일함에 빠져 경계하지 않으니, 군대를 잃고 나라가 패망함에 이르러 겨우 한 읍을 지키기도 어려워 임금이 공표하여 하려는 일이 멀리까지 미치지 않는다. 비록 곧고 굳게 스스로를 지킨다고 하더라도 마침내 천고에 부끄러움을 끼치게 되는 것은 아마도 이 효의 뜻을 알지 못했기 때문이다.

○ 趙氏曰, 三上, 各居一卦之極, 故雖應而皆有警戒之辭. 九三之時, 尚可爲也, 故能艱貞則无咎. 上六之時, 不可爲也. 雖自邑告命, 而不免於咎. 此所以貴於制治于未亂, 保邦于未危也歟.

조씨가 말하였다: 삼효와 상효는 위아래 괘의 끝에 위치하므로 비록 호응한다 해도 모두 경계하는 말이 있다. 구삼의 때는 오히려 할 만하므로 어려운 가운데서도 곧음을 지킬 수 있다면 허물이 없게 된다. 상육의 때는 할 수 없는 때이다. 비록 "읍으로부터 명을 고한다"고 하더라도 부끄러움을 면하지 못한다. 이것이 『서경』에서 "혼란이 오기 전에 정책을 시행하고 위태롭기 전에 국가를 보위한다"[85]고 한 까닭일 것이다.

韓國大全

송시열(宋時烈) 『역설(易說)』

上九城與隍, 皆坤艮土之象. 師與邑亦坤象, 城之土復於隍土, 坤之上六, 將下爲初爻. 陰則其象固然小人, 雖消於外而復生於內, 小象其命乱者是也. 勿用師自邑告命者, 君子道長, 除者小人, 不以行師征之, 而小人皆自遠邑告其命而退, 此雖貞正之道, 而將必復生於內, 故其道咎也. 且自邑告命者, 以初爻將生陰者耶. 更商之.

상구의 성과 해자는 모두 곤괘(☷)와 간괘(☶)가 상징하는 토(土)의 상이다. 군대와 읍 또한 곤괘의 상이다. 성의 흙이 해자의 흙으로 돌아오고 곤괘의 상육이 장차 아래로 내려가 초효가 된다. 음은 그 상이 진실로 소인인데, 비록 밖에서 사라진다 해도 다시 안에서 생겨나니, 「소상전」에 "그 명이 어지럽다"고 한 것이 이것이다. "군대를 쓰지 않고 읍으로부터 명을 고한다"고 한 것은 군자의 도가 자라서 제거되는 것은 소인이니, 군대를 움직여서 정벌하지 않아도 되고 소인은 모두 먼 읍에서부터 그 명을 고하여 물러나니, 이것이 비록 곧고 바른 도라 해도 반드시 다시 안에서 생겨나기 때문에 그 도는 부끄럽다. 또한 "읍에서부터 명을 고한다"고 한 것은 초효에서 음이 생기기 때문이 아닌가? 다시 생각해 볼 일이다.

---

85) 『書經·周官』: 王曰, 若昔大猷, 制治于未亂, 保邦于未危.

이익(李瀷) 『역경질서(易經疾書)』[86]

備禦之道, 有城然後有師, 有師然後有命, 闕一不可. 城復于隍, 則廢其物矣. 勿用師, 則怠其事矣, 自邑告命, 則所及者不遠矣. 傳所謂其命亂, 卽指自邑告命. 無城不師, 而但以告命備禦, 豈非亂乎. 凡象傳多槪擧不該稱. 城復于隍, 則包下二句在中, 故云爾.

대비하며 방어할 방법은 성이 있은 이후에 군대가 있고 군대가 있은 이후에 명령을 할 수 있으니, 그 중에 하나라도 결여되면 안 된다. 성이 해자로 돌아오면 그것들을 폐기하는 것이다. "군대를 쓰지 말라"고 한 것은 그 일을 태만하게 여긴 것이고 "읍으로부터 명을 고한다"고 한 것은 명이 미치는 거리가 멀지 않은 것이다. 『정전』에 "그 명이 어지럽다"고 한 것은 곧 읍으로부터 명을 고하는 것을 가리킨다. 성과 군대 없이 다만 명을 고함으로써 침략을 대비하고 방어하려는 것이니, 어찌 혼란스럽지 않겠는가? 「상전」에서는 대부분 효사의 일부분을 들어 말하고 다 말하지 않았다. "성이 해자로 돌아온다"는 것은 아래의 두 구절[87]을 그 가운데 포함하고 있기 때문에 그렇게 말하였다.

심조(沈潮) 「역상차론(易象箚論)」

上六, 城.

상육의 성(城).

土而在高處, 非城乎. 且陰爻有城堞象.

흙이면서 높은 곳에 있는 것이 성이 아닌가? 또 음효에는 성첩(城堞)[88]의 상이 있다.

유정원(柳正源) 『역해참고(易解參攷)』

上六 [至] 貞吝.

상육 … 곧더라도 부끄러울 것이다.

正義, 子夏傳云, 隍[89]是城下池[90]也. 城之爲體, 由基土培扶, 乃得爲城. 今下不培扶城, 則損壞崩倒, 反復于隍, 猶君之爲體, 由臣之輔翼. 今上下不交, 臣不扶君, 君道傾

---

86) 경학자료집성DB에서는 태괘 오효에 해당하는 것으로 분류했으나, 내용에 따라 이 자리로 옮겨 바로잡았다.
87) "군대를 쓰지 말라[勿用師]", "읍으로부터 고한다[自邑告命]" 두 구절을 말한다.
88) 성첩(城堞): 성 위에 나지막하게 쌓은 담을 말한다.
89) 隍: 경학자료집성DB와 영인본에 모두 '堭'으로 되어 있으나, 문맥을 살펴 '隍'으로 바로잡았다.
90) 池: 경학자료집성DB와 영인본에 모두 '地'로 되어 있으나, 문맥을 살펴 '池'로 바로잡았다.

危, 故云城復于隍也.

『정의』에서 말하였다: 『자하전』에 "해자는 성 아래의 못이다"고 하였다. 성이 형체를 갖추는 것은 기초의 흙을 쌓아 올려 북돋우고 떠받쳐야 성이 된다. 이제 아래에서 북돋우고 떠받치지 않으면 훼손되어 무너지고 넘어져 해자로 돌아가니, 임금이 주체가 되어 신하의 보익(輔翼)을 받는 것과 같다. 이제는 위아래가 사귀지 않고 신하가 임금을 떠받치지 않아 임금의 도리가 기울어지기 때문에 "성이 무너져 해자로 돌아간다"고 말하였다.

○ 龜山楊氏曰, 治隍而爲城, 坤土上升之象. 城復于隍, 土復其所之象.

구산 양씨가 말하였다: 해자를 파서 성을 만들고 곤(坤)인 토(土)는 위로 올라가는 상이다. "성이 무너져 해자로 돌아간다"는 것은 흙이 원래 그 자리에 돌아가는 상이다.

○ 東谷鄭氏曰, 往復者, 有是理也, 所以使之然者, 人事也. 處泰之終, 坤體而陰柔, 安得不否. 處否之終, 乾體而陽剛, 安得不傾. 人事天理未有不相符者.

동곡정씨가 말하였다: 왕복은 이 이치를 갖고 있고, 그렇게 만드는 것은 사람의 일이다. 태괘의 끝에 있고 곤체(坤體)이면서 부드러운 음인데, 어찌 비색하지 않겠는가? 비괘의 끝에 있고 건체(乾體)이면서 굳센 양인데, 어찌 기울지 않겠는가? 인사와 천리는 서로 부합하지 않는 것이 없다.

○ 朱子曰, 城復于隍, 須有這箇城底象, 隍底象, 邑底象. 城隍邑在土地, 在坤爻中自有此象.

주자가 말하였다: "성이 무너져 해자로 돌아간다"는 것에는 반드시 이 성의 상, 해자의 상, 읍의 상 등이 있다. 성과 해자, 읍은 땅 위에 있으니, 곤괘의 효 가운데에도 저절로 이러한 상이 있다.

○ 林氏栗曰, 四初升降之始, 故有拔茅翩翩之辭. 二五升降之中, 故有歸妹得尙之義. 三上升降之
極, 故有往復城隍之象.

임율이 말하였다: 사효와 초효는 승강의 시작이기 때문에 "띠의 뿌리를 뽑는다", "훨훨 날아내려온다"는 말이 있다. 이효와 오효는 승강의 가운데이기 때문에 "여동생을 시집 보낸다", "짝함을 얻는다"는 뜻이 있다. 삼효와 상효는 승강의 극한이기 때문에 감과 돌아옴, 성(城)과 해자의 상이 있다.

○ 平庵項氏曰, 凡上爻皆稱邑, 以其旡民也. 泰自邑, 謙征邑, 晉伐邑, 升虛邑, 皆是

也. 非上爻皆稱邑人, 訟比无妄是也.

평암항씨가 말하였다: 상효에서 모두 '읍인(邑人)'이라 하지 않고 '읍(邑)'이라고 칭한 것은 백성이 없기 때문이다. 태괘의 '읍으로부터[自邑]', 겸괘의 '읍을 친다[征邑]', 진괘(晉卦)의 '읍을 정벌한다[伐邑]', 승괘(升卦)의 '빈 읍[虛邑]' 등이 이것이다. 상효가 아닌데도 모두 '읍인(邑人)'을 말한 것은 송괘(訟卦)·비괘(比卦)·무망괘(无妄卦) 등이다.

○ 案, 泰極而至於復隍, 則民心離散, 君道傾危, 征伐不能出於天子, 號令不能行於天下. 而僅自告於親近之邑, 其東周之末乎. 七國紛爭, 不能用師以征之, 天王之尊夷於列國, 而獨有數十殘邑, 雖自守得貞, 安得无羞吝乎.

내가 살펴보았다: 태평함이 다하여 해자로 돌아온다면 민심은 떠나고 임금의 도리는 기울어 정벌은 천자로부터 나올 수 없고, 호령(號令)은 천하에 행할 수 없다. 겨우 친하고 가까운 읍에 스스로 고하니, 동주의 말세를 뜻할 것이다. 칠국(七國)이 분쟁하는데 군대를 써서 정벌하지 못하고 천왕의 존엄성이 떨어져 열국과 같아지며, 홀로 수 십 개의 폐허가 된 읍만 남아있는데, 비록 스스로 지켜 곧음을 얻었다 해도 어찌 부끄러움이 없을 수 있겠는가?

김상악(金相岳) 『산천역설(山天易說)』

居坤之終, 泰極而否, 故有城復于隍之象. 上之與三, 皆陰陽之極, 不成交泰, 其命亂矣. 故勿用師於外, 宜修辭於內. 然貞固守此, 亦不免於吝也.

곤괘의 끝에 있어 태평함이 극에 달하여 비색해지기 때문에 "성이 무너져 해자로 돌아간다"는 상이 있다. 상효와 삼효는 모두 음양의 극한이니, 사귀어 태평함을 이루지 못하여 그 명이 어지럽다. 그러므로 밖에서는 군대를 쓰지 않으며, 안에서는 마땅히 외교 문서를 다듬어야 한다. 그러나 곧고 굳게 이것을 지키더라도 또한 부끄러움을 면하지 못한다.

○ 三奇連於下象城, 三偶分於上象堞也. 隍城池也, 有水曰池, 无水曰隍, 城復于隍. 平者陂矣. 程子曰, 掘隍土積累而成城, 如治道積累而成泰, 及泰之終, 將反於否, 如城土頹圮, 復于隍是也. 師, 坤之衆也, 邑亦坤象. 告命, 乾之言也. 居泰之極, 命令不能下究, 則必至於亂, 故勿用師, 自邑告命. 夫爲五陽已長之時, 而猶云告自邑不利卽戎. 況陰之无位者乎. 三互震體, 有復之象, 此曰勿用師. 故復曰用行師大敗. 又此爻之象與晉上九相類, 以剛居上, 維用伐邑, 故亦有貞吝之戒.

아래에 세 개의 양획(陽畫)이 연이어 있는 것은 성의 상이고 위에 세 개의 음획(陰畫)이 나뉘어 있는 것은 '첩(堞)'의 상이다. 해자는 성의 못인데, 물이 있는 것을 '못[池]'이라 하고 물이 없는 것을 '해자[隍]'라 하였으니, "성이 무너져 해자로 돌아간다"고 한 것은 평평한 것이 기울어진 것이다. 정자는 "해자를 판 흙이 여러 번 쌓여 성(城)을 이루는 것은 다스리는 도[治道]가 누적되어 태평한 때를 만드는 것 같고 태평한 때의 끝에 장차 비색한 데로 돌아가는 것은 성의 흙이 무너져 다시 해자로 돌아가는 것과 같다"고 했다. 군대는 곤괘의 무리이고 읍 또한 곤괘의 상이다. 명을 고하는 것은 건괘의 말이다. 태평함이 극에 있어 명령이 아래로 미치지 않으면 반드시 어지러움에 이르기 때문에 "군대를 쓰지 말라"고 하였고 "읍으로부터 명을 고한다"고 하였다. 쾌괘(夬卦)는 다섯 양이 이미 장성한 때인데도 오히려 "읍으로부터 고하고 군대를 쓰는 것은 이롭지 않다"[91]고 말하였는데, 하물며 지위가 없는 음에 있어서랴. 삼효부터 시작하는 호괘인 진의 몸체에는 '돌아간다[復]'는 상이 있고 여기에서는 "군대를 쓰지 말라"고 하였다. 그러므로 복괘에서 "군대를 움직이면 크게 패한다"[92]고 하였다. 또 여기 상효의 상과 진괘(晉卦) 상구의 상이 서로 비슷한데, 굳센 양이 위에 있어 "오직 읍을 치는데 쓴다"[93]고 하기 때문에 또한 곧더라도 부끄럽다는 경계가 있다.

김귀주(金龜柱) 『주역차록(周易箚錄)』

本義, 泰極而否, 云云.

『본의』에서 말하였다: 태평함이 극에 달하여 비색해진다, 운운.

○ 按, 不能圖治於未亂, 而復隍之際, 始用告命, 固爲羞吝. 然當此時勢, 須如此, 如亂離之中, 時君下哀痛詔, 以冀恢復是也. 豈可坐而待亡乎. 小註朱子說意, 亦如此.

내가 살펴보았다: 아직 어지럽지 않은 데에서 다스림을 꾀하지 못하고, 해자로 돌아가는 사이에 처음으로 명을 고하니, 참으로 부끄럽게 된다. 그러나 이러한 시세를 당하여서는 반드시 이와 같이 해야 하니, 예를 들어 난리 가운데 당시 임금이 아래에 애통해 하는 조서를 보내어 회복되기를 바라는 것이 그것이다. 어찌 앉아서 망하는 것을 기다리겠는가? 소주에서 주자 설명의 의미도 또한 이와 같다.

小註, 趙氏曰, 三上, 云云.

소주에서 조씨가 말하였다: 삼효와 상효, 운운.

○ 按, 雖應之云, 恐未安. 此卦二五外, 皆不取相應之義.

내가 살펴보았다: "비록 호응하나"라고 한 말은 타당하지 않은 듯하다. 이 괘의 이효와 오효 외에는 모두 서로 호응하는 뜻을 취하지 않았다.

91)『周易·夬卦』: 夬, 揚于王庭, 孚號有厲, 告自邑, 不利卽戎, 利有攸往.
92)『周易·復卦』: 上六, 迷復, 凶, 有災眚, 用行師, 終有大敗.
93)『周易·晉卦』: 上九, 晉其角, 維用伐邑, 厲, 吉, 无咎, 貞吝.

박제가(朴齊家) 『주역(周易)』

傳, 大率告命, 必自近始.

『정전』에서 말하였다: 대체로 명을 고함은 반드시 가까운 곳에서부터 시작하여야 한다.

案, 此與邑人不誠相反, 近屬不誠, 無私之至. 自邑告命, 雖貞而吝, 故象傳曰其命亂也. 本義云, 但可自守, 而於象曰命亂, 故復否, 告命, 所以治之也. 然則亂命之外, 復有治命, 恐非經旨.

내가 살펴보았다: 이것은 "읍인이 경계하지 않음"과 더불어 상반되고, 가까운 사람들이 경계하지 않는 것은 사사로움이 없는 것의 지극함이다. 읍으로부터 명을 고하는데 비록 곧더라도 부끄럽기 때문에 「상전」에 "그 명이 어지럽기 때문이다"라고 말하였다. 『본의』에서는 "다만 스스로 지킬 수 있다"고 하였고, 「상전」에 대해서는 "그 명이 어지러워졌기 때문에 다시 비색한데로 돌아오니, 명을 고하는 것은 다스리려 하기 때문이다"고 하였다. 그렇다면 어지러운 명령 이외에 다스리는 명이 따로 있는 것이 아니니, 아마도 경문의 뜻은 아닌 것 같다.

서유신(徐有臣) 『역의의언(易義擬言)』

坤土積之高, 故曰城也. 兌澤應於下, 故曰隍也. 上六之城覆矣, 九三之隍塞矣, 泰極將否之象也. 坤衆不爲乾陽之所用, 故曰勿用師也. 命令不出於乾, 而出於坤, 故曰自邑告命也. 上六九三雖正應, 而無相得之義, 故曰貞吝也.

곤의 토가 높이 쌓였기 때문에 '성(城)'이라 하였다. 태괘의 못은 아래와 호응하므로 '해자'라 하였다. 상육의 성이 무너지고 구삼의 해자가 막히는 것은 태평함이 극에 달하여 비색해지는 상이다. 곤괘의 무리는 굳건한 양에 의해 쓰이지 않으므로 "군대를 쓰지 말라"고 하였다. 명령이 건에서 나오지 않고 곤에서 나왔기 때문에 "읍으로부터 명을 고한다"고 하였다. 상육과 구삼이 비록 정응이라 해도 서로 얻는 뜻이 없기 때문에 "곧더라도 부끄럽다"고 하였다.

박문건(朴文健) 『주역연의(周易衍義)』

爲敵所逼, 故有復隍之象. 隍城下池也. 告, 邑人相告也. 告命者, 告天命之不存也.

적에게 협박당하기 때문에 해자로 돌아가는 상이 있다. 해자는 성 아래의 못이다. 고하는 것은 읍인들이 서로 고하는 것이다. 명을 고한다는 것은 천명이 있지 않음을 고하는 것이다. 〈問, 城復于隍以下. 曰, 城頹復隍, 則見敗必矣. 勿用師, 相攻也, 且邑人相告其必亡. 但用剛固城可也, 若畏懼而用柔, 則益致窮吝也. 自邑告命, 與夬之卦辭告自邑義同

也. 曰, 復之義何. 曰, 處高而頹, 故取反隍之義也.

물었다: "성이 무너져 해자에 돌아온다"고 한 이하는 무슨 뜻입니까?

답하였다: 성이 무너져 해자로 돌아온 것이라면 반드시 패함을 당한 것입니다. "군대를 쓰지 말라"는 것은 서로 공격한 것이고, 또한 읍인이 서로 반드시 망한다고 고한 것입니다. 다만 굳셈을 써서 성을 견고하게 하는 것은 괜찮지만, 만약 두려워하여 유약함을 쓴다면 더욱 궁색함과 부끄러움을 불러 오게 됩니다. "읍으로부터 명을 고함"과 쾌괘의 괘사인 "읍으로부터 고함"은 뜻이 같습니다.

물었다: '돌아온다'는 뜻은 무엇입니까?

답하였다: 높은 곳에 있어 무너졌기 때문에 해자로 돌아간다는 뜻을 쓴 것입니다.)

심대윤(沈大允) 『주역상의점법(周易象義占法)』

泰之大畜䷙, 當升平日久, 恬安弛廢. 上六以柔居柔, 處无事之地, 而下順三陽, 三陽皆强臣大侯, 驕蹇自用. 上六旣无以制也, 唯以爵命土地, 慰悅其心. 天下之土地人民, 皆復爲他人之有, 已不能用其權, 視天下之形, 則城邑連接大畜之象也. 天下之勢, 則土地人民, 本非我有得而還, 失有復之義, 故曰城復于隍. 坤本在下之物, 而處太高則復于下, 取隍土以築城, 城壞而復于隍, 泰之極而復于亂也. 上六下應于三, 有其象. 凡泰之應爻, 皆有剛隔上下交情, 則以恩愛而亦當有禮法分義也. 三六獨无限隔, 故三爲衰之微, 六爲衰之徵. 夫過於恩愛煦沾而无分義, 則紀綱不立, 而狎侮弛慢矣. 艮爲城, 對萃全爲坎艮, 坎爲隍. 上之威法, 不立久矣, 不可遽正, 故曰勿用師. 艮震爲用, 坤爲師, 其令之行者, 惟其私屬, 故曰自邑告命. 邑, 私屬, 諸侯之親附者也. 艮爲邑, 告命, 告命, 告于諸侯也. 皆取艮象者, 明不出于外也. 蓋泰之極, 恩澤太積, 馴致亂堦也, 雖貞而吝矣.

태괘가 대축(大畜卦䷙)괘로 바뀌었으니, 태평성대가 오래되어 편안하고 해이해지기에 이르렀다. 상육은 부드러운 음이 부드러운 곳에 있어 일이 없는 곳에 처하고 아래로 세 양을 따르는데, 세 양은 모두 강한 신하와 큰 제후로서 교만하게 제멋대로 하고 있다. 상육은 이미 제어할 수 없으니, 오직 벼슬과 토지로써만 그 마음을 위로하고 기쁘게 한다. 천하의 토지와 백성들은 모두 다시 타인들이 가지고 있고 자신은 그 권한을 쓸 수 없는데, 천하의 형세를 살펴보면 성과 읍이 나란히 접해있는 대축괘의 상이다. 천하의 세력을 관찰해 보면 토지와 인민은 본래 내가 되돌릴 수 있는 것도 아니고 되돌리려는 뜻도 잃었기 때문에, "성이 무너져 해자로 돌아간다"고 말하였다. 곤괘는 본래 아래에 있는 것인데 가장 높은 곳에 있으면 다시 아래로 돌아가고, 해자의 흙을 취하여 성을 쌓는데 성이 무너지면 다시 해자로 돌아가니, 태평함이 극에 달하여 다시 어지러워진다. 상육은 아래로 삼효와 호응하여 그 상을 갖게 된다. 태괘에서 호응하는 효는 모두 굳센 양이 위아래가 정을 교류하는 것을 막으니, 은혜와 사랑을 쓰기는 하더라도 또한 마땅히 예법으로 분별하는 뜻이 있어야 한다. 그런데 삼효와 상효만이 막히는 것이 없기 때문에 삼효는 쇠약해지는 기미가 되고 상효도 쇠약해지는 증거가 된다. 은혜와 사랑이 지나쳐 너무 친밀하게 되어 분별하는 뜻이 없어지면, 기강이 서지 않아 업신여기고 모멸하며 해이해지고 거만해진다. 간괘는 성(城)이 되고 태괘의 음양이 바뀐 비괘(否卦䷋)의 상효가 바뀌면 취괘(萃卦䷬)가 되는데, 전체적으로는 큰 감괘[大坎]와 큰 간괘[大艮]의 상이 되니, 감괘는 해자가 된다. 윗사람의 위엄 있는 법이 확립되지 않은지 오래되어 갑자기 바로 잡을 수 없기 때문에 "군대를 쓰지 말라"고 하였다. 간괘와 진괘는 쓰임이 되니, 곤괘는 군대가 되며, 그 명령이 행해지는 것이 오직 사적인 것이기 때문에 "읍으로부터 명을 고한다"고 하였다. 읍은 사사로운 무리이니, 제후와 가까운 자이다. 간괘는 읍이 되고 명을 고하는 것이 되니, "명을 고한다"는 것은 제후에게 고하는 것이다. 모두 간괘의 상에서 취한 것이라고 한 것은 밖에서 나온 것이 아니라는 것을 명확히 한 것이다. 태평함이 극에 달하면 은택이 너무 쌓여 세상이 어지러워지는 단서가 점차로 나오게 되니, 비록 곧더라도 부끄럽다.

김기례(金箕澧) 「역요선의강목(易要選義綱目)」

上六, 城復于隍.

상육은 성이 무너져 해자로 돌아간다.

泰[94]極則否, 內體過半, 則如平之陂, 外體過半則如城之復.

태평함이 다하여 비색해지기 시작하니, 내체(內體)가 반을 지났다면 평평한 것이 기운 것과 같고 외체(外體)가 반을 지났다면 성이 무너진 것과 같다.

○ 道積成泰, 如土積成城, 而及否則如城圮及于隍.

도가 쌓이어 태평함을 이루는 것은 흙을 쌓아 성을 완성하는 것과 같고, 비색함에 이르는 것은 성의 흙이 무너져서 다시 해자로 돌아가는 것과 같다.

勿用師. 自邑告命.

군대를 쓰지 말라. 읍으로부터 명을 고한다.

處泰安逸, 則道否衆散, 以至喪師, 故曰勿用師.

태평한데 처하여 안일하면 도가 막혀 무리들이 흩어지고 군대를 잃는 지경에 이르므로 "군대를 쓰지 말라"고 하였다.

---

94) 泰: 경학자료집성DB와 영인본에 모두 '참(參)'으로 되어 있으나, 문맥을 살펴 '태(泰)'로 바로잡았다.

○ 僅保一邑, 播告不能遠及, 雖貞且吝.

겨우 한 읍을 지키기도 어려워 임금이 공표하여 하려는 일이 멀리까지 미치지 않으니, 비록 곧더라도 부끄럽게 된다.

○ 坤土, 故曰城, 曰隍. 坤爲邑, 故曰自邑.

곤(坤)인 토(土)이기 때문에 '성'이라 말하고 '해자'라 말하였다. 곤괘는 읍이 되기 때문에 '읍으로부터'라고 말하였다.

오치기(吳致箕) 「주역경전증해(周易經傳增解)」

上六, 居坤陰之終, 當泰之極而將反於否, 如掘隍築城, 而城圮則土復于隍矣. 治否之道, 不可用師衆而尙其威武, 當先自私邑播告而備虞. 然時當否來, 其所告命, 雖使得正而亦可羞吝. 此切戒之辭也.

상육은 곤괘 음의 끝에 있어 태평함이 극한에 달하여 장차 비색해지려고 하니, 해자를 파서 성을 쌓았지만 성이 무너지자 흙이 해자로 돌아가는 것과 같다. 비색함을 다스리는 도리는 군대와 무리를 써서 그 위엄과 무력을 숭상해서는 안 되고, 마땅히 먼저 사읍으로부터 명령을 내려 우환에 대비해야 한다. 그러나 비색함이 도래하는 때를 맞이하였으므로 명을 고하는 바가 비록 바르더라도 또한 부끄러울 수 있다. 이는 간절히 경계하는 말이다.

○ 城隍取象於坤, 而師邑亦皆坤象也. 告取互兌, 命取於對體互巽也. 聖人以泰極否來之理, 始戒于九三, 終又極言於上六, 其愛陽之意, 至深切矣.

성과 해자는 곤괘에서 상을 취하고 군대와 읍 또한 모두 곤괘의 상이다. 고함은 호괘인 태괘를 취하였고 명은 태괘의 음양이 바뀐 비괘(否卦)의 호괘인 손괘에서 취하였다. 성인은 태평함이 극하면 비색함이 온다는 이치로써 처음에는 구삼에서 경계하였고, 끝에서는 또한 상육에서 극력히 말하였으니, 양을 아끼는 뜻이 지극히 깊고 간절하다.

이진상(李震相) 『역학관규(易學管窺)』

上六, 城復 [至] 貞吝.

상육, 성이 돌아간다 … 곧더라도 부끄럽다.

坤土上升則爲城, 下降則爲隍. 城圮爲隍, 乃泰極必否之象. 凡坤體上爲城, 中爲邑, 下爲隍. 上六仍坤而不能變下爻之坎, 故曰勿用師. 在下爻, 則稱邑人, 如訟比无妄, 而在上爻, 則只稱邑, 謙晉升皆是也. 命, 乾象, 乾之當命而坤反, 不亦亂乎.

곤(坤)인 토(土)가 상승하면 '성(城)'이 되고 하강하면 '해자[隍]'가 된다. 성의 흙이 무너져 해자가 되니, 곧 태평함이 극에 달하면 반드시 비색해지는 상이다. 곤체(坤體)가 위에 있는 것이 성이 되고 가운데 있는 것이 읍이 되며 아래에 있는 것이 해자가 된다. 상육은 곤괘에 있으면서 아래 효의 감괘를 바꿀 수 없기 때문에 "군대를 쓰지 말라"고 하였다. 하효에 있다면 '읍인'이라 칭하니 마치 송괘·비괘·무망괘 같은 것들이고, 상효에 있다면 다만 '읍'이라고만 칭하니 겸괘·승괘 등이 모두 이것이다. '명(命)'은 건괘의 상이니, 건괘가 명해야 하는 것인데 곤괘가 반대한다면 어지럽지 않겠는가?

박문호(朴文鎬) 「경설(經說)·주역(周易)」

本義, 分作兩事, 程傳合作一事, 而諺讀不從何哉. 下文命亂之讀, 亦然.

『본의』에서는 두 가지 일로 나누었고 『정전』에서는 합하여 한 가지 일로 하였는데, 『언해』에서 따르지 않은 것은 무엇 때문인가? 아래 글에서 '명란(命亂)'을 읽는 것 또한 그렇다.

이병헌(李炳憲) 『역경금문고통론(易經今文考通論)』

孟曰, 隍, 城池也.

맹희가 말하였다: 해자[隍]는 성의 못이다.

鄭曰, 壑也,

정현이 말하였다: 도랑[壑]이다.

王曰, 否道已成, 命不行也.

왕필이 말하였다: 비색한 도가 이미 이루어졌으니, 명령이 행해지지 않는다.

象曰, 城復于隍, 其命亂也.

「상전」에서 말하였다: "성이 무너져 해자로 돌아옴"은 그 명이 어지럽기 때문이다.

中國大全

傳

城復于隍矣, 雖其命之亂, 不可止也.

성이 해자로 돌아가니, 비록 그 명이 어지러워졌다 해도 그 명을 그치게 할 수 없다.

本義

命亂, 故, 復否. 告命, 所以治之也.

"명이 어지러워졌기" 때문에 비색한데로 돌아갔다. "명을 고하는 것"은 다스리는 방법이다.

小註

雲峯胡氏曰, 告命以治之, 則不付之於不可爲也.

운봉호씨가 말하였다: "명을 고하여 다스린다"는 것은 할 수 없다고 해서 포기하지 않는 것이다.

○ 建安丘氏曰, 泰通也. 卦以小往大來爲義, 故內三陽爻屬泰, 外三陰爻屬否. 初九言拔茅, 則君子進用之始. 九二言包荒, 則大臣致泰之功. 九三言无平不陂, 則世道盛衰消長之會. 此三爻皆以泰言也. 至六四言翩翩不富, 則泰已過中, 而否欲來之時也. 六五言帝乙歸妹, 則人君保泰之事. 上六言城復于隍, 則泰轉而爲否矣. 天下豈有常泰之時乎?

건안구씨가 말하였다: 태는 통합이다. 괘사에서 "작은 것이 가고 큰 것이 온다"는 것을 뜻으로 삼았기 때문에, 내괘 세 양효는 태괘에 속하고 외괘 세 음효는 비괘에 속한다. 초구에 "띠의 뿌리를 뽑는다"고 한 것은 군자가 나아가 쓰이는 처음이다. 구이의 "거친 것을 포용한다"는 것은 신하가 태평의 공을 이룬 것이다. 구삼의 "평평한 것은 기울지 않는 것이 없다"는 것은 세도의 성쇠와 소장(消長)의 만남을 가리킨다. 이 세 효는 모두 태괘로써 말하였다. 육사에서 "훨훨 날아 내려온다"고 한 것은 태괘가 이미 가운데를 지나 비색함이 닥치는 때이다. 육오의 "제을이 여동생을 시집보낸다"는 것은 임금이 태평한 일을 보전하려는 것이다. 상육의 "성이 무너져 해자로 돌아간다"고 한 것은 태평함이 비색으로 전환됨을 말한다. 천하에 어찌 항상 태평한 때만 있겠는가?

○ 誠齋楊氏曰, 乾坤開闢之世乎. 屯蒙洪荒之世乎. 需養結繩之世乎. 訟師阪泉涿鹿之世乎. 畜履書契大法之世乎. 泰通堯舜雍熙之世乎. 過此而後, 泰而否, 否而泰. 一治一亂, 治少亂多, 泰豈可復哉. 故曰泰其上古之極治歟.

성재양씨가 말하였다: 건괘와 곤괘는 개벽의 세계일 것이다. 준괘와 몽괘는 개벽 직후의 혼돈과 질박한 태고의 세상일 것이다. 수괘는 결승(結繩)을 만들어 쓰던 세상일 것이다. 송괘와 사괘는 염제와 황제가 싸우던 들판[阪泉]과 황제가 치우와 싸운 벌판[涿鹿]의 세계일 것이다. 소축괘와 리괘(履卦)는 서계(書契)를 만들어 쓰던 대법(大法)의 세계일 것이다. 태괘는 요순[雍熙]시대와 같은 태평의 세계일 것이다. 이후로부터 태평은 비색함이 되고 비색은 태평함이 되었다. 한번 다스려지면 한번 혼란스러워지는데, 다스림이 적고 혼란이 많았으니, 어찌 태평함이 회복되겠는가? 그러므로 "태평성대는 상고시대의 지극한 다스림일 것이다"라고 말하였다.

○ 厚齋馮氏曰, 自乾坤之後, 始涉人道, 經歷六坎, 險阻備嘗. 內有所畜, 外有所履, 然後致泰, 而泰之後, 否卽繼之. 以此知斯人之生, 立之難而喪之易, 國家之興成之難而敗之易, 天下之治, 致之難而亂之易. 此又序易者之深意, 而亦天地自然之理也.

후재풍씨가 말하였다: 건괘와 곤괘 이후로 처음으로 인도(人道)를 언급하기 시작하였다. 여섯 개의 감(坎)[95]을 거쳐 오면서 험난함을 다 겪게 된다. 안으로는 저지하는 바가 있고 밖으로는 밟는 바가 있은 이후에 태평함을 이루며, 태평한 이후에는 비색함이 뒤따른다. 이로써 사람의 생을 확립하기는 어려우나 잃기는 쉬우며, 국가의 흥성을 이루기는 어려우나 무너지기는 쉬우며, 천하의 다스림을 이루기는 어려우나 혼란해지기가 쉽다는 것을 알아야 한다. 이것이 또한 『주역』의 차례를 정한 자의 깊은 뜻이고 천지자연의 이치이다.

---

95) 육감(六坎): 준·몽·수·송·사·비괘 등 여섯 괘에 공통적으로 감괘가 들어가 있다

┃韓國大全┃

김장생(金長生) 『주역(周易)』

泰, 上六象, 命亂.

태괘 상육의 「상전」에서 말하였다: 명이 어지럽기 때문이다.

傳義不同. 傳則其命之擾亂言之, 不可止也, 亂多也. 義則其命令雜亂, 故復否, 與告命之命不同. 『정전』과 『본의』가 다르다. 『정전』은 "그 명이 어지럽다"는 것으로 말했는데, "그칠 수 없다"는 말은 매우 어지럽다는 것을 말한다. 『본의』는 그 명령이 여기저기서 나왔기 때문에 비색한 데로 돌아간다고 했으니, 명을 고한다는 명과 다르다.

유정원(柳正源) 『역해참고(易解參攷)』

城復 [至] 亂也.

성이 돌아온다 … 어지럽기 때문이다.

正義, 若敎命不亂, 臣當輔君, 猶土當扶城. 由其命錯亂, 下不奉上, 猶土不培城, 使復于隍. 故其命亂也.

『정의』에서 말하였다: 만약 교명(敎命)이 어지럽지 않으면 신하는 마땅히 임금을 보좌해야 하는데, 흙이 성을 떠받치는 것과 같다. 그 명이 어그러져 혼란해짐으로 말미암아 아래 사람이 윗사람을 받들지 않는 것은 흙으로 성을 북돋우지 않아 해자로 돌아가는 것과 같다. 그러므로 그 명이 어지럽다.

○ 案, 泰之將終, 城復于隍, 則上下不通, 民不從上命, 是之謂其命亂也. 而自邑告命, 猶有治否之心. 亂字中含包治亂之亂字意思.

내가 살펴보았다: 태평함이 장차 끝나가고 성이 무너져 해자로 돌아간다면 위아래가 통하지 않고 백성들이 윗사람의 명령을 따르지 않으니, 이것을 "그 명이 어지럽다"고 말한다. 그리고 "읍으로부터 명을 고한다"고 한 것은 오히려 비색함을 다스리려는 마음이 있다. '난(亂)'자는 "어지러움을 다스린다"고 한 뜻으로서의 '난(亂)'자의 뜻을 포함하고 있다.

傳, 雖其 [至] 止也.

『정전』에서 말하였다: 비록 … 그치다.

案, 亂字當句. 蓋言雖其命之亂, 亦不可止其命也, 故有自邑告命之辭.

내가 살펴보았다: '난(亂)'자에서 구절을 끊어야 한다. 비록 그 명이 어지럽다고 해도 또한

그 명을 그치게 할 수 없기 때문에, "읍으로부터 명을 고한다"는 문장이 있다는 말이다.

김상악(金相岳) 『산천역설(山天易說)』

惟其命亂, 所以復否. 否之四則將變爲泰, 故曰有命无咎.

오직 그 명이 어지러워 다시 비색해진다. 비괘(否卦)의 사효는 장차 변하여 태괘가 되기 때문에 "명이 있으면 허물이 없다"고 말하였다.

김규오(金奎五) 「독역기의(讀易記疑)」

上六象傳, 解其命이 當作其命이라도.

상육의 「상전」에서 '그 명이'라고 해석한 것은 마땅히 "그 명이라도" 라고 해야 한다.

김귀주(金龜柱) 『주역차록(周易箚錄)』

按, 其命之命, 非指告命, 蓋謂天命也. 泰之時是天命之新, 否之時是天命之亂, 恐當如是看.

내가 살펴보았다: 「상전」에서 "그 명한다"는 '명'은 효사의 "명함을 고하는 것"을 가리키는 것이 아니라 천명을 말한다. 태평한 때에는 천명이 새롭고 비색한 때에는 천명이 어지러우니, 마땅히 이와 같이 보아야 할 듯하다.

서유신(徐有臣) 『역의의언(易義擬言)』

自陰而出, 知其命之亂也.

음으로부터 나오니, 그 명(命)이 어지러울 것을 안다.

강엄(康儼) 『주역(周易)』

上六, 象曰 [止] 其命亂也.

상육, 「상전」에 말하였다 … 그 명이 어지럽기 때문이다.

按, 其命推本而言, 告命據今而言, 觀本義似然.

내가 살펴보았다: '그 명'은 근본을 미루어 말한 것이고, 효사에서 "명을 고한다"고 한 것은 지금에 의거해 말한 것이니, 『본의』를 보면 그런 것 같다.

박문건(朴文健) 『주역연의(周易衍義)』

其命亂, 言所受之命已亂也.

"그 명이 어지럽다"고 한 것은 받은 명이 이미 어지럽다는 것을 말한다.

이지연(李止淵) 『주역차의(周易箚疑)』

志氣驕泰, 衆畔親離, 擧烽而諸侯不至, 會旅而前徒倒戈, 安能用師. 无已則有一焉. 鑿斯池築斯城, 與民守之而民不去, 則幸也.

의지와 기운이 교만하고 태평하면 무리들이 모반하고 친한 이들이 떠나니, 봉화를 올려도 제후들이 달려오지 않고, 군대를 모으더라도 앞에 있던 무리들이 창을 거꾸로 잡는데, 어찌 군대를 쓸 수 있는가? 맹자는 "그만두지 않는다면 한 가지 방법이 있다. 이 못을 파고 이 성을 쌓아 백성들과 함께 지켜 백성들이 떠나지 않는다면 다행이다"[96]라고 하였다.

이항로(李恒老) 「주역전의동이석의(周易傳義同異釋義)」

傳, 城復于隍矣, 雖其命之〈當句〉, 亂不可止也.

『정전』에서 말하였다: 성이 무너져 해자로 돌아가니, 비록 명하더라도〈마땅히 여기까지 구절로 해야 한다〉어지러움을 그치게 할 수 없다.

本義, 命亂, 故復否. 命所以治之也.

『본의』에서 말하였다: "명이 어지러워졌기" 때문에 비색한데로 돌아갔다. "명을 고하는 것"은 다스리는 방법이다.

按, 若從傳, 則諺解當曰, 其命이라도 亂也ㅣ리라, 不當曰其命이 亂也ㅣ라. 若從本義, 則當曰其命이 亂也ㅣㄹ시라. 文順意長, 恐當如此.

내가 살펴보았다: 만약 『정전』을 따른다면 우리말 풀이는 "그 명이 있더라도 어지러울 것이다"라고 말해야지 "그 명이 어지럽다"고 말해서는 안 된다. 『본의』를 따른다면 "그 명이 어지럽기 때문이다"라고 해야 한다. 이렇게 보아야 문장이 순조롭고 뜻이 더 뚜렷하니, 아마도 이와 같이 해야 할 것이다.

---

96) 『孟子·滕文公』: 孟子對曰, 是謀, 非吾所能及也, 無已則有一焉, 鑿斯池也, 築斯城也, 與民守之, 效死而民弗去, 則是可爲也.

김기례(金箕澧) 「역요선의강목(易要選義綱目)」

命亂, 故告命而思治也..

명이 어지러우므로 명을 고하여 다스릴 것을 생각한다.

贊曰, 陽進則難, 拔茅以征, 陰退則易, 翩翩然輕. 泰道則難, 天地裁成, 否道則易, 隍復其城.

찬하여 말하였다: 양이 나아가기는 어려워서 띠의 뿌리를 뽑듯 함께 나아가며, 음이 물러나기는 쉬워서 훨훨 날듯이 가볍다. 태평함을 이루는 도리는 어려워서 천지를 마름질하여 완성하는 일과 같고, 비색해지는 도리는 쉬워서 그 성이 다시 해자로 돌아간다.

심대윤(沈大允) 『주역상의점법(周易象義占法)』

命, 爵命也.

명은 작위를 내리는 명이다.

오치기(吳致箕) 「주역경전증해(周易經傳增解)」

所以告命者, 由時之亂也.

명을 고하는 까닭은 때가 어지럽기 때문이다.

이진상(李震相) 『역학관규(易學管窺)』

其命亂.

그 명이 어지럽다.

已亂而治亂曰亂. 人君之於國, 無束手待亡之理. 泰極而圮, 亂生而不可止, 亦當告命以治之. 力行善政, 猶可以少支, 孟子之告滕文, 是也.

이미 어지러워져 어지러움을 다스리는 것을 '난(亂)'이라고 말한다. 임금이 나라를 다스리는데 속수무책으로 망하기만을 기다리는 이치는 없다. 태평함이 극에 달하여 무너져 어지러움이 생겼는데도 그치게 할 수 없지만, 그렇더라도 마땅히 명을 고해서 다스려야 한다. 힘써 좋은 정치를 하면 오히려 다소 지탱할 수 있으니, 맹자가 등문공(滕文公)에게 고한 것이[97] 이것이다.

---

97) 『孟子·滕文公』: 孟子對曰, 是謀, 非吾所能及也, 無已則有一焉, 鑿斯池也, 築斯城也, 與民守之, 效死而民弗去, 則是可爲也.

한국주역대전 3 송괘 · 사괘 · 비괘 · 소축괘 · 리괘 · 태괘

초판 인쇄 2017년 8월 10일
초판 발행 2017년 8월 30일

엮 은 이 | 한국주역대전 편찬실
펴 낸 이 | 하운근
펴 낸 곳 | 學古房

주   소 | 경기도 고양시 덕양구 통일로 140 삼송테크노밸리 A동 B224
전   화 | (02)353-9908 편집부(02)356-9903
팩   스 | (02)6959-8234
홈페이지 | http://hakgobang.co.kr
전자우편 | hakgobang@naver.com, hakgobang@chol.com
등록번호 | 제311-1994-000001호

ISBN   978-89-6071-683-4 94140
         978-89-6071-680-3 (세트)

값 : 1,250,000원 (전14책)

이 도서의 국립중앙도서관 출판예정도서목록(CIP)은 서지정보유통지원시스템 홈페이지
(http://seoji.nl.go.kr)와 국가자료공동목록시스템(http://www.nl.go.kr/kolisnet)에서 이용하
실 수 있습니다. (CIP제어번호 : CIP2017021425)